D1359232

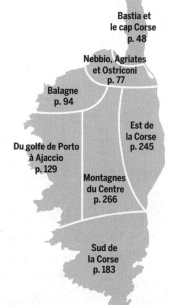

**Bastia et
le cap Corse
p. 48**

**Nebbio, Agriates
et Ostriconi
p. 77**

**Balagne
p. 94**

**Est de
la Corse
p. 245**

**Du golfe de Porto
à Ajaccio
p. 129**

**Montagnes
du Centre
p. 266**

**Sud de
la Corse
p. 183**

TOUT POUR S'ORGANISER
Location de voiture, lignes de train,
organismes à connaître

ÉDITION ÉCRITE ET ACTUALISÉE PAR

Jean-Bernard Carillet
Olivier Cirendini

Bienvenue en Corse

Un cadre naturel incomparable

La mer ou la montagne ? La question que se posent de nombreux vacanciers à l'heure de choisir une destination trouve en Corse une réponse définitive : les deux ! Pics montagneux et baies profondes, criques préservées et forêts d'altitude, maquis, lacs glaciaires, plages de sable fin et curiosités géologiques... la Corse est un livre de géographie grandeur nature. On y découvre même un étonnant "désert" et des sites naturels classés sur la liste du patrimoine mondial de l'Unesco. Sertis dans ce cadre magnifique, des villages du bout du monde, aux ruelles serrées et bordées de demeures de granite impressionnantes, se laissent approcher par des routes sinueuses.

Une culture et un patrimoine à découvrir

La culture corse est riche, dense, profonde. La vivacité des traditions s'exprime au travers de nombreux festivals (de chant polyphonique, par exemple) qui valorisent l'identité insulaire. Les fêtes religieuses, et plus particulièrement Pâques et l'Assomption, donnent lieu à des processions hautes en couleur. Côté patrimoine, la Corse ravira les passionnés d'architecture avec ses chapelles et ses églises aux styles variés (roman, pisan, baroque), ses

Rebelle et ensorcelante, aussi insaisissable que séduisante, la Corse enchante par la beauté de ses paysages et la vitalité de sa culture. Farniente, excursions ou loisirs sportifs, ce joyau insulaire se prête à toutes les découvertes.

(à gauche) Le port de Propriano au soleil couchant (p. 185)
(ci-dessous) L'est de la Corse, souvent délaissé, recèle quelques trésors, comme ces vasques dans la vallée du Travo (p. 263)

villes fortifiées (les citadelles de Corte, Bastia, Ajaccio, Calvi, Bonifacio) et ses magnifiques tours génoises qui ponctuent le littoral. On remonte encore plus loin dans le temps avec les sites archéologiques de Cauria, près de Sartène, et de Filitosa, au-dessus du golfe du Valinco, qui rassemblent d'étonnants vestiges mégalithiques, et sur celui de Levie dans l'Alta Rocca. D'excellents musées, à Bastia, Corte et Ajaccio, complètent cet éventail culturel. Savourer la cuisine insulaire fait également partie des expériences à ne pas manquer.

Une palette d'activités

Chaque année, des milliers de randonneurs viennent se frotter au célèbre GR®20, qui traverse l'île du nord au sud, ou aux itinéraires Mare a Mare® et Mare e Monti®, plus courts et plus faciles, sans parler des innombrables possibilités de balades familiales, en forêt, dans le maquis ou le long du littoral. Le canyoning, l'escalade, les balades équestres (en forêt ou sur les plages), le VTT et les parcs aventure, dans lesquels on joue à Tarzan au milieu des pins laricios, drainent également un public nombreux. Côté mer, la richesse des fonds marins fait le bonheur des plongeurs, avec un bel éventail de sites (épaves, tombants) disséminés autour de l'île. Les merveilles cachées de la côte se dévoilent idéalement à bord d'un kayak ou d'un voilier.

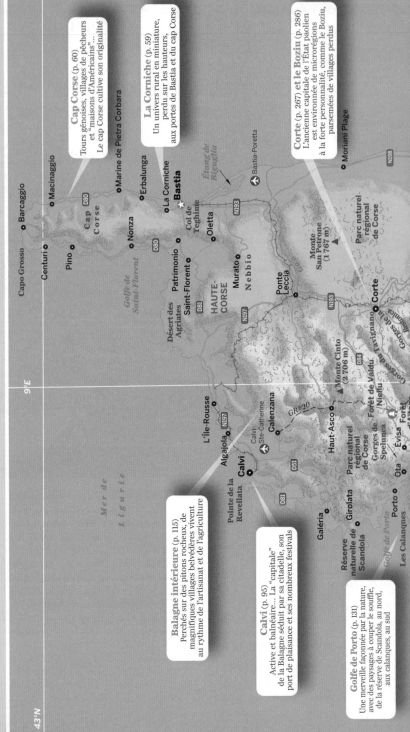

Corse

Les incontournables ›

Cap Corse (p. 60)
Tours génoises, villages de pêcheurs et "maisons d'Américains"... Le cap Corse cultive son originalité

La Corniche (p. 59)
Un univers rural en miniature, perdu sur les hauteurs, aux portes de Bastia et du cap Corse

Corte (p. 267) et le Boziu (p. 286)
L'ancienne capitale de l'État paoli est environnée de microrégions à la forte personnalité, comme le Boziu, parsemées de villages perdus

Balagne intérieure (p. 115)
Perchés sur des pitons rocheux, de magnifiques villages belvédères vivent au rythme de l'artisanat et de l'agriculture

Calvi (p. 95)
Active et balnéaire... La "capitale" de la Balagne séduit par sa citadelle, son port de plaisance et ses nombreux festivals

Golfe de Porto (p. 131)
Une merveille façonnée par la nature, avec des paysages à couper le souffle, de la réserve de Scandola, au nord, aux calanques, au sud

Capo Grosso • Barcaggio
Capo Grosso • Centuri • Macinaggio
Cap Corse D80
Pino •
Marine de Pietra Corbara
Nonza • Erbalunga
Golfe de Saint-Florent
Patrimonio • La Corniche ★ Bastia
Désert des Agriates Saint-Florent
HAUTE-CORSE
Murato • Nebbio
Oletta
Col de Teghime
Étang de Biguglia
✈ Bastia-Poretta
N193
Ponte Leccia N197
Monte San Petrone (1767 m) ▲
Parc naturel régional de Corse
N193
Corte
N198
Moriani Plage

Mer de Ligurie
L'Île-Rousse N197
Algajola
Pointe de la Revellata
Calvi ✈ Calvi-Ste-Catherine
Calenzana
GR®20 ▲ Monte Cinto (2706 m)
Haut-Asco
Parc naturel régional de Corse
Gorges de Spelunca
Forêt de Valdu Niellu D84
Évisa
Ota
Galéria
Girolata
Réserve naturelle de Scandola
Porto
Golfe de Porto
Les Calanques
D81 D51
Gorges de la Restonica

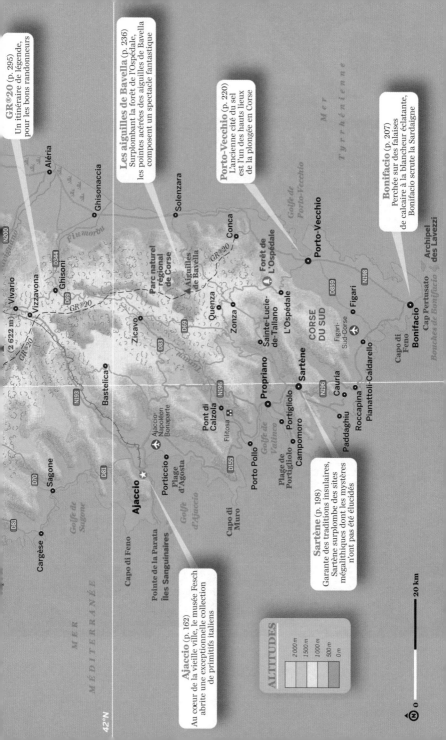

GR®20 (p. 295)
Un itinéraire de légende, pour les bons randonneurs

Les aiguilles de Bavella (p. 236)
Surplombant la forêt de l'Ospédale, les pointes acérées des aiguilles de Bavella composent un spectacle fantastique

Porto-Vecchio (p. 220)
L'ancienne cité du sel est l'un des hauts lieux de la plongée en Corse

Bonifacio (p. 207)
Perchée sur des falaises de calcaire à la blancheur éclatante, Bonifacio scrute la Sardaigne

Ajaccio (p. 162)
Au cœur de la vieille ville, le musée Fesch abrite une exceptionnelle collection de primitifs italiens

Sartène (p. 198)
Garante des traditions insulaires, Sartène surplombe des sites mégalithiques dont les mystères n'ont pas été élucidés

42°N

MER MÉDITERRANÉE

Mer Tyrrhénienne

Aléria
Ghisonaccia
Solenzara
Vivario
Vizzavona
(2 622 m)
Ghisoni
Conca
Zicavo
Bastelica
Quenza
Zonza
Forêt de L'Ospédale
Porto-Vecchio
Sainte-Lucie-de-Tallano
L'Ospédale
Propriano
Sartène
Figari
Bonifacio
Ajaccio
Porticcio
Porto Pollo
Campomoro
Paddaghju
Roccapina
Pianattoli-Caldarello
Cauria
Capo di Feno
Cap Pertusato
Archipel des Lavezzi

Parc naturel régional de Corse
Aiguilles de Bavella
GR®20

CORSE DU SUD

Cargèse
Sagone
Capo di Feno
Pointe de la Parata
Îles Sanguinaires
Golfe de Sagone
Golfe d'Ajaccio
Capo di Muro
Plage d'Agosta
Pont di Calzola
Filitosa
Portigliolo
Plage de Portigliolo

Golfe de Valinco

Golfe de Porto-Vecchio
Bouches de Bonifacio

Fiu morbu
Tavignano

N200
N193
N196
N198
D859
D69
D344
D69
D83
D155
D81
D70
D81

Ajaccio-Napoléon Bonaparte
Figari-Sud-Corse

ALTITUDES
2000 m
1500 m
1000 m
500 m
0 m

20 km

N
0

24 FAÇONS DE VOIR LA CORSE

Calvi et sa citadelle

1 Au pied de la citadelle, le port de plaisance de Calvi (p. 95) est l'un des grands pôles d'attraction touristique de l'île. Cafés et restaurants s'alignent sur le quai, dont les vastes terrasses côtoient les yachts. La façade rose vif de l'église Sainte-Marie-Majeure, au-dessus du port, ajoute une note de gaieté.

Les paysages du cap Corse

2 Découvrez les paysages sauvages du cap Corse (p. 60), cette "île dans une île" traversée par une crête rocheuse. Un maquis vert et odorant recouvre ses collines, montagnes et vallons. Avec ses tours génoises, ses marines, ses ports de pêche, ses villages perchés et ses "maisons d'Américains", le cap Corse est une étape incontournable de votre séjour sur l'île de Beauté.

La tour de Losse, l'une des nombreuses tours génoises qui émaillent le cap Corse

Le golfe de Porto

3 Petit port de pêche devenu une station balnéaire sans grand charme, Porto (p. 133) conserve toutefois un site exceptionnel. Perchée sur un éperon rocheux, sa tour génoise, l'une des rares en Corse à être carrée, garde l'entrée du petit golfe de Porto, une merveille façonnée par la nature, encadré par les majestueux pics déchiquetés du Capo d'Orto, à 1 294 m.

JEAN-BERNARD CARILLET

Les aiguilles de Bavella

4 Les aiguilles de Bavella se dressent dans le massif boisé de l'Alta Rocca (p. 231), l'un des plus beaux sites de la montagne corse. Ces étonnantes pointes de porphyre rouge sculptées par l'érosion culminent à 1 596 m. Si elles ne sont pas les plus hautes, elles sont sans doute les plus spectaculaires. On en oublierait presque la présence de l'homme tant cette nature fascine. Le village de Zonza, au pied des aiguilles

Ajaccio et les îles Sanguinaires

5 Devenue la première ville de Corse grâce à un décret de son enfant le plus célèbre, Napoléon Bonaparte, Aiacciu (p. 162) ne manque pas d'attraits. Certains ne jurent que par son atmosphère décontractée, d'autres par son musée Fesch ou par ses restaurants. Tous s'accordent sur un point : la ville fait la joie des amateurs de littoral avec son front de mer, la longue plage du Ricanto et les îles Sanguinaires. À quelques kilomètres du centre, ces îlots protégés qui ponctuent la pointe de la Parata doivent leur nom à la couleur rouge de la roche qui les compose et sont un refuge de choix pour les oiseaux marins. La citadelle d'Ajaccio

Traversée de l'île avec le GR®20

6 C'est un véritable mythe auprès de milliers de randonneurs. Traversant l'île en diagonale, de Calenzana à Conca, le GR®20 (p. 295) offre un autre regard sur la géographie corse, quasi aérien et résolument montagnard – même si la côte se laisse souvent apercevoir à l'horizon. Flirtant avec les sommets, cherchant souvent la difficulté, cet itinéraire de haut vol est à réserver aux marcheurs aguerris. Les autres trouveront leur bonheur dans de nombreuses balades et sentiers moins sportifs, mais tout aussi riches de promesses, comme les Mare a Mare® et les Mare e Monti®.

OLIVIER CIRENDINI/LPI

Les falaises de Bonifacio

7 Bonifacio (p. 207) s'accroche toujours à ses spectaculaires falaises de calcaire blanc. Sculptées par le vent et les embruns, elles abritent des calanques, des criques et des plages au décor féerique. On aimerait ne pas trop en dire et ne pas trop en montrer pour garder intact votre émoi lorsque vous découvrirez la "Gibraltar corse". Juste ceci : c'est depuis le pont d'un bateau qu'elle est la plus ravissante...

Les richesses de l'Alta Rocca

8 Beauté du décor, richesse du patrimoine, belles opportunités de loisirs sportifs... Le massif surplombant le sud de l'île est un monde à part qui se prête à toutes les envies. Aussi âpre sur ses sommets que doux sous le couvert de ses forêts de pins laricios, l'Alta Rocca est sillonné de sentiers de randonnée et de rivières propices au canyoning. Blottis dans ce décor, les villages de granite appellent à découvrir la culture insulaire et recèlent quelques trésors, comme le musée de Levie et sa Dame de Bonifacio, plus vieux vestige humain découvert en Corse.

Le village de Levie

JEAN-BERNARD CARILLET/LP

Plongée et snorkeling aux îles Lavezzi

9 La Corse réserve des surprises jusqu'à ses extrémités les plus éloignées. Dernier bastion de terre corse avant la Sardaigne, les îles Lavezzi (p. 216) sont l'occasion d'un tour en mer à la journée jusqu'à ce petit paradis protégé entre ciel et mer. Érodée par le vent et par la mer, la roche claire prend ici des formes d'écailles de monstres marins se découpant sur des eaux oscillant entre le turquoise et le bleu outremer. L'idéal pour une sortie en snorkeling... Hormis l'île Cavallo, refuge de la jet-set, les Lavezzi sont accessibles en bateau depuis le port de Bonifacio.

Les plages de Porto-Vecchio

10 Ah ! les plages corses. Souvent comparées à celles de destinations beaucoup plus exotiques, elles justifient pleinement leur réputation. Aux abords de Porto-Vecchio notamment, les golfes et les plages déclinent à l'envi sable blanc et eaux turquoise. La plage idyllique de Palombaggia (p. 226), bordée de pins d'un vert éclatant, déploie un long ruban de sable blanc ponctué de rochers rouges et baigné par une mer transparente. C'est la plus prisée de Corse du Sud. Lovée dans une magnifique baie circulaire de sable blanc, bordée de pinèdes, la plage de Rondinara (p. 220, photo ci-dessous) est abritée des vents et attire les plaisanciers en saison.

Chapelles du Boziu

11 Aux portes de Corte, la région montagneuse du Boziu (p. 286) dissimule d'étonnantes chapelles nichées au bout d'étroites routes de montagne. L'une des plus remarquables est la chapelle San-Nicolao, à Sermano, décorée de fresques du XVe siècle d'une poignante sensibilité. Celle de San-Quilico se distingue par la finesse des sculptures de son schiste clair, tandis que la chapelle Santa-Maria-Assunta de Favallelo (p. 286, photo ci-dessous) abrite des fresques que les connaisseurs apprécieront à leur juste valeur. L'occasion d'échapper aux foules pour découvrir une enclave montagneuse délaissée par les itinéraires touristiques.

DAVID TOMLINSON/LPI

La tour de la Pietra

12 S'ils ont laissé un souvenir amer et douloureux, les Génois ont également cédé à la Corse l'un de ses éléments patrimoniaux les plus distinctifs : des dizaines de tours de surveillance, rondes ou carrées, hautes d'une quinzaine de mètres. Bâties pour prévenir les attaques par la mer, elles servaient de moyen de communication grâce à un système de feux, visibles de l'une à l'autre. À L'Île-Rousse (p. 110), la tour de la presqu'île de la Pietra est l'une des 67 tours encore visibles en Corse, sur les 85 construites à l'époque génoise. Les tours de Porto (p. 133), Campomoro (p. 60) et Santa Maria (p. 67), sur le cap Corse, comptent également parmi les plus belles.

Le village de Pigna

13 La désertification des villages n'est pas une fatalité. Pigna (p. 119) en est un exemple vivant. Perché sur les montagnes de Balagne, ce bourg doit son renouveau, depuis les années 1970, à une maire dynamique et à une poignée d'artistes et d'artisans, qui lui ont donné un nouveau souffle. Potiers, sculpteurs, peintres, luthiers, musiciens… la visite du village est un hommage vivant à la culture traditionnelle corse. Pigna serait par ailleurs un sérieux prétendant si le titre du plus beau village de Corse devait être décerné…

Le palais Fesch à Ajaccio

14 Oncle de Bonaparte, Joseph Fesch (1763-1839) était un homme d'Église – il fut nommé cardinal en 1803 – mais aussi un amateur d'art éclairé. Ajaccio lui doit l'exceptionnel musée (p. 165) qui porte son nom, rouvert au public après plusieurs années de rénovation. Au cœur de la vieille ville, il conserve un millier des 16 000 toiles qui auraient constitué la collection du cardinal, qu'il céda à la ville à la fin de sa vie, après avoir été disgrâcié par Bonaparte. Des œuvres de Botticelli, Titien ou encore Véronèse y côtoient des toiles d'inspiration napoléonienne.

OLIVIER CIRENDINI/LPI

Baignades dans les vasques de rivière

JEAN-BERNARD CARILLET

15 Qui a dit que la baignade devait se limiter à la "grande bleue" ? L'île est sillonnée de dizaines de rivières dont les eaux fraîches sont un vrai bonheur en été, lorsque la côte est surfréquentée. Dans la vallée du Manganellu (p. 290, photo ci-contre) et de la Restonica (p. 276), elles sont ponctuées de superbes vasques, véritables piscines naturelles, souvent accessibles par de courtes balades ou au fil des randonnées (attention aux glissades !). L'un des secrets de la Corse, et un refuge des insulaires pour éviter la foule estivale…

Notre-Dame-de-la-Serra

16 À la sortie de Calvi vers la pointe de la Revellata, l'église Notre-Dame-de-la-Serra (p. 103) fait face à la Méditerranée. L'atteindre nécessite une petite heure de marche, récompensée par la vue, particulièrement belle en fin de journée, lorsque les lumières de Calvi s'allument en contrebas.

DAVID TOMLINSON/LPI

Spécialités corses

17 Un voyage sur l'île ne saurait être complet sans goûter le brocciu, le *figatellu* et la *pulenta*… Parfumée comme le maquis, la cuisine corse (p. 358) doit son goût à ses savoir-faire ancestraux et à ses produits phares. Tête de liste, la charcuterie de montagne est traditionnellement élaborée à partir de la viande des cochons coureurs, élevés aux glands et aux châtaignes. Le brocciu, de décembre à juillet, est un fromage frais fabriqué à partir de petit lait. Confitures, miels et vins sont aussi à découvrir.

JEAN-BERNARD CARILLET

Corte

18 Aussi éloignée de la mer qu'il est possible de l'être sur l'île, Corte (p. 267) fait figure de gardienne de l'identité corse. Pendant des siècles, sa magnifique citadelle a commandé le centre géographique de l'île. Juchée comme un nid d'aigle sur un promontoire rocheux, la ville a été de toutes les batailles et fut le principal bastion de résistance de l'intérieur de l'île contre l'occupation génoise, concentrée sur les côtes. Juste retour des choses, c'est dans cette ville historique, agréable et accueillante, que fut créée en 1981 l'Université de Corse.

Les sites archéologiques de Cauria

19 La région de Sartène abrite les plus anciens vestiges d'occupation humaine sur l'île. S'ils n'ont pas livré tous leurs secrets aux scientifiques – quelle était leur fonction ? quelle est leur symbolique ? – les dolmens et les alignements de menhirs du plateau de Cauria (p. 203) n'en méritent pas moins la visite pour leur atmosphère particulière. Plus grand témoignage mégalithique de Corse, le dolmen de Funtanaccia est lourd d'une quinzaine de tonnes et aurait été érigé vers 4 000 avant J.-C. Les menhirs de Stantari (photo ci-dessous), non loin, valent également le coup d'œil.

L'austère Sartène

20 Sartène (p. 198), "la plus corse des villes corses" selon Prosper Mérimée – une citation qui fait la fierté de la ville –, dresse sur un éperon rocheux ses imposantes demeures de granite sombre, que relient passerelles, venelles et autres passages voûtés. Elle jette ainsi un regard lointain sur le golfe du Valinco.

Bastia

21 L'église Saint-Jean-Baptiste, qui domine le vieux port, est l'image la plus célèbre de Bastia (p. 51). L'intérêt de la ville ne se limite cependant pas à cette imposante façade baroque. Bâti dans une crique étroite chargée d'histoire où pêcheurs et plaisanciers, Bastiais et touristes se retrouvent dans une joyeuse animation sur fond de façades colorées, le vieux port est le cœur de la deuxième ville de l'île. Gentiment anarchique, méditerranéenne et populaire, Bastia sait séduire ceux qui prennent le temps de se plonger dans son atmosphère.

JEAN-BERNARD CARILLET

Les plages de l'Ostriconi et des Agriates

22 Entre la Balagne et les Agriates, l'Ostriconi (p. 91) se distingue par ses longues plages, surveillées en été et particulièrement adaptées aux enfants. Certains avancent que le sable qui les couvre serait l'un des plus fins du monde... Il n'en fallait pas plus pour assurer la réputation des lieux, superbes mais très fréquentés en été. L'étonnant "désert" des Agriates, non loin, dissimule pour sa part deux autres sublimes plages, moins faciles d'accès : les plages du Lodo (p. 81) et de la Saleccia (p. 81). La plage de l'Ostriconi

Nonza

23 La façade jaune et orangée de l'église Sainte-Julie de Nonza (p. 75) n'est que l'un des sites qui justifient un arrêt dans ce bourg du cap Corse. Bâti sur un spectaculaire piton rocheux flanqué d'une tour génoise, au-dessus d'une plage de galets noirs, Nonza est l'un des points forts du cap. Prenez le temps de découvrir les peintures et les sculptures qui ornent les murs et le plafond de l'église, d'arpenter les ruelles pentues montant à l'assaut de la tour et de boire un verre sur la place ombragée du village.

S^{TE} JULIE

La réserve de Scandola

24 Inscrite par l'Unesco sur la liste du patrimoine mondial de l'humanité, en même temps que les calanques de Piana (p. 146) et le site de Girolata (p. 132), la réserve naturelle de Scandola (p. 131) doit une part de sa beauté à son isolement, qui l'a tenue à l'écart de la fréquentation et des promoteurs. Accessible principalement par la mer, cette réserve de 920 ha de terre et 1 000 ha d'espace maritime, créée en 1975, offre des paysages grandioses et des fonds marins d'une biodiversité remarquable.

EMILY RIDDELL/LPI

Envie de...

Baignade

Comment résister à la tentation d'une baignade sur l'une des nombreuses plages de rêve que compte l'île, ou dans une vasque de rivière à l'eau cristalline ?

Plage de la Saleccia Sur la côte agriate, cette magnifique plage longue de 1 km a servi de cadre au film *Le Jour le plus long* (p. 89).

Plage de Rondinara Une anse de rêve entre Bonifacio et Porto-Vecchio (p. 220)

Plage de Palombaggia Perle du littoral corse, au sud de Porto-Vecchio, elle a des allures tropicales : eau turquoise et ruban de sable fin (p. 226).

Plage de Tamarone Tout au nord, enchâssée dans un décor sauvage, c'est la plus belle du cap Corse (p. 67).

Plage de Portigliolo Au sud d'Ajaccio, elle a la faveur des hédonistes, tout comme ses voisines (p. 196).

Vasques de la Solenzara Des petites plages au bord de magnifiques piscines naturelles (p. 263).

Vasques du Tavignano Une vallée accessible à pied uniquement, avec des petits bassins aux eaux cristallines (p. 278).

Routes pittoresques

Avec son relief très accidenté et ses nombreuses microrégions, l'île n'est pas avare en routes offrant des paysages à couper le souffle.

De Porto au col de Verghio Un itinéraire sinueux traversant villages de caractère et forêts paisibles (p. 139)

Le tour du Boziu À l'est de Corte, il offre des points de vue imprenables, et vous pourrez visiter de belles églises romanes (p. 286).

De Santa Severa à Pino La D180 est une petite route ponctuée de hameaux paisibles qui traverse le cap Corse de part en part (p. 65).

Les calanques De Piana à Porto, par la D81. La route la plus spectaculaire, en corniche, au milieu d'un exceptionnel décor minéral (p. 144).

Les aiguilles du massif de Bavella Vues de la D268, entre Solenzara et le col de Bavella, elles offrent un panorama époustouflant (p. 236).

La route des artisans Aventurez-vous dans la Balagne intérieure pour découvrir la richesse des traditions artisanales corses, et l'art de vivre dans des villages pleins de cachet (p. 115 et encadré p. 116).

Adrénaline

La Corse offre largement de quoi faire le plein de sensations fortes. L'île de Beauté est un paradis pour les amateurs de loisirs nature.

Escalade et via ferrata Les passionnés d'escalade se donnent rendez-vous dans la vallée de l'Asco (p. 284), équipée d'une superbe via ferrata.

Eaux vives À Aléria, pourquoi ne pas remonter le cours du Tavignano à bord d'un kayak ? (p. 259). Ou vivre des sensations fortes dans les canyons du massif de Bavella, réputé pour le canyoning... (p. 236)

Balade à cheval Au trot dans les châtaigneraies, de village en village, dans la Castagniccia (p. 249). Vous trouverez des centres d'équitation dans de nombreux endroits de l'île.

Planche à voile et kitesurf La plage de Piantarella (p. 217) et la plage de la Tonnara (p. 207), près de Bonifacio, sont les meilleurs spots de l'île.

Parc aventure Ce loisir d'un nouveau genre vous permettra de jouer à Tarzan dans la vallée de la Solenzara ou dans la forêt de Vizzavona (p. 263 et p. 291).

Ski et raquettes Oui oui, on peut skier en Corse ! La forêt de Valdu Niellu, dans la vallée du Niolo, offre quelques belles pistes de ski de fond (p. 281).

» Une promenade équestre sur la plage de Cateraggio. Les centres proposent des parcours adaptés aux parents et aux enfants.

Plongée

Si vous êtes un adepte de la plongée, vous trouverez votre bonheur ; si vous n'avez jamais plongé, c'est le moment ! La Corse présente des sites magnifiques pour cette activité.

Îles Lavezzi Dans cet archipel tout simplement paradisiaque pour pratiquer la plongée, vous pourrez aller taquiner les mérous dans une mer bleu turquoise (p. 33 et 211).

Golfe de Porto Un lieu hautement réputé pour ses sites spectaculaires (p. 37 et 135), près de la réserve de Scandola.

Golfe du Valinco D'excellente réputation. Un beau relief sous-marin, et des criques sécurisées parfaites pour les débutants (p. 35 et 186).

Golfe d'Ajaccio Des plongées spectaculaires, surtout dans le sud. Sites pour tous les niveaux (p. 36 et 167).

Golfe de Lava Pour confirmés. Le Banc provençal est l'une des plus belles plongées de Corse (p. 36).

Golfe de Saint-Florent Falaises et failles constituent la plupart des sites, assez fréquentés (p. 39 et 78).

Bastia Pour les amateurs d'épaves principalement ; ses site en recèlent plusieurs, sur fond de sable (p. 39 et 53).

Amuser ses enfants

La Corse offre toutes sortes d'activités pour les enfants ; vous ne serez pas souvent en manque d'inspiration pour les occuper.

Balade à dos d'âne ou de poney Pendant que vous marchez, votre enfant vous suit à dos d'âne ; de nombreux centres sur l'île proposent cette activité appréciée des bambins.

Plongée Des cours d'initiation existent pour les enfants ; renseignez-vous auprès des centres nautiques. Le snorkeling est également une possibilité très intéressante pour eux, pour une première découverte des fonds marins.

Parc aventure Un parcours réservé aux enfants existe souvent dans les parcs aventure, pour jouer à Tarzan.

Plage Voici une activité qui ne se démode jamais ; un après-midi à la plage, à faire des pâtés de sable et à se baigner. Beaucoup de plages corses sont sûres pour les enfants.

À la ferme Assister à la traite des chèvres, rencontrer un cochon et caresser les chevaux… Certaines fermes ouvrent leurs portes le matin, tout exprès pour les enfants.

Patrimoine religieux

Diverses influences ont enrichi le patrimoine religieux corse au fil des siècles. Les nombreux édifices qui s'égrènent le long des routes et des paysages sont autant de témoins de l'histoire de l'île.

Église San-Michele-de-Murato Une très belle église polychrome de style roman, sur les hauteurs du Nebbio (p. 87).

Castagniccia Cette région recèle des églises baroques de toute splendeur (p. 249). Visitez l'église Saint-Jean-Baptiste de La Porta, un chef-d'œuvre.

Nebbio La cathédrale du Nebbio (p. 79), à Saint-Florent, est un très bel exemple d'architecture pisane, qui mérite très certainement le détour.

Boziu Les églises du Boziu (p. 286), à l'est de Corte, sont des trésors d'art et d'architecture romane. Certaines de ses chapelles et sa "cathédrale du Boziu" sont de véritables bijoux, avec de magnifiques fresques.

Église Saint-Jean-Baptiste de Bastia. Elle domine le vieux port de la ville de sa haute façade et de ses deux clochers. Une visite de son intérieur s'impose, pour ses marbres, sa tribune d'orgues et ses peintures (p. 51).

Envie de... dîner sur une plage ?

Bien sûr les menus des paillotes laissent souvent à désirer, mais le cadre et l'ambiance promettent des moments inoubliables, comme dans le golfe de Santa Manza (p. 219).

Sorties en mer

Les beautés du littoral corse ne se découvrent pas mieux qu'à l'occasion d'une belle excursion en bateau.

Scandola/golfe de Porto Des bateaux vous conduisent sur les plus beaux sites de la réserve de Scandola, une merveille de la nature, aujourd'hui très préservée (p. 132).

Agriates Louez un bateau à moteur et explorez les criques sauvages. C'est le meilleur accès aux plus belles plages. Vous pouvez aussi opter pour le kayak de mer (p. 89).

Macinaggio À bord de la vedette San Paulu, mettez le cap sur les îles Finocchiarola, qui abritent une réserve naturelle exceptionnelle (p. 67).

Golfe d'Ajaccio Faites une croisière au coucher du soleil dans ce golfe magnifique, avec les somptueuses îles Sanguinaires en arrière-plan (p. 167).

Bonifacio/Lavezzi Vue de la mer, Bonifacio est encore plus impressionnante. Les îles Lavezzi ne sont accessibles que par bateau (p. 211).

Golfe du Valinco Une escapade dans ce golfe somptueux vous fera découvrir des plages de rêve ; c'est aussi l'occasion de faire des arrêts snorkeling (p. 186).

Randonnée

La randonnée pédestre est l'activité phare sur l'île. En plus du mythique GR®20 (p. 295), il existe de nombreuses balades plus accessibles.

Le GR®20 (p. 295). Une randonnée mythique et une expérience magique, au cœur de l'île. Vivez-la dans son intégralité (16 jours) ou choisissez certaines étapes.

Cap Corse À l'extrémité nord du cap, suivez le sentier des Douaniers (p. 67).

Nebbio Longez le littoral entre la plage du Lodo et celle de la Saleccia (p. 90).

Golfe de Porto Au sud, découvrez les calanques de Piana (p. 144) et le Capo Rosso (p. 143). Au nord, du col de la Croix, descendez jusqu'au hameau de Girolata porte de la réserve de Scandola (p. 133).

Alta Rocca On accède facilement à la cascade de Piscia di Gallo (p. 233).

Extrême sud de l'île Longez les falaises de Bonifacio jusqu'au phare de Pertusato (p. 218), en dominant les bouches de Bonifacio.

Castagniccia La randonnée est le meilleur moyen de s'aventurer sous le couvert des forêts de la région (p. 249).

Produits du terroir

La liste des produits locaux est aussi longue qu'alléchante : charcuterie, miels, vin d'orange, liqueur de myrte ou d'orange, ratafia, muscat, apéritif, cédrats confits, vins, huile d'olive, châtaigne, gâteaux secs, fromages... Privilégiez l'achat chez les producteurs.

Fromage De délicieux fromages artisanaux de brebis et de chèvre sont produits sur toute l'île. Le *brocciu*, un fromage frais, entre dans la composition de nombreuses spécialités corses.

Vin Quelques vins corses sont d'excellent qualité. Il existe en revanche peu de vins de garde.

Miel Goûtez au *mele di Corsica*, l'une des fiertés de l'île : un miel AOC — une rareté.

Huile d'olive L'*oliu di Corsica* est AOC depuis 2004. L'île recèle six variétés d'olives reconnues, et la production est en plein essor.

Châtaigne Un aliment ancestral en Corse, décliné sous toutes les formes possibles.

Charcuterie La véritable production corse est assez chère mais vaut son prix : les produits sont de qualité et les techniques d'élaboration originales. Ne vous tournez pas vers le moins cher : vous aurez une qualité moindre, voire un produit non corse.

JEAN-BERNARD CARILLET

» Le village de Sainte-Lucie-de-Tallano,
dans l'Alta Rocca.

Musées et sites historiques

Le patrimoine corse s'appréhende notamment à travers ses musées et ses sites archéologiques, dont plusieurs vestiges sont bien conservés, et qui sont passionnants.

Palais Fesch Faites halte à Ajaccio et visitez son superbe musée Fesch (p. 165), et sa magnifique collection de peintures italiennes et corses.

Musée de la Corse Un musée très intéressant, à Corte, pour se familiariser avec la culture corse traditionnelle (p. 269).

Maison natale de Pascal Paoli Un musée à la mémoire du "Père de la patrie", pour mieux appréhender l'histoire corse (p. 255).

Filitosa Un site préhistorique au sud de l'île, dont les imposants mégalithes n'ont pas encore livré tous leurs secrets (p. 192).

Levie Les sites archéologiques dans les environs de Levie (dont un village de l'âge de bronze) présentent un autre aspect de l'histoire ancienne de l'île (p. 241).

Plateau de Cauria Des monuments très bien conservés, avec de superbes statues-menhirs alignées et le plus grand dolmen de Corse (p. 203).

Bouts du monde

La Corse est généreuse avec ceux qui s'écartent des sentiers battus : elle leur offre mille et un lieux méconnus, à l'abri des foules.

Le plateau du Coscione Un plateau vallonné recouvert de prairies, parsemé de chaos granitiques et strié de pozzines (tourbières), aux confins de l'Alta Rocca et du haut Taravo (p. 318).

Vallée de l'Asco Dominée par des murailles rocheuses, cette vallée reculée offre un visage austère et minéral et ne compte qu'un seul village (p. 283).

Le Giussani On l'appelle le "Tibet de la Corse", car ce terroir est isolé, en altitude, et desservi uniquement par quelques routes étroites et sinueuses (p. 123).

Le Boziu Une microrégion très enclavée, aux portes de Corte, avec des hameaux en équilibre sur des crêtes et de profondes vallées tapissées de châtaigneraies (p. 286).

De Campomoro à Tizzano Un immense territoire protégé aux rivages désertiques. C'est la portion de littoral la plus sauvage de Corse (p. 204).

Le Fiumorbu Une microrégion méconnue, parcourue de routes sinueuses, à l'ouest de Ghisonaccia (p. 261).

Barcaggio Un village paisible à la pointe nord du cap Corse (p. 70)

Villages perchés

Certains villages de Corse, à flanc de falaise, semblent braver les lois de la nature.

Pigna Ne manquez pas ce superbe et actif village de Balagne (p. 119), classé parmi les "plus beaux villages de France".

Sant'Antonino Voisin de Pigna (ci-dessus), nid d'aigle à 490 m d'altitude sur un éperon rocheux, il figure aussi sur la liste des "plus beaux villages de France" et domine le paysage. Le site est magnifique, mais très fréquenté (p. 120).

Piana Célèbre pour ses calanques, ce village, également classé, est juché sur un plateau qui domine la mer, à 438 m d'altitude. Une merveille, qui ouvre l'accès au magnifique Capo Rosso (p. 144).

Sainte-Lucie-de-Tallano Sans conteste l'un des plus beaux villages de Corse, perché à 450 m d'altitude dans la verdure de l'Alta Rocca (p. 243).

Loreto-di-Casinca Un mystère que ce village en équilibre sur un éperon rocheux à 630 m d'altitude, avec une vue panoramique vertigineuse (p. 249).

Lama Classé parmi les "plus beaux villages de France", c'est à la fois son site et son architecture médiévale qui font son charme (p. 92).

Mois par mois

Le top 5

1 **Foire du Niolo**, septembre

2 **Nuits de la guitare**, juillet

3 **Festival du vent**, octobre

4 **Processions de la Semaine sainte**, mars

5 **Rencontres de chants polyphoniques**, septembre

Mars

 Processions de la Semaine sainte
(fin mars, ou avril). Les plus célèbres sont celles de **Bonifacio** (procession des cinq confréries) et de **Sartène** (U Catenacciu). Calvi, Corte, Erbalunga, la Castagniccia ou Bastia fêtent également la Semaine sainte avec ferveur.

 La passion du Christ
(fin mars, ou avril). À **Calvi**, la Semaine sainte est l'occasion d'un grand spectacle en langue corse retraçant la passion du Christ, dans les rues de la citadelle.

Avril

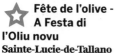 **Fête de l'olive - A Festa di l'Oliu novu**
Sainte-Lucie-de-Tallano (week-end de Pâques). Une foire artisanale autour de l'huile d'olive ; également dégustation de produits fermiers, vente d'artisanat local et démonstrations de savoir-faire.

 A Merendella in Castagniccia
(week-end de Pâques). Autour des produits locaux, cette grande foire a lieu à **Piedicroce**.

Mai

 Tour de Corse automobile
Cette célèbre compétition de 3 jours, manche du Championnat de France des rallyes, se déroule sur route (mais quelles routes !).

 A Fiera di u casgiu
Venaco (début mai). Foire rurale dédiée aux fromages corses, avec dégustations, et spécialités à base de fromages fermiers.

 Passion du Christ noir des miracles
Bastia (3 mai). Les pêcheurs processionnent en portant le Christ noir, trouvé dans la mer, dans les ruelles du quartier de Terra Nova.

Juin

 Saint-Érasme
(2 juin). La population honore saint Érasme, le patron des pêcheurs. Bénédiction des barques de pêche à **Ajaccio**, à **Bastia** et à **Calvi**, dégustations.

 Cavall'in Festa
(début juin). Une foire du cheval à **Corte**. Durant un week-end, défilés, concours, spectacles autour du cheval.

 Calvi Jazz Festival
(dernière semaine de juin). Il rassemble de grands noms du jazz international.

Juillet

 Calvi on the Rocks
(début juillet). **Calvi** est l'hôte d'un festival consacré aux musiques rock, électronique et expérimentale.

 Estivoce Balagne
Les voix et la musique sont à l'honneur en Balagne, entre L'Île-Rousse et Calvi.

Un auditorium a été créé dans le village de Pigna, mais la manifestation a lieu dans plusieurs villages.

Foire du vin de Luri

(première semaine du mois). La principale manifestation viticole de l'île, sur le **cap Corse**. Dégustation de produits du terroir, et découvertes des vins corses.

Relève des gouverneurs

Bastia (début juillet). Ce spectacle en costumes retrace l'arrivée des gouverneurs à Bastia.

Nuits de la guitare

Patrimonio (mi-juillet). De grands noms de la guitare classique, jazz ou flamenca se réunissent au théâtre de verdure de Patrimonio.

Santa Severa

Luri (dernière semaine du mois). Une fête de la mer et un carnaval nocturne à la marine de Luri.

Août

Pèlerinage de Notre-Dame-des-Neiges

(5 août). Il a lieu au pied des aiguilles de Bavella, près de **Zonza**. Des milliers de pèlerins se recueillent devant la statue de Notre-Dame-des-Neiges.

Foire du Pratu

(premier week-end du mois). Elle se déroule au **col de Prato**, en Castagniccia. Concours agricole, artisanat, chants polyphoniques et

---

chjami e rispondi sont au programme.

Festival du film de Lama

(première semaine d'août ou dernière de juillet). Axé sur la vie rurale, ce festival du film européen fêtera son vingtième anniversaire en 2013. Projection de films en plein air.

Rencontres de Calenzana

(troisième semaine du mois). Musique classique et contemporaine dans les églises des environs.

Festival de musique d'Erbalunga

(début du mois). Variétés, jazz et guitares résonnent sur le cap Corse, avec chaque année de grands noms de la musique.

Fêtes napoléoniennes

Ajaccio (15 août). Parades, spectacles et feux d'artifice sont au programme de cette célébration qui culmine le 15 août, jour anniversaire de la naissance de Napoléon.

Rencontres théâtrales de Haute-Corse

(mi-août). Une quinzaine de spectacles se déroulent à **Olmi-Cappella**, dans le Giussani. Stages et théâtre en plein air.

Septembre

Foire du Niolo

Casamaccioli (autour du 8 septembre). Trois jours de célébrations

---

de la Vierge, avec une procession. Ce pèlerinage annuel se double d'une importante foire commerciale et artisanale. Activités culturelles.

Rencontres de chants polyphoniques

Calvi (mi-septembre). Elles ont lieu dans le superbe décor de la citadelle.

U Mele in Festa

Murzo (fin septembre). Une fête autour du miel et des produits du terroir. Animations pour les enfants, présentation du travail des apiculteurs.

Octobre

Festival du Vent

Calvi (fin octobre). "Courants d'art et inspirations écolos"... Artistique, sportif, scientifique et écologique : le vent dans tous ses états.

Les Musicales de Bastia

(mi-octobre). Jazz, variétés, musique classique, danse, théâtre... Durant quelques jours, ce festival réunit des artistes, avec parfois de grands noms.

Décembre

Foire à la châtaigne

(mi-décembre). La foire la plus importante de Corse, qui se déroule à **Bocognano**, est devenue un rendez-vous incontournable. Producteurs et artisans présentent la châtaigne sous toutes ses formes.

Itinéraires

Que vous partiez pour un week-end, quinze jours ou un mois, composez votre voyage à l'aide de ces suggestions. Encore en manque d'inspiration ? Reportez-vous également au chapitre Envie de..., p. 19.

Trois semaines / De Bastia à Bastia ou d'Ajaccio à Ajaccio
Le grand tour

❭ Un long périple, éprouvant, mais qui vous donnera le meilleur de la Corse. Un seul regret : on a l'impression d'un survol. Il faudra revenir pour approfondir !

De **Bastia**, commencez par une mise en bouche très goûteuse : le **cap Corse**, que l'on peut visiter en deux ou trois jours. Poursuivez votre périple en passant par les villes côtières du Nebbio et de la Balagne, notamment **Saint-Florent**, **L'Île-Rousse** et **Calvi**. Rejoignez le **golfe de Porto** en suivant la route côtière, exceptionnellement belle, en surplomb de la Méditerranée. Après les **calanques** et **Cargèse**, suivez le **golfe de Sagone** jusqu'à **Ajaccio**. Descendez vers **Propriano** et le **golfe du Valinco** en prenant les petites routes côtières (délaissez la nationale). De là, poussez vers **Sartène**, la plus corse des villes corses, avant de vous enfoncer dans les méandres de l'**Alta Rocca**, pour savourer les paysages de la Corse intérieure. Ensuite, repiquez plein sud vers **Bonifacio** et **Porto-Vecchio**, dotées de plages exceptionnelles. Remontez le long de la plaine orientale, en passant par **Solenzara**, **Ghisonaccia** et **Aléria**. Il serait dommage de ne pas passer par **Corte** avant de revenir à Bastia.

Six jours / De Porto-Vecchio à Porto
D'un port à l'autre

❯ Ce très bel itinéraire marie les ambiances balnéaires et les paysages montagneux de l'Alta Rocca, sans oublier les plus beaux golfes de l'île. Les loisirs nautiques sont à l'honneur. L'arrivée à Porto et l'excursion dans la réserve de Scandola se vivent comme une superbe récompense.

Au départ de **Porto-Vecchio**, la D368 monte en lacet dans la **forêt de l'Ospédale**, plantée de magnifiques pins laricios. Après une pause rafraîchissante à la **cascade de Piscia di Gallo**, vous arriverez au village de **Zonza**, bien équipé en infrastructures hôtelières. Continuez jusqu'à **Quenza** et **Aullène** en suivant la sinueuse D420. À Petreto-Bicchisano, la N196 vous conduira rapidement jusqu'à **Ajaccio**. Prenez plein nord, par la pittoresque D81, jusqu'au golfe de Liscia. Profitez des plages et des loisirs nautiques à **Tiuccia** ou à **Sagone** avant de reprendre la route à destination de **Cargèse**, en surplomb de la "grande bleue". Poursuivez vers le nord, jusqu'à **Piana**, où une merveilleuse route en corniche dévoile les formations minérales des **calanques**. La descente sur **Porto** est sublime. Remontez jusqu'au col de la Croix, d'où vous pourrez rejoindre le petit port de **Girolata**. Au départ de Porto, ne manquez pas la visite de la **réserve de Scandola**, à découvrir en bateau.

Huit jours / D'Ajaccio à Bonifacio
Plein sud

> Difficile de résister à l'attrait du Sud... Ce parcours d'une semaine vous offrira le meilleur des plaisirs balnéaires, dans le cadre toujours somptueux de golfes échancrés. Les sites préhistoriques de Filitosa et du Sartenais ajoutent une note culturelle bienvenue.

Commencez par visiter **Ajaccio** et ses alentours, avant de faire route plein sud en direction de la **plage d'Agosta**, idéale pour faire trempette. Continuez sur la D155, toujours vers le sud, pour rejoindre la rive nord du golfe de Valinco. La route serpente dans le maquis jusqu'à **Porto Pollo**, une agréable station balnéaire. De là, faites un crochet de quelques kilomètres vers le nord jusqu'à **Filitosa**, un site préhistorique réputé pour ses vestiges mégalithiques. Revenez sur vos pas et roulez jusqu'à **Propriano**. La rive sud du golfe vous tend les bras : empruntez la D121 jusqu'à **Portigliolo**, jolie station frangée d'une plage de sable blanc, puis poussez jusqu'à **Campomoro**, terminus de la route, au milieu de paysages étonnamment sauvages. De retour sur la N196, descendez jusqu'à **Sartène**, où l'âme corse se cache dans les ruelles de la vieille ville. Toujours plus au sud, vous pourrez faire un petit détour jusqu'aux **sites préhistoriques du Sartenais** (Cauria et Paddaghiu), puis faire halte à **Tizzano**, un village côtier du bout du monde. Filez ensuite vers l'ouest jusqu'à **Bonifacio**, d'où vous rejoindrez, dans le cadre d'une excursion, l'**archipel des Lavezzi**, un paradis protégé, baigné d'eaux translucides.

Quatre jours / De Bastia à L'Île-Rousse

Richesses du Nord

Toutes les beautés de la côte nord, avec le tour du cap Corse et ses somptueux panoramas.
La magie se prolonge dans le Nebbio, où les bons vivants apprécieront la visite des vignobles. Pour les amateurs de farniente, la "grande bleue" n'est jamais loin.

Au départ de **Bastia**, filez vers le nord en suivant la **Corniche** pour bénéficier de superbes panoramas. Longez ensuite la côte jusqu'à **Erbalunga**, délicieuse bourgade posée au bord de l'eau qui compte de nombreux restaurants. De là, impossible de se perdre : la D80 vous conduira jusqu'à **Macinaggio**, au nord du cap Corse, via une série de marines (dont celles de **Sisco** et de **Pietra Corbara**). En chemin, vous apercevrez plusieurs tours génoises. Faites étape à Macinaggio, puis passez sur l'autre versant du cap, plus sauvage. Première halte : le port de **Centuri** a des allures de carte postale. La D80 continue plein sud et traverse des paysages spectaculaires, entre mer et montagne. Le village de **Nonza** mérite que l'on s'y attarde. Arrivé à **Saint-Florent**, profitez des joies balnéaires sur les **plages de la Saleccia** ou du **Lodo**, puis faites le tour des vignobles de **Patrimonio**, dans l'arrière-pays. De Saint-Florent, la D81 longe le **désert des Agriates**, avant de redescendre sur l'agréable station balnéaire de **L'Île-Rousse**, en Balagne.

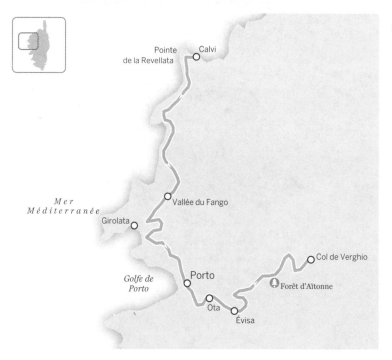

Trois jours / De Calvi au col de Verghio
"Mare e Monti" motorisé

> De Calvi au col de Verghio, cet itinéraire conjugue la splendeur d'une côte découpée, exceptionnelle par ses paysages, à celle de la très belle vallée du Fango, avant de monter dans la fraîcheur des hauteurs de l'île, où vous attendent de belles balades.

Le titre de cet itinéraire n'est pas par hasard un clin d'œil à un célèbre sentier de randonnée. À parcourir en voiture, il offre de très beaux aperçus de la côte comme de l'intérieur de l'île. Le parcours débute à **Calvi** et emprunte la D81 le long de la **pointe de la Revellata**. La route côtière serpente ensuite entre maquis et littoral jusqu'aux abords de Galéria, où vous attend une merveille naturelle : la **vallée du Fango** et ses promesses de baignades dans de superbes piscines naturelles. L'itinéraire se poursuit vers le col de la Croix, d'où part le sentier menant à **Girolata**, puis atteint **Porto**. Cap ensuite vers l'intérieur des terres. De Porto, la D124, puis la D84 s'en vont flirter avec le relief de l'île. On atteint ainsi **Ota**, où l'on peut voir de beaux ponts génois, avant les gorges de la Spelunca et le paisible village d'**Évisa**. Divers sentiers permettent de découvrir les abords de la belle **forêt d'Aïtone**, avant d'atteindre le **col de Verghio**, où une belle balade est également au programme.

Six jours / De Bastia à Solenzara
Secrets bien gardés à l'est

❯ Qui a dit que l'est de la Corse était monotone ? Voici un superbe itinéraire ! Munissez-vous d'une bonne carte routière, car les routes sont étroites, sinueuses, et les forêts denses ; il n'est pas toujours facile de se repérer dans ce labyrinthe.

De **Bastia**, dont le vieux port et le centre-ville méritent une visite, filez plein sud vers Casamozza, d'où l'on rejoint la microrégion de la **Casinca**. On découvrira, au gré de routes sinueuses, de superbes villages perchés. Après la Casinca, cap sur la **Castagniccia**, un peu plus au sud, dont les petites routes interminables traversent des villages au patrimoine inestimable, tel **La Porta**, réputé pour son église baroque. On rejoint ensuite, en suivant la **corniche de la Castagniccia**, une autre microrégion valant le détour, le **Morianincu** avec, en point d'orgue, le bourg de **Cervione**. Toujours plus au sud, passé **Aléria**, on peut faire un détour vers l'intérieur des terres, jusque dans le **Fiumorbu**, dont les villages, bâtis en belvédère, ménagent de superbes points de vue sur la côte. La **vallée du Travo**, encore plus secrète, possède de magnifiques vasques dans lesquelles se baigner, tout comme la **vallée de la Solenzara**, dans un cadre spectaculaire, qui conduit au col de Bavella.

Plongée

Plongée et environnement, quelques recommandations :

Pour limiter au maximum la pression sur cet écosystème fragile, les visiteurs respecteront ces recommandations :

» **Ne pas nourrir les poissons**, à plus forte raison avec des aliments étrangers à leur régime habituel, qui risquent de perturber leur métabolisme ou de provoquer des comportements contre nature. Citons le cas des mérous, apprivoisés avec des œufs durs, qui s'offrent ensuite sans méfiance aux flèches des chasseurs sous-marins ou absorbent n'importe quoi (sac en plastique).

» **Survoler les fonds** et éviter les coups de palmes intempestifs grâce à une bonne maîtrise de sa flottabilité et de sa stabilisation. La faune fixée, notamment les éponges et les gorgones, ne résiste pas à ces coups de boutoir dévastateurs.

» **Ne pas s'attarder dans les grottes** : les bulles qui s'échappent des détendeurs restent prisonnières sous les voûtes, exposant au milieu aérien des organismes qui se nécrosent, telles les éponges encroûtantes.

» **Ne rien remonter du fond.** La collecte d'animaux en plongée avec bouteilles est interdite sur le littoral français. Pris individuellement, ces comportements peuvent paraître insignifiants ; répétés des milliers de fois, ils peuvent causer des dégâts irréparables.

Sous la surface, le relief est aussi tumultueux que sur terre, avec des failles, des pics, des éboulis et des massifs rocheux couverts de gorgones et d'anémones-fleurs, voire de précieux corail rouge. Si l'ambiance sous-marine ne concurrence pas les fonds tropicaux, l'île de Beauté peut se targuer d'atouts propres à satisfaire les plongeurs exigeants. L'absence de pêche intensive, la pollution presque inexistante et l'aménagement de deux sanctuaires marins (Scandola et Lavezzi, voir p. 125 et 209) attirent une faune bigarrée. Les fonds corses sont également connus pour les épaves facilement accessibles et bien réparties sur le pourtour de l'île, long de près de 1 000 km. Les dizaines de sites de plongée qui émaillent le ruban côtier s'adressent à tous les niveaux et sont desservis par une trentaine de centres compétents et bien équipés.

Conditions de plongée

La Corse sous-marine n'est pas une destination tropicale, mais elle dispose d'excellents atouts en saison. La température de l'eau, fraîche en hiver (aux alentours de 13-14°C), monte à 17°C en mai, à 20-21°C en juin, avant d'atteindre un maximum en août où elle flirte avec les 25°C. Septembre reste très agréable (23°C), de même qu'octobre (20°C). Ces chiffres, indicatifs, sont valables en surface. Pour un bon confort thermique, une combinaison avec cagoule est fortement recommandée.

En été, la visibilité est en moyenne de 25 m et peut atteindre 40 m en août par grand beau temps. Quant aux conditions

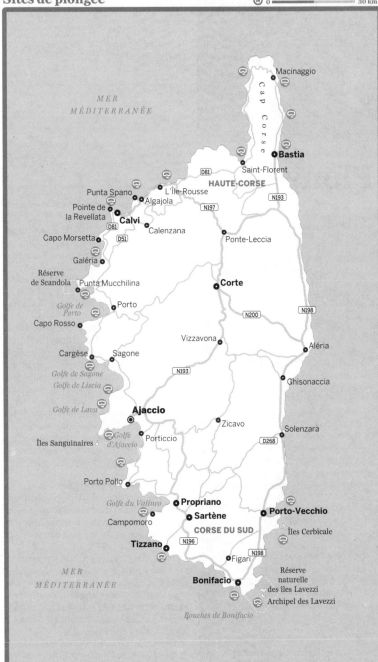

météo, sachez que le vent constitue le paramètre dominant, en particulier le *libecciu* (sud-ouest), qui soulève une houle en mer et à l'intérieur des golfes faiblement protégés. Certains sites sont alors impraticables. Le courant affecte surtout les pointes et les avancées rocheuses. Si les conditions sont défavorables, les centres disposent de solutions de repli dans des zones abritées, à l'intérieur des baies.

La configuration des sites sous-marins fait écho au relief terrestre. Les montagnes se prolongent sous la mer, formant de superbes tombants aux formes torturées. Ainsi, sur toute la façade occidentale, les profondeurs deviennent vite abyssales (800 m dans le golfe de Porto !). On trouve également de multiples "secs" (hauts-fonds) qui forment des minibarrières coralliennes à toutes les profondeurs. La plupart des sites sont multiniveaux. Sur la façade orientale (région de Bastia), la topographie est plus classique, avec des fonds sableux en pente douce parsemés de massifs rocheux.

Sites de plongée

Les sites se chiffrent par centaines. Chaque détour de roche, chaque sec, chaque pointe donne l'occasion de plusieurs plongées. La description qui suit, nullement exhaustive, vise à donner un aperçu représentatif de la plongée en Corse, sur la base d'un échantillon de plongées régulièrement exploitées. Sachez que les noms des sites varient parfois d'un centre à l'autre. Les espèces mentionnées sont celles qui sont les plus régulièrement observées, mais gardez à l'esprit que les poissons ne donnent pas de rendez-vous.

Secteur de Porto-Vecchio

Effet du réchauffement climatique ? On voit de plus en plus de faune "exotique" dans le secteur de Porto-Vecchio, notamment des barracudas et des sérioles.

Une dizaine de plongées sont possibles dans cette zone, essentiellement à proximité immédiate de la réserve des îles Cerbicale, un groupe d'îles qui fait face à la plage de Palombaggia. Inconvénient : cette zone est exposée aux vents et aux courants.

Le Toro – Site de repli en cas de vent, car bien abrité, au sud-est de l'archipel. Îlot idéal pour tous les niveaux, avec de petites anses protégées et des fonds descendant jusqu'à -40 m. Petits canyons tapissés d'éponges, d'éboulis et de cavités. Serrans, girelles, saupes, congres animent l'ensemble, avec parfois quelques dentis, portés par le courant. Passage de thons. À proximité de l'îlot gît l'épave du *Toro*, un caboteur en bois qui aurait sombré dans les années 1910-1920, mais les centres de plongée préfèrent plonger sur l'épave de *La Pinella* (voir ci-dessous).

Le Danger du Toro – Plus au large, l'un des îlots les plus sauvages du secteur. Trois secs, striés de gorgones, remontent à quelques mètres sous la surface et sondent à -40 m. Site superbe, plusieurs plongées possibles. Mérous, gorgones, dentis, girelles, castagnoles.

La Pinella – Ancien cimentier de 45 m, qui a coulé en 1967 lors d'une tempête. Gît droit sur sa quille à la sortie nord du golfe de Porto-Vecchio, entre -5 m et -12 m seulement. Idéal pour les baptêmes et les plongées de nuit. Bon état de conservation. Possibilité d'évoluer à l'intérieur d'une partie de l'épave. Belle faune fixée sur les parties métalliques, mais secteur peu poissonneux, hormis une poignée de corbs et quelques chapons. Vaut surtout pour son ambiance.

La Vacca – Site de repli en cas de vent. Autre îlot à l'est de l'archipel. Configuration analogue à celle du Toro, de -20 à -25 m environ. Barracudas, mérous, poulpes. Idéal pour les baptêmes (dans une crique, au sud) et les petits niveaux.

Danger de la Vacca – Site préféré de nombreux moniteurs ! Plus au large, et encore plus sauvage que le danger du Toro. Plusieurs secs remontent entre -10 m et -5 m, et descendent jusqu'à -25 m, sur un fond rocailleux. Barracudas, mérous, araignées, cigales, éponges, anémones. Arche à -6 m, et failles.

Les Arches – Belle plongée pour confirmés, entre l'île du Toro et celle de la Vacca, praticable par mer calme. Gros pic rocheux entre -19 m et -37 m, orné de gorgones. À -35 m, plateau avec grandes arches. Mérous, murènes, corbs et prédateurs (dentis et liches).

Les Aiguilles – En continuité de la pointe de la Vacca. Roches qui remontent à -13 m. Mérous et corbs.

Bonifacio

Bonifacio est l'un des secteurs les plus "plongés" de Corse. La réserve naturelle des îles Lavezzi (voir *Des paradis marins sous haute surveillance*, p. 376), à une vingtaine de minutes de la côte, au sud-est, offre un cadre et des conditions exceptionnelles, pour tous les niveaux. L'eau turquoise évoque des latitudes exotiques – l'idéal pour des

LES DERNIERS MINEURS DE LA MER

En Corse, une quinzaine de coralleurs plongent pour arracher l'"or rouge", le précieux corail qui, selon la mythologie, proviendrait du sang de Méduse, décapitée par Persée... En réalité, il s'agit d'une espèce animale (*Corallium rubrum*) au squelette calcaire rouge, qui vit fixée sur le substrat rocheux jusqu'à -300 m. De mai à novembre, le rituel de la récolte est immuable. Assisté d'un marin, le coralleur s'équipe : combinaison (jusqu'à 3 couches), bi-bouteilles, palmes, panier de récolte, lampe ainsi que l'indispensable martelette qui sert à cueillir le corail. Vient alors l'immersion, généralement entre -70 et -100 m.

Au fond, il faut faire vite et ne pas rater le "filon". Sur le bateau, le marin manœuvre pour ne pas perdre de vue les bulles qui crèvent à la surface. Au bout d'un quart d'heure commence la remontée ponctuée de longs arrêts à intervalles réguliers – les paliers – pour éliminer l'azote accumulé dans l'organisme.

À la fin de chaque saison, la récolte est écoulée à Torre del Greco, près de Naples, où le kilo se négocie entre 150 et 600 €, selon la qualité. Pourtant, les gisements se raréfient et la qualité des récoltes baisse. Le corail n'est pas une espèce menacée, car on en trouve jusqu'à -300 m, mais les coralleurs corses se sont déjà expatriés en Tunisie et lorgnent désormais vers les côtes libyennes ou albanaises. Avec, peut-être, la perspective d'autres eldorados !

baptêmes de plongée. Un peu plus au large de l'archipel, plusieurs sites renommés feront la joie des confirmés. La topographie sous-marine de la zone diffère de celle de la façade littorale ouest. Les tombants sont plus rares, le relief plus doux, et les profondeurs moins importantes.

Seul problème : en plein milieu des bouches de Bonifacio, entre la Sardaigne et la Corse, cet archipel est exposé à tous les vents, notamment les vents d'ouest, ainsi qu'au courant. La mer se montre parfois capricieuse et les trajets en bateau jusqu'aux sites sont alors inconfortables.

La Tortue – Blocs rocheux autour desquels évolue une petite faune typique de la Méditerranée (chapons, girelles, mostelles). Entre les Lavezzi et l'île de Cavallo.

Mérouville (sec de Pellu) – La plongée phare de Corse, aux Lavezzi (voir l'encadré *Pollution touristique à Mérouville*), à l'est de l'archipel. Sur un fond sableux d'une trentaine de mètres, un ensemble rocheux remonte jusqu'à -15 m. Une dizaine de mérous bruns, parfaitement habitués à la présence des plongeurs, se laissent approcher. Également des barracudas, des dentis et des dorades. Proscrivez toute forme de nourrissage.

Écueil de Sperduto – Bien excentré, à l'est, au large de l'île de Cavallo, roche affleurante matérialisée par une tourelle. Tous niveaux. Sars, murènes et castagnoles.

Écueil des Lavezzi – Site superbe, plus au large, vers l'ouest, balisé par une tourelle.

Vaste plateau rocheux qui débute à -5 m et descend progressivement jusqu'à -50 m. Le site se trouve en pleine mer (bonnes conditions météo requises). Mérous sauvages, corbs, raies, dentis, murènes, poissons de roche, bancs de sars, et une opulente vie fixée.

La Tête d'homme – Au nord-ouest, autre remontée rocheuse s'étageant entre -6 m et -40 m, accessible dès le niveau 1, ainsi nommée en raison de la forme caractéristique du sommet du rocher. Gorgones dès -13 m, mérous, dentis et corbs.

La Tête de cheval – Entre -16 m et -50 m, une roche au profil de tombant, agrémentée de gorgones, de grottes et de passages. Dentis, barracudas, mérous.

Les Cloches – À côté de la Tête de cheval. Idéal pour les baptêmes et petites explorations, dans quelques mètres d'eau, au milieu de blocs rocheux.

Beccu – Grosses patates rocheuses, percées d'anfractuosités, autour desquelles rôdent mérous et corbs, dans -20 m. Accessible dès le niveau 1.

Tizzano

La plongée du bout du monde... Un seul centre, basé à Tizzano, et des sites qu'aucun autre centre ne fréquente, le rêve ! Seul bémol : les conditions sont assez difficiles, car la plupart des sites sont exposés aux vents dominants. Les meilleurs sites se situent près de la pointe de Senetosa. Citons

A Torra, **Fortuna** et **Scogliu Longu**. Il s'agit essentiellement de hauts-fonds poissonneux, avec un joli relief.

Golfe du Valinco

La profonde échancrure que forme le golfe du Valinco dans la façade littorale jouit d'une excellente réputation auprès des plongeurs. Ses atouts sont le relief sous-marin, encore plus chaotique que sur le reste de la côte occidentale (au milieu du golfe la profondeur frise les 800 m) et l'abondance de la vie fixée (gorgones, parazoanthus) avec, en vedette, le corail rouge, bijou de la Méditerranée. La densité de la faune n'est pas exceptionnelle, mais on voit de plus en plus revenir des mérous, des barracudas, des sars et des dentis.

Les plongées les plus renommées se situent surtout à la sortie du golfe, au sud et au nord, à proximité immédiate des côtes, sur des remontées rocheuses. Plus près de Propriano, des criques abritées et sécurisantes rassureront les débutants.

Les centres de plongée locaux proposent également des plongées "hors golfe", notamment dans le secteur du cap Senetosa, au sud, où se trouvent des sites très sauvages, peu fréquentés et poissonneux.

Crique de Cala Muretta – Pour les débutants. À mi-chemin entre Portigliolo et Campomoro.

Red Canyon (la Roche de Deux) – Sur la rive sud du golfe, à mi-chemin entre Propriano et Campomoro. Grosse roche fendue sur un côté, riche en vie fixée et en corail rouge (vers -25 m).

Sec du Belvédère – Un peu plus loin vers l'ouest, piton rocheux entre -9 m et -30 m,

réputé pour ses gorgones et ses voûtes garnies de corail rouge, près du fond.

Le Tonneau – Plus à l'ouest. Pour confirmés. Gros rocher à la configuration variée, qui remonte jusqu'à -6 m. Arche à -23 m, grotte à -47 m et cheminée, dans laquelle on peut s'engager par -45 m, puis ressortir à -37 m. Mérous et langoustes.

La Géode – Sec qui s'étage entre -19 m et -50 m, à mi-chemin entre la côte et le Tonneau. Beau relief.

Monica (les Trois Frères) – À la sortie est de la baie de Campomoro. Trois pics qui s'éloignent au fur et à mesure du rivage. Le premier se situe entre -6 m et -22 m, le deuxième entre -7 m et -40 m et le troisième entre -14 m et -40 m. Voûte à corail entre -27 m et -35 m. Également un enchevêtrement de gros tubes de plusieurs mètres de diamètre, perdus par un navire, par -12 m.

Sec de Campomoro-L'Écueil de la Tour – À l'extrémité ouest de la baie de Campomoro, à la sortie du golfe, à hauteur de la tour génoise. Pour tous les niveaux. Plusieurs étages rocheux, de la surface jusqu'à -40 m. Gorgones à partir de -20 m environ. Présence de saupes, de sars, de mostelles, de langoustes, de dentis et, à l'occasion, de mérous.

Sec du Belge – Derrière la pointe de Campomoro. Sur ce sec gît l'épave d'une vedette à moteur, par -27 m. Belle topographie rocheuse, mais peu de faune.

Les Cathédrales – Site le plus emblématique au nord du golfe, à une encablure du port de Porto-Pollo. Sorte de massif de Bavella en miniature. Entre -12 m et -40 m, pics, failles, ressauts et arches (à -37 m) abritent une faune diversifiée.

POLLUTION TOURISTIQUE À MÉROUVILLE

Dans la réserve des Lavezzi, ce site d'exception est victime de son succès. Certes, plonger au milieu d'une escouade de mérous curieux est un spectacle digne des meilleurs barnums, mais il n'est pas rare de compter plusieurs dizaines de bateaux à cet endroit ! Les fonds en ont pâti et les roches de Mérouville se sont bien dénudées sous l'effet des ancres et des coups de palmes. Autre sujet de controverse, la pratique discutable du nourrissage desdits mérous, à laquelle s'adonnent de nombreux individuels. En donnant des œufs durs, du pain, voire des saucisses, à ces animaux pour les apprivoiser, on prend des libertés avec les règles élémentaires de la physiologie. Les centres de plongée de Bonifacio, conscients de leur intérêt à préserver ce précieux capital, essaient de trouver un compromis entre la demande et la capacité d'accueil du site. Par ailleurs, le Parc marin international des Bouches de Bonifacio a élaboré une note d'information pour les plongeurs, qui recommande notamment de ne pas toucher les poissons, de ne pas les nourrir et de veiller à ne pas détériorer les fonds avec l'ancre lors du mouillage.

Le Colorado – Site de configuration analogue aux Cathédrales, un peu plus à l'ouest. Mérous, gorgones.

Les Aiguilles – Secs en forme d'aiguilles entre -7 m à -45 m, dans le prolongement des Cathédrales. Gorgones.

La Grande Vallée et la Petite Vallée – Plongées hors golfe, vers le nord, prisées en raison des nombreux mérous présents sur le site.

Tombant de Senetosa – Au large du cap du même nom. Sec entre -13 m et -53 m, avec des mérous.

Le Jardin – Site vierge, au large des Aiguilles. Descente dans le bleu jusqu'à -25 m, puis mur qui dégringole jusqu'à -45 m. Gorgones et faune fixée (corail noir). Entre les Aiguilles et la Petite Vallée.

Golfe d'Ajaccio

Plusieurs dizaines de sites sont répertoriés dans le golfe d'Ajaccio, très échancré, qui s'étire entre l'archipel des Sanguinaires au nord et le Capo di Muro au sud. Curieusement, les Sanguinaires, sur la rive nord, ne sont pas très fréquentées.

Plusieurs autres sites sont exploités par les clubs locaux entre les Sanguinaires et la plage d'Ajaccio. Les plongées les plus spectaculaires se situent essentiellement sur la partie sud, entre la tour de l'Isolella (également appelée Punta di Sette Nave) et le Capo di Muro.

Le Tabernacle – Site phare de la rive nord, à l'extrémité du golfe. Le plateau, idéal pour les débutants, descend sous forme de dalles de -3 à -22 m. Mostelles, langoustes, corbs, sars, mérous.

Guardiola – Plus près d'Ajaccio, à 300 m de la côte, tombant pour tous les niveaux, de la surface jusqu'à -40 m. Gorgones, langoustes, mérous et chapons.

Sette Nave – Dans la partie sud. Énormes rochers recouverts de gorgones et de faune fixée entre -4 et -45 m. Petits passages et tunnels. Bon site pour les baptêmes.

Campanina – Tous niveaux. Proche de la côte, très prisé.

Sec d'Antoine – À quelques coups de palmes de Campanina. Caractéristiques analogues.

La Tête de mort – Plongée tous niveaux, entre -0,5 et -40 m : un plateau (-15 à -20 m), une remontée jusqu'à -6 m, une cheminée et une cavité à -17 m, ainsi qu'une seconde cavité à -10 m. Corbs, sars, langoustes, dentis, voire

liches et barracudas, et riche vie fixée. Bon site pour les baptêmes.

Grotte à Corail – Pour confirmés. Cheminée richement décorée de gorgones et de corail, de -25 à -57 m, en face de la plage d'Agosta.

Tombant du Corailleur – À plusieurs milles au large du golfe, pour confirmés. **La Meulière** – Plus au sud, près de la pointe Castagne. Dragueur de mines coulé pendant la Seconde Guerre mondiale, entre -5 et -15 m.

Golfe de Lava

Sauvage, peu fréquenté, le golfe de Lava est proche d'une des plus belles – sinon de la plus belle – plongées de Corse : le Banc provençal, au nord, en pleine mer, à mi-chemin entre le golfe de Lava et celui de Liscia, accessible par mer calme uniquement.

Le Banc provençal – Plongée à grand spectacle, pour confirmés. Monumental ensemble rocheux posé entre -17 et -80 m, constitué de 2 têtes à son sommet, séparées par une faille. Sur un côté, il se compose d'un plateau ; sur les autres, des escaliers rocheux forment une succession d'étagements. Éponges multicolores, gorgones et anémones-fleurs. Très poissonneux.

Pietra Piombata – Sec multiniveau, à la sortie sud-ouest du golfe de Lava, entre -3 et -60 m. Gorgones et corail dans la zone des -40 m. Passage de prédateurs, notamment des barracudas.

Golfe de Sagone

Castellaci – Sur la rive sud, en rentrant vers le golfe de Liscia (inclus dans le golfe de Sagone). Succession de tombants destinés plutôt aux confirmés. Le plateau, qui vient de la côte, s'étage en forme de grosses marches (-15 à -30 m, -30 à -50 m), trouées de grottes.

Punta Paliagi – Même architecture que Castellaci, plus à l'est, avec de petits plateaux démarrant à -3 m.

Punta Palmentoju – À hauteur de la tour d'Ancone, à l'entrée sud du golfe de Liscia, une dizaine d'aiguilles remontent à -3 m et dévalent jusqu'à -50 m. Murènes, gorgones, langoustes, corbs, dentis, voire barracudas.

La Langue de feu – Toute proche de la Punta Palmentoju. Belle couverture de corail rouge, sous une voûte, dans la zone des -30 m.

Punta Capigliolo (pointe de Locca) – Tombant vertical, au nord du golfe de Liscia, de la surface à -130 m.

LA PLONGÉE EN CULOTTES COURTES

Initier vos bambins à la plongée en Corse ? Rien de plus facile. Conformément à la réglementation française, les centres de plongée accueillent les juniors dès l'âge de 8 ans, avec une autorisation parentale. Les conditions sont excellentes, qu'il s'agisse du cadre (petites criques sécurisantes, eau claire et chaude, petite faune de roche) ou de l'accueil. Presque tous sont équipés de matériel adapté à leur morphologie ("biberons", ministabs, petits embouts, combinaisons à leur taille). Après le baptême, les juniors peuvent suivre des stages spécifiques (plongeur de bronze, d'argent et d'or).

Punta San Giuseppe – Plus au nord que la pointe de Locca. Gros mégalithes rectangulaires d'une vingtaine de mètres de long sur plusieurs mètres de hauteur, à -20 m, qui se prolongent en éboulis jusqu'à -40 m.

La Girafe – Épave dans l'anse de Sagone à -18 m (canons en bronze, quelques structures de coque, des boulets). Flûte napoléonienne qui transportait des pins laricios destinés à la construction navale ; cernée par des navires anglais, elle s'est sabordée dans les années 1800.

Le Canadair – Un peu plus au large, à la sortie de l'anse. Épave d'un avion qui s'est écrasé en 1971 lors d'une mauvaise manœuvre ; posée à l'envers sur un fond sableux par -30 m.

Golfe de Porto

Joyau de la Corse, le golfe de Porto est une étape obligée. Les parois granitiques dévalent rapidement vers les abysses (800 m au milieu du golfe).

On dénombre une dizaine de sites entre le Capo Rosso au sud et la Punta Mucchilina au nord, exploités par 3 centres seulement. Par ailleurs, le golfe de Porto jouit d'une prestigieuse carte de visite : il jouxte la limite sud de la réserve naturelle de Scandola, un sanctuaire qui abrite la faune méditerranéenne au grand complet (voir *Des paradis marins sous haute surveillance*, p. 376). La plongée y est bien sûr interdite, mais les centres de Porto et de Galéria proposent des sites en bordure de la réserve, au sud. Seule ombre au tableau : le vent d'ouest, quand il souffle, rend les sorties difficiles, et les plus belles plongées, près des extrémités nord et sud du golfe, sont alors annulées.

Castagne – Sur la rive sud. Site pour débutants accessible par la route ou par la mer.

Sec du Château – Au sud également, un peu plus loin. Plusieurs petits secs qui émergent. Pour débutants.

Figajola – Plus à l'ouest (rive sud). Site multiniveau où 2 pointes riches en vie fixée dégringolent de -5 à -35 m environ. Passage de dentis et de corbs.

Vardiola – En continuant vers le Capo Rosso. Pain de sucre affleurant la surface de l'eau, entaillé par une faille entre -30 et -10 m dans laquelle on peut remonter. Corail rouge en abondance au pied de la faille. Plateau peuplé de corbs, de dentis, de mostelles, de langoustes et de mérous.

Pitons de Vardiola – Entre Vardiola et Capo Rosso. Têtes rocheuses qui remontent à -8 m et plongent à -50 m. Magnifiques gorgones sur les parois entre -30 et -40 m.

Capo Rosso – Face à la pleine mer, ce cap termine la façade sud du golfe. Deux grosses roches affleurantes. Relief découpé, creusé de failles. Passage de pélagiques (thons, barracudas, liches).

Porte d'Aix – Crique située à 5 min du port, sur la rive nord, idéale pour les baptêmes et l'initiation.

Voûte à corail – La plus belle voûte à corail du golfe, par -26 m, à 5 min du port, à Monte Rosso. Site poissonneux.

Punta Scopa – À mi-chemin entre Porto et la Punta Mucchilina. Belle plongée de tombant (tous niveaux). Dentis et corbs.

Senino – La pointe suivante. Tous niveaux. Sec culminant à -1,50 m, dégringolant sur un côté jusqu'à -50 m. Failles et faune fixée, dont de splendides gorgones. Mérous, dentis, murènes, corbs, langoustes et mostelles.

Punta Mucchilina – L'une des plus belles plongées de Corse, à la limite sud de la réserve de Scandola. Multiniveau. Petit sec près de la côte, composé de 2 têtes séparées par une cuvette, remontant à -1 m et chutant, côté sud, jusqu'à -50 m. Gorgones, parazoanthus, langoustes, corbs, dentis et barracudas. Sur le côté est du sec, épave d'un ancien charbonnier entre -20 et -30 m, avec salle des machines, hélice et chaudières.

Galéria

Ambiance sauvage et plongées de caractère définissent le secteur de Galéria, où n'officie qu'un seul centre de plongée. Les sites sont disséminés entre la pointe Morsetta, au nord, et la limite nord de la réserve de Scandola.

Ciuttone – Premier site en allant vers le nord-est, à hauteur de la pointe éponyme, à l'extrémité est de la baie de Galéria. Tous niveaux. Corail rouge à partir de -20 m.

La Roche bleue – Entre Ciuttone et Morsetta. Pour confirmés. Pain de sucre enjolivé de gorgones, entre -30 et -50 m.

Îlot Morsetta – Au nord, face à la pointe du même nom. Architecture sous-marine variée. Éboulis volumineux, failles, tombants, vallées. Mostelles, langoustes, murènes et gorgones. Passage de mérous et de corbs. Tous niveaux.

Le Tunnel – Site original, vers le sud. Boyau de 50 m de long environ, en forme de L, qui traverse la paroi de part en part et dont l'entrée s'ouvre à -17 m. Le diamètre de ce goulet est de 2 à 3 m. Lampe indispensable. Accessible aux niveaux 1. À l'intérieur, la roche est assez dénudée. Quelques mostelles. La sortie se situe à -12 m.

La Faille – Proche du Tunnel. Anfractuosité à -16 m, qui s'enfonce sur une trentaine de mètres dans la paroi. On peut émerger dans une poche d'air agrémentée de stalactites.

Îlot Porri – Vers la réserve de Scandola. Enchaînement d'arêtes rocheuses disposées parallèlement à une profondeur comprise entre -15 et -40 m.

Calvi

Les fonds de la baie proprement dite n'ont rien d'exceptionnel mais dès que l'on s'écarte vers l'ouest, dans le secteur de la pointe de la Revellata, au caractère sauvage bien accusé, on peut s'attendre à de très belles plongées.

Le B17 – Épave chargée d'histoire, dans la baie de Calvi. Reliques d'un bombardier américain qui fut contraint d'amerrir devant la citadelle de Calvi en 1944. Il repose par -27 m, à 200 m à peine de la côte. Posée à l'endroit, l'épave est tronquée à l'avant et à l'arrière (le nez et la queue ont été détruits lors de l'amerrissage), mais il reste la partie centrale du fuselage, des fragments du train d'atterrissage, les ailes et les 4 moteurs aux pales vrillées. Cette plongée vaut surtout pour son ambiance. Site théoriquement réservé aux confirmés, mais les centres de Calvi emmènent couramment les niveaux 1, pour peu qu'ils se contentent de survoler l'épave.

La Bibliothèque – Autre site, dans la baie de Calvi, régulièrement proposé aux débutants. Nommé en raison de la ressemblance des massifs rocheux avec des piles de livres, dans moins de 20 m d'eau. Peu poissonneux.

Pointe Saint-François – Derrière la citadelle, à la sortie de Calvi. Site exploité pour les baptêmes et l'initiation.

La Revellata – Au nord-ouest, en contrebas du phare. Vallées rocheuses, éboulis, minitombants, canyons et failles, à des profondeurs différentes, exposés au large. Gorgones, éponges, anémones-fleurs, mérous, sars, corbs, dentis, liches et crustacés. Accessible à tous les niveaux (de -10 et -40 m). Corail rouge à partir de -30 m.

Mezzu Golfu (ou sec du Clocher) – Plus à l'ouest, pour confirmés. Grosse boule, plate sur sa partie supérieure, pourvue de failles et de cavités et décorée de gorgones, de -27 m à -50 m.

Punta Bianca – Site poissonneux comportant des tombants assez abrupts. Gorgones et corail rouge, entre -10 et -42 m. Dentis, congres, mostelles, langoustes et corbs.

Entre Calvi et L'Île-Rousse

La zone comprise entre la Punta di Spano, à l'ouest de la marine de Sant'Ambroggio, et Algajola à l'est réserve de belles plongées, accessibles à tous les niveaux, dans des sites à la configuration originale.

Cala Stella – Crique idéale pour les débutants, à proximité de la tour de Spano. Petits poissons de roche et relief diversifié.

Kalliste – Site pour confirmés, entre -23 et -45 m, avec des grottes et des passages sous roche. Corbs, sars, mostelles, murènes et langoustes en abondance. Corail et gorgones à partir de -30 m.

Danger d'Algajola – Au large de la station balnéaire du même nom. Immense plateau rocheux à 1,5 mille au large, qui couvre plus de 1 km de long sur environ 400 m de large et descend par paliers de -1 à -40 m. Relief très varié. Beaucoup de poissons de roche et de pélagiques.

Le Grand-Cerf – Navire qui fit naufrage au XIXe siècle, par -25 m. Les membrures et les mâts de charge sont apparents.

Pedra Mule – Îlot proche du promontoire situé à l'ouest d'Algajola. Tous niveaux.

Pietra Eramer – Site localisé dans le prolongement de la Punta di Sant'Ambroggio et formé de gros éboulis, entre -27 et -43 m. Belles gorgones, mérous, sars, dentis, langoustes ou homards.

L'Île-Rousse

La baie de L'Île-Rousse compte quelques sites. Il s'agit de remontées rocheuses sur fond sableux, criblées de magnifiques gorgones qui passent pour les plus belles de Corse.

Le Naso – Gros rocher qui culmine à -13 m et descend à -32 m, accessible à tous les niveaux. Concentration impressionnante de congres et de murènes. Présence de corbs et de dentis.

Le Petit Tombant – Site proche du Naso, entre -16 et -42 m, avec des caractéristiques analogues. Gorgones et passage de bancs de dentis et de liches.

Le Grand Tombant – Dans le prolongement du Petit Tombant, plateau à -20 m qui, côté large, dégringole jusqu'à -39 m. Très belles gorgones et éponges encroûtantes sur la paroi. Sars et poulpes sur le plateau.

Les Trois Vierges – À moins de 200 m du Grand Tombant, en direction du large, 3 rochers très poissonneux (corbs, dentis, thons, mérous, entre autres). Pour confirmés (entre -25 et -42 m).

Le Monlouis – Plus au large. Pour confirmés (de -30 à -47 m). Superbes gorgones.

Tour de Saleccia – À hauteur du site terrestre du même nom. Sec qui tombe en cascade de -25 à -50 m. Exposé au courant. Présence de daurades, de langoustes et de raies.

Saint-Florent

Le golfe de Saint-Florent, en forme de U évasé orienté plein nord, longe, sur sa rive gauche, le désert des Agriates. Une dizaine de sites sont couramment exploités, côtés est et ouest du golfe. À l'est, les petites falaises calcaires, trouées comme du gruyère, se prolongent sous la surface.

Grotte aux Pigeons – Côté est. À quelques mètres sous la surface. Falaise entaillée par de multiples anfractuosités.

Sec des Pigeons – Au large du précédent, plateau rocheux entre -25 et -30 m, percé de petites failles, peuplées de mérous, de corbs et de sars.

Le Gendarme – À la sortie du golfe, côté ouest, dans le secteur de la Punta Mortella, à proximité du phare du même nom. Gros caillou qui culmine à -17 m et chute à -43 m. Repaire de congres, de mérous, de murènes et de langoustes.

Le Sphinx – Un peu à l'ouest de la Mortella. Rocher affleurant dont la tête évoque un sphinx, qui descend à -17 m.

Les Cormorans – Plus proche du fond du golfe, à l'anse de Fornali. Relief composé de deux lignes de roches émergentes. Petite profondeur (-8 m), idéale pour les baptêmes et l'initiation.

Sec de la Citadelle – Petite remontée rocheuse. Configuration idéale pour les débutants (éboulis rocheux et excavations dans 6 m d'eau).

L'Aventure et le Çaira – Deux épaves à proximité de la citadelle, à respectivement -10 m et -18 m.

Bastia

Ici, pas de grands tombants, de pics ou de canyons cascadant vers les abysses, mais des fonds sablonneux en pente douce, parsemés d'ensembles rocheux qui servent d'abri à une faune diversifiée. Les sites s'éparpillent à proximité immédiate de la côte, entre le port de Bastia et la tour de l'Osse, au nord, sur le cap Corse. Les appellations diffèrent parfois selon les centres. Les gorgones et le corail rouge se font rares, mais les amateurs d'épaves trouveront leur compte.

Heinkel-111 – Épave d'un bombardier allemand qui repose sur le dos par -33 m, à une encablure de la digue du nouveau port. La queue de l'appareil est cassée, les moteurs, détachés, et le train d'atterrissage, toujours en place. On peut entrer dans la carlingue.

Roche du 14-Juillet – Un peu plus au nord. Petites falaises entre -17 et -38 m. Bancs de sars, quelques mérous, des murènes et des chapons.

Roche à Mérous – Caractéristiques analogues au site précédent, entre -22 et -34 m.

Rocher de Cinquini – À hauteur de Toga. Strates rocheuses qui se superposent entre -24 et -36 m, partiellement colonisées par la faune fixée. Riches en crustacés, présence de mérous, de mostelles et de murènes.

Roche des Minelli – Trois remontées entre -8 et -22 m. Saupes, poulpes, chapons, mérous et murènes au milieu des éboulis.

Le Pain de sucre – Dans le même secteur que le précédent. Site au nom évocateur, entre -28 et -42 m, attenant à un plateau troué, entre -36 et -42 m. Vivier de mérous, de mostelles et d'anthias.

L'Ancre perdue – Plus au nord, à 20 min de bateau de Bastia, succession de pains de sucre séparés par des bancs de sable. Le plus profond commence à -42 m, le dernier est à -24 m.

Roche de Miomio – Site idéal pour les débutants. Massif de 150 m de long, très découpé.

Le Thunderbolt P-47 – Plus vers le nord, épave en bon état d'un petit chasseur anglais gisant par -22 m sur un fond d'algues.

La Canonnière – À hauteur de Pietracorbara. Épave longue de 45 m, coulée en 1943 et reposant entre -40 et -45 m. On inspectera la coque, une partie du pont, l'hélice et le moteur, ainsi qu'un canon. Abondance de mérous, de homards, de corbs, de congres et d'anthias.

Centres de plongée
Organisation et fonctionnement
À l'instar de la plupart des activités de loisirs et des services touristiques en Corse, la plongée se caractérise par une forte saisonnalité. Sur la trentaine de centres que compte l'île, seuls quelques-uns ouvrent toute l'année – et encore, sur demande ou le week-end uniquement. La plupart fonctionnent à partir d'avril, ferment à la Toussaint et tournent au ralenti en avril, mai et octobre, à la demande. La saison commence véritablement en juin et bat son plein en juillet-août, avant un retour au calme en septembre. Le nombre de sorties quotidiennes s'adapte à la surfréquentation saisonnière : de 2 en juin à 4 ou 5 en juillet-août dans certaines structures, 7j/7 ! Préférez l'avant-saison (juin) et l'après-saison (septembre), car on se bouscule moins et l'on n'a pas le sentiment d'être le énième client d'une « usine à plongeurs ».

La plupart des centres n'ont pas de programme de sorties bien défini, mais tiennent compte, pour le choix des sites, des conditions météo et du niveau des plongeurs inscrits. En tout cas, quelle que soit l'époque, nous vous conseillons de réserver vos plongées au moins la veille. En pleine saison, certains centres affichent complet 3 ou 4 jours à l'avance. Ils ne tiennent pas tous une permanence pendant les sorties ; présentez-vous de préférence une demi-heure avant le départ, ou en fin de matinée ou d'après-midi.

DÉBUTANTS : PASSEZ À L'ACTE !

Envie de voir sous la surface ? Offrez-vous un baptême qui vous permettra de ressentir vos premiers émois subaquatiques. Il s'agit d'une balade sous-marine d'une vingtaine de minutes, encadrée de près par un moniteur, dans un site très sécurisant. La Corse présente des conditions idéales pour s'initier : criques rassurantes aux eaux cristallines et chaudes, de faible profondeur, personnel compétent, matériel performant. Dans certains centres, les baptêmes représentent plus de la moitié de la clientèle. N'hésitez pas ! Frappez à plusieurs portes, posez des questions, sentez l'ambiance et écoutez votre feeling. Aucune formalité n'est requise, si ce n'est une autorisation parentale pour les mineurs. Les seules contre-indications sont d'ordre médical : affections ORL graves, épilepsie et pathologies cardiovasculaires, rhume, sinusite et grossesse. Quant aux enfants, grâce à un matériel adapté, ils peuvent faire un baptême dès 8 ans. Comptez un minimum de 40 €, tout compris (jusqu'à 60 € dans certains centres).

Le baptême se déroule en tête à tête avec un moniteur. À terre, celui-ci vous explique brièvement les règles élémentaires de sécurité et vous présente le matériel. L'ensemble vous paraîtra peut-être encombrant, mais, une fois sous l'eau, vous serez étonné de l'aisance de vos mouvements. Vient ensuite le grand moment : l'immersion. Le moniteur vous équipe et vous prend entièrement en charge. Sur un fond de 3 à 5 m maximum, dans un site sécurisant, il vous fait descendre en douceur, en vous tenant par la main. Au fond, il guide vos évolutions pendant une vingtaine de minutes.

Grisé par ces sensations nouvelles ? Vous pouvez alors envisager une formation débutant pour décrocher un brevet qui vous ouvrira les portes des centres de plongée dans le monde entier. Le niveau 1 (CMAS une étoile ; 3 à 5 jours, environ 6 plongées en mer ou en piscine, apprentissage des techniques de base et des règles de sécurité) vous permet de plonger encadré par un moniteur jusqu'à -20 m.

QUEL BUDGET ?

» Baptême : de 45 à 55 €

» Plongée à l'unité :
de 40 à 60 € environ

» Brevet niveau 1 :
de 300 à 400 € environ

Leur répartition géographique est assez large. Presque tous les golfes entre Porto-Vecchio et Saint-Florent, en suivant la côte dans le sens des aiguilles d'une montre, disposent de structures de plongée. La quasi-totalité des centres est affiliée à la Fédération française d'études et de sports sous-marins (FFESSM), mais accepte tous les plongeurs. Un comité régional de la **FFESSM** (www.plongee-corse.org) est installé en Balagne.

Tarifs et prestations

Les centres de plongée de Corse offrent une gamme complète de prestations : baptême (enfants et adultes), plongée exploration, plongée de nuit et passage de brevet. Le tarif du baptême s'entend prêt du matériel inclus. Le prix des plongées exploration varie en fonction de votre équipement personnel. Comptez 15 € environ la location de l'ensemble du matériel. Les clubs pratiquent en général un tarif de base pour le "plongeur équipé", un tarif intermédiaire "demi-équipé" et un tarif "non équipé". La fourchette de prix que nous indiquons dans les descriptifs des centres va du tarif de base au tarif avec location de l'équipement complet. Attention ! En Corse, la formule "plongeur équipé" signifie souvent que vous apportez votre bouteille.

Tous les centres proposent des forfaits (de 3, 5 ou 10 plongées), avec un tarif

dégressif. Pour les formations, assurez-vous que le prix comprend, outre la formation théorique et pratique, l'ensemble des frais administratifs (licence, carnet de plongée, passeport de plongée, diplôme). Nombre de centres n'acceptent pas les cartes de crédit ; prévoyez des espèces ou des chèques.

Choisir un centre

Au même titre qu'un hôtel ou un restaurant, un centre de plongée possède une personnalité, un style. Certains se sentiront plus en confiance dans une structure à taille humaine, où règne un apparent dilettantisme ; d'autres préféreront l'effet de masse très "pro", le fonctionnement à l'américaine et l'impressionnante logistique des grosses structures. De même, des clients se sentent rassurés par la rigueur millimétrée de certains moniteurs alors que d'autres préfèrent la décontraction et la souplesse. Pour faciliter votre choix, partez de critères objectifs, tels que la localisation, le cadre (existe-t-il une plage toute proche où vous attendront les non-plongeurs qui vous accompagnent ?), les tarifs, les horaires, les locaux et les infrastructures (douches chaudes, confort des bateaux), l'organisation des sorties, la qualité de l'accueil, les sites et les formations proposés, l'accessibilité, les petits plus (pot après la plongée, absence de toute manutention des bouteilles)... puis laissez parler votre instinct. En cas de déception, tournez les talons !

Quant au bouche-à-oreille, c'est un indicateur à double tranchant : lorsque plusieurs centres se partagent une même zone, vous constaterez vite que chacun a ses inconditionnels et ses détracteurs. Tout est question d'appréciation personnelle. Un conseil : si plusieurs prestataires se concurrencent dans un secteur, n'hésitez pas à

ACCIDENTS DE DÉCOMPRESSION

Un séjour en Corse offre l'occasion de pratiquer deux activités qui ne font pas toujours bon ménage si on s'y adonne dans la même journée : la plongée et la randonnée en montagne. Évitez toujours de monter en altitude consécutivement à une plongée afin de laisser le temps à l'organisme d'évacuer l'azote résiduel qu'il a emmagasiné. Une altitude de 1 500 m seulement ou un voyage en avion peuvent s'avérer dangereux quelques heures après une plongée. En règle générale, attendez une douzaine d'heures après avoir regagné la surface. Le **centre hospitalier d'Ajaccio** (04 95 29 90 90 ; 27 rue de l'Impératrice-Eugénie) est équipé d'un caisson de recompression.

comparer tarifs et prestations jusqu'à ce que vous trouviez le centre qui vous inspire.

Tous les centres mentionnés dans les chapitres concernés bénéficient d'un agrément officiel, emploient des moniteurs qualifiés, disposent d'un matériel moderne et en bon état et respectent un strict cahier des charges en matière de sécurité. Notre sélection de centres n'est bien sûr pas exhaustive.

Formalités

Pour un baptême, aucune formalité spécifique n'est requise. Seule une autorisation parentale est nécessaire pour les mineurs. Si vous êtes déjà breveté, on vous demandera de fournir votre attestation de niveau et votre carnet de plongée. Tous les plongeurs sont acceptés, quel que soit l'organisme qui les a formés (PADI, FFESSM, etc.). Tout au plus vous demandera-t-on d'effectuer une plongée de réadaptation pour évaluer votre aisance et vérifier votre compétence technique si vous n'avez pas plongé récemment. Un certificat médical de non-contre-indication à la pratique de la plongée est obligatoire pour une formation.

La plupart des centres disposent d'une assurance en responsabilité civile qui couvre d'office leurs clients. Vérifiez tout de même que votre assurance voyage prévoit une prise en charge et un rapatriement en cas d'accident dû à la plongée. Dans le cas contraire, vous pouvez souscrire une complémentaire auprès des prestataires.

La région en un clin d'œil

Nebbio, Agriates et Ostriconi

Architecture ✓✓
Plages ✓✓
Activités sportives ✓✓

Architecture

Le style pisan est bien représenté dans le Nebbio, avec la somptueuse église San-Michele de Murato à Murato et la cathédrale du Nebbio, à Saint-Florent. Le quartier médiéval de Lama, l'un des plus beaux villages de Corse, dans l'Ostriconi, est également un joyau architectural.

Plages

À un concours de beauté, le podium serait le suivant : la plage de Saleccia, baignée d'une eau incroyablement cristalline, la plage de Lodo, tout aussi photogénique, et la plage de l'Ostriconi, précédée d'un bras de mer et d'une roselière.

Activités sportives

Les étendues sauvages du désert des Agriates se prêtent à toutes les aventures, sur terre ou sur mer : balade équestre dans le maquis ou galop sur la plage, kayak le long des criques secrètes, exploration des chemins et des pistes à VTT ou à pied.

Bastia et le cap Corse

Paysages ✓✓✓
Villages ✓✓✓
Architecture ✓✓

Paysages

Les routes en corniche du cap Corse ménagent des points de vue inoubliables sur la Méditerranée. Sur la côte ouest, de Centuri à Nonza, la D80 joue à cache-cache avec des criques, des baies et des plages, avec un arrière-plan de montagnes couvertes de maquis. Les côtes occidentale et orientale offrent des paysages différents ; l'Ouest est sans aucun doute plus spectaculaire. Le pourtour de cette langue de terre est parsemé de tours génoises à la forme caractéristique.

Villages

À l'intérieur des terres, les villages et les hameaux sont blottis dans la végétation et regardent vers le large. Sur le littoral, des bateaux de pêche colorés dodelinent dans de belles marines. À Centuri, on perpétue la pêche à la langouste ; Macinnagio accueille les plaisanciers, tandis que Rogliano, nid d'aigle perché au-dessus de ce village, offre une belle vue sur les hauteurs du cap.

Architecture

Le cap Corse est célèbre pour ses "maisons d'Américains", ces imposantes demeures de style colonial, et les multiples tours génoises, dont certaines bien conservées, qui montent la garde le long du littoral. De magnifiques chapelles romanes valent également le détour. Bastia elle-même n'est pas en reste : sa citadelle, témoin de la domination génoise et du rôle important de la ville, surplombe le vieux port. Elle représente un quartier à elle seule, avec ruelles, promenades et remparts.

p. 48

p. 77

Balagne

Villages ✓✓✓
Plages ✓✓
Loin des foules ✓✓

Villages
L'arrière-pays balanin rassemble un chapelet de villages pittoresques, desservis par des routes secondaires qui n'en finissent plus d'offrir de somptueux points de vue. Des bourgs côtiers aux villages-belvédères de l'arrière-pays, la Balagne abrite quelques-uns des plus beaux villages de Corse.

Plages et vasques
La Balagne est riche en plages idylliques, à proximité de Calvi et de L'Île-Rousse. Certaines sont plus propices au farniente, d'autres attirent les amateurs de loisirs nautiques. Dans le Fango, il fait bon se rafraîchir dans les vasques de la rivière.

Loin des foules
La Balagne a souvent l'image d'une région bondée en saison, mais il est possible de trouver un peu de quiétude en s'éloignant du littoral, notamment dans le Ghjunsani et dans la vallée du Fango.

p. 94

Du golfe de Porto à Ajaccio

Paysages ✓✓✓
Loin des foules ✓✓
Culture et patrimoine ✓✓

Paysages
Le golfe de Porto est un éblouissement pour les yeux, avec, en point d'orgue, la réserve de Scandola et les calanques de Piana. Cette merveille naturelle dévoile toutes ses beautés lors d'une excursion en bateau. Plus au sud, de belles plages de sable blanc attendent les estivants.

Loin des foules
Les vallées du haut Taravo et les gorges du Prunelli, encaissées et reculées, offrent un visage radicalement différent de la Corse, rural et paisible, loin de l'agitation trépidante des stations du littoral.

Culture et patrimoine
En 2010, le palais Fesch à Ajaccio a rouvert ses portes et fait à nouveau partie des escales culturelles incontournables. Le secteur de Porto et d'Ota recèle de superbes ponts et des tours de la période génoise. Cargèse "la Grecque" mérite une halte pour les deux églises qui s'y font face.

p. 129

Sud de la Corse

Plages ✓✓✓
Activités sportives ✓✓✓
Loin des foules ✓✓✓

Plages
Chacun trouve son bonheur dans cette région aux plages les plus paradisiaques de Corse. Au sud de Porto-Vecchio, les plages de Palombaggia et de Rondinara sont de vrais édens. Dans les environs de Bonifacio, l'archipel des Lavezzi, aux eaux turquoise, incite à découvrir ses fonds marins.

Activités sportives
Le sud de la Corse offre un bel éventail d'activités : randonnée, balades à cheval, canyoning, escalade, VTT, parcs aventure, kayak... Vous n'aurez que l'embarras du choix !

Loin des foules
Les villages de l'Alta Rocca et sa nature montagnarde contrastent avec la côte, souvent surpeuplée. Le sud possède également un patrimoine archéologique important (notamment sur le plateau de Cauria), ainsi que des vallées secrètes comme l'Ortolo, entre montagnes, vignes, forêts et champs.

p. 183

Est de la Corse

Loin des foules ✓✓✓
Paysages ✓✓
Plages ✓✓

Loin des foules
Les quatre microrégions qui composent l'est de la Corse (Casinca, Castagniccia, Fiumorbu et Morianincu) sont les moins fréquentées de Corse. Et pourtant, elles sont dotées de merveilles d'architecture et recèlent un patrimoine culturel très riche.

Paysages
En altitude, les forêts profondes de la Castagniccia, desservie par des routes secondaires longues et sinueuses, mènent jusqu'à des villages reculés aux splendides panoramas, sur la côte ou sur son magnifique manteau végétal.

Plages et vasques
Les longues plages de sable fin de Moriani ou de la Costa Serena sont propices au farniente et aux activités nautiques ; dans l'arrière-pays, les vasques de rivière dans la vallée du Travo offrent de belles baignades dans des eaux cristallines.

p. 245

Montagnes du Centre

Loin des foules ✓✓✓
Activités sportives ✓✓✓
Architecture ✓✓✓

Loin des foules
Les vallées reculées de l'Asco, du Manganellu et du Niolo, où se perpétuent les traditions corses, et la microrégion du Boziu, un paradis rural oublié, valent vraiment le détour, ne serait-ce que pour découvrir l'âme corse.

Activités sportives
Poumon vert de la Corse, cette région abonde en sentiers de randonnée pour tous les niveaux, qui mènent à des paysages exceptionnels (lacs glaciaires, sommets, forêts) ; un rêve pour les amateurs de canyoning et de balades équestres.

Architecture
La citadelle de Corte offre une vue extraordinaire : perchée à une centaine de mètres de hauteur, elle arbore un nid d'aigle qui semble posé en équilibre à l'extrémité du piton. Les villages du Boziu, quant à eux, offrent tout au long de la route qui les relie un chapelet de magnifiques édifices religieux.

p. 266

Les pictos pour se repérer :

  Les coups de cœur de l'auteur

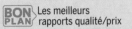 Les meilleurs rapports qualité/prix

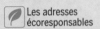 Les adresses écoresponsables

Voir aussi l'index où figurent toutes les localités couvertes dans ce guide.

Sur la route

Bastia et le cap Corse

Le top des hébergements

Le top des restaurants

Pourquoi y aller

Arrivant de la mer, on est séduit par l'image de Bastia, accrochée à sa montagne qui plonge dans la Méditerranée, toisée par sa citadelle perchée au-dessus du vieux port. Venant des airs, on ne se lasse pas de détailler par le hublot les contours du cap Corse, étroite langue de maquis pointée vers le golfe de Gênes, l'ancienne rivale honnie. Bastia et le cap Corse, on l'aura compris, ne manquent pas d'attraits.

À Bastia, il faut prendre le temps de flâner à l'ombre des ruelles des quartiers de Terra Vecchia et de Terra Nova, de laisser la soirée s'étirer sur les terrasses de la place Saint-Nicolas, d'assister au va-et-vient estival des ferries colorés et de regarder le soleil jouer sur les façades du vieux port.

La ville finit là où commence le cap, l'une des régions à l'identité la plus marquée de l'île. Dans ce véritable monde à part, on passe avec délice d'un minuscule port de pêche à une marine tranquille, entre de longues langues de maquis plongeant dans les flots, aux pieds de villages hardiment accrochés sur les versants montagneux. Le cap Corse est aussi ponctué de beaux points de vue – cols, tours génoises, routes panoramiques – d'où il se laisse admirer à loisir.

Quand partir

Avril-juin
Bastia s'offre sous son meilleur jour au printemps. Profitez des terrasses ensoleillées sur le vieux port ; ne manquez pas les processions de la Semaine sainte et la fête de la Saint-Érasme, début juin.

Juillet-août
Découvrez le littoral du nord du cap Corse à pied et lézardez sur une plage, ou faites de belles balades en mer au départ de Macinaggio. Tentez un baptême de plongée dans les eaux chaudes et cristallines de la région.

Septembre-octobre
Une saison merveilleuse pour découvrir en toute quiétude les routes sinueuses du cap Corse et faire de belles balades à pied.

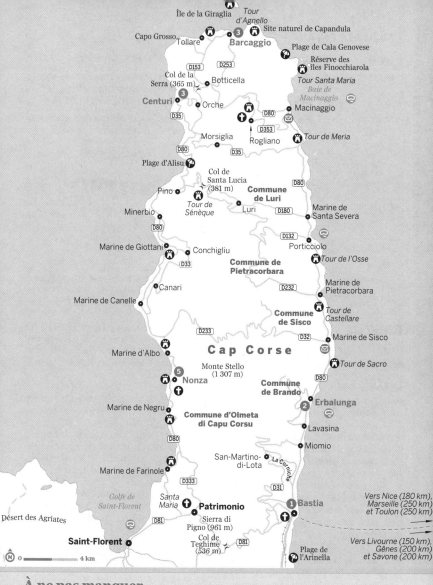

Île de la Giraglia
Tour d'Agnello
Site naturel de Capandula
Capo Grosso
Tollare
Barcaggio
Plage de Cala Genovese
Réserve des îles Finocchiarola
D153
D253
Col de la Serra (365 m)
Botticella
Tour Santa Maria
Baie de Macinaggio
Centuri
Orche
Macinaggio
D35
Morsiglia
D80
D353
Rogliano
Tour de Meria
D80
D35
Plage d'Alisu
Col de Santa Lucia (381 m)
Commune de Luri
D80
Pino
Tour de Sénèque
Luri
D180
Marine de Santa Severa
Minerbio
D80
D132
Marine de Giottani
Conchigliu
Porticciolo
D33
Commune de Pietracorbara
Tour de l'Osse
Canari
D232
Marine de Pietracorbara
Marine de Canelle
Tour de Castellare
Commune de Sisco
D233
Cap Corse
D32
Marine de Sisco
Marine d'Albo
Tour de Sacro
Monte Stello (1 307 m)
D80
5 **Nonza**
Commune de Brando
2 **Erbalunga**
Marine de Negru
Commune d'Olmeta di Capu Corsu
Lavasina
D80
Miomio
Marine de Farinole
San-Martino-di-Lota
La Corniche
D333
D31
Golfe de Saint-Florent
Santa Maria
Patrimonio
1 **Bastia**
Vers Nice (180 km), Marseille (250 km) et Toulon (250 km)
Désert des Agriates
Sierra di Pigno (961 m)
Col de Teghime (536 m)
D81
Vers Livourne (150 km), Gênes (200 km) et Savone (200 km)
Saint-Florent
Plage de l'Arinella
N 0 — 4 km

À ne pas manquer

1 La vue sur le vieux port de **Bastia** (p. 51) depuis une terrasse de la citadelle

2 Le minuscule village d'**Erbalunga** (p. 61) et son port en miniature, gardé par une tour génoise

3 Les villages de l'extrémité du cap Corse, comme le très paisible **Barcaggio** (p. 70) ou le port de **Centuri** (p. 71), qui perpétue la tradition de la pêche à la langouste

4 Une balade sur le très beau **sentier des douaniers** (p. 67 et 70), qui ceinture le cap Corse

5 **Nonza** (p. 75), sa superbe église jaune et rouge et son étonnante plage de galets noirs

LIEUX	ACTIVITÉS	BON À SAVOIR
Bastia	Une visite qui n'épuisera pas vos enfants, celle du **village Corse miniature** (p. 53)	Mieux vaut téléphoner pour vous assurer que vous ne trouverez pas porte close.
Bastia	Une découverte des éléments marins dans le cadre du **jardin des mers** du Club nautique bastiais (p. 53)	Cette découverte s'effectue sous la forme d'un stage de 5 demi-journées. Pour les enfants de 4 à 6 ans.
Cap Corse	À dos de cheval avec le **centre équestre** Cavallu di Brando (p. 62)	Dès 7 ans. Organise des balades à travers tout le cap Corse.
Sisco	Une découverte de l'équitation dans le **poney club** du centre équestre A Ferrera (p. 63)	Dès que l'on a soufflé ses trois bougies. Les plus grands pourront accompagner leurs parents en promenade.
Macinaggio	Une initiation à la **voile** avec le club nautique de Macinaggio (p. 68)	Les Optimist sont maniables par un enfant de 5 ans !

BASTIA

Dénuée du côté glamour d'Ajaccio, sa rivale de Corse du Sud, la deuxième ville de l'île ne se laisse pas facilement appréhender. Bastia ne mise en effet ni sur l'apparence ni sur les paillettes, mais présente une ambiance gentiment anarchique qui fait tout son charme. C'est aussi une ville d'art et d'histoire, riche en édifices religieux, notamment baroques, dissimulés dans l'entrelacs de ses rues. Méditerranéenne et populaire, la ville mérite que l'on prenne le temps de se laisser séduire par son atmosphère, de s'attarder sur ses terrasses et de regarder les derniers rayons du soleil dessiner des arabesques sur les façades du vieux port, dominé par les clochers jumeaux de l'église Saint-Jean-Baptiste.

Histoire

Si le site de Bastia a été habité dès l'époque romaine, la ville elle-même ne fut fondée qu'en 1372, lorsque le gouverneur génois de l'époque, alors établi au château de Biguglia – situé dans un environnement mal défendu et impaludé à quelques kilomètres au sud de la ville actuelle –, se mit en quête d'un nouveau lieu de résidence. Soulignant pour la première fois la position stratégique du site, il porta son choix sur le seul promontoire rocheux de cette côte sans relief et y fit construire une bastille (*bastiglia*), qui donna son nom à la ville.

En 1452, la forteresse devint le chef-lieu de la Corse génoise et le siège des gouverneurs, tandis que se développait alentour le quartier de Terra Nova. Jusqu'au XVIIIe siècle, la citadelle resta le symbole de la domination génoise pour la majorité des Corses. Des paysans venus des montagnes saccagèrent la cité à plusieurs reprises afin de protester contre l'administration fiscale génoise.

En dépit de ces années d'instabilité, une grande partie du patrimoine architectural bastiais date des XVIIe et XVIIIe siècles. En 1764, la ville passa sous le contrôle des Français. Cinq ans plus tard, elle capitula après deux mois de résistance au siège des Anglais, commandés par l'amiral Nelson. Ils restèrent maîtres de la ville pendant deux ans. Différentes révoltes furent réprimées sévèrement sous Napoléon et, en 1811, Bastia perdit son statut de première ville de l'île au profit d'Ajaccio. En 1943, elle fut la seule agglomération corse bombardée par les Américains. La ville retrouva son rôle de capitale économique après la guerre, grâce à ses activités portuaires et commerciales. Elle est le siège de la préfecture de Haute-Corse depuis 1975.

🛈 Renseignements

Office du tourisme (☑04 95 54 20 40 ; www.bastia-tourisme.com ; place Saint-Nicolas ; ⊘tlj 8h-20h en été, lun-sam 8h-18h hors saison). Il pourra vous renseigner sur les promenades à thème organisées dans Bastia et vous communiquer les horaires des bus. Accès Internet (2 €/heure).

Cyber Oxy (☑04 95 55 16 19 ; 1 rue Salvatore-Viale ; 3 €/heure ; ◷lun-mer 12h-20h, jeu-ven 12h-2h, sam 14h-2h). Accès Internet.

✦✦ Fêtes et festivals

Rencontres du cinéma italien (début février). Projections de films d'auteurs, conférences et débats pendant 2 semaines.

Festival du cinéma britannique (mars)

Processions de la Semaine sainte (fin mars-début avril)

Festival de Saint-Érasme (2 juin). Festivités sur le thème de la mer. Joutes et animations dans le port.

Relève des gouverneurs (mi-juillet). Une centaine de figurants en costumes d'époque font revivre la pompe de la cérémonie de la relève des gouverneurs génois, dans la citadelle.

Festival du cinéma espagnol et latino-américain (fin septembre-début octobre). Ce festival de 2 semaines, qui s'ouvre et se conclut par un spectacle de danse ou de musique, propose des projections de films d'auteurs.

Musicales de Bastia (mi-octobre). Musique baroque, polyphonies, rock, rap, techno, jazz, blues, etc. Concerts sur la place Saint-Nicolas, au théâtre municipal et dans certaines églises.

◉ À voir

Place Saint-Nicolas   PLACE HISTORIQUE
Longue de près de 300 m, bordée de palmiers et de terrasses de cafés sur sa face ouest, cette place édifiée au XIXe siècle est le centre névralgique de la ville. Entre la brocante du dimanche matin et les rollers du soir, des générations de Bastiais s'y retrouvent pour boire un verre. Au sud de la place, une imposante **statue de Napoléon**, drapé dans la tunique d'un empereur romain, torse puissant et tête droite, plonge son regard dans l'horizon marin... Tout un symbole : face à lui, l'île d'Elbe est à moins de 50 km. Plus au sud, une promenade construite au-dessus du souterrain qui traverse la ville permet de gagner l'autre pôle de la vie bastiaise : le quartier du vieux port.

♥ **Terra Vecchia
et vieux port**   QUARTIER ANCIEN
Peuplé de tous temps par des Corses, à l'opposé du quartier de Terra Nova, jadis fief des Génois, c'est le quartier le plus ancien de Bastia. De la place Saint-Nicolas, on le rejoint par la rue Napoléon, qui longe deux

oratoires baroques, la **chapelle Saint-Roch** et la **chapelle de la Conception** avec son parvis en mosaïque de galets blancs, verts et ocre. La rue débouche sur la **place de l'Hôtel-de-Ville**, également appelée place du Marché (marché samedi et dimanche matin). Les ruelles étroites et tortueuses, aux maisons hautes, qui descendent vers le vieux port et le quai des Martyrs ne manquent pas de caractère. La place est bordée de bâtiments de 4 étages aux enduits patinés et décrépis, coiffés de toits de lauzes bleutées, pierre que l'on ne trouve que dans la région de Bastia. L'édifice le plus remarquable du quartier est la très belle **église Saint-Jean-Baptiste**, reconnaissable à ses deux campaniles symétriques. Achevée en 1666 et redécorée dans le style baroque au XVIIIe siècle, elle occupe l'angle sud-ouest de la place. C'est de la profonde anse du vieux port, qu'elle surplombe magistralement de son imposante stature, que vous la découvrirez sous son meilleur jour. Lors de la Seconde Guerre mondiale, les bâtiments les plus proches du port furent bombardés par les Alliés. Le quartier en retrait a été mieux préservé, en particulier en remontant vers l'**église Saint-Charles-Borromée**, dissimulée derrière de hauts immeubles étroits dont certains ont été réhabilités au cours des dernières années.

Citadelle et Terra Nova   QUARTIER ANCIEN
Du quai sud du vieux port, vous rejoindrez la citadelle en empruntant les escaliers de la rampe Saint-Charles via le **jardin Romieu**, un havre de paix planté d'essences méditerranéennes qui mérite de prendre le temps de flâner le long de ses allées sinueuses. Une autre option consiste à prendre la rue qui part sur la gauche lorsque vous vous trouvez en face du palais de justice. À la différence de Terra Vecchia, les façades des bâtiments de Terra Nova ont été restaurées, et les enduits ocre, jaunes, rouges ou verts éclatent sous la lumière de midi dans les ruelles étroites de la citadelle. En venant du jardin Romieu, on y pénètre par la **place du Donjon**. Immédiatement à droite se trouve le **palais des Gouverneurs**, dans lequel est installé le **musée d'Histoire de Bastia** (☑04 95 31 09 12 ; www.musee-bastia.com ; 5/2,50 € ; ◷10h-19h30 mar-dim juil à mi-sept, 10h-18h mar-dim mi-sept à oct et avr-juin, 9h-12h et 14h-17h30 mar-sam nov-mars), réouvert en 2010 après des travaux de rénovation. Le musée retrace l'histoire de la ville. L'exposition permanente s'appuie sur trois thématiques :

BASTIA ET LE CAP CORSE BASTIA

0 ——————————— 200 m

Encart

Même échelle que la carte principale

N193

Vers Erbalunga (9 km) et le cap Corse

Port de plaisance Toga

Jardin Romieu

Place Dominique Vincetti

Jetée du Dragon

Citadelle et Terra Nova

Place du Donjon

Place d'Armes

Rue de l'Évêché

Vers le Lido de la Marana, la Brasserie Pietra (12 km), l'étang de Biguglia (16 km) et l'aéroport de Bastia-Poretta (25 km)

Rue de l'Impératrice Eugénie

Avenue Émile Sari

Rue du Chanoine Leschi

Rue du Commandant Luce de Casabianca

Vers l'hôtel Best Western (500 m), San-Martino-di-Lota (5 km) et Saint-Florent (22 km)

Rue Notre Dame de Lourdes

Rue du Chanoine-Colombani

Campinchi

Rue César

Bd Général Graziani

Rue Adolphe Landry

Nouveau port

Place Mal Leclerc

Avenue Maréchal Sébastiani

Square St-Victor

Avenue F Pietri

Gare ferroviaire

Rue Gabriel Péri

Rue du Conventionnel Salicetti

Boulevard du Général de Gaulle

Place Saint-Nicolas

Bassin Saint-Nicolas

Rue César Campinchi

Boulevard Paoli

Rue Miot

Rue St-François

Rue Saint-Roch

Rue Napoléon

Cours Henri Pierangeli

Terra Vecchia

Place de l'Hôtel de Ville

Rue des Martyrs de la Libération

Tunnel sous le vieux port et la citadelle

Bd Général Giraud

Rue Général Carbuccia

Rue du Colle

Rue Favalelli

Bd Paoli

Rue des Terrasses

Rue de la Marine

Rue St-Jean

Quai des Zéphirs

Quai du Sud

Vieux port

Église Saint-Charles-Borromée

Rue Général Carbuccia

Voir l'encart

N193

Renseignements
1 Cyber Oxy A6
2 Office du tourisme B4

À voir et à faire
3 Chapelle de la
  Conception B6
4 Chapelle Saint-Roch.... B6
5 Club de plongée
  bastiais C7
6 Club nautique bastiais. B7
7 Corse miniature
  (musée) B2
8 Église Saint-Charles-
  Borromée A7
9 Église Sainte-Croix..... B2
10 Église Sainte-Marie..... A2
11 Église Saint-Jean-
  Baptiste B6
12 Jardin Romieu A1
  Musée d'Histoire
  de Bastia ....(voir 14)
13 Objectif Nature B3
14 Palais des
  Gouverneurs A1
15 Statue de Napoléon..... B5

Où se loger
16 Hôtel Central B5
17 Hôtel Posta Vecchia ... C6
18 Les Voyageurs B4

Où se restaurer
19 A Casarella A1
20 A Vista A1
21 Auberge A Mandria..... B6
22 Chez Huguette............ B7
  Chez Vincent ......(voir 19)
23 La Table du Marché B6
24 Le Bouchon B6
25 Palais des Glaces A1
26 Le Guasco.................. B4
27 Petite Marie C6
28 Raugi........................ B3

Où prendre un verre
29 Café Wha ! B6
30 L'Alba....................... C6
31 La Rhumerie B6
32 LVP.......................... B6
33 Pub Assunta B6
34 Pub O'Connor's B6

Achats
35 A Campagna............... A4
36 Cap Corse Mattei........ B4
37 Chez Mireille.............. B6
38 Cyrnarom B2
39 Santa Catalina............ B6
40 U Muntagnolu............. A5
41 U Paese..................... B6

Transports
42 Arrêt des bus n°1 .... B3
43 Bus pour Calvi
  et Corte.................... A4
44 Bus pour l'aéroport A3
45 Bus pour la plage
  de la Marana et
  le Cap Corse............. B4
46 Corsica Ferries C2
47 Gare routière............. B3
48 La Méridionale C2
49 Moby Lines C3
  SNCM ....(voir 51)
50 Taxis B3
51 Terminal maritime
  nord C2
52 Terminal maritime
  sud C3

la naissance et la croissance de la ville, son rôle dans l'histoire politique et économique de l'île, sa vitalité artistique et intellectuelle. Il est possible de ne visiter que son jardin – minuscule, mais offrant un beau point de vue sur le port – pour 1 €.

La citadelle abrite également deux remarquables édifices religieux. Le premier est l'**église Sainte-Marie**, à l'imposante façade jaune et blanche. À droite de l'église, une plaque apposée sur une maison signale que le jeune Victor Hugo vécut dans la citadelle de 1803 à 1805, alors que son père, général, était en garnison à Bastia. Contournant la cathédrale, vous parviendrez à l'**église Sainte-Croix**. Ne manquez pas d'admirer son superbe plafond et son célèbre christ noir. Remarquez enfin l'élégant parvis en galets verts et blancs.

L'ancienne poudrière, en bas des escaliers à droite de l'église Sainte-Marie, héberge **Corse miniature** (☎06 10 26 82 08 ; adulte/enfant 4/2,50 € ; ☉fin avr à mi-oct tlj 9h-12h et 14h-18h) et sa reproduction en pierre d'un pittoresque village des années 1940, où sont reconstitués les maisons, les moulins, la cathédrale, la tour génoise, etc. Les horaires sont fluctuants : appelez auparavant.

⚓ Activités

L'Arinella   PLAGE
Au sud de la ville, la plage de l'Arinella est équipée d'aires de jeux pour enfants. Accessible en voiture, elle est desservie par un bus gratuit de la STIB/SAB en juillet-août (voir *Depuis/vers Bastia*). Plus au sud, le long cordon lagunaire de la Marana comporte plusieurs plages (voir p. 59).

Objectif Nature   MULTIACTIVITÉS
(☎04 95 32 54 34, 06 12 02 32 02 ; www.objectif-nature-corse.com ; 3 rue Notre-Dame-de-Lourdes ; ☉tte l'année). Cette agence spécialisée dans les loisirs sportifs organise des **randonnées pédestres** d'une journée ou d'une demi-journée (20 €/pers la journée), des sorties de **plongée** et des sorties de **pêche** à la demi-journée. L'équipe propose aussi un parcours de **canyoning** (45-50 €/pers) dans les gorges du Figaretu (avant tout destiné aux confirmés), à 20 minutes en voiture au sud du centre-ville, des **randonnées aquatiques** à une dizaine de kilomètres au nord de Bastia (45 € la demi-journée) et du **kayak** à Erbalunga (monoplace/biplace 35/45 € par jour).

Objectif Nature loue par ailleurs des **VTT** et des VTC pour adultes et enfants, qui

pourront être livrés sur votre lieu d'hébergement. Un service de consigne est disponible sur place (8h-19h, 3 €).

Club nautique bastiais   ACTIVITÉS NAUTIQUES
(☎04 95 32 67 33, 06 11 83 09 14 ; www.club-nautique-bastia.fr ; quai du Sud et plage de la Marana). Cette base nautique loue des planches à voile (16-24 €/h), des kayaks (12-17 €/h), des dériveurs et des catamarans (30-45 €/h), et dispense des cours particuliers et collectifs. Le club est présent sur la plage de la Marana et sur le vieux port, où les adultes peuvent pratiquer le kayak et s'initier à la voile, tandis que les enfants se voient proposer des stages d'Optimist et, pour les plus petits, une découverte de la voile et du milieu marin dans le cadre d'un jardin des mers.

Plongée

La zone qui s'étend au nord de Bastia, jusqu'à la tour de l'Osse, sur le cap Corse, est réputée pour la qualité de ses sites de plongée (pour plus de détails, reportez-vous au chapitre *Plongée* p. 39). Les centres suivants proposent des baptêmes (45 € environ), des plongées d'exploration (à partir de 42 €, matériel inclus) et des formations :

Club de plongée bastiais (☎06 18 39 96 37 ; www.plongee-bastia.com ; vieux port)

Objectif Nature (☎04 95 32 54 34, 06 12 02 32 02 ; www.objectif-nature-corse.com ; 3 rue Notre-Dame-de-Lourdes)

Thalassa Immersion (☎04 95 31 78 90, 06 11 11 54 00 ; www.thalassa-immersion.com ; Ville-di-Petrabugno, sortie nord de Bastia). À environ 1,5 km du centre-ville, après le port de Toga.

🛏 Où se loger

Même si de nombreux visiteurs choisissent de quitter rapidement la ville, les arrivées massives de touristes débarqués par bateau et le nombre restreint d'hôtels rendent la réservation quasi obligatoire en haute saison.

Camping San Damiano   TROIS-ÉTOILES €
(☎04 95 33 68 02 ; www.campingsandamiano. com ; lido de la Marana ; adulte/enfant/emplacement 5,50-8,20/3,80-5,60/5-8 € selon saison ; ☉avr-oct ; ⊛). Dans une pinède en bordure de plage, à 8 km de la sortie sud du tunnel sous le vieux port, cet agréable camping trois étoiles dispose d'excellentes infrastructures. Il loue également une vingtaine de bungalows en bois à la semaine. Un bus dessert le camping depuis le port de Bastia (2/j mai-fin sept). La gare la plus proche est celle de Furiani, à 4 km.

Hôtel Posta Vecchia HÔTEL €€
(☎04 95 32 32 38 ; www.hotelpostavecchia.com ; quai des Martyrs ; s/d 50-95/50-105 € selon confort et saison ; ⊘fermé 20 déc-10 jan ; ❋🛜). L'adresse ne brille pas par son charme mais affiche des tarifs raisonnables et dispose d'un emplacement idéal, face à la mer, entre la place Saint-Nicolas et le vieux port. Certaines chambres – les plus chères – bénéficient d'une vue sur le large. Celles du dernier étage sont mansardées. Pas de parking.

Hôtel Central HÔTEL DE CHARME €€
(☎04 95 31 71 12 ; www.centralhotel.fr ; 3 rue Miot ; s/d 62-80/67-105 €, ste 97-145 € selon saison ; ❋🛜). Ce petit hôtel de charme donne l'impression de séjourner dans une maison de campagne. Vous serez séduit par le bel escalier central de ce bâtiment datant de la fin du XIXᵉ siècle, par les teintes ocre ou bleues des murs aux enduits cirés et par l'aménagement des chambres, toutes personnalisées, avec parquet, tomettes, alcôves, balcon et clim pour certaines. La petite cour est par ailleurs très agréable. Le Central loue également, au dernier étage, une belle suite climatisée à la décoration contemporaine. Il ne manque qu'un ascenseur et... un parking.

Les Voyageurs HÔTEL À THÈME €€
(☎04 95 34 90 80 ; www.hotel-lesvoyageurs.com ; 9 av. du Maréchal-Sébastiani ; s/d 60-108/75-115 € ; P❋🛜). La belle réception, avec des meubles en teck et de chaleureuses teintes jaunes, donne le ton de ce trois-étoiles. Les chambres, confortables, déclinent toutes un thème différent lié au voyage : Égypte, Russie, Italie, voyage en train... Une rénovation récente leur a donné ce qui faisait défaut par le passé à ce bâtiment labyrinthique : une touche de personnalité. L'ensemble est cependant surévalué en haute saison. Parking payant (7 €).

Best Western HÔTEL DE CHAÎNE €€
(☎04 95 55 10 00 ; www.bestwestern-corsica-hotels.com ; av. Jean-Zucarelli ; s/d 59-125/69-125 € selon confort et saison ; P❋🛜). Fonctionnel et "aux normes", cet établissement entièrement rénové en 2010 offre l'avantage de proposer 71 chambres confortables et bien équipées dans cette ville où les hôtels sont somme toute assez rares. Il manque certes un peu de charme mais présente un bon rapport qualité/prix. À 500 m de la gare en direction de Saint-Florent. Une option à prendre en compte.

Hôtel Pietracap ENVIRONS PROCHES €€€
(☎04 95 31 64 63 ; www.hotel-pietracap.com ; Pietranera ; d 71-224 € selon confort et saison ; ⊘avr-nov ; P❋🛜). À 3 km de Bastia en direction du cap Corse, ce trois-étoiles croulant sous les bougainvilliers et niché dans un beau parc paysager qui descend vers la mer est un bon point de chute si vous recherchez le calme (et une piscine !). Ses chambres, refaites dans un style coloré et moderne, en privilégiant la lumière, sont une bonne surprise. Pour vous y rendre, prenez la direction du cap Corse sur 2 km, puis montez 500 m sur la D131 vers San-Martino-di-Lota. La plage de galets de Pietranera se trouve à 10 minutes à pied.

✖ Où se restaurer

Les bonnes adresses sont surtout concentrées dans la citadelle et aux abords de la place de l'Hôtel-de-Ville, tandis que le vieux port doit son succès à son cadre et à son animation.

Chez Vincent CORSE MODERNE €
(☎04 95 31 62 50 ; 12 rue Saint-Michel ; plats 9-25 € ; ⊘fermé sam midi et dim). Mention spéciale pour ce petit établissement de la citadelle. Outre de bonnes pizzas et de bons plats de viande (filet de bœuf en croute, sauté de veau à la châtaigne), on y vient surtout pour son produit phare : l'"assiette du bandit corse" et son assortiment de spécialités de l'île. Les tables en terrasse, au bord des remparts, offrent une vue superbe sur le port de commerce, le manège des ferries en été et la ville basse. Quant à la petite salle, elle est fraîche à souhait. Bon accueil.

Petite Marie CUISINE FAMILIALE €
(☎04 95 32 47 83 ; 2 rue des Zéphyrs ; plats 6-23 € ; ⊘tte l'année lun-sam, soir uniquement). Installée dans une ruelle des abords du vieux port, cette petite adresse au cadre un peu vieillot annonce la couleur – "pas de frites congelées" – et prépare une cuisine familiale sans prétention. Elle se distingue aussi par ses petits prix, son ambiance conviviale et la verve de la patronne. À l'ardoise : salades, omelettes, moules-frites et surtout grillades. Cartes de crédit non acceptées.

Raugi GLACIER €
(☎04 95 31 22 31 ; www.raugi.com ; 2 bis rue du Chanoine-Colombani ; coupe 6-20 € ; ⊘mar-sam 9h-12h30 et 14h-1h, dim 9h30-12h30 et 16h-1h juin-août, mar-sam 9h30-23h, dim 9h30-12h sept-juin). Ouvert en 1937, ce glacier prépare une soixantaine de crèmes glacées et de sorbets différents. Les coupes glacées sont vraiment impressionnantes, tant par leur volume que par leur composition ! *Fiadone*, cédrat, noix-figue, *canistrelli* – de nouveaux parfums sont proposés chaque saison. De

mi-septembre à fin mars, l'établissement sert aussi des pizzas, midi et soir, sur une terrasse au bord de la rue.

Palais des Glaces
BRASSERIE-GLACIER €

(☑04 95 31 05 01 ; place Saint-Nicolas ; plats 9-19 € ; ☺tlj 6h-2h, restaurant midi et soir mai-sept, midi uniquement oct-avr). L'une des adresses les plus actives parmi celles qui s'alignent place Saint-Nicolas, cette grande brasserie appréciée des Bastiais sert des salades, pizzas, plats du jour, viandes et poissons grillés, pâtes et, bien sûr, des glaces (maison). Terrasse sur la place et animation certains soirs d'été.

♥ A Casarella
CORSE MODERNE €€

(☑04 95 32 02 32 ; 6 rue Sainte-Croix ; plats 15-24 € ; ☺tlj mai-sept, fermé dim et lundi midi le reste de l'année). Au cœur de la citadelle, installé sur la terrasse ou dans la jolie salle, on savoure des spécialités méditerranéennes et corses revisitées, à l'image du cochon noir du cap caramélisé aux figues ou de la cassolette de gambas au muscat. Une formule d'assiette de spécialités corses (18 €) est également servie dans le prolongement de l'établissement, à l'ombre d'une élégante pergola en fer forgé couverte d'une vigne, face à l'un des plus beaux points de vue sur Bastia. Accueil souriant et bonnes suggestions de vins corses au verre ou en bouteilles.

A Vista
CORSE MODERNE €€

(☑04 95 47 39 91 ; 8 rue Saint-Michel ; formule midi 16,50 €, plats 20-28 € ; ☺tlj mai-sept, fermé dim le reste de l'année, fermeture annuelle jan et 1re sem fév). Juste après Chez Vincent, A Vista tire son épingle du jeu avec une cuisine semi-gastronomique de qualité – lotte braisée au sel et coquillages, confit de canard maison aux châtaignes, risotto à l'encre de seiche. La formule du déjeuner, qui permet d'apprécier la belle vue qui s'offre depuis la terrasse sans casser sa tirelire, semble avoir plus de succès que la carte du dîner, assez chère.

Auberge A Mandria
CORSE MODERNE €€

(☑04 95 35 17 11 ; 4 place de l'Hôtel-de-Ville ; plats 20 €, menus 25 et 35 € ; ☺tlj sf lun et mar midi). Cette "auberge" – en fait une belle salle de restaurant aux pierres apparentes, cosy et accueillante – est une valeur sûre. On y sert une savoureuse cuisine corse remise au goût du jour par une touche inventive et originale : cannellonis au bruccio sur veau aux olives, beignets de fromage frais... Bon accueil, service professionnel et ouverture le dimanche. Une bonne table à prix raisonnables.

Le Bouchon
BISTROT €€

(☑04 95 58 14 22 ; 4 bis rue Saint-Jean, vieux port ; plats 17-28 €, menu 24,90 € ; ☺tlj juil-août, fermé mer et dim hors saison). L'une des terrasses alignées sur le port, le Bouchon se démarque par sa carte mêlant spécialités continentales, comme le foie gras maison au torchon, et plats aux accents bien corses. Les suggestions du jour se déclinent sur l'ardoise : charcuterie, tartares de poisson (excellents), veau corse bio, poissons de pêche locale. Belle carte de vins au verre. Un petit peu cher tout de même. Cartes de crédit non acceptées.

Chez Huguette
SPÉCIALITÉS DE LA MER €€

(☑04 95 31 37 60 ; vieux port ; plats 19-37 €, menu 25 € ; ☺tte l'année midi et soir sf dim midi en saison et sam midi et dim midi hors saison). Nappes blanches, verres étincelants et service stylé vous attendent dans ce restaurant ouvert depuis 1969, connu pour ses spécialités de la mer, à déguster en salle ou sur sa terrasse au-dessus du vieux port. À la carte, poissons frais, langouste, bouillabaisse, spaghettis aux palourdes...

La Table du Marché
BRASSERIE €€

(☑04 95 31 64 25 ; place de l'Hôtel-de-Ville ; plats 18-38 €, menus 25-68 € ; ☺lun-sam en saison, mar-sam hors saison). Ambiance "repas d'affaires" pour ce restaurant à la décoration de brasserie élégante qui compte parmi les valeurs sûres de la restauration bastiaise. La Table du Marché, idéalement située derrière le vieux port, sur la tranquille place de l'Hôtel-de-Ville (aussi appelée place du Marché), propose une carte alléchante mêlant poissons (selon arrivage), linguine aux fruits de mer, filet de bœuf à la panzetta. Service professionnel.

Le Guasco
CORSE €€

(☑04 95 31 44 70 ; 6 rue du Dragon ; plats 10-23 €, menu 27 € ; ☺mar-dim en saison, mar-sam hors saison). Anciennement appelée la Citadelle, cette adresse avant tout fréquentée par la clientèle locale se distingue en premier lieu par son cadre : une très belle salle aux murs en pierre apparente, fraîche en été, où trône une ancienne meule de moulin. L'ardoise propose d'alléchantes suggestions de plats corses, qui sonnent toutes plus authentiques les unes que les autres. Les échos semblent cependant plus mitigés depuis que l'adresse a changé de nom.

La **place du Marché** (ou place de l'Hôtel-de-Ville) accueille chaque samedi et chaque dimanche, le matin, commerçants et producteurs proposant des produits locaux : miel, fruits, charcuterie, vins... Les bars de la **place Saint-Nicolas** feront parfaitement l'affaire pour un déjeuner léger en terrasse.

🍷 Où prendre un verre

La vie nocturne bastiaise n'est pas très animée, mais vous pouvez tenter votre chance du côté du vieux port, où le **Café Wha !** (✆04 95 34 25 79 ; rue de la Marine), café-restaurant d'inspiration mexicaine et rendez-vous de la jeunesse bastiaise, sert de bons cocktails. Également sur le vieux port, le **LVP** (rue de la Marine, vieux port) a ses inconditionnels, tout comme **la Rhumerie** (place Galetta), un peu en retrait du quai, juste derrière. Pour une ambiance plus lounge, optez pour **l'Alba** (quai des Martyrs-de-la-Libération).

Sinon, allez voir l'animation du **Pub O'Connor's** (✆04 95 32 04 97, 06 16 34 76 33 ; 1 rue Érasme), apprécié des amateurs de bière. Ce pub situé derrière l'hôtel Posta Vecchia s'anime rarement avant 23h. Autre option, le **Pub Assunta** (✆04 95 34 11 40 ; 4 rue de la Fontaine-Neuve), au cœur de la ville, dispose d'une belle salle et d'une petite terrasse. Certains bars du port de Toga sont également animés en soirée.

🛍 Achats

Un marché principalement axé sur les produits gastronomiques corses se tient place de l'Hôtel-de-Ville (aussi appelée place du Marché) tous les samedi et dimanche. En été, un marché aux puces a lieu le dimanche matin place Saint-Nicolas.

Cap Corse Mattei   CAP CORSE
(✆04 95 32 44 38 ; www.capcorsemattei.com ; place Saint-Nicolas, 15 bd du Général-de-Gaulle ; ⏰lun-sam 9h-12h et 14h-19h). Une véritable institution, qui mérite incontestablement le coup d'œil. L'établissement Mattei est de longue date célèbre par son apéritif, le "Cap Corse". Outre les produits locaux, la vitrine de ce magasin d'époque présente les objets qui ont participé au succès de la marque : tapis de cartes, étiquettes de bouteilles, affiches...

Chez Mireille   GÂTEAUX ET BISCUITS CORSES
(✆04 95 32 41 05 ; 5 rue des Terrasses ; ⏰fermé lun). Impossible de résister à l'alléchante odeur qui s'échappe par la porte de cette boutique située en surplomb du vieux port. Chez Mireille est l'incontournable rendez-vous des amateurs de *fiadone* et

de *canistrelli*, parfumés au vin blanc, à la châtaigne ou encore au citron... Comptez 1 € les 100 g. Les horaires semblent assez fluctuants.

Brasserie Pietra   BIÈRE CORSE
(✆04 95 30 14 70 ; www.brasseriepietra.com ; route de la Marana, Furiani ; visite guidée gratuite et dégustation ; ⏰juil-août lun-ven 9h30-12h et 14h-17h30). Première bière corse, créée en 1996, la Pietra, bière ambrée à la farine de châtaigne, connaît depuis un succès grandissant. La brasserie, en dehors de la ville vers le sud, produit aussi une blonde, la Serena, et une blanche, la Colomba. Téléphonez à l'avance.

Cyrnarom   PARFUMERIE
(✆04 95 31 39 30 ; 29 rue Émile-Sari et 9 rue Mgr-Rigo ; ⏰lun-sam 9h30-12h et 15h-19h avr-juin et sept-oct, lun-sam 9h30-12h et 15h30-19h30 juil-août, lun-sam 9h30-12h et 15h-19h déc, lun-sam 15h-19h nov et jan-mars). Si l'odeur du maquis corse vous enivre, allez faire un tour chez ce maître artisan qui en capture toutes les senteurs pour créer des eaux de toilette, des parfums et des cosmétiques. Vous y verrez le laboratoire où officie le parfumeur, ainsi que des alambics et des essenciers d'un autre âge.

Bastia compte également plusieurs boutiques d'alimentation spécialisées dans les produits corses de qualité : charcuterie, fromages, vins, huile d'olive, liqueurs, miel, confitures... Nombre d'entre elles peuvent se charger de l'expédition de colis dans toute la France.

A Campagna (✆04 95 34 00 78 ; www.a-campagna.fr ; 25 rue César-Campinchi)

Santa Catalina (✆04 95 32 30 69 ; 8 rue des Terrasses)

U Muntagnolu (✆04 95 32 78 04 ; 15 rue César-Campinchi)

U Paese (✆04 95 32 33 18 ; www.u-paese. com ; 4 rue Napoléon)

ℹ Depuis/vers Bastia

Vous trouverez des précisions sur les liaisons maritimes, les dessertes aériennes et les coordonnées des agences de location de voitures de l'aéroport de Bastia au chapitre *Transports*, p. 398.

AVION L'aéroport de Bastia-Poretta
(✆04 95 54 54 54 ; www.bastia.aeroport. fr) est son aérogare en forme de soucoupe volante se trouvent à 24 km au sud de la ville. Vous trouverez dans l'aérogare un distributeur de billets, un bar, quelques boutiques et de nombreuses agences de location de voitures.

Renseignez-vous à l'office du tourisme ou auprès des transporteurs pour les horaires.

Destination	Compagnie	Fréquence	Prix	Arrêt
Aéroport	STIB/SAB	toutes les heures	9 €	Gare routière
Moriani Plage	STIB/SAB	8/j	6,50 €	Place Saint-Nicolas
Lido de la Marana	Autocars A Marana - Antoniotti	lun-sam 2/j (mi-mai à mi-oct) dim 1/j	4-5 €	Gare routière
Cap Corse : Erbalunga Sisco et Pietracorbara	STIB/SAB	toutes les 30 min env	2,20-2,80 €	Place Saint-Nicolas
Cap Corse : Macinaggio	Transports Micheli	lun-sam 2/j	7 €	Place Saint-Nicolas
Cap Corse : Luri, Pino Barettali	Communauté de communes	ven 1/j	10 €	Gare routière
Saint-Florent	Transports Santini	lun-sam 2/j	5 €	Gare routière
L'Île-Rousse	Les Beaux Voyages	lun-sam 1/j (2/j tlj juil-août)	14 €	Rond-point gare SNCF
Calvi	Les Beaux Voyages	lun-sam 1/j (2/j tlj juil-août)	16 €	Rond-Point gare SNCF
Solenzara	Transports Tibéri	lun-sam 1/j	17 €	Gare routière
Corte	Eurocorse	lun-sam 2/j	11,50 €	Gare routière
Corte	Autocars Cortenais	lun, mer, ven	11 €	Rond-point Gare SNCF
Ajaccio	Eurocorse	lun-sam 2/j	21 €	Gare routière
Porto-Vecchio	Les Rapides Bleus	lun-sam 2/j tlj en saison	22 €	Place Saint-Nicolas

BATEAU L'un des plus actifs de Corse et de France pour le trafic des passagers, le port de Bastia compte 2 terminaux de ferries, distants de quelques centaines de mètres. Le terminal sud est réservé aux passagers piétons, tandis que le nord se partage entre le fret et les passagers embarquant avec leur véhicule. Les diverses compagnies maritimes qui desservent Bastia disposent de billetteries dans les terminaux. Elles vendent des billets pour un départ le jour même et ouvrent quelques heures avant l'arrivée des bateaux. Pour un départ à une autre date, vous pouvez vous rendre aux bureaux des compagnies :

Corsica Ferries (☎0825 095 095 ; www.corsicaferries.com ; palais de la Mer, 5 bis rue du Chanoine-Leschi). Liaisons avec Toulon, Nice, Savone et Livourne (tte l'année).

Moby Lines (☎04 95 34 84 94 ; www.mobylines.fr ; 4 rue Luce-de-Casabianca). Liaisons avec Gênes et Livourne de juin à septembre.

SNCM (☎04 95 54 66 99 ; www.sncm.fr ; terminal sud). Liaisons avec Marseille et Toulon (tte l'année).

La Méridionale (☎0810 20 13 20 ; www.lameridionale.fr ; port de commerce). Liaisons avec Marseille (tte l'année).

BUS La gare routière se situe presque en face de l'office du tourisme, vers l'extrémité nord de la place Saint-Nicolas. Certains bus partent cependant de la gare SNCF ou des avenues Sébastiani et Pietri. Dans les faits, la "gare routière" se limite à un petit parking où stationnent les bus et ne compte pas de guichets. L'office du tourisme, tout proche, pourra répondre à vos questions. Vous trouverez également des renseignements sur les sites www.corsicabus.org et www.bastiabus.com.

Les compagnies de bus opérant au départ de Bastia (voir aussi le tableau ci-dessus) sont les suivantes :

Autocars A Marana – Antoniotti (☎04 95 36 08 21)

Autocars Cortenais (☎04 95 46 02 12, 04 95 46 22 89)

Eurocorse (☎04 95 31 73 76, 04 95 21 06 30)

Les Beaux Voyages (☎04 95 65 11 35)

Les Rapides Bleus (☎04 95 31 03 79). Billetterie au bureau Rapides Bleus/Corsicatours (av. du Maréchal-Sébastiani).

Transports Micheli (☎04 95 35 14 64)

Transports Santini (☎04 95 37 04 01, 04 95 37 02 98)

LE SENTIER DE L'ÉTANG DE BIGUGLIA

Départ : à quelques kilomètres au sud de Bastia, sur le lido de la Marana
Durée : 30 min

Permettant d'échapper à l'agitation bastiaise, cette courte balade en bordure du plus grand plan d'eau de Corse fera la joie des ornithologues. Créé à l'initiative du conseil général de Haute-Corse, le sentier de découverte débute au niveau de la plage de la Marana, au nord du plan d'eau, derrière un panneau aux armes de la réserve naturelle.

Cette balade familiale sur terrain plat ne pose aucune difficulté, si ce n'est l'humidité ambiante et la présence de quelques moustiques. Un peu gâchée par la proximité de la route, elle n'en offre pas moins une occasion de se dégourdir les jambes aux abords de la ville. Il n'y a pas de balisage, mais il est impossible de se perdre. Des lecteurs ont eu des difficultés à trouver le début du sentier. Il est matérialisé par un panneau situé sur le parking face à la plage de Tombulu Biancu.

Longeant le plan d'eau d'un côté et la route de l'autre, le sentier d'environ 2 km est l'occasion d'observer les oiseaux qui peuplent l'étang. Pas moins de 127 espèces – parmi lesquelles des foulques, aigrettes, hérons ou encore sarcelles – ont été recensées aux abords de la réserve naturelle. Les oiseaux sont généralement difficiles à observer durant la saison chaude. Un poste d'observation est aménagé à la fin du parcours.

Transports Tibéri (☎04 95 57 81 73)
STIB/SAB (☎04 95 31 06 65)

VOITURE ET MOTO La plupart des loueurs de véhicules disposent d'un bureau à l'aéroport et d'une agence en ville. En haute saison, il est indispensable de réserver pour être assuré d'obtenir un véhicule. Reportez-vous p. 401 pour plus de détails.

TRAIN La **gare** (☎04 95 32 80 61 ; www.ter-sncf.com) est installée en haut de l'avenue Maréchal-Sébastiani, qui part au nord de la place Saint-Nicolas. Deux ou trois trains par jour quittent Bastia pour Calvi (3 heures, 16,40 €), via Ponte-Leccia et L'Île-Rousse. Chaque jour, 5 trains rallient Corte (1 heure 45, 10,10 €) et Ajaccio (3 heures 50, 21,60 €).

❶ Comment circuler

DEPUIS/VERS L'AÉROPORT Des bus pour l'aéroport de Bastia-Poretta (9 €) partent de la gare routière. Les horaires sont disponibles à l'office du tourisme (au moins 8 liaisons quotidiennes en saison). Comptez un minimum de 30 minutes de trajet. La course en taxi vous reviendra à environ 40 € (comptez 55 € après 19h, les dimanches et les jours fériés). En voiture, deux itinéraires permettent de gagner l'aéroport depuis Bastia : la N193, embouteillée dès le milieu de l'après-midi, et la route du lido de la Marana (D107), légèrement plus longue mais plus agréable et moins fréquentée.

BUS Le bus n°1 relie le port de Toga au vieux port via le cours Paoli et les abords de la citadelle. En été, la SAB/STIB met en place une navette gratuite qui dessert la plage de l'Arinella (voir p. 53).

TAXI La compagnie des **Radio Taxis Bastiais** (☎04 95 34 07 00 ; www.taxisbastiais.com ; place Saint-Victor) a son siège à côté de la gare routière. Vous pouvez aussi contacter les **Taxis Bleus** (☎04 95 32 70 70).

Environs de Bastia

RÉSERVE NATURELLE DE L'ÉTANG DE BIGUGLIA

Long de plus de 11 km, large de 2,5 km et totalisant une superficie de 1 450 ha, l'étang de Biguglia est le plus grand plan d'eau de Corse. Classé réserve naturelle en 1994, il accueille de nombreux oiseaux migrateurs au cours de leur voyage entre l'Europe et l'Afrique, notamment des flamants roses. On y dénombre plus de 100 espèces d'oiseaux, parmi lesquelles l'aigrette garzette, le butor étoilé, le héron pourpré et le busard des roseaux. La partie nord est reliée à la mer par un canal, le reste de l'étang étant composé d'eau douce. La navigation et la baignade y sont interdites, mais on y pratique la pisciculture (anguilles et mulets). Un sentier pédestre, malheureusement trop proche de la route, permet d'en découvrir la rive nord-est (voir la randonnée ci-dessus). Les oiseaux sont cependant assez difficiles à observer durant les mois les plus chauds. Le **centre d'information de la réserve** (☎04 95 33 55 73 ; ⊙mar-sam 9h-12h et 13h-17h en saison) organise des promenades de juin à septembre (visite libre/commentée

2/4 €). L'accès est libre et gratuit le reste de l'année. Le centre d'information est situé à 12,5 km de Bastia, sur la rive orientale de l'étang, à côté de la résidence Les Chênes.

LIDO DE LA MARANA

Cet étroit cordon littoral de plus de 20 km, qui s'étend entre l'étang de Biguglia et la mer, est aujourd'hui colonisé par les infrastructures touristiques – commerces, résidences, campings, discothèques, centre équestre, activités nautiques et parcours aventure. Le bord de mer n'a rien d'extraordinaire, mais la place pour étendre sa serviette de bain ne manque pas. Un parking longe la plage de la Marana, au début du lido en venant de Bastia. Ensuite, la route s'écarte de quelques centaines de mètres et il devient plus difficile de garer son véhicule, à moins d'emprunter les chemins de terre qui mènent à la plage. Une piste cyclable, idéale pour rollers, cyclistes et piétons, borde le côté est de l'étang et longe l'intégralité du lido de la Marana.

Plusieurs bus par jour partent de la gare routière de Bastia et desservent le lido et l'étang de Biguglia (voir l'encadré p. 58). Il est également possible de prendre le train en direction de Casamozza et de descendre à l'arrêt Rocade, à 200 m à pied de l'étang.

SITE DE MARIANA ET CATHÉDRALE DE LA CANONICA

Le petit **site archéologique romain de Mariana** et la **cathédrale de la Canonica** (Santa-Maria-Assunta) sont situés à l'extrémité sud de l'étang de Biguglia, à deux pas de l'aéroport de Bastia-Poretta. La route (D107) borde la **cathédrale** et l'environnement manque cruellement de charme, mais Santa-Maria-Assunta, reconnaissable à ses murs polychromes, se visite avec plaisir. Elle fut consacrée en 1119 par l'archevêque de Pise. Plus loin, en direction des pistes d'atterrissage, l'**église de San Parteo** bénéficie d'un cadre plus bucolique.

LA CORNICHE

Envie de séjourner près de Bastia tout en profitant d'une vraie atmosphère de village ? La "Corniche" est certainement la solution. Plus vraiment bastiaise, mais pas encore complètement capcorsine, elle désigne une route étroite et sinueuse – la D31 – qui serpente sur les versants montagneux immédiatement au nord de Bastia. La

Corniche dessert ainsi une série de villages de caractère, dont **Ville di Pietrabugno**, **San Martinu di Lota** et **Santa-Maria di Lota**, eux-mêmes composés de plusieurs hameaux, avant de redescendre vers **Miomo** et le littoral. En pratique, il s'agit déjà du cap Corse, mais les villages du secteur sont encore dans la sphère d'influence de Bastia. Une localisation idéale, à quelques minutes de l'agglomération bastiaise et des premiers bourgs du cap, à laquelle s'ajoutent, suprême récompense, des panoramas sublimes de la côte, de Bastia, de l'étang de Biguglia et, au loin, des îles de l'archipel toscan : Pianosa, Capraia et l'île d'Elbe. La plupart des visiteurs ignorent son existence, ce qui en renforce l'attrait.

🛏 Où se loger et se restaurer

Les trois premières adresses de cette liste vous attendent à San Martinu di Lota, à environ 7 km de Bastia.

San Martinu   AUBERGE €
(☎ 04 95 32 23 68 ; usanmartinu@hotmail.com ; place de l'Église, San Martinu di Lota ; gîte d'étape avec petit-déj sans/avec draps 15-20 € , d avec petit-déj 45-60 € , menus 12-20 € ; ⊙ fermé mi-déc à mi-jan). Cette auberge traditionnelle cultive son ambiance rétro au cœur de San Martinu di Lota. Côté cuisine, vous pourrez goûter à des spécialités familiales et copieuses, comme le panizze, à la farine de pois chiches, ou la *migliacciolu*, une crêpe au fromage frais de brebis. Côté hébergement, vous aurez le choix entre des chambres avec sdb – celles à 60 € , plus récentes et plus claires, offrent un bon rapport qualité/prix – et des dortoirs de 4 lits bien tenus (draps et serviettes fournis).

La Corniche   HÔTEL-RESTAURANT €€
(☎ 04 95 31 40 98 ; www.hotel-lacorniche.com ; San Martinu di Lota ; s/d 46-97/49-114 € selon confort et saison ; plats 17-30 € , menus 23-30 € ; ⊙ fév-déc ; P ✿ 🛜). Piscine, petit jardin, vue imprenable sur le littoral et les montagnes environnantes, situation au cœur d'un charmant village... Cet établissement confortable et accueillant réserve de bonnes surprises. Les chambres, à la décoration fraîche et agréable, sont réparties en trois niveaux de confort – "standard", "supérieure" et "confort" –, ces dernières étant à peine plus chères à certaines saisons. La plupart font face à la mer. Le restaurant, dont la carte s'appuie sur des produits du terroir et de

la mer, accompagnés d'une belle carte des vins, a bonne presse.

Château Cagninacci CHAMBRES D'HÔTES €€€
(☎06 78 29 03 94 ; www.chateaucagninacci.com ; San Martinu di Lota ; d avec petit-déj 107/127 € en basse/haute saison ; ☺mi-mai à fin sept ; ✴🛜). Les amoureux de calme et de vieilles pierres apprécieront cet ancien couvent du XVIIᵉ siècle restauré par un "Américain", entouré d'un grand jardin et doté d'un joli cloître. Il renferme 4 chambres spacieuses meublées à l'ancienne, dont une avec terrasse (et vue mer) et deux avec clim. Le château est dissimulé par la végétation, environ 500 m avant le centre du village de San Martinu di Lota, en descendant vers Miomo.

BON PLAN **La Place** RESTAURANT €
(☎04 95 31 82 61 ; Santa Maria di Lota ; plats 10-20 € environ ; ☺mai-sept). Dans une belle maison en pierre sèche, cet établissement de la place centrale où l'on sert une cuisine simple et généreuse (pizzas, viandes, pâtes) à prix doux respire la bonne humeur. Aux beaux jours, attablez-vous sur la terrasse ombragée par un platane et profitez de la jolie vue sur la mer.

Les deux adresses suivantes sont à Figarella – le hameau faisant face à San Martinu di Lota, de l'autre côté de la vallée – pour la première ; et un peu plus bas en direction de Miomo pour la seconde.

BON PLAN **Chez Gilles et Elise** CHAMBRES D'HÔTES €
(☎04 95 33 25 65 ; www.medori.net ; Figarella, Santa Maria di Lota ; d avec petit-déj 45-50 € selon saison ; ☺tte l'année ; 🛜). Les Medori vous réserveront un accueil chaleureux dans leur demeure en pierre tricentenaire

installée au cœur du village, en montant derrière l'église. Les 4 chambres, coquettes, de style rustique, se partagent 2 sdb. La terrasse baignée de soleil, où l'on prend le petit-déjeuner, offre une vue sublime sur les montagnes et la côte. Les propriétaires louent également 2 gîtes à la semaine, dont un aménagé dans un ancien moulin à huile et un situé à Miomo, en bord de mer.

Maison Saint-Hyacinthe MISSION RELIGIEUSE €
(☎04 95 33 28 29 ; www.maison-saint-hyacinthe. com ; Santa Maria di Lota ; s/d 31/49-52 € en basse saison, 38/54-62 € en haute saison ; repas 15 € ; ☺tte l'année). Une expérience originale : sur la route de Miomo, cette mission catholique tenue par des Polonaises, appartenant à la congrégation des Divines Sœurs Pastourelles, propose hébergement et repas. Le site, calme et reposant, incite à la méditation. Les chambres, modernes, sont impeccables et certaines, un peu plus chères, sont dotées d'une douche et de toilettes privées. Supplément de 6 € pour une seule nuit. Tarif des repas dégressifs.

CAP CORSE (CAPI CORSU)

Souvent décrite comme "une île dans l'île", cette langue de maquis de 40 km de long et d'une dizaine de kilomètres de large, qui rend les contours de la Corse si caractéristiques, est un monde à part. Rares sont les visiteurs qui ne succombent pas au charme d'Erbalunga, à la douceur de Centuri et à la vue de Nonza. Bordé d'un nombre impressionnant de tours édifiées à l'époque génoise pour le

---

TOURS GÉNOISES

Impossible de ne pas remarquer leur silhouette caractéristique ! Une soixantaine de tours génoises – sur les 85 construites par l'Office de Saint-Georges (institution financière de l'ancienne république de Gênes) au XVIᵉ siècle – se dressent en Corse. Ronds, ou plus rarement carrés, ces édifices fortifiés d'une quinzaine de mètres de hauteur jalonnent le pourtour de l'île, notamment le cap Corse. Si les tours génoises visaient à assurer la protection de l'île contre les innombrables razzias sarrasines, on ne peut s'empêcher de penser que Gênes, en les faisant édifier, cherchait également à défendre ses intérêts stratégiques et commerciaux. Ceinturant le littoral de façon à être visibles l'une de l'autre, ces tours constituaient un vaste réseau de guet. Un système de signaux permettait ainsi à un message de parcourir le tour de l'île en seulement 1 heure. La marina de Scalo, le hameau de Pino, Erbalunga ou encore le sentier des douaniers – qui passe par la très belle tour Santa-Maria – donnent l'occasion d'admirer des tours génoises. Il en demeure également en de nombreux autres points de l'île : Porto, Campomoro, Calvi, etc.

protéger des incursions barbaresques, le cap Corse voit des villages de pêcheurs alterner avec des hameaux juchés en équilibre sur les hauteurs et de douces ondulations couvertes de maquis plonger dans des côtes au relief vertigineux. Le cap présente des visages différents sur ses côtes occidentale et orientale. Son rivage ouest, plus sauvage, est sans conteste le plus spectaculaire.

La présentation ci-après en propose un tour, de Bastia à Saint-Florent. Ne soyez pas surpris de constater que certains villages prennent différents noms. Le hameau principal de chaque commune du cap est en effet souvent désigné du nom de la commune elle-même. Morsiglia devient ainsi Baragona ; Botticella est appelé Ersa ; Luri désigne A Piazza, etc.

Le cap, bordé du beau sentier des douaniers, abrite une bonne sélection de chambres d'hôtes.

Histoire

Nul ne saurait dire si c'est en un muet reproche ou par recherche de paternité culturelle que le cap Corse pointe son doigt vers l'Italie et le golfe de Gênes. L'histoire de la péninsule se distingue en effet de celle du reste de l'île. Le cap fut longtemps dominé par des familles seigneuriales d'origine ligure (Da Mare, Avogari, Gentile...), fortement attachées à la république de Gênes, avec qui elles entretenaient de fructueux liens commerciaux (vin, huile, etc.). S'appuyant sur cette féodalité, Gênes prit l'habitude de considérer le cap Corse comme une terre alliée et, au cours des siècles, rares sont les épisodes qui lui donnèrent tort.

L'histoire de la région est également profondément marquée par l'exil. Marins de tradition, les Capcorsins furent les seuls Corses, avec les Bonifaciens, à s'intéresser réellement à la pêche, et même à en vivre. Seuls négociants et marins d'une île de montagnards, peu ouverte sur un monde extérieur souvent hostile, ou considéré comme tel, les Capcorsins furent nombreux à ressentir le besoin d'élargir leur horizon. Ils contribuèrent ainsi pour une large part à la diaspora corse (l'apéritif qui porte le nom du cap fut souvent leur étendard et le symbole de leur nostalgie à l'étranger), et nombre d'entre eux s'illustrèrent dans les colonies françaises d'Afrique du Nord et en Amérique. Revenus dans leurs villages après avoir fait fortune, certains se firent construire d'étonnantes demeures de style colonial. Quelques-unes de ces "maisons

d'Américains" sont encore visibles sur le cap, notamment à Sisco ou à Canelle.

🛈 Renseignements

Communauté de communes du cap Corse (☎04 95 31 02 32 ; www.destination-cap-corse.com ; Maison du cap Corse, 20200 Ville-di-Pietrabugno). Ses bureaux sont installés dans la maison rose en face de la pharmacie à l'entrée de Ville-di-Pietrabugno. Elle édite un guide pratique sur le cap, ainsi qu'une carte recensant des circuits de randonnée. Écrivez-lui pour en obtenir un exemplaire, ou adressez-vous à l'office du tourisme de Bastia ou de Macinaggio.

DAB Le cap ne compte que deux distributeurs automatiques, l'un à la poste d'Erbalunga, l'autre à celle de Macinaggio. Tous deux sont accessibles 24h/24.

🛈 Comment circuler

Le cap Corse n'est pas très bien desservi par les transports en commun, surtout sa côte ouest.

BUS Les bus de la **STIB/SAB** (☎04 95 31 06 65) assurent un service régulier entre Bastia et Pietracorbara, via Erbalunga et Sisco. Ceux des **Transports Micheli** (☎04 95 35 14 64) desservent Macinaggio (arrêt possible dans les communes situées sur le parcours).

À cette offre s'ajoutent les **lignes de la Communauté de communes** (☎04 95 35 10 54) desservant Barrettali, Pino, Luri, Canari-Ogliastro et Nonza depuis Bastia.

Voir également p. 57.

💙 Erbalunga

On pourrait presque passer à côté sans le voir. À une dizaine de kilomètres au nord de Bastia, le village d'Erbalunga se laisse en effet à peine découvrir de la route. Et, pourtant, il serait dommage de ne pas s'arrêter pour explorer les ruelles paisibles de ce hameau aussi beau que tranquille – du moins hors saison. En ordre serré, elles forment un promontoire qui enserre un minuscule port de pêche plein de charme, où sont amarrées quelques barques multicolores. Une tour génoise ajoute une note architecturale et historique au tableau.

Port important entre le XIIIe et le XVe siècle, Erbalunga périclita après la construction de la ville de Bastia, en 1453. Surnommé le "nid des peintres" ou encore le "Collioure du cap", le village attira les peintres paysagistes dans l'entre-deux-guerres en raison de sa superbe marine – qui fascine encore de nombreux artistes amateurs. Le village est par ailleurs connu pour ses processions de la Semaine sainte.

Vous trouverez à Erbalunga quelques épiceries, une pharmacie et un bureau de poste équipé d'un **DAB**.

🎉 Fêtes et festivals

Festivités de la Semaine sainte (Pâques). La procession A Cerca a lieu le Vendredi saint. Elle est suivie par la *granitola*, la procession nocturne.

Saint-Érasme (2 juin). Fête du patron des pêcheurs corses. À cette occasion, les pêcheurs décorent leurs barques.

Festival de musique d'Erbalunga (août ; www.festival-erbalunga.fr). De grands noms du chant corse et de la variété française se donnent rendez-vous à Erbalunga.

Procession en l'honneur de la Vierge (8 septembre). Depuis l'église Notre-Dame-de-Lavasina, à 1 km d'Erbalunga.

👁 À voir et à faire

Déjeuner et flâner dans les ruelles jusqu'aux vestiges de la **tour génoise** (XVIe siècle), qui se dressent à l'extrémité de la marine et offrent une jolie vue sur les bateaux et le village, sont les principales activités des visiteurs. Si ce programme très modeste vous laisse sur votre faim, empruntez la D54, qui monte au hameau de **Castello**, où l'on peut admirer les ruines d'un **château médiéval**. Juste avant d'arriver au hameau, une route part vers la gauche et conduit à l'**église Sainte-Marie-des-Neiges**, qui abrite de belles fresques datées de 1386. L'**association Contact** (📞04 95 60 48 09, 06 86 78 02 38) organise des visites guidées dans les environs (10 €/pers ; téléphonez à l'avance pour réserver). En saison, les départs ont lieu à 9h de l'office du tourisme de Bastia. Il est nécessaire d'être motorisé.

Les amateurs de **randonnée pédestre** se rendront au hameau de **Pozzo** (accès par la D54), d'où part le sentier menant au **Monte Stello** (1 307 m). Vu l'ampleur du dénivelé (1 000 m), prévoyez au moins 6 heures aller-retour.

Le **centre équestre Cavallu di Brando** (📞06 13 89 56 05 ; www.cavalludibrando.com ; Glacières de Brando, Erbalunga ; ⊙tte l'année) propose des balades et des randonnées à cheval dans les alentours de la commune de Brando et dans tout le cap Corse (18 € l'heure, 40 € la demi-journée). En été, la forêt ombragée de Pietracorbara est l'un de ses sites privilégiés.

🛏 Où se loger

Corinne Fabiani CHAMBRE D'HÔTES €€
(📞06 09 52 93 68 ; corinnetef@wanadoo.fr ; d 70 € ; ⊙avr-sept, oct sur demande). Mention spéciale pour cette chambre d'hôtes installée dans une grande maison ancienne qui se dresse sur la place, au cœur du village. Vaste, décorée avec goût et dotée d'une sdb impeccable, l'unique chambre vous offrira également le luxe de dormir sous les fresques et stucs qui ornent son plafond. Des lecteurs, enthousiastes, apprécient autant le cadre que l'accueil. Tarifs dégressifs hors saison à partir de 3 nuits.

💛 **Le Castel Brando** HÔTEL DE CHARME €€€
(📞04 95 30 10 30 ; www.castelbrando.com ; d 109-235 € selon confort et saison ; ⊙fin mars à mi-nov ; P❄🎱📶). Unique hôtel du bourg, cet établissement de caractère qui totalise 44 chambres, claires, confortables et agréables, vous accueille dans une superbe propriété plantée de palmiers, à 2 minutes du bord de mer. À la bâtisse principale, une élégante demeure de maître datant de 1853, viennent s'ajouter 3 annexes plus modernes, deux piscines (dont une chauffée), un centre de soins (massages à partir de 35 €) et un court de tennis. Location de vélos et de kayaks. Une adresse de charme, dont on apprécie la simplicité et l'accueil chaleureux.

🍴 Où se restaurer

A Piazzetta RESTAURANT-PIZZERIA €
(📞04 95 33 28 69 ; plats 10-22 € ; ⊙avr-oct). Installé sur la petite place d'Erbalunga, A Piazzetta propose une carte de pâtes, pizzas et viandes, ainsi que des suggestions à l'ardoise. L'ensemble est servi sur l'agréable terrasse, à l'ombre d'un imposant platane, ou dans une petite salle chaulée. Cartes de crédit non acceptées.

Ind'è Noi MÉDITERRANÉEN €
(📞06 24 30 52 99 ; plats 10-22 € ; ⊙fév-déc, fermé jeu et dim). Cette adresse accueillante se distingue par ses suggestions à l'ardoise qui sortent du registre corse habituel, à l'image du tagine de poulet ou des bricks de chèvre, et son agréable terrasse moderne. Cartes de crédit non acceptées.

La Terrasse MÉDITERRANÉEN €€
(📞04 95 33 96 28 ; plats 12-30 € ; ⊙tlj juil-août, fermé lun mai-juin et sept-oct). Ouverte en 2012, cette terrasse colorée et élégante apporte une touche de renouveau aux adresses d'Erbalunga. Le bon accueil et la cuisine goûteuse et bien présentée – salade

de poulpe, linguine aux saint-jacques, brochettes de gambas – en font l'une des adresses les plus séduisantes des lieux.

L'Esquinade
POISSONS €€

(☑04 95 33 22 73 ; plats 13,50-21,50 € ; ☺avr-oct). Si vous recherchez un cadre plus sophistiqué que les adresses précédentes, essayez l'Esquinade et sa terrasse ombragée par un tamaris, avec vue sur le port. La carte de poissons (selon arrivages) et de spécialités corses est alléchante. Certains lecteurs ont cependant été un peu déçus.

♥ Le Pirate
GASTRONOMIQUE €€€

(☑04 95 33 24 20 ; www.restaurantlepirate. com ; menus 38-75 € ; ☺fermé jan-fév). Certes, les tarifs sont stratosphériques, mais cet établissement passe pour l'une des meilleures tables de Haute-Corse. Dans le cadre soigné d'une élégante salle voûtée et d'une belle terrasse donnant sur le port, on y déguste une cuisine de haute volée : tartare d'huîtres à la mangue, veau corse et poissons délicatement cuisinés...

Marine de Sisco (Siscu) et ses environs

Marine modeste à l'ambiance intimiste et décontractée, Sisco, à 5 km au nord d'Erbalunga, séduit avant tout familles et habitués. La majorité des possibilités d'hébergement sont situées vers les hameaux disséminés sur les hauteurs – Muline, Crosciano, Chioso, Poggio –, dont la visite permet de goûter à l'ambiance particulière des villages du cap (suivez la D32 sur 7 km).

◉ À voir

Au hameau de **Poggio**, à 7 km vers l'intérieur des terres, vous pourrez admirer la **chapelle Saint-Martin**, précédée d'une place ombragée d'imposants chênes verts, et poursuivre en direction de la **chapelle Saint-Michel**, chef-d'œuvre de l'art roman perché sur un promontoire. On l'atteint en suivant le fléchage, par une route goudronnée qui cède la place à une piste empierrée praticable uniquement à pied (prévoyez 1 heure aller-retour).

🏃 Activités

Dollfin
CENTRE DE PLONGÉE

(☑04 95 58 26 16, 06 07 08 95 92 ; www.dollfin-plongee.com ; ☺mi-mars à mi-nov, sur rdv le reste de l'année). Les sites proposés par le centre de plongée de Sisco incluent de belles épaves,

dont celle de *L'Insuma*, une canonnière allemande (pour confirmés) et deux avions de chasse P47 de la Seconde Guerre mondiale (l'un à -20 m, à Miomio, l'autre à -30 m, à Santa Severa). Pour les débutants, le centre privilégie le cap Sagro (-11 m), qui attire une kyrielle de poissons multicolores. Les baptêmes reviennent à 53 € et les tarifs des plongées d'exploration débutent à 39 €. Outre la plongée, le centre loue des kayaks de mer (monoplace à partir de 13 €/2 heures).

A Ferrera
CENTRE ÉQUESTRE

(☑04 95 35 07 99, 06 11 21 11 12 ; ☺tte l'année). À environ 4 km de la côte – prendre la D32 sur environ 3,5 km, puis une piste en assez mauvais état, à droite, sur 600 m –, ce centre organise des balades équestres accompagnées dans les vallées de Sisco et de Pietracorbara. Téléphonez à l'avance pour connaître les tarifs et conditions.

🛌 Où se loger et se restaurer

A Casaïola
CAMPING €

(☑04 95 35 20 10 ; a-casaiola@bbox.fr ; forfait 2 pers, tente et voiture 16-19 € selon saison ; ☺mai-oct). On atteint ce petit camping convivial et décontracté en empruntant une petite route, dans le bourg, qui s'éloigne de la côte. Un bon point pour le cadre – une agréable aire naturelle où dominent les chênes-lièges, à 300 m du bord de mer –, la propreté du site et la diversité des services : machine à laver, bar, location de kayaks. Le camping se double d'un restaurant, sur la plage.

A Stalla Sischese
AUBERGE €€

(☑04 95 35 26 34 ; www.astallasischese.com ; d/tr 55-110/100-140 € selon saison, menus 18,50-30 € ; ☺tte l'année ; [P ❄ ☎ 🛜]). Appréciée pour sa cuisine familiale déclinant les classiques du terroir corse, cette auberge installée dans un bâtiment moderne se double d'un hôtel, de l'autre côté de la route, récemment agrandi. Le site manque un peu de verdure, mais les chambres, avec terrasse privative, sont confortables et rendues accueillantes par des teintes douces et de beaux matériaux. Quant à la piscine, elle est appréciée lors des fortes chaleurs. Dommage que les tarifs s'envolent autant en haute saison. Sur la D32. Accueil souriant.

U Castiglionu
MAISON D'HÔTES €€€

(☑04 95 31 05 34, 06 03 58 58 08 ; www. ucastiglionu.com ; Moline ; d avec petit-déj 96-120 €, ste avec petit-déj 120-170 € selon saison ; ☺tte l'année ; [❄ ☎ 🛜]). Une adresse hors norme : à environ 3 km de la côte par la D32, cette bâtisse du XVIᵉ siècle a été rénovée avec goût par Paula Raffalli. Le résultat : 4 chambres et 1 suite à la personnalité affirmée, qui intègrent des matériaux modernes, comme le Plexiglas, aux structures anciennes, le tout mâtiné de touches exotiques (mobilier, objets du monde). Le salon commun, avec pierres apparentes, occupe un ancien moulin, tandis que le hammam est installé dans une cave datant de 1535. On prolonge le plaisir dans le magnifique jardin, avant de piquer une tête dans la belle piscine d'été. Possibilité de repas sur demande. Minimum 2 nuits en saison, promotions hors saison.

Marine de Pietracorbara et ses environs

Le principal atout de cette paisible petite marine est sa belle **plage** de sable, qui, à défaut d'être large, s'étire sur près d'un kilomètre. Elle se laisse admirer depuis la route, construite en corniche sur quelques kilomètres depuis Sisco, qui offre un magnifique panorama. Quelques restaurants sont installés le long de la plage.

Il serait dommage de s'en tenir à la façade littorale. En remontant la vallée (suivez la D232), vous découvrirez des hameaux dispersés dans les replis de la montagne, dont **Orneto, Oreta, Selmacce, Lapedina**... Nul doute que vous tomberez sous le charme de leurs chapelles, églises et ponts génois.

🛏 Où se loger et se restaurer

La Pietra   CAMPING €
(☑04 95 35 27 49 ; www.la-pietra.com ; adulte/voiture/moto 7,90-9,95/3,35-3,80/2,35-2,50 € selon saison ; ⊙fin-mars à début nov ; 🐾). Des infrastructures impeccables et bien conçues – dont une grande et belle piscine, un restaurant et une épicerie ouverte en juillet et août – comptent parmi les atouts de cet agréable camping trois étoiles. Les emplacements sont clairement délimités par des haies et le site – à 800 m du littoral en voiture mais seulement 500 m par un chemin pédestre – est verdoyant.

Le Rendez-vous de l'Été   HÔTEL-RESTAURANT €€
(☑04 95 35 23 32, 04 95 35 22 43 ; jcgalletti@orange.fr ; d 74-82 € avec petit-déj ; plats 10-18 € ; ⊙mai-sept ; 🐾). À quelques mètres de l'eau, entre la plage et une petite marine, cet hôtel-bar-restaurant réserve à ses hôtes un accueil familial et sympathique qui compense

largement le manque de charme architectural du bâtiment. Il abrite 6 chambres proprettes et fonctionnelles, sans prétentions, avec poutres au plafond, clim et TV, dont 4 ont vue sur la mer. La terrasse du restaurant, ombragée par de luxuriants mûriers platanes, donne sur la marine. On y déguste des poissons grillés, un plateau de fruits de mer ou un plat du jour d'inspiration traditionnelle. Location de kayaks (7/10 € par heure 1/2 pers).

Parmi les adresses à mentionner, on nous a recommandé le restaurant **U Castellare** (☑04 95 35 26 17), sur la plage.

Marine de Porticciolo (Porticciolu) et ses environs

Une marine aux jolies maisons couvertes de lauzes, la "grande bleue" en contrebas, quelques barques de pêche qui dodelinent dans une anse naturelle... ce "petit port" tranquille séduira les amateurs de calme. Il est annoncé par la superbe **tour de l'Osse** (voir l'encadré p. 60), qui surplombe la mer et ses fonds rocheux aux couleurs changeantes deux kilomètres avant la marine. Une belle **plage** de sable s'étend à quelques centaines de mètres à la sortie de Porticciolo, vers le nord.

Les hameaux dispersés sur les hauteurs méritent également le coup d'œil. En prenant la D132, vous rejoindrez les hameaux de **Piazze**, d'**Ortale** et de **Suare**. Dépaysement assuré et calme garanti !

Peu après Piazze, il est possible de rejoindre Luri par une belle route en corniche.

🛏 Où se loger et se restaurer

BON PLAN **Maison Bella Vista**   CHAMBRES D'HÔTES €€
(☑04 95 35 38 46, 06 24 54 61 87 ; http://maison-bellavista.online.fr ; marine de Porticciolo ; d avec petit-déj 52-62 € selon saison et orientation ; table d'hôtes 24 € ; ⊙avr-oct ; 🅿🐾). Difficile de ne pas succomber au charme de cette maison d'hôtes et de ses 5 chambres pimpantes. Repérable à sa façade jaune et à ses volets verts, la maison se dresse dans un virage, sur la droite en venant de Bastia. Les chambres, dont une familiale, sont fraîches et d'une propreté exemplaire, dotées d'une grande sdb et, pour certaines, d'une vue sur la mer. Vous prendrez le petit-déjeuner sur la terrasse, qui surplombe la mer. La table

d'hôtes (sur réservation) met l'accent sur les spécialités méditerranéennes préparées par la charmante Cathy Catoni, qui loue également un gîte et une maison dans le village.

U Patriarcu HÔTEL-RESTAURANT €€

(☎04 95 35 00 01 ; www.u-patriarcu.com ; marine de Porticciolo ; d 68-95 € selon saison ; plats 10-18 €, menus 20-30 € ; ☺avr-oct, restaurant soir uniquement). Cette haute demeure carrée dotée d'un petit jardin ombragé loue des chambres agréables, dont certaines ont vue sur la mer. Le restaurant sert une cuisine corse familiale où le poisson pêché par la famille côtoie les magrets de canard au miel, pâtes aux gambas et croustillants de calamars. Réception à certaines heures uniquement.

♥ Maison Simonpietri CHAMBRES D'HÔTES €€

(☎04 95 35 03 20, 06 75 34 94 94 ; www.lucianamasinari.it ; Suare ; d/tr avec petit-déj 65-70/80-85 € selon saison ; ☺mi-avr à mi-oct). Un petit bijou, serti dans le paisible hameau de Suare, aux airs de bout du monde. Cette maison de village abrite 5 petites chambres à la fraîche décoration campagnarde, avec carrelage en terre cuite ou plancher en bois, poutres apparentes, enduits colorés et mobilier ancien. La chambre à l'étage, en soupente, climatisée, possède une superbe terrasse, avec vue sur la mer. Quant à la "Casette", aux airs de cocon douillet, elle occupe une maisonnette en pierre sèche, juste devant la maison principale. Seuls inconvénients : les sdb sont exiguës, et il n'y a pas de parking. Possibilité de table d'hôtes. À la sortie de Porticciolo, prendre la direction de Cagnano et continuer jusqu'à l'embranchement vers Suare, à gauche.

Marine de Santa Severa

Marine du bourg de Luri, quelques kilomètres en surplomb dans le maquis du cap, le village de Santa Severa décline les habituels ingrédients des hameaux capcorsins – quiétude en tête –, ce qui lui vaut d'attirer chaque été une clientèle familiale d'habitués. De Santa Severa, la D180 file plein ouest jusqu'à Pino, sur la côte ouest, desservant au passage les hameaux qui composent Luri.

📍 Où se loger et se restaurer

Micheli CHAMBRES D'HÔTES €

(☎04 95 35 01 27 ; d avec petit-déj 50-60 € selon saison ; ☺avr-sept ; P). Chez les Micheli, un couple de retraités et leur fille, tout est simple, propre et net. À une centaine de mètres de la route, leur maison moderne entourée d'un jardin abrite 4 chambres avec entrée indépendante, simples par leur confort mais rehaussées d'une pointe de décoration (dessus-de-lits, rideaux colorés…). Elles disposent d'une terrasse, et deux d'entre elles donnent sur la mer. Les principaux atouts des lieux sont le calme, la vue panoramique, l'accueil familial, le parking ombragé et les tarifs raisonnables. Goûtez à leurs excellentes liqueurs du cap Corse, de fabrication familiale.

La Marine HÔTEL-RÉSIDENCE €€

(☎04 95 35 01 06 ; www.hotellamarine.com ; s/d 55-70 € ; ☺avr-oct ; ☎). À défaut de réel charme architectural, cette résidence aux allures de motel doit son attrait à son emplacement, les pieds dans l'eau à l'extrémité de la marine. Elle renferme 3 chambres doubles et des studios fonctionnels dotés d'une loggia donnant sur la mer, loués à la semaine. Les propriétaires mettent des VTT et une embarcation à la disposition de leurs hôtes.

BON PLAN A Cantina RESTAURANT €

(☎04 95 35 05 67 ; plats 7,50-18 € ; ☺fermé mer et dim soir). L'adresse a changé depuis le temps où A Cantina était une simple cabane de planches sur la marine, mais elle garde ses atouts et reste l'une des terrasses de Santa Severa qui a le plus de succès. On s'y retrouve autour d'une cuisine de mamma corse, simple, copieuse et préparée avec soin : cannellonis, migliacci, storzapretti, conchiglioni et vol-au-vent au sanglier sont à l'honneur, à côté de salades et de pizzas. L'occasion de goûter des spécialités trop souvent boudées par les restaurants, proposées à prix raisonnables. Le service peut être lent, mais la cuisine est savoureuse. Pas de règlements par cartes de crédit.

Traversée du cap (de Santa Severa à Pino, via Luri)

De Santa Severa, la D180 permet de traverser le cap Corse d'est en ouest pour rejoindre Pino. Cette quinzaine de kilomètres de route sinueuse, dans le calme olympien du cœur du cap, commencera par vous mener au village de Luri – aussi dénommé Piazza sur les cartes. L'itinéraire grimpe ensuite jusqu'au **col de Sainte-Lucie** (Santa Lucia, 381 m). De là, une route secondaire monte sur 1 km, puis se prolonge par un sentier menant à la tour de Sénèque, qui toise le cap et la Méditerranée depuis une crête. La descente vers Pino (voir p. 73) débute après le col.

◉ À voir et à faire

Luri   VILLAGE
Sans grand intérêt architectural, Luri compte toutefois un petit musée du Vin, **A Memoria di Vinu**, situé entre la mairie et l'église Confraternita, et qui accueille tous les ans la **Fiera di u Vinu**, foire régionale des vignerons, le premier week-end de juillet.

À 4 km de Santa Severa en direction de Luri, vous pourrez faire une halte aux **Jardins traditionnels du cap Corse** (☏04 95 35 05 07 ; www.lesjardinstraditionnelsducapcorse.org ; Luri ; adulte/enfant 6/3 € ; ⊙lun-ven 9h-19h mi-juin à mi-sept, 9h-17h mai à mi-juin et mi-sept à oct). Un parcours fléché vous emmène à la découverte de la flore sauvage, des plantes potagères et des arbres fruitiers insulaires, et des produits bio sont proposés à la vente : confitures de cerises, de courge ou de pastèque, sauce tomate, compotée d'oignons de Sisco...

Tour de Sénèque   TOUR GÉNOISE
Arrivé au col de Sainte-Lucie, empruntez la petite route qui part sur la gauche, au coin de la chapelle. Elle serpente sur 1 km jusqu'à des habitations récemment transformées en gîtes, où vous pourrez laisser votre voiture. Un sentier balisé en rouge s'élance alors vers la tour en une montée abrupte (15 min environ). Parvenu à un sous-bois, vous prendrez à gauche sur des dalles rocheuses pour atteindre l'édifice, bien préservé, perché à 564 m d'altitude. La vue embrasse les deux côtes du cap.

Randonnée pédestre   GUIDES LOCAUX
Pour la randonnée dans le nord du cap, renseignez-vous à l'épicerie de Luri, ou adressez-vous à l'association **Amichi di u Rughjone** (☏04 95 35 01 43 ; www.amichi-diurughjone.org ; ⊙tte l'année), qui se consacre notamment à l'ouverture et au balisage des sentiers de la commune et de ses environs et publie un guide référençant 100 km de chemins. Le bureau de l'association se trouve au hameau de Campo, sur la droite avant Luri (Piazza). **Altre Cime** (☏04 20 20 04 38, 06 18 49 07 75 ; www.altre-cime.com ; Luri) encadre sur demande des randonnées à la journée dans la région. Comptez 250 € jusqu'à 10 personnes. L'agence organise également un trek de 5 jours, du nord du cap Corse à Bastia, en suivant les crêtes.

⌂ Où se loger et se restaurer

BON PLAN **I Fundali**   CHAMBRES D'HÔTES €
(☏04 95 35 06 15 ; www.locationcorse-ifundali.com ; route de Spergane, Luri ; d/tr avec petit-déj 48-50/65 € ; table d'hôtes 17,50 € ; ⊙avr-oct ; ☎). Amateurs de cadre champêtre, cette maison totalement isolée dans un vallon verdoyant protégé par un *castellu* fortifié vous enchantera. Les 5 chambres, sobrement décorées, n'ont pas de charme particulier mais sont bien tenues. Les sympathiques propriétaires proposent une table d'hôtes de cuisine familiale tous les soirs sauf le mercredi et le samedi. De Luri, prendre sur la droite (en venant de Santa Severa) la route indiquée U Sperganu, au niveau de la place principale, et continuer sur 3 km.

Meria

Pour un peu, on passerait devant sans s'arrêter... La discrète marine de Meria, pleine de charme, abrite une jolie **tour génoise**. Le village de Meria est juché sur une colline, à environ 2 km. De la marine, une route transversale très peu fréquentée, la D35, mène à Morsiglia, sur la côte ouest. En saison, il est possible de se restaurer à **The Paillote** (☏06 11 01 09 30), qui sert des pizzas et des poissons grillés.

Macinaggio (Macinaghju)

Reconnu comme le meilleur mouillage du cap Corse depuis l'Antiquité, le port de Macinaggio, ancienne base navale de Pascal Paoli, est en premier lieu fréquenté par les plaisanciers. Cette grande marina offre en effet de nombreux services : fioul, eau, ship-chandlers, bars, restaurants, change, laverie, etc. Les "terriens" apprécient également ses atouts, car Macinaggio est la localité la plus animée du cap et proche de la plus belle plage de sable de la péninsule : Tamarone. Traversée de sentiers de randonnée reliant plusieurs tours génoises et proposant diverses activités sportives et nautiques, Macinaggio est également une base idéale pour rayonner dans le nord du cap.

ⓘ Renseignements

Office du tourisme (☏04 95 35 40 34 ; www.ot-rogliano-macinaggio.com ; ⊙lun-sam 9h-12h et 14h30-19h, dim 9h-12h juil-août, lun-sam 9h-12h et 14h-18h, dim 9h-12h sept, lun-ven 9h-12h et 14h-17h oct-mai). Sur le port. Accès Internet (0,20 €/min).

LE SENTIER DES DOUANIERS JUSQU'À LA TOUR SANTA-MARIA

Départ : plage de Tamarone, Macinaggio (cap Corse). Il est aussi possible de partir de Barcaggio ou Tollare.
Durée : boucle de 2 heures aller-retour
Dénivelé : très faible
Balisage : logo vert et peinture jaune
Difficulté : accessible à tous, prévoyez une protection contre le soleil en été

Commencez par rejoindre la plage de Tamarone après Macinaggio, en prenant la direction du camping U Stazzu, à la sortie de la ville vers Centuri. Une mauvaise route continue sur environ 1 km après le camping jusqu'à la plage. Longeant celle-ci en direction du nord, vous atteindrez une intersection indiquant à gauche "Chapelle Santa-Maria par l'intérieur" et à droite "Chapelle Santa-Maria par le sentier des douaniers". C'est cette dernière direction que vous prendrez.

Montant dans le maquis, le sentier pénètre dans la zone protégée de Capandula, propriété du Conservatoire du littoral, et traverse un décor où le vert du maquis rivalise avec le turquoise de la mer. En continuant, vous verrez un second panneau indiquant la chapelle Santa-Maria (45 min). Une première tour génoise, édifiée sur un îlot, vous attend un quart d'heure de marche plus loin, avant que le chemin ne redescende pour atteindre les abords des îles Finocchiarola.

Le sentier remonte ensuite sur la gauche, permettant de découvrir l'île de la Giraglia et la superbe **tour Santa-Maria**. Il redescend ensuite vers celle-ci, croisant la petite **chapelle Santa-Maria**. La tour Santa-Maria, qui semble posée sur l'eau et ne présente plus qu'une seule façade, comme un décor de cinéma, est cependant le clou du spectacle.

Continuant après la tour, vous accéderez à deux petites criques isolées, la **Cala Genovese** et la **Cala Francese**, dont les plages de sable sont idéales pour la baignade. Vous pourrez regagner votre point de départ via la chapelle Santa-Maria par un large sentier qui longe des vignes. De la tour Santa-Maria, il est également possible de continuer cette balade jusqu'à Barcaggio et à Tollare, qui peuvent donc également servir de point de départ.

Bureau de poste À la sortie de la localité, à gauche en direction de Centuri. Il est équipé d'un distributeur automatique accessible 24h/24, le seul du cap avec celui d'Erbalunga.

Laverie Clean Up (☑04 95 35 44 94). Jouxte la poste.

Capitainerie (☑04 95 35 42 57 ; ⊙7h-21h en juillet et août). Le port dispose de 580 places et peut accueillir 150 bateaux de passage. Douches et bulletins météorologiques.

⊙ À voir et à faire

Tamarone   PLAGE
Pour le farniente, la plage de Tamarone est certainement la plus belle du cap, avec son ruban de sable fin aux allures caribéennes. Elle se trouve à quelque 2,5 km de Macinaggio, en direction du camping U Stazzu (suivez le fléchage). En saison, vous y trouverez une paillote, l'**Acula Marina**.

San Paulu   PROMENADES EN MER
(☑06 14 78 14 16 ; www.sanpaulu.com ; ⊙avr-sept). En juillet-août, cette vedette touristique assure différentes sorties en mer, notamment une promenade de 2 heures jusqu'à Barcaggio incluant un arrêt baignade et la **visite des îles Finocchiarola** (24/12 € adulte/enfant). Une deuxième formule s'adresse à ceux qui souhaitent passer la journée sur la plage de Barcaggio : le bateau part à 11h de Macinaggio et vient vous rechercher à 17h30 (28/14 € adulte/enfant). La troisième permet aux randonneurs qui ont rejoint Barcaggio par le sentier des douaniers de revenir à Macinaggio par la mer (3 départs par jour dans chaque sens, 20 € l'aller simple). Le *San Paulu* propose également des sorties de **pêche en mer** deux fois par semaine (pêcheur/accompagnant 36/20 €). Hors saison (avril, mai, juin et septembre), des promenades en mer sont

organisées à des horaires variables. Il est possible de louer l'intégralité du bateau.

Clos Nicrosi VIGNOBLE
(☎04 95 35 41 17 ; http://closnicrosi.fr ; ☺lun-sam 10h-12h et 16h-19h juin-sept). Les amateurs de vin pourront faire un tour au bureau de vente et de dégustation de ce domaine viticole, le plus septentrional de Corse, réputé pour ses vins blancs issus de l'agriculture raisonnée. La cave est située en face de l'hôtel U Ricordu.

**Club nautique
de Macinaggio** ACTIVITÉS NAUTIQUES
(☎06 86 72 58 40 ; plage de Macinaggio ; ☺juil-août). Ce club nautique loue des catamarans (25-40 €/h selon type), des planches à voile (20 €/h) et des kayaks (monoplace/biplace 20/30 € la demi-journée). Pour les familles, des kayaks de trois et quatre places sont également disponibles. Le club propose aussi des stages de voile sur Optimist s'adressant aux enfants de 5-7 ans.

Cavallu di Ruglianu CENTRE ÉQUESTRE
(☎04 95 35 43 76 ; ☺mai à fin sept). Ce centre équestre rattaché au camping U Stazzu propose des promenades à cheval sur le sentier des douaniers (20 € l'heure) et des balades en poneys pour les enfants à partir de 5 ans (12 € la demi-heure).

Capi Corsu TSM PLONGÉE
(☎04 95 35 31 70, 06 85 75 17 06 ; www.capcorse immersion.fr ; port de plaisance ; ☺avr-oct). Encore très sauvages, les fonds marins autour de l'île de la Giraglia et de la tour Santa-Maria, accessibles en une quinzaine

---

LES ÎLES FINOCCHIAROLA

Gérés par le Conservatoire du littoral, ces 3 minuscules îlots qui semblent posés sur les flots à quelques encablures de la côte – le plus proche est à environ 250 m seulement – sont classés en réserve naturelle depuis 1987. Ils forment sur 3 ha un sanctuaire animalier exceptionnel, riche en avifaune, goélands d'Audouin et cormorans en tête. L'île la plus grande, qui donne son nom à l'ensemble, abrite les ruines d'une tour génoise édifiée au XVIe siècle. Il est interdit de débarquer sur les îles du 1er mars au 31 août. La vedette *San Paulu* passe à proximité de la réserve durant ses sortie en mer depuis Macinaggio (voir p. 67).

---

de minutes de bateau depuis Macinaggio, réservent d'excellentes surprises aux plongeurs de tous niveaux. Outre ces sites, ce club propose des explorations sur les épaves situées entre Meria et Santa Severa, notamment deux avions de la Seconde Guerre mondiale et une canonnière allemande, *L'Insuma*. Le baptême revient à 55 €, l'exploration à 40 € environ. Voir aussi p. 39.

🛏️ Où se loger et se restaurer

U Stazzu CAMPING €
(☎04 95 35 43 76 ; http://camping-u-stazzu. jimdo.com ; forfait adulte/enfant 9,50/4 € avec tente et voiture ; ☺mai-sept). Indiqué à droite à la sortie de la ville en direction de Centuri, par un chemin en face de la poste, ce terrain a pour principal atout son joli cadre, proche de la plage et du bourg. Les emplacements sont ombragés et les sanitaires corrects (mais pas assez nombreux). Centre équestre à proximité.

Marina d'Oro HÔTEL €€
(☎04 95 37 49 36 ; www.marinadoro.fr ; s/d 50-140/50-145 € selon confort et saison ; ☺fév-déc ; ❋☷☎). De l'extérieur, cette bâtisse blanche aux formes anguleuses, située à l'entrée de Macinaggio, ne respire guère l'esprit vacances. En revanche, vous serez agréablement surpris par la déco des chambres, lumineuses et attrayantes (malgré le revêtement de style "fausses pierres" aux murs), avec parquet flottant, sdb modernes et literie de qualité. Les moins chères sont mansardées ou sans vue ; préférez celles avec vue mer, à partir de 70 €. Jacuzzi extérieur.

U Libecciu MOTEL €€
(☎04 95 35 43 22 ; www.u-libecciu.com ; s/d 66-94/70-130 € selon saison et confort ; ☺avr à mi-oct ; P ❋☷☎). Dans un lotissement un peu en retrait du centre du bourg, cet établissement manque certes un peu de cachet mais propose 30 chambres spacieuses et carrelées, avec terrasse et TV. Leur décoration est assez banale, mais elles sont confortables, bien entretenues et constituent une option à prendre en compte, d'autant que l'hôtel dispose d'une piscine de belle taille.

Stella Marina RÉSIDENCE HÔTELIÈRE €€
(☎04 95 35 07 04 ; www.stella-marina.com ; d 60-122 € selon saison ; ☺tte l'année ; P ❋☷☎). Aucune mauvaise surprise dans cette résidence hôtelière composée de villas modernes louées à la semaine et de 8 chambres, de plain-pied, fonctionnelles et bien équipées (clim, TV à écran plat). Le complexe manque

de personnalité mais dispose d'une piscine, et est situé dans un site calme, à 200 m de la plage de Macinaggio.

A Casa di Babbo
CHAMBRES D'HÔTES €€

(☎04 95 35 43 36 ; www.casa-di-babbo.com ; Tomino ; d avec petit-déj 80 € ; ☺tte l'année ; P ❄ ☀). Une adresse idéale pour décompresser, en pleine nature, à 1,5 km de Macinaggio (en direction de Tomino, indiqué depuis la route côtière au sud de Macinaggio). Vue de l'extérieur, la maison, moderne, n'a pas de cachet particulier, mais la propriétaire a fait des efforts pour personnaliser l'aménagement et la déco des 5 chambres, où le bois domine. Elles donnent toutes sur une grande terrasse avec vue sur la mer. Table d'hôtes sur réservation à base de produits régionaux (30 €). Les hôtes ont accès à la piscine.

Les Îles
HÔTEL-RESTAURANT €€

(☎04 95 35 42 73 ; port de Macinaggio ; d 55-70 € ; plats 10-32 €, menus 20-66 € ; ☺tte l'année). L'emplacement, au milieu du bourg face aux bateaux qui dodelinent dans la marina, est le principal atout de cette adresse ouverte toute l'année. Côté hébergement, les Îles proposent des chambres au confort simple et aux sdb minuscules, dont certaines donnent sur le port. Au-dessus du restaurant, elles satisferont les voyageurs à petit budget. Les moins chères sont mansardées. Côté restaurant, on mise ici avant tout sur les poissons et produits de la mer (poisson grillé, cannellonis de mérou, blanquette de moules…), à déguster sur la terrasse, face à la marina, plutôt que dans la salle de café-restaurant sans grand charme.

La Vela d'Oro
RESTAURANT €€

(☎04 95 35 42 46 ; plats 14-26 €, menus 16-18 € ; ☺tte l'année). En poussant la porte de cette adresse dissimulée en retrait du port, dans une rue parallèle au front de mer, on n'imagine pas sa grande salle et sa terrasse, sur l'arrière, qui s'ouvre sur un agréable décor champêtre de lauriers-roses et de figuiers. La salle décline une atmosphère maritime, mais la carte mêle spécialités de la terre et de la mer – poissons grillés, entrecôtes, spaghettis aux gambas –, bonnes sans être exceptionnelles.

Osteria di U Portu
AUBERGE €€

(☎04 95 35 40 49 ; port de Macinaggio ; plats 17-40 €, menus à partir de 25 € ; ☺avr-oct). Face au port, ce restaurant installé dans une salle à la décoration soignée vise à satisfaire tous les goûts avec une carte éclectique :

bouillabaisse, poissons, viandes, spécialités corses… Le cadre est séduisant et la cuisine honnête, mais les tarifs nous ont semblé exagérés.

À l'heure du dessert, goûtez les glaces artisanales de **Chez Clavel**, sur le port.

Où prendre un verre

Les Dock's
PUB-PIZZERIA

(☺tous les soirs à partir de 23h en saison). Derrière l'Osteria di U Portu, ce pub et bar à tapas fait son possible pour mettre un peu d'animation dans les soirées de Macinaggio en été. Il dispose pour ce faire d'un atout de taille : une superbe salle en pierre et brique bâtie à l'origine pour abriter les installations d'une ligne de chemin de fer entre Bastia et le cap Corse.

Rogliano (Ruglianu)

Véritable nid d'aigle perché à 5 km au-dessus de Macinaggio, le bourg de Rogliano (465 habitants) offre un bel aperçu sur les hauteurs du cap. Le village, qui s'atteint par une agréable route sinueuse, se compose en réalité de sept hameaux dont **Bettolacce**, le principal, et **Vignale**, disséminés sur des croupes montagneuses. En passant de l'un à l'autre, vous serez étonné par la variété des monuments et bâtisses historiques qu'ils abritent : églises, chapelles, maisons d'Américains, anciennes demeures couvertes de lauzes, tours génoises, tours-forteresses et même des vignobles. Le tout ponctué de belles perspectives sur le large.

À voir et à faire

Rogliano connut des jours meilleurs quand il était habité par les membres de la puissante famille Da Mare. Le village eut son heure de gloire en 1869, lorsque le navire qui ramenait d'Égypte l'impératrice Eugénie dut s'abriter dans le port de Macinaggio. La grande dame et sa suite montèrent au hameau de Bettolacce et l'histoire raconte qu'elle se recueillit à l'**église Sant'Agnello**. Derrière une belle façade, cet édifice du XVIe siècle abrite un maître-autel en marbre de Carrare. Vous remarquerez également de nombreuses **tours génoises** en vous promenant dans le village et ses alentours, ainsi que les ruines du **château de San Colombano**, bâti au XIIIe siècle. Plusieurs viticulteurs, dont le **domaine Gioielli**, sont installés dans les environs, surmontés d'une batterie d'éoliennes.

De Rogliano, il est possible de rejoindre facilement le hameau de **Tomino** par la D353. Notez au passage la remarquable **église baroque** restaurée et les **tours-forteresses**, enchâssées en plein milieu des habitations.

🛏 Où se loger et se restaurer

U Sant'Agnellu   CHAMBRES D'HÔTES €€
(☎04 95 35 40 59 ; www.hotel-usantagnellu. com ; Bettolacce ; d standard 80-150 € selon vue et saison, d "grand standing" 150-250 € ; plats 10-25 €, demi-pension 35 € ; ⊗avr-sept ; 🛜). Au centre de Bettolacce, face à l'église, cette bâtisse traditionnelle joliment restaurée séduit par son calme olympien. Elle offre 14 chambres spacieuses, simples et ensoleillées, dont 7 avec une vue superbe sur la mer, qui occupe au loin le paysage ; préférez celles du premier étage, qui ont été relookées (au deuxième étage, la déco mériterait une mise au goût du jour). Côté restaurant, des spécialités locales préparées selon le marché et l'inspiration du patron. Navette gratuite pour Macinaggio en saison.

💙 Barcaggio et Tollare

Bienvenue au bout du monde ! Dernier bastion de Corse avant l'infinité méditerranéenne, la marine de Barcaggio semble perdue dans la contemplation silencieuse de l'inaccessible **îlot de la Giraglia** et de son sémaphore, dont la construction dura 10 ans. Atteindre le point le plus septentrional de Corse est la principale motivation des visiteurs qui s'engagent sur la D253 jusqu'à elle. La route, aussi belle que sinueuse, serpente dans le maquis sur 10 km depuis **Ersa** (Botticella). Cette position sur la carte, l'accès facile au beau sentier des douaniers et une belle plage sont les principaux attraits du hameau de **Barcaggio**, qu'aucun bus ne dessert mais qui est relié en saison à Macinaggio par la mer (voir p. 66).

Au début de la route, peu après Ersa, un embranchement mène à **Tollare**, autre petit village de pêcheurs situé à 2,5 km à l'ouest de Barcaggio (une route y mène également depuis ce dernier, ce qui permet de faire une boucle). Le hameau offre un beau point de vue sur le cap et plusieurs bonnes adresses sont réparties sur la route qui y descend. Ces dernières, tout comme celles de Barcaggio, sont des bases de premier ordre pour ceux qui préfèrent le calme et la contemplation de la nature à l'activité touristique estivale de Centuri.

👁 À voir et à faire

Plage de Barcaggio   BAIGNADE
La jolie plage de Barcaggio est bordée de dunes magnifiques. Les barrières qui ceinturent la plage ont été installées à l'initiative du Conservatoire du littoral afin de lutter contre la disparition des espèces végétales qui "fixent" les dunes de sable, notamment l'oyat et le liseron des sables, que la fréquentation touristique et le surpâturage contribuaient à raréfier. Les amateurs de baignade tranquille trouveront un coin de rocher plat après la plage (attention aux oursins), dont le parking est payant en saison.

Sentier des douaniers   BALADES LITTORALES
La plage de Barcaggio permet de rejoindre le sentier des douaniers, pas toujours très bien balisé à cette extrémité. En l'empruntant vers la droite, il mène à la belle **tour d'Agnello**, puis à la **tour Santa-Maria** (voir p. 67), juste après la **plage de Cala Francese** et la **plage de Cala Genovese** – surnommée "plage aux vaches" en raison de la présence fréquente de ruminants –, puis à Macinaggio. Vers la gauche, vous rejoindrez rapidement **Tollare**, en longeant des criques sauvages qui invitent à se baigner entre les rochers.

🛏 Où se loger et se restaurer

Le Saint-Jean   HÔTEL €€
(☎04 95 47 71 71 ; www.lesaintjean.net ; Ersa, hameau de Botticella, D80 ; s/d/tr 70-100/75-125/105-140 € selon confort et saison ; ⊗avr-oct ; ❄🛜). À l'embranchement de la route descendant vers Barcaggio et Tollare, au bord de la D80, cette bâtisse est un bel exemple de rénovation. Elle abrite 9 chambres aux couleurs gaies et aux murs couverts de beaux enduits, disposant de sdb impeccables et d'une excellente literie. Les plus chères, plus spacieuses, ont vue sur la mer. L'emplacement n'est pas optimal, mais la route est peu fréquentée la nuit. Restaurant. Une option à prendre en compte.

ROUTE DE TOLLARE

💙 **Casa A Rota**   CHAMBRES D'HÔTES €€
(☎04 20 05 15 83, 06 13 59 68 29 ; http://locations-cap-corse.fr ; lieu-dit Rota, D153 ; d avec petit-déj 80 € ; ⊗tte l'année ; ❄🛜). Cette chambre d'hôtes de caractère occupe une "maison d'Américain" datant de 1871,

impeccablement restaurée. Les 3 chambres, avec tomettes, douches à l'italienne et murs peints dans des tons gris et blancs, offrent un confort douillet, de beaux volumes et une literie de qualité. Le petit-déjeuner, à base de produits maison, est servi sur une terrasse avec vue sur la mer. À savoir : les chambres sont louées uniquement à la semaine en juillet-août. L'ensemble est situé au lieu-dit Rota, à 1,5 km de la D80, en descendant vers Tollare (prendre la D153).

♥ **Latu Corsu**   CHAMBRES D'HÔTES **€€**
(☏04 95 35 99 95, 06 16 10 70 70 ; www. cote-corse.fr ; Poggio ; d avec petit-déj 80-95 € ; ☺tte l'année ; ❄❓). Rénovée avec le confort moderne mais en préservant son style, cette maison d'hôtes nichée dans un village de poche est une adresse de charme. Au cœur du hameau, juste à côté d'une tour fortifiée, elle propose 5 belles chambres confortables et très bien conçues. Vous trouverez cette adresse de caractère au hameau de Poggio, indiqué depuis la D153. À savoir : vous devrez garer votre voiture à l'entrée du hameau et parcourir les dernières centaines de mètres à pied.

BARCAGGIO

♥ **Petra Cinta**   HÔTEL-RESTAURANT **€€**
(☏04 95 36 87 45, 06 03 35 45 97 ; http:// hotelpetracinta.free.fr ; Barcaggio ; s/d 55-105/75-135 € selon confort et saison ; ☺mai-sept ; ❄❓). Un deux-étoiles récent à l'atmosphère familiale et détendue, remarquablement bien tenu, face au port de Barcaggio. Les 9 chambres, claires et spacieuses, donnent sur un jardinet, à l'arrière. Trois d'entre elles sont mansardées. Petite restauration assurée le midi en saison. Une halte reposante et sans mauvaise surprise. Un très bon rapport qualité/prix hors saison ou si vous êtes seul.

♥ **U Fanale**   RESTAURANT **€€**
(☏04 95 35 62 72 ; www.u-fanale.com ; Barcaggio ; formule midi 13 €, plats 18-27 € ; ☺mi-avr à oct). Dans une jolie demeure couverte de vigne vierge précédée d'une terrasse, sur le port de Barcaggio, U Fanale s'est fait remarquer des critiques gastronomiques avec une cuisine fraîche et inventive privilégiant les poissons cuisinés simplement. Les suggestions varient selon l'humeur du chef et les arrivages mais semblent invariablement faire l'unanimité. Mention spéciale à la formule déjeuner, servie en saison, composée d'un plat et d'une boisson. Il est préférable de réserver.

Col de Serra

Entre Ersa et Centuri, le col de Serra (361 m) est célèbre pour porter en son point le plus haut l'une des icônes du cap Corse : le **Moulin Mattei**. Longtemps laissé à l'abandon, ce petit édifice rond qui vante les mérites du "Mattei Cap Corse, cédratine liqueur exquise digestive", a bénéficié d'une restauration bienvenue. Il déploie ses ailes et ses murs blanchis dans le ciel azur, sur une esplanade d'où l'on découvre une superbe vue de l'île de la Giraglia et des montagnes du cap. Quelques minutes de marche mènent au moulin depuis le col. Un tout autre panorama se révèle en tournant le dos à la mer : celui des batteries d'**éoliennes** qui s'élèvent sur les hauteurs de Centuri et de Rogliano.

Centuri

Blotti en contrebas du col de Serra, le port miniature de Centuri (200 habitants), bordé de maisonnettes au pied desquelles les filets font des taches colorées, est l'une des étapes les plus dépaysantes du cap Corse. Neuf des bateaux amarrés entre ses quais étroits perpétuent au ralenti la tradition capcorsine de la pêche à la langouste, en premier lieu pour alimenter les restaurants dont les terrasses illuminent le port en fin de journée.

Tant d'atouts ne pouvaient pas rester éternellement secrets. Gagné de plus en plus par la fièvre du tourisme, l'ancien premier port de pêche du cap est maintenant sa première destination touristique, où le business des "menus langouste" va bon train en saison. Centuri préserve certes son charme, mais cet afflux estival lui fait perdre une grande partie de son attrait au cœur de l'été...

L'histoire du village n'est pas seulement marquée par la pêche à la langouste. Très certainement créé par les Romains sous le nom de Centurium, Centuri fut jadis un centre de commerce actif. Le village s'illustra également d'un point de vue militaire, comme l'attestent les anciens canons reconvertis en bittes d'amarrage, plantés à la verticale sur les quais du port. Au XVIIIe siècle, Pascal Paoli en fit la base d'une partie de sa flotte rapide.

◉ À voir et à faire

Outre ses plaisirs gustatifs et son atmosphère décontractée, Centuri est une base agréable pour découvrir l'extrémité du cap et le **sentier des douaniers**, dont la direction est indiquée dans le village. Si vous souhaitez pratiquer la **plongée** en juillet-août sur cette côte sauvage, contactez **Bleu Marine Compagnie** (☑04 95 35 60 46 ; http://bleumarine.compagnie.free.fr ; marine de Mute ; ☺juil-août), dont le local se trouve sur la marine de Mute, à 200 m du camping l'Isulottu. Ce club est le seul à proposer des plongées sur les hauts-fonds de Centuri, un secteur régulièrement cité parmi les plus belles plongées de Corse. Le baptême coûte 40 €, l'exploration 30-43 € selon le site et l'équipement.

Pensez aussi à prendre de la hauteur, et visitez les hameaux perchés sur les montagnes qui dominent Centuri, dont **Cannelle**, parcouru de venelles pavées, ainsi que **Camera** et **Ortinola**, où vous pourrez admirer de superbes maisons d'Américains.

Il n'y a pas de plage à Centuri, mais la petite **marine de Mute**, exposée plein ouest, est agréable au couchant.

🛏 Où se loger et se restaurer

À quelques exceptions près, les hébergements sont surévalués à Centuri, qui se remplit surtout à l'heure du déjeuner. Si vous souhaitez éviter les "menus langouste", repliez-vous sur les snacks. Recommandons celui de l'hôtel le Vieux Moulin et la tonnelle ombragée du bar le Sporting, sur le port, qui proposent des plats du jour à environ 12 €.

L'Isulottu   CAMPING €
(☑04 95 35 62 81 ; route de Morsiglia, D35 ; www.isulottu.fr ; adulte/enfant/tente/voiture 6,70-7,50/3,70-4,20/3,50-3,80/3 € selon saison ; ☺fin mai à fin sept). Indiqué à 1,5 km du port de Centuri en direction du sud, l'Isulottu offre un cadre plein de charme grâce à ses terrasses et à ses murets de pierre, des emplacements ombragés, une épicerie et un snack-bar. Un chemin mène en 5 minutes à une petite plage de galets. Le camping affiche une volonté de protéger l'environnement.

Chez Fernand   CHAMBRES €€
(☑04 95 36 96 12, 06 22 25 46 68 ; http://chez-fernand.centuri-port.com ; d à partir de 70 € ; ☺Pâques-oct ; ❄). Des chambres à la décoration et au confort au goût du jour, dans un bâtiment rénové proche du port. Renseignements au restaurant le Langoustier.

BON PLAN **L'Auberge du Pêcheur**   HÔTEL-RESTAURANT €
(☑04 95 35 60 14 ; d 65-80 € selon saison ; plats 12-35 €, menus 15-25 € ; ☺mai-oct). Ce petit hôtel familial situé sur le port, dont on repère la façade par ses volets bleus et sa façade rose, loue 5 chambres proprettes, récemment rénovées, proposant un bon rapport qualité/prix. Les premiers arrivés bénéficieront de celles qui ont vue sur le port, comme la 1 ou la 4. Au rez-de-chaussée, le restaurant tenu par une famille de pêcheurs sert des spécialités de la mer et plats de pâtes à des tarifs raisonnables.

Le Vieux Moulin   HÔTEL-RESTAURANT €€€
(☑04 95 35 60 15 ; www.le-vieux-moulin.net ; d 100-230 € selon confort et saison ; plats 23-75 €, menus 45-80 € ; ☺fév-oct ; ❄🛜). Adresse haut de gamme de Centuri, le Vieux Moulin offre des chambres réparties dans 2 bâtiments : une belle demeure cossue du XIXᵉ siècle, avec 2 chambres pleines de cachet (mais bruyantes en saison, car situées juste au-dessus de la terrasse du restaurant) et une annexe moderne, plus calme, avec des chambres à la déco plus passe-partout. Côté cuisine, on savoure des spécialités comme les pâtes à la langouste, l'araignée de mer ou la bouillabaisse royale à la langouste, attablé sur une belle terrasse au mobilier en teck. Les tarifs sont un peu excessifs, mais l'adresse se double d'une option meilleur marché, en contrebas, proposant des plats du jour.

A Macciotta   RESTAURANT €
(☑04 95 35 64 12 ; menus 19,50-59 € ; ☺avr-oct). Une affaire de famille, à une brassée du port. La carte, sans surprise, est largement tournée vers les produits de la mer : langouste, assiette du pêcheur, poissons selon arrivages. L'ensemble est indéniablement touristique en haute saison, mais la petite terrasse est agréable.

Le Langoustier   RESTAURANT €€
(☑04 95 35 64 98 ; menus 20-35 € ; ☺Pâques-début nov). Cette belle terrasse jaune, qui ferme le port, prépare des plats de poisson et crustacés semblables à ceux de ses voisins. Les inévitables menus "langouste" sont proposés à partir de 35 €. L'adresse remporte des échos mitigés.

Morsiglia

Comme toutes les communes du cap Corse, Morsiglia est éclatée en plusieurs hameaux, dont **Pecorile**, qui abrite quelques maisons d'Américains dont certaines sont de véritables palais (pas de visites). Vous aurez aussi l'occasion d'admirer d'imposantes

tours fortifiées, disséminées dans le village. Juchée sur une colline verdoyante, l'**église Saint-Cyprien**, reconnaissable à sa façade de style néogrec, mérite notamment le coup d'œil. Le clocher, coiffé d'une coupole, est séparé de l'édifice principal.

Pour les amateurs de vins rares, une halte s'impose au **Domaine de Pietri** (☑04 95 35 64 79, 04 95 35 63 60 ; Morsiglia ; ☺tte l'année), l'un des rares à continuer d'élaborer des vins traditionnels comme le *rappu* (un vin doux naturel rouge), l'*impassitu* (un vin liquoreux issu de la malvoisie) et le *muscatellu* ("petit muscat", élaboré à partir de muscat de malvoisie).

De Morsiglia, une route peu fréquentée, la D35, mène à la **chapelle Notre-Dame-des-Grâces**, à 5 km. Plus que la chapelle elle-même, très sobre, c'est surtout le cadre sauvage du plateau sur lequel elle est bâtie qui vous enchantera.

Pino et marine de Scalu

Premier village important de la côte ouest du cap depuis Centuri et Morsiglia, Pino s'atteint par une route qui suit les contours du littoral, particulièrement escarpé, et semble flotter entre mer et montagne. Elle ménage au passage des points de vue époustouflants et surplombe des eaux limpides, comme celles qui baignent la **plage d'Alisu**, la seule du secteur, qui tapisse une magnifique crique sauvage en contrebas de la D80. Le bourg de Pino émerge peu après au milieu d'une végétation composée de pins et de cyprès. Au centre, vous remarquerez la superbe **tour Croccie**, une imposante tour carrée, et la **tour Patrochia**, à usage d'habitation. Vous apercevrez également de belles **maisons d'Américains**, noyées dans la végétation.

Vous pourrez également descendre jusqu'à la discrète marine de Scalu, où se dressent les ruines d'une **tour** et de l'ancien **couvent Saint-François**.

🛏 Où se loger et se restaurer

Quelques chambres d'hôtes, mal indiquées, sont disséminées dans le village. Pensez à réserver.

Beneventi Martine CHAMBRE D'HÔTES €
(☑04 95 35 10 42 ; Pino ; d avec petit-déj 55 € ; ☺tte l'année). Au cœur du village, au détour d'une ruelle, cette maison d'hôtes sans prétention dispose de 2 chambres au confort très

---

dépouillé, dotées de petites sdb. Préférez celle qui donne sur la terrasse, la plus claire et agréable. Belle vue depuis la terrasse ombragée par un pin. Pour vous y rendre, montez les marches à côté de l'épicerie, poursuivez par une autre volée de marches sur la gauche et cherchez des yeux la maison rose avec des volets verts.

Chez Kiki CHAMBRE D'HÔTES €
(☑04 95 35 32 60, 06 14 48 58 16 ; http://kiki.pino. monsite-orange.fr ; Pino ; d avec petit-déj 60 € ; ☺avr-oct). Quelle vue inoubliable ! Allongé sur son lit, on aperçoit la mer à l'horizon... On se sent vite à l'aise dans cette chambre avec entrée indépendante, dotée d'un salon attenant et d'un coin-cuisine (supplément de 3 €). De la terrasse, on ne se lasse pas de la vue plongeante sur la tour de Scalu en contrebas. Pour vous y rendre, repérez la bâtisse rose à proximité de la tour Croccie, au centre du bourg.

Les chambres d'hôtes ne proposent pas de table d'hôtes, mais vous trouverez des **bars-restaurants** au centre du village.

Barrettali et marine de Giottani

Au sud de Pino, une série de routes étroites desservent les hameaux haut perchés qui composent la commune de Barrettali. La D33 reste suspendue en corniche et mène à **Torre**, puis à **Conchigliu**, d'où vous pourrez redescendre vers la côte, **Canari** (p. 74) et la délicieuse **marine de Giottani**, très encaissée, bordée par une petite plage de galets que surveille une tour génoise.

🛏 Où se loger et se restaurer

💙 **Maison Battisti** CHAMBRES D'HÔTES €€
(☑04 95 35 10 40, 06 62 00 33 76 ; www. maisonbattisti.com ; Conchigliu ; d avec petit-déj 80 € ; ☺tte l'année ; 🛜). Impossible de ne pas être séduit par l'accueil des Battisti, qui vous ouvrent la porte de leur superbe demeure de caractère ! Elle abrite une chambre décorée dans un style rustique égayé de mobilier de famille, avec une jolie sdb au sol en pierre de Brando et aux murs en stuc... sans parler de la vue magnifique sur la mer. Une autre chambre, en projet lors de notre dernier passage, s'annonce prometteuse : elle disposera d'une terrasse privative à laquelle on accédera par un petit escalier en bois, avec un panorama à

360° ! Possibilité de table d'hôtes 25 € hors saison. Boutique de produits corses sur place. La marine de Giottani est accessible en 15 minutes de marche.

Canari et marine de Canelle

L'un des villages les plus adorables de la côte ouest du cap, Canari se déploie en plusieurs hameaux perchés sur les hauteurs. On l'atteint par une étroite route en corniche qui grimpe sur 3 km. Au centre du bourg, face à la mer, s'étend une placette où se dresse un **phare** transformé en clocher, flanqué de cinq palmiers. Les adeptes de panoramas grandioses y feront une pause contemplative pour admirer le littoral et la mer.

◉ À voir

Église Santa-Maria-Assunta ART ROMAN
Cette église romane du XIIe siècle, au milieu d'une esplanade, juste à côté de l'hôtel-restaurant Au Bon Clocher, est un joyau architectural. Parmi les caractéristiques les plus remarquables, notez l'arcature autour de la nef, animée de personnages populaires et de têtes d'animaux, la belle porte sculptée de l'entrée principale, surmontée d'un linteau doté d'une frise géométrique, et une inscription latine de 1455 (sur le côté nord).

Conservatoire du costume corse MUSÉE
(☑contact via la mairie 04 95 37 80 17 ; couvent Saint-François ; entrée libre ; ⊙mar-dim 10h-12h et 18h-20h juil-sept, oct et juin s'adresser à la mairie). Installé dans le même bâtiment que la résidence I Fioretti (voir *Où se loger et se restaurer*), dans une agréable salle voûtée, ce musée offre une occasion unique de découvrir des tenues vestimentaires traditionnelles capcorsines du XIXe siècle (habit de pêcheur, de servante, somptueuse robe de noces...), fidèlement reconstituées par l'atelier de couture d'Anima Carnarese. Pour un musée de village, la conception et l'aménagement, modernes et didactiques, sont exceptionnels.

Usine d'amiante RUINES INDUSTRIELLES
À quelques kilomètres au sud de Canari, en direction de la marine d'Albu, vous passerez devant les ruines d'une usine d'amiante. Le gisement d'amiante, au-dessus de l'usine, fut exploité entre 1926 et 1965, et mobilisa jusqu'à 300 ouvriers. Que faire de ces bâtiments fantômes ? Les réhabiliter ou les détruire ? La question ne semble toujours pas tranchée, mais des travaux de stabilisation de la falaise, financés par l'Union européenne, sont en cours.

🛏 Où se loger et se restaurer

L'auberge du Chat qui pêche AUBERGE €
(☑04 95 37 81 52 ; Abro ; d 40 € ; plats 19-25 € ; ⊙restaurant fév-nov, hébergement avr à mi-nov). Dans une maison de pierre réaménagée dans un style contemporain, située au niveau du hameau d'Abro, cette auberge séduit par sa terrasse ombragée et la vue sensationnelle qu'elle offre sur la côte, mais elle est malheureusement postée juste en bordure de la D80. La cuisine mise avant tout sur de bonnes viandes au feu de bois et des plats de poisson. Quant aux deux chambres, mansardées, elles sont petites et basses de plafond mais impeccables (elles gagneraient cependant à être climatisées en été). Les hôtes sont priés de dîner au restaurant.

BON PLAN **Au Bon Clocher** HÔTEL-RESTAURANT €
(☑04 95 37 80 15 ; http://aubonclocher. fr ; Canari village ; d 55-60 € ; plats 8,50-22 € ; ⊙tte l'année ; 🛜). Face à l'ancien phare de Canari, maintenant transformé en clocher, cette belle auberge est dotée d'une terrasse où il fait bon laisser s'étirer l'heure du repas. Cette première bonne impression se vérifie avec l'arrivée des plats. Épaulé par un pêcheur qui travaille pour le restaurant, Ange concocte une cuisine fraîche et goûteuse faisant la part belle aux produits de la mer (notamment les poissons en croûte de sel). Les 6 chambres, lumineuses, aux tons pastel, sont propres et modernes, mais sans charme particulier ; quatre d'entre elles ont vue sur la mer et la montagne. Calme assuré et bon rapport qualité/prix.

I Fioretti RÉSIDENCE DE CARACTÈRE €
(☑04 95 37 13 90 ; www.ifioretti.com ; Canari village ; d/q avec petit-déj 70/140 € ; ⊙tte l'année ; 🅿🛜). Au centre du village, une centaine de mètres au-dessus de l'auberge Au Bon Clocher, le couvent Saint-François, bâti au début du XVIe siècle et joliment restauré, abrite 5 chambres impeccables, aux radieux murs jaunes (les plafonds voûtés rappellent qu'il s'agit d'anciennes cellules de moines), ainsi que 3 appartements loués à la semaine. Les fenêtres ouvrent sur la mer ou sur une vaste cour intérieure. L'ensemble manque un peu d'ambiance mais présente un excellent rapport qualité/prix, d'autant que les tarifs ne s'envolent pas en haute saison.

Marine d'Albu

L'agréable marine d'Albu, qui dépend du village d'Ogliastro, niché sur les hauteurs, est bordée par une **plage** de galets noirs. La présence d'une **tour génoise** ajoute un attrait supplémentaire au site.

🛏 Où se loger et se restaurer

Les Tamaris HÔTEL €€
(☎04 95 37 81 91 ; www.lestamaris.com ; marine d'Albo ; d/tr avec petit-déj 61-88/78-99 € selon vue et saison ; ☺mai-oct). Ce deux-étoiles dispose de chambres classiques, sans prétentions ni charme particulier, mais confortables et propres. Préférez celles avec balcon et vue sur la plage. La demi-pension est possible, en association avec le restaurant Morganti, à partir de 3 nuits.

♥ Morganti RESTAURANT €€
(☎04 95 37 85 10 ; marine d'Albo ; plats 16-33 €, menu 22 € ; ☺tlj midi et soir, fermé mi-déc à mi-jan). Bonne table à prix raisonnables et à l'accueil des plus souriants, Morganti séduit par ses plats de poisson : saint-pierre à la plancha et émulsion d'algues, denti grillé, salades de fruits de mer, crustacés (excellents), tartares de poisson. Les amateurs de viande trouveront également leur bonheur dans la carte, par exemple avec le carré d'agneau en croûte de moutarde et romarin. La salle est quelconque, mais la terrasse ombragée particulièrement agréable. Une valeur sûre.

U Snacku PAILLOTE €
(☎06 46 02 24 03 ; marine d'Albo ; plats 8-15 € ; ☺mi-juin à mi-sept). À mille lieues des ambiances m'as-tu-vu qui caractérisent nombre de paillotes en Corse, U Snacku est un agréable petit établissement, tenu par une équipe de jeunes. La cuisine est sans prétentions (paninis, salades), mais l'adresse est conviviale et les tarifs modiques.

♥ Nonza

L'un des points forts du tour du cap, Nonza est une apparition : imaginez un village en partie bâti sur un spectaculaire piton rocheux au sommet duquel une tour génoise surplombe de plus de 150 m une plage de galets noirs, malheureusement dépourvue d'ombre. Nonza et ses abords sont un superbe point final au tour du cap, avant de retrouver l'animation de Saint-Florent.

◎ À voir et à faire

Église Sainte-Julie ARCHITECTURE RELIGIEUSE
Le village est célèbre pour cette église du XVIe siècle, dont la superbe façade jaune et rouge, ornée d'un grand escalier, se dresse au bord de la route. Outre ses murs et plafonds peints et sculptés, vous admirerez dans ce bel édifice, classé monument historique, un autel baroque en marbre polychrome réalisé à Florence en 1693 et un tableau représentant sainte Julie crucifiée.

Tour carrée TOUR PAOLINE
Face à l'église, les paisibles ruelles escarpées du village mènent à cette tour du XVIe siècle, qui domine le bourg. Elle fit parler d'elle en 1768 : assiégée par les Français à qui le traité de Versailles venait de rendre la Corse, elle fut âprement défendue par un habitant du village, Jacques Casella. Manœuvrant à lui seul plusieurs bouches à feu, il parvint à faire croire aux assaillants qu'ils étaient des dizaines à défendre Nonza, avant de se rendre, à la stupéfaction de ses adversaires. Cette tour, qui abrite une boutique de souvenirs en saison, offre une superbe perspective sur le village, le golfe et la plage en contrebas.

Fontaine Sainte-Julie PETIT PATRIMOINE
À une cinquantaine de mètres de l'église Sainte-Julie en direction du cap Corse, un sentier descend vers cette fontaine réputée miraculeuse. Une plaque, sur le fronton de sa chapelle blanche, rappelle l'histoire de la sainte patronne de la Corse : en l'an 303, "sainte Julie fut martyrisée et crucifiée pour sa fidélité en la foi chrétienne. Après son martyre, ses seins coupés furent projetés contre le rocher, duquel jaillit cette source miraculeuse".

Plage de Nonza PLAGE
Au-delà de la fontaine Sainte-Julie, le sentier dégringole jusqu'à la plage de galets noirs, dont la couleur est due à l'activité de l'ancienne usine d'amiante de Canari (fermée en 1965). Écrasée de chaleur en été, elle ne jouit d'aucun ombrage et la remontée à pied est éprouvante. En voiture, vous pourrez vous y rendre en quelques minutes en continuant sur 2 km environ jusqu'à l'étroite route goudronnée qui rejoint le rivage.

🛏 Où se loger et se restaurer

Casa Lisa CHAMBRES D'HÔTES €
(☎04 95 37 83 52, 06 11 70 45 73 ; http://casa-lisa.free.fr ; d 55-70 € selon saison ; ☺avr-oct ; 🛜). Comme les cailloux du Petit Poucet,

des petits panneaux bleus vous guident jusqu'à cette agréable adresse située dans le bas du village, entre lauriers en fleurs et figuiers de Barbarie, accessible à pied uniquement par les ruelles pentues. Installées dans une fraîche demeure ancienne (appréciez les belles tomettes au sol et les meubles de famille), ces chambres d'hôtes agréables, avec sdb privative (intérieure ou extérieure), dégagent un charme champêtre et sont proposées à un tarif raisonnable. Jolie terrasse ombragée, avec vue sur la mer, pour les petits-déjeuners. Accueil sympathique.

Casa Maria   CHAMBRES D'HÔTES **€€**
(☎04 95 37 80 95, 06 76 05 40 13 ; www.casa-maria.fr ; d/q avec petit-déj 85-95/145-165 € selon saison ; ☉avr-oct ; ✱🖘). Cette ancienne maison de maître au cœur du village, restaurée en faisant la part belle à la pierre et au bois, comprend 5 belles chambres et une suite familiale pouvant accueillir 4 personnes. Vastes et décorées dans les tons clairs, elles sont sobres et élégantes, et certaines ont vue sur la mer. Le petit-déjeuner se prend sur une jolie terrasse, derrière la maison. Pas de parking. Cartes de crédit non acceptées.

♥ La Sassa   RESTAURANT **€€**
(☎04 95 38 55 26 ; tour de Nonza ; plats 17-25 € ; ☉mi-avr à fin oct). L'adresse se mérite – la montée par l'escalier est un peu éprouvante –, mais les efforts nécessaires pour l'atteindre sont amplement récompensés par un emplacement sublime. Juchée au sommet de Nonza, aux pieds de la tour, la Sassa ("la roche") offre une vue époustouflante sur le golfe de Saint-Florent. On sait sur cette belle terrasse une sélection de plats traditionnels, comme le veau aux olives, et de suggestions plus inventives, à l'image du wok de légumes ou des gambas et risotto à la tomme. Accueil sympathique et concerts certains soirs. L'adresse peut être fermée en cas de grand vent.

🍷 Où prendre un verre

Outre la Sassa (ci-dessus), vous apprécierez la jolie terrasse tout autant que l'ambiance conviviale du **Café de la Tour**, installé sur la charmante placette de Nonza, à côté de l'église.

Marine de Negru

Au détour d'un virage apparaît cette petite marine ouvrant sur une plage de galets, que toise une belle tour génoise. Negru est rattachée au village d'Olmeta-di-Capu-Corsu.

🛏 Où se loger et se restaurer

BON PLAN **Le Relais du Cap**   CHAMBRES D'HÔTES **€€**
(☎04 95 37 86 52 ; www.relaisducap.com ; marine de Negru ; s/d 45-75/50-80 € selon saison ; ☉avr-oct ; 🖘). Certaines adresses doivent une large part de leur charme à leur accueil, qui fait que l'on y revient toujours avec plaisir. C'est le cas du Relais du Cap. Ici, rien de luxueux (les chambres partagent une sdb) mais un cadre de rêve : la maison et la terrasse sont posées sur les rochers, à l'aplomb de la petite plage de galets de la marine de Negru, à proximité de la tour génoise. La vue sur la mer et la Balagne est splendide. Quant aux 4 chambres, très simples, elles partagent une sdb sur le palier et sont propres, très lumineuses, et donnent sur la mer. Le copieux petit-déjeuner (buffet avec viennoiseries, pain, fruits, yaourts…) est servi sur la terrasse (7 €). Aucun repas n'est proposé sur place, mais vous trouverez des restaurants dans les environs et une pizzeria à Negru. Sinon, vous pourrez utiliser à votre guise le barbecue et le coin cuisine mis à votre disposition à l'extérieur et dîner sur la terrasse. Un appartement avec cuisine pouvant accueillir jusqu'à 4 personnes est également disponible (325-800 € la semaine).

Marine de Farinole

La côte ouest du cap Corse se termine en beauté à la marine de Farinole, bordée d'une belle **plage** de sable blanc et des ruines d'une imposante **tour génoise**.

🛏 Où se loger et se restaurer

A Stella   CAMPING **€**
(☎04 95 37 14 37 ; www.campingastella.com ; marine de Farinole ; adulte/enfant/tente/voiture 7/4,50/4,50/3,50 € ; ☉avr à mi-oct). En bord de mer, ce camping de taille modeste dispose d'emplacements ombragés et de bons équipements, dont un snack-bar. Des bungalows sont également proposés à la location.

Nebbio, Agriates et Ostriconi

Le top des hébergements

» Chambres d'hôtes Gaucher
  – Cicendolle (p. 88)
» Case Latine (p. 93)
» U Palazzu Serenu (p. 86)

Le top des restaurants

» A Magina (p. 86)
» Campu Latinu (p. 93)
» Ferme-auberge de
  Campo di Monte (p. 88)
» Restaurant de l'hôtel
  la Roya (p. 83)

Pourquoi y aller

Des vignobles de Patrimonio au port de Saint-Florent et des abords austères des Agriates à la douceur de l'Ostriconi, cette région révèle des visages variés. Saint-Florent cultive son image de Saint-Tropez à la mode corse au fond de son joli golfe ; Patrimonio perpétue le savoir-faire viticole insulaire avec un succès grandissant ; les villages de l'intérieur des terres dissimulent quelques superbes églises pisanes ; le littoral aligne de longues étendues de sable blanc...

Point d'orgue de la région : le désert des Agriates. Le contraste est total entre les étendues inhabitées et stériles qui se laissent découvrir depuis la route et ce littoral aux reflets turquoise, qui n'est pas sans évoquer les lointaines Caraïbes (foule estivale comprise). Cette étonnante facette de l'île se dévoile avant tout à ceux qui l'approchent à pied, à VTT ou par la mer.

Quant à l'Ostriconi, trop souvent réduit dans l'esprit des voyageurs à son seul littoral, c'est aussi une étroite vallée qui remonte vers l'intérieur de l'île, donnant au passage refuge à une poignée de superbes villages, dont le très photogénique Lama.

Quand partir

Mai-juin	Juillet-août	Septembre
La période idéale pour découvrir les splendeurs des Agriates. Le maquis, en fleurs, exhale ses effluves les plus subtils et la chaleur est très supportable.	Les plages se parent de teintes tropicales. L'eau, chaude et cristalline, se prête à merveille au snorkeling, à la plongée et à la baignade. En juillet, ne manquez pas les Nuits de la guitare, à Patrimonio.	Une saison propice à la tournée des caves de Patrimonio. Goûtez aux excellents crus de cette appellation réputée.

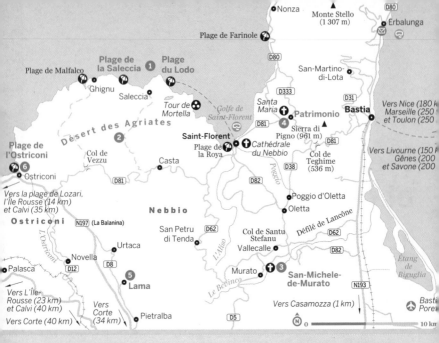

À ne pas manquer

❶ Les **plages de la Saleccia** et du **Lodo** (p. 89), sans conteste parmi les plus belles de l'île

❷ La découverte du **désert des Agriates** à pied, à cheval, en kayak ou à VTT (p. 89)

❸ L'**église San-Michele de Murato** (p. 87), merveille d'architecture romane

❹ La visite des caves de **Patrimonio** (p. 83), suivie d'une soirée de guitare ou de polyphonies corses

❺ Les ruelles et les belles demeures de style toscan du village de **Lama** (p. 92), dans l'Ostriconi

❻ Les magnifiques étendues de sable blanc de la **plage de l'Ostriconi** (p. 93)

NEBBIO

Saint-Florent (San Fiurenzu)

Principale localité du Nebbio (avec seulement 1 500 habitants), à juste 23 km de Bastia, Saint-Florent suscite des sentiments partagés. Certains sont d'emblée séduits par cette ville balnéaire qui cultive sous le soleil corse son bronzage tropézien. D'autres la trouvent superficielle et lui préfèrent le cap Corse, au nord, ou L'Île-Rousse, au sud. Prenons "Saint-Flo" pour ce qu'elle est : une ville entièrement vouée au tourisme en été, dont les principaux atouts sont le golfe, le port animé où des yachts rutilants s'amarrent en saison, et la longue plage de la Roya, qui borde la ville au sud.

Histoire

L'origine du nom de la ville varie selon les sources. Certaines avancent que saint Florent fut un évêque africain exilé en Corse par les Vandales au Ve siècle. D'autres font référence à un soldat romain converti au christianisme et martyrisé... La ville, quoi qu'il en soit, connut son essor à l'époque pisane. Sa position stratégique – elle offrait un abri sûr en face du port militaire de Toulon – en fit un temps un enjeu de la lutte contre les Génois. Délaissée par la suite, elle ne fit guère parler d'elle jusqu'à ce que la création de son port et le tourisme ne la remettent au goût du jour.

Orientation

La route nationale, qui débouche sur la ville par le nord-est en venant de Patrimonio, mène à la place des Portes, l'épicentre de

LIEUX	ACTIVITÉS	BON À SAVOIR
Saint-Florent	Rendez-vous au **Buffalo Beach Ranch** (p. 80) pour les apprentis cavaliers	Pour les enfants ayant des bases d'équitation, des sorties avec baignade en mer sont possibles.
Désert des Agriates	Un voyage à fleur d'eau sur l'un des **kayaks de mer** d'Objectif Nature (p. 81)	Vous pourrez emmener vos enfants à partir de 7-8 ans à la découverte de la côte des Agriates sur l'une de ces embarcations.
Ostriconi	Un concours de pâtés de sable sur la **plage** de l'Ostriconi (p. 93)	Les plus petits pataugeront dans les bras de mer de la plage de l'Ostriconi. Méfiez-vous des courants.

Saint-Florent, où l'on est accueilli par un immense parking (payant). Traversant le ruisseau du Poggio, la nationale continue vers le sud et la plage de la Roya, qui s'étend à environ 2 km au sud-ouest de la ville. On l'atteint par la "route de la plage", qui part à droite juste après le pont métallique franchissant l'Aliso. Le beau bâtiment de la citadelle, au nord de la ville, est malheureusement inutilisé. Ses abords servent avant tout de parking (gratuit, et donc bien pratique en saison).

ℹ️ Renseignements

Office du tourisme (☎04 95 37 06 04 ; www.corsica-saintflorent.com ; ⊙horaires variables, assez larges, en saison). Dans le centre administratif qui regroupe également la poste et la mairie, à l'est du centre-ville, en bordure de la D81. Audioguides sur la cathédrale du Nebbio et le bourg.

L'Ambada (☎04 95 37 15 71 ; port de Saint-Florent ; ⊙tlj 7h-2h). Accès Internet dans ce bar (1,50 €/ 15 min).

👁 À voir

Citadelle ÉDIFICE GÉNOIS
(1 € ; ⊙juil-août). Un enduit de couleur sable donne à la citadelle, construite à l'époque génoise, un air de bâtisse du Sud marocain. Juchée au-dessus du port, elle se résume à un édifice unique depuis que ses remparts ont été détruits lors des nombreuses attaques auxquelles elle a dû faire face. Fermée au public la plupart du temps, elle accueille parfois des expositions en été. Ce beau bâtiment est malheureusement peu mis en valeur. Ses abords révèlent cependant une large perspective sur les environs. Prenez un moment pour flâner dans les ruelles et sur les places avoisinantes de la vieille ville, comme la jolie place Doria, dont la fontaine fait la joie des petits qui n'hésitent pas à s'y tremper l'été.

Cathédrale du Nebbio ARCHITECTURE PISANE
Également appelée église Santa-Maria-Assunta, la cathédrale du Nebbio est un bel exemple d'architecture religieuse pisane du XIIᵉ siècle. Elle rappelle que Saint-Florent fut, dès le IVᵉ siècle, le siège de l'évêché régional. Dressant sa façade de style roman à 800 m environ du centre, à l'emplacement de l'ancienne cité romaine, elle présente d'étonnantes sculptures figurant des serpents et des fauves. Renseignez-vous sur ses horaires d'ouverture à l'office du tourisme.

🏃 Activités

La Roya PLAGE
Outre un long ruban de sable (parfois souillé en présence de vents contraires), la plage de la Roya, à 2 km environ du centre-ville en direction du sud-ouest, offre un magnifique point de vue sur la ville et les hauteurs du Nebbio. Vous trouverez sur place plusieurs centres d'activités nautiques.

Aliso Sport LOCATION DE VTT
(☎04 95 37 03 50). Ce prestataire loue des VTT moyennant 16 € par jour et dispose de vélos pour jeunes enfants et juniors.

Altore CANYONING
(☎06 88 21 49 16 ; www.altore.com). Spécialiste de longue date des loisirs sportifs en Corse, Altore propose notamment du canyoning (60 € la journée, prévoir un casse-croûte) dans le cap

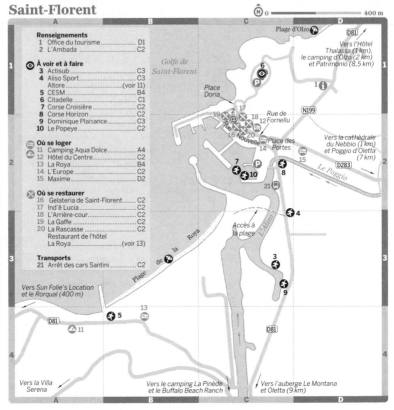

Renseignements
1 Office du tourisme D1
2 L'Ambada C2

À voir et à faire
3 Actisub C3
4 Aliso Sport C3
   Altore ....(voir 11)
5 CESM B4
6 Citadelle C1
7 Corse Croisière C2
8 Corse Horizon C2
9 Dominique Plaisance C3
10 Le Popeye C2

Où se loger
11 Camping Aqua Dolce A4
12 Hôtel du Centre C2
13 La Roya B4
14 L'Europe C2
15 Maxime D2

Où se restaurer
16 Gelateria de Saint-Florent C2
17 Ind'è Lucia C2
18 L'Arrière-cour C2
19 La Gaffe C2
20 La Rascasse C2
   Restaurant de l'hôtel
   La Roya ....(voir 13)

Transports
21 Arrêt des cars Santini C2

Corse, à une demi-heure de voiture de Saint-Florent, et du parapente (75 € le baptême biplace de 15 min) au-dessus de la plage de la Roya. Joignable par téléphone toute l'année, le club s'installe en saison au camping Aqua Dolce, sur la plage de la Roya.

Buffalo Beach Ranch BALADES ÉQUESTRES
(☎06 11 59 42 30, 06 62 90 62 29 ; ☺tte l'année).
Installé à la sortie de la ville en direction de Patrimonio, ce centre équestre organise au printemps des balades sur le sentier des douaniers, dans les Agriates (week-end 250 €, gîte et repas compris) et, toute l'année, des promenades de 2 heures dans le vignoble de Patrimonio (40 €). Des sorties avec baignade sont également possibles (60/70 € enfant/ adulte) à condition de posséder des bases d'équitation. Contactez le club par téléphone pour convenir d'un lieu de rendez-vous.

Plongée
Les fonds sous-marins du golfe de Saint-Florent recèlent quelques trésors qui raviront les plongeurs de tous les niveaux. La faune est au rendez-vous, et on compte même deux épaves. Pour plus d'informations sur les sites, reportez-vous au chapitre *Plongée* p. 39. Les centres suivants proposent des baptêmes, des explorations et des formations :

Actisub (☎06 12 10 29 71, 06 07 70 18 01 ; www.actisub.com ; quai de l'Aliso ; ☺avr-oct). 55 € le baptême, 43 € l'exploration (matériel inclus).

CESM (☎04 95 37 00 61 ; www.cesm.net ; plage de la Roya ; ☺mars-nov). Assure également une activité voile. Tarifs avantageux pour les baptêmes (43 €).

Voile
Adressez-vous au CESM, sur la plage de la Roya (voir ci-dessus).

Kayak de mer
Le kayak de mer est une formule idéale pour explorer le littoral autour de Saint-Florent, jusqu'au désert des Agriates. Les prestataires suivants proposent diverses sorties,

adaptées à tous les niveaux, notamment des randonnées guidées, et louent des kayaks :

Cors'kayak Évasion (☑06 12 10 23 27 ; www.corsekayak.com)

Objectif Nature (☑04 95 32 54 34, 06 12 02 32 02 ; www.objectif-nature-corse.com)

Excursions en bateau

En saison, deux sociétés proposent de rejoindre par la mer la superbe **plage du Lodo** (Lodu), sur le littoral du désert des Agriates. Avec la **plage de la Saleccia**, à laquelle elle est reliée par une petite demi-heure de marche, elle est l'un des points forts de cette portion de côte. Une sortie à ne pas rater...

Le Popeye (☑04 95 37 19 07, 06 62 16 23 76 ; www.lepopeye.com ; aller-retour plage du Lodo 16-20/10-12 € adulte/enfant 2-10 ans selon saison ; ☻avr-sept). Ancien bateau de pêche reconnaissable à la bouche des Rolling Stones peinte sur sa proue. Jusqu'à 12 départs par jour (de 8h30 à 17h15). Le trajet jusqu'à la plage dure environ 30 min. À bord, vous pourrez louer masques de plongée, tubas et parasols. Il faut réserver à l'avance l'horaire de retour. La compagnie propose également un accès direct à la plage de la Saleccia au prix de 25-30/20-30 € adulte/enfant selon saison.

Corse Croisière (☑06 10 38 27 65, 06 17 74 89 77 ; www.corse-croisieres.com ; aller-retour plage du Lodo 16-20/10-12 € adulte/enfant 2-10 ans selon saison ; ☻juin-sept). Plus rapide mais moins convivial, ce navire peut accueillir 220 passagers. Jusqu'à 9 allers-retours par jour pour la plage du Lodo. De la plage du Lodo, possibilité de rejoindre la plage de la Saleccia en calèche ou en bateau semi-rigide. Il faut réserver à l'avance l'horaire de retour.

Location de bateaux

Envie de découvrir le littoral à votre rythme ? Vous pouvez louer un bateau à moteur sans permis et relier la plage de la Saleccia en 1 heure 30 environ depuis Saint-Florent. Adressez-vous à **Corse Horizon** (☑04 95 35 37 61, 06 15 77 85 53 ; www.corse-horizon.com ; près du rond-point, en bordure de l'Aliso ; ☻mi-mai à mi-oct), **Sun Folie's Location** (☑06 13 07 39 83, 06 17 01 37 35 ; plage de la Roya ; ☻avr-oct) ou **Dominique Plaisance** (☑04 95 37 07 08, 06 16 90 58 02 ; www.dominiqueplaisance.com ; bord de l'Aliso ; ☻avr-oct). Comptez au moins 90-105/105-120 € la demi-journée/journée de location selon la saison pour un petit semi-rigide équipé d'un moteur de 6 cv. Les loueurs vous donneront des conseils sur l'itinéraire, avec une carte côtière et des bons plans pour se baigner dans des criques discrètes.

🛏 Où se loger

Les options sont nombreuses. En voici une sélection, dans des registres différents...

Camping d'Olzo   TROIS-ÉTOILES €
(☑04 95 37 03 34 ; www.campingolzo.com ; entrée nord de Saint-Florent ; adulte/enfant/tente/voiture 6,50-8/3,50-4/2,50-4,50/2,50 € selon saison ; ☻avr-sept ; ♨). Cet agréable camping trois étoiles, où vous trouverez une belle piscine et des emplacements calmes et ombragés, est installé à 2 km de la ville en direction de Patrimonio (à l'opposé de la plage de la Roya). Outre les emplacements de camping, il loue des chalets et mobil-homes. Tarifs dégressifs à partir de 3 nuits.

Camping la Pinède   CAMPING €
(☑04 95 37 07 26 ; www.camping-la-pinede.com ; sud de Saint-Florent ; forfait 2 pers 23-33 € selon emplacement et saison ; ☻mai-sept ; ♨). En direction de la plage de la Roya, au bout du chemin qui part de la route nationale juste après le pont métallique, ce terrain de 4 ha ombragé et agréable dispose d'une grande piscine en bordure de l'Aliso et de quelques divertissements (ping-pong, billard, trampoline...). Les emplacements les plus chers bordent le cours d'eau. Ses atouts sont la pinède, le calme, le frais et la piscine, mais vous devrez marcher ou prendre la voiture pour rejoindre la plage. Chalets loués à la semaine.

Camping Aqua Dolce   CAMPING €
(☑04 95 37 08 63 ; www.campingacquadolce.fr ; adulte/enfant/voiture/tente 5,50/2,50/2,50/3 € ; ☻mai-sept ; ☎). À 50 m de Sun Folie's Location et à proximité immédiate de la plage, ce camping propose des emplacements et des sanitaires convenables, ainsi qu'une pizzeria. La proximité de la plage est son principal atout.

Hôtel du Centre   HÔTEL €
(☑04 95 37 00 68 ; rue de Fornellu ; d/tr/q 50-70/75/90 € selon saison ; ☻tte l'année). Tenu par une bien sympathique octogénaire, généralement installée sur une chaise devant son établissement, à deux pas du port, cette vénérable institution semble presque anachronique dans cette station balnéaire plutôt huppée. Les 12 chambres avec sdb et TV affichent une déco plus toute jeune (avec quelques merveilles kitsch dans certaines) et un confort basique mais sont très propres et correctes pour le prix.

Maxime   HÔTEL €€
(☑04 95 37 05 30 ; route de la Cathédrale ; d/tr 57-85/82-140 € selon saison ; ☻fermé déc-jan ; Ⓟ). À deux pas du rond-point central de la

ville, le Maxime doit à son emplacement, à son parking et à son bon rapport qualité/prix d'être souvent complet en saison. Les chambres, fonctionnelles, claires et bien équipées, sont installées au calme, à plus forte raison pour celles donnant sur le ruisseau. Jolie terrasse. Un regret : l'absence de connexion Internet.

L'Europe   HÔTEL €€

(☎04 95 37 00 03 ; www.hotel-europe2.com ; place des Portes ; d 50-130 € selon confort et saison ; ⊘tte l'année ; ✳🐕). Cet ancien relais de poste du XVIIIe siècle se trouve au cœur de l'animation, face au port. Les chambres, lumineuses, sont réparties sur 3 étages desservis par un escalier de pierre. Certaines, rénovées, ont de belles tomettes et du mobilier anciens. Deux disposent d'un balcon ouvrant sur le port. Dommage que les tarifs s'envolent en août. Restaurant au rez-de-chaussée.

La Roya   HÔTEL DE CHARME €€€

(☎04 95 37 00 40 ; www.hotelroya.com ; d 150-400 € selon vue et saison, ste 310-580 € ; ⊘avr à mi-nov ; P✳🐕🐕). Îlot de luxe et de raffinement, l'hôtel La Roya accueille ses hôtes au son cristallin du petit bassin qui orne la réception. Mobilier asiatique, peignoirs sur les lits, piscine chauffée… rien n'est laissé au hasard, des parties communes avec petits espaces pour s'isoler aux chambres luxueusement équipées. Ajoutons que le site est exceptionnel – face à Saint-Florent et en bordure de la plage – et que le restaurant gastronomique, ouvert aux non-résidents, est la table la plus romantique de la ville.

Mentionnons également :

Hôtel Thalassa   DEUX ÉTOILES €€

(☎04 95 37 17 17 ; www.thalassa-hotel.com ; entrée nord de Saint-Florent ; d 59-129 selon vue et saison ; P✳🐕@🐕). À la sortie de Saint-Florent en direction du cap Corse, cet établissement moderne manque un peu de charme architectural mais est confortable, accueillant, calme et doté d'une piscine.

Villa Serena   CHAMBRES D'HÔTES €

(☎04 95 39 04 94, 06 16 59 42 72 ; quartier Fromentica ; d 55-75 € selon saison ; ⊘tte l'année ; ✳). Trois chambres bien tenues dans un lotissement moderne à l'écart de Saint-Florent. La vue sur le golfe, les tarifs et le calme sont les principaux atouts des lieux. L'accueil serait inégal selon des lecteurs. Quitter Saint-Florent vers le sud, continuer sur 1,5 km après le pont métallique, puis prendre une route goudronnée, à gauche, qui monte dans le lotissement.

✗ Où se restaurer

Ind'ê Lucia   CORSE TRADITIONNEL €

(☎04 95 37 04 15 ; place Doria ; plats 13-29 €, menu 18€ ; ⊘avr-déc). Facilement repérable à l'épaisse vigne vierge qui recouvre sa façade, ce restaurant se distingue par son accueil souriant et décontracté et sa cuisine "maison", pas très originale mais sans esbroufe. On s'étonne en revanche du prix des vins de Patrimonio, vu la proximité du vignoble.

♥ La Gaffe   SPÉCIALITÉS DE LA MER €€

(☎04 95 37 00 12 ; port de Saint-Florent ; plats 19-24 €, menu 36 € ; ⊘mi-fév à mi-nov). Le cadre à l'atmosphère maritime plante le décor : on voue ici un culte aux spécialités du royaume de Neptune depuis plus de 30 ans. La décoration de la salle mériterait certes un petit rajeunissement, mais la terrasse est particulièrement agréable et la cuisine – carpaccio d'espadon, courgettes farcies au denti, lotte au poivre vert, rougets du golfe grillés – à la hauteur de la réputation des lieux.

L'Arrière-cour   ÉCLECTIQUE €€

(☎04 95 35 33 62 ; place Doria ; plats 8-14 € ; ⊘tlj midi et soir l'année). On y vient avant tout pour… l'arrière-cour. En plein centre de la ville, cette adresse dissimule derrière sa petite façade une courette ombragée décorée de bric et de broc – cadres, tableaux, arrosoirs, poster de Che Guevara… – qui donne aux lieux une atmosphère décontractée, calme et un rien décalée. La cuisine (plats du jour, grillades, plats corses) est bonne sans être exceptionnelle.

La Rascasse   GASTRONOMIQUE €€€

(☎04 95 37 06 99 ; port de Saint-Florent ; menus 48 et 78 € ; ⊘mi-mars à oct). "La mer est le ciel des poissons", annonce la carte de cet établissement qui fait honneur à la pêche locale. Le cadre élégant est à l'unisson de la cuisine gastronomique : dos de loup au beurre d'algues et ravioles d'encornets, estouffade de poissons de roche façon bouillabaisse en croûte… La terrasse ouvre directement sur le port. Au rez-de-chaussée, vous pourrez boire un verre à la Brasserie 137.

Le Montana   AUBERGE €€

(☎04 95 37 14 85 ; www.auberge-lemontana. com ; route d'Oletta ; menus à partir de 26 € ; ⊘fév-nov). À 3 km de Saint-Florent en direction d'Oletta, cette auberge installée dans une maison moderne a bonne presse grâce à la cuisine corse soignée concoctée par les frères Costa, qui mettent l'accent sur les produits frais. En été, les tables sont dressées autour de la piscine, sous un palmier.

♥ **Restaurant
de l'hôtel la Roya** GASTRONOMIQUE €€€
(☎04 95 37 00 40 ; www.hotelroya.com ; menus
55-100 € ; ⊘avr à mi-nov). Une occasion
spéciale à fêter ? Saluée par la critique
et récompensée par une étoile au guide
Michelin, la table gastronomique de l'hôtel
la Roya, proche de la plage du même nom,
est l'une des adresses les plus sélectes et
romantiques de la ville, laquelle brille de
tous ses feux en soirée de l'autre côté de la
baie. On y sert une cuisine de chef raffinée
s'appuyant avant tout sur les poissons et
fruits de mer. Formules le midi.

En dessert ou à l'heure du goûter, essayez les
glaces et sorbets de la **Gelateria de Saint-
Florent** (☎06 66 67 90 00 ; rue du Furnellu), qui
propose des dizaines de parfums plus alléchants les uns que les autres.

❶ Depuis/vers Saint-Florent

BUS Les cars **Santini** (☎04 95 37 02 98,
04 95 37 04 01) assurent une liaison entre
Saint-Florent et Bastia (lun-sam, 2/j, 5 €). En
juillet-août, ils circulent également entre Saint-
Florent et L'Île-Rousse (2/j, 10 €). Les billets
s'achètent à bord du bus, dont l'arrêt est situé
juste après le pont sur l'Aliso.

Patrimonio

À 6 km de Saint-Florent en direction du cap
Corse, Patrimonio est l'un des fers de lance du
vignoble insulaire, qui a le vent en poupe. Les
32 viticulteurs de l'appellation, qui se partagent environ 500 ha de vigne, ne sont par
ailleurs pas avares de dégustation. La tournée
des caves est ainsi devenue l'une des raisons
majeures de la venue des visiteurs dans ce joli
village, surplombé par la haute **église Saint-
Martin** (XVIᵉ siècle) et son fronton en demi-
lune prolongé de volutes de pierre.

✯ Fêtes et festivals

Qui dit vin, à Patrimonio, dit aussi musique :
le village s'ennorgueillit en effet d'une solide
tradition de vignerons guitaristes, qui a donné
lieu, en 1989, à la création des **Nuits de la
guitare** (☎04 95 37 12 15 ; www.festival-
guitare-patrimonio.com). Dans l'enceinte
du théâtre de verdure, ce festival accueille
chaque année en juillet des guitaristes
internationaux reconnus (voir l'encadré
p. 86). La musique traditionnelle connaît par
ailleurs un véritable renouveau depuis plusieurs
années. L'active association **A Capella** (☎06
28 28 14 83) anime toute l'année des ateliers

de chant et de pratique musicale, ainsi que des
rencontres autour de la musique traditionnelle
corse, et organise un "Festival d'automne de
la ruralité". La **Confrérie San Martinu de
Patrimonio** accompagne les cérémonies
locales tout au long de l'année : si vous passez
devant l'église du village un dimanche vers
19h hors saison, vous avez de bonnes chances
d'entendre son chœur polyphonique répéter
des chants sacrés et liturgiques.

🛏 Où se loger et se restaurer

⬚BON PLAN⬚ **Hôtel du Vignoble** HÔTEL €€
(☎04 95 37 18 48 ; www.hotel-du-vignoble.
com ; d 50-90 € selon saison ; ⊘avr-oct ; P❋).
Un établissement récent et sans mauvaise
surprise, dans une bâtisse rénovée, au bord
de la route principale. Vous y trouverez
12 chambres confortables et bien décorées,
avec mobilier en fer forgé. Les patrons, viticulteurs, vous feront à l'occasion goûter leur
muscat sur la terrasse, qui constitue à elle
seule un véritable condensé de village corse.
Une bonne base pour découvrir la région.

U Castellu Piattu CHAMBRES D'HÔTES €€
(☎04 95 37 28 64 ; www.castellu-piattu.fr.st ;
Barbaggio ; d/tr avec petit-déj 90-100/120-128 €
selon saison ; ⊘tte l'année ; ❋). Cette maison
d'hôtes occupe un site idyllique, au milieu
des vignes et des montagnes. Spacieuses et
sobrement meublées, les 5 chambres sont
aménagées dans l'annexe d'une maison en
pierre à l'architecture moderne, parfaitement intégrée dans le paysage. Une piscine
ajoute à l'agrément. *Castellu piattu* signi-
fiant "château caché", l'adresse se mérite :
depuis Saint-Florent, prenez la direction de
Patrimonio. Avant d'arriver à la bifurcation
qui mène au village, prenez à droite vers le
domaine Orenga de Gaffory et roulez environ
1,3 km jusqu'à une fourche. Empruntez le
chemin de droite, sur 1,5 km. Vous apercevrez la maison sur une butte, sur la gauche.

Château Calvello CHAMBRES D'HÔTES €€
(☎04 95 37 01 15 ; ucalvello@orange.fr ; château
Calvello ; d/tr 95-130/165 € avec petit-déj, 2 nuits
min ; ⊘avr-fin oct ; 🐾). Cette adresse d'exception
ravira les amateurs de bâtisses anciennes.
Dans une altière demeure en pierre, très
calme, vous logerez dans des chambres et
suites de style rustique, avec lits en noyer
et tomettes au sol. Préférez les suites, plus
spacieuses, notamment la "Voûte céleste",
qui bénéficie d'une vue sur les montagnes
et le village. Certains lecteurs ont cependant été déçus... Pour vous y rendre, prenez
la route à gauche entre l'hôtel du Vignoble

LES DOMAINES VITICOLES DE PATRIMONIO

Pays du muscat, le vignoble de Patrimonio, qui fut le premier à recevoir une appellation d'origine contrôlée (AOC) sur l'île, produit également de bons vins rouges, rosés et blancs, qui profitent de conditions climatiques excellentes et d'un joli terroir. La plupart des domaines sérieux travaillent de façon très naturelle. Plus d'un tiers des vignerons de Patrimonio ont déjà acquis la certification de culture biologique ou sont en passe de l'obtenir, l'ambition des producteurs étant que l'ensemble du vignoble soit labellisé AB. Ne vous attendez pas à trouver beaucoup de vins vieillis dans ces caves, la majorité de la production étant écoulée dans l'année en raison de la demande. Certains viticulteurs proposent cependant quelques vins de garde depuis quelques années.

Parmi les adresses que l'on peut recommander :

» **Domaine Gentile** (☎04 95 37 01 54 ; www.domaine-gentile.com). Outre un rouge digne d'intérêt, on vous proposera peut-être la Cuvée Grande Expression, un vin vieilli en foudre, produit en petite quantité. Le domaine, sensibilisé au respect de l'environnement, élabore aussi un muscat sec (une curiosité !) et du rappu.

» **Domaine Orenga de Gaffory** (☎04 95 37 45 00 ; www.orengadegaffory.com). L'un des plus importants de Patrimonio. La cuvée du Gouverneur passe pour l'un des meilleurs rouges de l'île.

» **Clos Arena** (☎04 95 37 08 27 ; lieu-dit Morta Majo). Considéré comme l'une des références de l'appellation. Excellents blancs (notamment la cuvée Carco) et rouges, élevés en biodynamie.

» **Clos de Bernardi** (☎04 95 37 01 09, 04 95 32 07 66 ; http://closdebernardi.fr ; au-dessus de la route de l'église). Dans cette belle maison de pierre, on privilégie les petits comités aux dégustations "à la chaîne". Très bons vins rouges, certifiés biologiques.

» **Domaine Leccia** (☎04 95 37 11 35 ; route de la Cathédrale ; www.domaine-leccia.com). L'un des meilleurs crus de l'île, et l'un des rares viticulteurs à proposer des vins rouges de garde, 100% monocépages.

» **Domaine Lazzarini** (☎04 95 37 18 61 ; www.domainelazzarini.com ; sortie de Patrimonio). Plus touristique. Outre le muscat, vous goûterez surtout des vins d'orange et de pêche. Le rouge 2010 a été plusieurs fois primé.

» **Clos Marfisi** (☎04 95 37 01 16). Un blanc plusieurs fois primé et un rouge surprenant.

» **Clos Montemagni** (☎04 95 37 00 80). Rouges et muscat primés au concours général agricole 2008.

et la poste jusqu'à l'église, puis continuez tout droit. Vous verrez cette haute bâtisse, signalée par aucun panneau, sur la gauche.

Casa Albina　　　CHAMBRES D'HÔTES €€€
(☎04 95 37 00 57 ; www.casa-albina-corsica.com ; gîte ou ch avec petit-déj 260-490 € les 2 nuits selon confort et saison ; ☺tte l'année ; ☏). Grâce à la famille Andreani, très impliquée dans la préservation du patrimoine culturel insulaire, on peut se familiariser avec les principales composantes de l'identité corse, notamment les chants polyphoniques et la cuisine. Côté hébergement, cette adresse de charme dissimulée dans le maquis aux abords du village, en bordure d'une rivière, rassemble plusieurs gîtes et une maison, loués à la semaine ou en formule de deux nuits.

Osteria di San Martinu TRADITIONNEL CORSE €€
(☎04 95 37 11 93 ; plats 10-18 €, menu 24 € ; ☺mai-sept tlj midi et soir). En face de l'hôtel du Vignoble, cette adresse familiale présente une salle et une terrasse assez banales mais sert dans la bonne humeur une cuisine locale très honnêtement préparée : storzapretti, cannellonis, viandes. Tarifs raisonnables et emplacement pratique si vous êtes à l'hôtel.

Le Bartavin　　　BAR À VIN €
(☎04 95 38 37 94 ; plats 9-17 € ; ☺avr à mi-oct). Une belle salle en pierre, une tonnelle aérée, quelques tables disposées dans le jardin : voilà pour le décor. Le reste est clairement indiqué dans le nom des lieux : située dans un virage en montant dans le village, au-dessus

du domaine Lazarini, cette ancienne étable transformée en bar à vin permet de s'initier aux crus de Patrimonio, proposés au verre. La carte, moins originale, décline des pizzas, des grillades et les spécialités corses habituelles.

Col de Teghime

Sur une épine dorsale montagneuse à mi-chemin de Bastia et de Saint-Florent, le col de Teghime (536 m) offre un saisissant panorama de toute la région. Vers l'est, la vue s'étend sur Bastia, l'étang de Biguglia et, par temps clair, jusqu'à l'île d'Elbe. À l'ouest, on découvre les vignes de Patrimonio, le golfe de Saint-Florent et le désert des Agriates. De Bastia, une dizaine de kilomètres de route permettent d'atteindre le col. Une fois sur place, on peut rejoindre le sommet de la Sierra di Pigno (961 m) par une étroite route goudronnée (bifurquer à droite 300 m avant le col en venant de Bastia). L'ascension à pied de 4,5 km, très agréable , offre une vue magnifique sur les deux versants, ainsi que sur le cap Corse. Le sommet, souvent balayé par les vents, est enlaidi par des antennes de diffusion et une petite zone militaire.

Oletta et Poggio-d'Oletta

Si vous préférez la tranquillité à l'animation débordante de Saint-Florent, dirigez-vous vers ces villages du haut Nebbio. Seuls quelques kilomètres les séparent de la côte, mais ils restent étonnamment calmes, même en pleine saison.

Dispersés sur plusieurs kilomètres et accrochés aux collines qui descendent doucement vers la vallée du Guadello et les domaines vinicoles de Patrimonio, Oletta et Poggio-d'Oletta sont reliés par une route qui offre une superbe vue sur le golfe de Saint-Florent.

◉ À voir

À Poggio-d'Oletta, en contrebas de la mairie, deux petites églises, merveilleusement situées, regardent dans la direction de Saint-Florent. Vous pourrez visiter la mieux restaurée, l'**église de San-Cervone** (demander la clé à la mairie). Le chœur date de 1145, mais la majeure partie du bâtiment actuel remonte au XVIIIe siècle. Le clocher a été ajouté un siècle plus tard.

À Oletta, jetez un coup d'œil sur la façade saumon de l'**église paroissiale**, ainsi qu'au petit **musée d'Art sacré** (⊙juin-sept), installé

dans une coquette chapelle restaurée. En contrebas du bourg en direction de Saint-Florent se dressent les ruines du **couvent Saint-François**.

Vous pourrez faire provision de produits locaux (fruits et légumes, fromages, charcuterie…) au **marché artisanal** d'Oletta, qui se tient le vendredi matin devant l'église du couvent Saint-François de juin à septembre.

🛏 Où se loger et se restaurer

Eliane Bartoli CHAMBRES D'HÔTES €
(📞04 95 39 06 65, 06 74 34 30 25 ; eliane. bartoli@orange.fr ; Oletta ; d 64-74 € avec petit-déj ; ⊙mi-avr à mi-oct ; ❄). En haut du village, cette maison moderne dispose d'une suite de deux chambres mansardées, idéale pour des familles, avec accès indépendant. Déco minimaliste et confort simple, mais rien à redire côté propreté. Possibilité de table d'hôtes (18 €). La sympathique propriétaire propose également un appartement de 2 chambres (loué à la semaine).

U Lampione CHAMBRES D'HÔTES €
(📞04 95 35 28 46 ; www.ulampione.fr ; place de l'Église, Oletta ; d avec petit-déj 65-80 € selon saison ; ⊙tte l'année ; ☎). On se sent rapidement à l'aise dans cette maison située juste à côté de l'église d'Oletta. Elle abrite quatre belles chambres baptisées de noms de fleurs, à la décoration soignée, déclinant chacune une gamme de couleur différente. Un agréable salon avec cheminée est laissé à la disposition des hôtes. Pas de table d'hôtes, mais pizzeria à 20 m. Un studio, loué à la semaine, est également proposé dans cette adresse confortable offrant un bon rapport qualité/prix.

Casa di L'Amanduli CHAMBRES D'HÔTES €€
(📞04 95 37 28 87 ; www.acasadilamanduli.com ; route de la Plaine, Olmeta di Tuda ; d avec petit-déj 95-120 € selon saison ; table d'hôtes 28 € ; ⊙avr-oct ; ❄☎). Cette maison d'hôtes à l'atmosphère décontractée est perdue au milieu d'une immense propriété plantée d'amandiers, tout près du lac de Padule. Les 5 chambres, confortables et toutes différentes, avec entrée indépendante et terrasse privative, sont décorées dans des tons clairs. Les hôtes ont également accès à la piscine, au Jacuzzi extérieur et à un grand salon avec billard. En été, des sorties pique-nique en bateau sont organisées. Pour se rendre à la maison d'hôtes, prendre la route du lac de Padule, en bas d'Oletta, jusqu'au panneau indiquant le domaine viticole Sanamaria, où l'on tourne à gauche. Un gîte est également disponible.

LE VILLAGE DES GUITARISTES

Entretien avec Jean-Bernard Gilormini, président et co-fondateur des Nuits de la guitare de Patrimonio (voir p. 83).

Comment l'idée du festival est-elle née ? Quelques guitaristes de Patrimonio jouaient en permanence sur le pas de la porte de leur épicerie quand nous étions gamins. À force d'écouter, d'apprécier, de baigner dans cet univers de la guitare, quelques jeunes, dont je faisais partie, se sont mis aussi à jouer et l'on se retrouvait certains soirs d'été au café du village pour partager notre passion avec les anciens. Lorsque l'un de ces amis a été élu maire, il a souhaité que l'on fasse quelque chose d'un peu organisé. Le premier festival s'est tenu en 1989, avec des guitaristes locaux en première partie de chaque concert et des têtes d'affiche comme Babik Reinhardt, le fils de Django, Roland Dyens et Raphaël Fays, entre autres, en deuxième partie.

Le festival a pris beaucoup d'ampleur... Il s'agissait de faire venir tous les gens qui nous faisaient rêver. Sans exclure aucun style. Le pari un peu fou est devenu réalité. De 3 soirées, nous sommes passés à 8, et ce pratiquement sans moyens, en nous autofinançant à 90%.

Qu'est-ce que cela représente pour Patrimonio ? Une très belle aventure humaine, pleine de moments très émouvants. Le premier grand artiste qui est venu, Al Di Meola, est une star de la guitare. Les gens s'étonnaient : le vrai Al Di Meola ? Ce fut notre premier grand concert, extraordinaire au niveau de l'affluence, de la qualité musicale. Et John McLaughlin était notre invité l'année suivante. Les premières années, les artistes n'étaient pas toujours entre 2 avions comme maintenant. On arrivait à les garder 2 ou 3 jours et, en clôture, tous participaient à un grand bœuf – ce qui donnait des finales extraordinaires !

Les Nuits de la guitare doivent donner lieu à des échanges passionnants... Tous les gens qui installent le festival et s'occupent des musiciens sont des bénévoles passionnés de musique. Il y a un esprit de convivialité que l'on trouve rarement ailleurs : il est rarissime de pouvoir se trouver à 2 mètres seulement des Deep Purple ! Les musiciens sont très accessibles, et cet esprit particulier donne lieu à des échanges fabuleux. Beaucoup sont tombés amoureux de Patrimonio et veulent s'y installer !

U Palazzu Serenu LUXE €€€
(☎04 95 38 39 39 ; www.upalazzuserenu.com ; lieu-dit Paganacce, Oletta ; d avec petit-déj 190-530 € selon confort et saison ; P ❀ ⛵ @ 🛜). Ici, tout est blanc. Les murs, l'uniforme du personnel, une bonne part de la décoration. Cette ambiance virginale est sobrement rehaussée par les touches de couleur d'œuvres d'art conceptuelles contemporaines, disséminées çà et là. On l'aura compris : le Palazzu Serenu est une étape hors norme. L'adresse, installée dans une maison de maître rénovée avec brio dans un style épuré, n'abrite que 8 chambres et suites. Massages, belle piscine, terrasse avec vue sur le Nebbio, restaurant gastronomique... tout est prévu pour le plaisir des hôtes.

A Magina BONNE TABLE €€
(☎04 95 39 01 01 ; entrée nord d'Oletta ; plats 15-24 €, menu 28 € ; ⊘avr-oct, fermé lun). À l'entrée d'Oletta, cette accueillante auberge est une référence tant pour son cadre – une salle panoramique avec vue sur la plaine du Nebbio et le golfe de Saint-Florent – que pour sa cuisine inventive. La lecture de la carte est en soi un bonheur : brochettes de saint-jacques au chorizo, espadon grillé au basilic et à la badiane, crème brûlée à la noisette ou au cédrat confit...

A Casa di Anghjulu RESTAURANT ET CHAMBRES D'HÔTES €€
(☎04 95 39 16 63, 06 68 27 20 02 ; Poggio-d'Oletta ; www.casadianghjulu.com ; plats 18-30 €, menu 25 € ; ⊘sur réservation). On nous a recommandé cette table installée dans une demeure ancienne à Poggio-d'Oletta, au cœur du vignoble du Clos Clementi. Autour des vins de l'exploitation familiale, on y sert une cuisine de saison faisant la part belle aux produits locaux. À essayer...

Défilé de Lancone

Ceux qui ont parcouru le défilé de la Scala di Santa Regina (p. 279), entre Ponte-Leccia et Calacuccia, risquent certes d'être déçus par le défilé de Lancone (Stretti di Lanconu), plus court et moins vertigineux. Mais ne boudons pas notre plaisir : sculpté par le Bevincu dans le massif du Monte Pinzali, il offre de fort beaux points de vue. Le fleuve, qui devient torrent dans les gorges, termine sa course dans l'étang de Biguglia, au sud de Bastia. Du rond-point du **col de la Bocca di Santu Steffanu**, deux routes surplombent les gorges étroites. La D82 rejoint la N193 à Ortale ; la D62, plus impressionnante, se termine à Casatorra. Assez étroite, cette dernière peut s'avérer délicate en cas de circulation intense.

Murato

On vient surtout à Murato pour visiter la célèbre église qui se dresse sur un promontoire à l'écart du village. Le bourg lui-même mérite qu'on lui consacre une petite balade, le temps de découvrir ses jolies bâtisses. Un parcours balisé permet de faire le tour des sites les plus significatifs. Murato est en effet un haut lieu historique : à l'époque de l'indépendance, il accueillit l'hôtel de la Monnaie où furent frappées les pièces du nouvel État. C'est aussi le village natal de Giuseppe Fieschi et du père de Raúl Leoni, symbole d'une émigration corse riche et mouvementée (voir l'encadré p. 88).

◉ À voir et à faire

♥ **San-Michele de Murato** ÉGLISE ROMANE
L'église San-Michele de Murato, l'un des joyaux architecturaux du Nebbio, s'élève majestueusement sur un pré qui domine la vallée de Saint-Florent et le désert des Agriates, entouré de collines rocheuses. Outre son cadre somptueux, ce petit édifice roman de style pisan frappe par sa polychromie, ses lignes pures et, quand on s'en approche, la beauté des sculptures naïves qui en ornent l'extérieur. L'agencement des deux couleurs de sa façade – le calcaire blanc vient de Saint-Florent, la serpentine verte du lit de la rivière proche U Bevincu – relève d'une association singulière : des bandes horizontales monochromes succèdent à un damier irrégulier. La légende locale raconte qu'elle aurait été construite par des ouvriers pressés en une seule nuit. On sait qu'elle fut édifiée vers 1140, restaurée dans un style baroque et visitée par Prosper Mérimée, qui en fit des esquisses et une description complète. Des travaux de consolidation des colonnes de la façade, financés par l'Union européenne,

étaient en cours lors de notre dernier passage. En temps normal, demandez la clé à la mairie du village si vous souhaitez voir les fresques murales de l'intérieur.

A Nebbiulinca BALADE GUIDÉE
(☎04 95 37 65 59, 06 72 38 36 07 ; www.anebbiulinca.com ; Murato ; ☺avr-nov). Cette structure originale propose une balade à pied dans les environs de Murato, comprenant la visite guidée du village et celle d'une châtaigneraie, suivie d'un repas campagnard près d'un vieux séchoir à châtaignes en activité (adulte/enfant 27/13,50 € repas compris). La promenade est accessible à tous.

🛏 Où se loger et se restaurer

A Mandria CHAMBRES D'HÔTES €€
(☎04 95 37 66 16, 06 03 57 54 11 ; www.location-corse-amandria.com ; Murato ; d 120 € avec petit-déj ; ☺avr-oct ; 🖺). Cette ancienne bergerie en pierre sèche rénovée avec goût a fière allure. Ses propriétaires y proposent trois chambres d'hôtes avec entrée indépendante, qui offrent un excellent confort. Deux d'entre elles sont mansardées, avec poutres apparentes et carrelage ancien. Au petit-déjeuner, servi en terrasse, régalez-vous des confitures et des *canistrelli* maison. Un studio est également disponible.

I Fratelli RESTAURANT €€
(☎04 95 57 08 63 ; village de Rapale ; plat du jour 10 €, menu 25 € ; ☺tlj midi et soir tte l'année). L'un des rares restaurants de Murato et de ses environs, cette adresse tenue par deux frères dans le hameau voisin de Rapale est plutôt une bonne surprise. La carte de spécialités corses n'est pas très originale, mais la cuisine privilégie les produits locaux, comme le veau de l'exploitation familiale, et est bien préparée. Le tout est servi sur la belle terrasse ou dans une salle moderne et lumineuse. L'embranchement vers Rapale est situé au niveau de l'église San-Michele de Murato.

Le But AUBERGE €€
(☎04 95 37 60 92 ; Murato ; menu 40 € environ ; ☺sur réservation). Fermé ? Ouvert ? Longtemps une institution locale, le But semble maintenant ouvrir avec une régularité toute relative. Cette grande auberge à la façade verte plantée au milieu du village est célèbre dans tout le Nebbio pour ses festins pantagruéliques à base de produits du terroir. Seul le menu est proposé et il est impossible de tout engloutir ! Téléphonez impérativement à l'avance si l'expérience vous tente.

LA PETITE HISTOIRE

LE TERRORISTE ET LE PRÉSIDENT

Deux enfants de Murato ont eu des parcours remarquables, quoique assez différents. Le premier eut le destin le plus explosif. Né en 1790 à Murato, Giuseppe Fieschi fut d'abord un petit malfaiteur sur l'île, avant de monter à Paris et de collaborer avec la police secrète. Influencé par les mouvements républicains, il organisa en 1835 un attentat contre Louis-Philippe et la famille royale lors des célébrations de la révolution de juillet 1830. Il manqua sa cible mais tua 19 personnes, un résultat saisissant pour l'époque. Fieschi et ses complices furent condamnés à mort et exécutés un an plus tard. Le second, Raúl Leoni, devint à 58 ans président de la république du Venezuela lors de l'élection de décembre 1963. Soixante-huit ans plus tôt, son père, Clément Leoni, né à Murato, s'était embarqué à Bastia, à l'âge de 22 ans, à destination de Caracas (Venezuela) pour tenter sa chance dans les nouvelles républiques d'Amérique du Sud. Il eut 4 enfants, dont Raúl, qui fit son premier et dernier voyage en Corse en 1970 et découvrit le village natal de son père, symbole glorieux de la migration corse à travers le monde. Aujourd'hui, l'histoire retient plus volontiers le premier personnage.

♥ **Ferme-auberge de Campo di Monte** FERME-AUBERGE €€
(📞0495376439,0607794506;www.fermecampo dimonte.com ; Murato ; menu 50 € ; ☺jeu-sam soir, dim midi, sur réservation). Totalement isolée dans la campagne, à 2 km du centre de Murato, cette auberge qui bénéficie d'un emplacement exceptionnel vous accueille dans une demeure en pierre ancienne avec toit de lauze. Après l'apéritif en terrasse, à l'ombre des platanes, on s'attable dans l'une des petites salles rustiques, où l'intimité des convives est préservée. On se délecte de la "cuisine du moment" de la propriétaire, qui privilégie les produits de saison. L'adresse a bonne presse mais se mérite : on y accède par un chemin de 2 km qui part de la route du village de Rutali, après Murato. Les cartes de crédit ne sont pas acceptées.

Environs de Murato

Les villages des environs de Murato, à l'écart des grands axes touristiques, méritent également la visite. **Rapale**, **Pieve** et **Soriu** possèdent de belles églises paroissiales, qui soulignent l'héritage pisan. À Pieve, vous pourrez admirer trois statues-menhirs en schiste, vestiges de la préhistoire. Accessibles en une vingtaine de minutes de marche du centre du village, les ruines de la chapelle San Nicolao (XIIe siècle) se dressent sur un plateau, d'où l'on embrasse un vaste panorama. À Rapale, une courte promenade mène aux ruines d'une église qui ressemble à celle de San-Michele. Le départ du sentier est indiqué derrière le cimetière, quelques centaines de mètres après l'église du village.

De Soriu, la D62 continue par une jolie route en corniche jusqu'à **San Gavino di Tenda**, puis à **San Petru di Tenda**, avant de redescendre vers Saint-Florent. À Santo Pietro di Tenda, le regard est attiré par l'imposante silhouette en pierre ocre de l'église Saint-Jean-l'Évangéliste (XVIIe siècle), aux allures de cathédrale flanquée d'un haut campanile.

🛏 Où se loger et se restaurer

♥ **Chambres d'hôtes Gaucher – Cicendolle** CHAMBRES D'HÔTES €
(📞04 95 37 60 60 ; www.chambresencorse.com ; Vallecalle ; d avec petit-déj 63-68 € ; ☺tte l'année ; 📶). Un village perdu sur les hauteurs du Nebbio entre Oletta et Murato, une belle bâtisse ancienne, une terrasse ombragée d'un tilleul, un panorama sublime des environs... Tous les ingrédients d'un séjour agréable sont réunis chez les Gaucher, et l'on est rapidement séduit et dépaysé par ce cadre serein. Les trois chambres à la décoration sobrement rustique – parquet en châtaignier, enduits bruts – dégagent un charme sans esbroufe, avec une mention spéciale à la plus spacieuse, dont les fenêtres sur trois côtés offrent une vue panoramique presque à 360° des hauteurs du Nebbio. Table d'hôtes possible certains soirs (23 €). Le charme dans la simplicité, à un prix très raisonnable.

A Casella CHAMBRES D'HÔTES €
(📞04 95 37 63 51, 06 80 50 65 28 ; www.acasella. com ; Vallecalle ; d avec petit-déj 65-75 € ; ☺tte l'année ; @). On coule des jours heureux dans cette maison moderne, dotée de 3 chambres au confort douillet, avec entrée indépendante, à deux pas de l'adresse précédente. Celle baptisée "la Scopa" offre une vue

dégagée sur la vallée depuis son balcon. La literie est de qualité, les sdb rutilantes et les accueillants propriétaires vous indiqueront tous les sentiers de randonnée des environs. Table d'hôtes (22 €) à base de produits régionaux, servie sur une jolie pergola.

Casa Ghjunca MAISON D'HÔTES €€€ (☑04 95 39 03 14, 06 43 15 76 95 ; balbinot.janick@ orange.fr ; Rapale ; d avec petit-déj 90-160 € ; ⊘tte l'année ; 🅿 ❄ �🛜). Cette imposante demeure du XVIIe siècle dressée dans un virage à l'entrée du hameau de Rapale, superbement rénovée, abrite 5 chambres équipées de mobilier ancien et de tomettes, aux murs peints à la chaux. L'une d'elles peut accueillir 4 personnes. L'ensemble est cosy et très calme, mais les tarifs nous ont semblé un peu surévalués.

AGRIATES (E AGRIATE)

Entre Saint-Florent et l'embouchure de l'Ostriconi, le **désert des Agriates** révèle sur une trentaine de kilomètres un paysage aride et grandiose de maquis d'où émergent des escarpements rocheux et de basses montagnes de couleur crayeuse. Traversée par quelques sentiers, cette vaste étendue attire également les visiteurs grâce à deux joyaux enchâssés dans son littoral : des plages exceptionnelles, principalement accessibles en bateau, en kayak ou à pied.

Histoire

Il est difficile de croire, en contemplant les paysages rocheux et tourmentés des Agriates, que cette microrégion fut jadis considérée comme le grenier à blé de Gênes. Ce désert fut en effet aussi verdoyant et agricole qu'il est aujourd'hui stérile et dépeuplé. Jusqu'au début du XXe siècle, la vie du territoire était rythmée par l'alternance de la transhumance et des semis : dès le mois d'octobre, les bergers du Nebbio et de la vallée de l'Asco y descendaient leurs troupeaux de chèvres et de brebis pour passer l'hiver. Juin venu, les cultivateurs capcorsins, arrivés dans des barques plates, leur succédaient. La région fut même réputée pour ses oliveraies. L'écobuage (une technique de culture sur brûlis) et les incendies favorisés par les vents dominants sont à l'origine de cette nouvelle physionomie des Agriates caractérisée par un décor rocailleux.

ℹ Renseignements

Pour tous renseignements sur les Agriates – notamment les possibilités de randonnée –, adressez-vous à l'**office du tourisme** de **Saint-Florent** (voir p. 79), à celui de **L'Île-Rousse** (voir p. 110) ou auprès de l'**organisme gestionnaire du site** (☑04 95 59 17 36). La circulation des véhicules à moteur en dehors des pistes, les bivouacs, les feux, le camping et les dépôts d'ordures sont interdits.

◉ À voir et à faire
♥ Les plages

La côte agriate, qui s'étend sur quelque 35 km de rivages sauvages, présente le même visage lumineux depuis des lustres. Les 5 500 ha acquis par le Conservatoire du littoral s'ajoutent aux terrains communaux environnants pour former le site naturel des Agriates. Outre la protection, son action vise à sauvegarder les espèces d'oiseaux, de papillons et de plantes qui peuplent cet écosystème. Émaillé de criques secrètes et d'anses sauvages, ce littoral protégé compte aussi des **plages** figurant parmi les plus belles de Corse : celle du **Lodo** est la plus proche de Saint-Florent et sans doute la plus fréquentée ; de là, on peut facilement gagner à pied la plage de la **Saleccia** (voir la balade p. 90), étirée sur près de 1 km, qui n'a rien à envier à celles que l'on trouve sous les tropiques. Son sable blanc et surtout l'irréelle lumière turquoise de ses fonds marins en font l'une des merveilles de l'île. Tout aussi superbes et plus sauvages, les plages de **Ghignu** et de **Malfalco**, plus à l'ouest, ont l'avantage d'être moins fréquentées en saison. La **plage de l'Ostriconi** (voir p. 93) forme l'extrémité ouest de la côte agriate. Si la vue sur les Agriates se laisse admirer depuis la D81, qui serpente entre Saint-Florent et l'Ostriconi, celles-ci méritent une découverte plus approfondie.

Bateau

C'est le moyen le plus simple et le plus direct d'atteindre les plages des Agriates. Deux sociétés desservent les plages du Lodo et de la Saleccia, séparées par 30 minutes de marche à pied, au départ de Saint-Florent (voir p. 81). Vous pouvez également louer un bateau sans permis depuis cette ville pour explorer le littoral à votre guise.

VTT

L'option la plus sportive, à réserver aux plus motivés. Si le sable du sentier littoral (voir p. 90) n'est pas adapté au vélo, la piste reliant le hameau de Casta (sur la D81) à la plage de la Saleccia est praticable à VTT. Ces 12 km de chemin cahoteux permettent par ailleurs de découvrir les paysages de l'intérieur désertique des Agriates,

DE LA PLAGE DU LODO À CELLE DE LA SALECCIA

Durée : 1 heure 30 aller-retour
Difficulté : facile

Cette jolie balade en boucle vous obligera tout d'abord à prendre un bateau pour rejoindre la plage du Lodo, à environ 30 minutes de mer de Saint-Florent (reportez-vous p. 81 pour les informations concernant la traversée). Le sentier débute à l'extrémité sud de la plage par un court raidillon. La large piste s'enfonce ensuite dans l'odorant maquis des Agriates. Après 25 minutes de marche environ, essayez de repérer un petit passage au-dessus de la clôture, à droite, qui se dirige vers une petite zone boisée. Cette variante mène à l'extrémité nord de la superbe plage de la Saleccia en passant sous un couvert forestier qui vient démontrer que les Agriates ne sont pas si désertiques. L'autre option, en continuant le sentier tout droit, mène directement aux abords du camping, situé au sud de la plage.

Pour le retour, choisissez le sentier littoral. Vous le trouverez en allant le plus loin possible à l'extrémité nord de la plage de la Saleccia. Le chemin part dans les rochers et longe une très belle partie de littoral constituée d'une succession de criques rocheuses. Il s'en écarte très rarement si ce n'est dans la seconde moitié du parcours, où il le surplombe pour traverser une zone boisée. Vous parviendrez à votre point de départ après avoir croisé un petit groupe d'habitations.

avant l'apothéose des plages. Le sol dur et caillouteux rend cependant la descente particulièrement physique. Prévoyez de l'eau, un chapeau, de la crème solaire et du temps. Mieux vaut effectuer cette descente tôt le matin afin d'éviter les heures les plus chaudes et passer le reste de la journée sur la plage. Le superbe spectacle de la piste de couleur sable qui descend dans l'odorant maquis, bordé de montagnes aux teintes claires, récompense l'effort. Si la descente est relativement éprouvante, la montée vous demandera encore plus d'ardeur... Comptez environ 1 heure 30 jusqu'à Casta. L'hôtel-restaurant le **Relais de Saleccia** (☎04 95 37 14 60, 06 67 99 35 90 ; Casta ; ☺avr-sept), à une centaine de mètres du départ de la piste (voir p. 91), loue des VTT, renouvelés chaque saison, au prix de 17 €. Le tarif inclut le prêt de matériel anticrevaison.

Kayak de mer

Une autre option destinée aux sportifs. Installé sur la plage de la Roya à Saint-Florent, **Objectif Nature** organise des randonnées en kayak de 1, 2 ou 3 jours à la découverte des criques secrètes des Agriates (voir p. 81 et l'encadré p. 92).

Marche

Un sentier littoral est aménagé entre Saint-Florent (plage de la Roya) et l'Ostriconi. Long de 45 km, il permet de rejoindre la plage de l'Ostriconi, à l'autre extrémité des Agriates, en 3 jours de marche. L'itinéraire se divise en 3 étapes : Saint-Florent-Saleccia (5 heures 30 environ) ; Saleccia-Ghignu (2 heures 45 environ) ; Ghignu-l'Ostriconi (6 heures 30). Praticable en toute saison, le sentier ne présente pas de difficultés particulières, hormis le soleil. Prévoyez eau et protection en conséquence. En chemin, vous pourrez dormir au camping U Paradisu et aux Paillers de Ghignu (voir *Où se loger*)

L'éprouvant trajet Casta-Saleccia par la piste, fréquenté par les vététistes, peut également se parcourir à pied (12 km environ). La pente est raide au retour et l'ombre rare.

4x4

Le **Relais de Saleccia** (voir p. 91) propose des navettes en 4x4 vers la plage (20 € par personne si les 4 places du véhicule sont occupées, sinon 25 €), et des transferts en 4x4 pour ceux qui souhaitent parcourir le sentier littoral sans dormir aux Paillers de Ghignu (voir p. 91).

Randonnée équestre

La **Ferme équestre d'Arbo Valley** (☎06 16 72 53 12, 06 12 06 34 38 ; www.arbovalley.fr ; N197, 2,5 km avant L'Île-Rousse) propose une découverte des Agriates à cheval. Différentes formules sont possibles, dont une balade à la journée (85 €) et une balade au coucher de soleil (47 €). De mi-juin à août, le club installe un relais au Village de l'Ostriconi (voir p. 93).

🛏 Où se loger et se restaurer

EN BORDURE DE LA ROUTE (D81)

Relais de Saleccia AUBERGE €€

(📞04 95 37 14 60, 06 67 99 35 90 ; www.hotel-corse-saleccia.com ; hameau de Casta ; d 55-80 € selon confort et saison, chambre d'hôtes 63-85 € selon saison, app 450-750 €/sem ; plats 9-16 € ; ☺avr-sept ; 🛜). Idéalement située pour partir à la découverte des Agriates, cette auberge accueillante est implantée à 5 minutes du début de la piste qui descend à la Saleccia. Le bâtiment ne brille pas par le charme de son architecture, mais il bénéficie d'une vue splendide. L'auberge loue 12 chambres fonctionnelles régulièrement entretenues, dont une majorité avec terrasse, ainsi qu'un appartement proposé à la semaine. Le restaurant sert des plats sans prétention et une carte snack. L'auberge, surtout, offre de bonnes possibilités de découverte des Agriates, à VTT ou en 4x4. Cartes de crédit non acceptées. Wi-Fi gratuit dans les chambres.

SUR LE LITTORAL

U Paradisu CAMPING-GÎTE-RESTAURANT €

(📞04 95 37 82 51 ; www.camping-uparadisu.com ; plage de la Saleccia ; adulte/tente/voiture 5/3-4/3 €, ch en demi-pension 50 €/adulte, gîte d'étape 20-25 €/pers ; menu 15-20 € ; ☺camping mai-sept, gîte d'étape mi-sept à début juin). Ce camping, installé à 300 m de la plage de la Saleccia, au bas de la piste reliant Casta à la côte, jouit d'une situation exceptionnelle. Outre des emplacements ombragés, une petite épicerie, un bar-restaurant, une pizzeria, une aire de jeux pour les enfants et des sanitaires corrects, il possède des roulottes et 7 maisonnettes en pierre sèche avec terrasse, proposées en demi-pension. Bien tenues, elles manquent cependant d'un peu d'intimité. Elles peuvent loger 4 personnes et sont louées hors saison aux randonneurs en formule gîte d'étape. Le restaurant (ouvert de fin juin à début septembre) prépare un menu fixe régulièrement renouvelé.

Paillers de Ghignu GÎTE D'ÉTAPE €

(réservation via l'organisme gestionnaire du site 📞04 95 59 17 36 ; 10 €/pers ; ☺avr-sept). Ces paillers désignent d'anciennes bergeries restaurées, proches de la plage de Ghignu, sur la côte. Sommaires et accessibles à pied, ils sont avant tout destinés aux randonneurs qui parcourent le sentier littoral. Prévoyez un sac de couchage (un tapis de sol en mousse ajoutera au confort). Un bloc sanitaire, avec eau chaude (non potable), est installé à l'extérieur, mais vous ne trouverez aucune possibilité de restauration sur place. Réservation impérative auprès du département de Haute-Corse.

ℹ Depuis/vers les Agriates

VOITURE Deux pistes d'une douzaine de kilomètres descendent dans les Agriates depuis la D81. La première part du hameau de Casta, la seconde du col de la Bocca di Vezzu, à 10 km de Casta vers L'Île-Rousse. Toutes deux, particulièrement mauvaises et caillouteuses, surtout en fin de saison (ne vous laissez pas abuser par le ruban de bitume qui part de la Bocca di Vezzu, il est de courte durée), sont déconseillées aux véhicules classiques, à plus forte raison si la pluie a creusé dans le sol de profondes ornières que le soleil a ensuite solidifiées. Le site protégé des Agriates s'accommode par ailleurs mal des véhicules à moteur. Nous ne saurions donc trop vous déconseiller ce mode de transport, même si de nombreux visiteurs y ont recours entre Casta et la plage de la Saleccia. Renseignez-vous toujours à l'avance sur l'état de la piste en téléphonant au camping U Paradisu.

OSTRICONI

Pour un peu, on l'oublierait... Charnière entre la Balagne, le désert des Agriates et les massifs du centre de la Corse, l'Ostriconi est une région discrète qui doit son nom à la rivière dont le delta constitue, avec la plage du même nom, le site naturel d'Ostriconi.

VAUT LE DÉTOUR

LES PERLES DE L'OSTRICONI

Lama vous a plu ? Les 4 autres villages-belvédères de cette microrégion vous charmeront également. De Lama, une route secondaire mène à **Urtaca**, un superbe village perché, à quelques kilomètres au nord. À 4 km vers le sud, **Pietralba** présente également de belles maisons de caractère. De l'autre côté de la vallée, accessible par une pittoresque route en corniche, **Novella** fait aussi belle impression, avec son bâti ancien. Le panorama des Agriates et de la mer est époustouflant. Quant à **Palasca**, encore plus à l'écart, il se mérite ; vous aurez l'impression d'arriver au bout du monde.

UN VOYAGE ENTRE MAQUIS ET GRANDE BLEUE

Randonner en kayak le long des côtes était encore une activité confidentielle il y a peu, mais cette façon de voyager au fil de l'eau, entre mer et terre, séduit de plus en plus de visiteurs. Explications de Louis Azara, directeur du groupement sportif Objectif Nature.

"C'est un moyen privilégié pour découvrir en famille ce site naturel exceptionnel, et protégé, qu'est la côte du désert des Agriates. Vous glissez au ras de l'eau, sans bruit, sans déranger la faune aquatique ou terrestre, sur une eau turquoise, le long de criques secrètes et sous l'œil de ces sentinelles que sont les tours génoises. Au printemps, des bouffées de senteurs extraordinaires vous parviennent du maquis tout proche. Dès 7-8 ans, les enfants sont en âge de pouvoir accompagner leurs parents.

Sans mettre de masque, vous pouvez voir les fonds sous-marins jusqu'à une profondeur de 15 m, entre fonds rocheux, bancs de sable et prairies de posidonies. On peut poursuivre cette exploration avec un masque et un tuba lors d'une halte pique-nique. À la différence d'un bateau, vous pouvez tirer le kayak au sec, au gré de votre désir, dans les petites criques qui jalonnent la côte.

Des caissons étanches vous permettent de transporter votre casse-croûte, votre portable et votre appareil photo en toute sécurité. Vous pouvez aussi y glisser une paire de baskets pour faire une incursion pédestre dans le maquis des Agriates. Ou embarquer des provisions pour effectuer une randonnée plus longue en autonomie, comme la traversée des Agriates de Saint-Florent à la plage de Lozari, sur 3 jours.

Les mois de mai, juin et septembre sont préférables au plein été, car la côte est alors très fréquentée par les plaisanciers et les Jet-Ski."

Nombre de visiteurs se contentent de la traverser en filant le long de la Balanina, la route reliant Bastia à Calvi (N197). Cette région de transition, entre mer et montagne, a pourtant de superbes atouts à faire valoir, dont de magnifiques villages bâtis sur les hauteurs, de part et d'autre de la vallée, et une plage extraordinaire.

♥ Lama

Dominée par le Monte Astu, Lama, "capitale" de l'Ostriconi, compte parmi les plus beaux villages de Corse. Pour vous y rendre depuis la côte, prenez la N197 en direction de Ponte-Leccia sur 10 km, puis empruntez à gauche la petite route qui monte en serpentant sur 3 km jusqu'au village. Perchée sur un éperon rocheux, à 450 m au-dessus de la vallée, cette merveille d'architecture rurale mérite au moins un détour.

ⓘ Renseignements

Office du tourisme (☑04 95 48 23 90 ; www.villagedelama.fr ; ⊙jan-mars lun-ven 10h-12h et 14h-16h, avr-déc lun-ven 8h30-12h et 14h-18h). À l'entrée de Lama. Renseignements sur les chambres d'hôtes et les gîtes à louer dans le village, ainsi que sur les balades à faire dans la vallée.

⭐ Festival

Festival du film de Lama (dernière semaine de juillet ; ☑04 95 48 21 60 ; www.festilama.org). Axé sur les cinémas de la ruralité, il a attiré certaines années jusqu'à 10 000 personnes en une semaine avec ses séances de projection en plein air et ses débats.

⊙ À voir et à faire

Quartier médiéval   ARCHITECTURE

Prenez le temps de flâner dans les ruelles étroites du vieux quartier médiéval, puis admirez les grandes maisons bourgeoises de style italien des XVIIIe et XIXe siècles, reliées entre elles par des passages voûtés, qui ont appartenu jadis aux riches oléiculteurs de la vallée. Des hauteurs du village, on distingue nettement la **Casa Bertola**, surmontée d'un remarquable belvédère de style toscan, et le **Stallo**, d'anciennes écuries transformées en salle d'exposition. Témoins du passé, de vieilles jarres à huile débordant de fleurs jalonnent les rues du village.

Monte Astu   RANDONNÉE PÉDESTRE

De Lama, un sentier permet de rejoindre le Monte Astu (1 535 m). Comptez 6 heures aller-retour. En chemin, vous pourrez faire halte au **refuge de Prunincu**, construit en pierre sèche, à environ 2 heures de marche de Lama.

De Lama à Urtaca

Une promenade d'environ 1 heure vous permettra de rallier le village voisin d'Urtaca. Le sentier, l'ancien chemin communal de liaison entre les deux villages, est très facile et convient à tous les promeneurs. Outre de jolis panoramas de la vallée, son intérêt réside dans les panneaux thématiques consacrés à la vie agropastorale d'autrefois : paillers, bergeries, aires de battage...

🛏 Où se loger et se restaurer

Chez Marie-Paule CHAMBRE D'HÔTES €
(☎04 95 48 23 03, 06 86 49 08 67 ; mariepaule massiani@orange.fr ; village de Lama ; d/q 60-80/110 € avec petit-déj ; ⊙tte l'année ; ❋🛜). Cette altière demeure en pierre abrite deux agréables chambres doubles communicantes, offrant la possibilité de loger 2 ou 4 personnes. Au cœur du village, la maison n'est pas indiquée. Vous la trouverez 50 m après la mairie et la poste. Le petit-déjeuner est servi sur une coquette terrasse, d'où le regard balaie toute la vallée.

Case Latine HÔTEL DE CHARME €€€
(☎04 95 46 84 11, 06 22 37 14 16 ; www.case latine.com ; village de Lama ; ste 210-298 € selon saison ; ⊙mai à mi-oct ; ❋🏊🛜). Accrochées sur un terrain pentu sur les hauteurs de Lama, ces "maisons latines" ouvertes par la fille de la patronne du restaurant Campu Latinu sont une leçon de bon goût, mariant à merveille la rusticité de la pierre et l'agrément d'un confort moderne. Construites de toutes pièces à la manière d'un petit village, et parfaitement intégrées à l'environnement, chacune des 6 suites, de plain-pied, dispose d'un accès indépendant et d'une terrasse privative. L'intérieur, qui frise le luxe, est chaleureux, rehaussé par une gamme de teintes allant du beige au chocolat.

Campu Latinu RESTAURANT €€
(☎04 95 48 23 83 ; www.campulatinu.fr ; village de Lama ; plats 12-20 €, menu 26 € ; ⊙avr-sept, fermé lun). On ne peut qu'être séduit par le cadre ! Campu Latinu se décline en une petite série de terrasses en pierre sèche, avec le village et les montagnes en point de mire, baignant dans une atmosphère intimiste et romantique. Le soir, on dîne à la lueur des lanternes et des photophores... Le chef prépare des spécialités corses rehaussées d'une touche d'inventivité : filet mignon de porc à la tomme et coppa, rizotto aux tomates séchées et panzetta...

Amama PIZZERIA ET CUISINE CORSE €
(☎04 95 48 22 99 ; plats 11-20 € ; ⊙tlj mai-oct). En face de l'office du tourisme, une jolie terrasse et une salle dévoilant la vallée où l'on sert des pizzas et les spécialités corses habituelles.

L'Alzelli PIZZERIA €
(☎04 95 48 23 08 ; route de l'Ostriconi ; plats 9,50-18 €, menu 18 € ; ⊙mars-déc, fermé mer). En contrebas du village, sur la N197 entre Lama et Urtaca, cette adresse dépanne avec sa carte de pizzas, servies sur une terrasse à l'ombre de vieux oliviers. Dommage qu'elle soit installée au bord de la route, bruyante.

♥ Plage de l'Ostriconi

L'autre grand attrait de l'Ostriconi vous attend sur le littoral, dans l'anse de Peraiola, au débouché de la vallée. Magnifique étendue de sable et de dunes entre lesquelles serpentent des bras de mer bordés de roselières, la plage de l'Ostriconi est surveillée en été (méfiez-vous des courants), et passablement fréquentée. On y accède par l'ancienne route, qui part en face du camping Village de l'Ostriconi et se termine en cul-de-sac en contrebas de la Balanina. De la route, plusieurs chemins dévalent la colline qui surplombe la plage.

🛏 Où se loger et se restaurer

Le Village de l'Ostriconi CAMPING €
(☎04 95 60 10 05 ; www.village-ostriconi.com ; D81, plage de l'Ostriconi ; adulte/voiture/tente 9/4/4 €, bungalows d/tr 44-62/53-89 € selon saison ; ⊙Pâques à mi-oct ; 🏊). Au niveau de la plage, ce "village" bien équipé et idéalement placé se compose d'un camping trois étoiles, de bungalows et de mobil-homes, d'une piscine, d'un tennis, d'une épicerie et d'un restaurant. On accède à la plage en 700 m de marche sur un joli sentier à travers la campagne et les étangs bordés de joncs, que l'on franchit sur une passerelle en bois.

Pietra Monetta FERME-AUBERGE €
(☎06 76 34 88 37 ; www.location-agriates.com ; route de l'Ostriconi ; d en demi-pension sans/avec sdb 49-50/64-70 € par personne selon saison ; ⊙avr-sept). À 200 m du croisement de la N197 et de la D81, cette belle bâtisse de pierre comprend 9 chambres, dont 5 avec sdb privative et une belle cour où sont servis des repas à base de produits de la ferme. La proximité de la route, bruyante, nuit malheureusement au plaisir.

Balagne

Dans ce chapitre »

Le top des hébergements

» Casa Musicale (p. 120)

» Mare e Monti (p. 118)

» Cas'Anna Lidia (p. 118)

Le top des restaurants

» Pasquale Paoli (p. 114)

» Le Matahari (p. 105)

» A Pasturella (p. 116)

» A Mandria di Pigna (p. 120)

Pourquoi y aller

Aussi séductrice côté littoral que passionnante dès que l'on prend un peu de hauteur, la Balagne occupe une place enviée dans l'emploi du temps des visiteurs. Longtemps désignée comme le "jardin de la Corse", elle doit son essor à la conjonction d'un arrière-pays fertile, de ports propices au commerce et de sa proximité avec le continent.

Calvi, qui décline son patrimoine historique dans les ruelles de son imposante citadelle, sait aussi se faire résolument balnéaire ou un rien sophistiquée le long des quais du port. Quant à L'Île-Rousse, forte de sa belle plage de sable au cœur de la ville et de sa superbe place ombragée de platanes et de palmiers-dattiers, elle a su préserver son atmosphère détendue.

Suspendus au-dessus de la plaine et de la Méditerranée, les villages de l'arrière-pays comptent parmi les plus beaux de Corse. En s'avançant encore plus dans l'intérieur des terres, on pénètre dans le Giussani, l'une des microrégions les plus mystérieuses de l'île.

Enfin, la superbe route côtière qui relie Calvi à Porto compte son lot de merveilles, notamment la vallée du Fango et ses piscines naturelles.

Quand partir

Pâques
C'est l'occasion de participer aux étonnantes processions de la Semaine sainte, suivies par une foule importante, notamment dans les rues de Calvi.

Juillet-août
Les plages sont bondées et la chaleur oppressante ? Réfugiez-vous dans le Giussani et assistez aux Rencontres internationales artistiques d'Olmi-Cappella.

Septembre
Le mois idéal pour découvrir les charmes secrets des villages de l'arrière-pays de la Balagne et lézarder sur des plages presque désertes. À la mi-septembre, ne manquez pas les Rencontres de chants polyphoniques, à Calvi.

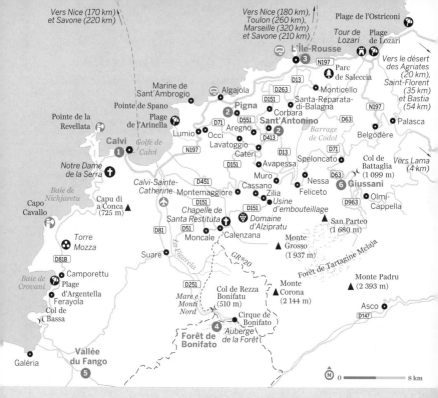

Vers Nice (170 km) et Savone (220 km)

Vers Nice (180 km), Toulon (260 km), Marseille (320 km) et Savone (210 km)

Plage de l'Ostriconi

Tour de Lozari

Plage de Lozari

L'Île-Rousse ③

N197

Parc de Saleccia

Vers le désert des Agriates (20 km), Saint-Florent (35 km) et Bastia (54 km)

Monticello

Marine de Sant'Ambrogio

Algajola

D263

D13

Pointe de Spano

Pigna ②

D551

D151

Santa-Reparata-di-Balagna

Corbara

Sant'Antonino ②

N197

Plage de l'Arinella

D71

Aregno

D413

Palasca

Pointe de la Revellata

Lumio

Occi

D63

Belgodère

Calvi ①

Golfe de Calvi

N197

Lavatoggio

Cateri

Barrage de Codol

D71

Col de Battaglia (1 099 m)

Vers Lama (4 km)

Notre Dame de la Serra

D13

Avapessa

D151

D63

Baie de Nichjaretu

Capu di a Conca (725 m)

Calvi-Sainte-Catherine

D451

Montemaggiore

Spéloncato

Muro

Cassano

Nessa

Feliceto

Giussani ⑥

Capo Cavallo

Zilia

D151

Usine d'embouteillage

D963

Olmi-Cappella

Chapelle de Santa Restituta

D151

Domaine d'Alzipratu

San Parteo (1 680 m)

Torre Mozza

D81

D51

Moncale

Calenzana

Monte Grosso (1 937 m)

Forêt de Tartagine Melaja

D81B

Suare

GR®20

Monte Padru (2 393 m)

Baie de Crovani

Camporettu

Plage d'Argentella Ferayola

D251

Mare e Monti Nord

Col de Rezza Bonifatu (510 m)

Monte Corona (2 144 m)

Asco

D147

Col de Bassa

Cirque de Bonifato

④

Auberge de la Forêt

Galéria

Vallée du Fango ⑤

Forêt de Bonifato

N 0 ——— 8 km

À ne pas manquer

① **Calvi** (p. 95), aussi estivale par sa plage que culturelle par sa citadelle et ses festivals

② Les villages perchés de l'arrière-pays balanin, comme **Sant'Antonino** (p. 120), l'un des plus beaux de Corse, ou **Pigna** (p. 119), autre joyau à l'artisanat dynamique

③ L'ambiance détendue de **L'Île-Rousse** (p. 110) et de sa place Paoli, terrain des joueurs de pétanque, à deux pas de la plage

④ La forêt de **Bonifato** (p. 108), traversée par de multiples chemins propices à la balade, et par l'itinéraire du GR®20

⑤ La **vallée du Fango** (p. 127), une réserve naturelle dont les vasques invitent à la baignade

⑥ L'ambiance mystérieuse qui règne dans la région du **Giussani** (p. 123), autour d'Olmi-Cappella

CALVI

Estivale par sa plage, culturelle par sa citadelle et ses festivals, Calvi figure parmi les escales les plus appréciées et fréquentées de Corse. La prospère "capitale" de la Balagne s'étend le long de son golfe sous la double surveillance de sa citadelle et du Monte Cinto (2 706 m). Ville corse la plus proche du continent, cette ancienne place forte génoise fut, dès les années 1920, l'une des premières destinations touristiques de l'île. Sa réputation ne s'est depuis jamais démentie, grâce à son cadre, à sa vitalité culturelle et à son patrimoine. Revers attendu de la médaille : Calvi est aussi l'une des villes balnéaires les plus fréquentées de l'île durant l'été. La population de 5 600 habitants est alors quasi multipliée par dix.

Histoire

Si le golfe de Calvi fut une escale maritime dès l'Antiquité, les bases de la ville ne furent jetées par les Romains qu'au Ier siècle, avant d'être détruites par les raids barbaresques. La ville reprit un peu de souffle sous les Pisans (XIe-XIIIe siècle),

AVEC DES ENFANTS

LIEUX	ACTIVITÉS	BON À SAVOIR
Calvi	Un après-midi à la **plage** (p. 98)	Une plage particulièrement sécurisante pour les jeunes enfants.
Calvi	Une leçon d'**équitation** au Cercle équestre de Balagne (p. 104)	Le centre est situé entre Calvi et Lumio.
Algajola	Une balade sur un **VTT** loué par Sport & Nature (p. 105)	Des vélos tractés et des remorques sont proposés à la location pour embarquer vos enfants dès 2 ans.
L'Île-Rousse	Une séance d'**Optimist** avec le Club nautique de L'Île-Rousse (p. 112)	Le club propose des séances d'initiation ou de perfectionnement à la voile et à la planche à voile.
L'Île-Rousse	Un **rallye-photo** dans le parc de Saleccia (p. 111)	Outre son intérêt pédagogique, le parc abrite un espace de jeux, des balançoires, un enclos à chèvres et une buvette.
Lumio	Une **balade aquatique** sur un sentier sous-marin (p. 104), encadrée par un moniteur qualifié	Sortie très sécurisante, dès 8 ans.
Galéria	Une **balade en kayak** dans le delta du Fango (p. 126)	Dès 6-7 ans. Les équipements de sécurité sont fournis.

jusqu'à ce que les rivalités entre les seigneurs locaux amènent sa population à demander la protection de Gênes, en 1278. La puissante république italienne ne pouvait espérer mieux : face à cette occasion qui lui était offerte d'asseoir son pouvoir sur l'île, elle s'empressa de faire des Calvais des citoyens génois. L'histoire de la ville fut dès lors indissociable de sa fidélité à la république italienne, désignée comme l'oppresseur en de nombreux autres points de l'île (ce qui vaut encore à Calvi d'être parfois montrée du doigt). Sous l'impulsion génoise, la ville se fortifia et se dota de sa citadelle. Gênes la transforma en une cité prospère et, au XVe siècle, Calvi devint l'une des deux places fortes génoises corses, avec Bonifacio. Elle le demeura jusqu'au XVIIIe siècle. En 1794, Calvi dut capituler sous les assauts répétés des armées britanniques et des troupes indépendantistes de Pascal Paoli. Lourdement bombardée, elle fut en grande partie détruite au cours des combats. La cité redevint française en 1796, à la fin de l'éphémère royaume anglo-corse.

Orientation

La citadelle (haute ville) est bâtie sur un promontoire au nord-est de la basse ville. La majeure partie de l'activité se concentre quai Landry (le long de la marina), avenue de la République, boulevard Wilson et, dans une moindre mesure, avenue Christophe-Colomb. Une partie de la basse ville, à l'est du boulevard Wilson, est piétonne. Une longue et belle plage bordée d'une promenade en planches (voir p. 98) s'étend au sud du port de plaisance.

ℹ Renseignements

Office du tourisme de Calvi et de Balagne (☐04 95 65 16 67 ; www.balagne-corsica.com ; port de plaisance ; ⊙juil-août lun-sam 9h-12h30 et 15h-18h30, dim 9h-13h, mai-juin et sept lun-sam 9h-12h et 14h-18h, avr et oct lun-sam 9h-12h et 14h-18h, nov-mars lun-ven 9h-12h et 14h-18h). L'office propose notamment des audioguides accompagnant un parcours balisé dans la citadelle (7 €, disponibles à l'entrée de la citadelle en juillet et août, à l'office le reste de l'année). Accès Wi-Fi gratuit, limité à 30 min d'affilée.

Café de l'Orient (quai Landry ; 4 €/30 min). Accès Internet.

Laverie Calvi Clean (bd Wilson ; ⊙7h-21h)

✦✦ Fêtes et festivals

Fête pascale (avril). La Semaine sainte est toujours l'occasion d'un grand spectacle. Ne ratez pas la Granitula, la procession du Vendredi saint.

Calvi Jazz Festival (juin ; www.calvi-jazz-festival.com). Ce festival qui a fêté ses 25 ans en 2012 rassemble les grands noms du jazz international. Concerts gratuits en plein air, et payants dans différents lieux de la ville.

Calvi on the Rocks (juillet ; www.calviontherocks.com). Musiques nouvelles et électroniques pour ce festival qui a fêté sa 10e édition en 2012.

Rencontres de chants polyphoniques (mi-septembre). Carrefour de l'expression polyphonique, ces rencontres ont lieu tous les ans depuis 1989. Concerts dans la cathédrale Saint-Jean-Baptiste, à l'oratoire Saint-Antoine, à la Poudrière et sur la place d'armes de la citadelle.

Rencontres d'art contemporain (juin à fin août). Exposition des œuvres de peintres et de plasticiens contemporains.

Festival du vent (fin octobre). Initialement organisé autour de la thématique du vent, dans ses aspects artistique, sportif et scientifique, ce festival s'oriente de plus en plus vers des opérations écocitoyennes et l'environnement durable (voir l'encadré p. 385).

⊙ À voir

♥ **Citadelle** CENTRE HISTORIQUE

Érigée à la fin du XVe siècle par les Génois, la citadelle de Calvi (accès libre) domine la ville de son promontoire rocheux. Elle forme un quartier à part, souvent assez désert, même si quelques cafés et restaurants dressent leurs tables à l'ombre des murs ocre de ses fortifications, plusieurs fois remaniées depuis les premiers plans génois. Après avoir traversé la place Christophe-Colomb, on y pénètre par un porche surmonté de l'inscription *Civitas Calvi semper fidelis*, qui rappelle qu'au XVIe siècle la ville proclamait haut et fort sa fidélité à Gênes. Une enfilade de ruelles mène ensuite à la place d'armes, sur la gauche de laquelle se tient l'**ancien palais des gouverneurs génois** (fermé au public). Rebaptisée caserne Sampiero, cette imposante bâtisse du XIIIe siècle abrite aujourd'hui le mess des officiers parachutistes de la Légion étrangère.

Enchâssée dans la citadelle, et coiffée d'une imposante coupole, la **cathédrale Saint-Jean-Baptiste (San Giovanni Battista)** renferme un maître-autel en marbre polychrome du XVIIe siècle, à la droite duquel se tient le christ des Miracles. Cette statue en ébène fait l'objet d'une vénération particulière depuis le siège de la ville, en 1553, par des troupes françaises et turques et des combattants de Sampiero Corso. Selon la légende, les navires auraient repris le large après que la population de Calvi eut promené le christ en procession dans les ruelles de la cité. L'originalité de la Vierge du Rosaire, également dans la cathédrale, est d'ordre vestimentaire. Cette grande statue possède en effet trois tenues – une robe noire pour le Vendredi saint, une mauve pour le mercredi qui suit les Rameaux et un riche habit de brocart réservé aux processions –, et seules les femmes ont le droit de la vêtir.

Derrière la cathédrale, on rejoint la **maison de Laurent Giubegga**, le parrain de Napoléon. Sur la façade, une inscription rappelle le séjour de son filleul en 1793, lorsqu'il fut chassé d'Ajaccio par les paolistes et se réfugia à Calvi.

Une ruelle mène à l'**oratoire de la confrérie Saint-Antoine**, une institution caritative active en Corse depuis le XIVe siècle. Derrière sa façade ornée d'un linteau en ardoise sculpté représentant saint Antoine, l'édifice renferme des fresques des XVe et XVIe siècles, dont une remarquable *Crucifixion* de 1513, et un christ en ivoire attribué au sculpteur florentin Jacopo d'Antonio Tatti, dit "le Sansevino".

En flânant dans les ruelles de la citadelle, vous verrez le **palais des évêques de Sagone**, qui abrite le piano-bar Tao, et les cinq **bastions** érigés successivement depuis la fin du XVe siècle, qui offrent de beaux points de vue sur la baie et la ville. Au nord-ouest de la citadelle, le **bastion Celle** est flanqué d'une échauguette, guérite de pierre suspendue au-dessus des remparts afin d'en surveiller les abords. Bien qu'elle soit bâtie à l'extérieur des remparts, ajoutons la **tour du Sel**, une jolie tour ronde située sur le quai Landry, utilisée jadis pour entreposer le sel de la ville.

Église Sainte-Marie-Majeure STYLE BAROQUE
Derrière son enduit rose, cette église située au cœur de la basse ville cache une impressionnante coupole. Bâtie entre 1765 et 1838 dans un style baroque, elle témoigne de l'extension de la basse ville, précédemment

Renseignements
1 Café de l'Orient C3
2 Laverie Calvi Clean C3
3 Office du tourisme C3

À voir et à faire
4 A Scimia Calvese C5
5 Ancien palais des
   gouverneurs génois D2
6 Bastion Celle C1
7 Calvi nautique club C4
8 Calvi Plongée C3
   Caserne Sampiero ...(voir 5)
9 Cathédrale
   Saint-Jean-Baptiste D2
10 Colombo Line C3
11 Église Sainte-Marie-
   Majeure C2
12 EPIC (plongée) C3
13 Garage d'Angeli (VTT) ... C2
14 Maison de Laurent
   Giubegga D2
15 Oratoire de la confrérie
   Saint-Antoine D2
   Palais des évêques
   de Sagone ....(voir 36)
16 Plongée Castille C3
17 Point plage C5
18 Tour du Sel D2
   Tra Mare e Monti
   Locations..................(voir 3)

Où se loger
19 Hôtel Christophe
   Colomb C2
20 Hôtel du Centre............. C2
21 Le Belvédère C2
22 Le Grand Hôtel C3
23 Le Magnolia C2
24 Sole Mare C1

Où se restaurer
   A Candela .... (voir 36)
25 A Scola D2
26 Emile's C2
27 L'Octopussy C5
28 La Voûte D2
29 Le Bout du monde C5
30 Le Chalet du port D2
31 Le Tire-bouchon C2
32 U Calellu C2
33 U Casanu C2
34 U Fornu C2
35 U Ricantu C5

**Où prendre un verre
et sortir**
36 Chez Tao D2
37 L'Escale C3

Achats
38 A Loghja C2
   Chez Annie ....(voir 38)

Transports
39 Arrêt des autocars
   Ceccaldi B4
40 Arrêt des autocars
   Les Beaux Voyages B3
41 CCR/Tramar C3
   Garage d'Angeli .... (voir 13)
42 Les Beaux Voyages (agence) C3
   Tra Mare e Monti Locations...(voir 3)

---

cantonnée au pied de la citadelle. L'église
Sainte-Marie-Majeure contient deux toiles
classées (une Assomption du XVIe siècle et
une Annonciation du XVIIIe siècle) et une
statue de la Vierge de l'Assomption, portée
chaque année en procession dans la ville.

🏃 Activités

Plage   4 KM DE SABLE BORDÉS D'UNE PINÈDE
Longue de 4 km, la belle plage de sable fin de
Calvi débute au port de plaisance et s'étend
vers l'est, le long du golfe. Elle est bordée
d'une belle pinède et est longée depuis peu
par une promenade "des planches", façon
Deauville. Cette dernière débute au niveau

de l'hôtel la Caravelle et suit la voie ferrée
(peu fréquentée !) qui longe le ruban de
sable. La plage de Calvi est idéale pour les
enfants, car elle présente très peu de profondeur sur ses 50 premiers mètres. Elle offre
par ailleurs le plus beau panorama qui soit
de la ville et de sa citadelle, et elle est bordée
de bars-restaurants, ouverts en saison.

Vous trouverez d'autres plages, plus
petites et moins fréquentées, en direction
de Lumio (voir p. 104).

Calvi nautique club   VOILE, KAYAK...
(📞04 95 65 10 65 ; www.calvi-voile.fr ; ⏱tte
l'année). La baie de Calvi est propice à la
pratique de nombreux sports nautiques :

planche à voile, kayak de mer, voile... Ce club installé sur la plage organise des stages collectifs et des cours particuliers, et propose du matériel en location. En kayak, une balade agréable consiste à rejoindre les criques qui s'étendent derrière la citadelle.

A Scimia Calvese
PARCOURS AVENTURE

(☎ 06 83 39 69 06 ; www.altore.com ; extrémité nord de la plage ; initiation 5 €, moyen parcours 12 €, grand parcours adulte/moins de 15 ans 18/15 €, les 3 parcours 20 € ; ☺Pâques-Toussaint, tlj en saison à partir de 14h30). Spécialiste des sports nature, le club Altore a créé cet étonnant parcours aérien dans la pinède, près du restaurant le Bout du monde. Il comprend 21 ateliers de 3 niveaux différents (taille minimum 80 cm, à partir de 2 ans et demi).

Plongée et snorkeling
PLUSIEURS CLUBS

Calvi est un haut lieu de la plongée en Corse, avec un bel éventail de sites pour tous les niveaux, dont une épave très connue, le B17, au large de la citadelle. Reportez-vous au chapitre *Plongée* (p. 38) pour plus d'informations sur les sites. Plusieurs centres, qui facturent environ 50 € pour un baptême et de 35 à 45 €, selon l'équipement, pour une plongée exploration, sont installés à Calvi. Adressez-vous à :

EPIC (☎06 13 38 61 26 ; www.epic-plongee. com ; port de plaisance ; ☺tte l'année)

Plongée Castille (☎04 95 65 14 05, 06 07 89 77 63 ; www.plongeecastille.com ; port de plaisance ; ☺tte l'année)

Calvi Plongée (☎04 95 65 33 67 ; www. calviplongee2b.com ; port de plaisance ; ☺avr-nov). Propose également des sorties de snorkeling (25 €). Près de l'office du tourisme.

Diving Calvi (☎06 75 72 79 09 ; www. divingcalvi.fr). Tout au bout de la plage.

Colombo Line
SORTIES EN MER

(☎04 95 65 32 10 ; www.colombo-line.com ; port de Calvi ; ☺avr-oct). Cette société propose une gamme complète d'excursions en mer, à la demi-journée ou à la journée, à destination de la réserve de Scandola, de Girolata, des calanques de Piana et même des îles Sanguinaires dans le golfe d'Ajaccio. Comptez de 59 à 80 € selon la sortie (demi-tarif jusqu'à 10 ans, gratuit pour les moins de 4 ans).

Des croisières en catamaran (maximum 30 pers), mettant l'accent sur la détente et la baignade, sont également organisées. Elles incluent la visite des plages des Agriates, de la réserve de Scandola ou de la grotte des Veaux marins, près de la pointe de la Revellata. Une courte sortie dans le golfe

en semi-rigide (à partir de 20 €) s'adresse à ceux qui souhaitent juste voir la citadelle depuis la mer.

Toutes ces sorties en mer étant tributaires des conditions météorologiques, renseignez-vous sur place.

Catacalvi
SORTIES EN CATAMARAN

(☎04 95 62 81 21, 06 79 98 30 28 ; www.catacalvi. com ; ☺mai-nov). Un catamaran de 13 m, *La Désirade*, embarquant 12 personnes au maximum, propose des sorties le long des côtes de la Balagne. Trois options au choix : demi-journée (grotte des Veaux marins, golfe de Calvi, pointe de la Revellata ou pointe de Spano) ; journée (les Agriates, golfe de Girolata et réserve de Scandola) ; coucher du soleil sur la baie de Calvi. Les tarifs varient entre 40 et 95 € selon l'excursion.

A Cavallu
CENTRE ÉQUESTRE

(☎04 95 65 22 22 ; www.a-cavallu.com ; N197, face embranchement aéroport ; ☺tte l'année). À 3 km du centre-ville en direction de l'aéroport, A Cavallu propose des promenades à cheval et du manège, sur rendez-vous. En été, les cavaliers confirmés peuvent même se baigner avec les chevaux. Comptez 24 € pour une promenade de 1 heure dans la pinède, 48 € pour la balade "mer et montagne" de 2 heures et 24 € pour la baignade.

Tra Mare e Monti
LOCATION DE BATEAUX

(☎04 95 65 21 26 ; www.tramare-monti.com ; port de plaisance). Pour ceux qui souhaitent explorer les criques secrètes de Balagne en toute indépendance, la location d'un bateau à moteur (avec ou sans permis) est une solution tout indiquée. Les tarifs de location d'un bateau sans permis, d'une capacité de 4 personnes, débutent à 90/170 € la demi-journée/journée, hors carburant.

Garage d'Angeli
LOCATION DE VTT

(☎04 95 65 02 13 ; www.garagedangeli.com ; 4 quartier Neuf ; ☺tte l'année). Location de VTT pour 13-14 €/jour. Les tarifs sont dégressifs et des modèles pour enfants sont disponibles. Le garage d'Angeli, qui loue également des scooters, peut vous fournir des plans de balades dans les environs.

🛏 Où se loger

L'hébergement à Calvi ne brille pas par son rapport qualité/prix. Quasi tous les hôtels de la ville sont surévalués en haute saison.

La Pinède
CAMPING €

(☎04 95 65 17 80 ; www.camping-calvi.com ; route de la Pinède ; forfait 2 pers 21,50-34 € selon saison ;

UN CALVAIS NOMMÉ COLOMB ?

Place Christophe-Colomb, avenue Christophe-Colomb, stèle de Christophe Colomb érigée pour fêter l'anniversaire de la découverte de l'Amérique… Calvi voue au découvreur du Nouveau Monde la même admiration qu'Ajaccio à Napoléon, L'Île-Rousse à Pascal Paoli ou Bastelica à Sampiero Corso. Pourquoi la mémoire du célèbre navigateur hante-t-elle les ruelles de la citadelle ? La réponse est simple : selon certains, Cristóbal Colón serait né à Calvi, dans une demeure de la citadelle aujourd'hui en ruine. Et qu'importe si la majorité des sources le proclame génois : à sa naissance, vers 1450, Calvi n'était-elle pas génoise ? Le flou qui entoure la jeunesse du futur découvreur de l'Amérique permet difficilement d'infirmer ou de confirmer cette thèse. S'il est attesté que Colomb était le fils d'un tisserand génois, nul ne saurait en effet affirmer si ses lointains ancêtres étaient corses, galiciens, catalans ou simplement génois. Quoi qu'il en soit, le hardi navigateur a vite tourné ses regards vers les Amériques, ne laissant à la Corse d'autre héritage qu'une supposée maison natale.

⊙avr-oct ; ☎). Près de la plage, à environ 1 km du centre-ville, ce camping s'étend dans une pinède de 5 ha et comprend d'excellents équipements, dont une piscine. Des mobil-homes, roulottes et chalets climatisés, de 1 à 3 chambres, sont également proposés à la nuit ou à la semaine.

Camping Paduella CAMPING €
(☑04 95 65 06 16 ; www.campingpaduella.com ; route de Bastia ; adulte/tente/voiture 6,50-8/2,80-3,40/2,80-3,40 € selon saison ; ⊙mi-mai à mi-oct). Un camping accueillant et bien aménagé, en bordure de la route et à 300 m de la plage. Les emplacements sont vastes, ombragés et bien délimités. Mention spéciale pour les blocs sanitaires, irréprochables. Loue également des bungalows en toile de 2 chambres.

BON PLAN **Hôtel du Centre** HÔTEL €
(☑04 95 65 02 01 ; 14 rue d'Alsace-Lorraine ; d/tr 34-61/42-77 € selon chambre et saison ; ⊙juin-début oct). Seul hôtel économique du centre-ville, cet établissement monacal loue des chambres spartiates, à la déco d'un autre âge, mais propres et bien tenues. Les moins chères partagent des sanitaires sur le palier ; les autres disposent d'une douche. Les cartes bancaires ne sont pas acceptées. L'hôtel est mal indiqué, en haut d'un escalier à deux pas du marché, dans le bâtiment d'une ancienne gendarmerie du Second Empire.

Relais international de la Jeunesse AUBERGE DE JEUNESSE €
(☑04 95 65 14 16 ; www.clajsud.fr ; route de Pietra-maggiore ; dort 20 € avec petit-déj, repas 11 € ; ⊙avr-oct ; ℙ🐕). Point de chute de voyageurs à petit budget disposant d'un véhicule, cet établissement à l'ambiance décontractée se trouve à 4 km du centre-ville (en pente, et il n'y a pas de transports en commun). Il se

compose de chambres de 4, 5 et 6 personnes, avec sdb, et de 2 dortoirs de 11 et 13 personnes, simples mais propres, répartis dans deux bâtiments. La vue panoramique sur la baie depuis la terrasse est un plus. Demi-pension possible (31 €). Paiement en espèces. La route de Pietramaggiore part en face de l'hôtel la Caravelle, au niveau du début de la pinède.

Hôtel Christophe Colomb HÔTEL €€
(☑04 95 65 06 04 ; www.hotelchristophecolomb.com ; place Bel-Ombra ; d 60-135 € selon vue et saison ; ⊙avr-oct ; ❄🐕). Un deux-étoiles correct et bien situé. Les chambres sont décemment confortables et disposent de la clim, mais décorées dans des teintes de gris qui manquent de gaieté. Préférez celles qui donnent sur la citadelle ou la mer, un peu plus chères. Parking public devant l'hôtel.

Le Belvédère HÔTEL €€
(☑04 95 65 01 25 ; www.calvi-location.fr ; place Christophe-Colomb ; d 48-133 € selon confort et saison ; ⊙tte l'année ; ❄🐕). Dressant sa grande façade d'un bel ocre au pied de la citadelle, ce bâtiment moderne n'a guère de prétentions en matière de décoration mais est bien situé. Les chambres sont très fonctionnelles dans leur décoration. Les "standard" sont minuscules, mais les plus chères disposent pour certaines d'une vue sur le golfe ou de baies vitrées.

Sole Mare HÔTEL €€
(☑04 95 65 09 50, 04 95 65 26 95 ; www.calvi-location.fr ; pointe Saint-François ; d 48-133 € selon confort et saison ; ⊙Pâques-oct ; ℙ❄🐕). L'architecture de style motel est dénuée de charme, mais cet établissement – une annexe du précédent – bénéficie d'une piscine, d'un emplacement au calme au bout d'une petite rue descendant vers une crique sableuse, et de quelques places de parking (ainsi qu'un

garage pour les motos). Les chambres sont sans fioritures mais correctes, avec vue sur la mer et la citadelle pour certaines.

Le Magnolia
HÔTEL €€

(☎04 95 65 19 16 ; www.hotel-le-magnolia.fr ; rue d'Alsace-Lorraine ; d 60-150 € selon vue et saison ; ❄🖥). Une belle cour ombragée et un emplacement en plein centre-ville donnent au Magnolia la touche de charme qui manque à nombre d'établissements de Calvi. Surévalué comme beaucoup, il présente des chambres confortables, rénovées en gardant leur style classique, avec angelots en plâtre en tête de lit. L'ensemble est plutôt agréable et reposant.

Le Grand Hôtel
AVEC VUE €€

(☎04 95 65 09 74 ; www.grand-hotel-calvi.com ; 3 bd Wilson ; s/d 79-145/90-180 € selon confort et saison, ste 145-229 € ; ☺avr-fin oct ; ❄🖥). Édifiée en 1913, puis rénovée dans les années 1940-1950 par la fille du parfumeur François Coty, cette bâtisse monumentale du centre-ville a gardé le cachet de son prestige passé, comme sa très belle salle de restaurant, au 5e étage, qui révèle une vue splendide sur Calvi. Les chambres, confortables, présentent une déco sobre et classique. Les "confort" sont plus vastes et, pour certaines, dotées d'un balcon avec vue sur la mer. Pas de parking, mais cour privée pour motos.

Casa di Floumy
CHAMBRES D'HÔTES €€

(☎06 03 31 33 91 ; www.casadifloumy.com ; route de Pietramaggiore ; d petit-déj 59-90 € selon saison ; ☺tte l'année ; P❄🖥). À 1,5 km de la route côtière en direction de Pietramaggiore, cette maison d'hôtes moderne abrite 3 chambres et était lors de notre dernier passage en train d'en faire construire 2 nouvelles. Décorées d'une façon simple mais gaie, aux couleurs du Sud, elles occupent chacune une maisonnette et bénéficient d'une entrée indépendante et d'une terrasse privative permettant de profiter du calme des lieux. Possibilité de table d'hôtes (30 €).

La Signoria
HÔTEL DE LUXE €€€

(☎04 95 65 93 00 ; www.hotel-la-signoria.com ; route de la Forêt-de-Bonifatu ; d 200-600 € selon confort et saison, ste 350-1 000 € ; ☺avr-jan ; P❄🖥). Rien ne manque à ce cinq-étoiles de charme, qui occupe un ancien domaine génois du XVIIIe siècle planté d'oliviers, d'eucalyptus et de pins : une décoration jouant habilement sur de douces teintes pastel, une atmosphère intime, une belle piscine, un spa, un court de tennis et un restaurant gastronomique. Sur la route de Bonifatu.

La Villa
HÔTEL DE LUXE €€€

(☎04 95 65 10 10 ; www.hotel-lavilla.com ; chemin de Notre-Dame-de-la-Serra ; d 120-650 € selon confort et saison, ste 380-1 020 € ; ☺tte l'année ; P❄🖥). Très différent de l'adresse précédente par son ambiance et sa décoration, l'autre cinq-étoiles des abords de Calvi mise sur une déco contemporaine, sobre, zen et épurée. Tous les ingrédients d'un séjour de rêve sont au rendez-vous dans ce havre raffiné : un spa, cinq piscines, un tennis, un restaurant gastronomique et une superbe vue sur la baie de Calvi.

🍴 Où se restaurer
BASSE-VILLE ET PORT

BON PLAN Le Chalet du port
PIZZAS ET GRILLADES €

(☎06 23 21 14 53 ; quai des ferries ; plats 10-18,50 € ; ☺avr-oct tous les soirs et certains midis). À l'opposé de l'ambiance des terrasses un peu m'as-tu-vu du port, cette adresse sans prétention est dissimulée sur le quai des ferries, après la tour du Sel. Sur une terrasse dont la décoration mêle les couleurs de la Méditerranée à d'anciennes publicités pour *Nice Matin* ou Ricard, Mouss sert des grillades et pizzas bon marché dans une ambiance décontractée baignée d'une bonne sélection de musiques aux sonorités rétro. Les pizzas au feu de bois n'ont rien à envier à celles qui sont servies sur des terrasses bien plus chics !

U Casanu
CUISINE MÉDITERRANÉENNE €

(☎04 95 65 00 10 ; 18 bd Wilson ; plats 12-20 € ; ☺tte l'année). L'ambiance intime est le premier atout de cette minuscule salle égayée de tons verts et jaunes du centre-ville, où l'on sert une cuisine familiale (sardines grillées, agneau rôti...) sans esbroufe, à des tarifs très raisonnables. Desserts maison.

♥ U Fornu
CORSE MODERNE €€

(☎04 95 65 27 60 ; www.ufornu.com ; plats 15-25 €, menu 18,50 € ; ☺Pâques-oct, fermé dim midi). Il y a des signes qui ne trompent pas : poivre au moulin, quelques baies roses ici ou là, bon pain chaud... On apprécie visiblement ici les plaisirs de la table. Cette première bonne impression se confirme dans l'assiette, où se retrouvent des standards de la cuisine corse cuisinés avec soin (y compris dans le menu à 18,50 €). Le bon accueil et l'ambiance de la terrasse, à l'opposé des adresses clinquantes du port, achèvent de nous convaincre. La terrasse a certes des chaises en plastique, mais quelle importance si la cuisine est bonne ? Cartes de crédit non acceptées.

Le Tire-bouchon
BISTROT À VINS €€

(☑04 95 65 25 41 ; rue Clemenceau ; plats 11-19 €, formules à partir de 10 € ; ⊙avr-nov, fermé dim midi). Également au chapitre des bonnes adresses, ce bistrot à vins vous accueille sur une petite terrasse de la rue piétonne ou dans une jolie salle, où l'on mange sur des nappes à carreaux blancs et rouges. Dans une ambiance conviviale et animée, on y sert de bons plats présentés à l'ardoise : assiettes de charcuterie, de fromage, sauté de veau... À accompagner d'un AOC insulaire, servi au verre.

U Calellu
POISSONS €€

(☑04 95 65 22 18 ; port de Calvi ; plats 16-28 € ; ⊙avr-oct). Gérée par le très chic hôtel la Villa (une référence), cette adresse du port est une valeur sûre pour les amateurs de poissons et fruits de mer, servis grillés, simplement cuits à la plancha ou préparés avec des recettes plus inventives, à l'image du risotto crémeux à la chair d'araignée de mer. Belle salle et accueil souriant.

U Fanale
CORSE MODERNE €€

(☑04 95 65 18 82 ; www.ufanale.com ; route de Porto ; plats 14-29 € ; ⊙avr-jan). À juste 500 m de la sortie de la ville vers Porto et la Revellata, U Fanale a bâti sa réputation de bonne table sur une carte raffinée et originale : risotto de gambas et langoustines, agneau aux tomates confites, tartare de liche. Le tout servi dans le cadre agréable d'une terrasse ombragée par un énorme pin parasol ou d'une salle avec vue sur le phare de la Revellata. Parking.

Emile's
GASTRONOMIQUE €€€

(☑04 95 65 09 60 ; www.restaurant-emiles.fr ; quai Landry ; menus 60-110 € ; ⊙avr-oct). La table la plus huppée de Calvi affiche des tarifs à la hauteur de ses prétentions gastronomiques. La carte, restreinte – terrine de foie gras, tournedos de cabillaud au lard, homard – s'appuie sur des produits rigoureusement sélectionnés. Cadre chic mais sans ostentation, avec une salle lumineuse surplombant le port, au-dessus de la terrasse du bar branché les Palmiers.

CITADELLE

La Voûte
SNACK ET PRODUITS LOCAUX €

(☑06 15 79 28 33 ; 2 rue Saint-Antoine ; en-cas et plats 7,50-17 € ; ⊙avr-oct tlj midi et soir). Au cœur de la citadelle, cette minuscule adresse se décline entre une petite salle voûtée et quelques tables en terrasse. On y sert des glaces artisanales aux parfums originaux (citron-cédrat, châtaigne, brocciu) et des salades et assiettes de charcuterie composées de bons produits locaux.

A Scola
SALON DE THÉ €€

(☑04 95 65 07 09 ; haute ville ; plats 10-17 €, formule 18 € ; ⊙avr-nov 9h-18h30). Ce salon de thé au format de poche vous attend au cœur de la citadelle, en face de la cathédrale Saint-Jean-Baptiste. La petite salle, pimpante – admirez la vue ! –, se double d'une poignée de tables en terrasse où l'on peut commander un petit-déjeuner, des tartes salées, des salades, ainsi que d'alléchantes (mais onéreuses !) pâtisseries maison.

A Candela
CORSE €€

(☑04 95 65 42 13 ; citadelle ; plats 15-25 € ; ⊙avr-oct tlj midi et soir). Dans les ruelles de la citadelle, juste devant Chez Tao, A Candela doit son succès à son emplacement. La carte ne sort pas des standards corses, mais quelques suggestions à l'ardoise – pâtes à l'araignée de mer, mi-cuit de thon au sésame – sont plus originales et le cadre est incontestablement romantique.

PLAGE

Une dizaine d'établissements sont disposés le long de la promenade de la plage, permettant de boire un verre ou de se restaurer les pieds dans l'eau, face à la plus belle vue qui soit sur la citadelle. Leur réputation varie d'une année à l'autre, selon les modes et les talents du cuisinier du moment. La majorité louent des transats et parasols. Trois adresses qui semblent des valeurs sûres :

Le Bout du monde (☑04 95 65 15 41 ; www.restaurant-leboutdumonde.fr ; plats 9-37 € ; ⊙mai-sept). Pizzas et suggestions à l'ardoise dans une ambiance décontractée.

L'Octopussy (☑04 95 65 23 16 ; www.plage-octopussy.com ; plats 13-23 € ; ⊙mai-sept). Une jolie salle où l'on sert une cuisine originale et ouverte aux influences étrangères.

U Ricantu (☑04 95 65 02 46 ; plats 14-32 € ; ⊙mai-sept). Cuisine italienne.

🍷 Où prendre un verre

Les adresses ne manquent pas sur le port. Outre **l'Escale** (☑04 95 65 10 75 ; quai Landry ; ⊙tte l'année), terrasse branchée où se retrouve la jeunesse calvaise, citons une institution de la citadelle :

Chez Tao
BAR MUSICAL

(☑04 95 65 00 73 ; www.cheztao.com ; rue Saint-Antoine ; juin-sept, ven-sam à partir de 21h, 22h les autres jours). Juché au sommet de la citadelle dans un ancien palais, ce piano-bar dont les salles voûtées aux tons pastel et les terrasses surplombent la ville est indissociable de la nuit calvaise. Chez Tao est la scène privée de son propriétaire, Tao-By, qui s'installe chaque soir au piano de 23h30 à environ 2h. Avant cela, un prélude-apéritif a parfois lieu sur la terrasse (dans les faits, l'adresse est rarement animée avant 23h). Un DJ vous emmènera ensuite jusqu'au bout de la nuit… Les consommations ne sont pas bon marché.

Achats

Chez Annie   PRODUITS CORSES
(☑04 95 65 49 67 ; www.annietraiteur.com ; 5 rue Clemenceau). L'adresse – un véritable petit supermarché – promet de "mettre la Corse à votre table". Et en effet on y trouve de tout : des *canistrelli* aux vins insulaires, et de l'huile d'olive aux préparations pour gâteau à la farine de châtaigne…

A Loghja   PRODUITS CORSES
(☑04 95 65 39 93 ; 3 rue Clemenceau). Mitoyenne de Chez Annie, une petite boutique voûtée bien approvisionnée en charcuteries, vins et autres produits corses.

ⓘ Depuis/vers Calvi

AVION L'**aéroport de Calvi Sainte-Catherine** (www.calvi.aeroport.fr) est situé à 7 km au sud-ouest du centre-ville. Reportez-vous p. 398 pour les détails sur les dessertes aériennes.

BATEAU Corsica Ferries (☑0825 095 095 ; www.corsicaferries.fr) relie Calvi à Nice et à Savone (Italie). La **SNCM** (☑3260 ; www.sncm.fr) dessert Nice. Les billets sont en vente auprès de la **CCR/Tramar** (☑04 95 65 01 38, 04 95 65 00 63 ; quai Landry) ou de l'agence **Les Beaux Voyages** (☑04 95 65 11 35 ; place de la Porteuse-d'Eau).

BUS Les Beaux Voyages (☑04 95 65 11 35 ; place de la Porteuse-d'Eau) assure une liaison entre Calvi, Algajola, L'Île-Rousse, Ponte-Leccia (possibilité de correspondance vers Ajaccio ; 16,50 €) et Bastia (16 €, 2 heures 30), tlj sauf dim et jours fériés. En juillet-août, l'agence ajoute des liaisons quotidiennes du lundi au samedi vers Galéria (10 €, 1 heure), Calenzana (8 €, 30 min) et en correspondance à Casamozza, Bonifacio et Porto-Vecchio (19 €).

De mi-mai à mi-octobre, un bus de la société **SA-SAIB / Ceccaldi** (☑04 95 22 41 99) dessert Porto via le col de la Croix (17 €, 2 heures 45).

TRAIN De la **gare de Calvi** (☑04 95 65 00 61 ; www.ter-sncf.com ; av. de la République), des trains relient Ajaccio, Vizzavona, Bastia et Corte. D'avril à octobre, le Tramway de la Balagne circule entre Calvi et L'Île-Rousse (6 €) en desservant toutes les plages et stations balnéaires séparant les deux villes, dont Lumio, Sant'Ambroggio, Algajola et Davia, à raison d'une dizaine d'allers-retours quotidiens en haute saison.

ⓘ Comment circuler

DEPUIS/VERS L'AÉROPORT La course en **taxi** (☑04 95 65 30 36) revient à 20 € environ.

VOITURE, VÉLO ET SCOOTER Il est possible de louer des scooters (à partir de 35 €/jour environ) chez **Tra Mare e Monti** (☑04 95 65 21 26 ; www.tramare-monti.com) et au **Garage d'Angeli** (☑04 95 65 02 13 ; www.garagedangeli.com), qui propose également des VTT et des VTC (13-14 €/jour). Plusieurs agences de location de voitures sont installées au centre-ville et à l'aéroport.

Environs de Calvi

POINTE DE LA REVELLATA

Préfigurant la très belle côte sauvage qui s'étend au sud de la ville, ce superbe cap aux abords déchiquetés et blanchis d'écume pointe dans les eaux de la Méditerranée à 3 km de la citadelle de Calvi. Ne manquez pas ses paysages, qui ont séduit les scientifiques d'un centre de biologie marine belge, implanté à son extrémité. Vous pourrez arpenter la pointe à pied jusqu'à **VTT** et rejoindre la **plage de l'Alga** ou la **plage de l'Oscelluccia**, bordées de superbes fonds turquoise et nichées dans des petites criques, sur la côte est du cap. La plage de l'Alga est accessible en voiture (mais gare au châssis de votre véhicule de location), tandis que la plage de l'Oscelluccia ne se rejoint qu'à pied.

Pour vous y rendre, prenez la D81b en direction de Galéria et de Porto jusqu'à la piste qui descend sur la pointe. Un embranchement sur la droite mène à la plage de l'Alga (piste déconseillée aux voitures légères) après 1 km.

✖ Où se restaurer

Mar A Beach   PAILLOTE €
(☑04 95 65 48 30, 06 33 62 17 64 ; plage de l'Alga ; plats 13-22 € ; ⊘Pâques-oct, à midi). Le cadre est sublime, au bord de la crique de l'Alga, où mouillent les voiliers en saison. On oublie vite le mobilier moderne, qui dépare un peu dans ce site sauvage, et l'on n'a d'yeux que pour la plage et l'eau turquoise. Dans l'assiette, des plats très corrects – salades, poissons à la plancha, viandes grillées – proposés à des tarifs raisonnables vu la beauté du lieu. Accès à pied depuis Calvi en 30 minutes environ, ou en voiture par une piste défoncée. Soirées musicales les samedis soir.

NOTRE-DAME DE LA SERRA

Au-delà de la chapelle et de la statue, érigée en 1950 face à la mer, c'est surtout l'exceptionnel panorama du golfe de Calvi qu'offre ce promontoire sauvage et venté qui vaut sa réputation au site. Un panneau indique Notre-Dame de la Serra, à 1,5 km sur la gauche, au niveau de l'embranchement vers la pointe de la Revellata (voir p. 103).

DU GOLFE DE CALVI À ALGAJOLA

Lumio et ses environs

De Calvi, la N197 file vers le nord en passant aux abords de deux plages plus paisibles que celle de Calvi : Sainte-Restitude et l'Arinella. Elle se poursuit ensuite vers Lumio, village juché au-dessus de la nationale dont les environs comptent quelques curiosités.

👁 À voir et à faire

**Plage
de Sainte-Restitude**   BAIGNADE ET FARNIENTE
Environ 2,5 km avant Lumio, cette petite plage est indiquée à gauche, au niveau d'une pépinière, par une courte piste praticable en voiture légère. Outre du sable où étendre sa serviette, vous y trouverez un restaurant ouvert d'avril à octobre, le Pain de sucre (voir p. 105).

Plage de l'Arinella   BAIGNADE ET SNORKELING
Autre bel endroit pour la baignade, cette plage de sable fin est accessible par une petite route qui s'embranche sur la N197 environ 500 m avant Lumio, au niveau d'une pharmacie. Goudronnée, elle descend en 2 km à la plage, qui tapisse une petite crique réservant une belle vue sur la citadelle de Calvi. Vous pourrez vous restaurer les pieds dans l'eau au restaurant le Matahari (voir p. 105). La route continue jusqu'à la **Punta Carchintu**, parsemée de criques rocheuses.

L'association I **Sbuleca Mare** (☎06 80 41 67 23 ; http://isbulecamare.free.fr ; adulte/enfant 16/12 € ; ☺juin-sept) propose une formule originale et ludique pour découvrir l'écosystème du littoral : un sentier sous-marin. Au cours de la sortie (45 minutes), dans les eaux cristallines de la pointe Caldanu, le moniteur vous accompagnera et vous donnera toutes les explications sur l'environnement. Le matériel (combinaison, palmes, masque, tuba) est fourni. Le cabanon d'accueil se trouve à l'entrée du parking de la plage de l'Arinella.

Chapelle Saint-Pierre-et-Paul   ART ROMAN
Peu avant Lumio en venant de Calvi (panneau indicateur), cette chapelle romane du XIe siècle se dresse au milieu d'un cimetière, à 200 m de la route nationale. Construite en beau granite jaune, elle comporte cinq arcades agrémentées de jolis motifs décoratifs, sous forme de cercles et de losanges.

Hameau d'Occi   PROMENADE À PIED
De Lumio, une belle promenade à pied d'environ 1 heure et demie aller-retour vous conduira, après une montée un peu rude, au hameau abandonné d'Occi, où vous attend un superbe panorama du golfe de Calvi. Les habitants de la pointe de Spano (Punta di Spano, voir p. 105) s'y étaient installés au XVe siècle pour échapper aux raids des sarrasins. Les ruines des maisons en pierre sèche, qui semblent suspendues au-dessus de la côte, entourent encore l'émouvante petite église, qui a été restaurée. On peut aussi voir l'ancienne aire de battage du blé. Une sorte de chemin de ronde ceint le village, que ses derniers habitants ont quitté dans les années 1920. Le chemin débute au parking situé à côté de l'hôtel-restaurant Chez Charles, un peu en retrait de la N197.

🖊 Gaec de l'Astratella   HUILES ESSENTIELLES
(☎04 95 60 62 94 ; www.astratella.com ; Salduccio ; ☺lun-sam 14h-19h, jusqu'à 18h hors saison). Si la fabrication des huiles essentielles biologiques (myrte, genévrier, immortelle, eucalyptus...) vous intéresse, faites halte dans cet établissement dont les produits sont également proposés à la vente. En venant de Calvi, prendre la direction de Salduccio, à droite avant Lumio.

**Cercle équestre
de Balagne**   BALADE ÉQUESTRE
(☎04 95 60 66 66, 06 13 42 27 62 ; Le Cormoran, N197, Lumio ; ☺tte l'année). Ce centre équestre met ses poneys et chevaux à la disposition des petits et des grands pour des promenades ou des randonnées (à partir de 25 € l'heure). À 3 km avant Lumio en venant de Calvi, sur la droite, juste après la caserne de la Légion étrangère.

🛏 Où se loger et se restaurer

Le Panoramic   CAMPING **€**
(☎04 95 60 73 13 ; www.le-panoramic.com ; route de Lavatoggio, Lumio ; adulte/tente/voiture 5-8,20/2-3,50/1,50-3,20 € selon saison ; ☺mai à mi-sept). Ce camping tranquille est installé sur les hauteurs, à 1,2 km au-dessus de la N197 (fléché). Il bénéficie ainsi d'un cadre magnifique, ses terrasses s'étageant à l'ombre des eucalyptus et des platanes, offrant une large vue de la côte. Ses services incluent une épicerie, une piscine, et la location de mobil-homes.

U Cafè di a Mossa
CAFÉ €

(☏04 95 60 61 45 ; 3 place Charles-Moretti, Lumio ; plats 13-15 € ; ◷tlj). Plus que pour sa cuisine, sans prétention, on vient dans cet authentique café de village pour profiter de l'animation assurée par les habitués, et de la belle vue sur la mer depuis la terrasse ombragée par un grand platane.

♥ Le Matahari
RESTAURANT DE PLAGE €€

(☏04 95 60 78 47 ; www.lematahari.com ; plage de l'Arinella ; plats 16-30 € ; ◷tlj sauf lun soir avr à mi-oct). Le sable de la plage de l'Arinella accueille les tables et chaises en teck de cette adresse influencée par tous les horizons et les voyages de ses propriétaires. L'exotisme caractérise aussi bien la décoration que la cuisine, présentée à l'ardoise : carpaccio de langoustines du Cap et foie gras, crème brûlée à la vanille de l'île Maurice... Les prix sont un peu élevés, mais l'ambiance est décontractée et le cadre magique, notamment le soir, quand les flammes des bougies et des flambeaux dansent sur le sable...

Le Pain de sucre
RESTAURANT DE PLAGE €€

(☏04 95 60 79 45 ; www.le-pain-de-sucre.com ; plage de Sainte-Restitude ; plats 23-29 € ; ◷ avr-oct tlj midi et soir). Sur la plage de Sainte-Restitude, cette adresse à l'ambiance romantique en soirée est appréciée pour ses plats de pâtes, viandes, et surtout produits de la mer : noix de saint-jacques et velouté d'avocat, risotto aux gambas...

Marine de Sant' Ambroggio et Pointe de Spano

Presque aux pieds de Lumio, la **marine de Sant'Ambroggio** désigne un ensemble de lotissements récents et de commerces regroupés dans de mornes constructions modernes, bâtis autour d'une marina offrant tous les services ayant trait à la navigation de plaisance. L'ensemble – "revitalisé" par le Club Med – dégage peu de charme mais donne accès à une perle : à 2,5 km de Sant'Ambroggio par une route goudronnée, la **Pointe de Spano** (Punta di Spano) est l'un de ces recoins protégés dont la Corse a le secret. Imaginez une pointe isolée creusée d'une petite anse parsemée de rochers aux formes arrondies, avec la ville de Calvi coiffée de sa citadelle en toile de fond. Au programme : le maquis, la mer, des criques pour se baigner et un sentier qui rejoint d'un côté la plage de l'Arinella et de l'autre une belle tour génoise, seule face à la Méditerranée. Pour vous y rendre depuis Sant'Ambroggio, prenez la direction de la

supérette et de Cocody Village. Vous pouvez stationner sur le parking, terminus de la route, juste au-dessus de la pointe.

L'unique restaurant des lieux, le Rocher, semblait résolument fermé lors de notre dernier passage.

Algajola

Cette ancienne place forte génoise séduira ceux qui recherchent une plage en Balagne mais veulent échapper à la foule. À mi-chemin de Calvi et de L'Île-Rousse, Algajola attire avant tout un public familial, composé en grande partie d'habitués, rejoints par des surfeurs lorsque les rouleaux déferlent. Reliée en été à L'Île-Rousse et à Calvi par le train des plages, cette localité balnéaire tranquille compte quelques restaurants et boutiques, et surtout une plage de sable, en ville, qui se double de la belle plage d'Aregno, quelques centaines de mètres plus loin.

Peu de traces demeurent du passé militaire du bourg, ravagé par les sarrasins au milieu du XVIIe siècle. Des vestiges retrouvés sur place témoignent de son occupation par les Romains, et la "citadelle", où siégea quelques années le gouvernement de Balagne, est aujourd'hui propriété privée. Vous pourrez voir les restes bien restaurés de cette place forte entre le restaurant U Castellu et l'hôtel Saint-Joseph, où un emplacement aménagé face à la mer est idéal pour admirer le coucher de soleil.

✈ Activités

Plage d'Aregno BAIGNADE ET ACTIVITÉS NAUTIQUES

La très belle plage d'Aregno déroule son tapis de sable blanc sur 3 km, entre la sortie est du bourg et la pointe Varcale, faisant la joie des familles, des adeptes de sports nautiques et des surfeurs. Des adeptes du naturisme fréquentent parfois le secteur de la pointe Varcale, également un lieu de rencontre entre gays.

Sport & Nature ACTIVITÉS NAUTIQUES

(☏06 80 24 82 47, 04 95 44 08 32 ; www.algajola-sportetnature.com ; plage d'Aregno ; ◷mai-oct). La dynamique équipe de moniteurs de ce centre propose du kayak de mer, du surf, de la planche à voile, du "skibus" (bouée tractée), du snorkeling et de la plongée.

🛏 Où se loger

Saint-Joseph HÔTEL FAMILIAL €€

(☏04 95 60 73 90 ; www.hotel-algajola.com ; 1 chemin de Ronde ; s/d standard 52-102/67-110 €, s/d supérieures 60-106/72-145 €, tarifs selon saison, petit-déj inclus ; ⊙tte l'année ; P ❄ 🛜). Une série de travaux a donné de nouveaux atouts à cet accueillant hôtel familial bâti sur un site agréable, au pied de l'ancienne poudrière. Il propose deux types de chambres : les "standards", un peu petites et plus anciennes, mais néanmoins accueillantes, et les "supérieures". Toutes affichent une décoration assez moderne utilisant des éléments fabriqués par des artisans locaux, notamment de belles vasques en pierre. Les "supérieures" peuvent accueillir des familles grâce à des lits supplémentaires escamotables. Le jardin de l'hôtel surplombe la mer, et la plage est à quelques minutes à pied.

Hôtel de la Plage – Les Arcades   HÔTEL €€

(📞 04 95 60 72 12 ; www.hotelalgajola.fr ; 15 route nationale ; d 65-120 € selon vue et saison ; ⊙mi-avr à oct ; ❄🛜). Voilà une adresse qui sent bon les vacances ! Installé dans une bâtisse à arcades en plein cœur de la ville, l'hôtel doit son attrait à la proximité immédiate de la plage et à ses chambres, toutes différentes, refaites dans des couleurs pimpantes. Certaines sont un peu petites, d'autre disposent de grandes terrasses. Confort simple, bon accueil et parties communes agréables.

Stella Mare   HÔTEL €€

(📞 04 95 60 71 18 ; www.stellamarehotel.com ; d 65-145 € selon vue et saison ; ⊙avr-oct ; P ❄🛜). L'accueil est l'un des points forts de cette adresse installée dans une demeure aux volets bleus entourée d'un beau jardin, à deux pas de la gare d'Algajola. Les chambres, confortables, affichent une élégante décoration au goût du jour, et la belle terrasse et ses alcôves aménagées sous des arcades sont particulièrement agréables. Copieux buffet de petit-déjeuner.

U Castellu   CHAMBRES D'HÔTES €€

(📞 04 95 60 78 75 ; www.ucastelluchambresdhotes. com ; 10 place du Château ; d 90-160 € selon confort, petit-déj inclus ; ⊙mars-oct ; ❄🛜). Avant tout connue pour son restaurant (voir ci-contre), cette adresse située au cœur des ruelles d'Algajola propose 5 chambres d'hôtes de charme dans une ancienne maison de village. Lumineuses et accueillantes, elles sont décorées avec soin, en mélangeant éléments contemporains et notes rustiques.

Hôtel Serenada   HÔTEL €€€

(📞 04 95 36 43 64 ; www.hotelserenada-algajola. com ; d 92-225 € selon confort et saison, petit-déj inclus ; ⊙avr-sept ; P ❄🛜). L'hôtel le plus récent et le plus chic de la station dispose de chambres déclinant une belle ambiance, actuelle et lumineuse, rehaussées de touches de couleur, et de bons équipements. Les chambres avec vue mer sont comme il se doit les plus agréables... et les plus chères.

✗ Où se restaurer

La Vieille Cave   VALEUR SÛRE €€

(📞 04 95 60 70 09 ; 9 place de l'Olmo ; plats 16-28 €, menus à partir de 20 € ; ⊙avr à mi-oct). Rien d'exceptionnel côté carte – poissons, viandes, plats de pâtes, pierrades –, mais l'adresse est présentée par les habitants comme l'une des valeurs sûres d'Algajola. Selon la saison, vous vous installerez dans l'ancienne cave voûtée transformée en salle de restaurant ou sur la terrasse, ombragée par un bel aulne.

U Castellu   BELLE TERRASSE €€

(📞 04 95 60 78 75 ; 10 place du Château ; plats 16-20 €, formule midi 14 € ; ⊙mars-sept ; ❄🛜). Installé sur une placette bordée de lauriers-roses face à l'ancien château fortifié de la ville (privé), en plein cœur d'Algajola, U Castellu se distingue en premier lieu par son cadre. La cuisine – agneau de lait rôti, filet de saint-pierre au Cap Corse, soufflé de nectarine aux *canistrelli* – était tout à fait convaincante lors de notre passage, même si elle serait inégale selon certains habitués.

Deux adresses situées sur la plage d'Aregno :

Le Padula (📞 04 95 60 75 22 ; plats 10-26 € ; ⊙tlj midi et soir avr-oct). Face à la plage, cette paillote chic au cadre agréable sert un large éventail de plats, bien présentés et plutôt bons, du magret de canard au miel au tartare de bœuf, en passant par les pizzas. Location de parasols et de transats.

A Rotta (📞 04 95 60 74 85 ; plats 15-20 € ; ⊙tous les midis, mer, ven et sam soir, mai-sept). Dissimulée au milieu des tamaris et des lauriers-roses, à l'extrémité nord de la plage vers la pointe de Varcale, A Rotta s'est bâti une bonne réputation locale grâce aux plats de poisson cuisinés par la patronne. La cuisine et la terrasse calme et ombragée justifient le déplacement jusqu'à cette adresse un peu excentrée.

ARRIÈRE-PAYS CALVAIS

Calenzana (Calinzana)

À 13 km de Calvi, le gros bourg de Calenzana (1 700 habitants) doit sa notoriété au GR®20. Ce village paisible est en effet le point de départ nord du célèbre sentier de randonnée. Rendez-vous à la **Maison du GR®20** (📞 04 95 62 87 78 ; ⊙10h-12h et 15h30-18h30), installée dans l'enceinte du gîte d'étape municipal (voir ci-dessous), pour des informations sur le parcours et sur toutes les activités ayant trait à la montagne. Vous pourrez y consulter un point météo journalier et acheter des topoguides sur les randonnées dans le parc régional. Un parking municipal, près de l'église, permet aux randonneurs de laisser leur voiture sur place pendant 2 semaines.

Accordez-vous cependant une parenthèse culturelle avant de diriger vos pas vers les cimes. Érigée à partir de 1691, l'**église Saint-Blaise**, qui se dresse sur la place du village, demanda 16 années d'efforts à ses bâtisseurs. Ses chapiteaux, ornés de feuilles d'acanthe, furent ajoutés en 1722 et son maître-autel en marbre polychrome fut réalisé en 1750, sur les plans du Florentin Pierre Cortesi. Le superbe campanile baroque qui la jouxte fut construit entre 1862 et 1875.

À 1,5 km à l'est du bourg s'élève la **chapelle romane Santa-Restituta**, consacrée à sainte Restitude, dont le martyre eut lieu ici en 303. Sa sépulture, qui date du IVe siècle, fut mise au jour en 1951. Pour la visiter, demandez la clé au bureau de tabac qui jouxte le bar proche de l'église, où vous trouverez aussi une plaquette d'information sur la chapelle.

Depuis 2000, l'association **MusiCal** (☎04 95 30 59 41 ; www.musical-calenzana.com) organise chaque année les **Rencontres de Calenzana**, un festival mêlant musique classique, contemporaine et polyphonies corses. Les concerts ont lieu dans les églises des environs du bourg.

🛏 Où se loger et se restaurer

Gîte d'étape municipal   GÎTE D'ÉTAPE **€**
(☎04 95 62 77 13 ; route de Calvi ; dort 15 €, camping pers/tente 6,60/4 € ; ☺avr-oct ; 🛜). Bâti à l'attention des randonneurs, le gîte de Calenzana, plutôt accueillant, offre des dortoirs de 4 lits modernes et agréables, avec sanitaires, et 1 chambre double. Il est également possible de planter sa tente, et une cuisine est à disposition. Il héberge la Maison du GR®20 (voir p. 106).

À l'Ombre du clocher   CHAMBRES D'HÔTES **€**
(☎04 95 31 17 12, 06 20 80 18 08 ; www.ombre-du-clocher.com ; d avec petit-déj 75 € ; ☺tte l'année ; P🛏🛜). Indiquée dans une rue qui descend en face de l'église, cette maison d'hôtes tenue par une Belge et un enfant du pays fait l'unanimité, tant pour son accueil que pour ses prestations. Dans une belle maison moderne avec piscine hors sol, elle dispose de 3 chambres confortables avec

sdb, décorées de teintes douces et de beaux textiles. Aux beaux jours, le copieux petit-déjeuner est servi au bord de la piscine. Un appartement de 2 pièces, loué à la semaine, est également disponible.

La Maison d'hôtes   CHAMBRES D'HÔTES **€€**
(☎04 95 60 15 53, 06 71 60 20 33 ; www.chambredhotescorse.com ; route de Calvi ; d avec petit-déj 65-105 € selon confort et saison ; ☺avr-oct ; P🛏🛜). À mi-chemin de Calvi et de Calenzana, 4 km avant cette dernière, cette maison d'hôtes installée dans une maison moderne remporte d'excellents échos. Confort et bien-être sont au rendez-vous dans les 4 chambres (préférez la Cicca et la Verger, au mobilier de sdb dernier cri), dont la déco mêle avec bonheur l'ancien et le contemporain. Le petit-déjeuner est servi dans la véranda, avec vue sur la baie de Calvi, au loin. Mention spéciale à la jolie piscine, entourée d'un deck. Tarifs dégressifs à partir de 2 nuits, hors saison. Pas de réglements par carte de crédit.

Auberge A Flatta   AUBERGE-RESTAURANT **€€**
(☎04 95 62 80 38 ; www.aflatta.com ; d 95-220 € selon confort et saison ; repas 35-40 € environ ; ☺avr-oct ; 🍽🛏🛜). L'adresse se mérite – à 3 km du centre de Calenzana, elle s'atteint par une piste cahoteuse –, mais le site, blotti au fond d'une vallée récompensera les audacieux. Dans ce cadre superbe, A Flatta décline une ambiance d'auberge chic et doit sa réputation à son restaurant, dont la carte s'appuie sur des produits locaux de qualité. L'adresse ne manque pas d'atouts, mais certains ont été déçus par son rapport qualité/prix. Pour les familles, le chalet, à l'écart, entièrement en bois, représente une option intéressante.

Le Calenzana –
Chez Michel   RESTAURANT CORSE TRADITIONNEL **€**
(☎04 95 62 70 25 ; cours Saint-Blaise ; plats 6,50-25 €, menu 18 € ; ☺mars à mi-jan). L'une des adresses les plus fréquentées du village, et étape quasi incontournable des randonneurs, Chez Michel sert des pizzas, des pâtes, des viandes et des spécialités corses, à des tarifs attrayants. On y vient davantage pour les plats copieux que pour la déco...

A Stazzona   RESTAURANT CORSE TRADITIONNEL **€€**
(☎04 95 36 47 12 ; rue U Fondu ; plats 14-20 €, formule 15 € ; ☺fermé déc). Dans une ancienne forge à l'entrée du bourg, cet établissement mitonne des plats locaux honnêtes, dont une "assiette corse" déclinant des spécialités de l'île. Aux beaux jours, le point fort des lieux est la belle terrasse, sur l'arrière, qui permet de déjeuner dans un cadre champêtre.

🔒 Achats

E Fritelle　　　　　　　　　BISCUITS CORSES

(📞 04 95 62 78 17 ; www.perrinchristian.com ; Tiassu Longu ; ⌚ tte l'année lun-ven 7h-19h, sam 8h-12h30). Cette fabrique artisanale embaume les rues du village avec des parfums de citron, d'anis ou d'amande depuis plus de 20 ans. Christian Perrin confectionne d'excellents *canistrelli* et autres biscuits, notamment des *fritelle*, beignets au sucre parfumé.

A Lughjetta　　　　　　　PRODUITS CORSES

(📞 04 95 61 36 99, 06 09 76 57 83 ; 3 place de l'Église ; ⌚ Pâques-déc). Un repaire gourmand où l'on s'approvisionne en confitures, miels, charcuterie et fromages fermiers, et condiments.

ℹ️ Depuis/vers Calenzana

VOITURE En juillet et août, les bus de la société **Les Beaux Voyages** (📞 04 95 65 11 35 ; place de la Porteuse-d'Eau, Calvi) assurent une liaison quotidienne, du lundi au samedi, entre Calvi et Calenzana (8 €, 30 min).

Forêt et cirque de Bonifato (Bonifatu)

Rafraîchissante parenthèse à l'ombre des conifères, la forêt de Bonifato, tout comme le cirque du même nom, séduira autant les promeneurs que les randonneurs. Les lieux semblent avoir été placés sous une bonne étoile dès leur baptême. Étymologiquement, "Bonifatu" signifie "endroit où il fait bon vivre". Au début du siècle, les abords du cirque étaient fréquentés par les convalescents en quête d'eau et d'air purs. Le lieu a visiblement su préserver cette qualité écologique, car il a maintenant la faveur des mouflons, renards, gypaètes barbus, sittelles corses et sangliers. Située entre 300 et 1 950 m d'altitude, la forêt de Bonifato est plantée de pins maritimes, de pins laricios, de chênes verts et d'autres feuillus. Ces différentes essences couvrent une superficie d'environ 3 000 ha, en grande partie dans le cirque du même nom. Plutôt qu'une cuvette, celui-ci présente l'aspect d'une suite de crêtes et d'arêtes enchevêtrées, étonnantes pour les couleurs rougeâtres, cuivrées ou vert-de-gris que leur donne le soleil au fil de sa course. La forêt et le cirque de Bonifato vivaient autrefois au rythme de la transhumance. De nos jours, ils sont principalement fréquentés par les randonneurs, notamment ceux qui arpentent le GR®20.

Vous aurez besoin d'un véhicule pour atteindre le cirque et la forêt. De Calvi, prenez la route de l'aéroport et continuez sur une vingtaine de kilomètres. Un panneau signale la forêt domaniale de Bonifato 7 km après l'embranchement de la route de Calenzana. Vous parviendrez au col de la Bocca Rezza (510 m) – qui dévoile un superbe décor minéral – 2 km plus loin. Le col précède de peu la maison forestière, l'auberge et le parking. Ce dernier est payant en été (2,50/4 € moto/voiture) afin d'assurer "l'entretien du site et la sécurité des visiteurs" (à croire que la forêt souffre d'un grave problème d'insécurité…).

🏃 Activités

Randonnée　　　　　PLUSIEURS ITINÉRAIRES

Un petit **itinéraire pédestre** part du parking, non loin de l'Auberge de la Forêt. Cette piste forestière, fermée à la circulation, ne présente aucune difficulté : elle longe la rivière de la Figarella, agrémentée de **vasques** dans lesquelles vous pourrez vous baigner.

Bonifato est également le point de départ du sentier qui mène aux refuges de **Carozzu** (voir l'encadré p. 109) et d'**Ortu di u Piobbu** (3 heures 30 environ), situés sur le GR®20. Ces randonnées de niveau moyen, mais qui se déroulent majoritairement en montée, sont un bon moyen de découvrir le cirque dont on n'a depuis le bas qu'un faible aperçu. L'équipe d'**Altre Cime** (📞 06 18 49 07 75, 06 14 28 12 78 ; www.altre-cime.com ; Auberge de la Forêt), composée de guides de haute montagne et d'accompagnateurs qualifiés, encadre en saison des randonnées de différents niveaux au départ de l'auberge.

🛏️ Où se loger et se restaurer

Auberge de la Forêt　　　　AUBERGE **€**

(📞 04 95 65 09 98 ; www.auberge-foret-bonifatu. com ; forêt de Bonifato ; bivouac adulte/enfant 8/4 €, gîte 20 €, chambre s/d/tr 56/70/100 €, demi-pension bivouac 30 €, gîte 40 €/pers, d 116 € pour 2 pers ; plats 9,50-15 €, menus à partir de 20 € environ ; ⌚ avr-début oct). Cette auberge bien tenue située en pleine nature répond aussi bien aux souhaits des randonneurs que des visiteurs de passage. Située à hauteur du parking, elle propose différentes formules d'hébergement : des chambres avec douches chaudes (toilettes sur le palier) au confort simple mais accueillant ; des dortoirs de 3 lits superposés, avec blocs sanitaires, installés dans des chalets en bois récents qui s'étagent à flanc de montagne parmi les arbres ; et une aire de bivouac pour les campeurs. Le restaurant sert une cuisine locale, en salle ou sous une tonnelle aérée. Cartes de crédit non acceptées.

DE L'AUBERGE DE LA FORÊT AU REFUGE DE CAROZZU

Départ : Auberge de la Forêt (Bonifato)
Durée : 4 heures 30 aller-retour
Dénivelé : 750 m positif
Balisage : jaune puis blanc-rouge
Difficulté : le dénivelé rend cet itinéraire assez physique

Simple randonnée ou voie d'accès "soft" au GR®20, cet itinéraire monte vers le refuge de Carozzu (1 270 m), but de la deuxième étape du GR®. De l'Auberge de la Forêt (536 m), engagez-vous sur le sentier dit "du Mouflon", à l'extrémité du parking. Cette large piste forestière mène en 20 min de marche à un embranchement où vous irez tout droit vers le refuge de Carozzu (le sentier de gauche traverse la rivière, puis monte au refuge d'Ortu di u Piobbu, signalé à 3 heures). Suivant le balisage jaune, l'ascension commence sous un couvert forestier. Après 15 min de marche, le sentier laisse voir sur la gauche un très beau panorama minéral ; 50 min après le départ, il traverse la rivière de la Figarella, puis continue de monter, dominé par les superbes aiguilles du cirque. Après un nouveau passage du cours d'eau – cette fois sur un pont suspendu, façon népalaise –, la progression, plus abrupte, continue jusqu'à un petit autel de pierre et un abri, dans une clairière, avant de rejoindre le GR®20 et son balisage blanc-rouge. Le refuge de Carozzu est à 100 m sur la gauche. C'est sur ces 100 m que vous découvrirez la plus belle vue sur les aiguilles acérées du cirque et leurs étranges teintes rouge et vert-de-gris. En continuant 10 min sur le GR® (à droite, dans la direction du lac de la Muvrella et d'Asco), vous atteindrez l'impressionnante passerelle suspendue de Spasimata, sous laquelle la rivière forme de grandes vasques idéales pour la baignade.

Le Montegrosso (Montemaggiore et environs)

Ne cherchez pas de panneau indiquant le Montegrosso. Il s'agit en effet du nom d'une commune, au nord-est de Calenzana par la D151. Elle regroupe plusieurs hameaux dont **Montemaggiore** (400 m d'altitude), qui mérite le détour pour son panorama et son **église Saint-Augustin**, édifice baroque du XVIIe siècle. En toile de fond se détache une paroi montagneuse, qui semble constituer une muraille infranchissable.

En chemin, faites une halte-dégustation aux caves du **domaine d'Alzipratu** (☏04 95 62 75 47 ; www.domaine-alzipratu.com ; 2,5 km de Calenzana sur la D151), dont les cuvées Fiumeseccu devraient vous laisser un bon souvenir. Le domaine vend aussi de la confiture et de l'huile d'olive. Les caves se situent à 2,3 km de la **source Zilia**, ce qui tend à démontrer que le même terroir peut à la fois faire le bonheur des amateurs d'eau et de vin. L'**usine d'embouteillage** (☏04 95 65 90 70), à environ 1,8 km du village, se visite sur rendez-vous.

À 2,5 km de Zilia, à **Lunghignano**, le **moulin à huile U Fragnu** (☏04 95 62 75 51 ; www.ufragnu.com ; ☉mi-mars à oct) borde la route. Si vous le visitez entre début avril et fin mai, vous assisterez au pressage des olives qui s'effectue encore comme autrefois, avec une meule de pierre actionnée par un âne. Le reste de l'année, vous pourrez acheter plusieurs crus d'huile d'olive, des produits de beauté à base d'huile d'olive et d'autres produits locaux.

Le hameau de **Cassano**, au charme fou, avec ses bâtisses serrées les unes contre les autres, rassemble les structures d'hébergement et de restauration du secteur.

🛏 Où se loger et se restaurer

E Casalte CHAMBRES D'HÔTES €
(☏04 95 62 71 29 ; www.e-casalte.com ; Cassano ; d avec petit-déj 75-80 € selon saison ; ☉tte l'année ; ❄🐾). Au centre du village, cette haute maison peinte en rose et dotée de volets bleus, impeccablement réaménagée, comprend deux chambres confortables et décorées avec goût (mais la sdb de l'une d'elles est à l'extérieur de la chambre). Le petit-déjeuner se prend sur une terrasse, face à l'impressionnante muraille du Montegrosso.

Les Chambres d'hôtes de Magali CHAMBRES D'HÔTES €
(☏04 95 21 25 33, 06 87 61 31 94 ; www.chambres-dhotesdemagali.fr ; Cassano ; s/d 80/85 € avec petit-déj ; ☉tte l'année ; ❄🐾). À quelques mètres de l'adresse précédente, cette jolie demeure de village se compose de 5 chambres gaies,

décorées de touches évoquant les années 1930 et l'Art déco (verres de Clichy, opalines, appliques en barbotine), toutes de couleurs différentes. À noter : les sdb n'ont pas de porte, mais un rideau. Réservez la 1 et la 5, qui bénéficient d'une vue directe sur le Montegrosso. Séjours de 2 nuits au minimum. Réductions hors saison à partir de 3 nuits.

BON PLAN **Chez Jean-Philippe – Le Barbylone** RESTAURANT €
(☎04 95 62 78 51 ; Cassano ; plats 10-15 € ; ⏰tte l'année, ven-dim en hiver). Éloge de la simplicité pour cette adresse de village... En face de l'église de Cassano, prenez place sur la terrasse ou dans la petite salle, et régalez-vous des plats corses, simples mais d'une fraîcheur absolue, réalisés par la mamma Agostini, notamment les beignets de courgette, sa spécialité.

♥ L'Ortu di Ziu Simone RESTAURANT DE JARDIN €€
(☎04 95 61 32 11, 06 48 09 53 73 ; Cassano ; menu 22 € ; ⏰mai-début sept, sur réservation). Une formule originale, recommandée par les habitués des environs : on dîne dans un jardin en restançuça, aménagé avec dais, mobilier, nappes blanches et lanternes, face au Montegrosso. À l'entrée de Cassano. Accueil souriant.

L'ÎLE-ROUSSE (ISULA ROSSA)

Coup de cœur assuré pour L'Île-Rousse, belle cité balanine de 3 000 habitants qui s'insère dans un environnement de toute beauté : la vieille ville, parcourue de venelles pavées débouchant sur des places animées, campe au bord d'une vaste baie, limitée d'un côté par une belle plage de sable blanc bordée par une agréable promenade, et de l'autre par la presqu'île de porphyre rouge qui a valu son nom à la ville.

C'est hors saison, y compris pendant les mois d'hiver, que L'Île-Rousse se présente sous son meilleur jour. En juillet-août, la cité paolienne est souvent congestionnée par la circulation automobile et la vieille ville est envahie par les terrasses des restaurants.

Au cœur de la Balagne, L'Île-Rousse est une excellente base pour explorer les villages de l'arrière-pays.

Histoire

Selon certaines sources, la cité d'Agilla qu'évoque Ptolémée aurait jadis occupé le site de l'actuel port de L'Île-Rousse. Les Romains y fondèrent ensuite un comptoir qui fut abandonné dans des circonstances méconnues, vraisemblablement liées à des incursions barbaresques. La ville fit à nouveau parler d'elle à partir de 1758, lorsque le patriote Pascal Paoli choisit ce qui était devenu un modeste hameau de pêcheurs pour édifier une cité portuaire capable de rivaliser avec la génoise Calvi. L'Île-Rousse est restée une plaque tournante pour le commerce jusqu'à la Première Guerre mondiale, avant de décliner lentement. Le tourisme a pris le relais.

Orientation

En venant de Bastia, on pénètre dans L'Île-Rousse par l'avenue Paul-Doumer jusqu'à la courte avenue Piccioni, qui conduit à la place Paoli, cœur de la ville. Au nord de la place, quatre rues étroites (rue Notre-Dame, rue Paoli, rue de Nuit et rue Napoléon), de part et d'autre du marché couvert, concentrent une grande partie des restaurants et des commerces. Le port des ferries se situe sur la péninsule de la Pietra, au nord de la ville. La plage, bordée par l'agréable promenade A Marinella, débute à l'est de la place Paoli et se prolonge vers le sud-est. De mai à septembre, les 2 parkings de la ville (l'un occupe une grande part de la place Paoli, l'autre est situé sur la route de Monticello, juste après la poste) sont payants.

ⓘ Renseignements

Office du tourisme (☎04 95 60 04 35 ; www.ot-ile-rousse.fr ; av. Calizi ; ⏰lun-sam 9h-19h, dim 9h-13h mi-juin à mi-sept, lun-ven 9h-12h et 14h-18h hors saison). Loue des visioguides sur la ville (5 €).

Movie' Store (route de Calvi ; 1,50 €/15 min ; ⏰lun-sam 10h-24h, dim 14h-24h). Accès Internet.

◉ À voir

♥ Vieille ville CENTRE ANCIEN
La **place Paoli** (remarquez la statue du grand homme), où les joueurs de pétanque ont leurs habitudes, marque le cœur de la cité. À l'ouest se détache l'**église de l'Immaculée Conception**, à l'allure altière. Immédiatement au nord de la place, le **marché couvert**, bel édifice du XIXe siècle classé monument historique, se signale par ses 21 colonnes antiques. En saison, il accueille le matin des étals animés proposant miel, charcuterie, fromages et autres. Derrière le marché, les rues (Notre-Dame, Napoléon et Pascal-Paoli)

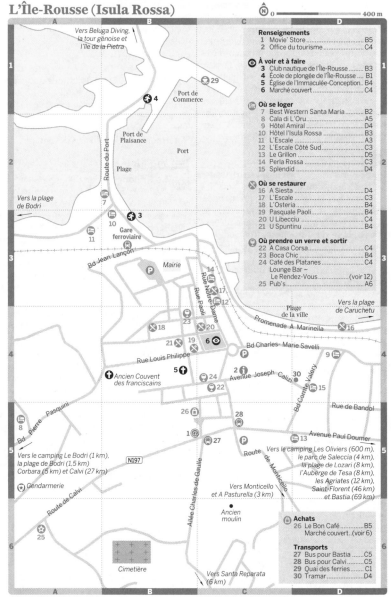

Renseignements
1 Movie' Store B5
2 Office du tourisme C4

⊙ **À voir et à faire**
3 Club nautique de l'Île-Rousse B3
4 École de plongée de l'Île-Rousse ... B1
5 Église de l'Immaculée-Conception.. B4
6 Marché couvert C4

🛏 **Où se loger**
7 Best Western Santa Maria B2
8 Cala di L'Oru A5
9 Hôtel Amiral D4
10 Hôtel l'Isula Rossa B3
11 L'Escale A3
12 L'Escale Côté Sud C3
13 Le Grillon D5
14 Perla Rossa C3
15 Splendid D4

🍽 **Où se restaurer**
16 A Siesta D4
17 L'Escale C3
18 L'Osteria B4
19 Pasquale Paoli B4
20 U Libecciu C4
21 U Spuntinu B4

🍸 **Où prendre un verre et sortir**
22 A Casa Corsa C4
23 Boca Chic B4
24 Café des Platanes C4
   Lounge Bar –
   Le Rendez-Vous .... (voir 12)
25 Pub's A6

🛍 **Achats**
26 Le Bon Café B5
   Marché couvert..(voir 6)

Transports
27 Bus pour Bastia C5
28 Bus pour Calvi C5
29 Quai des ferries C1
30 Tramar D4

du centre ancien sont flanquées de belles demeures aux volets colorés.

Presqu'île de la Pietra PROMONTOIRE
Envie d'une balade en ville ? Rejoignez à pied la presqu'île de la Pietra, coiffée d'une **tour génoise** et d'un **sémaphore**. Le panorama de la mer et de la ville est particulièrement beau au coucher du soleil, lorsque le phare blanc se détache sur les rochers orangés.

💟 **Parc de Saleccia** JARDIN BOTANIQUE
(📞04 95 36 88 83 ; www.parc-saleccia.fr ; route de Bastia ; tarif plein/réduit 8/6 € ; ⊙tlj 10h-19h30 juil-août, mar-ven 9h30-19h, lun et sam 14h-19h, dim et jours fériés 10h-19h avr-juin et sept, mar-ven et

dim 10h-18h oct). Ne quittez pas les environs de L'Île-Rousse sans avoir flâné dans ce magnifique parc botanique et paysager de 7 ha, dédié à la flore du maquis, de la Méditerranée et d'autres régions du globe à climat méditerranéen. Oliviers, figuiers, cistes, myrtes, immortelles, lauriers... n'auront plus de secrets pour vous après la visite (comptez 1 heure 30), qui vous apprendra par ailleurs que l'île comptait jadis 12 millions d'oliviers contre à peine 180 000 aujourd'hui. À 4 km du centre-ville en direction de Bastia.

🏃 Activités

Plages
AU CENTRE-VILLE OU PLUS LOIN

La belle **plage de la ville**, idéale pour les enfants, est bordée par la **promenade A Marinella**, la "Croisette" locale. Elle se prolonge vers le nord après quelques rochers par la **plage de Caruchetu**, d'où l'on peut emprunter un sentier pour se balader sur les falaises parmi les eucalyptus. Au sud de la ville, la superbe **plage de Bodri** accueille des naturistes à son extrémité nord. En voiture, descendez après le camping Bodri jusqu'au parking (payant en été), où un chemin champêtre vous conduira à la plage (300 m). À pied, elle est accessible de L'Île-Rousse par le chemin des douaniers, en longeant la mer depuis le sud de la gare.

Plongée et snorkeling
TOUS NIVEAUX

L'Île-Rousse est une bonne base pour découvrir les richesses des fonds sous-marins le long de la côte et dans la baie. Les deux centres de plongée de la ville organisent des sorties adaptées à tous les niveaux. Comptez 50 € le baptême et environ 40 € pour une plongée d'exploration (30 € si vous avez votre matériel). Pour les amateurs de snorkeling, des randonnées palmées (25 € pour 2 heures), encadrées par un moniteur qui apporte des éclairages sur l'écosystème, sont également organisées, le long des îlots de la Pietra.

Beluga Diving (☎ 04 95 60 17 36, 06 82 04 95 10 ; www.beluga-diving.com ; port de plaisance ; ☺ avr à mi-oct)

École de plongée de L'Île-Rousse
(☎ 04 95 60 36 85 ; www.plongee-ilerousse. com ; ☺ mars-nov)

Club nautique
de L'Île-Rousse
VOILE, PLANCHE À VOILE, KAYAK

(☎ 04 95 60 22 55 ; www.cnir.org ; ☺ mi-mars à mi-déc). Sur la plage, en face de la gare, ce club propose des séances d'initiation et de perfectionnement dans plusieurs disciplines, dont la voile (catamaran, Optimist... à partir de 30 €) et la planche à voile (à

partir de 19 €). Il est également possible de louer un kayak de mer ou de participer à une excursion guidée en kayak autour des îlots de la Pietra (2 heures, 32 €).

Ferme équestre
d'Arbo Valley
ÉQUITATION

(☎ 06 16 72 53 12, 06 12 06 34 38 ; www.arbovalley. fr ; N197). Installée 2,5 km avant L'Île-Rousse en direction du nord, cette ferme équestre propose des balades de 1 heure (21 €), 2 heures (38 €) ou d'une journée (85 €) vers San Antonino et les villages des environs.

🛏 Où se loger

Le Grillon
HÔTEL-RESTAURANT €

BON PLAN (☎ 04 95 60 00 49 ; www.hotel-grillon. net ; 10 av. Paul-Doumer ; s/d 43-65/44-67 € selon saison ; ☺ mi-mars à fin oct ; P ✸ 🛜). Une aubaine pour les budgets serrés. Ne soyez pas découragé par l'emplacement, au bord de l'artère principale, car la partie hôtel est située dans la rue adjacente. Les chambres sont un peu petites mais bien entretenues, décorées de meubles cérusés et équipées de sdb modernes. Certaines possèdent un balcon donnant sur les montagnes. La demi-pension est demandée en août (55 €/pers). À 100 m de la plage. Parking moto fermé.

Cala di L'Oru
HÔTEL €€

(☎ 04 95 60 14 75 ; www.hotel-caladiloru.com ; bd Pierre-Pasquini ; s/d 68-122/69-142 € selon confort et saison ; ☺ mars-oct ; P ✸ 🏊 🛜). Une valeur sûre. Dans un quartier calme, à seulement 600 m du centre-ville, cet établissement familial et confortable est posé au milieu d'un petit jardin et possède une belle piscine. Les chambres présentent un confort simple mais sont agréables, et les tableaux colorés disposés dans les parties communes apportent une note de fantaisie. Un bon rapport qualité/prix.

Splendid
HÔTEL €€

(☎ 04 95 60 00 24 ; www.le-splendid-hotel.com ; av. Comte-Valéry ; s/d standard 54,50-95/63-105 € selon saison, d supérieures 109-199 €, tarifs avec petit-déj ; ☺ fin mars à fin oct ; P ✸ 🏊 🛜). Impossible de ne pas remarquer cette imposante bâtisse rose précédée de palmiers, à 150 m de la place Paoli et 100 m de la plage. Doté d'une piscine et régulièrement entretenu, le Splendid propose des chambres décorées de beaux carrelages et de touches de couleur, dont certaines sont climatisées. Les "supérieures", plus vastes, affichent également une décoration plus moderne. Bon point pour le copieux buffet de petit-déjeuner, l'ambiance décontractée et les tarifs raisonnables. Parking payant en saison (5 €/jour).

Best Western
Santa Maria
TROIS-ÉTOILES €€

(☎04 95 63 05 05 ; www.hotelsantamaria.com ; route du Port ; s/d 77-318/80-330 € selon confort et saison ; ⊙tte l'année ; P ❄ ≋ ☎). Entré récemment dans le giron de Best Western, et en partie rénové pour l'occasion, ce trois-étoiles confortable se distingue en premier lieu par sa situation, en bordure d'une petite plage face aux îles Rousses. Les tarifs sont très variables, car l'hôtel dispose de 4 catégories de chambres. Bien équipées et décorées dans un style assez contemporain, elles comprennent toutes un balcon ou une terrasse. La piscine et le Jacuzzi extérieur figurent parmi les atouts de l'établissement.

L'Escale
APPART-HÔTEL €€

(☎04 95 60 27 08 ; www.hotelilerousse.com ; lotissement des Îles ; d 62-110 € selon saison ; ⊙tte l'année ; P ❄). Dans une rue tranquille à deux pas de la plage et de la base nautique, cet "appart-hôtel" loue des chambres claires et confortables, avec coin cuisine. Sur l'arrière, la terrasse jouxte un agréable petit jardin planté de gazon où les enfants trouveront des jeux. Des studios avec kitchenette et appartements sont loués à la semaine.

L'Escale Côté Sud
HÔTEL DE CHARME €€€

(☎04 95 63 01 70 ; www.hotel-cotesud.com ; 22 rue Notre-Dame ; d 110-295 € selon saison et vue, ste 220-490 € selon saison ; ⊙tte l'année ; ❄ ☎). Une très belle adresse pour les amateurs de design contemporain, malheureusement pas à la portée de toutes les bourses. En plein centre-ville, vous y trouverez une vingtaine de chambres dont le confort frise le luxe, à la décoration épurée et zen, déclinant des teintes de blanc et de gris. Certaines disposent de balcons avec vue sur la mer, notamment les "privilèges", les plus récentes. Au dernier étage, la magnifique suite avec Jacuzzi extérieur est sans doute le plus beau nid d'amour de L'Île-Rousse. Lounge Bar au rez-de-chaussée (voir *Où prendre un verre*).

Perla Rossa
HÔTEL DE CHARME €€€

(☎04 95 48 45 30 ; www.hotelperlarossa.com ; 30 rue Notre-Dame ; ste 190-590 € selon saison et confort, petit-déj 15-25 € ; ⊙avr-oct ; ❄ ☎). Installé dans l'une des plus anciennes maisons de la ville, magnifiquement restaurée, ce quatre-étoiles propose 10 suites spacieuses et élégantes. La décoration sobre joue sur la complémentarité des tons clairs et foncés et met en valeur les beaux volumes des pièces voûtées. Emplacement idéal, à quelques pas de la mer et au cœur de la vieille ville. Dommage qu'il n'y ait pas de parking.

Mentionnons également :

Les Oliviers (☎04 95 60 19 92, 06 15 35 00 45 ; www.camping-oliviers.com ; route de Bastia ; adulte/tente/voiture 7/3,50/3,50 € ; ⊙avr-sept). Un camping fleuri et agréable offrant de bons emplacements et des équipements variés. À 800 m de la ville vers Bastia, à 200 m d'une petite plage de galets.

Le Bodri (☎04 95 60 10 86, 04 95 60 06 47 ; www.campinglebodri.com ; route de Calvi, lieu-dit Bodri ; adulte/tente/voiture 7/5/5 € ; ⊙mai-sept). Un kilomètre après L'Île-Rousse en direction de Calvi, le Bodri descend en pente douce parmi les eucalyptus et les pins vers la belle plage de Bodri, à 200 m de là par un sentier. Vaste et bien équipé, il met à disposition une épicerie, une cafétéria et une laverie. Réductions en avril, mai, juin et sept.

Hôtel L'Isula Rossa (☎04 95 60 01 32 ; www.isularossa.com ; promenade du port ; d/tr 45-155/60-150 € selon confort et saison ; ⊙fermé jan-fév). Peu avant le Best Western, un établissement sans prétention mais propre et bon marché.

Hôtel Amiral (☎04 95 60 28 05 ; www.hotel-amiral.com ; bd Charles-Marie-Savelli ; d 80-140 € selon confort et saison ; ⊙avr-sept ; P ❄ ☎). À défaut de séduire par son architecture, qui se résume à un cube de béton, ce petit hôtel moderne de 2 étages jouit d'un bel emplacement face à la plage, à 150 m du centre-ville. Les chambres sont bien tenues et de bon confort, avec balcon, mais un peu anciennes par leur décoration. Les plus chères ont vue sur la mer.

✕ Où se restaurer

L'Escale
BRASSERIE €

(☎04 95 60 10 53 ; rue Notre-Dame ; plats 12-28 € ; ⊙tte l'année). Quel changement depuis le café familial ouvert en 1903, dont des photos anciennes sont affichées au mur ! Toujours familiale, cette adresse accueillante et professionnelle affiche maintenant une déco design et branchée et remporte un franc succès grâce à une formule sûre : une carte variée misant avant tout sur les produits de la mer de qualité à prix raisonnables – moules, gambas, poissons –, ainsi que des plats du jour et des glaces.

♥ L'Osteria
BISTROT €€

(☎04 95 31 90 90 ; plats 20-27 €, menu 19,90 € ; ⊙tte l'année, fermé mer hors saison). L'une des adresses les plus séduisantes de la ville, cette "osteria" tenue par un jeune couple commence par séduire avec sa terrasse et sa salle voûtée dont la déco mêle avec bonheur l'ancien et le moderne. La cuisine savoureuse, présentée à l'ardoise, ne trahit pas cette première bonne impression : pavé de mérou, lasagnes au sanglier, agneau rôti, assiette de charcuterie digne de ce nom... Bonne sélection de vins.

U Spuntinu TRADITIONNEL €€
(☑04 95 60 00 05 ; 1 rue Napoléon ; plats 12-24 € ; menus 18-26 € ; ☺lun-sam mi-fév à mi-déc, dim midi en saison). Une honnête cuisine locale est servie dans cet établissement familial installé depuis 1974 dans une ruelle de la vieille ville. Idéale pour les indécis, la copieuse assiette corse, spécialité de la maison, fait le tour des saveurs insulaires.

U Libecciu ÉCLECTIQUE €€
(☑04 95 60 13 82 ; www.ulibecciu.com ; rue Notre-Dame ; plats 10-25 € ; ☺tlj midi et soir avr-déc). Difficile de faire son choix parmi les nombreuses propositions affichées sur les ardoises, dans la belle salle ou sur la terrasse de cette adresse située juste derrière le marché couvert. Des suggestions pour tous les goûts, des salades aux crevettes géantes et des ravioles à la crème d'oursins au risotto à l'encre de seiche, en passant par les moules-frites. On passe un bon moment, même si la présentation et les noms de certains plats laissent plus de souvenirs que les plats en eux-mêmes.

A Siesta PAILLOTE CHIC €€
(☑04 95 60 28 74 ; www.a-siesta.com ; promenade A Marinella ; plats 14-31 €, formule midi en sem 17 €, menu 25 € ; ☺tlj midi et soir avr-oct). Version chic de l'adresse de plage, A Siesta et ses tables impeccablement dressées vous accueillent face à la mer dans une salle à la belle charpente apparente qui se prolonge par une agréable terrasse en teck. À la carte : marmite du pêcheur façon bouillabaissse, filet mignon et risotto aux girolles, moules frites. Une bonne table, certes, mais l'addition monte vite !

♥ **Pasquale Paoli** GASTRONOMIQUE €€€
(☑04 95 47 67 70 ; www.pasquale-paoli.com ; 2 place Paoli ; menus 50 et 85 € ; ☺soir seulement en juil-août, fermé lun midi nov-fév, fermé dim soir et mer oct-mai). Une adresse de référence dans toute la Balagne et au-delà, cette table gastronomique est saluée par une étoile au guide rouge Michelin. L'accueil de Dumé Casta et le talent du chef Ange Cananzi sont l'occasion de découvrir un florilège

de la cuisine de l'île, illustrée avec panache par des produits sélectionnés. Le tout est présenté sur une grande ardoise et servi soit dans une petite salle voûtée, blanchie à la chaux et gardée par un buste de Pasquale Paoli, soit sur une petite terrasse donnant sur la place.

☆ Où sortir et prendre un verre

Outre les standards comme le **Café des Platanes** (place Paoli ; ☺tte l'année), dont la terrasse est une institution de la place Paoli, une série de bars servent en saison des tapas et assiettes autour d'un verre. Une bonne option pour passer la soirée sans s'attabler derrière un "menu corse" habituel... Quelques suggestions :

A Casa Corsa BAR À VIN
(Maison Giansily ; 22 place Paoli ; ☺8h-24h Pâques à mi-nov). Installez-vous autour d'un tonneau devant la boutique ou sur la terrasse et dégustez un verre de vin corse (3,20 €) accompagné d'une planche de charcuterie maison ou de fromages locaux (8-12 €).

**Lounge Bar –
Le Rendez-Vous** LOUNGE BAR
(22 rue Notre-Dame ; ☺tte l'année). Un lieu tendance et accueillant, sans ostentation, au rez-de-chaussée de l'Escale Côté Sud (voir *Où se loger*). Fauteuils blancs, sofas, baies vitrées face à la mer, touches de couleurs... Indéniablement agréable.

A Casella BAR-TAPAS
(☑04 95 60 55 67 ; plage de Carrechettu ; tapas 4,50-10 € ; ☺avr-oct). Isolé à l'extrémité de la plage, c'est certainement la plus belle terrasse pour regarder le coucher du soleil sur la presqu'île de la Pietra. Vins au verre, cocktails, tapas et plats du jour.

Boca Chic BAR À TAPAS
(1 rue Dominique-Fioravanti ; ☺tte l'année). Une petite salle voûtée, quelques tables dans une ruelle en pente et une bonne sélection de vins corses, cocktails et tapas.

Pub's DISCOTHÈQUE
(route de Calvi ; ☺tte l'année). Le Pub's, bar-restaurant-discothèque, est l'un des lieux les plus animés de la ville les nuits d'été, vous attend à environ 800 m du centre.

🔒 Achats

Marché couvert MARCHÉ
(☺tlj 8h-13h). Chaque matin, des artisans vendent leurs spécialités sous les colonnes de la vieille halle, à côté des étals de poissons

(un seul propose encore la pêche locale) et de fruits et légumes provenant en partie de producteurs locaux.

Le Bon Café
CAFÉ

(📞04 95 60 02 40 ; place Delanney ; ⏰lun-sam 9h-12h et 15h-19h). Même si vous n'êtes pas amateur de café, allez faire un tour dans ce magasin étonnant, véritable musée vivant où la machine à torréfier estampillée 1928 fonctionne encore tous les jours !

ℹ Depuis/vers L'Île-Rousse

BATEAU Liaisons saisonnières avec Nice, Toulon et Savone (Italie) avec **Corsica Ferries** (www.corsicaferries.com). Marseille et Nice sont desservies toute l'année par les navires de la **SNCM** (www.sncm.fr). Les billets sont en vente à l'agence **Tramar** (📞04 95 60 08 56 ; av. Calizi). Voir également p. 399.

BUS Liaisons avec Calvi et Bastia par les bus des **Beaux Voyages** (📞04 95 65 11 35), du lundi au samedi. Des liaisons estivales sont proposées vers Saint-Florent. Renseignez-vous à l'office du tourisme.

TRAIN Deux trains par jour à destination de Bastia (2 heures 30), Corte, Vizzavona et Ajaccio (4 heures), et les villages du parcours. Le train des plages (Tramway de la Balagne) circule entre L'Île-Rousse et Calvi de fin juin à fin septembre (15 arrêts ; 6 €), à raison d'une dizaine d'allers-retours quotidiens en haute saison. Les horaires sont disponibles à la **gare** (📞04 95 60 00 50 ; www.ter-sncf.com) et à l'office du tourisme.

DE L'ÎLE-ROUSSE À L'OSTRICONI

En quittant L'Île-Rousse vers l'est, ne manquez pas de faire une halte baignade à la superbe **plage de Lozari**. Aux portes de la Balagne, elle offre une superbe étendue de sable et s'inscrit dans un cadre montagneux et champêtre enchanteur. Les extrémités de la plage conviendront mieux aux non-nageurs et aux enfants que le milieu, dont les fonds descendent assez rapidement. Deux parkings sont disponibles à chaque extrémité de la plage. La base nautique d'**In Terra Corsa** (📞04 95 47 69 48 ; www.interracorsa.fr ; ⏰avr-oct), installée sur la plage, loue des planches à voile, des catamarans, des kayaks et des pédalos. Elle propose aussi des cours de voile (sur Optimist à partir de 8-9 ans) et de planche à voile, et des excursions en kayak le long de la côte des Agriates. Vous pourrez également louer des VTT.

🍴 Où se loger et se restaurer

Auberge de Tesa
AUBERGE €€

115

(📞04 95 60 09 55 ; www.aubergedetesa.com ; Lozari ; d 60-70 € selon saison ; menu 35 € ; ⏰avr-déc, repas soir seulement ; ❄🔌). Vous aurez besoin d'une voiture pour rejoindre cette auberge située au bord d'un cours d'eau, dans un lieu exceptionnellement calme, à 8 km de L'Île-Rousse et à 2,5 km de la belle plage de Lozari. Vous y trouverez des chambres tout de blanc vêtues, décorées de jolis meubles en rotin, et un restaurant, ouvert le soir, qui valorise les produits locaux dans le cadre d'un menu copieux. L'ensemble a changé plusieurs fois de propriétaire au cours des dernières années, avec plus ou moins de bonheur. Pour vous y rendre, parcourez 6 km sur la nationale en direction de l'Ostriconi, puis tournez à droite au panneau indiquant l'auberge, à 2 km. Cartes de crédit non acceptées.

LES VILLAGES DE BALAGNE INTÉRIEURE

Changement de décor. Quelques kilomètres de routes sinueuses suffisent pour laisser derrière soi la Balagne côtière et ses rivages dorés et entrer dans un univers radicalement différent : celui de villages-belvédères perchés sur les hauteurs maquisardes, où la vie coule à un rythme serein à l'ombre des platanes et des pierres des maisons ancestrales. Nombreux sont ceux, et on les comprend, qui séjournent sur la côte et font des incursions à la journée vers l'intérieur de la région. Passer quelques nuits dans les villages des hauteurs balanines donnera cependant un autre relief – sans jeu de mots ! – à votre séjour dans la région. D'autant plus que la Balagne abrite certains des plus beaux villages de Corse.

Isolée du reste de l'île par un large massif montagneux, la Balagne intérieure se découpe en petits bassins, souvent tapissés d'oliviers et enfermés par de courtes pointes granitiques où se nichent les hameaux. Les paysages sont splendides et spectaculaires, et les villages particulièrement préservés. L'histoire raconte qu'ils dateraient du IXe siècle, lorsqu'Ugo Colonna et ses compagnons furent envoyés par le pape pour libérer la Corse des sarrasins. Ils construisirent alors une série de *castra* (châteaux perchés) au sommet des pitons rocheux, en des points stratégiques pour contrôler aussi bien les petites vallées intérieures que le littoral.

♥ Monticello

Site défensif au Moyen Âge, ce beau village perché 4 km au-dessus de L'Île-Rousse offre de fabuleux points de vue sur la ville et les Agriates. Vous les découvrirez au détour des ruelles et des passages voûtés de ce village d'atmosphère.

Plusieurs **promenades** faciles s'offrent à vous depuis Monticello. Un chemin balisé qui part de la chapelle conduit notamment à Santa Reparata di Balagna (1 heure 30 aller-retour).

🛏 Où se loger et se restaurer

Tre Castelli CHAMBRES D'HÔTES €
(☎06 17 96 16 66 ; vanessabandini@orange.fr ; route du Reginu ; d 70-85 € selon saison, avec petit-déj ; ⊘mars-fin oct ; P✻). Dans un site champêtre, cette maison moderne abrite 5 chambres d'hôtes bien tenues, avec entrée indépendante et petite terrasse abritée. Les plus vastes bénéficient d'une vue sur la baie de L'Île-Rousse, au loin, dont vous profiterez également depuis la salle du petit-déjeuner. À 1,5 km du rond-point situé à l'entrée de Monticello, en continuant en direction de Belgodère.

♥ A Pasturella HÔTEL-RESTAURANT €€
(☎04 95 60 05 65 ; www.a-pasturella.fr ; place du village, Monticello ; s/d/tr 65-98/75-110/90-125 € selon saison ; formule midi 28,50 €, menu 38€ ; ⊘fermé mi-nov à mi-déc ; ✻🕿). Au cœur de Monticello, cet hôtel-restaurant accueillant, où est établi aussi le café du village avec ses immuables joueurs de cartes, abrite 12 chambres claires et élégantes avec enduits cirés, mobilier en bois brut, terrasse ou balcon et sdb modernes. Mention spéciale au restaurant, réputé pour sa cuisine de qualité – pressé de poulpe au cédrat confit, poulet fermier en croustillant de châtaignes, dos de saint-pierre au jus citronné au basilic –, qui mérite amplement le détour. On s'attable dans la salle dallée un peu cossue, ou sur l'agréable terrasse abritée par une pergola en fer forgé où grimpe une vigne, face à un superbe paysage de montagnes. Belle sélection de vins corses, également servis au verre.

Santa Reparata di Balagna

Santa Reparata di Balagna, dans l'arrière-pays de L'Île-Rousse, se compose de plusieurs hameaux implantés dans un cadre enchanteur. On y vient notamment pour admirer les différentes églises et chapelles que compte la commune, dont l'**église paroissiale**, qui mélange le style Renaissance de la nef et de la façade, à l'abside romane.

🛏 Où se loger et se restaurer

L'Aghjalle FERME-AUBERGE €
(☎04 95 60 31 77 ; route de Muro ; d avec petit-déj 60-70 € ; menu 28 € le soir sur réservation ; ⊘avr-oct). L'esprit "ferme-auberge" règne sur cette adresse conviviale, bien indiquée à 2 km de Santa Reparata, sur la D13, en direction de Muro. Les spécialités corses, servies sous une agréable pergola au milieu des champs, varient au gré des saisons, car les produits proviennent de l'exploitation familiale. Le menu est très copieux. Également 4 chambres d'hôtes accueillantes situées à 200 m de l'auberge. La plus ancienne est assez petite, mais les autres sont vastes, récentes, joliment décorées et toutes différentes. Cartes bancaires non acceptées. Vente d'huile d'olive.

Belgodère (Belgude)

Facilement accessible depuis L'Île-Rousse, ce village domine les oliviers de la vallée du Prato. Outre un arrêt à la terrasse de l'un des cafés de la place, qui proposent toute l'année une petite restauration, une promenade dans ses ruelles endormies s'impose.

Si Belgodère offre aujourd'hui une image des plus sereines, le village a une histoire

---

SUR LES TRACES DES ARTISANS DE BALAGNE

Soucieuses de démontrer que la Balagne a su préserver ses traditions, la chambre des métiers de la Haute-Corse et l'association **Strada di l'Artigiani** (☎04 95 60 23 37 ; www.routedesartisans.fr) ont créé une "route des artisans". Serpentant sur les hauteurs entre Calvi et L'Île-Rousse, ce circuit touristique traverse villes et villages à la rencontre de couteliers, d'apiculteurs, d'ébénistes, de relieurs, de luthiers, de vignerons ou encore de céramistes, de potiers et de verriers. Leurs ateliers sont ouverts au public à Lumio, Calenzana, Belgodère, Feliceto, Pigna, Olmi-Cappella, Cateri, etc. Pour plus de détails, procurez-vous la brochure *Strada di l'Artigiani*, dans un office du tourisme.

plus riche qu'il n'y paraît. Non seulement un prieur y fut mis à mort au XVIIᵉ siècle par les villageois, qui ne supportaient guère son autorité, mais un curé en fut chassé en 1847. Ce dernier composa pour se venger un poème de 48 strophes détaillant tout le mal qu'il pensait du bourg et de ses habitants… Dans un registre plus paisible, le peintre Maurice Utrillo y séjourna en 1912-1913 avec sa mère, Suzanne Valadon, dont il fit un portrait sur la grand-place. Belgodère fut longtemps le fief d'une riche famille d'origine toscane, les Malaspina, dont on peut voir le "château", une grosse bâtisse blanche, à la sortie du village en direction de Speloncato. L'**église** du village, sur la place principale, mérite le coup d'œil pour son retable baroque. Elle est souvent fermée, mais vous pourrez demander aux cafés voisins de vous indiquer la personne qui en possède la clé, ou vous renseigner à l'annexe de la mairie. Autre point d'intérêt, le **fort**, en partie en ruine, domine un magnifique panorama des vallées environnantes, parsemées d'oliviers. On y accède par de belles ruelles après être passé sous un porche entre les deux cafés de la grand-place, derrière le monument aux morts.

Où se loger et se restaurer

Outre ces adresses, deux bars-restaurants installés sur la place principale de Belgodère servent des plats du jour et sandwichs.

Le Niobel HÔTEL-RESTAURANT €
(☎04 95 61 34 00 ; www.hotel-niobel-corse. com ; route de Ponte-Leccia ; d 60-90 €, plats 11,50-18 € ; ☺mars-oct). Voilà une adresse qui ne manque pas de personnalité. À 300 m de la place du village, cette auberge ne brille pas par son architecture mais a été reprise par un couple qui lui a donné une nouvelle jeunesse grâce à une déco décalée à base de couleurs acidulées, de peintures argentées et d'œuvres d'artistes locaux. Les chambres, au confort simple mais agréables, sont plus ou moins spacieuses. Certaines offrent une belle vue sur la vallée et disposent d'un balcon. Côté table, des plats corses côtoient des pizzas et suggestions plus originales, comme une salade de bœuf thaïlandaise digne de ce nom.

Le moulin de Tenda CHAMBRES D'HÔTES €
(☎06 16 37 38 94 ; www.lemoulindepierrette.com ; Occhiatana ; d 65-75 € selon saison, avec petit-déj, table d'hôtes 15,50 € ; ☺Pâques-oct ; P☎). Une belle arche de pierre accueille le visiteur dans cet ancien moulin situé en contrebas

de la D71, à 3 km de Belgodère, 500 m avant le village d'Occhiatana. Bâti au XVIIIᵉ siècle et rénové avec soin, il abrite maintenant 3 chambres d'hôtes de charme, avec poutres apparentes, douche à l'italienne et entrée indépendante. Au petit-déjeuner, servi en terrasse, vous aurez l'occasion de goûter d'excellentes *cuggiole* (une sorte de *canistrelli*). Cartes de crédit non acceptées.

♥ Speloncato (Spiluncatu)

À 11 km au-dessus de Belgodère par une route sinueuse, Speloncato mérite de figurer au tableau des plus beaux villages de Balagne. Perché à plus de 500 m d'altitude, non loin d'un ancien site romain, ce village assez actif doit son nom à des **grottes** (*spelunche*) voisines, et son charme à ses ruelles où s'imbriquent des maisons de pierre. Conjuguant le style roman et un chœur baroque de 1755, l'**église Saint-Michel** – également connue sous le nom de Sainte-Marie, ou Santa-Maria-Assumpta – mérite la visite pour ses peintures, ses sculptures, son superbe orgue de facture toscane (1810) et son reliquaire en bois du XVIIᵉ siècle. Le clocher a été ajouté en 1913 et sa petite crypte où sont enterrés d'anciens chanoines mérite le coup d'œil. Sur la place, l'église Sainte-Catherine fait maintenant office de mairie.

Même si vous êtes de passage, prenez le temps de boire un verre sur l'une des terrasses de la place du village, près de la fontaine, où les parties de cartes vont bon train.

Où se loger et se restaurer

A Spelunca HÔTEL €
(☎04 95 61 50 38 ; www.hotel-a-spelunca.com ; Speloncato ; d 65-85 € selon saison et vue ; ☺avr-oct ; ☎). Seul hôtel du village, cette belle bâtisse de 1850, construite pour le cardinal Savelli – directeur général de la police à Rome sous Pie IX et natif de Speloncato –, abrite 17 chambres au charme rétro, disposées autour d'un bel escalier central. Préférez les mansardées, qui ont été rénovées avec soin. Les autres sont vieillottes.

Le Galliéni BAR-RESTAURANT €
(☎04 95 61 51 76 ; plats à partir de 10 €, formules à partir de 14 € ; ☺tlj midi et soir). Plusieurs petits bars-restaurants, rassemblés sur la place, servent des repas. Parmi eux, l'accueillant Galliéni dispose d'une terrasse ombragée et sert des plats sans prétention mais corrects : charcuterie, fromages, omelettes, grillades…

Nessa

Entre Speloncato et Felicito, ce village de caractère s'étage à flanc de montagne. Moins touristique que ses voisins, il mérite qu'on lui consacre une flânerie en suivant ses ruelles bordées de hautes bâtisses. Vous remarquerez avec étonnement l'existence dans le village d'une "avenue Hua Bin Hoa", qui témoigne des liens qui existèrent entre certains habitants de Nessa et la colonie française d'Indochine.

🛏 Où se loger

Nobili `BON PLAN` CHAMBRES D'HÔTES €
(☑04 95 61 73 07, 04 95 61 71 01 ; Nessa ; d 60-70 € avec petit-déj ; ☺avr à mi-oct). À l'entrée du hameau de Nessa, cette maison d'hôtes à la propreté presque clinique est bâtie face à un superbe panorama. Elle loue 6 chambres modernes et spacieuses, avec entrée indépendante, dont une (la plus chère) dotée d'une grande terrasse privative face au soleil couchant. Le frère de la propriétaire tient une boucherie-charcuterie, ce qui en fait l'endroit idéal pour découvrir toutes les subtilités d'un bon lonzu ou de la coppa...

Feliceto

Longtemps au cœur de la production locale d'huile d'olive, Felicito mérite le détour pour admirer le **moulin à huile**, parfaitement préservé, visible sur la gauche à l'entrée du village. C'est l'un des derniers moulins de Balagne, et chaque année son propriétaire-aubergiste presse encore à l'ancienne les olives pour en extraire une huile très fruitée. Un peu plus loin, à côté du bel hôtel Mare e Monti, vous pourrez déguster l'huile et les vins du **domaine Renucci** (☑04 95 61 71 08). Le village est aussi réputé pour la **verrerie David Campana** (☑04 95 61 73 05 ; www. verrerie-corse.com ; ☺tlj, téléphonez à l'avance), où vous découvrirez un travail d'artisan autour de la pâte de verre, du verre bullé et du mélange avec des métaux précieux.

🛏 Où se loger et se restaurer

Outre les adresses suivantes, un petit bar-restaurant est installé au milieu du village.

Mare e Monti ♥ HÔTEL-RESTAURANT €€
(☑04 95 63 02 00 ; www.hotel-maremonti. com ; Felicito ; d 79-139 € selon confort et saison, petit-déj 13 € ; plats 12-20 € ; ☺mi-avr à mi-oct ; ❋☒☎). Installé dans une maison de maître du XIXᵉ siècle, héritage des émigrants corses d'Amérique du Sud, le Mare e Monti est une adresse de charme. Les chambres, un peu petites pour les moins chères mais remarquablement entretenues, déclinent le style classique de l'ensemble, avec mobilier ancien et jolies tomettes au sol. Un bel endroit pour les amoureux des vieilles pierres ou les hédonistes, qui pourront profiter de l'agréable jardin à l'arrière, où s'élève un magnifique cèdre du Liban, et d'une jolie terrasse. Le restaurant Sol e Luna, au bord de la belle piscine de l'hôtel, propose une carte alléchante – linguini aux gambas, stufattu de veau aux olives. Il est ouvert à la clientèle de passage.

Cas'Anna Lidia ♥ HÔTEL DE CHARME €€€
(☑06 73 39 23 94 ; www.hoteldecharme-corse.com ; s/d 120-160/130-170 € selon confort et saison, petit-déj 15 € ; ☺mai à sept ; P ❋☒☎). Ouvert en 2008, cet établissement proche du précédent s'en distingue par son atmosphère plus moderne et la très belle vue qui s'ouvre depuis sa terrasse sur les hauteurs balanines. L'hôtel ne compte que 9 vastes chambres, décorées dans un style contemporain mêlant des teintes reposantes – grège, chocolat – à des meubles en bois cérusé. Mention spéciale à la belle piscine extérieure chauffée, avec Jacuzzi, et au jardin en terrasse, idéal pour quelques jours de détente. Petite restauration.

Corbara

Construit en amphithéâtre et réparti sur plusieurs hameaux, Corbara se distingue avant tout par son patrimoine religieux. Outre la petite **chapelle des Sept-Douleurs**, perchée au-dessus du village, l'**église A Nunziata** (collégiale de l'Annonciation, XVIIᵉ-XVIIIᵉ siècle), classée monument historique, est remarquable par sa belle façade de style baroque. Elle renferme notamment un autel en marbre polychrome du XVIIIᵉ siècle et une très belle chaire en bois sculpté de la même époque. Le **musée du Trésor de la collégiale** (☑04 95 46 15 53 ; 3 € ; ☺en saison lun-ven 10h-12h et 14h-18h, sam 10h-12h et 15h-18h, sur rdv hors saison), installé dans la sacristie, abrite des chasubliers du XVIIᵉ siècle, des pièces d'orfèvrerie et des vêtements sacerdotaux, œuvres majoritairement d'origine italienne.

À environ 1,5 km de Corbara en direction de Pigna s'élève le monumental **couvent Saint-Dominique** (☑04 95 60 06 73, 06 43 39 25 05 ; www.stjean-corbara.com) dominé par son haut clocher. Initialement franciscain, il fut rebâti par les dominicains après la Révolution et héberge sept frères de la communauté de Saint-Jean. Le couvent conserve de beaux exemples d'art religieux et est ouvert à la visite (téléphonez à l'avance). Derrière le couvent, un sentier balisé conduit en 45 minutes environ au **Monte Sant'Angelo**, d'où l'on découvre toute la Balagne.

Dans un autre registre, si les stylets, épées, sabres et pistolets anciens vous intéressent, jetez un coup d'œil à la collection rassemblée par Guy Savelli dans son **musée privé** (✆ 04 95 60 06 65 ; place de l'Église ; entrée libre ; ⊘ tlj 15h-19h).

🛏 Où se loger et se restaurer

Plusieurs bars-restaurants et pizzerias sont installés en ville, parmi lesquels le **Bar du Passage** (✆ 04 95 60 28 00), apprécié pour sa cuisine familiale.

Le Patio AUBERGE-RESTAURANT €€
(✆ 04 95 47 35 31, 04 95 47 35 50 ; www.location-corbara.com ; d 58-81 €, demi-pension 125-145 € selon saison ; plats 16-22 € ; ⊘ fermé jan-fév ; ❄ 🛜). En contrebas de la chapelle des Sept-Douleurs, cette auberge dispose de 6 chambres, petites mais pimpantes, réparties dans deux bâtisses aux allures de maison de poupée. Le restaurant sert des plats traditionnels, des desserts maison et des petits-déjeuners bio. Il n'y a pas de parking, vous devrez donc laisser votre voiture en contrebas.

♥ Pigna

Invariablement cité sur la liste des plus beaux villages de Corse, Pigna est un cas à part. Alors que de nombreux villages de l'intérieur des terres périclitent, le bourg s'est donné un nouveau destin grâce à une maire dynamique et à des habitants et artisans motivés.

L'histoire du village ne le différenciait pourtant guère de celle des autres bourgs perchés de Balagne. L'origine de la construction de Pigna remonterait au IXe siècle, époque à laquelle les "seigneurs" décidèrent de se partager le pouvoir et de bâtir des châteaux sur les sites défensifs stratégiques. Le lieutenant Consalvo fit alors édifier le château de Pigna, détruit vers le milieu du XIVe siècle à la suite de la révolte des communes (il n'en subsiste aujourd'hui que quelques pierres). Le village connut

ensuite un relatif essor jusqu'à la période fastueuse du XIXe siècle, comme en témoignent quelques belles demeures, dont la Casa Musicale. L'histoire, ensuite, semblait inévitable : années 1960, dépeuplement, déclin... C'est alors qu'entrèrent en scène quelques jeunes paysans et artistes résolus à faire revivre Pigna. Sous l'impulsion de Toni Casalonga et d'autres artistes naquit une coopérative d'artisans, la Corsicada. Dès 1973, la jeune maire Bibiane Consalvi décida de restituer au village son cachet d'antan et commença à repaver la place de l'église et les ruelles. La nouvelle de cette rénovation se répandit et de nombreux artisans y élirent domicile. Quarante ans après, il règne une vie culturelle et associative dynamique toute l'année dans le village, même si le calme et le vide de ses ruelles la cachent le plus souvent aux yeux des visiteurs...

Les voitures doivent être laissées sur un parking payant (2 €) à l'entrée de Pigna.

◉ À voir

Potier, luthier, flûtier, sculpteur, musicien, peintre, chanteur, créateur de boîtes à musique... Pigna dissimule une vraie activité artistique. En flânant dans les jolies ruelles, vous découvrirez le travail des artisans et pourrez acquérir leurs œuvres : céramiques de **Jacky Quilichini** (✆ 04 95 61 77 25 ; ceramica2@orange.fr), gravures d'**Hervé Quilichini** (✆ 06 19 48 89 34), magnifiques *cetera* – un instrument de la famille du luth – et clavecins d'**Ugo Casalonga** (✆ 04 95 61 77 15, 06 22 96 24 03), boîtes à musique signées **Scatt'à Musica** (✆ 04 95 61 77 34 ; www.scattamusica.fr).

La majorité des ateliers sont visibles sur rendez-vous, mais les créations de certains sont exposées à la **Casa di l'Artigiani** (✆ 04 95 61 75 55). D'excellents produits régionaux sont proposés à la vente à la **Casa Savelli** (✆ 04 95 61 80 49 ; www.casa-savelli.com).

L'autre originalité de Pigna est l'activité musicale. Elle est avant tout centrée sur la Casa Musicale (voir p. 120) et le **centre culturel Voce** (✆ 04 95 61 73 13 ; www.centre-culturelvoce.org), qui organise toute l'année des concerts et un grand festival durant la première quinzaine de juillet. Ces manifestations prennent place dans un magnifique auditorium moderne, qui bénéficie d'une remarquable acoustique. Il accueille des musiciens de Corse et du monde entier de mars à décembre.

🛏 Où se loger et se restaurer

Chez Cyril et Tiziana Quilichini   CHAMBRE D'HÔTES €

(☎06 09 97 78 80 ; d 60-70 € selon saison, avec petit-déj ; ⊙tte l'année ; 🖥). Les Quilichini mettent à disposition une chambre sans prétention, coquette et lumineuse, agrémentée de carrelage ancien, aux abords de la Casa Musicale.

A Merendella   CHAMBRES D'HÔTES €

(☎04 95 61 80 10, 06 72 74 93 18 ; www.a-merendella.com ; d avec petit-déj 67-80 € selon saison ; ⊙tte l'année). Patricia Guidicelli, dernière descendante des fondateurs du village, loue 5 jolies chambres d'hôtes, de style rustique, agrémentées de mobilier de famille et de carrelage ancien, dans sa maison du centre du village.

♥ Casa Musicale   HÔTEL DE CHARME €€

(☎04 95 61 77 31 ; www.casa-musicale.org ; d 62-112 € selon saison et confort ; plats 12-23 € ; ⊙mi-fév à déc ; 🖥). Âme artistique de Pigna, cette auberge est une véritable institution qui accueille tous les musiciens qui passent par le village. Idéalement située sur un promontoire qui domine la plaine, avec une superbe vue sur la mer, la bâtisse ancienne abrite 7 chambres simples mais chaleureuses – mention spéciale à la Sulana, avec grande terrasse – et 2 chambres aux équipements plus modernes, dans un bâtiment séparé. Le restaurant mérite le détour pour sa cuisine de qualité mêlant tradition et originalité. Le cadre, où se succèdent une belle terrasse et des petites salles, est intime.

BON PLAN **A Casarella**   EN-CAS ET PLATS DU JOUR €

(☎04 95 61 78 08 ; plats à partir de 6,50 € ; ⊙avr-oct, tlj en saison). Une agréable petite terrasse décorée de bric et de broc, ouverte sur un large panorama, idyllique pour prendre un apéritif autour de tapas (le soir) ou déjeuner d'une salade, d'une tarte salée ou d'un plat du jour. Simple, chaleureux et accueillant.

♥ A Mandria di Pigna   RESTAURANT €€

(☎04 95 32 71 24 ; www.restaurantpigna.com ; plats 12-28 €, menu 39 € ; ⊙mi-mars à mi-oct). Première adresse que l'on croise en arrivant à Pigna, A Mandria di Pigna s'est taillé une belle réputation. Sur la terrasse en pierre ou dans une ancienne bergerie rénovée, dont la décoration réussit à la fois à être contemporaine et à ne pas trahir la palette de couleurs du village, on y sert une cuisine traditionnelle de qualité – soupe corse, tarte aux herbes –, mais aussi et surtout des grillades qui laissent d'excellents souvenirs : cochon de lait rôti, côte de veau, canard...

Palazzu   HÔTEL-RESTAURANT DE CHARME €€€

(☎04 95 47 32 78 ; www.hotel-corse-palazzu.com ; d 137-240 € selon saison, ste 235-280 € ; plats 15-24 € ; ⊙avr-oct ; ❄🖥). Belle adresse, l'option la plus chic de Pigna est installée dans une maison de maître du XVIIIᵉ siècle face à un superbe panorama, tout en haut du village. Côté hôtel, les vastes chambres et suites, qui mêlent décoration classique et équipements modernes, se distinguent par leur confort et leur cachet. Côté restauration, la magnifique terrasse et la cuisine à base de produits de terroir sélectionnés ne manquent pas d'attraits. Des lecteurs ont cependant été déçus de la prestation générale compte tenu des tarifs demandés (petit-déjeuner à 19 €).

Aregno

Une halte s'impose pour admirer la façade de l'**église de la Trinité**, qui se dresse au milieu du cimetière. Cet édifice du XIIᵉ siècle, dont l'intérieur est fermé au public, est un joyau de l'art pisan, au même titre que l'église de Murato, dans le Nebbio. On retrouve la bichromie des parements, ainsi que les motifs sculptés sur la façade, représentant des animaux et des humains. Remarquez également les deux reptiles enlacés au-dessus de la fenêtre géminée, ainsi que les personnages en ronde bosse, qui animent la façade.

Sant'Antonino

Nid d'aigle perché à 490 m d'altitude sur son piton rocheux qui domine le paysage, Sant'Antonino est classé parmi les "plus beaux villages de France". Victime de son charme, le village, qui semble figurer sur l'itinéraire de tous les bus touristiques, est surfréquenté en haute saison.

L'origine de Sant'Antonino, comme celle de son voisin Pigna, remonte au IXᵉ siècle. En 1358, la révolte des communes entraîna la chute des seigneurs et la victoire des *caporali*, ces chefs de village qui se livrèrent des guerres violentes en allant chercher des alliances extérieures. Jusqu'au XIXᵉ siècle, les affrontements entre les clans des villages de Sant'Antonino et de Corbara marquèrent ainsi l'histoire balanine. Au XIXᵉ siècle, le village était à son apogée. Ses agriculteurs produisaient du vin, 14 000 litres d'olive, plusieurs dizaines de tonnes d'amandes et élevaient des centaines de brebis. Les deux

Si la culture de l'olivier fut introduite en Corse par les Romains et les Génois, l'olivier sauvage (oléastre) poussait sur l'île à l'état naturel avant leur arrivée. On trouve en Corse de nombreux oliviers multicentenaires, dont certains spécimens peuvent atteindre plus de 20 m de haut. L'absence de gel permet en effet à l'arbre de grandir sans entrave. Ces conditions climatiques favorables sont aussi à l'origine d'une récolte très spécifique : les olives restent sur l'arbre jusqu'à leur pleine maturité et se gorgent des arômes environnants, puis elles sont recueillies par chute naturelle sur des filets suspendus. Le fastidieux travail de mise en place des filets et de ramassage, tous les 4 à 8 jours, permet d'obtenir une huile dorée et très douce. L'huile corse offre une exceptionnelle richesse aromatique, marquée par les fruits secs et les odeurs de maquis. Ce pur jus d'olive est aujourd'hui élaboré en grande partie dans des moulins modernes. Toutefois, vous croiserez encore quelques moulins traditionnels en activité, notamment en Balagne, où certains utilisent un âne pour actionner une meule en pierre. C'est le cas de U Fragnu, à Lunghignano.

La Balagne est la principale région productrice de Corse. Au milieu du XIXᵉ siècle, l'oléiculture représentait 90% des ressources de l'arrondissement de Calvi. Après une période de déclin au lendemain de la Seconde Guerre mondiale – dû à la concurrence d'autres huiles, puis aux incendies, comme celui de 1971 qui n'épargna que 500 pieds sur les 35 000 de la région –, l'avenir de cette culture semble refleurir depuis le début des années 1990. Parmi les belles huiles de la production actuelle, on retiendra notamment le **domaine de Marquiliani** (☎ 04 95 56 64 02) d'Anne Amalric, à Aghione, le **moulin de Prunete** (☎ 04 95 38 01 84), à Servione, l'huile de Rogliano d'**Isabelle Orsi** (☎ 04 95 35 46 77) et, la plus connue, Oru di Balagna qui provient de la **coopérative agricole de Corbara** (☎ 04 95 60 30 60 ; www.orudibalagna.com). Pour en savoir plus, procurez-vous le *Guide des huiles d'olive* (Éditions du Rouergue, 2002) ou rendez-vous à l'une des foires à l'olivier qui ont lieu chaque année : le troisième week-end de juillet à Cassano ou à Montemaggiore, sur les hauteurs de Calvi, et en mars à Sainte-Lucie-de-Tallano, dans l'Alta Rocca.

guerres mondiales, qui firent chuter sa population à 151 habitants en 1950, faillirent avoir raison de lui jusqu'à ce que le tourisme lui redonne une nouvelle vie estivale.

La circulation des véhicules est interdite à Sant'Antonino. Un parking payant obligatoire (2 € jusqu'à 24 heures, prévoir de la monnaie) vous attend en bas du village. Il n'y a ni hôtel ni chambre d'hôtes, mais une pléthore de restaurants.

◉ À voir et à faire

Excepté quelques boutiques d'artisanat, Sant'Antonino vaut surtout le détour pour la beauté du site et du village. Il fait bon se promener dans ses venelles labyrinthiques, découvrir les vestiges de fortifications et les maisons incrustées dans la roche, jeter un coup d'œil à la petite **chapelle de Sainte-Anne-des-Bergers**, au vieux **four à pain** restauré ou encore à la discrète **chapelle de Lavasina**, sur la minuscule Piazza Savelli, à l'arrière du village.

En saison, il est possible de visiter Sant'Antonino à dos d'âne grâce aux **Taxis de Sant'Antonino** (☎ 04 95 61 74 98 ; 10 €). Les départs ont théoriquement lieu à 15h30 et 19h30, tous les jours de juin à septembre depuis les abords du parking.

Ne ratez pas l'étape incontournable du village, juste à l'entrée : le **Clos Olivier Antonini** (☎ 06 09 58 94 01 ; ☺avr-oct). Avant tout producteur de vin, mais aussi de citrons et d'amandes, Olivier Antonini sert dans sa cave d'excellents jus de citron 100% naturels (2 €) et une spécialité, à partir de la mi-août : un mélange de jus de citron et de jus de raisin frais.

✕ Où se restaurer

Touristique, Sant'Antonino compte une dizaine de restaurants ! Vous aurez donc l'embarras du choix, mais ne vous attendez guère à une cuisine de haute volée.

BON PLAN A Casa Corsa   PETITE RESTAURATION €
(☎ 04 95 47 34 20 ; en-cas à partir de 6,50 € ; ☺mai-oct, midi seulement). Outre quelques plats sans prétention (salades à base de produits du jardin, charcuterie, omelettes) et des

sandwichs, ce petit établissement propose un grand choix de gâteaux et de produits locaux, tous faits maison. La terrasse n'est guère plus grande qu'un mouchoir de poche mais jouit d'une perspective splendide sur la Balagne et les montagnes du Centre. Pas de règlements par carte de crédit.

BON PLAN **La Taverne Corse** RESTAURANT €
(☑04 95 61 70 15 ; plats à partir de 8 € , formules 11-15 € ; ☺tlj midi et soir avr-oct). Juste au-dessus de l'église, cette "taverne" se partage entre une petite salle chaulée et une agréable terrasse de pierre sèche couverte de vigne vierge, dont l'ambiance parvient un peu à échapper à l'atmosphère très touristique du village. À la carte, des plats simples, copieux et bien préparés : omelette au *figatellu*, grillades, plats corses...

A Stalla RESTAURANT €
(☑04 95 61 33 74 ; plats à partir de 10 € , menu 19 € ; ☺midi avr-sept, soir également juil-août). Dans la belle ambiance d'une salle en pierre surmontée d'une terrasse ombragée, on sert ici un grand choix de salades et des spécialités corses revues avec une touche d'inventivité. Un certain cachet.

La Voûte RESTAURANT €€
(☑04 95 61 74 71 ; plats 11-20 € ; ☺midi et soir Pâques-fin sept). Le succès de l'adresse s'explique en grande partie par la vue imprenable qui s'offre depuis sa terrasse moderne. La carte, en revanche, ne dévie pas des spécialités corses habituelles : cannellonis au brocciu, agneau grillé aux herbes du maquis...

I Scalini RESTAURANT €€
(☑04 95 47 12 92 ; plats 15-24 € , assiette midi 15 € ; ☺mai-sept). L'adresse qui remporte à juste titre le plus de succès en soirée se distingue en premier lieu par son cadre : une série de petites terrasses juchées tout en haut du village, offrant une vue à couper le souffle. La cuisine, légère et originale, est influencée par tous les horizons de la Méditerranée et permet de sortir du sempiternel "menu corse". Elle offre une touche de sophistication à l'image du cadre, élégant et original. Prévoyez de quoi vous couvrir les soirs ventés.

Cateri

Dominant Algajola depuis les hauteurs, Cateri mérite une halte le temps d'admirer la belle façade de son **église baroque** et la petite **chapelle romane**, signalée sur le bord de la route. Petite caverne d'Ali Baba

pour les gourmands, la **Biscuiterie Salvatori** (☑04 95 61 73 83 ; ☺tte l'année) est une affaire familiale fondée en 1969, à la réputation jamais ternie. Faites-vous plaisir avec des gourmandises corses de fabrication artisanale, salées et sucrées (*amaretti, croquants, cuggiole,* etc.).

🛏 Où se loger et se restaurer
U San Dumé – Chez Léon AUBERGE €€
(☑04 95 61 73 95 ; www.hotel-corse-usandume.com ; d 70-90 € selon saison ; plats 21-19 € , menu 28 € ; ☺tlj midi et soir, toute l'année). Cette belle auberge installée dans une bâtisse moderne propose 9 chambres bien tenues et ouvertes sur une jolie vue, récemment rénovées dans un style assez contemporain. Le restaurant affiche une carte alléchante où les standards corses côtoient des spécialités plus originales, à l'image des médaillons de lotte ou de l'agneau rôti à l'ail en chemise et au thym.

Lavatoggio

Séparé de Cateri par seulement 2 km de route sinueuse, Lavatoggio révèle également un beau panorama de la côte. Le village est avant tout connu des bons vivants pour la ferme-auberge **Chez Edgard** (☑04 95 61 70 75 ; menu 36 € ; ☺mars-oct, soir uniquement). Impossible à manquer, cette grande terrasse visible depuis la route est spécialisée dans les viandes cuisinées et la rôtisserie, comme l'annonce le sanglier en pierre qui vous accueille à l'entrée. Attablé à de grandes tables en bois, à l'ombre des tilleuls et d'un pin magnifique, on y mange un copieux menu composé de plusieurs entrées et d'une viande, mitonnée ou rôtie dans l'immense âtre.

Avapessa

C'est presque par hasard que les visiteurs tombent sur ce village bâti à flanc de colline, avec en toile de fond la plaine de Regino. Méconnu, il réserve de belles surprises, à commencer par une huile d'olive de qualité et un cadre bucolique du plus bel effet. Ses ruelles pavées et plusieurs bâtisses ont été en partie restaurées, tout comme l'église paroissiale.

🛏 Où se loger et se restaurer
U Pignottu CAMPING À LA FERME €
(☑04 95 61 78 75, 06 09 08 43 21 ; adulte/enfant/tente/voiture 4,50/2,50/3-5/2,50 € ; ☺avr à mi-oct). En contrebas du village, ce camping

rustique occupe une parcelle verdoyante et ombragée, très calme, avec un bloc sanitaire en pierre sèche. Les accueillants propriétaires, oléiculteurs, vendent l'huile de leur exploitation.

Gîte communal GÎTE D'ÉTAPE €
(☏04 95 46 27 04 ; dort 20 € ; ⊙tte l'année). La commune a rénové avec soin cette agréable maison au centre du village, pour le plus grand bonheur des randonneurs et des visiteurs de passage. La capacité est de 16 couchages, répartis dans trois dortoirs, chacun équipé d'une sdb. Une cuisine commune est à disposition.

L'Alivu RESTAURANT €
(☏06 72 73 39 00 ; plats à partir de 12 € ; ⊙tte l'année). Un peu avant le camping U Pignottu. Spécialités corses, assiettes de charcuterie, tartes aux herbes et grillades.

Muro

Flanqué de hautes bâtisses patriciennes, Muro est un joli village parcouru de *strette* (rampes pavées). L'**église baroque**, avec sa belle façade restaurée, à triple élévation, vaut également le coup d'œil, car elle illustre le thème de l'Annonciation : notez la colombe qui descend sur la Vierge (symbolisée par l'inscription "Ave Maria") et le Christ, dont la statue figure au-dessus du porche, avec de part et d'autre Pierre et Paul.

🛏 Où se loger

Casa Theodora DEMEURE DE CHARME €€€
(☏04 95 61 78 32 ; www.a-casatheodora.com ; d 140-220 € selon saison et confort, ste 240-270 € selon saison ; ⊙avr-oct ; ✳✖☀). Une adresse qui séduira les amoureux de vieilles pierres ! Dans ce *palazzu* du XVIᵉ siècle merveilleusement restauré par son propriétaire, artiste plasticien, vous aurez l'impression de remonter le temps. Fresques baroques, trompe-l'œil, piscine intérieure chauffée, salons intimes, chambres et suites à la déco et au mobilier personnalisés... On en oublierait presque le monde extérieur dans cette étape à partager en amoureux. Le petit-déjeuner est en sus (15 €). Repas sur réservation (35 €).

Le Giussani (Ghjunsani)

Fini les jolis "villages de crèche" de la basse Balagne et les langues de maquis qui dévalent vers la mer. Bienvenue dans le Giussani,

territoire retranché et enclavé entre de hauts versants, à une altitude moyenne de 900 m. Avec son atmosphère montagnarde et âpre, cet écrin à la végétation composée en grande partie de châtaigniers séduira les voyageurs à la recherche d'authenticité.

COL DE BATTAGLIA

De Speloncato, la D63 puis la D963 mènent au col de Battaglia (Bocca di a Battaglia, 1 099 m), qui commande l'un des rares accès au Giussani. Pour vous remettre de cette sinueuse montée, faites une pause à l'accueillant restaurant **A Merendella** (☏04 95 46 24 28 ; snacks à partir de 5 €, formules à partir de 10 €, menu 22 € ; ⊙tlj midi et soir de mi-juin à mi-sept, midi de Pâques à mi-oct, sam-dim midi en hiver), ouvert toute l'année. Jadis un simple snack, il se décline maintenant en une terrasse agréable et une confortable grande salle. Il propose des plats pour tous les goûts et tous les budgets, du simple snack aux grillades au four à braises, en passant par les salades et les gâteaux à la farine de châtaigne maison. Le tout à déguster en profitant de l'exceptionnelle vue qu'offre le col sur la basse Balagne et le littoral. Cartes de crédit acceptées.

OLMI-CAPPELLA

Face à un sublime panorama montagnard, le petit village d'Olmi-Cappella forme avec le hameau voisin de Pioggiola le cœur de la microrégion du Giussani. Aussi isolé que paisible la plupart du temps, il se réveille pendant la période estivale grâce aux Rencontres internationales artistiques de Haute-Corse et à l'activité de son théâtre (voir l'encadré p. 124). Proche à vol d'oiseau des massifs du Monte Padru (2 390 m), du Monte Corona (2 144 m), du Monte Grossu (1 947 m) et du San Parteu (1 689 m), Olmi-Cappella offre de bonnes possibilités aux amateurs de balades en montagne.

❶ Renseignements

Office du tourisme (☏04 95 47 22 06 ; www.ot-giussani.com ; ⊙lun-ven 9h-11h45 et 13h30-16h30 mars-fin sept). Installé dans l'impressionnant bâtiment Battaglini, construit en 1902 grâce au financement d'un habitant d'Olmi-Cappella qui s'était enrichi en Égypte.

👁 À voir

Arrêtez-vous pour consulter le programme du **théâtre**, dont le bâtiment moderne et design, en bois, étonne aux abords de ce village reculé. Parfois désigné sous le nom de "la Forge", il est intimement lié à l'histoire

LE THÉÂTRE S'INVITE DANS LE GIUSSANI

Conjuguer le théâtre et la lutte contre le dépeuplement des villages, tel est l'un des objectifs des **Rencontres internationales artistiques de Haute-Corse**, qui animent chaque été les villages du Giussani – Olmi-Cappella, Pioggiola, Mausoleo et Vallica. Créées en 1998 à l'initiative du comédien Robin Renucci, fervent partisan de la décentralisation de la culture populaire et originaire de la région, elles se déroulent durant une semaine, début août. Les stagiaires travaillent depuis juillet avec l'aide de professionnels (comédiens, metteurs en scène) pour préparer les spectacles qu'ils présentent le soir dans les villages. Molière, Goldoni, Shakespeare, Ionesco, Lagarce ou encore Culiolo ont ainsi été joués dans le cadre de ces rencontres originales, qui disposent d'une scène à la hauteur de leur ambition : **A Stazzona** (aussi appelée la Forge). Cet espace scénique destiné prioritairement à la formation (d'où son surnom), qui comprend une salle de théâtre de 300 places, se dresse à Pioggiola, 4 km avant Olmi-Cappella. Renseignements auprès de l'**Aria** (Association des rencontres internationales artistiques ; ☑04 95 61 93 18 ; www.ariacorse.org) et du **syndicat mixte du Giussani** (☑04 95 61 30 70).

des Rencontres internationales artistiques de Haute-Corse et à leur initiateur, Robin Renucci (voir l'encadré ci-dessus). Des stages s'y déroulent toute l'année et des spectacles y ont lieu tout l'été, parallèlement aux Rencontres théâtrales.

Sur les hauteurs du bourg, un sentier mène au **site préhistorique d'Altiani**, composé d'un petit dolmen et de cupules. Ces cavités ont longtemps été considérées comme des lieux de sacrifice, mais il s'agit sans doute de réceptacles où l'on broyait le grain.

À la sortie du hameau de **Pioggiola**, prenez le temps d'admirer la belle **église Sainte-Marie**, dont la façade jaune se dresse, solitaire, face à la montagne.

Dans le village, la **Biscuiterie Casanova** (☑04 95 61 91 76 ; www.biscuit-corse.com), créée en 1895, fabrique de délicieux biscuits depuis trois générations. Ils sont en vente à l'**Épicerie Proxi** (⊙tlj 9h-12h et 17h-19h) située à côté de l'église.

🛏 Où se loger et se restaurer

U Chyosu di a Petra　CHAMBRES D'HÔTES **€**
(☑04 95 61 91 01 ; www.locations-corses.com ; s/d 50/70 € avec petit-déj ; ⊙tte l'année ; 🛜). Une adresse étonnante : vous logerez dans 4 chambres douillettes au charme montagnard dans des maisonnettes de pierre, dans le style des bergeries corses. Chaque chambre dispose d'une entrée indépendante. Le tout dans un site magique, avec une vue exceptionnelle sur tous les sommets environnants. Cuisine d'été à disposition, au-dessus de la maison. Cartes de crédit non acceptées. À la sortie d'Olmi-Cappella en direction de Pioggiola, l'adresse, sobrement indiquée par un panneau "chambres

de caractère typiquement corses", s'atteint par une montée abrupte.

U Tribbiu　CHAMBRES D'HÔTES **€**
(☑04 95 61 90 24, 06 22 42 91 44 ; www.utribbiu. com ; d avec petit-déj 70-80 € selon saison ; ⊙mi-mars à oct ; 🛜). C'est l'une des seules adresses située au cœur du village, dans un cadre tranquille. On se sent comme chez soi dans cette belle demeure au charme rustique, agrémentée de mobilier de famille et de quelques tableaux colorés réalisés par la propriétaire. Les 5 chambres offrent tout le confort nécessaire (deux d'entre elles disposent d'une sdb privative extérieure) et bénéficient d'une vue sur le mont Padro.

A Tramula　CHAMBRES D'HÔTES **€**
(☑04 95 61 93 54, 06 74 73 28 73 ; www.a-tramula. fr ; hameau de Pioggiola ; d avec petit-déj 70 € ; ⊙tte l'année). Au niveau du croisement de la D63 et de la D963, à Pioggiola, cette altière construction en pierre entourée d'un jardin planté de mûriers doit à sa situation, juste en face du théâtre, d'être l'une des structures les plus actives des environs. Elle abrite des chambres modernes et spacieuses et le copieux petit-déjeuner est l'occasion de goûter le miel de fleurs sauvages de haute montagne que produit le cordial patron, Jean Giovannetti. Si vous êtes de passage, rien ne vous empêche de profiter de l'agréable buvette ouvrant sur le jardin. Pas de règlement par carte de crédit.

L'Aghjola　AUBERGE **€€**
(☑04 95 61 90 48 ; www.aghjola.com ; hameau de Pioggiola ; s/d en demi-pension 67-72/104-124 € selon saison ; plats 12-16 €, menu 27 € ; ⊙avr-sept ; 🛜). Cette maison en pierre couverte de lierre

compte huit chambres au confort simple avec sdb. La table d'hôtes concocte un *spuntinu* – "repas du berger", composé de charcuterie, fromage et dessert – et un menu du terroir qui se marie bien avec l'atmosphère rustique de la salle, où trône une immense table en bois. Originaire d'Italie, le propriétaire propose également des spécialités et des vins italiens moyennant supplément.

La Tornadia   AUBERGE €
(☑04 95 61 90 93 ; hameau de Pioggiola ; plats 10-15 € environ ; ☺tte l'année). À une cinquantaine de mètres de l'hôtel A Tramula, cette auberge sert une cuisine très ordinaire, qui n'a de cesse de baisser en qualité, tout comme le service. La terrasse ombragée est cependant agréable.

L'Osteria   RESTAURANT €
(☑04 95 61 92 13 ; Olmi-Cappella ; plats 12-20 € environ ; ☺mai-oct). Une petite adresse dotée d'une terrasse face aux montagnes où l'on fait un bon repas en savourant des plats simples (pâtes, viandes).

🍷 Où prendre un verre
Bar des Amis   BAR-CAFÉ
(☑04 95 61 90 96). Le point de ralliement des acteurs en août, mais il reste actif toute l'année. Le Bar des Amis, où des guitaristes s'invitent volontiers de temps à autre, est le lieu idéal pour prendre le pouls du village.

FORÊT DE TARTAGINE-MELAJA
Vous aurez besoin d'un véhicule pour gagner ce site naturel du bout du monde, particulièrement agréable pour passer la journée entre forêts ombragées et rafraîchissantes vasques naturelles. Du hameau de **Pioggiola** (3 km après le col de Battaglia), des paysages impressionnants se succèdent sur 16 km d'une route à flanc de montagne, où l'on dépasse rarement les 30 km/h. Si le cœur vous en dit, vous pourrez faire un crochet par **Forcili**, puis **Mausoléo**, deux villages très reculés, typiquement corses avec leurs quelques maisons austères qui s'étagent sur les pentes d'une colline.

Le décor se fait de plus en plus minéral à mesure que s'étire l'étroite route, sur laquelle vous aurez plus de chances de croiser des bovins que des automobiles. Préfigurant la forêt elle-même, les pins font peu à peu leur apparition. La route parvient à la maison forestière (voir ci-contre) environ 3,5 km après un premier pont, où de belles **vasques** d'eau invitent

à se rafraîchir. Quelques centaines de mètres plus loin, vous pourrez vous baigner dans la rivière, pique-niquer ou vous promener en suivant l'un des sentiers – dont un sentier DFCI (défense contre l'incendie) – qui longent le cours d'eau sous le couvert des pins. La forêt domaniale de Tartagine-Melaja s'étend sur plus de 2 700 ha. Caractérisée par une humidité prononcée, elle est plantée de pins laricios, de pins maritimes et de chênes verts.

🛏 Où se loger et se restaurer
Maison forestière
de Tartagine   GÎTE D'ÉTAPE €
(☑04 95 35 68 73, 06 79 74 80 90 ; 1/2 pers 25/40 €, demi-pension 45 €/pers ; plats 8-15 €, menu 22 € ; ☺mi-avr à sept). Cette ancienne maison forestière datant du XIXe siècle, entièrement rénovée par la commune d'Olmi-Cappella, est particulièrement confortable vu le lieu reculé où elle se situe. Vous y trouverez 10 chambres de 2, 3 et 4 lits, avec douche et toilettes. Elles offrent un décor d'une sobriété monacale mais sont immaculées. L'agréable terrasse surplombe le Tartagine qui coule en contrebas en formant de belles piscines naturelles. Cartes de crédit acceptées. La maison est ouverte hors saison, sur réservation, pour les groupes d'au moins 10 personnes.

GALÉRIA
ET LE FILOSORMA

De Calvi à Galéria

Deux itinéraires permettent de rejoindre Galéria (et Porto) au départ de Calvi. Le premier, le plus court, emprunte la D81 et l'intérieur des terres. Le deuxième passe par la côte, via la D81b. Étroite, serpentant d'une anse à l'autre au-dessus de promontoires abrupts, cette option n'est pas la plus rapide. Mais quel spectacle ! La D81b commence par longer les sublimes paysages de la **pointe de la Revellata** (p. 103), dont les eaux turquoise se frangent d'un liseré d'écume au pied des falaises. En continuant, vous pourrez vous rafraîchir et vous restaurer dans la **baie de Nichjaretu**, baignée d'une eau délicieusement turquoise. Dans la **baie de Crovani**, abritée par le cap de Morsetta, **Argentella** est une vaste plage tranquille de petits galets gris, dont le nom vient d'une ancienne mine de plomb argentifère voisine dont on peut encore observer les vestiges de l'usine.

La D81b serpente ensuite entre des langues de maquis coiffées de batteries d'éoliennes. Peu avant Galéria, elle franchit un grand pont où elle est rejointe par la D81, qui arrive de Calvi par l'intérieur.

Où se loger et se restaurer

Les adresses suivantes sont présentées dans l'ordre où vous les rencontrerez le long de la D81b.

U Nichjaretu RESTAURANT DE PLAGE €€
(☎04 95 47 84 36 ; baie de Nichjaretu ; plats 14,50-26,50 € ; ☺mai-sept). Un ancien pailler reconverti en restaurant de plage servant des grillades au feu de bois, dans un site sauvage et paradisiaque bordant la baie rocailleuse de Nichjaretu. Cette paillote chic invite à prendre place sur la terrasse en teck et à lézarder au soleil le temps d'un repas ou d'une boisson fraîche.

La Morsetta CAMPING €
(☎04 95 65 25 24/28 ; www.lamorsetta.net ; Argentella ; adulte/tente/voiture 6,20-9,40/2,70-6,80/1,60-2,40 € selon saison ; ☺juin-sept). Doté de sanitaires corrects, d'une épicerie et d'un petit restaurant, ce camping étale ses 5 ha agréables derrière la plage de l'Argentella, à l'ombre des pins et des eucalyptus. Des bungalows et mobil-homes sont également proposés.

Marina d'Argentella HÔTEL-RESTAURANT €€
(☎04 95 65 25 08 ; www.argentella.com ; Argentella ; d 150-200 € avec demi-pension obligatoire ; ☺mi-mai à mi-sept). Le calme est l'atout principal de cette adresse installée face à la plage rocailleuse de la marina d'Argentella. Les chambres, au confort simple, sont aménagées dans des bungalows s'étageant un peu en retrait. Belle salle de restaurant et demi-pension obligatoire.

Auberge de Ferayola AUBERGE €€
(☎04 95 65 25 25 ; www.ferayola.com ; Argentella ; d pinède/vue mer 50-79/70-99 €, plats 11-18,50 €, menu 21,60 €, demi-pension à partir de 114-143 € pour 2 pers selon saison ; ☺mai-sept). Cette autre adresse qui séduira les amateurs de calme vous attend environ 2 km après Argentella, dans un beau domaine qui s'élève en terrasses au-dessus de la route (peu fréquentée). Les chambres, au décor frais et fleuri, jouxtent une jolie piscine entourée d'arbres. Atmosphère d'auberge à l'ancienne accueillante.

Galéria

Isolée sur cette côte peu fréquentée et assoupie sous le soleil estival, Galéria ne présentera sans doute de charme à vos yeux que si vous aspirez au (grand) calme. La ville, étalée entre une plage de galets et un vieux village dominé par son église et la jolie bâtisse qui abrite la mairie, s'élève derrière des constructions récentes. Galéria, qui est aussi une étape sur le sentier Mare e Monti®, compte cependant un atout avec ses environs sauvages, à commencer par la vallée du Fango.

Renseignements

Office du tourisme de Galéria
(☎04 95 62 02 27 ; www.ot-galeria.com ; ☺juil-août tlj 9h-19h, avr à mi-oct lun-ven 9h-12h et 15h-18h, sam 9h-12h et 15h-17h). À l'embranchement de la D81 et de la D351, quelques kilomètres avant la ville.

Activités

Plage de la Riciniccia BAIGNADE
Des deux plages de Galéria, celle de la Riciniccia, à l'entrée nord du bourg, est la plus longue mais est bordée de gravier gris. Une petite plage de sable s'étend près du port.

L'Incantu PLONGÉE ET SNORKELING
(☎04 95 62 03 65 ; www.incantu.com ; route de Calca ; ☺mi-mars à nov). Installé sur les hauteurs du bourg, à 300 m de l'église, ce centre de plongée réputé organise des baptêmes et des sorties de plongée (à partir de 41 € avec équipement) dans le secteur de Galéria (voir p. 38).

Galéria Marina SORTIES EN MER
(☎06 12 52 63 53, 06 82 80 24 97 ; www.visite-scandola.com ; hôtel Palazzu ; ☺en saison). Les propriétaires de l'hôtel Palazzu proposent en saison des visites de la réserve de Scandola, avec arrêt à Girolata, soit à bord d'un bateau à propulsion hybride diesel-électrique (50 €), soit à bord d'un bateau classique (35 €).

Delta du Fangu BALADES EN KAYAK
(☎06 22 01 71 89 ; www.delta-du-fangu.com ; parking de la tour, Galéria ; ☺juin-sept). Installée en saison sur le parking dit "de la tour", en bord de route peu avant Galéria, cette structure propose des itinéraires de découverte écologique de l'environnement du delta du Fango en kayak. Comptez 5 € par personne. Sans réservation ; prévoir une tenue de plage.

Tra Mare e Monti LOCATION DE BATEAUX
(☎04 95 65 21 26, 06 20 56 03 06 ; www.tramare-monti.com ; port de Galéria ; ☺mai-oct). Location

de bateaux sans permis pour explorer à son rythme le golfe de Galéria (à partir de 170 €).

🛏 Où se loger et se restaurer

Plusieurs restaurants sont disséminés dans ce bourg étendu, dont **A Sulana** (☎04 95 62 02 99), qui sert des plats du jour et des poissons selon arrivages.

BON PLAN **L'Étape marine**   GÎTE D'ÉTAPE €
(☎04 95 62 00 46 ; www.gite-etape-corse. com ; route de Calca ; gîte 20 €, 40 € en demi-pension, camping 8 €/pers ; ☺mi-mars à fin oct ; ❄). Une excellente adresse pour les randonneurs et les petits budgets, à environ 2 km du port vers l'intérieur des terres. L'Étape marine doit beaucoup à l'accueil de ses jeunes et dynamiques gérants, qui animent ce gîte composé de 7 dortoirs de 6 couchages chacun, tous peints d'une couleur vive différente, et d'une double avec sdb. Le site est très calme, verdoyant et ombragé (les campeurs apprécient). Le soir, requinquez-vous avec une cuisine saine et copieuse.

L'Auberge   HÔTEL-RESTAURANT €
(☎04 95 62 00 15 ; www.hotel-restaurant-auberge. com ; d/tr 58-86/75-102 € selon saison, avec petit-déj ; ☺avr-nov ; ❄☎). En plein centre du bourg, ce petit hôtel ne paie pas de mine mais est un point de chute agréable. Les chambres exiguës, mais pimpantes et chaleureuses, sont équipées d'une bonne literie et d'une TV. À signaler toutefois : les WC sont sur le palier ; quant à la douche et au lavabo, ils sont installés dans un coin de la chambre, juste à côté du lit. Au rez-de-chaussée, le restaurant propose des plats simples, roboratifs et bon marché.

A Martinella   CHAMBRES D'HÔTES €
(☎04 95 62 00 44 ; route du port ; d 65-75 € selon saison, avec petit-déj ; ☺avr à mi-oct ; ❄). Les 5 chambres spacieuses et lumineuses de cette maison moderne entourée d'un jardin s'ouvrent sur une terrasse privative ou un balcon. Jolie décoration associant le blanc et le jaune ou le blanc et le bleu, réfrigérateur et grande sdb avec baignoire pour chacune. Un bon rapport qualité/prix, à 100 m du port, en bas du bourg. Cartes de crédit non acceptées.

Palazzu   HÔTEL-RESTAURANT €€
(☎04 95 62 03 61 ; www.hotelpalazzu.com ; Galéria ; d 55-130 € selon confort et saison ; plats 15-29 €, menu 29 € ; ☺avr-sept ; ❄☎☎). Adresse la plus confortable de Galéria, ce deux-étoiles dispose de 6 chambres d'une propreté irréprochable. Dans une grande bâtisse moderne, elles affichent une

décoration apaisante : murs blancs, galets, tons naturels, meubles cérusés et une touche de couleur différente dans chacune. L'hôtel, qui surplombe le golfe, est situé à 200 m de la plage. S'ajoutent à ses charmes une splendide piscine et une belle salle à manger prolongée d'une terrasse en teck où l'on sert à midi un buffet de salades (10 €) et, le soir, des plats plus élaborés à l'image du tartare de thon à la mangue.

BON PLAN **L'Artigiana**   BOUTIQUE-RESTAURANT €
(☎04 95 60 64 11 ; sandwichs et plats 5-11,50 € ; route de Galéria ; ☺mai-fin sept). L'accueillante boutique-restaurant de Lara permet de s'approvisionner en produits corses – dont certains faits maison – et de prendre un repas à base de spécialités locales faisant la part belle aux produits issus du jardin, qui s'élève à flanc de colline juste au-dessus. Au choix, délicieux sandwichs, tartes aux légumes, plateaux de charcuterie et de fromages, assiettes et salades composées. Le soir, l'apéritif face au coucher du soleil est servi jusqu'à 21h sur la belle terrasse offrant une vue magnifique sur le delta du Fango et le golfe. Environ 1 km avant la tour génoise de Galéria, sur la D351.

♥ Le delta et la vallée du Fango

Merveille naturelle, la vallée du Fango étend son environnement de vasques baignées d'eaux cristallines invitant à la baignade à la fin du tronçon de 2 km commun à la D81 et à la D351. Classée en réserve de biosphère, elle s'étend sur 23 400 ha, du delta maritime, qui présente une mosaïque de milieux biologiques, aux différents paysages qui s'étagent jusqu'à une altitude de 2 500 m dans la microrégion du Filosorma.

◉ À voir et à faire

Les premiers **minicanyons** et **piscines naturelles** creusées par le Fango vous attendent 1 km après le lieu-dit Fango au niveau d'un **pont génois** à l'arche parfaite où se trouvent un parking et une pizzeria. Tout simplement sublimes – eau cristalline, rochers pour se sécher, vasques naturelles –, ces petites gorges se poursuivent sur des kilomètres et constituent un paradis pour la baignade et le farniente. En remontant la vallée le long de la D351, on arrive au village de **Manso**, qui se résume à quelques habitations et à une église, puis à **Montestremo**, tout au fond de la vallée, où vous aurez l'impression d'être arrivé au bout du monde. De Montestremo, il est possible de rejoindre le **refuge de Puscaghja** en 5 heures de marche.

En saison, la société Delta du Fango propose des **balades en kayak** dans le delta au départ de Galéria (voir p. 126).

🛏 Où se loger et se restaurer

A Farera – Chez Zézé　　　　HÔTEL €
(☑04 95 62 01 87 ; route de Porto, Fango ; d 55 €, plats 8-14 € ; ☺tte l'année). Juste en face de l'embranchement de la D351 en direction de la vallée, à environ 4 km de Galéria, cet hôtel n'a rien d'exceptionnel mais a l'avantage d'être ouvert lorsque beaucoup sont fermés. Il peut dépanner avec ses chambres simplissimes, qui donnent sur la montagne. Il sert aussi des plats simples : charcuterie, omelettes, pizzas...

Casaloha　　　　CHAMBRES D'HÔTES €
(☑04 95 34 46 95, 06 12 88 14 10 ; lacasaloha@ gmail.com ; Fango ; d 60-75 € selon saison, avec petit-déj ; ☺tte l'année ; 📶). Un accueil convivial vous attend chez les Corteggiani, où l'on se met rapidement à l'aise. À hauteur du carrefour du Fango (D351 et D81), cette maison entourée d'un grand jardin planté d'arbres fruitiers dispose de 4 chambres sans fioritures mais confortables, décorées selon des thèmes liés au voyage. Celles de l'étage disposent d'une terrasse avec vue sur la Paglia Orba.

Ponte Vecchiu　　　　RESTAURANT €
(☑04 95 62 00 66 ; Fango ; pizzas à partir de 9,50 € ; ☺variables). Face au pont génois, vous

y dégusterez des plats corses et des pizzas. Les horaires semblent aléatoires.

Plus loin dans la vallée, vous trouverez des adresses modestes pour vous restaurer au hameau de Manso, notamment le **Bar des Amis** et **A Muvrella**, petite terrasse de bric et de broc qui semble posée en équilibre face à la montagne. Deux gîtes d'étape, ouverts de mi-avril à mi-octobre, s'adressent aux randonneurs : le **Gîte d'étape de Tuarelli** (☑04 95 62 01 75 ; Tuarelli ; camping adulte/enfant/voiture 10/5/5 €, dort 18 €, demi-pension 38 € ; plats 11-17 €), installé dans un cadre splendide au-dessus des vasques du Fango, comporte 3 chambres de 8 lits, des sanitaires aménagés dans les rochers et une cuisine ouverte ; le **Gîte d'étape A Funtana** (☑04 95 34 36 03 ; Montestremo ; dort 16 €, demi-pension 38 €, menu 19 €), accroché à flanc de montagne dans le hameau de Montestremo, au fond de la vallée, offre un très beau panorama et des chambres à la propreté exemplaire.

De Galéria à Porto

Après Galéria et la vallée du Fango, la D81 se poursuit vers le **col de Palmarella**, puis le **col de la Croix**, d'où part le sentier menant à **Girolata** (voir p. 133). Elle se dirige ensuite vers Porto, annoncé par ses odeurs d'eucalyptus, et se termine à flanc de montagne, dans des teintes de roche qui préfigurent les calanques de Piana. Peu avant l'arrivée, ne ratez pas le superbe point de vue sur Porto et sa tour carrée.

Du golfe de Porto à Ajaccio

Le top des hébergements

» Châtelet de Campo (p. 180)
» Artemisia (p. 179)
» Carpe Diem (p. 169)

Le top des restaurants

» A Merendella (p. 162)
» Restaurant de l'Hôtel des Roches rouges (p. 145)
» A Nepita (p. 170)
» Le Cabanon (p. 170)
» L'Altru Versu (p. 174)

Pourquoi y aller

Porto, Sagone, Ajaccio… trois grands golfes s'égrènent le long de cette côte. Au hasard de leurs échancrures, ils dissimulent des criques secrètes, de jolies plages bordées de stations balnéaires et deux des joyaux naturels de la Corse : la réserve de Scandola et les calanques de Piana. S'ils sont les plus impressionnants de cette côte, ces étonnants jardins de pierre, particulièrement sublimes dans les dernières lueurs du couchant, ne doivent pas faire oublier les autres merveilles du littoral.

Porto, au pied de sa tour carrée, est une ville balnéaire et détendue, point de départ de nombreuses sorties en mer. C'est aussi une bonne base pour explorer la région. En la quittant vers l'intérieur des terres et le col de Verghio, on découvre une succession de villages accrochés à la montagne, séparés par une série de sites naturels.

Cargèse "la grecque" est pour sa part une étape culturelle sur la route qui conduit à la première ville de Corse : Ajaccio. Le chef-lieu du département de Corse-du-Sud, bordé de son splendide golfe, abrite quelques trésors, notamment son musée Fesch. L'arrière-pays du golfe de Sagone, enfin, mérite le détour pour ses vallées peu fréquentées, Liamone et Cinarca en tête.

Quand partir

Mai-juin	Juillet-septembre	Décembre-janvier
Les vallées de l'intérieur se colorent avec l'arrivée du printemps. Explorez le Haut Taravo, le Prunelli, le Liamone ou l'arrière-pays de Porto.	C'est la période la plus indiquée pour soigner son bronzage sur les plages de sable fin qui émaillent le littoral. Le 15 août, laissez-vous gagner par la ferveur des Fêtes napoléoniennes à Ajaccio.	La Corse comme personne ne l'imagine : oubliez la côte et mettez le cap vers les villages de l'intérieur des terres, qui retrouvent en hiver leur rythme ancestral.

Punta
Palazzu
Île
Gargalo

Île
Garganellu

**Réserve
de Scandola**
①

Punta
Muchillina

Girolata

*Golfe de
Girolata*

Col de
la Croix

Vers Galéria (6 km)
et Calvi (32 km)

N 0

**Haute-
Corse**

GR®20

Vers Calacuccia (
Scala di Santa R
(16 km) et Corte (4

Col de
Verghio

Ni

Fo
de V
Ni

③

D84

Capo
Senino

Osani

D424

Partinello

*Mare e Monti
Nord*

Plage de Gradella

Plage de Caspiu

Golfe

de Porto

**Plage de
Bussaglia**

Porto

Ota

Gorges de
Spelunca

Évisa

**Calanques
de Piana**
②

Tour génoise

Anse de
Ficajola

Forêt
de Piana

Porto

Marignana

*Tour de
Turghiu*

D624

D824

Piana

Capu d'Ortu
(1 294 m)

D84

**Cors
du Su**

**Capo
Rosso**
④

*Mare a Mare
Nord*

Renno

Soccia

Po

**Plage
d'Arone**

D81

D70

Guagno-
les-Bains

D23

Murzo

Vers G

**Plage
de Chiuni**

Vico

D70

Muna

**Plage
du Péro**

Arbori

D70

Rosazia

Cargèse

D181

Sagone

D81

*Golfe
de Sagone*

*Golfe de
Liscia*

Sari-
d'Orcino

Lopigna

D125

D

Vers Vizzavona (
Vivario (37 km) et Corte

Tiuccia

D125

Tavaco

Poggiare

D1

N193

Cutt
Corticch

*Golfe
de Lava*

D381

D161

D81

D1

Afa

Ve
les gorges de
Bastelica et le V

**Capo di
Feno**

Voir la carte Golfe d'Ajaccio (p. 163)

N194

N193

D3

D11

*Ajaccio-
Napoléon
Bonaparte*

Bastelicaccia

Prunelli

N196

⑤

Ajaccio

Vers les îles
Sanguinaires

*Tour de
la Parata*

D111

Plage du
Ricanto

D55

Golfe d'Ajaccio

Vers Porticcio

Vers Zicavo
Cozzano
Propriano
Sartène (5
Bonifacio (

À ne pas manquer

❶ La **réserve de Scandola** (ci-dessous), que l'on découvre le mieux depuis la mer

❷ Les très belles **calanques de Piana** (p. 144) au coucher du soleil

❸ L'itinéraire de **Porto au col de Verghio** (p. 139)

❹ La vue sur le golfe de Porto depuis **Capo Rosso** (p. 144)

❺ Les œuvres majeures rassemblées au **palais Fesch** (p. 165), à **Ajaccio**

GOLFE DE PORTO

♥ Réserve de Scandola

Premier joyau du golfe en arrivant du nord, cette réserve naturelle est avant tout accessible par voie maritime, ce qui lui vaut d'être préservée. Nul doute que l'observation de ses superbes paysages depuis l'un des navires qui la rejoignent, notamment depuis Porto, sera l'un des temps forts de votre séjour dans le golfe. Inscrite sur la liste du patrimoine mondial de l'Unesco, Scandola mérite en effet le déplacement tant pour l'observation des espèces végétales et animales – les oiseaux s'y laissent en général observer jusqu'à fin juin – que pour l'étonnant spectacle des grottes et failles de sa tumultueuse géologie d'origine volcanique.

Créée en 1975, la réserve occupe 920 ha de terre et quelque 1 000 ha de superficie marine, ponctuée à l'ouest par les îles Gargalo et Garganello. Véritable page d'histoire naturelle, elle doit son exceptionnel milieu écologique à la coexistence sur cette presqu'île d'une grande diversité rocheuse – ses côtes aux teintes cuivrées mêlent coulées volcaniques et microgranites –, d'un climat particulièrement favorable et d'un ensoleillement régulier. La conjonction de ces différents facteurs en fait le refuge privilégié de nombreuses espèces, tant végétales qu'animales. Les scientifiques viennent régulièrement y observer balbuzards, cormorans, puffins, algues, coraux et poissons.

Si la protection de la réserve est survenue trop tard pour sauver les dernières colonies de phoques moines ou le cerf de Corse (réintroduit depuis dans l'Alta Rocca), Scandola constitue un vivier unique de mérous et de balbuzards pêcheurs. Une variété d'algue calcaire, dure au point de former de véritables "trottoirs" à fleur d'eau, figure par ailleurs au nombre de ses curiosités marines.

La réserve est gérée par le parc naturel régional et a été classée site Biomare

AVEC DES ENFANTS

LIEUX	ACTIVITÉS	BON À SAVOIR
Porto	Une visite de l'**aquarium** de la Poudrière (p. 134)	Les panneaux de présentation sont très bien faits.
Cargèse	Une **sortie en mer** (p. 148)	Choisissez une sortie avec un arrêt pour le déjeuner et la baignade.
Sagone	Une initiation à la **voile** à l'UCPA (p. 151)	Propose des stages d'une semaine. Dès 7 ans.
Soccia	Une **balade avec un âne** jusqu'au lac de Creno (p. 161)	N'oubliez pas d'emporter de quoi boire et manger. Chaussez-vous bien et prévoyez un coupe-vent.
Ajaccio	Une balade avec le **petit train** des îles (p. 167)	Une manière originale de découvrir les Sanguinaires.
Ajaccio	Une visite du centre A Cupulatta, spécialisé dans la conservation des **tortues** (p. 168)	Fascination garantie pour les enfants dès 4 ans.

– parmi les plus riches de la planète en termes de biodiversité – en 2003. Une partie de sa façade côtière appartient au Conservatoire du littoral. Chasse, pêche, camping, cueillette et mouillage de nuit sont interdits dans la réserve. Le mouillage de jour est également interdit dans la partie classée "réserve intégrale".

❶ Depuis/vers la réserve de Scandola

BATEAU Aucun sentier ne permet de rejoindre la presqu'île de Scandola à pied, et aucune route ne dessert la réserve. La voie maritime reste donc le seul accès. De nombreuses compagnies maritimes cabotent entre les déchirures de la côte au départ de Calvi, Porto, Cargèse, Sagone et Ajaccio. Consultez les paragraphes *Activités* de ces villes pour plus d'information.

MARCHE Le golfe de Girolata, qui jouxte la réserve, est accessible à pied du col de la Croix en 1 heure 30 (voir la randonnée p. 133).

BUS Les **autocars S.A.S.A.I.B. – Ceccaldi** (🖉 04 95 51 42 56 ; www.autocarsiledebeaute. com) desservent le col de la Croix en été depuis Porto (1 heure ; 10 € ; départ à 10h de la pharmacie) et Calvi (2 heures 30 ; 16 €). Ils circulent du lundi au samedi de mi-mai à fin septembre.

Girolata

S'il n'est pas intégré au périmètre de la réserve naturelle de Scandola, le golfe de Girolata n'en reste pas moins un site d'exception. Il offre par ailleurs l'avantage d'approcher les paysages de la réserve à pied, voire de séjourner dans leurs environs, le village de Girolata étant accessible depuis le col de la Croix par un sentier. À moins d'avoir recours au bateau (voir notamment les options depuis Porto, p. 135), atteindre cette conque marine protégée par un fortin génois vous demandera environ 1 heure 30 de marche depuis le col (voir la randonnée p. 133).

Fermée par la presqu'île de Scandola et le cap Senino, l'anse de Girolata pourrait être un paradis. Son isolement ne suffit malheureusement pas à la protéger totalement. Attirant plaisanciers et amateurs de plages du bout du monde, le site est indiscutablement surfréquenté en juillet et août. Certains trouveront la plage un peu sale en été, ou regretteront l'alignement de bouées blanches prévues pour accepter jusqu'à 100 bateaux, transformant cette belle anse en parking flottant. L'éden, en bref, s'accommode mal de l'afflux de ces plaisanciers,

randonneurs et autres touristes débarqués le temps d'un déjeuner par les bateaux qui sillonnent la côte... Si vous y arrivez en bateau par vos propres moyens, sachez que le mouillage dans la journée est payant (à partir de 2 € pour les bateaux de moins de 6 m). Un Zodiac de la **capitainerie** (🖉 04 95 50 02 52 ; www.port-girolata.com ; ⏱tlj 8h-21h fin avr à mi-oct) viendra à votre rencontre.

Le fortin qui coiffe le village, privé, ne se visite pas.

🛏 Où se loger

Le Cormoran voyageur   GÎTE D'ÉTAPE €
(🖉 04 95 20 15 55 ; dort demi-pension 38 €/pers ; ⏱avr-sept). Cette bâtisse de pierre qui ne manque pas de charme vous accueille en bordure de la plage, côté village. Tenue par Joseph Teillet, pêcheur et grande figure de Girolata, et sa compagne Colette, elle dispose d'une vingtaine de lits répartis en 3 chambres relativement confortables. Le gîte n'offre pas de coin cuisine, mais le menu – soupe de poisson, poisson, fromage, dessert – est apprécié. Demi-pension obligatoire. Cartes de crédit non acceptées.

La Cabane du Berger   CAMPING-GÎTE €
(🖉 04 95 20 16 98 ; plage de Girolata ; camping 10 €, gîte 20 €/pers, demi-pension camping/dortoir/bungalow 37/40/60 € ; ⏱avr-sept). En plus de sa fonction principale de bar-restaurant (voir *Où se restaurer*), cette adresse décontractée fait office de gîte d'étape. L'endroit est populaire, même si, selon certains lecteurs, les moustiques se montrent parfois pressants. Les bungalows en planches sont assez rustiques, mais le cadre, sur la plage, est agréable.

✗ Où se restaurer

Plusieurs restaurants particulièrement bien situés – en bordure de la plage et en contrebas du fortin génois – affichent une carte alléchante faisant la part belle aux spécialités de poisson.

A Bastella   SNACKS ET PIZZAS €
(bastelles à partir de 3,30 €, pizzas à partir de 9 € ; ⏱avr-oct). Installé en saison sur la plage, ce petit stand sympathique vend des bastelles, version corse des *empanadas* (chaussons fourrés, par exemple au bruccio), et des pizzas au feu de bois. De quoi se restaurer sans creuser un gouffre dans son budget.

Le Bon Espoir   SPÉCIALITÉS DE LA MER €
(🖉 04 95 10 04 55 ; plats 14-25 € ; ⏱mi-avr à fin sept). Surplombant Girolata et le gîte le

DE LA BOCCA DI CROCE (COL DE LA CROIX) À GIROLATA

Départ : col de la Croix (à 22 km de Porto en direction de Galéria)
Durée : 3 heures 30 aller-retour
Dénivelé : 250 m, mais plusieurs montées et descentes
Difficulté : moyenne

Après avoir garé votre véhicule sur l'aire de stationnement, près de la buvette installée en été, entamez la descente, régulière, sur le sentier bien visible encadré d'un maquis touffu. Après une dizaine de minutes, vous passerez devant une jolie fontaine faite de galets. Un quart d'heure plus tard, vous atteindrez une passerelle en bois. À gauche, un sentier mène à la plage de Tuara. Les courants y apportent parfois des détritus, mais elle est en général assez déserte et agréable pour la baignade. Continuez tout droit, sur le sentier balisé en orange qui monte pendant environ 30 min. Cette montée, assez éprouvante par temps chaud, conduit à un col (Bocca di Ghjanibarellu), où il croise le sentier Mare e Monti®. Vous découvrirez alors une superbe vue sur le hameau et la baie de Girolata, sur lesquels veille un fortin génois. En toile de fond, au sud-ouest, Capo Senino, auquel répond Punta Mucchilina (en bordure de la réserve de Scandola) au nord-ouest. De cette éminence, vous n'êtes plus qu'à 30 min de Girolata en descente.

Il est possible de varier en partie l'itinéraire du retour : retraversez la plage de Girolata et prenez le "chemin du facteur". Cet itinéraire passe plus bas que le sentier de l'aller et ne monte pas jusqu'au col, ce qui lui vaut d'être un peu plus court et ombragé, mais il évolue par moments en corniche, à flanc de falaise. Il retrouve le sentier d'origine au niveau de la plage de Tuare. Si vous souhaitez l'emprunter dans le sens aller, ce sentier facile à suivre mais non balisé est marqué à l'extrémité nord de la plage par un cairn.

Cormoran voyageur, cette belle terrasse se distingue par son cadre, son service souriant et professionnel et ses suggestions qui présentent un bon rapport qualité/prix, à l'image de la très honorable cassolette du pêcheur. La carte propose également quelques viandes et des poissons selon arrivages.

La Cabane du Berger   RESTAURANT **€**
(☑04 95 20 16 98 ; plage de Girolata ; plats 16,50-26 €, menu 25 € ; ☺avr-sept). Sur la plage, un endroit agréable où se retrouvent les randonneurs autour d'une entrecôte, d'un plat de pâtes, d'un poisson ou d'une suggestion du jour.

Le Bel Ombra   SPÉCIALITÉS DE LA MER **€€**
(☑04 95 20 15 67 ; www.bel-ombra.com ; plats 18-35 €, menus 15-25,50 € ; ☺mi-avr à fin sept). L'adresse la plus chic de Girolata dispose également de la plus belle terrasse du village, bordée de bougainvilliers et rendue accueillante par ses sièges en teck. Cette table mitoyenne du Bon Espoir présente une carte alléchante – tournedos de canard grillé, brochette de lotte et gambas, poissons selon arrivages –, mais on sent le chef moins inspiré par les "petits" menus. Le soir, poissons et viandes sont grillés dans la cheminée.

Porto

Aussi fréquentée en été que désertée en hiver, cette petite localité balnéaire qui semble avoir grandi trop vite constitue une bonne base pour explorer l'arrière-pays et l'exceptionnelle côte sauvage de la réserve de Scandola. Émanation balnéaire du village de montagne d'Ota, perché au-dessus d'elle, Porto doit son attrait à son site, au pied d'une belle tour carrée érigée au XVIe siècle par les Génois pour protéger son superbe golfe des incursions sarrasines. Familiale, Porto pratique des tarifs plus raisonnables que nombre d'autres localités côtières.

Orientation

L'un des premiers bâtiments de Porto visibles de la D81 est la pharmacie de la localité, qui se dresse à l'intersection de la route communale qui descend sur 1,5 km jusqu'à la marine. Entre les deux s'étend le quartier baptisé Vaïta, ou Porto le Haut. Porto est ainsi divisée en deux principaux secteurs : Vaïta et la marine. Cette dernière est coupée par la rivière de Porto, qu'enjambe une passerelle piétonne. Les automobilistes qui souhaitent rejoindre la partie sud de la marine doivent emprunter la route communale fléchée "Porto rive gauche", sur la D81 en direction de Piana.

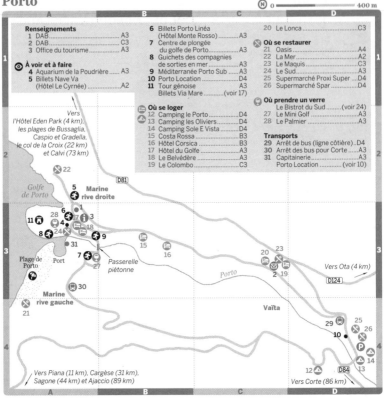

Porto

N 0 ▬▬▬▬ 400 m

Renseignements
1 DAB...................................A3
2 DAB...................................C3
3 Office du tourisme..............A3

À voir et à faire
4 Aquarium de la Poudrière......A3
5 Billets Nave Va
   (Hôtel Le Cyrnée)..............A2
6 Billets Porto Linéa
   (Hôtel Monte Rosso)...........A3
7 Centre de plongée
   du golfe de Porto...............A3
8 Guichets des compagnies
   de sorties en mer...............A3
9 Méditerranée Porto Sub......A3
10 Porto Location..................D4
11 Tour génoise....................A3
   Billets Via Mare..........(voir 17)

Où se loger
12 Camping le Porto..............D4
13 Camping les Oliviers..........D4
14 Camping Sole E Vista.........D4
15 Costa Rossa.....................B3
16 Hôtel Corsica...................B3
17 Hôtel du Golfe..................A3
18 Le Belvédère...................A3
19 Le Colombo.....................C3

20 Le Lonca..........................C3

Où se restaurer
21 Oasis..............................A4
22 La Mer.............................A2
23 Le Maquis........................A3
24 Le Sud.............................A3
25 Supermarché Proxi Super...D4
26 Supermarché Spar.............D4

Où prendre un verre
Le Bistrot du Sud........(voir 24)
27 Le Mini Golf....................A3
28 Le Palmier.......................A3

Transports
29 Arrêt de bus (ligne côtière)..D4
30 Arrêt des bus pour Corte.....A3
31 Capitainerie......................A3
   Porto Location.............(voir 10)

Vers l'Hôtel Eden Park (4 km), les plages de Bussaglia, Caspio et Gradella, le col de la Croix (22 km) et Calvi (73 km)

Golfe de Porto

Marine rive droite

Plage de Porto — Port

Passerelle piétonne

Porto

Vers Ota (4 km)

Marine rive gauche

Vaïta

Vers Piana (11 km), Cargèse (31 km), Sagone (44 km) et Ajaccio (89 km)

Vers Corte (86 km)

ℹ Renseignements

Office du tourisme de Porto
(📞 04 95 26 10 55 ; www.porto-tourisme.com ; place de la Marine ; ◷lun-sam 9h-19h, dim 9h-13h juin-sept, lun-sam 9h-18h avr-mai, lun-ven 9h-17h hors saison). Installé en bas de la longue rue qui descend vers la marine. Propose un document pratique sur les balades et les randonnées dans le golfe de Porto.

Deux **distributeurs automatiques** sont disponibles en ville, l'un à la poste, l'autre à la marine, non loin de l'office du tourisme.

◉ À voir

Tour génoise   PATRIMOINE ARCHITECTURAL
(📞 04 95 26 10 05 ; 2,50 €, billet combiné avec aquarium (voir ci-contre) adulte/enfant 7-12 ans 6,50/3 € ; ◷tlj 9h-20h juil-août, 9h-19h avr-juin et sept). Postée en sentinelle à l'entrée du port de pêche, cette belle tour carrée érigée en 1549 et restaurée en 1993 domine un superbe panorama. Elle mérite également le détour pour ses petites expositions, l'une

consacrée au rôle historique des tours génoises, l'autre à la bruyère. Dommage qu'elle n'ouvre pas plus tard en juin, pour permettre de profiter des couchers de soleil. On accède à la tour par des escaliers situés juste à côté du restaurant la Tour génoise. Par temps clair, vous verrez du sommet la tour de Piana, sur la gauche du golfe.

Aquarium de la Poudrière   AQUARIUM
(📞 04 95 26 19 24 ; port de Porto ; tarif adulte/enfant 5,50/3 €, billet combiné avec la tour génoise 6,50/3 € ; ◷juin-sept tlj 8h-20h, 8h-17h hors saison). Installé dans l'ancienne poudrière qui jouxte l'hôtel Monte Rosso, ce petit aquarium mérite la visite si vous prenez le temps de lire les panneaux explicatifs sur les espèces marines – raies, murènes, dentis, loups et tritons –, présentées dans l'ordre d'apparition de leur habitat à mesure que l'on descend en profondeur. Outre la belle salle voûtée qui l'héberge, vous pourrez admirer le poisson le plus coloré de Méditerranée, la girelle paon, découvrir les étonnantes

facultés de camouflage du bothus ou encore suivre les merveilleuses arabesques du poulpe. Pour petits et grands...

🏃 Activités

Baignade

À l'écart du trafic et des établissements touristiques, la **plage de Porto**, vaste étendue de galets garnie de quelques arbrisseaux qui ne lui confèrent ni charme ni ombre, est un peu désolée. La plage est surveillée, ce qui n'empêche pas de se méfier des courants et des vagues les jours de houle. Autre alternative, les **vasques du Porto**, cristallines et rafraîchissantes, sont situées juste derrière le parking de l'hôtel le Moulin. De gros rochers permettent d'y étaler sa serviette. Trois belles plages de galets jalonnent par ailleurs la côte au nord de Porto, en direction de Girolata (voir *Environs de Porto*, p. 138).

Plongée et snorkeling

La proximité de la réserve de Scandola fait de Porto une base réputée auprès des plongeurs (reportez-vous au chapitre *Plongée*, p. 37, pour la présentation des différents sites). Les clubs qui opèrent depuis Porto disposent en saison de kiosques autour du port. Leurs tarifs, qui peuvent varier selon l'affluence, sont d'environ 50 € le baptême, 45 € la plongée d'exploration – avec un supplément de 10 € pour les sites éloignés comme les abords de Scandola – et 15 € la randonnée palmée.

Centre de plongée du golfe de Porto (☎04 95 26 10 29, 06 84 24 49 20 ; www.plongeeporto.com ; le port, rive gauche)

Méditerranée Porto Sub (☎06 14 94 08 44 ; www.plongeecorse.fr ; le port, rive droite)

Sorties en mer

Un nombre sans cesse croissant – 11 compagnies et 19 bateaux en 2012 – de compagnies proposent des sorties en mer au départ de Porto, d'avril à octobre. Elles offrent des parcours similaires, mais diffèrent par le type d'embarcation. Anciens bateaux de pêche reconvertis, grosses vedettes, "formule 1 des mers" proposant une visite à "sensations garanties" et semi-rigides s'alignent ainsi sur les quais, aux côtés de bateaux à motorisation hybride diesel-électrique visant à diminuer les nuisances sur l'environnement de Scandola, de plus en plus visibles depuis quelques années. Outre ces derniers, notre préférence va aux petits bateaux, comme le *Mare Nostrum* de Porto Linea ou le *Pass'Partout*, qui permettent d'éviter les groupes trop importants et de passer à proximité des grottes. Ils sont en revanche moins confortables si la mer secoue un peu.

Les compagnies disposent de guichets disséminés dans la ville et autour du port. Les tarifs varient selon l'affluence et la concurrence. Comptez environ 25 € pour mettre le cap vers les calanques de Piana, 35-45 € pour Scandola, avec arrêt plus ou moins long à Girolata, et 45-55 € pour le grand tour du golfe. Les enfants bénéficient de réductions plus ou moins importantes selon les prestataires.

Les départs peuvent naturellement être annulés en cas de météo défavorable.

Porto Linea (renseignements et réservations Hôtel Monte Rosso ; ☎06 08 16 89 71 ; www.portolinea.com ; marine rive droite). Cabote dans la réserve de Scandola et fait étape à Girolata. Le *Mare Nostrum*, un petit bateau jaune de 12 places, s'enfonce profondément dans les anfractuosités de la côte. Le soir, le capitaine Jean-Baptiste Rostini longe les calanques en direction de Piana.

Pass'Partout (renseignements et réservations Anthony Boutique ; ☎06 85 12 29 15, 06 75 99 13 15 ; http://lepasspartout.com ; marine rive droite). Ce petit bateau rouge et blanc aux airs de chalutier en miniature, dont la capacité n'excède pas 12 passagers, peut se faufiler dans les anfractuosités de la côte.

Nave Va (renseignements et réservations Hôtel le Cyrnée ; ☎04 95 26 15 16, 06 17 11 63 41 ; www.naveva.com ; marine rive droite). Les gros bateaux bleu et blanc de ce prestataire suivent un itinéraire proche des précédents.

🍃 **Via Mare** (☎06 07 28 72 72 ou contact à l'Hôtel du Golfe ; www.viamare-promenades.com). Utilise un bateau à propulsion hybride diesel-électrique dans le but de protéger l'environnement de la réserve.

Alpana (☎06 69 69 04 05 ou contact à la boutique Baobab ; www.excursions-peche-corse.com). Une vedette rapide.

Stramare (☎06 85 58 26 79 ; www.stramare.fr). Utilise une série de vedettes et catamarans touristiques.

Corse Adrénaline (☎06 23 06 44 93 ; www.corseadrenaline.fr). Une vedette façon off-shore.

Autre option, si vous préférez plus d'indépendance : la location d'un bateau à moteur sans permis (voir l'encadré p. 136).

Randonnées à pied et à vélo

L'office du tourisme dispose d'une brochure recensant les randonnées dans les environs.

Lassé des vedettes d'excursion surchargées qui proposent des "promenades en mer" au pas de charge ? Optez pour la location d'un bateau sans permis, ce qui vous permettra d'explorer le golfe de Porto par vos propres moyens, à votre rythme, à bord d'une embarcation gonflable ou semi-rigide. Vous trouverez de nombreux loueurs sur le port, de part et d'autre de la passerelle, dont les tarifs sont alignés (75/115 € la demi-journée/journée pour un bateau sans permis équipé d'un moteur de 6 CV, essence non incluse). La concurrence se joue sur le modèle – et donc la consommation – du moteur. Les manœuvres sont très faciles, et les prestataires vous feront un brief de sécurité avant le départ. Ils vous remettront également une carte avec les plus beaux "spots" du golfe, notamment la "piscine", une zone idyllique pour le snorkeling, près de Capu Rossu. Cette formule peut se révéler plus souple et moins chère pour une famille souhaitant explorer le littoral. Contactez les loueurs suivants :

» **Patrick et Toussaint** (☑06 81 41 70 03, 06 81 33 75 87 ; www.patrickettoussaint. com ; ☉mai à début oct). Loue également des kayaks, de une à quatre places (à partir de 10 € l'heure, dégressif).

» **Le Goéland** (☑06 09 49 06 10 ; ☉mai à début oct)

» **Porto Bateaux Locations** (☑06 88 84 49 87 ; www.portobateaulocation.com ; ☉mai à début oct)

» **Porto Aventure** (☑06 29 05 56 74 ; ☉mai à début oct)

Corse Rando   BALADES COMMENTÉES
(☑06 82 40 88 01 ; www.corserando.fr ; ☉avr à mi-oct). Basée sur la plage de Bussaglia, non loin de Porto, cette agence organise des randonnées pédestres commentées, de différents niveaux, à la découverte de la flore, de la faune, de la géologie, et à la rencontre des habitants.

Porto Location   VTT
(☑04 95 26 10 13 ; Vaïta ; ☉tte l'année). En face du supermarché Spar, location en haute saison de VTT en bon état (14/18 € la demi-journée/journée).

🛏 **Où se loger**

Porto compte un grand nombre d'hôtels ouverts en saison (la bourgade "ferme" presque à la fin de l'été). La concurrence est rude entre les établissements, et nombreux sont ceux qui affichent régulièrement des tarifs promotionnels. Faites le tour des offres avant de vous décider. Vous trouverez ci-dessous une sélection des adresses qui nous ont semblé présenter le plus d'intérêt.

Camping Sole E Vista   CAMPING €
(☑04 95 26 15 71 ; www.camping-sole-e-vista. com ; Porto ; adulte/tente/voiture 6-9/4-6/4-5 € selon saison, bungalows d 55-70 € ; ☉mars-oct ; @). Un camping accueillant installé sur les hauteurs de Porto, près du supermarché Spar. Ses emplacements, isolés les uns des autres, sont agréables et ombragés. Location de vélos et point Internet. Outre

les emplacements, possibilité de louer des bungalows à la nuitée ou à la semaine.

Camping Le Porto   CAMPING €
(☑06 85 41 50 74 ; www.camping-le-porto.com ; adulte/tente/voiture 6,50-7/2,80-3/2,80-3 € selon saison ; ☉mi-juin à mi-sept). Bien ombragé, ce camping est installé dans un ancien verger en terrasses, où chaque palier a gardé des arbres d'origine (mandariniers, pommiers, mûriers, abricotiers...). En pleine saison, on se sent un peu à l'étroit.

Camping Les Oliviers   CAMPING €
(☑04 95 26 14 49 ; www.camping-oliviers-porto. com ; adulte/tente/voiture 7,50-10/3,50-10/3-4 € selon saison ; ☉avr à début nov ; 🏊). Imaginez un camping doté de services dignes d'un hôtel trois étoiles : une superbe piscine à plusieurs niveaux avec balnéo, transats et parasols, une salle de fitness, deux saunas, un hammam, une pizzeria... Le tout, qui plus est, en excellent état, près du pont de Porto. Outre les emplacements ombragés et le restaurant, des roulottes et des bungalows en bois tout équipés, pouvant accueillir de 5 à 7 personnes, sont proposés en location à la semaine.

Hôtel du Golfe   HÔTEL €
(☑04 95 26 12 31, 06 30 95 15 20 ; www.hotel-le-golfe-porto.com ; marine rive droite ; d 42-58 € selon confort et saison ; ☉mi-mars à début nov). À quelques mètres de l'accès à la tour génoise, cette adresse figure parmi les moins chères de la ville. La déco n'est pas très inspirée,

mais les 10 chambres sont spacieuses et 8 d'entre elles disposent d'un balcon avec vue sur la mer. Les tarifs raisonnables, l'emplacement en bas de la marine et l'accueil familial compensent le cadre.

BON PLAN **Hôtel Corsica** HÔTEL €
(☎04 95 26 10 89 ; www.hotel-corsica-porto. com ; s/d/tr 51-80/57-88/73-105 € selon saison, studios 2 pers 69-98 € ; ☺avr-oct ; P✻⛱🅿🛜). Certainement l'un des meilleurs choix à prix raisonnables, le Corsica vous attend quelques centaines de mètres en amont de la marine, dans un petit coin de verdure rafraîchissant. Ses grandes chambres avec terrasse ou balcon donnent pour nombre d'entre elles juste dans l'axe de la tour de Porto, visible au-delà de l'agréable piscine. Le bel emplacement dans la végétation, l'accueil souriant, la jolie piscine et le buffet du petit-déjeuner contribuent à son excellent rapport qualité/prix.

Costa Rossa HÔTEL €€
(☎04 95 73 71 17 ; www.hotel-costarossa-porto-corse.com ; d 100-160 € selon saison et vue ; ☺avr-oct ; P✻⛱🅿🛜). Sur la route de la marine, un peu en dessous du Corsica, cet établissement bâti en 2011 est le plus récent de Porto à l'heure où nous écrivons ces lignes, et l'un des plus confortables. Les chambres, qui déclinent une décoration à base de teintes grège et chocolat, sont réparties sur 3 niveaux au-dessus de l'étincelante piscine. Celles du haut – le niveau de la réception – ont la plus belle vue. L'ensemble, confortable et moderne, manque cependant un peu de chaleur. Bon buffet de petit-déjeuner.

Le Lonca HÔTEL €€
(☎04 95 26 16 44 ; www.hotel-lelonca.com ; Vaïta ; d 80-160 € selon saison et confort ; ☺avr-sept ; P✻⛱🛜). À 500 m sur les hauteurs de la marine, juste à côté de la poste, le Lonca propose des chambres fonctionnelles, bien tenues, spacieuses, et équipées d'une bonne literie. Les moins chères sont en petit nombre (3 seulement) ; les plus chères disposent d'un balcon ou d'une terrasse.

Le Belvédère TROIS-ÉTOILES €€
(☎04 95 26 12 01 ; www.hotel-le-belvedere.com ; d 55-129 € selon vue, confort et saison ; ☺avr-oct ; ✻🛜). Quasi les pieds dans le port, ce trois-étoiles à tarifs raisonnables loue des chambres confortables, modernes et d'une propreté exemplaire. Les moins chères n'ont pas de vue (elles donnent sur l'arrière, et la vue est bouchée) et sont assez petites, les intermédiaires disposent d'une grande terrasse et les "supérieures" sont vastes et

dotées d'un balcon donnant sur le port. L'hôtel, qui offre un bon rapport qualité/prix (hormis le petit-déjeuner, facturé 12 €), se double d'un restaurant installé sur une belle terrasse. Faute de parking, les voitures doivent se garer sur la marine ou rive gauche, de l'autre côté de la passerelle. Garage à moto.

Le Colombo HÔTEL €€
(☎04 95 26 10 14 ; www.hotel-colombo-porto. com ; d 75-125 € selon vue et saison, avec petit-déj ; ☺avr-oct ; 🛜). À défaut du meilleur emplacement de Porto – il est situé en bordure de la D81, en haut du bourg – le Colombo est une belle bâtisse en pierre qui séduit par son ambiance lumineuse. Les chambres, enduites de blanc, sont de taille variables mais possèdent toutes une belle hauteur sous plafond. Certaines disposent de salles de bains au format de timbre-poste ; d'autres se démarquent par leurs très belles terrasses orientées sur la mer. Un jardinet fleuri vous attend en contrebas. Pas de parking.

✗ Où se restaurer

À côté de nombreuses adresses sans prétentions, Porto compte une série de bonnes tables. Voici nos suggestions.

La Mer CUISINE MÉDITERRANÉENNE €€
(☎04 95 26 11 27 ; marine rive droite ; plats 15-25 €, menu 24 € ; ☺mi-mars à fin nov). Un peu à l'écart du tohu-bohu de la marine, cette valeur sûre bénéficie d'une belle terrasse ombragée d'un mûrier-platane, face au golfe et à la tour génoise. Les lieux sont accueillants et la qualité de la cuisine est au rendez-vous, avec de savoureuses spécialités de la mer – dos de saint-pierre au champagne, marmite du pêcheur – et des plats de viande, comme le carré d'agneau au thym… Une cuisine méditerranéenne dans la tradition.

Le Sud CUISINE MÉDITERRANÉENNE €€
(☎04 95 26 14 11 ; marine rive droite ; plats 16-21 € ; ☺avr-sept). Impossible de ne pas être séduit par la grande terrasse en bois exotique – certainement la plus belle de la ville – qui surplombe le port au pied de la tour de Porto, et par la salle aux murs chaulés d'ocre et d'orangé. La bonne impression se confirme à l'arrivée des plats, qui déclinent une cuisine méditerranéenne légère et savoureuse, rehaussée d'une touche d'inventivité. Carte et suggestions à l'ardoise. Belle sélection de vins.

L'Oasis CUISINE MÉDITERRANÉENNE €€
(☎04 95 24 71 16 ; plage rive gauche ; plats 16-27 € ; ☺avr-sept). Tout au bout de la plage sur la rive gauche de Porto, cette belle terrasse affiche

une déco un peu bobo, à base de coquillages, qui lui donne un air maritime chic. Dans ce cadre idéalement placé pour assister au coucher du soleil et s'éloigner de l'animation de la ville, on sert des plats de cuisine du monde (tagines, curries) et surtout des poissons et langoustes vendus au poids (ce qui peut faire rapidement monter la note !). Pas de règlements par cartes de crédit.

Le Maquis   GASTRONOMIQUE CORSE €€€
(📞04 95 26 12 19 ; croisement D81 et D124 ; plats 23-31 € ; ☺mi-mars à mi-nov). L'une des références culinaires de Porto, le Maquis vous attend tout en haut du bourg, non loin de l'embranchement vers Ota. La cuisine – médaillon de lotte au jus de crustacés et risotto d'asperges vertes, filet mignon de porc caramélisé au miel et au gingembre – joue dans la cour des grands, ce qui a un coût... Les vins, en revanche, sont proposés à des tarifs raisonnables. Belle terrasse avec vue sur le golfe, au loin.

Si vous souhaitez faire vos courses, les supermarchés **Spar** et **Proxi Super** bordent la D81 à proximité de la pharmacie. Une petite boutique d'alimentation est également installée à la marine, où vous trouverez une **sandwicherie** à côté de la tour génoise, et de nombreux restaurants et hôtels-restaurants proposant des menus relativement bon marché.

🍷 Où prendre un verre

Le Palmier   TERRASSE
(📞04 95 26 14 48 ; marine rive droite ; ☺tlj 11h30-23h en saison). La petite entrée, qui jouxte le guichet de la tour génoise, dissimule complètement la succession de terrasses de ce bar agréable en soirée, dont la vue sur la mer est le point fort.

Le Bistrot du Sud   BAR-LOUNGE
(📞04 95 26 14 11 ; marine rive droite ; ☺avr-sept). En dessous de la terrasse du restaurant le Sud, ce bel espace lounge se remplit en saison après le dîner. Belle terrasse, idéale pour boire un verre ou un cocktail.

Le Mini Golf   BAR-PIZZERIA
(📞04 95 26 17 55 ; marine rive gauche ; ☺avr-sept). Ce bar-pizzeria situé juste après la passerelle depuis la marine est le rendez-vous des jeunes et des plongeurs sur la rive gauche.

ℹ Depuis/vers Porto

BUS Porto se trouve sur la ligne Ajaccio-Ota des **autocars S.A.S.A.I.B. – Ceccaldi** (📞04 95 22 41 99 ; www.autocarsiledebeaute.

com). Deux bus quotidiens relient la ville à Ajaccio, Tiuccia, Sagone, Cargèse, Piana et Ota, de mai à septembre. En été, la compagnie dessert également Calvi via le col de la Croix (sentier vers Girolata). Le départ a théoriquement lieu devant la pharmacie, tous les jours à 10 € jusqu'à Calvi, 10 € jusqu'au col de la Croix).

De juillet à mi-septembre, les **autocars Mordiconi** (📞04 95 48 00 04) effectuent le trajet Porto-Évisa-col de Verghio-Calacuccia-Corte (20 €) du lundi au samedi. Les bus partent de la rive gauche, dans la forêt d'eucalyptus, près du camping municipal.

Environs de Porto

Quelques plages peu fréquentées s'étendent au nord de Porto.

Plage de Bussaglia   PLAGE DE GALETS
De Porto, parcourez 6,5 km sur la D81 et tournez à gauche immédiatement après l'hôtel Eden Park. À 1,5 km en contrebas de la route et du village de Serriera, cette plage qui rencontre un certain succès le week-end offre un cadre superbe mais ne convient pas aux jeunes enfants, les fonds descendant à pic. Elle est légèrement moins en dénivelé et mieux protégée sur le côté nord de la crique. Pour vous restaurer, vous trouverez deux paillotes sur place, dont la **Marechiare** (📞04 95 26 10 49 ; plats 13-18 € ; ☺mai à mi-sept), qui bénéficie d'un joli cadre et loue des **canoës**.

Plusieurs hôtels sont présents sur la route de la plage. Mentionnons également le gîte d'étape **l'Alivi** (📞04 95 10 49 33, 06 17 55 90 51 ; www.alivi.fr ; Serriera ; dort 17 €/pers, d 50 €, demi-pension 38-48 €/pers ; ☺avr-oct), installé dans le village de Serriera, à environ 500 m avant l'embranchement vers la plage. Cette maison de village joliment restaurée abrite 4 chambres de 4 lits, impeccablement tenues, avec sdb dans chacune. Bon accueil.

Plage de Caspiu   PLAGE DE GRAVIERS
Quelques kilomètres plus au nord, en contrebas du village de Partinello, la plage de Caspiu, encadrée de rochers, est également accessible en voiture. Le gravier y est plus fin qu'à la plage de Bussaglia.

Elle abrite deux paillotes : **U Caspiu** (📞04 95 27 32 58 ; www.restaurant-u-caspiu.fr ; menus 18,50/28 €, plats 15-24 € ; ☺mi-mai à sept), apprécié pour sa cuisine marine, et la pizzeria **le Punta Rossa** (📞04 95 27 32 87 ; pizzas à partir de 10 €, menus 18-26 € ; ☺mi-mai à sept), qui loue également des kayaks (45 €/j) et des bateaux sans permis (110 €/j).

RANDONNÉE

DU PONTE VECCHJU AU PONTE ZAGLIA

Départ : entre Porto et Évisa, 2 km après Ota par la D124
Durée : 1 heure aller-retour (retour par le même itinéraire)
Difficulté : facile

Cette superbe excursion dans les majestueuses gorges de la Spelunca vous conduira jusqu'à un pont génois remarquablement préservé. Le sentier débute directement à l'extrémité du double pont, sur la gauche en venant d'Ota. Ancien chemin muletier reliant Ota à Évisa, il suit le très beau défilé de la Spelunca en longeant provisoirement le Porto. Il constitue ainsi un tronçon du sentier Mare e Monti® nord, qui relie Calenzana à Cargèse. Le premier pont génois, le **Ponte Vecchju**, à 300 m environ en aval du début du sentier, est visible en arrivant par la D124.

Le sentier rocailleux s'élève ensuite très progressivement et remonte la vallée par la rive gauche, partiellement ombragé par un couvert végétal de chênes verts. Après une demi-heure de marche, vous atteindrez le **Ponte Zaglia**, magnifique pont génois noyé dans la végétation. Vous pourrez vous rafraîchir dans de multiples vasques.

Il est également possible de commencer cette balade à Ota (peu après le restaurant Chez Félix), mais ce tronçon n'est pas le plus intéressant.

Plage de Gradella
PLAGE DE GRAVIERS

Plus au nord encore, isolée en contrebas du col de la Croix et du village d'Osani, la petite plage de Gradella, d'où l'on embrasse Porto et les calanques de Piana, ne manque pas de charme et dispose de quelques infrastructures de loisirs.

Pour explorer les criques sauvages, **M. Colonna** (☎06 74 33 21 50) propose des **bateaux sans permis** (110/160 € demi-journée/journée, essence incluse, de fin juin à mi-septembre). Vous pouvez également louer des **kayaks** (22 € environ la demi-journée) auprès du **restaurant Santa Maria – Chez Doumé** (☎04 95 27 30 38/31 73 ; plats 10-28 € ; ☺juin-sept), dont la carte repose avant tout sur les spécialités de la mer. À 300 m de la plage, l'accueillant **camping E Gradelle** (☎04 95 27 32 01 ; www.corsica-gradelle.fr ; adulte/tente/voiture 7/3,50/3,50 € ; ☺mai-sept) occupe un superbe site dans une forêt, en terrasses, et dispose d'un bar-restaurant et d'une épicerie.

♥ De Porto au col de Verghio

On aurait tort de se cantonner aux magnifiques rivages de la côte occidentale. Une succession de bonnes surprises s'échelonnent en effet le long de la D124, puis de la D84, qui quittent Porto pour s'en aller flirter avec les dénivelés de l'épine dorsale rocheuse de l'île. Cet itinéraire mène au paisible village d'Ota et à ses ponts génois, puis aux superbes paysages des gorges de la Spelunca, à Évisa, à la forêt d'Aïtone et enfin au col de Verghio (Bocca di Verghju), au-delà duquel s'étend le Niolo (Niolu). De là, on peut continuer jusqu'au forêt du Valdo Niello, Calacuccia, la Scala di Santa Regina et Corte.

OTA

Juché au-dessus de son cimetière, le joli village d'Ota (310 m d'altitude) s'agrippe à la montagne à 5 km en surplomb de la station balnéaire de Porto. Entre ses maisons de pierre règne une ambiance paisible, à l'image des deux palmiers qui font de l'ombre au monument aux morts, face à la mairie. Ota est également apprécié pour ses gîtes bon marché, qui doivent leur existence au passage du sentier Mare e Monti® par la localité.

Félix Ceccaldi, le seul **taxi** des environs (☎06 85 41 95 89, 04 95 26 12 92), propose de récupérer les randonneurs qui souhaitent rayonner autour d'Ota.

❂ À voir et à faire

Deux exceptionnels **ponts génois** méritent le coup d'œil à proximité du hameau. Pour les rejoindre, suivez la D124 sur 2 km en direction d'Évisa. Le gracieux pont de Pianella forme une arche parfaite sur la droite, en contrebas de la route. Vous pourrez descendre jusqu'au pont et à la rivière pour vous rafraîchir. Le second ouvrage, quelques centaines de mètres plus loin, est tout aussi étonnant : construit à la confluence de l'Aïtone et de la Tavulella, il enjambe consécutivement les deux cours d'eau d'une double arche de pierre. La buvette qui s'y installe en été dénature malheureusement un peu le paysage. Après le pont, un sentier part à droite et permet de rejoindre Ota en marchant le long de la rivière pendant 40 minutes.

La très belle **randonnée** vers les ponts génois des gorges de la Spelunca, **Ponte Vecchju** et **Ponte Zaglia**, débute également à proximité (voir p. 139).

🛏 Où se loger et se restaurer

Chez Marie –
Le Bar des Chasseurs GÎTE-BAR-RESTAURANT €
(📞 04 95 26 11 37 ; www.gite-chez-marie.com ; dort 18 € ; demi-pension 38 €, d 45 € ; plats 7,50-18,50 €, menu 23 € ; ⊘ mars-nov). Cet accueillant gîte d'étape propose des dortoirs de 6 à 12 couchages au confort simple mais bien entretenus (évitez celui de 6 lits, sans fenêtre) et deux chambres doubles correctes (évitez la plus sombre, au format de boîte d'allumettes). Il se distingue davantage pour son agréable restaurant avec vue sur la vallée, où vous pourrez faire de copieux repas à base de spécialités maison : cannellonis au bruccio, cabri en sauce, sauté de veau, charcuterie élaborée par le fils de la patronne.

Chez Félix GÎTE-RESTAURANT €
(gîte 📞 04 95 70 68 49, 06 80 87 71 28 ; restaurant 📞 04 95 26 12 92 ; www.gite-chez-felix.com ; place de la Fontaine ; dort 17 €, demi-pension en dort 38 €, d 50-60 € ; plats 12-16 €, menu 23 € ; ⊘ avr-nov). Chez Félix se décline en un gîte d'étape, dans une imposante demeure en pierre de la rue principale, et un restaurant 200 m plus loin, avec vue sur la vallée. La partie gîte se compose de petites pièces de 4 à 6 lits superposés, avec sdb, très propres. Le restaurant, longtemps une véritable institution du village, propose un menu de spécialités corses qui change régulièrement.

Chez Joëlle CHAMBRES D'HÔTES €
(📞 06 86 61 77 73 ; d avec petit-déj 65 € ; ⊘ tte l'année). Bienvenue dans l'univers atypique de Joëlle Chiaroni. Sa jolie demeure en pierre, dans le haut du village près de la place de la Fontaine, a des airs de maison de poupée remplie de bibelots. Les 2 chambres, assez petites, donnent de part et d'autre de la pièce principale. Elles partagent une sdb, mais la propriétaire, dont la personnalité rend le séjour attachant, projetait d'y remédier lors de notre dernier passage. Possibilité de table d'hôtes (23 € tout compris).

U Fragnu RESTAURANT €
(📞 04 95 26 15 60 ; pizzas à partir de 10 €, menu 22 € ; ⊘ avr-sept). Perchée une dizaine de mètres au-dessus de la rue principale, cette adresse sert des pizzas et autres plats sans surprise à des tarifs attrayants. Le charme des lieux doit beaucoup au superbe panorama des environs et à la jolie salle voûtée aux pierres apparentes, ornée d'un ancien pressoir (*u fragnu* en corse).

L'**épicerie Égé** (⊘ 10h-12h et 16h-19h tlj en saison), archétype de l'épicerie de village située près de l'église, permet aux randonneurs de se ravitailler.

ℹ Depuis/vers Ota

BUS De mai à septembre, les **autocars S.A.S.A.I.B. – Ceccaldi** (📞 04 95 22 41 99 ; www.autocarsiledebeaute.com) relient Ota à Porto, Piana, Cargèse, Sagone, Tiuccia et Ajaccio, 2 fois par jour, du lundi au samedi et tous les jours de juillet à mi-septembre. Hors saison, les liaisons ont lieu du lundi au samedi. Les bus partent de la place de la Fontaine, non loin du gîte Chez Félix.

ÉVISA

Cerné de châtaigneraies, le bourg d'Évisa coule des jours paisibles à 830 m d'altitude, entre les gorges de la Spelunca et la forêt d'Aïtone. Point de rencontre des sentiers Mare a Mare® et Mare e Monti®, ce village agréable et assez important est fréquenté en été par les randonneurs. Évisa est par ailleurs réputé pour ses marrons – il existe même une appellation "marron d'Évisa" –, auxquels une fête est spécialement dédiée chaque année, mi-novembre. Outre les randonnées, plusieurs itinéraires de courtes balades sont balisés autour du village. Procurez-vous la brochure consacrée au **chemin des Châtaigniers**, qui relie le bourg aux "cascades" de la forêt d'Aïtone (voir p. 141).

Évisa compte une poignée de commerces, rassemblés autour de la place du village, et un supermarché qui accepte les cartes de crédit.

🛏 Où se loger et se restaurer

U Poggiu GÎTE D'ÉTAPE €
(📞 04 95 26 21 88, 06 80 83 86 47 ; 17 €/pers, demi-pension 37 € ; ⊘ avr à mi-oct ; @). Dissimulé près de la poste, à l'écart dans une ruelle en contrebas du village, le gîte d'étape d'Évisa est apprécié des randonneurs pour son accueil et sa copieuse demi-pension. Il dispose de 39 couchages répartis en chambres de 4 personnes et en dortoirs de 8 et 9 lits, au confort simple mais correct. Ordinateur connecté à Internet (3 € la demi-heure) et possibilités de laver du linge.

La Châtaigneraie HÔTEL-RESTAURANT €
(☎04 95 26 24 47 ; www.hotel-la-chataigneraie.
com). Cette accueillante adresse, appréciée
pour ses repas et ses chambres, était exceptionnellement fermée en 2012. Renseignez-
vous lors de votre passage pour savoir si elle
a rouvert.

L'Aïtone HÔTEL-RESTAURANT €€
(☎04 95 26 20 04 ; www.hotel-aitone.com ;
d 40-125 € selon confort et saison ; menus à partir de
16 € ; ⊙fév-nov ; P ✳ ☎ 🛜). À la sortie d'Évisa en
direction du col de Verghio, cet hôtel dispose
de 32 chambres, pour la plupart dotées d'un
balcon avec vue sur les montagnes environnantes. Leur décoration ancienne mériterait
un coup de jeune, mais le confort est acceptable et l'ambiance typique d'auberge de
village est reposante. Préférez les chambres
du "nouveau" bâtiment. Les tarifs varient
selon l'équipement (les moins chères partagent les WC sur le palier), la vue et la saison.
Outre le superbe panorama – depuis la
terrasse, on voit, de droite à gauche, le village,
les montagnes et les châtaigneraies –, l'hôtel
possède un atout maître : une belle et vaste
piscine. Cuisine correcte au restaurant, avec
salle panoramique à l'arrière.

BON PLAN **A Tramula** RESTAURANT ET BOUTIQUE €
(☎06 85 16 87 80 ; plats 11-18 € ; ⊙tlj midi et
soir, tte l'année). Une bonne surprise ! Dans la
rue principale, cette adresse discrète vient
démontrer que la cuisine corse ne se limite
pas aux cannellonis au bruccio et au veau
aux olives. La carte propose en effet des
spécialités méconnues comme les *nicci* et
les *intriciate*, crêpes à la farine de châtaigne
garnies de charcuterie, fromage et légumes.
Agréable terrasse en balcon à l'arrière et
accueil souriant. Certains produits de la
carte sont en vente à la boutique mitoyenne.

Café moderne RESTAURANT €
(☎04 95 26 25 31 ; plats 13-18 €). À deux pas de
l'adresse précédente, ce bar-restaurant sert
dans la bonne humeur des plats aptes à satisfaire tous les goûts – salades, charcuterie,
plats du jour – sur une agréable terrasse.

Plusieurs autres cafés d'Évisa proposent
des en-cas et servent la spécialité d'Évisa
– la châtaigne – déclinée sous différentes
formes : glace, gâteau, crème.

FORÊT D'AÏTONE
Les premiers pins laricios de la forêt
d'Aïtone se dressent quelques kilomètres
au-dessus d'Évisa. Étape rafraîchissante,
elle s'étend sur 1 670 ha entre 800 et 2 000 m

d'altitude et abrite une série de sentiers de
balade. La forêt est réputée de longue date
pour ses essences : les Génois s'intéressèrent
en effet à son bois au point de faire percer
au XVIIᵉ siècle une voie permettant d'ache-
miner les grumes jusqu'à Sagone, où elles
étaient expédiées vers les chantiers navals
de Gênes. De nos jours, le pin laricio est
majoritaire sur environ 800 ha. Les hêtres,
qui témoignent de la relative humidité de
la forêt, occupent quelque 200 ha. Des pins
maritimes et quelques sapins et mélèzes
complètent la liste.

Les **cascades A Madre** sont situées à une
dizaine de minutes de marche de la route,
dans un endroit idyllique à l'ombre des pins.
Elles sont souvent surfréquentées en été et les
accidents impliquant des vacanciers – chutes
sur le sol rendu glissant par l'eau, foulures,
voire accidents plus graves… – ne sont pas
rares. L'Office national des forêts déplore la
présence de trop nombreux estivants sur les
lieux et "ses conséquences dangereuses en
matière d'environnement et de sécurité". La
baignade y est théoriquement interdite, ce
qui n'enlève rien à l'intérêt du site.

À environ 2 km au-dessus de la cascade,
le Paisolu d'Aïtone désigne un foyer de ski
de fond, qui semble végéter depuis plusieurs
années. Quelques centaines de mètres plus
loin, le court **sentier de la Sittelle**, fléché par
l'ONF, permet de découvrir la forêt au cours
d'une agréable balade. Balisé de panneaux
représentant l'oiseau endémique de l'île
(parfois un peu effacés), il part à gauche
de la route et commence par emprunter
la piste dite des "Condamnés", en souvenir
des prisonniers mis à contribution pour
exploiter la forêt au XIXᵉ siècle. Le **chemin
des Châtaigniers** rejoint pour sa part Évisa
et les cascades, en traversant une châtaigneraie. Comptez environ 1 heure 30 de marche
pour parcourir cet agréable sentier ponctué
d'une douzaine d'arrêts comportant des
panneaux explicatifs. Une brochure présentant succinctement les sentiers de la région
est disponible à Évisa.

❶ Depuis/vers la forêt d'Aïtone

Aucun transport public ne dessert la forêt
d'Aïtone, mais vous pourrez prendre un taxi à
Ota. La "cascade" se trouve à 4 km d'Évisa.

COL DE VERGHIO
(BOCCA DI VERGHJU)
Six kilomètres au-dessus du Paisolu d'Aïtone, le col de Verghio marque la limite entre
la Haute-Corse et la Corse-du-Sud. Vous y

DU COL DE VERGHIO AUX BERGERIES DE RADULE

Départ : col de Verghio, 12 km au-dessus d'Évisa par la D84
Dénivelé : 100 m
Difficulté : facile

Balisé depuis le col de Verghio (1 477 m), derrière la statue qui marque la séparation entre la Haute-Corse et la Corse-du-Sud, un sentier permet de rejoindre en 40 min les bergeries de Radule (1 370 m), sur le tracé du GR®20. Cette superbe balade entre cimes et forêt, balisée en orange, ne présente guère de difficultés et traverse des paysages extraordinaires. Prenez garde à bien suivre en repartant le sentier balisé vers le col de Verghio et non le GR®20, balisé en blanc et rouge. Les bergeries se composent de quelques cabanes et enclos de pierres accrochés à la montagne, que l'on distingue à peine dans l'environnement minéral qui les entoure. Une structure d'accueil prometteuse était en construction en contrebas des bergeries lors de notre dernier passage. Une petite **cascade**, à quelques minutes de marche des bergeries, se jette dans un bassin digne du paradis terrestre.

serez accueilli par une **statue** moderne du sculpteur Bonardi supposée représenter Jésus dans une pose peu commune, vêtu d'un long manteau, une main tendue en avant et paume vers le ciel.

Le col, à 1 467 m d'altitude, révèle une vue particulièrement dégagée sur la région du Niolo et la forêt d'Aïtone, d'un côté, et la forêt du Valdo Niello, de l'autre. Quelques parcelles de la forêt servent à étudier la longévité du pin laricio. Selon un panneau d'information, certains arbres ont atteint 300 ans d'âge, une hauteur moyenne de 30 m et un volume moyen de bois d'œuvre de 13 m³.

Divers sentiers de randonnée partent du col. Vous pourrez notamment y effectuer une balade d'environ 1 heure 30 aller-retour jusqu'aux **bergeries de Radule** (voir ci-dessus). Le balisage parfois en partie effacé se confond avec le jaune des lichens, mais des cairns indiquent le sentier, suffisamment bien tracé pour qu'il soit impossible de se perdre. Ce bel itinéraire pédestre, qui flirte avec le GR®20 entre forêts et montagnes, correspond à la fin de l'étape 5 du sentier de grande randonnée.

🛏 Où se loger et se restaurer

Castel de Verghio   HÔTEL-RESTAURANT €€
(☎04 95 48 00 01 ; www.hotel-castel-vergio.com ; camping 6 €/pers, gîte 15 €/pers, gîte en demi-pension 42 €/pers, s/d/tr 75/90/120 €, demi-pension 1/2/3 pers 100/145/204 € ; menu 23 € ; ☺mai à mi-oct). Environ 1,5 km après le col en venant d'Évisa, face à une station de ski quasi abandonnée, ce grand hôtel du bout du monde est la seule possibilité d'héberge-ment dans cet environnement montagneux

et reculé. Attaché à cet établissement familial, le propriétaire Jean-Luc Luciani a présidé à sa rénovation complète, ce qui vaut à l'établissement d'être à nouveau fréquenté avec plaisir par les randonneurs et agences de sport-aventure locales. L'hôtel dispose de 29 chambres confortables (boiseries, canapé, TV, terrasse) toutes identiques. Vous y trouverez également une belle salle de restaurant où d'indémodables lustres des années 1970, épargnés par la rénovation, côtoient une déco plus moderne mettant en valeur les immenses baies vitrées offrant une vue panoramique sur les montagnes. Mention spéciale au bar, convivial et chaleureux, particulièrement agréable en soirée. L'aire de bivouac et le gîte (dortoir de 4 à 10 personnes), lui aussi refait à neuf, se trouvent au bord de la route. Machine à laver, sèche-linge et petite épicerie à disposition. Cartes de crédit non acceptées.

Les bus effectuant la liaison Corte-Porto s'arrêtent devant l'hôtel pendant l'été, une fois par jour sauf le dimanche, dans chaque sens (demandez les horaires à l'hôtel). Un stand de produits corses et de boissons s'installe sur le parking du col en été.

Piana

À 68 km d'Ajaccio et 12 km de Porto, ce village paisible de 500 habitants doit sa notoriété aux superbes *calanche* (calanques, voir p. 146) qui le bordent. Classées au patrimoine mondial par l'Unesco, elles sont l'un des points d'orgue de cette côte. Le village en lui-même est classé parmi les "plus beaux villages de France" et donne accès à la plage d'Arone et au majestueux Capo Rosso (voir l'encadré ci-dessous).

Histoire

Juché sur un petit plateau à 438 m d'altitude, face au golfe de Porto, Piana a connu une histoire singulière : au XVe siècle, le hameau était sous l'autorité des fougueux seigneurs de Leca, qui régnaient sur un vaste territoire de la côte ouest de l'île. Révoltés contre Gênes, ils furent massacrés avec l'ensemble des défenseurs de la paroisse, à l'exception des femmes et des enfants. Les Génois interdirent ensuite à quiconque de s'installer à Piana. Le hameau ne renaquit de ses cendres qu'à partir de 1690, profitant du déclin de la république de Gênes. L'église Sainte-Marie, dont l'intérieur renferme de belles statues, fut construite par souscription publique entre 1765 et 1772.

 Renseignements

Office du tourisme (☎04 95 27 84 42 ; www.otpiana.com ; ☉avr-juin lun-ven 8h30-11h30 et 13h-17h, sam 9h-12h, juil-août lun-ven 9h-12h et 13h-17h, sam-dim 9h-13h, sept lun-ven 9h-12h et 13h-17h, sam 9h-13h, oct-mars lun et jeu 8h30-11h30 et 14h-16h). À côté de la poste. Vend notamment une brochure sur les balades aux alentours des calanques (1 €).

Il n'existe ni banque ni DAB à Piana.

⊙ À voir et à faire

Flâner dans le village pour découvrir son église et ses ruelles vous prendra peu de temps. Outre les calanques, décrites plus loin, les environs de Piana recèlent de jolis buts de promenade.

Église de Piana   ARCHITECTURE BAROQUE

L'église paroissiale de Piana se dresse au milieu du village. De style baroque, elle est dédiée à l'Assomption. Le décor a été restauré au début des années 2000. Notez la belle porte en bois polychrome et les médaillons qui ornent la voûte du chœur.

Marine de Ficajola   CRIQUE

De l'église de Piana, prenez la route de la plage d'Arone, puis la D624 à droite, après 1 km. Cette dernière, qui descend en lacets serrés dans de superbes paysages de roche rouge sur environ 4 km, offre de beaux points de vue sur les calanques. Vous pourrez laisser votre véhicule pour emprunter un sentier qui rejoint en une dizaine de minutes une crique enchâssée dans la côte : la marine de Ficajola, où

 LA TOUR DU CAPO ROSSO

Accès : de Porto ou Cargèse, prendre la D81 jusqu'à Piana, puis la D824 en direction de la plage d'Arone sur 5 km environ
Durée : 2 heures 30 à 3 heures aller-retour
Dénivelé : 300 m
Difficulté : absence d'ombre

Cette balade, qui part à l'assaut d'une tour génoise et se termine en apothéose par un sublime panorama, est certainement l'une des plus belles du littoral corse. De la route, on distingue la silhouette altière de la tour de Turghio qui se détache vers l'ouest, perchée sur le Capo Rosso. Le sentier, flanqué au départ de murets de pierres, descend à travers la végétation maquisante. Au bout d'environ 20 min, vous apercevrez à votre gauche une petite bergerie.

Après avoir contourné par le sud l'épaulement rocheux sur lequel trône la **tour de Turghio**, vous atteindrez une autre bergerie, rénovée. Remarquez les différentes nuances du granite, qui prend alternativement des teintes grises et roses, et un drôle d'éperon rocheux surgissant des flots.

Pour attaquer la montée vers la tour, le sentier bifurque sur la droite. Repérez les cairns jalonnant l'ascension – sans concession –, qui décrit des lacets serrés à proximité du sommet. Comptez une demi-heure, sans la moindre parcelle d'ombre. La majestueuse tour de Turghio, qui trône sur le Capo Rosso, viendra couronner vos efforts.

Du haut de ce promontoire qui éperonne la mer, révélant un panorama féerique, vous toisez les golfes de Porto et de Sagone. À vos pieds, la falaise plonge à pic dans la mer, 300 m plus bas.

DU GOLFE DE PORTO À AJACCIO GOLFE DE PORTO

CALANQUES DE PIANA : BALADE VERS LE CHÂTEAU FORT

Départ : à la Tête du Chien, à 3,5 km de Piana en direction de Porto
Durée : 20-30 min aller
Difficulté : très facile

Un beau point de vue sur le golfe de Porto et les calanques vous attend en suivant ce court sentier qui part de la Tête du Chien, un rocher à la forme caractéristique situé dans un grand virage. La forme de la Tête du Chien est plus visible en venant de Porto, mais le lieu-dit est indiqué par un panneau. Le sentier est grossièrement balisé ; cela dit, vous ne risquez guère de vous perdre, car il est très fréquenté en été.

Vous atteindrez en 20 à 30 min de marche une plate-forme naturelle – le "château fort" – d'où s'ouvre un vaste panorama du golfe de Porto et des calanques, très apprécié au coucher du soleil.

s'abritaient jadis les barques des pêcheurs de langouste. La plage, discrète, n'est pas entièrement recouverte de sable. En été, une buvette s'installe à proximité du rivage.

Plage d'Arone BAIGNADE
La D824 dessert cette très belle plage située à 12 km de l'église de Piana. Suivant une crête d'où le golfe se laisse pleinement admirer, elle traverse des paysages sauvages de montagne et de maquis et passe à proximité du Capo Rosso (Capu Rossu).

La longue plage de sable fin d'Arone occupe une place à part dans l'histoire de la Corse. Durant la Seconde Guerre mondiale, c'est sur son rivage que furent débarquées, en 1943, les premières armes destinées aux résistants corses, transportées par le sous-marin *Casabianca*. Il était commandé par le capitaine de vaisseau Jean L'Herminier (1902-1953), qui a donné son nom à plusieurs quais de ports corses.

Quelques bars et restaurants ouvrent aux abords de la plage en saison, notamment le bien nommé Café de la plage (voir *Où se restaurer*, p. 145), qui loue des transats 10 €.

Vous y trouverez également un bon terrain de camping (voir *Où se loger*, ci-contre) et le **club de plongée Osmeauz** (☎06 19 11 10 57 ; osmeauz@orange.fr).

**♥ Capo Rosso
(Capu Rossu)** TOUR GÉNOISE ET BALADE
Surmontée de la **tour de Turghio**, la langue de maquis et de roche aux teintes grises et roses du Capo Rosso s'avance dans la mer entre les golfes de Porto et de Sagone, qu'elle surplombe de ses 300 m. Ce splendide perchoir offre l'occasion d'effectuer l'une des plus belles promenades en bord de mer de la côte corse, au cours de laquelle vous découvrirez un saisissant panorama de

l'anse et de la plage d'Arone (voir ci-contre et la randonnée p. 143).

Pour rejoindre le cap, prenez la direction de la plage d'Arone (D824) depuis Piana et parcourez environ 5 km jusqu'à la buvette A Guardiola, qui vous attend dans un virage.

🛌 Où se loger

Camping de la plage d'Arone CAMPING €
(☎04 95 20 64 54 ; emplacement/adulte/voiture/tente 6/9/5/5 € en haute saison ; ◷juin-sept). Seul camping de la région, ce beau terrain est situé à 11 km de Piana, peu avant la plage d'Arone. Très fleuri et paisible, il profite d'un beau site et propose une cinquantaine d'emplacements, à l'ombre pour la plupart. La plage est distante de 600 m par la route mais de seulement 200 m par un sentier pédestre.

**BON PLAN Maison d'hôtes
San Pedru** CHAMBRES D'HÔTES €
(☎09 61 38 08 08 ; http://san-pedru.e-monsite.com ; d sdb extérieure 49-59 € selon saison ; ◷mai-sept). À la sortie sud de Piana, cet ancien hôtel rénové et reconverti en maison d'hôtes est installé dans une belle bâtisse de famille. Il abrite des chambres au confort simple, avec salle de bains commune, qui doivent notamment leur charme à leur gros parquet de châtaignier. Une adresse qui a une âme.

♥ Giargalo CHAMBRES D'HÔTES €
(☎04 95 27 82 05 ; www.giargalo.com ; d sdb ext/avec sdb 70/85 € avec petit-déj, demi-pension 58-62 €/pers ; ◷tte l'année ; P). L'atout principal de ces chambres et de cette table d'hôtes est la dimension écologique affichée par l'établissement. Dans une grande bâtisse de pierre grise avec terrasse, en surplomb du village, Giargalo propose 5 chambres d'hôtes colorées, aménagées sous les combles, ainsi que 3 chambres familiales. La propriétaire

propose à ses convives, du petit-déjeuner (copieux buffet) au dîner, des produits maison en provenance du jardin ou issus de producteurs sélectionnés. Les échos sont cependant mitigés, certains lecteurs ayant été déçus par les prestations. Réservation souhaitée hors saison. Pas de règlements par cartes de crédit.

Gîte de la Fontaine   CHAMBRES D'HÔTES €
(☏04 95 27 80 77, 06 24 64 54 34 ; http://gite-delafontaine.perso.sfr.fr ; d 50 €). Au milieu du village, jusque derrière la fontaine, cette haute maison ancienne entourée d'un balcon a été réaménagée avec des chambres à la décoration sans chichis, mais impeccables et lumineuses. Un coin salon, une cuisine équipée et une salle commune avec TV sont à la disposition des hôtes. Réservez, car les propriétaires ne sont pas toujours sur place.

Le Scandola   HÔTEL €€
(☏04 95 27 80 07 ; www.hotelscandola.com ; d 60-130 € ; ⊗avr-oct ; P ❋ @ �🖏). On n'imagine pas trouver une décoration aussi "tendance" dans ce bâtiment situé dans un virage, à la sortie sud de Piana. Juste après le restaurant U Spuntinu, le Scandola doit son succès à ses chambres lumineuses et bien équipées, dont la déco dans l'air du temps décline des teintes de beige, de blanc et de framboise. Les plus chères disposent même d'un ordinateur et d'une imprimante ! En plus : une vue époustouflante sur le golfe, toutes les chambres étant orientées vers la mer.

Les Roches rouges   HÔTEL-RESTAURANT €€
(☏04 95 27 81 81 ; www.lesrochesrouges.com ; route de Porto ; s/d avec petit-déj 102-123/114-136 € selon vue, demi-pension s/d 145/83-98 €/pers ; ⊗mi-mars à mi-nov ; P 🖏). À l'entrée du village en venant de Porto, en contrebas de la route, cet hôtel fondé en 1912 a connu des jours meilleurs mais a conservé une part de son charme suranné. La peinture de la façade est certes écaillée, les chambres confortables mais anciennes sont incontestablement surévaluées, mais le lieu, l'atmosphère et la vue compensent ces imperfections. Cette demeure de style offre en effet la plus belle vue qui soit sur le golfe. Si vous ne pouvez y dormir, rattrapez-vous avec un apéritif sur la terrasse à l'heure du coucher du soleil ou un dîner dans la très belle salle de restaurant (voir *Où se restaurer*), indéniable point fort de l'hôtel.

✘ Où se restaurer

[BON PLAN] **Le Spuntinu**   CORSE TRADITIONNEL €
(☏04 95 27 80 02 ; sortie sud de Piana ; plats 7-15 €, menu 19,50 € ; ⊗tte l'année le midi, midi

et soir en saison). Lassé des "menus corses" touristiques et standardisés ? Essayez cette adresse familiale, simple et sans prétention, située à la sortie sud du village. On y sert des plats de terroir (haricots à la corse, omelette au brocciu, charcuterie) sur une terrasse ouverte sur un beau panorama, ou dans la salle, fraîche à souhait, décorée de photos anciennes. Un bon rapport qualité/prix.

Le Casanova   SNACK-PIZZERIA €
(☏04 95 27 84 20 ; place du village ; pizzas à partir de 9 €, plats 10-20 € ; ⊗Pâques-oct). Omelettes, pizzas, salades, pâtes, poissons et viandes… le Casanova est la bonne adresse pour caler une petite faim sans se ruiner. Outre la terrasse, idéalement située au cœur du village, l'établissement se double d'une jolie petite salle en pierre. Accueil agréable.

La Voûte   CORSE TRADITIONNEL €€
(☏04 95 27 80 46 ; place du village ; plats 10-28 € ; ⊗tte l'année). La minuscule entrée de ce restaurant du cœur du village dissimule une salle voûtée et une vaste et agréable terrasse, sur l'arrière. La carte n'échappe pas au traditionnel "menu corse", mais elle doit surtout sa réputation à ses poissons de pêche locale proposés à partir de 6 ou 7 € les 100 g, ce qui est particulièrement bon marché sur l'île. Les pâtes à la langouste comptent aussi parmi les spécialités.

💟 **Les Roches rouges**   RAFFINEMENT €€€
(☏04 95 27 81 81 ; plats 35-39 €, menus 39 et 68 € ; ⊗mi-mars à mi-nov). La salle à elle seule mérite le détour : classée monument historique et superbement décorée, elle ouvre sa vaste verrière sur le plus sublime panorama qui soit du golfe. Confortablement installé dans son ambiance rétro, vous dégusterez une cuisine raffinée et inventive, à l'image du velouté de marron au parfum de truffe ou du loup de ligne aux olives noires et pressé d'aubergines. Le cadre, le service attentionné et la cuisine conjuguent leurs efforts en un pur moment de bonheur. Formule déjeuner à 20 € en été.

Le café de la plage   BAR-RESTAURANT DE PLAGE €€
(☏04 95 20 17 27 ; www.lecafedelaplage.com ; plage d'Arone ; plats 14-42 € ; ⊗avr-oct). Sur la plage d'Arone, à 12 km en contrebas de Piana, cette adresse s'est taillé une belle réputation locale. Plus qu'un simple café de plage ou une paillote, vous y trouverez un vrai restaurant à l'atmosphère bobo chic assez tendance, proposant une cuisine méditerranéenne raffinée : ris de veau, filet

COUCHER DE SOLEIL SUR LES CALANQUES

Couleurs chaudes parant la roche de nuances cuivrées, fraîcheur et quiétude de la fin de journée, moins de monde… l'approche du coucher du soleil est l'heure idéale pour découvrir les calanques depuis la D81. Deux adresses permettent de profiter pleinement du spectacle. À l'entrée de Piana, la très belle **terrasse de l'hôtel des Roches rouges** (voir p. 145 ; cocktails 12 €), à ne pas rater, laisse chaque soir des souvenirs émus à ceux qui la choisissent. Autre option de choix, le **Chalet des Roches bleues** (☎04 94 27 81 19 ; formules 14-23 € ; ⊘service continu jusqu'à 23h juil-août, jusqu'à 20h avr-juin et sept-oct), installé au milieu du site en bordure de la D81, se décline en une boutique de souvenirs et une terrasse offrant un superbe panorama face au couchant. La carte de cette adresse accueillante propose petite restauration et apéritifs dinatoires.

d'agneau au vieux parmesan et risotto au basilic, chipirons à la plancha…

Depuis/vers Piana

BUS De mai à septembre, les **autocars S.A.S.A.I.B. – Ceccaldi** (☎04 95 22 41 99 ; www.autocarsiledebeaute.com) font halte à Piana sur leur trajet entre Ajaccio et Porto. Ils circulent 2 fois par jour, du lundi au samedi hors saison et tous les jours de juillet à mi-septembre. Hors saison, les liaisons ont lieu du lundi au samedi.

♥ Calanques (E Calanche)

Sillonnées de courts itinéraires de balades, les *calanche* (calanques) de Piana sont le point d'orgue de la partie de côte s'étendant entre Porto et Ajaccio. Les dernières lumières du couchant, notamment, sont un moment à ne pas rater dans ce cadre d'exception. Classées au patrimoine mondial de l'humanité par l'Unesco, elles surplombent de près de 400 m les eaux du golfe de Porto. Cet étonnant jardin de pierre, intégré au parc naturel régional, doit sa formation à l'action conjuguée de l'érosion éolienne et de l'eau qui s'infiltre dans les anfractuosités du granite pour créer les *taffoni*, des cavités sphériques dont les parois semblent avoir été longuement polies.

Ainsi sculptée par l'eau et le vent, la roche a acquis au fil des millénaires les formes les plus étranges. Certains y voient même d'insolites silhouettes d'animaux… Lors d'un voyage en Corse, en 1880, Guy de Maupassant évoqua ces roches "prenant toutes les formes comme un peuple fantastique de contes féeriques, pétrifié par quelque pouvoir surnaturel". Les teintes des calanques contribuent au spectacle, surtout au crépuscule, lorsque le soleil déclinant les pare de tons cuivrés qui tranchent avec la couleur mate des rares touffes de végétation.

La D81 commence à serpenter dans les calanques à 1,5 km de Piana en direction de Porto. Elle sinue alors entre les blocs rocheux ocre rouge, dont le relief déchiqueté semble vouloir s'arracher au bleu de la Méditerranée pour gagner celui du ciel.

Le mot "calanche" vient du corse *e calanche*, pluriel de *calanca*. Il se prononce comme le mot français "calanque".

◉ À voir et à faire

Plusieurs **balades et randonnées**, praticables toute l'année, permettent de découvrir le site et ses environs. Le mieux est de partir du stade : hormis celui dit du "château fort" (voir la randonnée p. 144), tous les sentiers partent de là. Le stade vous attend au niveau du premier panneau "sentiers de randonnées" après les hôtels Capo Rosso et Roches rouges, en venant de Piana.

Le syndicat d'initiative de Piana distribue une brochure et une carte détaillant ces sentiers. En voici quelques-uns :

Sentier muletier. Cette balade de 1 heure environ suit l'ancien tracé du sentier muletier qui reliait Piana à Ota avant la construction de la D81, en 1850. L'un des itinéraires les plus beaux est balisé de points bleus sur fond blanc. Mieux vaut revenir par le même chemin, sous peine de se faufiler entre les bus et les autos aux heures d'affluence.

Forêt de Piana. Un sentier qui se décline en plusieurs variantes, de 1 heure à 3 heures de marche, traversant pinèdes et châtaigneraies en surplomb des calanques.

Capu d'Ortu. Il débute comme le précédent, avant de gravir un éperon rocheux, et mène en 6 heures au plateau du Capu d'Ortu (1 294 m).

Château fort. Cette promenade de 40 min environ aller-retour conduit à un promontoire rocheux qui surplombe le golfe de Porto et les calanques. Le sentier est balisé à partir de la Tête du Chien (un bloc rocheux à la forme caractéristique), à 3,5 km de Piana en direction de Porto, sur la D81. L'itinéraire est décrit p. 144.

ℹ️ Depuis/vers les calanques

MARCHE Vous pourrez facilement atteindre les calanques à pied depuis Piana.

BUS Les **autocars S.A.S.A.I.B. – Ceccaldi**, qui circulent de mai à septembre sur la ligne Ajaccio-Porto, peuvent vous déposer au niveau des calanques (demandez au chauffeur avant de monter).

GOLFE DE SAGONE

Cargèse (Carghjese)

Cargèse doit tout son intérêt à son étonnante histoire et à ses deux églises. La ville fut en effet fondée en 1774 pour abriter la communauté grecque exilée en Corse à l'époque génoise. Le charme de la "ville grecque" tient néanmoins davantage au calme des rues et à la blancheur des façades qu'à l'atmosphère des lointains archipels helléniques. L'héritage grec de cette localité de 1 000 habitants, dont les descendants des anciens émigrants sont maintenant indissociables des Corses de souche, n'apparaît en effet plus guère que dans sa belle église de rite byzantin, et lors de la célébration de quelques fêtes religieuses orthodoxes.

Les deux églises de cette localité un peu assoupie, bâtie sur un promontoire dominant la mer, méritent assurément une visite. Autres atouts non négligeables de Cargèse : la présence de plusieurs plages splendides au nord et au sud du bourg.

Vous verrez certainement en ville des références et affiches de soutien à Yvan Colonna, condamné pour l'assassinat du préfet Érignac, qui était installé dans le village avant les faits.

Cargèse

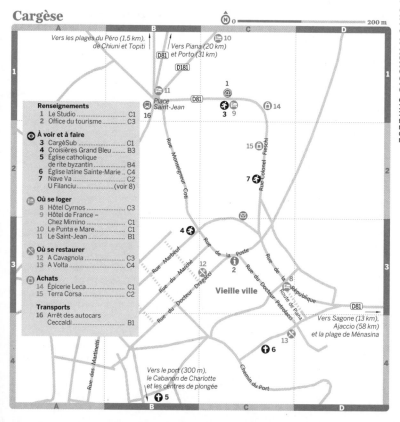

Renseignements
1 Le Studio C1
2 Office du tourisme C3

À voir et à faire
3 CargèSub C1
4 Croisières Grand Bleu B3
5 Église catholique de rite byzantin B4
6 Église latine Sainte-Marie .. C4
7 Nave Va C2
U Filanciu .... (voir 8)

Où se loger
8 Hôtel Cyrnos C3
9 Hôtel de France – Chez Mimino C1
10 Le Punta e Mare C1
11 Le Saint-Jean B1

Où se restaurer
12 A Cavagnola C3
13 A Volta C4

Achats
14 Épicerie Leca C1
15 Terra Corsa C2

Transports
16 Arrêt des autocars Ceccaldi B1

Vers les plages du Péro (1,5 km), de Chiuni et Topiti

Vers Piana (20 km) et Porto (31 km)

Place Saint-Jean

Rue Monseigneur Goti

Rue Colonel Fieschi

Rue Marbeuf

Rue de la Poste

Rue du Docteur Dragacci

Rue du Marché

Vieille ville

Rue du Docteur Petroleani

Rue du Docteur Petroleani

Rue de la République

Route de Piana

Vers Sagone (13 km), Ajaccio (58 km) et la plage de Ménasina

Rue des Martinetti

Chemin du Port

Vers le port (300 m), le Cabanon de Charlotte et les centres de plongée

Orientation

Une partie de Cargèse, celle qui abrite les hôtels et les restaurants, est construite le long de la bruyante route nationale. La vieille ville et les églises s'étendent sur la droite en venant de Piana. De là, plusieurs rues descendent vers le petit port de pêche, qui présente peu d'intérêt pour le visiteur hormis ses restaurants. Le stationnement est un véritable problème en saison.

🛈 Renseignements

Office du tourisme (☎04 95 26 41 31 ; www.cargese.net , ⊘mi-juin à mi-sept lun-sam 9h-13h et 15h-19h, dim 9h-13h, mi-sept à mi-juin lun-ven 9h-12h30 et 14h-17h, sam 9h30-12h). En contrebas de la route principale en direction de la vieille ville.

Le Studio (☎04 95 22 63 15 ; ⊘tlj 17h-22h en saison). Dans ce snack situé presque en face de l'Hôtel de France, Wi-Fi ou Internet sur ordinateurs dédiés moyennant 1 € les 20 min.

DAB À la poste, au supermarché Spar et à la banque située près de l'hôtel Le Saint-Jean.

👁 À voir

Le principal attrait de Cargèse réside dans ses deux églises, qui se font face au centre du village. Elles ont longtemps partagé un seul prêtre, les offices ayant lieu alternativement dans l'une et l'autre, tantôt selon le rite latin, tantôt selon le rite byzantin. Le prêtre qui acceptait de porter cette double casquette a cependant pris sa retraite en 2005 et il s'est avéré difficile de lui trouver un successeur acceptant de le remplacer dans les mêmes conditions. Dorénavant, les moines du couvent de Vico officient à la demande dans l'église latine, plusieurs prêtres se relaient dans l'église de rite byzantin, et un pope vient d'Athènes pour toutes les grandes fêtes religieuses afin de perpétuer le rite grec.

Église catholique
de rite byzantin   ÉGLISE GRECQUE

Reconnaissable à sa façade blanche, elle est étonnante pour ses icônes – dont certaines furent apportées de Grèce en 1676 –, ses enluminures et son escalier intérieur. L'église actuelle fut érigée à partir de 1852 en remplacement de l'édifice d'origine, situé au même emplacement et devenu trop exigu. La construction dura vingt années, pendant lesquelles les fidèles mirent fréquemment la main à la pâte. Comme toutes les églises de rite byzantin, elle se distingue par la richesse de ses ornementations et surtout l'iconostase, cloison de bois peint traditionnelle séparant le sanctuaire de la nef.

Église latine
Sainte-Marie   ÉGLISE NÉOCLASSIQUE

L'histoire de cette église du XIXᵉ siècle au décor néoclassique, qui se dresse face à l'autre, débuta en 1817, lorsque les familles non grecques de la ville décidèrent de lancer une souscription afin d'ériger une église de rite latin. Commencés huit ans plus tard, les travaux se poursuivirent jusqu'en 1828. Le toit fut emporté par le vent en 1835 et elle n'avait toujours pas d'aménagements intérieurs en 1845. Son clocher de forme carrée ne fut ajouté qu'en 1847.

🏃 Activités
Plages

L'agréable **plage du Péro** (Peru), qui déploie son ruban de sable à 1,5 km au nord de Cargèse, se prête au surf mais fait également la joie du public familial grâce à son long ruban de sable. Vous y trouverez des possibilités de location de planches à voile, de kayaks de mer et de surfs, ainsi que des hébergements (voir p. 149).

Les **plages de Chiuni** et de **Topiti** se situent au nord de la précédente ; celle de **Ménasina** à l'entrée sud de la ville.

Sorties en mer

En saison, trois compagnies assurent des sorties en mer depuis le port de Cargèse. Comptez environ 50 € par adulte et 35 € par enfant.

Nave Va (☎04 95 28 02 66, 06 17 11 58 02 ; www.naveva.com ; boutique Chez Fanny, rue du Colonel-Fieschi). Sorties en mer à bord du *Renaldo* vers les calanques de Piana, la réserve de Scandola et le Capo Rosso, avec 2 heures d'arrêt à Girolata et 30 min de baignade dans une crique. Le bateau part du port à 9h30 et revient vers 17h.

Croisières Grand Bleu (☎04 95 26 40 24 ; www.croisieresgrandbleu.com ; rue Marbeuf). Sorties vers Scandola et Girolata le matin (départ à 8h45, 2 heures d'arrêt à Girolata, retour vers 15h30) et l'après-midi (départ à 15h15, 30-40 min d'arrêt, retour vers 20h30).

U Filanciu (☎07 60 14 03 04 ; www.ufilanciu.fr ; hôtel Cyrnos). Embarcation semi-rigide de 12 passagers maximum. Tours de 1 heure 45 à 3 heures 30.

Plongée

Cargèse n'est pas aussi réputée que Porto auprès des plongeurs. Pourtant, les sites au nord de la ville et ceux qui s'égrènent dans le golfe de Sagone sont grandioses. Consultez le chapitre *Plongée* p. 36 pour plus d'informations sur les sites.

CargèSub ([phone]06 86 13 38 96 ; www. cargesub.com). Au port. Baptême 45 €, plongée d'exploration 60 € (matériel inclus).

Explorasub ([phone]06 11 01 19 54 ; www. explorasub.fr). Au port. Baptême 60 €, plongée d'exploration 45 € (matériel inclus).

🛏 Où se loger
AU BOURG

Ville de passage pour beaucoup de visiteurs, Cargèse ne brille guère par la qualité de son hôtellerie mais propose des options bon marché.

Hôtel Cyrnos   HÔTEL €
([phone]04 95 26 49 47, 06 08 42 03 17 ; www. torraccia.com ; rue de la République ; d vue ville/ mer 38-58/48-68 € selon saison ; ⊙tte l'année ; @🅣). Ce petit hôtel dispose de 9 chambres au confort simple mais lumineuses. Celles qui donnent côté mer, qui bénéficient d'une très belle vue et d'un balcon, offrent un bon rapport qualité/prix. Celles qui sont situées côté rue, en revanche, sont bruyantes et peuvent être étouffantes lorsqu'il fait chaud. Un sauna (10 €) est situé sous le bâtiment.

**Hôtel de France –
Chez Mimino**   HÔTEL-RESTAURANT €
([phone]04 95 26 41 07 ; www.hotelrestaurantcorse. com ; rue du Colonel-Fieschi ; d 45-65 € selon vue et saison ; ⊙Pâques-oct). Dans un virage le long de la route nationale qui traverse la localité, Chez Mimino est l'adresse type des voyageurs à petit budget. Vous y trouverez 12 chambres avec sdb, réduites au strict minimum côté confort mais propres et bon marché. L'adresse se double d'une terrasse où l'on sert des pizzas et autres plats classiques.

Le Punta e Mare   MOTEL-RÉSIDENCE €€
([phone]04 95 26 44 33, 06 89 72 41 81 ; www.hotel-puntaemare.com ; route de Paomia ; d 50-90 € selon saison ; ⊙mars-déc ; 🅿🅣). Le calme absolu et un bon rapport qualité/prix caractérisent cette adresse située à quelques centaines de mètres de la place Saint-Jean. Dans un cadre verdoyant, le Punta e Mare offre de belles chambres doubles et des petits studios en façade, plus anciens. Les cartes de crédit ne sont pas acceptées.

Le Saint Jean   HÔTEL-RESTAURANT €€
([phone]04 95 26 46 68 ; www.lesaintjean.com ; place Saint-Jean, D81 ; d 65-100 € selon confort et saison ; ⊙tte l'année ; 🅿✳🅢🅣). Dans la partie "récente" de Cargèse, en bordure de la route, cet hôtel-restaurant propose des chambres fonctionnelles et bien équipées, avec terrasse, dont certaines ont vue sur la mer. Les

propriétaires louent également des studios à la semaine dans une résidence avec piscine située en direction de la plage du Péro.

PLAGE DU PÉRO

C'est sans nul doute le meilleur choix si vous recherchez un peu de calme. Quelques adresses agréables permettent de profiter de la plage.

Ta Kladia   MOTEL-RÉSIDENCE €€
([phone]04 95 26 40 73 ; www.motel-takladia.com ; studio d 65-145 € selon saison et surface ; ⊙Pâques-Toussaint ; 🅿🅣). Ce n'est pas un hasard si le nom de cette petite résidence de vacances signifie "maquis" en grec. Avec ses bâtiments blancs égayés des couleurs des bougainvilliers, disposés face à la plage, l'accueillant Ta Kladia évoque en effet les îles grecques. L'hébergement se décline en studios pouvant accueillir jusqu'à 4 personnes. Les moins chers sont un peu exigus, les autres très corrects. L'ensemble, simple et fonctionnel mais bien entretenu, est idéal pour profiter de la plage et proposé à un tarif intéressant. Restaurant sur place. Les tarifs sont les mêmes pour les studios de 2 ou 4 personnes en juillet et en août.

Les Lentisques   HÔTEL-RESTAURANT €€
([phone]04 95 26 42 34 ; www.leslentisques.com ; s/d 72-106/86-152 € selon saison ; ⊙mai-sept ; 🅿✳🅢🅣). Ce trois-étoiles familial ne manque ni d'atouts ni de charme. Reconnaissable à sa façade ocre qui se dresse à 2 minutes à pied de la plage, cette adresse agréable et fleurie, dotée d'une belle petite piscine, propose différents types de chambres. Bien entretenues et déclinant une décoration au goût du jour, elles varient selon la vue et le confort (clim, balcon, bain ou douche). La cuisine est appréciée pour ses spécialités de bouillabaisse et de pâtes à la langouste. Un havre de paix.

🍴 Où se restaurer

Un lot de terrasses sans surprises vous attend en bordure de la route principale. Citons quelques adresses qui retiennent davantage l'attention :

BON PLAN **A Cavagnola**   SPÉCIALITÉS CORSES €
([phone]06 03 31 14 63 ; rue du Dr-Dragacci ; plats 8-13,50 € ; ⊙tlj midi seulement en saison). Dans la rue qui descend vers le port, au cœur du centre-ville ancien de Cargèse, cette boutique de produits locaux installe en saison quelques tables dehors et sert des assiettes de produits corses, des salades et des pizzas. Bonne alternative aux adresses

ESCAPADE DANS LE CRUZZINI ET LA CINARCA

Envie d'une superbe virée qui vous fera traverser deux régions enclavées comptant parmi les plus sauvages de Corse ? Au départ de Murzo (voir p. 152), prenez la D4 en direction de **Muna**. La route, en corniche, traverse les paysages spectaculaires des gorges du Liamone avant d'arriver en contrebas de ce hameau abandonné. De Muna, elle continue à serpenter jusqu'à **Rosazia**. Poursuivez jusqu'à **Salice**, puis à **Rezza**, où vous prendrez la D125 pour **Lopigna** et **Arro**. De là, la D1 (direction "Arbori, Vico") rejoint Vico. En chemin, vous pourrez vous baigner dans le Cruzzini, à hauteur du pont de Truja, après Arro. Prévoyez une journée pour couvrir l'intégralité du circuit. Attention, les possibilités de restauration sont peu nombreuses dans cette région très peu fréquentée par les visiteurs.

touristiques de la rue principale, elle offre la possibilité de s'attabler dans le calme des ruelles de la ville autour de plats simples honnêtement préparés.

A Volta CORSE INVENTIF €€
(☎ 04 95 26 41 96 ; plats 14,50-27 € ; ☺ tlj midi et soir en saison). La bonne table de Cargèse, tant côté cuisine que côté cadre, une belle terrasse en bois offrant un large point de vue sur le port et l'azur de la Méditerranée. Les plats, bons et bien présentés, sont à la hauteur des lieux : linguine aux palourdes, filet de bœuf au foie gras, magret de canard au caramel de grenade. Outre les repas, il est possible de s'installer sur la terrasse pour boire un cocktail, manger une glace en provenance de Chez Géronimi à Sagone (une référence !) ou prendre un brunch.

**Le Cabanon
de Charlotte** SPÉCIALITÉS DE LA MER €€
(☎ 06 81 23 66 93 ; port de Cargèse ; plats 13,50-29,50 € ; ☺ mars-fin nov). L'une des adresses du port, ce "cabanon" très nettement amélioré – en fait une agréable terrasse avec sièges en teck – sert surtout des poissons vendus au poids, selon arrivages (8,50 € les 100 g). Quelques viandes et salades complètent la carte. Des groupes polyphoniques animent les lieux les jeudis soir en saison.

🛍 Achats

Terra Corsa PRODUITS CORSES
(☎ 04 95 22 40 21 ; av. du Colonel-Fieschi ; ☺ tlj 9h-12h30 et 15h30-19h30 en saison). Le long de la rue principale. Vous y trouverez des produits de qualité : vins, charcuterie, fromages, aux côtés de feuilletés au brocciu et de *fiadone* qui se révèlent parfaits pour le déjeuner.

Épicerie Leca PRODUITS CORSES
(☎ 06 23 12 44 87 ; av. du Colonel-Fieschi). Un peu plus haut que l'adresse précédente, de l'autre côté de la rue, une belle boutique moderne et bien approvisionnée.

❶ Depuis/vers Cargèse

BUS De mai à septembre, les **autocars S.A.S.A.I.B. – Ceccaldi** (☎ 04 95 22 41 99 ; www.autocarsiledebeaute.com) font halte sur la place Saint-Jean de Cargèse sur leur trajet entre Ajaccio et Porto-Ota.

Sagone (Saone)

Une route en ligne droite bordant une plage de sable et des habitations modernes sans réelle grâce : ainsi pourrait-on résumer Sagone. La localité, on l'aura compris, n'est pas la plus séduisante de la côte ouest de l'île. Cette ancienne cité romaine transformée en station balnéaire attire cependant chaque année les vacanciers, familles louant à la semaine en tête, grâce à son sable fin.

❶ Renseignements

Office du tourisme (☎ 04 95 28 05 36 ; www.ot-sagone.visite.org ; route de la Plage). Ouvert durant la période estivale, à des horaires variables.

🏃 Activités

Plages SURF ET BAIGNADE
Principal atout de la ville, la longue plage de Sagone est idéale pour la baignade. La plage de Coggia, juste après la localité en direction d'Ajaccio, est potentiellement dangereuse pour la baignade et non surveillée, mais fait le bonheur des surfeurs.

Sub'Évasion PLONGÉE
(☎ 06 12 17 05 74). En contrebas de l'hôtel Cyrnos, ce club propose des plongées dans un grand choix de sites du golfe (voir le chapitre *Plongée*, p. 36, pour plus de détails).

UCPA
(☑04 95 28 02 21 ; triufontane@ucpa.asso.fr). Basée à l'extérieur de la ville en direction de Cargèse mais représentée par un bureau mitoyen du club de plongée, l'UCPA propose des locations de kayaks, de planches à voile et de catamarans de sport, ainsi que des stages de planche à voile et de catamaran pour les enfants et les adolescents.

Sorties en mer
DEUX COMPAGNIES

En saison, **Nave Va** (☑04 95 28 02 66, 06 17 11 58 02 ; www.naveva.com) et les **croisières Albellu** (☑04 95 28 06 06, 06 76 00 59 46 ; www.croisieres-corsesalbellu.com) proposent des excursions en mer vers Scandola, via les calanques de Piana, le golfe de Porto et Girolata.

🛏 Où se loger

Sagone compte peu d'hôtels. La majorité de ses structures d'hébergement sont des résidences louées à la semaine et réservées longtemps à l'avance.

Le Sagone Resort
CAMPING-PARC DE LOISIRS €

(☑04 95 28 04 15 ; www.camping-sagone.fr ; emplacement/adulte 4-9,80/5-9,25 € selon équipements et saison ; ⊙avr-sept ; ▣🖪). À 1,5 km de la mer en direction de Vico, ce camping dispose d'agréables emplacements, d'une belle piscine, de 2 courts de tennis, d'un bar-restaurant et d'un practice de golf. Un restaurant et un petit supermarché sont installés sur place. Des bungalows en toile pouvant accueillir jusqu'à 5 personnes sont également disponibles (245-650 € la semaine selon saison).

Ruone
MAISON D'HÔTES €€€

(☑04 95 25 62 11 ; www.ruone.fr ; chemin de Petra Nera, commune de Calcatoggio ; d/q 90-160/220 € selon saison, avec petit-déj ; ⊙tte l'année ; ▣🖪). À une douzaine de kilomètres de Sagone en direction d'Ajaccio, sur la commune de Calcatoggio, ces chambres d'hôtes font face à un superbe panorama. Décorées dans un style sobre et contemporain privilégiant le bois, les cinq chambres spacieuses installées dans une série de bâtiments modernes disposent toutes d'une terrasse. La belle piscine, en contrebas, invite à la baignade. Mieux vaut appeler à l'avance, car l'adresse, à 300 m de la route (D81), 1,9 km avant l'embranchement vers Calcatoggio en venant de Sagone, est mal indiquée.

✕ Où se restaurer

L'Ancura
SPÉCIALITÉS DE LA MER €€

(☑04 95 28 04 93 ; plats 19-35 €, menu 24 € ; ⊙tlj midi et soir). La bonne table de Sagone vous attend en bordure des quais du minuscule port, indiqué à l'entrée nord de la ville. L'adresse s'est forgé une réputation locale grâce à ses plats de poissons apportés chaque jour par les pêcheurs, servis simplement grillés ou déclinés en recettes venues d'autres cieux, à l'image du tagine de poisson ou de l'amok cambodgien. Le cadre – une terrasse en teck face aux bateaux amarrés où quelques sofas invitent à boire un verre – compte parmi les indéniables atouts de l'Ancura.

🍦 Geronimi
GLACIER €€

(☑04 95 28 04 13, 06 08 62 36 20 ; coupes glacées à partir de 10,50 € ; ⊙tte l'année). Pour beaucoup, c'est *la* principale bonne raison de s'arrêter à Sagone ! Les coupes glacées de chez Geronimi sont en effet légendaires dans toute cette partie de l'île. La carte décline une large palette de parfums, des plus classiques aux plus originaux (citron-basilic, safran, tilleul du Niolu...) et comporte même une gamme de glaces et sorbets bio. L'ensemble est servi sur une belle terrasse où des salades sont également proposées à l'heure du déjeuner (à partir de 15,50 €).

A Stonda
PIZZERIA €

(☑04 95 28 01 66 ; plats 12-23 € ; ⊙tte l'année). À la sortie sud de la ville, non loin de l'embranchement vers Vico et face à l'hôtel la Marine, cette grande terrasse doublée d'une petite salle claire est l'une des adresses les plus fréquentées de Sagone grâce à ses plats du jour et à ses bonnes pizzas au feu de bois. Dommage que l'ensemble soit planté juste au bord de la route.

❶ Depuis/vers Sagone

BUS De mai à septembre, les **autocars S.A.S.A.I.B. – Ceccaldi** (☑04 95 22 41 99 ; www.autocarsiledebeaute.com) font halte à Sagone et à Tiuccia sur leur trajet entre Ajaccio et Ota, 2 fois par jour.

Le Liamone

Envie de fraîcheur et de grand, grand, grand calme ? Faites une infidélité à la côte et prenez la direction de cette région verdoyante et montagneuse, isolée entre Sagone et le col de Verghio. Également appelé les "Deux-Sorru", le Liamone doit son nom au cours d'eau qui se jette dans le golfe de Sagone et son charme à ses villages reculés et à ses forêts, qui offrent de belles possibilités de balades et de randonnées. Renno (Rennu) et Vico (Vicu), qui abrite un imposant couvent, sont ses plus importantes localités. Vous trouverez ci-après des informations sur les villages du Liamone traversés par le sentier Mare a Mare® nord.

Aucune ligne de bus ne dessert le Liamone au-delà de Vico.

VICO

Passage incontournable d'une visite dans le Liamone, Vico abrita au XVIe siècle la résidence des évêques de Sagone. Aujourd'hui, le village semble quelque peu endormi au bord de la rivière. Au cœur des châtaigniers, dominant la vallée et le bourg, le **couvent Saint-François** (☎ 04 95 26 83 83) fut fondé sur ce site exceptionnel par des frères mendiants en 1481. Le bâtiment que l'on découvre à présent date du XVIIe siècle. Sa visite, qui inclut l'église et la sacristie, est libre et gratuite.

⌂ Où se loger et se restaurer

Vous trouverez quelques cafés proposant une cuisine simple et bon marché au centre du bourg. Pour vous loger, deux bonnes adresses proches de Vico...

A Santina   CHAMBRES D'HÔTES €€
(☎ 04 95 26 71 28, 06 87 20 25 31 ; santacarlotti@live.fr ; d avec petit-déj 80 € ; ☻tte l'année ; ☎). À environ 1,5 km au-dessus de Vico vers le col Saint-Antoine, A Santina est une étape agréable. Les 5 chambres, pimpantes, dont trois avec vue sur la mer, dans le lointain, occupent une maison récente confortable. Santa, l'accueillante et chaleureuse propriétaire, est aux petits soins pour ses hôtes et leur mitonne un exquis petit-déjeuner bio. Possibilité de table d'hôtes (30 €).

Casa Murza   CHAMBRES D'HÔTES €€
(☎ 04 95 24 53 83 ; www.casa-murza.com ; hameau de Pieve ; d avec petit-déj 100-120 € selon confort ; ☻tte l'année ; ☎). Perchée en haut d'une colline surplombant le bourg, à 1 km de ce dernier, cette adresse tenue par un artisan luthier et son ami est impeccable. Deux chambres sans défaut sont réservées aux hôtes, à l'étage, dans une belle demeure moderne aux espaces généreux, entourée de verdure et baignée de lumière. On retrouve ce soin et ce souci du détail côté cuisine, avec une table d'hôtes élaborée avec des produits bio (30 €). Un lieu serein, reposant et écoresponsable.

MURZO

À quelques kilomètres à l'est de Vico, Murzo apportera tout le dépaysement souhaité aux amateurs de villages de montagne. Venant de Vico, on franchit le Liamone avant d'arriver au village par le pont de Belfiori, qui fournit l'occasion de faire trempette dans les **vasques** cristallines de la rivière. Juste après le pont, un petit **sentier botanique** de 2 heures (aller-retour), signalé, mène à Murzo.

Le village accueille chaque année, fin septembre, la fête **Mele in Festa**, une grande foire agricole sur le thème du miel qui attire les apiculteurs en provenance de toute la Corse.

Vous pourrez vous approvisionner en charcuterie fermière de qualité à **l'Acquale** (☎ 04 95 26 68 03), indiqué 300 m après la sortie du village.

✕ Où se restaurer

U Fragnu   AUBERGE €
(☎ 04 95 26 69 26 ; pizzas à partir de 9,80 €, menus à partir de 11,80 € ; ☻avr-nov). Une auberge "typique" jusqu'à la caricature, aménagée dans un ancien moulin à huile. Sur une belle terrasse fleurie et ombragée, on y sert une cuisine au feu de bois misant avant tout sur les pizzas et grillades. Rien d'extraordinaire côté saveurs, mais les prix sont raisonnables, le cadre mérite une halte et l'accueil est chaleureux.

GUAGNO-LES-BAINS

La D23, qui monte en lacet derrière Vico, mène à un pittoresque groupe de bourgs perchés. Guagno-les-Bains est le premier que vous rencontrerez. Les sources chaudes firent de ce village une station thermale très fréquentée au XVIIIe siècle. Actuellement, Guagno-les-Bains cherche à renouer avec la tradition et à attirer une nouvelle clientèle de curistes. L'enthousiasme pour les vertus curatives des eaux minérales n'étant cependant plus guère d'actualité, vous risquez de vous sentir un peu seul...

⌂ Où se loger et se restaurer

Auberge des Deux-Sorru   AUBERGE €€
(☎ 04 95 28 35 14 ; www.aubergedesdeuxsorru.com ; Guagno-les-Bains, Poggiolo ; s/d 55-67/ 55-77 € selon vue et saison ; plats 12-22 € ; ☻avr-oct ; ☎). Les amoureux de nature et de calme apprécieront cette adresse accueillante située 6 km avant Soccia, juste avant la bifurcation vers le village de Guagno-les-Bains. Nichée au milieu des arbres, cette maison récente propose des chambres impeccables, d'un excellent rapport qualité/prix, dotées de sdb étincelantes, avec balcon pour les plus chères. Outre un beau panorama, la cuisine maison et les produits du terroir sont à l'honneur au restaurant (magret de canard, civet de sanglier, cabri).

(Suite du texte en page 161)

Activités

©BERNARD CARILLET

Balades équestres et à dos d'âne

Le tourisme équestre a le vent en poupe en Corse. Les fermes et centres équestres sont disséminés dans la plupart des régions de l'île et proposent une gamme complète de prestations, allant de la balade d'une heure au circuit d'une semaine – l'idéal pour se plonger au cœur de la nature corse, soit sur le littoral, soit dans l'arrière-pays. Ces structures disposent aussi généralement de poneys qui feront la joie des enfants. Vous trouverez les coordonnées de ces centres dans les chapitres régionaux.

Nouvelle mode en pleine expansion, la balade avec un âne. Il s'agit de randonnées pédestres en compagnie d'un âne qui porte vos bagages et, à l'occasion, un enfant fatigué. Certains centres prévoient aussi que la balade se fasse entièrement à dos d'âne pour les enfants. Les formules vont de la balade d'une heure à l'excursion de plusieurs jours, accompagnée ou non.

Canyoning et randonnée aquatique

Le canyoning est en plein essor depuis quelques années grâce aux sites des environs du massif de Bavella – canyons de la Vacca, de la Purcaraccia et de Piscia di Gallo, à la fois ludiques et grisants – et à celui de Fiumicelli. Dans l'arrière-pays de Propriano, le canyon de Baracci est lui aussi réputé. Près de Solenzara, le canyon de Travo peut convenir pour la randonnée aquatique. La vallée du Niolo offre également quelques jolis parcours.

Page précédente Parc aventure (massif de Bavella)
Ci-dessous Canyoning dans le massif de Bavella (canyon de la Vacca)

Escalade et via ferrata

Pour l'escalade, le massif de Bavella est, là encore, incontournable. La vallée du Niolo vaut également le déplacement, surtout dans le secteur de Cuccia et de Calasima, ainsi que dans les vallées de la Restonica et du Prunelli.

Pour éviter les risques et les difficultés techniques de l'escalade, vous pouvez vous tourner vers la via ferrata. Née dans les Dolomites italiennes durant la Première Guerre mondiale afin de permettre aux troupes de franchir facilement les montagnes, cette discipline permet de goûter aux joies de l'escalade grâce à des échelles en fer fixées dans la roche. Pas besoin d'équipement sophistiqué : une paire de baskets, un casque et un baudrier font l'affaire. Une corde accrochée à un gros câble retient les grimpeurs en cas de chute.

Ci-dessus
Randonnée équestre dans la forêt de Valdu Niellu, Niolo

VIVA LA VIA FERRATA

Considérée comme l'une des plus belles de France, la via ferrata di a Manicella, créée en 1997, s'effectue en 3 heures environ et comprend 350 m de parcours câblé (classée difficile). Depuis cette première expérience, d'autres voies ont été équipées : en 2000, le petit village de Chisa a inauguré un beau parcours de 2 heures 30 qui inclut notamment une impressionnante tyrolienne de 65 m. D'Aléria, prenez la N198, tournez à droite 12 km après Ghisonaccia, à Travo, puis longez la rivière éponyme jusqu'au village situé à 14 km de l'embranchement. Depuis 2002, une via ferrata appelée Scaletta prend le même départ que la voie di a Manicella. Comptez 3 heures de grimpée le long des 400 m de câble (classée peu difficile). Le départ se trouve sur la D47, dans les gorges de l'Asco, à 11 km de l'intersection avec la N197. Une voie a également été ouverte au col de Mercujo, dans la vallée du Prunelli.

Faites toujours appel à un prestataire spécialisé.

Parcs aventure

Une dizaine de parcours aventure ont été aménagés ces dernières années dans les forêts de l'île, comportant généralement plusieurs niveaux de difficulté et un nombre plus ou moins grand d'ateliers. Ces parcours sécurisés, accessibles à tous (enfants à partir de 6 ans, voire moins), sont mentionnés dans les chapitres régionaux.

VTT et cyclotourisme

Le cyclotourisme et le VTT font de plus en plus d'adeptes. Sentiers forestiers, petites routes de montagne, chemins sinueux, il y en a pour tous les goûts. Vu les dénivelés, mieux vaut être entraîné. Plusieurs prestataires multisports louent des VTT et proposent des randonnées avec ou sans guide, d'une demi-journée à une semaine. De même, plusieurs organismes basés à Ajaccio organisent des circuits pour les cyclotouristes.

LA CORSE À VÉLO

Tout comme la randonnée pédestre, le cyclotourisme constitue un excellent moyen de découvrir la Corse. Malgré sa faible superficie (8 720 km²), l'île offre aux cyclistes une multitude de reliefs et de paysages incomparables : des routes spectaculaires serpentent le long des 1 000 km de côtes accidentées, plongeant entre des pics de granite couronnés de neige jusqu'en juillet. Cela dit, l'attrait de ces paysages paradisiaques ne doit pas occulter des préparatifs minutieux : n'oubliez pas d'emporter quelques pièces de rechange. Il peut en effet se passer plusieurs jours sans que vous croisiez un seul magasin de cycles. Pensez également à vous protéger du très fort ensoleillement et prévoyez de l'eau en grande quantité.

Ski et raquettes

On oublie généralement les sports d'hiver : pourtant, le centre de l'île est régulièrement enneigé, et les promenades en ski de fond ou en raquettes constituent une excellente façon de découvrir des paysages superbes. La forêt de Valdu Niellu, dans la vallée du Niolo, offre notamment de magnifiques pistes de ski de fond. Quand l'enneigement s'y prête, le ski de piste se pratique dans les stations de Vergio, du Val d'Ese et de Ghisoni. Les plus expérimentés pourront aussi pratiquer le ski de randonnée. Plusieurs sociétés spécialisées dans le sport-aventure proposent une large palette d'activités encadrées par des accompagnateurs professionnels. Reportez-vous à l'encadré *Randonnées organisées*, p. 307.

Ci-dessus Sur une crête, sentier du GR®20
Page de droite Cyclotourisme dans le massif de Bavella

STÉPHANE VICTOR/LPI

Randonnée

Le relief montagnard de la Corse appelle à la découverte à pied. L'île compte des centaines de kilomètres de sentiers balisés. Le GR®, qui traverse l'île du nord-ouest au sud-est, est un mythe pour nombre de randonneurs, marcheurs confirmés ou randonneurs occasionnels. Stupéfiant par ses paysages, éprouvant par ses dénivelés et souvent surprenant par son tracé parfois acrobatique totalisant près de 200 km, il se parcourt en seize étapes. Parcours de moyenne montagne plus courts que le GR®, les Mare a Mare® et Mare e Monti® présentent l'avantage de faire étape dans les villages de l'intérieur de l'île. Le beau Mare a Mare® sud, créé sur la base d'anciens sentiers de transhumance, relie les abords de Porto-Vecchio à ceux de Propriano. Le parc naturel régional de Corse est également une merveille : il regroupe plus du tiers de la superficie de l'île, dont certains de ses plus beaux joyaux naturels, réserve de Scandola et aiguilles de Bavella en tête.

Kayak de mer

En plein essor, le kayak de mer peut se pratiquer de manière simplement ludique le long de nombreuses plages corses, comme celles du Ricanto (Ajaccio), de Porticcio ou de San Ciprianu (Porto-Vecchio), pour ne citer qu'elles. Toutefois, cette embarcation discrète et maniable, qui permet de se fondre dans le décor naturel, dévoile mieux ses atouts lors de courtes randonnées ou de raids plus longs. Si la visite des criques des Agriates ou le tour des îles depuis Algajola font partie des classiques, on peut également se promener le long de la baie de Santa Manza ou explorer les échancrures de la pointe de Spérone en quelques heures, ainsi que les îles Sanguinaires dans le golfe d'Ajaccio. Les kayakistes chevronnés se lanceront pour une expédition autonome de plusieurs jours, notamment autour du cap Corse, ou entre Calvi et Porto (voire Ajaccio !) – à condition d'être très expérimenté ou accompagné d'un guide. Vous trouverez les coordonnées des organismes qui louent du matériel et proposent des sorties guidées dans les chapitres régionaux de ce livre.

Kitesurf

À l'instar de nombreuses plages du continent, la pratique du kitesurf est réglementée en Corse : la navigation n'est autorisée qu'au-delà de 300 m de la plage, comme pour tous les engins dépassant la vitesse de 5 nœuds. Elle s'adresse avant tout aux kitesurfeurs confirmés. Bien qu'il en soit question depuis 2006, aucune zone réservée au kitesurf n'avait encore été mise en place sur des plages de l'île par les communes du littoral lors de nos recherches. Renseignez-vous auprès de Corsica Kiteboarding (www.corsica-kiteboarding.com) ou de l'association ajaccienne Corsikite (www.corsikite.com) pour connaître les spots accessibles autour de Bonifacio (les plages de Calalonga et de la Tonnara font partie des plus réputés et d'Ajaccio, et pour savoir la marche à suivre pour déployer votre aile.

Ci-dessous Kayak dans le golfe de Pinarello
Page de droite Planche à voile, plage de Piantarella (Bonifacio)

Planche à voile et funboard

Le vent étant la condition essentielle pour pratiquer la planche à voile, l'île offre quantité de possibilités, quelle que soit l'orientation du vent. Les plages de Calvi, de Marana ou de la Roya (Saint-Florent) devraient convenir aux pratiquants de tous niveaux qui séjournent en Haute-Corse. Les confirmés devront franchir le shortbreak de la longue plage d'Algajola avant de surfer sur ses vagues bien connues des passionnés. Plus au sud, Sagone, Ajaccio et Porticcio possèdent quelques sites, mais c'est en se rapprochant de l'extrême sud que ceux-ci fleurissent à nouveau : autour de Bonifacio, les plages de Figari, de Santa Manza et de Piantarella conviennent à tous les niveaux, et particulièrement aux débutants, ce qui n'est pas le cas des bouches de Bonifacio (accès depuis Piantarella), avec leurs courants forts, ni de la Tonnara, qui réserve aux imprudents les pièges d'un spot de pleine mer et aux confirmés les sensations fortes attendues les jours de vent.

Voile

Des clubs de voile et sites propices à cette activité jalonnent tout le littoral. Ils sont particulièrement concentrés aux deux extrémités de l'île. Les clubs, saisonniers, s'installent en été sur les plages pour louer du matériel (catamarans de sport type Hobie-Cat, dériveurs...) et proposer cours et stages, tant pour les adultes que pour les enfants.

En Haute-Corse, les sites les plus privilégiés sont la plage de la Roya (Saint-Florent), la baie de Calvi et les alentours de Bastia. Sur la côte ouest, les plages de Sagone et surtout celles du Ricanto (Ajaccio) et de la Viva (Porticcio) comptent parmi les plus appréciées. Les sites ne manquent pas dans le sud, avec les golfes du Valinco (Propriano) et de Santa Manza, la pointe de Piantarella (Bonifacio) et les plages des abords de Porto-Vecchio, notamment San Ciprianu. Ghisonaccia et Aléria, sur la côte est, comptent également quelques clubs.

Les adresses des centres nautiques sont répertoriées, site par site, dans les chapitres régionaux.

Surf et Bodyboard

Tout comme les autres côtes de la "grande bleue", celles de Corse ne sont pas particulièrement propices au surf. Cependant, ici et là, quelques jolies déferlantes permettent de se procurer des sensations. La route des Sanguinaires, à proximité d'Ajaccio, mène au spot de Capo di Feno, le plus connu des environs, qui s'adresse à des pratiquants chevronnés. Ceux qui souhaitent surfer sur la vague de Coggia, la première plage en arrivant d'Ajaccio, juste avant Sagone, devront également être expérimentés : la baignade est dangereuse et la plage, parsemée de panneaux de mise en garde, n'est pas surveillée. Le fond se dérobe d'un seul coup et vagues et courants peuvent surprendre. Les débutants trouveront plus loin, à Cargèse, une vague à leur portée et découvriront d'autres spots dans les alentours. Plus au nord, en Haute-Corse, la plage d'Algajola constitue un spot plus sûr encore.

Plongée

Le relief sous-marin des abords des côtes corses n'a rien à envier aux dénivelés qui se dressent au-dessus des flots. La côte découpée du littoral ouest et sud de l'île abrite des dizaines de sites de plongée, exceptionnels pour certains, adaptés à tous les niveaux. Ici, pas de plateau continental mais des tombants aux formes torturées, des bouquets de corail et des profondeurs qui affolent vite le profondimètre...

Idéal pour ceux qui hésitent à franchir le cap de la plongée avec bouteille, le snorkeling est une excellente introduction à la découverte du milieu sous-marin. Les îles Lavezzi sont particulièrement adaptées à cette pratique, mais toute crique bien abritée fera l'affaire. Avec ses criques profondes, ses clubs professionnels et bien équipés, sa température de l'eau dépassant 20°C et sa visibilité jusqu'à 25 m en été, la Corse présente des conditions idéales. Pour plus d'informations, voir le chapitre *Plongée* (p. 31).

Ci-dessous
Plongée dans les îles Lavezzi (grande gorgone)

(Suite de la page 152)

L'auberge peut organiser des promenades à dos d'âne, de poney ou de cheval dans les environs du village. Wi-Fi (payant).

SOCCIA ET SES ENVIRONS

À 750 m d'altitude, le joli village de Soccia s'étage à flanc de montagne 6,5 km au-dessus de Guagno-les-Bains. Isolé entre montagnes et forêts, c'est un lieu d'escapade depuis le GR®20 et le point de départ de l'agréable randonnée du **lac de Creno**. L'église du village date de 1875 et abrite un triptyque du XVe siècle. Soccia ne compte aucun commerce, mais un boulanger passe tous les matins et un épicier plusieurs fois par semaine.

Si Soccia est encore trop animé pour vous, faites quelques kilomètres de plus jusqu'à **Orto**. Caché au fond d'une vallée étroite et abrupte où chaque maison semble surplomber celle qui se trouve en dessous, ce village d'une quarantaine d'habitants est encore plus reculé.

🏃 Activités

La belle **randonnée** vers le lac de Creno (voir l'encadré ci-dessous) est l'une des principales motivations des visiteurs se rendant à Soccia et à Orto. En juillet et août, **A Stalla** (📞 04 95 28 34 25, 06 10 78 56 22 ; http://astalla.e-monsite.com) propose de découvrir le lac d'une façon originale : en s'y rendant accompagné d'un âne ou d'un poney. Comptez environ 1 heure 30 aller simple au départ de Soccia, et 40 € pour la journée de location de l'animal, qui pourra porter les bagages, le pique-nique et les jeunes enfants. Cette balade, non accompagnée mais sans difficulté, est accessible dès 6 ans.

Les amateurs de sensations fortes pourront pratiquer le **canyoning** dans le canyon du Zoicu, à proximité de Vico. Contactez **Les Escapades** (📞 06 12 89 74 60 ; www.lesescapades.com) ou **Couleur Corse** (📞 06 15 05 28 42 ; www.canyon-corse.com). Comptez 45 € la sortie.

🛏 Où se loger et se restaurer

U Paese   HÔTEL €
(📞 04 95 28 31 92 ; Soccia ; http://hotel.corse.monsite-orange.fr ; s/d 42-46/66-71 € selon saison). Pratiquement le seul hébergement de Soccia hormis quelques chambres d'hôtes, cet hôtel affiche une décoration et un agencement qui rappelle les années 1960 (vous êtes prévenu), mais il peut convenir pour

---

RANDONNÉE

LE LAC DE CRENO

Départ : Soccia (prendre la D70 jusqu'à Vico, puis la D23 jusqu'à Soccia)
Durée : 2 heures aller-retour
Dénivelé : 300 m
Difficulté : facile

Gros plan sur un lac glaciaire perché à 1 310 m d'altitude, cerné par la forêt. Ce lac paisible, entouré d'une épaisse forêt de pins laricios, constitue un but de promenade à pied particulièrement apprécié au départ de Soccia. Aller en voiture jusqu'au parking, d'où part le chemin, vous épargnera cependant 3 km de route. Un petit café se tient près de l'aire de stationnement. Le chemin part du parking et remonte du côté sud de la vallée en s'élevant haut au-dessus de la rivière, sur les pentes nord du Monte Sant'Eliseo (1 511 m). Comptez environ 1 heure de marche du parking jusqu'au lac. Celui-ci s'étend sur 2,4 ha et reste gelé 3 à 4 mois par an. Selon la légende, le lac aurait surgi à la suite d'un coup de marteau de Satan ou du coup de pied d'un cheval. L'explication scientifique, pour sa part, fait remonter son origine à la dernière période glaciaire…

Il est possible d'aller à pied de Soccia jusqu'au village perché d'Orto, tout proche, puis de continuer jusqu'au lac. Ce circuit implique cependant une marche fastidieuse sur la route entre Soccia et le parking. L'itinéraire Soccia-Orto suit la variante du Mare a Mare® nord (balisage orange). On découvre à l'approche d'Orto de superbes vues sur ce village presque à pic, niché dans une étroite vallée. Juste au-dessus du village, un raidillon balisé en jaune grimpe jusqu'à la crête en traversant une magnifique forêt de châtaigniers. Il rejoint le chemin en provenance du parking de Soccia jusqu'au lac.

Les habitants de la région n'ont de cesse de dissuader les estivants d'effectuer cet itinéraire en sandales. Ils parlent d'expérience : ce sentier rocailleux nécessite d'être bien chaussé.

une nuit ou deux. Les tarifs sont dégressifs à partir de 3 jours. Le patron peut aider à organiser des randonnées dans les environs.

✪ A Merendella   RESTAURANT €€

(✆04 95 28 34 91 ; route de l'Église, Soccia ; formules 24-36 € ; ☺tlj midi et soir juil-août, fermé mer mai-juin, hiver sam soir seulement). Cette table qui décline une version champêtre et rafraîchissante de l'art de vivre mérite à elle seule le détour jusqu'à Soccia. Pour la gentillesse des propriétaires, déjà, mais aussi pour le cadre : A Merendella vous accueille en été dans un petit jardin, à l'ombre des arbres fruitiers, ou sous une petite tonnelle ombragée. Ce décor est idéal pour déguster la cuisine de saison concoctée avec l'aide bienvenue du potager par le jeune couple qui dirige les lieux. Les suggestions varient régulièrement, mais le foie gras au muscat corse, le filet de veau mariné aux zestes d'orange ou le clafoutis de fleurs de courgette, proposés lors de notre dernier passage, en donnent d'alléchants exemples. En hiver, l'adresse n'ouvre que le samedi soir pour des pizzas et viandes grillées au feu de bois. Cartes de crédit non acceptées. Réservation conseillée.

GUAGNO

Depuis Guagno-les-Bains, 8,5 km de route en lacets serpentent à travers une superbe végétation jusqu'au hameau de Guagno, assoupi à 750 m d'altitude. À 4 ou 5 heures de marche du GR®20, il est avant tout fréquenté par d'occasionnels randonneurs. Plusieurs chemins relient Guagno au sentier de grande randonnée, soit à la hauteur du col de la Bocca a Soglia, soit juste au sud du refuge de Pietra Piana.

Pour la petite histoire, Robert Colonna d'Istria rapporte dans son *Histoire de la Corse* (France-Empire, 1995) qu'un curé de la localité s'illustra au XVIIIᵉ siècle en poursuivant la lutte contre les Génois pendant trois longues années après que Pascal Paoli eut abandonné le combat...

🛏 Où se loger et se restaurer

Gîte d'étape de Guagno   GÎTE D'ÉTAPE €

(✆04 95 28 33 47 ; dort 13 € environ). Le seul hébergement du village, dirigé par Jean-Claude Lecca, comprend 28 lits répartis dans 2 dortoirs bien tenus, 2 sdb avec douches chaudes et toilettes, et une grande cuisine. Mieux vaut réserver en saison, car il n'y a pas toujours quelqu'un à l'accueil.

Les commerces sont très limités à Guagno. Une petite **épicerie**, à côté de l'église, vend des produits alimentaires, des fruits, des légumes, des journaux, et fait office de dépôt de pain. Guagno compte également deux **bars**. Celui qui fait face à l'église propose quelques snacks.

GOLFE D'AJACCIO

Ajaccio (Aiacciu)

Première ville de l'île et chef-lieu de la Collectivité territoriale de Corse (CTC), Ajaccio fait quasi figure de "capitale" de l'île. Historiquement, elle a supplanté Bastia dans ce rôle à la suite d'un décret du plus célèbre de ses fils : Napoléon Bonaparte.

En dépit de cette débauche de titres officiels et honorifiques, la ville a su préserver son caractère décontracté et sûr de ses atouts. Ses détracteurs regrettent son caractère un peu m'as-tu-vu, les quartiers bruyants qui côtoient sa vieille ville et la place trop importante qu'elle concède aux voitures (les difficultés de stationnement rendent la circulation infernale en saison !). Ses amoureux ne verront en revanche que son superbe front de mer, son port de pêche coloré, ses avenues et ses places encadrées de palmiers, ses ruelles ombragées et son

---

LA CITADELLE D'AJACCIO, IMPRENABLE ?

Vus de la mer, les contours anguleux et massifs de la citadelle d'Ajaccio semblent défier le visiteur. Sous l'occupation française, de 1553 à 1559, le maréchal de Termes conçut l'édifice autour d'un château préexistant. Fossé, tours et courtines renforcèrent la protection de cette ville déjà fortifiée depuis 1502. D'autres citadelles corses, telles Corte ou Bonifacio, perdirent progressivement leur rôle défensif et finirent par ouvrir leurs lourdes portes aux touristes. Mais les gardiens de la citadelle d'Ajaccio ne le voyaient pas du même œil et les habitants de la ville ignorèrent longtemps ce que cachaient ces murs épais. En 2001, la réputation redoutable de cet édifice – encore sous autorité militaire – en fit même le coffre-fort du plus gros trésor qu'ait jamais vu l'île : les euros, en petites coupures et piécettes, attendaient ici de remplacer les francs de Corse.

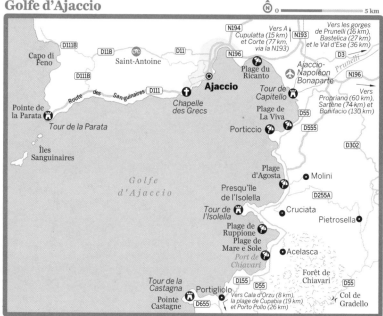
ambiance indéniablement charmeuse. Les amateurs d'art, enfin, y trouveront l'un des musées les plus intéressants de l'île.

Histoire

Si certaines sources font remonter l'origine d'Ajaccio au héros mythique grec Ajax, d'autres assurent que la ville serait issue d'un camp de la légion romaine. Elle doit plus vraisemblablement sa naissance aux Génois, qui la fondèrent en 1492 en y installant des familles précédemment établies au fond du golfe, devenu insalubre. Ajaccio fut même tellement génoise que les Corses y furent interdits de séjour jusqu'en 1553, année où les troupes françaises et Sampiero Corso, assistés du corsaire turc Dragut, s'en emparèrent.

C'est à la suite de cet épisode que la citadelle fut érigée, complétant les bases d'un château construit par les Génois. La ville, reconquise en 1559 par les armées de la république de Gênes, ne s'ouvrit véritablement aux Corses qu'à partir de 1592.

La naissance de Napoléon Bonaparte dans la cité, le 15 août 1769, fut à l'origine d'un subit retournement de son histoire. En 1811, à la suite d'un décret de l'empereur, Ajaccio ravit en effet à Bastia sa place de cité-phare de l'île. L'essor d'Ajaccio, aujourd'hui prospère et active, date de cette époque.

Orientation

Ajaccio s'étend le long du golfe du même nom. L'artère principale, le cours Napoléon, relie la place Charles-de-Gaulle (place du Diamant) à la gare. La vieille ville est délimitée par la place Charles-de-Gaulle, la place Foch et la citadelle. La ville compte deux ports, le petit port Tino Rossi (vieux port) et le port Ornano (aussi appelé port de l'Amirauté) qui inclut une grande marina et le terminal des ferries, dont la haute stature est indissociable du paysage urbain. La route des Sanguinaires, qui mène à la pointe de la Parata, ceint la ville à l'ouest.

🛈 Renseignements

Office du tourisme (☎04 95 51 53 03 ; www.ajaccio-tourisme.com ; 3 bd du Roi-Jérôme ; ⏱juil-août lun-sam 8h-20h, dim 9h-13h et 16h-19h, sept-oct et avr-juin lun-sam 8h-19h, dim 9h-13h, nov-mars lun-ven 8h-12h30 et 14h-18h, sam 8h30-12h30 et 14h-17h). Une borne d'information interactive en libre service est disponible 24h/24 face au bureau.

Cyberespace (rue Versini ; 3,50 €/h ; ⏱lun-sam 14h-2h environ). Accès Internet.

Le Bistrot du Cours (cours Napoléon ; ⏱lun-sam jusqu'à 2h environ). Le prix de la consommation donne droit à un temps de connexion à Internet proportionnel (un café = 13 min, un soda = 27 min).

DU GOLFE DE PORTO À AJACCIO GOLFE D'AJACCIO

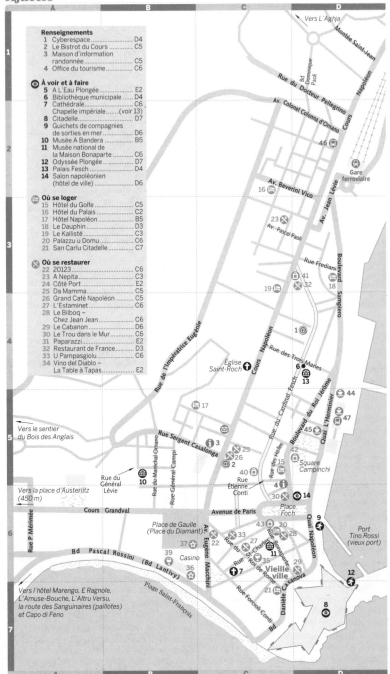

Renseignements
1 Cyberespace D4
2 Le Bistrot du Cours C5
3 Maison d'information
   randonnée C5
4 Office du tourisme C6

À voir et à faire
5 A L'Eau Plongée E2
6 Bibliothèque municipale D4
7 Cathédrale C6
   Chapelle impériale ....(voir 13)
8 Citadelle D7
9 Guichets de compagnies
   de sorties en mer D6
10 Musée A Bandera B5
11 Musée national de
   la Maison Bonaparte C6
12 Odyssée Plongée D7
13 Palais Fesch D4
14 Salon napoléonien
   (hôtel de ville) D6

Où se loger
15 Hôtel du Golfe C5
16 Hôtel du Palais C2
17 Hôtel Napoléon B5
18 Le Dauphin D3
19 Le Kallisté C3
20 Palazzu u Domu C6
21 San Carlu Citadelle C7

Où se restaurer
22 20123 .... C6
23 A Nepita C3
24 Côté Port E2
25 Da Mamma C5
26 Grand Café Napoléon C5
27 L'Estaminet C6
28 Le Bilboq –
   Chez Jean Jean C6
29 Le Cabanon D6
30 Le Trou dans le Mur C6
31 Paparazzi E2
32 Restaurant de France D3
33 U Pampasgiolu C6
34 Vino del Diablo –
   La Table à Tapas E2

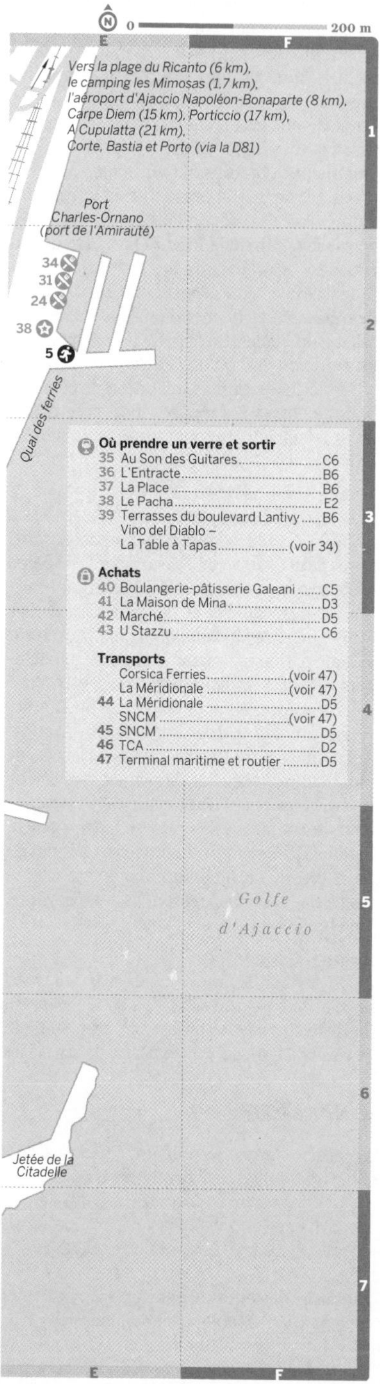
N
0 200 m
E
F
Vers la plage du Ricanto (6 km),
le camping les Mimosas (1,7 km),
l'aéroport d'Ajaccio Napoléon-Bonaparte (8 km),
Carpe Diem (15 km), Porticcio (17 km),
A Cupulatta (21 km),
Corte, Bastia et Porto (via la D81)
Port
Charles-Ornano
(port de l'Amirauté)
34
31
24
38
5
Quai des ferries
Où prendre un verre et sortir
35 Au Son des Guitares C6
36 L'Entracte B6
37 La Place B6
38 Le Pacha E2
39 Terrasses du boulevard Lantivy B6
Vino del Diablo –
La Table à Tapas .... (voir 34)
Achats
40 Boulangerie-pâtisserie Galeani C5
41 La Maison de Mina D3
42 Marché D5
43 U Stazzu C6
Transports
Corsica Ferries .... (voir 47)
La Méridionale .... (voir 47)
44 La Méridionale D5
SNCM .... (voir 47)
45 SNCM D5
46 TCA D2
47 Terminal maritime et routier D5
Golfe
d'Ajaccio
Jetée de la
Citadelle
1
2
3
4
5
6
7

Maison d'information randonnée (☎04 95 51 79 10 ; www.parc-naturel-corse.com ; 2 rue du Sergent-Casalonga ; ⏰lun-ven 8h-12h et 14h-17h). Ce bureau du parc naturel régional de Corse fournit des informations utiles sur les randonnées et les refuges.

Fêtes et festivals

Le calendrier des événements ajacciens débute le 18 mars avec la fête traditionnelle de la ville – la **fête de la Madonuccia** –, célébrée depuis 1656. Durant la première quinzaine de mai, le festival Île Danse accueille performances et autres créations sonores.

Fin mai sont organisées les **Régates impériales** dans le golfe d'Ajaccio. Le 2 juin, la **Saint-Érasme** fête les pêcheurs. Cette célébration est suivie du festival **Jazz in Aiacciu**, jusqu'à début juillet.

La ville fête avec ferveur le 15 août, anniversaire de Napoléon. Durant cette période, les **Journées napoléoniennes** sont l'occasion de défilés, de retraites aux flambeaux, de spectacles son et lumière et autres festivités. En octobre, le **Tour de Corse automobile** passe aux environs du centre-ville. L'hiver est l'occasion de fêter le cinéma (octobre-novembre).

À voir

♥ **Palais Fesch** MUSÉE DES BEAUX-ARTS (☎04 95 21 48 17 ; www.musee-fesch.com ; 50-52 rue Fesch ; adulte/enfant 8/5 € ; ⏰mai-sept lun, mer et sam 10h30-18h, jeu, ven et dim 12h-18h, oct-avr lun, mer et sam 10h-17h, jeu, ven et 3e dim du mois 12h-17h). Construit à l'initiative du cardinal Fesch, oncle de Napoléon, afin de donner un toit à la collection qu'il céda à la ville en 1839, le musée Fesch a rouvert ses portes en juin 2010, après des travaux de rénovation et une restructuration de la muséographie. Au fil de sa visite, on découvre une exceptionnelle collection de peintures italiennes, du XIVe au XIXe siècle, ainsi que la collection napoléonienne et une collection de peintures corses. Parmi les chefs-d'œuvre accrochés à ses cimaises, citons *La Vierge à l'Enfant soutenu par un ange sous une guirlande*, de Sandro Botticelli, et le *Portrait de l'homme au gant*, de Titien – il s'agit du pendant de celui qui est conservé au Louvre. Ils côtoient notamment des œuvres signées Véronèse ou Bellini.

La cour carrée qui fait face au musée, où se dresse une statue de Joseph Fesch, mérite également le coup d'œil pour la rigueur de son agencement.

Chapelle impériale MONUMENT HISTORIQUE
Cette chapelle, qui se tient contre le palais Fesch, renferme les tombeaux de plusieurs

membres de la famille impériale (hormis les cendres de Napoléon, qui reposent aux Invalides, à Paris). Elle était en travaux lors de notre dernière visite.

Bibliothèque municipale
BÂTIMENT HISTORIQUE

(📞 04 95 51 13 00 ; www.bibliotheque.ajaccio.fr ; rue du Cardinal-Fesch ; entrée libre ; ⏰ lun-ven 9h-12h et 14h-17h). Deux lions gardent l'entrée de la très belle bibliothèque municipale, mitoyenne du palais Fesch. Offerts par le cardinal Fesch, ils ont été moulés d'après ceux qui ornent le tombeau du pape Clément XIII, à Saint-Pierre de Rome. Sitôt passé les fauves, les boiseries en noyer massif – classées monument historique –, la table centrale de 18 m de long, les rayonnages surchargés de vieux ouvrages et les échelles de bois de cette impressionnante salle rectangulaire, construite en 1868 sur des plans de l'architecte Caseneuve, séduiront les amateurs de volumes reliés. C'est à Lucien Bonaparte, le frère de l'empereur, que l'on doit son édification, en 1801, afin de donner un écrin digne d'eux aux milliers d'ouvrages entassés dans les combles du palais Fesch. Il y fit placer notamment 12 310 volumes provenant de confiscations effectuées à l'époque révolutionnaire sur les biens d'émigrés et de membres de congrégations religieuses de la région parisienne. Par la suite, la bibliothèque s'enrichit de dons et d'ouvrages de la collection personnelle du cardinal Fesch. À ce jour, elle regroupe près de 40 000 volumes.

Citadelle
OUVRAGE MILITAIRE

Indifférente au temps, la muraille de la citadelle, avec ses bastions et sa très photogénique échauguette, domine le golfe et veille sur Ajaccio depuis des siècles. Occupé par l'armée, cet ouvrage militaire n'est malheureusement pas ouvert à la visite.

Musée A Bandera
HISTOIRE DE LA CORSE

(📞 04 95 51 07 34 ; www.musee-abandera.fr ; rue du Général-Lévie ; 5 € ; ⏰ lun-sam 10h-19h, dim 10h-13h juil à mi-sept, lun-sam 10h-17h mi-sept à juin). Dissimulé dans une encoignure de la rue du Général-Lévie, ce musée rénové en 2011, dont le nom signifie "le drapeau", présente un panorama de l'histoire de la Corse depuis les origines jusqu'à la Seconde Guerre mondiale, illustré de nombreux documents, objets et diaporamas.

Au fil de cette présentation chronologique, claire et documentée, vous pourrez voir le grappin de la frégate *Sémillante*, qui coula en 1855 face aux îles Lavezzi, emportant avec elle 700 soldats et marins ; admirer de beaux objets de métal de l'époque barbaresque ou vous attarder sur les exemplaires du *Petit Journal* ou de *L'Illustré* de la fin du XIXe siècle relatant l'arrestation de célèbres bandits corses. Le musée s'intéresse également à la place prépondérante de la femme dans la société corse.

Musée national de la Maison Bonaparte
HISTOIRE DES BONAPARTE

(📞 04 95 21 43 89 ; www.musee-maisonbonaparte. fr ; rue Saint-Charles ; tarif plein/réduit 7/5,50 € en haute saison ; ⏰ avr-sept 10h30-12h30 et 13h15-18h, oct-mars 10h-12h et 14h-16h45, fermé lun). Maison natale de l'empereur, ce musée est signalé par un panneau "Maison Bonaparte" d'un côté et "Strada Malerba" de l'autre. Pour vous y rendre, empruntez la rue du Roi-de-Rome, qui donne dans la rue Saint-Charles.

La maison renferme diverses pièces de mobilier incrustées de pierreries, une crèche en ivoire et ébène rapportée de Syrie et la chambre natale de l'empereur. L'arbre généalogique de la famille Bonaparte et l'acte de naissance du grand homme complètent cette visite, que certains jugeront assez décevante. Une tenue correcte est exigée.

Salon napoléonien
MUSÉE

(📞 04 95 51 52 62 ; www.musee-fesch.com ; hôtel de ville ; tarif plein/réduit 2,30/1,50 € ; ⏰ lun-ven 9h-11h45 et 14h-17h45 mi-juin à mi-sept, 9h-11h45 et 14h-16h45 mi-sept à mi-juin). Ce lieu mérite

---

LE CARDINAL FESCH, ONCLE DE BONAPARTE

Joseph Fesch (1763-1839), le demi-frère de la mère de Napoléon, joua un rôle non négligeable dans l'histoire de la Corse. Docteur en théologie, archiprêtre de la cathédrale d'Ajaccio, puis primat des Gaules, il fut nommé cardinal en 1803 avant de devenir ambassadeur de France au Saint-Siège. S'il fut à l'origine de la venue du pape Pie VII à Paris pour le sacre de l'empereur, il s'opposa plus tard à la politique religieuse de Napoléon et fut disgracié (1812).

Retiré à Rome après la chute de l'Empire, il vouera une véritable passion à l'art et laissera, à sa mort, une collection estimée à près de 16 000 tableaux. Le musée qui porte son nom à Ajaccio en possède un millier.

une brève visite. À l'entrée, on vous remettra une notice détaillant les richesses de ses deux salles : sculptures et peintures représentant la famille impériale, mobilier d'époque "retour d'Égypte", lustre en cristal de Bohême pesant 1 tonne et nombreuses médailles.

Cathédrale
STYLE VÉNITIEN

La façade ocre de la cathédrale d'Ajaccio, en forme de croix grecque, se dresse dans la vieille ville, au coin des rues Forcioli-Conti et Saint-Charles. De style vénitien, elle fut érigée au cours de la seconde moitié du XVIe siècle. On y verra les fonts baptismaux utilisés lors du baptême de Napoléon, ainsi que la *Vierge au Sacré-Cœur* d'Eugène Delacroix (1798-1863).

Chapelle des Grecs
ÉDIFICE RELIGIEUX

Sur la route des Sanguinaires, cette petite chapelle du XVIIe siècle vaut surtout pour sa portée historique. C'est en effet ici que les Grecs en exil, réfugiés à Ajaccio au XVIIIe siècle, pratiquaient leur culte.

Parc des Milelli
PARC ET DEMEURE HISTORIQUE

(entrée libre dans le parc). À environ 5 km au nord-ouest du centre-ville, ce parc majestueux en un havre de paix, en surplomb du golfe d'Ajaccio. Dans le parc, serti dans une oliveraie, vous pourrez admirer l'ancienne maison de campagne de la famille Bonaparte (l'intérieur ne se visite pas).

🏃 Activités

Plages

La **plage Saint-François** se déploie quasi en ville, aux pieds de la citadelle, en contrebas du boulevard Lantivy. La **plage du Trottel** s'étend un peu plus à l'ouest en direction des Sanguinaires, au niveau du quartier de l'hôtel Marengo. D'autres plages et criques vous attendent le long de la **route des Sanguinaires** (voir p. 173) et près de l'aéroport, où la belle **plage du Ricanto** tapisse le fond du golfe (voir l'encadré ci-dessus).

Plongée et snorkeling

Le golfe d'Ajaccio est réputé pour la plongée. Pour plus d'informations sur les sites, reportez-vous au chapitre *Plongée* p. 36. Adressez-vous aux centres de plongée suivants :

E Ragnole (☑04 95 21 53 55 ; www.eragnole. com ; 12 cours Lucien-Bonaparte). Sur la plage du Trottel, en direction des Sanguinaires.

Odyssée Plongée (☑06 62 07 53 51 ; www.odyssee-plongee.fr). Sur le port Tino-Rossi (port de plaisance).

Les amateurs de farniente et de sable doré trouveront leur bonheur dès la sortie de l'aérogare. La grande **plage du Ricanto** s'étend en effet entre l'aéroport et les quartiers sud-est d'Ajaccio. À quelque 6 km de la ville, elle est desservie par le bus n°1. Ses abords sont appréciés des joggeurs.

À L'Eau Plongée (☑06 09 60 14 09 ; www.aleauplongee.com). Au port Charles-Ornano. Également randonnée palmée.

Promenades en mer

Plusieurs compagnies maritimes disposent de guichets sur le vieux port et organisent en saison des sorties en mer au départ d'Ajaccio à bord de vedettes touristiques. Elles proposent divers itinéraires, dont les îles Sanguinaires (adulte/enfant 25/15 €), le sud du golfe, la réserve naturelle de Scandola via les calanques, Piana et Girolata (adulte/enfant 50/25-35 €) ou encore une sortie au coucher du soleil aux abords des Sanguinaires.

Nave Va (☑06 17 11 42 40, 04 95 51 31 31 ; www.naveva.com). Plusieurs circuits dans le golfe, aux abords des Sanguinaires et plus loin.

Découvertes naturelles (☑06 24 69 48 81, 04 95 22 97 42 ; www.promenades-en-mer. org). Outre les sorties en mer habituelles, assure également en saison un service de navette maritime vers Porticcio, trois fois par jour (5/8 € aller simple/aller-retour).

Le Marie-Madeleine (☑06 33 81 82 55). Matinée pêche à la palangrotte (60/40 € adulte/enfant) et visite des îles Sanguinaires à bord d'une petite embarcation (9 passagers au maximum).

Stra Mare (☑06 24 63 76 94, 06 15 99 56 48 ; www.stramare.fr). Sorties à la journée vers Scandola ou Bonifacio.

Ajax Promenade (☑06 23 18 44 74). Réserve de Scandola, îles Sanguinaires et apéritif près des Sanguinaires au coucher du soleil.

Circuits découverte

Avec des enfants, vous pourrez embarquer sur le **Petit Train des Îles** (☑04 95 51 13 69 ; www. petit-train-ajaccio.com), qui propose 2 circuits commentés, l'un dans la cité impériale (7/3 € adulte/enfant), l'autre vers les Sanguinaires (10/4 € adulte/enfant). **Ajaccio Vision** (☑06 20 17 50 33 ; www.ajacciovision.fr) propose le même type de prestation à bord d'un autobus à impériale (7-10 € selon le circuit).

VAUT LE DÉTOUR

A CUPULATTA, LA CITÉ DES TORTUES

Le plus grand centre européen de conservation des tortues est installé à 21 km d'Ajaccio en direction de Corte. **A Cupulatta** (☑04 95 52 82 34 ; www. acupulatta.com ; lieu-dit Vignola ; adulte/enfant 10/6 € ; ☉tlj avr-oct, 9h-19h mi-mai à mi-sept, 10h-17h30 avr à mi-mai et mi-sept à oct) rassemble 170 espèces terrestres et marines en provenance du monde entier, dont certaines en voie de disparition. Ce parc a pour but de protéger et de faire découvrir au grand public ces animaux venus de la nuit des temps.

🛏 Où se loger

Ajaccio compte peu d'hôtels bon marché, mais vous trouverez quelques deux-étoiles abordables (certains offrant un meilleur confort que des trois-étoiles anciens et désuets). Mieux vaut réserver en haute saison.

De nombreux établissements de deux à quatre étoiles bordent la route des Sanguinaires ; leurs prestations ne correspondent pas toujours aux prix pratiqués.

Camping les Mimosas　　CAMPING **€**
(☑04 95 20 99 85 ; www.camping-lesmimosas. com ; route d'Alata ; adulte/voiture/tente 5,80/3/3 € ; ☉avr-oct ; ☎). Ce camping sans grand charme se trouve à 3 km du centre-ville. Relativement ombragé par des eucalyptus, il comprend une petite épicerie. Des chalets et mobil-homes avec ou sans sanitaires sont également proposés (à partir de 260 € la semaine en basse saison). Arrêt de bus à 900 m (ligne n°4).

BON PLAN **Hôtel du Palais**　　HÔTEL **€**
(☑04 95 22 73 68 ; www.hoteldupalaisa-jaccio.com ; 5 av. Beverini ; s/d/tr 60-75/65-85/85-120 € selon saison avec petit-déj ; ☀☎). Mention spéciale à cette adresse proposant un bon rapport qualité/prix, qui figure parmi les plus accueillantes de la ville. Caché derrière une façade sans charme, l'hôtel propose 8 petites chambres confortables, avec double vitrage et décoration rehaussée de quelques touches modernes. Des appartements équipés sont également disponibles, à la semaine uniquement. Pas de parking. Sans prétentions mais accueillant.

Le Marengo　　HÔTEL **€€**
(☑04 95 21 43 66 ; www.hotel-marengo.com ; 2 rue Marengo ; d 65-89 € selon confort et saison ; ☉fermé nov-avr ; ☀☎). Commençons par la mauvaise nouvelle : le Marengo est situé légèrement à l'écart du centre et fait face à un immeuble sans grâce, qui bouche complètement la vue. Cela étant dit, l'emplacement, au fond d'une impasse, est très calme, et les 17 chambres, agréables et claires mais sans chichis, occupent une belle maison de caractère, précédée d'une cour fleurie. Surtout, le Marengo doit sa bonne réputation à l'accueil chaleureux des propriétaires. Quelques places de parking sur place. Téléphonez avant 19h pour les réservations.

Le Dauphin　　HÔTEL-RESTAURANT **€€**
(☑04 95 21 12 94 ; www.ledauphinhotel.com ; 11 bd Sampiero ; s/d 56-65/64-89 € selon saison, petit-déj inclus ; ☐☀☎). À deux pas de l'embarcadère, cet hôtel reconnaissable à sa haute façade ocre est particulièrement pratique si vous devez prendre un ferry, mais situé dans un environnement plutôt bruyant. Les 40 chambres décorées dans des tons bleus n'ont rien d'exceptionnel, mais sont confortables et bien équipées, et séparées de l'animation du boulevard par un double vitrage. Le bar fait office de réception. Quelques places de parking sont disponibles pour les motos et voitures.

Le Kallisté　　HÔTEL **€€**
(☑04 95 51 34 45 ; www.cyrnos.net ; 51 cours Napoléon ; s/d 63-76/78-103 € selon saison, petit-déj inclus ; ☀@☎). Installée dans un beau bâtiment du centre-ville, avec pierres apparentes, plafonds voûtés en briques et imposant escalier central, cette adresse au goût du jour offre une pléthore de services : clim, borne Internet gratuite à la réception, Wi-Fi, TV par satellite, ascenseur, location de voitures et de motos, laverie... Les chambres claires et impeccables offrent l'un des meilleurs rapports qualité/prix de la ville mais manquent un peu de chaleur dans la décoration, à l'image de l'ensemble de l'établissement. L'hôtel ne dispose pas de parking, mais il peut proposer des places pour les motos et quelques voitures (en supplément). Une borne informatique, située à quelques mètres de l'entrée de l'hôtel, dans la même rue, permet de louer et de régler sa chambre par carte bancaire en dehors des heures d'ouverture de la réception (8h-20h).

San Carlu Citadelle　　HÔTEL **€€**
(☑04 95 21 13 84 ; www.hotel-sancarlu.com ; 8 bd Danielle-Casanova ; d 55-170 € selon confort et saison ; ☀☎). Une cure de rajeunissement

récente a fait le plus grand bien au San Carlu, qui bénéficie d'un bel emplacement à deux pas de la citadelle, à la fois calme et central. Les chambres affichent une déco sobre dans des teintes de blanc et de chocolat, moderne et réussie. Les tarifs, très raisonnables le reste de l'année, s'envolent en haute saison. Plusieurs formules de petit-déjeuner. Bon accueil.

Hôtel Napoléon
HÔTEL €€
(☎04 95 51 54 00 ; www.hotel-napoleon-ajaccio. com ; 4 rue Lorenzo-Vero ; s/d 69-111/89-123 € selon saison ; P ✳ ✉ ☎). Dans une rue calme à deux pas du cours Napoléon, ce trois-étoiles au confort feutré pratique des tarifs raisonnables pour Ajaccio. L'accueil est professionnel et efficace – on voit que l'établissement est le point de chute habituel d'une clientèle d'affaires – et les chambres sans défaut et bien équipées, quoique petites et très classiques dans leur décoration (moquette, mobilier d'inspiration Empire). Les plus chères sont celles des étages supérieurs, plus claires, et dont les sdb ont été modernisées. L'hôtel dispose d'un atout maître : une vingtaine de places de parking (10 €).

Hôtel du Golfe
HÔTEL €€€
(☎04 95 21 47 64 ; www.hoteldugolfe.com ; 5 bd du Roi-Jérôme ; d avec petit-déj 129-294 € selon confort et saison, ste 254-344 € ; ✳ @ ☎). Surévalué, l'hôtel du Golfe doit ses tarifs à son principal atout : une superbe vue face au port. Ce paysage de carte postale se paie cependant au prix fort, surtout en haute saison. Demandez à voir plusieurs chambres, car toutes ne disposent pas d'un beau panorama. Les chambres sont incontestablement confortables et bien équipées, mais assez petites et leur décoration mériterait une cure de rajeunissement.

Palazzu u Domu
HÔTEL DE CHARME €€€
(☎04 95 50 00 20 ; www.hotel-palazzudomu-ajaccio.com ; 17 rue Bonaparte ; d 265-650 € selon confort et saison ; P ✳ ☎). Seule adresse de luxe du centre-ville, le Palazzu u Domu se démarque par l'emploi de beaux matériaux – ardoise polie, pierre de lave, tadelakt – qui donnent aux lieux, baignés de déclinaisons de beige et de gris, une atmosphère contemporaine, chic et zen. Tous les attributs du confort sont présents dans les chambres et le patio intérieur, ombragé de hauts palmiers, est aussi agréable que relaxant. Fréquentes promotions.

Carpe Diem
DANS LES ENVIRONS €€€
(☎04 95 10 96 10 ; www.carpediem-palazzu.com ; Eccica Suarella ; ste 320-430 € selon saison ;

☺avr-nov ; P ✳ ✉ ☎). Cette maison d'hôtes princière est installée à l'intérieur des terres, à 15 km à l'est d'Ajaccio, au bourg d'Eccica Suarella. Dans une majestueuse demeure en granite du XVIIIᵉ siècle impeccablement restaurée, elle ne compte que 6 suites luxueuses dont la décoration mêle des éléments classiques et des touches modernes pour créer une atmosphère "rustique chic" – bel assortiment de voilages dans les teintes fuchsia et grège, mobilier ancien, planchers en chêne massif, dallages en ardoise, literie de qualité, poutres, TV à écran plat… La petite piscine, l'"espace bien-être" (hammam, Jacuzzi), le confortable salon et le jardin où l'on peut prendre les repas complètent les atouts de cette adresse de charme.

✗ Où se restaurer
La scène culinaire ajaccienne, reflet des facettes de la ville, a des atouts pour séduire tous les publics et tous les budgets.

BON PLAN Le Trou dans le Mur
BISTROT €
(☎04 95 21 49 22 ; 1 bd du Roi-Jérôme ; plats 8-14 € ; ☺midi seulement, tlj mai-oct, mar-dim oct-avr). À première vue, cette adresse ressemble à une simple terrasse de café. Mais elle ne désemplit pas au déjeuner grâce à une recette qui a fait ses preuves : une carte de plats basiques, sans prétentions gastronomiques mais bien préparés, copieux, bon marché et servis rapidement. Spécialités de lasagnes et de salades.

BON PLAN Da Mamma
CORSE TRADITIONNEL €
(☎04 95 21 39 44 ; 3 passage Guinghetta ; plats 11-26 €, menus à partir de 17 € ; ☺fermé dim et lun midi). Ne vous fiez pas à la première impression, qui pourrait laisser croire que cet établissement niché dans une minuscule ruelle entre la rue Fesch et le cours Napoléon est un attrape-touriste. La cuisine préparée ici est en effet très honnête et proposée à un tarif qui satisfera tous les budgets. Filet de mustelle au poivre vert, soupe de poissons et cailles rôties côtoient sur la carte les standards de la cuisine familiale corse, servis soit en salle, soit sur les quelques tables de la terrasse ombragée par un arbre à caoutchouc.

Restaurant de France
CORSE TRADITIONNEL €€
(☎04 95 21 11 00 ; 59 rue Fesch ; plats 14-29 €, menu 17,50 € ; ☺fermé dim et lun). Valeur sûre, cette adresse sans esbroufe n'est certes pas "tendance" – une salle proprette à la déco assez désuète –, mais la cuisine est de qualité : pochée de saint-jacques, émincé

de canard aux airelles… Le menu à 17,50 € présente un rapport qualité/prix très correct et quelques tables, en terrasse, permettant de profiter de l'animation de la principale rue piétonnière d'Ajaccio.

L'Estaminet   CUISINE FRANÇAISE €€

(☑04 95 50 10 42 ; 7 rue du Roi-de-Rome ; plats 13-24,50 €, menus à partir de 19,50 € ; ⊘tous les soirs et sam midi). Bel éclairage tamisé, appliques, miroirs, banquettes rouges, sol en damier noir et blanc et quelques tables en terrasse… Ce "bistrot chic" de la rue du Roi-de-Rome mérite sa bonne réputation, acquise au fil des ans grâce à des spécialités préparées avec soin. Elles font avant tout la joie des amateurs de viande (pavé de rumsteak, andouillette, tripes à la Corse), mais quelques plats de poisson figurent également à la carte. La qualité est au rendez-vous et l'accueil souriant.

♥ A Nepita   CUISINE DE MARCHÉ €€

(☑04 95 26 75 68 ; 4 rue San-Lazaro ; formules midi 18-26,50 €, menus soir 29-33 € ; ⊘lun-mer midi, jeu-ven midi et soir, sam soir). L'une des tables qui montent à Ajaccio, cette adresse vous reçoit dans une salle d'une quinzaine de tables dont la décoration sobre, presque monacale, est égayée de tentures et de toiles contemporaines. On mise ici avec brio sur la cuisine de marché. Le chef concocte en effet chaque jour deux entrées, deux plats et deux desserts, aussi originaux que légers et raffinés. Des exemples ? Effiloché d'agneau confit 4 heures et purée de patates douces, gaspacho de légumes et émietté de crabe, filet de mustelle rôti aux aubergines et palourdes… Un sans-faute !

♥ Le Cabanon   POISSONS €€

(☑04 95 22 55 90 ; 4 bd Danielle-Casanova ; plats 20-25 € environ ; ⊘soir seulement). Quand plusieurs restaurateurs recommandent une table, forcément, ça éveille l'attention… À deux pas de la citadelle, au bout de la rue Bonaparte, le Cabanon ne mise pas sur la sophistication. Au contraire, on privilégie ici la simplicité et le goût, pour le plus grand bonheur des convives. La souriante patronne est en cuisine, son accueillant mari est pêcheur. À eux deux, ils signent une cuisine marine fraîche et sincère, présentée à l'ardoise et réalisée selon l'humeur et la pêche du moment. Outre la terrasse estivale, ils s'apprêtaient lors de notre dernier passage à ouvrir toute l'année une petite salle dans la rue Bonaparte adjacente.

U Pampasgiolu   CORSE MODERNE €€

(☑04 95 50 71 52 ; 15 rue de la Porta ; plats 15-26 €, menus à partir de 24 € ; ⊘mer-lun soir seulement, tlj soir juil-août). "La cuisine corse d'hier et d'aujourd'hui" : tel est le credo de la maison. Outre une alléchante sélection de plats à l'ardoise, tant côté viande que côté poisson, U Pampasgiolu s'est bâti une bonne réputation grâce à ses spécialités de "planches" (dont la "planche de la mer"). L'ensemble se tient bien, mais certains lecteurs ont été déçus du rapport qualité/prix. Le service est assuré dans deux jolies salles voûtées.

20123   CORSE TRADITIONNEL €€

(☑04 95 21 50 05 ; www.20123.fr ; 2 rue du Roi-de-Rome ; menu 35 € ; ⊘mar-dim, le soir). Dans le genre "corse traditionnel", on ne fait pas mieux que ce restaurant "à thème" dont le décor reconstitue un ancien village corse – sans oublier l'incontournable musique polyphonique en fond sonore, voire en live certains soirs. Ce "village dans la ville" propose uniquement un copieux menu à la carte de spécialités montagnardes, un peu surévalué. On peut trouver l'aspect folklorique des lieux un peu surjoué, mais la formule, indémodable, semble trouver chaque soir ses adeptes. Réservation conseillée.

Grand Café
Napoléon   BRASSERIE GASTRONOMIQUE €€

(☑04 95 21 42 54 ; www.grandcafenapoleon.com ; 10 cours Napoléon ; plats 24-26 €, menus à partir de 30 € ; ⊘lun-ven midi et soir, sam midi). En face de la préfecture, ce Grand Café Napoléon est une véritable institution. La brasserie dissimule la jolie salle d'un restaurant gastronomique et ses tables impeccablement dressées, où l'on sert une cuisine raffinée : lapin à la myrte, langoustines aux asperges… Autre bonne nouvelle : cette table se met à la portée des bourses modestes à l'heure du déjeuner (en semaine seulement) avec des formules à moins de 20 €.

L'Amuse-Bouche   CORSE GASTRONOMIQUE €€€

(☑04 95 52 11 43 ; 3 bd Pugliesi-Conti ; menus à partir de 41 € ; ⊘fermé dim soir et lun). À l'écart du centre en direction de la route des Sanguinaires, dans le quartier de l'hôtel Marengo, ce restaurant gastronomique remporte d'excellents échos. D'après les connaisseurs, il n'a qu'un seul défaut : l'absence de terrasse avec vue sur la mer. La salle, dissimulée derrière une véranda en verre fumé, est petite mais intimiste, le service attentionné et la cuisine soignée – l'idéal pour une soirée en amoureux. Dans une rue perpendiculaire à la route des Sanguinaires. Fermeture annuelle en été.

Le Bilboq –
Chez Jean Jean LANGOUSTE €€€
(✆04 95 51 35 40 ; 1 rue des Glacis ; plats 55 € ; ☺soir seulement). Une institution à Ajaccio, tenue par Jean Jean et son fils. On vient ici pour la langouste, et surtout les pâtes à la langouste, plat phare de la maison. Le patron affirme qu'il préfère fermer le restaurant lorsque les casiers des pêcheurs sont restés vides. À déguster dans la bonne humeur sur les tables dressées dans une ruelle piétonnière, sur une inévitable musique de Tino Rossi. Pas de réglements par cartes de crédit.

Ajoutons quelques adresses situées sur les quais du port Ornano. Plutôt jeunes et branchées, elles offrent l'avantage de s'attabler face aux bateaux. Côté inconvénient, le port est situé de l'autre côté de la quatre-voies, ce qui incite à s'y rendre en voiture, mais il est souvent difficile de s'y garer...

Côté Port (✆04 95 10 85 75 ; port Charles-
Ornano ; plats 12-25 € ; ☺fermé dim). Déco sobre et moderne et carte de brasserie : viandes, pâtes fraîches, salades, pizzas...

Paparazzi (✆04 95 21 04 21 ; port Charles-
Ornano ; pizzas à partir de 10 € environ ; ☺tlj midi et soir en saison). Avec ses couleurs vives et son mobilier design, cette adresse aux airs de lounge attire un public jeune et branché qui apprécie ses pizzas.

Vino del Diablo – La Table à Tapas
(✆04 95 22 70 10 ; www.vinodeldiablo.com ; port Charles-Ornano ; Formules à partir de 11,90 € ; ☺lun-sam). Nombreuses formules déjeuner, tapas et cocktails.

☆ Où sortir

La ville n'est pas des plus festives, mais elle s'anime les soirs d'été et en fin de semaine. Pour boire un verre, dirigez-vous vers les **terrasses du boulevard Lantivy**, aux abords du casino, où les tables sont au coude à coude. Autre centre de gravité des soirées ajacciennes : les **terrasses du port Charles-Ornano**, qui regroupe une série d'adresses branchées. Ajaccio compte également plusieurs discothèques au centre-ville, dont l'**Entracte** (bd Pascal-Rossini, près du Casino), **la Place** (dissimulée en contrebas de la place Diamant) ou encore **le Pacha** (port Charles-Ornano), mais c'est surtout dans les **paillotes de la route des Sanguinaires**

(voir p. 174) que l'on fait la fête en été. Renseignez-vous sur les adresses à la mode lors de votre passage.

Quelques adresses pour sortir des bars et boîtes traditionnels, en ville et sur la route des Sanguinaires :

L'Aghja (✆04 95 20 41 15 ; www.aghja.
com ; 6 chemin de Biancarello). À environ 600 m au-dessus du port Ornano (prendre la montée Saint-Jean sur 500 m, puis le chemin de Biancarello à gauche), la salle de spectacle la plus active d'Ajaccio accueille toute l'année des concerts et des représentations de théâtre et de danse. Le programme est disponible sur Internet et auprès de l'office du tourisme.

L'Ariadne Plage (✆04 95 52 09 63 ;
www.ariadneplage.com ; route des Sanguinaires ; ☺en saison). À 3 km environ de la sortie de la ville en direction des îles Sanguinaires, ce bar-restaurant à l'ambiance presque tropicale est l'une des références de la scène festive ajaccienne grâce à ses soirées à thème (jazz, salsa, zouk, DJ), tous les soirs en saison. Le programme est disponible en ligne.

Paillote le Scudo (✆06 26 13 48 54 ;
www.scudo.fr ; route des Sanguinaires ; ☺en saison). 500 m après l'adresse précédente vers les Sanguinaires, au bord d'une petite crique rocheuse. Ambiance un zeste plus sophistiquée que l'Ariadne Plage.

Au Son des Guitares (✆04 95 51 16 47 ;
rue du Roi-de-Rome). Au cœur de la ville, ce cabaret résonne en saison des refrains de Tino Rossi et de chants polyphoniques. Typiquement corse !

🛍 Achats

Outre au **marché**, qui s'installe square Campinchi tous les matins sauf le lundi, vous trouverez des produits corses dans nombre de boutiques. Quelques suggestions :

U Stazzu (✆04 95 51 10 80 ; www.ustazzu.
com ; 1 rue Bonaparte ; ☺lun-sam 9h-12h et 15h-19h). Une valeur sûre. La boutique regorge de *coppa*, *figatelli*, terrines, miel, fromages, confitures, herbes, vins et huiles d'olive.

La Maison de Mina (✆04 95 23 32 44 ;
www.lamaisondemina.com ; 64 cours Napoléon ; ☺lun-sam 8h30-19h30). Autre bonne option, tant côté choix que qualité, la Maison de Mina est installée non loin de l'hôtel Kallisté et du haut de la rue Fesch.

Boulangerie-pâtisserie Galeani
(✆04 95 21 39 68 ; 3 rue du Cardinal-Fesch ; ☺mar-sam 6h30-20h, dim 6h30-13h). Dans la principale rue piétonne, vous y trouverez des *canistrelli* proposés dans plusieurs parfums : anis, citron, raisin, châtaigne, noix de coco-chocolat (10 €/kg).

ⓘ Depuis/vers Ajaccio

De plus amples détails figurent dans le chapitre *Transports*, p. 398.

AVION Ajaccio est bien reliée au continent. L'aéroport d'**Ajaccio Napoléon-Bonaparte** (ex-aéroport Campo dell'Oro ; ☏04 95 23 56 56 ; www.2a.cci.fr), récemment rebaptisé, est le premier aéroport de l'île. Il est situé à 8 km au sud-est de la ville et abrite dans son aérogare un distributeur de billets, un bar, des boutiques de souvenirs et d'artisanat et une librairie.

BATEAU L'embarquement à bord des ferries a lieu au **terminal maritime et routier** (☏04 95 51 55 45 ; quai Jean-L'Herminier ; ⊙6h30-20h), le grand bâtiment jouxtant la chambre de commerce qui fait également office de gare routière. Les compagnies desservant Ajaccio sont les suivantes :

Corsica Ferries (☏0825 095 095 ; www.corsicaferries.com). Guichet dans le terminal.

La Méridionale (☏0810 20 13 20 ; www.lameridionale.fr). Bureau sur le quai, au nord du terminal.

SNCM (☏3260 ; www.sncm.fr). Bureau en face du terminal et guichet dans le terminal, ouvert lors des arrivées et des départs des navires.

BUS Les compagnies de bus desservant Ajaccio ont des guichets dans le terminal maritime et routier (voir ci-dessus).

Eurocorse (☏04 95 21 06 30 ; www.eurocorse.com). Liaison vers Bonifacio via Propriano, Sartène et Porto-Vecchio, 3/j du lundi au samedi hors saison et 4/j tlj, en haute saison. Deux départs par jour du lundi au samedi à destination de Corte et de Bastia, via Vizzavona (correspondance pour Calvi à Ponte-Leccia).

Autocars S.A.S.A.I.B. – Ceccaldi (☏04 95 22 41 99 ; www.autocarsiledebeaute.com). Service saisonnier (mai-septembre) pour Porto et Ota, via Sagone, Cargèse et Piana. De Porto, liaison pour Calvi en saison.

Alta Rocca Voyages – Ricci (☏04 95 51 08 19, 04 95 78 86 30 ; www.altarocca-voyages.com). Trois liaisons par jour entre Ajaccio et Bavella (16 €) via Olmeto, Propriano, Sartène, Sainte-Lucie-de-Tallano et Zonza en juillet et août. Le reste de l'année, 1/j du lundi au samedi jusqu'à Zonza ou à Bavella.

Autocars Casanova (☏04 95 25 40 37 ; www.autocars-casanova.com). Selon la saison, 2 à 5 liaisons quotidiennes entre Ajaccio et Porticcio (3 €).

TRAIN Des trains quittent la **gare d'Ajaccio** (CFC, Chemins de Fer de la Corse ; ☏04 95 23 11 03) vers Vizzavona, Corte et Bastia 4 fois par jour en semaine et 2 fois par jour le dimanche. Des liaisons existent également avec L'Île-Rousse et Calvi.

ⓘ Comment circuler

DEPUIS/VERS L'AÉROPORT La ligne n°8 des bus **TCA** relie l'aéroport et le centre-ville, distants de 8 km. Les bus partent du parking situé à l'extrémité de l'aérogare, côté "départs", tous les jours, de 5h35 à 23h20. Le trajet jusqu'à la gare ferroviaire, via le terminal maritime et routier (4,50 € bagages compris, à prendre à bord), dure environ 20 min, mais mieux vaut prévoir un peu plus à cause du trafic dans le centre-ville. Dans l'autre sens, le premier bus pour l'aéroport démarre tous les jours à 5h10 de la gare ferroviaire (dernier départ à 22h50). Des horaires sont disponibles auprès de l'agence TCA et sur son site (voir ci-dessous).

De l'aéroport au centre-ville, la course en **taxi** revient à une vingtaine d'euros hors bagages. Comptez un peu plus entre 19h et 7h, ainsi que les dimanches et les jours fériés.

BUS Ajaccio est bien desservie par les bus de la compagnie TCA. Les lignes les plus utiles pour les visiteurs sont la n°5 (route des Sanguinaires) et la n°8 (gare ferroviaire-aéroport). Le détail des lignes est disponible dans les locaux de la **TCA** (☏04 95 23 29 41 ; www.bus-tca.fr ; 75 cours Napoléon).

VOITURE Toutes les grandes agences de location sont représentées à l'aéroport Napoléon-Bonaparte (ex-Campo dell'Oro). Les plus importantes disposent également d'un bureau au centre-ville où vous pouvez récupérer votre véhicule (utile en cas d'arrivée par bateau).

Îles Sanguinaires et pointe de la Parata

À quelques kilomètres du centre d'Ajaccio, les quatre îles Sanguinaires doivent leur nom à la couleur rougeâtre de leur roche. Cet archipel en miniature ponctue la pointe de la Parata, péninsule effilée flanquée d'une **tour génoise**. L'environnement de la pointe de la Parata laisse un peu à désirer mais les îles, dont Alphonse Daudet fit jadis une description échevelée, méritent le coup d'œil pour leur austère paysage maritime. La plus grande – Mezzu Mare ou Grande Sanguinaire – a été habitée jusqu'en 1985, année où le phare a été automatisé. Aujourd'hui, les îles abritent 150 espèces de plantes et sont un refuge de choix pour les oiseaux marins, ce qui leur vaut d'être protégées. Leur accès est naturellement limité par la géographie : à pied, vous pourrez aller jusqu'au promontoire de la pointe de la Parata, qui révèle un beau point de vue sur l'enfilade des îles ; en bateau, vous pourrez débarquer sur la Grande Sanguinaire.

LE CHEMIN DES CRÊTES

Départ : arrêt de bus Bois-des-Anglais (n°7), à 15 min du centre d'Ajaccio
Durée : 3-4 heures aller (possibilité de retour en bus)
Dénivelé : 300 m
Difficulté : moyenne (praticable toute l'année)

À une encablure d'Ajaccio, cette balade permet de découvrir la nature du nord du golfe. La promenade débute en face de l'arrêt de bus Bois-des-Anglais. Un panneau rappelle les règles de sécurité élémentaires et évoque un fléchage bleu remplacé par des pancartes ONF. La route de terre se rétrécit pour entreprendre de larges lacets dans un décor aride faisant la part belle aux cactus et aux aloès. Après environ 40 min de montée, vous atteindrez le chemin dit "des Crêtes". Il domine la ville et la baie d'Ajaccio et offre une perspective originale sur le Monte d'Oro, qui se dessine à l'intérieur des terres au fond de la vallée du Gravona.

En contrebas apparaissent l'ancien et le nouveau cimetière, tandis que le sentier côtoie de larges rochers aux formes érodées et se faufile dans le maquis, frôlant des eucalyptus. Tout au long de cette jolie balade dans les hauteurs, plages et criques se livrent sous vos yeux à un insolent défilé. Après quelque 2 heures de marche, les îles Sanguinaires se profilent distinctement et vous abordez une descente d'une demi-heure jusqu'à la station solaire de Vignola et la route des Sanguinaires, au niveau de l'arrêt du bus n°5 Terre-Sacrée.

Vous pourrez conclure cette charmante balade sur les plages bordées de buvettes et de restaurants, en attendant de rentrer à Ajaccio par le bus n°5 (toutes les 30 min de 7h à 23h20 environ en saison).

La route des Sanguinaires occupe quant à elle une place à part auprès des fêtards et des bons vivants. Plusieurs adresses s'alignent en effet le long de ses 11 km, notamment des paillotes en bord de plage, dont la notoriété varie au fil des saisons. Restaurants le jour, certaines se transforment en boîtes de nuit le soir en été, avec de prometteuses "*beach parties*"...

Le parking de la pointe de la Parata est payant en saison.

⊙ À voir et à faire

Plages

Une dizaine de plages (Barbicaja, l'Ariadne, Marinella, Scudo, Moorea...) s'égrènent le long de la route des Sanguinaires. La plupart ne sont pas signalées. Pour les repérer, accédez aux paillotes.

Excursions

Ajaccio Vision et le **Petit Train des Îles** (voir p. 167) organisent des circuits jusqu'à l'extrémité de la pointe de la Parata.

Promenades en mer

Plusieurs compagnies proposent des sorties en mer vers les îles depuis le port Tino-Rossi d'Ajaccio (voir p. 167). La sortie, d'environ 3 heures, inclut une heure de visite à pied de la Grande Sanguinaire et un arrêt baignade.

Location de kayaks et bateaux

Pour explorer les Sanguinaires à votre rythme, louez un kayak ou un bateau sans permis auprès de **L'Iliade** (☑06 77 97 14 02 ; www.iliade-sanguinaires.com ; route des Sanguinaires ; ☉juin-sept). Installé à côté de la paillote le Goéland, à 9 km d'Ajaccio, ce loueur propose un grand choix d'embarcations. De nombreuses criques et plages sont accessibles par ce moyen (prévoyez un masque et un pique-nique).

Plongée

Deux centres de plongée, qui proposent des sorties adaptées à tous les niveaux, ainsi que des randos palmées, sont installés sur la route des Sanguinaires. Consultez le chapitre *Plongée* p. 36 pour de plus amples renseignements sur les sites.

Isula Plongée (☑04 95 52 06 39 ; www.isula-plongee.com)

Les Calanques (☑04 95 52 09 37, 06 72 56 16 57 ; www.plongee-en-corse.fr). À l'hôtel Stella di Mare.

🛏 Où se loger

La route des Sanguinaires est bordée par plusieurs quatre-étoiles, le Dolce Vita, l'Eden Roc et le Palm Beach. L'adresse suivante, légèrement en retrait, est plus abordable.

DE PARATA AU CAPO DI FENO

Accès : D111 (route des Sanguinaires) ou bus n°5 (arrêt Frati)
Durée : 1 heure 30 aller
Dénivelé : minime
Difficulté : facile (prévoir de l'eau)

Aux abords d'Ajaccio, cette balade aisée, en balcon au-dessus de la mer, ménage de belles perspectives sur les îles Sanguinaires. Elle débute en face de l'hôtel-motel la Parata, au pied d'une petite forêt d'eucalyptus (ceux qui arrivent de la balade du chemin des Crêtes, voir p. 173, pourront marcher en direction de Parata jusqu'à l'établissement).

Une fois devant un grand eucalyptus planté au milieu du chemin, l'itinéraire bifurque à gauche et s'élève en effectuant de larges lacets. Les eucalyptus cèdent alors la place aux pins, puis au maquis. Le chemin croise une route bitumée, dépasse une stèle et débouche sur une route de terre, en amont de terrains de tennis, juste en face des îles Sanguinaires. Empruntez-la sur la droite et vous longerez la mer vers le nord. En surplombant cette côte sauvage, avec ses rochers noirs lessivés par les vagues, vous aurez l'occasion de découvrir de superbes vues sur les îles, désormais derrière vous.

Moins de 1 heure de marche plus tard, vous atteindrez deux grandes anses aux eaux cristallines, au pied du Capo di Feno.

Barbicaj'Alta CHAMBRES D'HÔTES €€
(☏06 10 63 29 69 ; www.barbicaja-alta.com ; chemin des Agaves ; d avec petit-déj 80-130 € selon saison ; ⊘tte l'année ; [P] ❄ 🛜). Sans doute la plus belle vue que l'on puisse imaginer sur le golfe d'Ajaccio… Certes, le panorama se mérite (il faut grimper une côte particulièrement raide), mais on est transporté par le spectacle, dont on profite depuis la terrasse. Les 2 chambres, la Parata et l'Isolella, sont lumineuses, pimpantes et colorées. Des studios, loués à la semaine, sont également disponibles. La plage de Barbicaja est à 10 minutes à pied, en contrebas.

✖ Où se restaurer et prendre un verre

Une dizaine de paillotes et de restaurants s'alignent le long de la route des Sanguinaires. Voici quelques valeurs sûres, classées dans l'ordre où vous les rencontrerez en partant d'Ajaccio en direction de la pointe :

♥ L'Altru Versu CORSE GASTRONOMIQUE €€
(☏04 95 50 05 22 ; www.laltruversu.com ; route des Sanguinaires ; plats 13-28 € ; ⊘fermé le midi et dim soir hors saison). À seulement 1 km d'Ajaccio sur la route des Sanguinaires, cette adresse gastronomique tenue par les frères Mezzacqui semble faire l'unanimité. S'attachant à donner *"un alt' idea di a cucina corsa"* ("une autre idée de la cuisine corse"), la carte met un point d'honneur à révéler la qualité des produits locaux

– pêche côtière, veau corse bio… –, travaillés avec virtuosité. La salle agréable, au bord de l'eau, dévoile des tables impeccablement dressées, avec l'agrément d'une terrasse aux beaux jours. Excellents desserts. Il est sage de réserver en saison.

Côté plage CUISINE MÉDITERRANÉENNE €€
(☏04 95 52 07 78 ; route des Sanguinaires ; plats 21-29 €, formule mar-ven 20 € ; ⊘tlj midi et soir en saison). À environ 3 km après la sortie d'Ajaccio, cette adresse séduit en premier lieu par son cadre sobre et élégant, à l'image des chemises blanches immaculées du personnel. On sert dans cette belle salle lumineuse une sélection de spécialités alléchantes, tant côté viandes que côté poissons.

L'Ariadne Plage FESTIF €€
(☏04 95 52 09 63 ; www.ariadneplage.com ; route des Sanguinaires ; plats 11-28,50 € ; ⊘avr-oct, tlj jusqu'à 2h en saison). Archétype de la paillote décontractée, à ambiance presque tropicale en été, l'Ariadne Plage est l'une des adresses les plus festives des environs grâce à ses soirées musicales animées tous les soirs en été (jazz, salsa, zouk, DJ). Carte hétéroclite : pizzas, plats du jour, brochette de gambas, woks, cuisine du monde… On y vient surtout pour le cadre et l'ambiance. À environ 3,5 km après la sortie d'Ajaccio.

Paillote le Scudo CUISINE MÉDITERRANÉENNE €€
(☏06 26 13 48 54 ; www.scudo.fr ; route des Sanguinaires ; plats 13-25 € ; ⊘tte l'année). Un kilomètre après l'Ariadne Plage, au pied

d'une petite tour de pierre, la Paillote le Scudo décline une ambiance à la fois décontractée et sophistiquée. Cuisine honnête à des tarifs abordables : pizzas, pâtes, poissons, carpaccios… Soirées festives en saison.

La Crique CUISINE MÉDITERRANÉENNE €€
(☑04 95 52 05 79 ; route des Sanguinaires ; plats 20-55 € ; ☺avr-oct, tlj midi et soir en saison). En bordure de la plage 1,5 km après le Scudo, cette terrasse en bois est littéralement noyée dans les lauriers-roses. Bonnes suggestions à l'ardoise : pâtes aux gambas, poêlée de calamars, bouillabaisse… À environ 6 km après la sortie d'Ajaccio.

Le Week-End CUISINE MÉDITERRANÉENNE €€
(☑04 95 52 01 39 ; www.leweekend-plage.com ; route des Sanguinaires ; plats 16-35 € ; ☺avr-oct, tlj midi et soir en saison). Trois kilomètres avant la pointe de la Parata, le Week-End offre le choix entre une "vraie" salle de restaurant et sa déclinaison en paillote, en contrebas. La première est dotée d'une belle terrasse face à la mer, la seconde d'un cadre tranquille, au milieu d'une plage encadrée de rochers. Les moules et les pâtes à la langouste sont les deux extrêmes de prix de la carte, qui mise avant tout sur les poissons mais propose aussi quelques viandes. À environ 6 km après la sortie d'Ajaccio.

ⓘ Comment circuler

BUS Le bus n°5 dessert la route des Sanguinaires depuis le centre d'Ajaccio. Il circule toutes les demi-heures environ à partir de 7h.

Capo di Feno

Envie d'une petite escapade dans un espace sauvage ? De la route des Sanguinaires, non loin de la paillote le Week-End, la petite D111b file vers le nord jusqu'au Capo di Feno. Le cap est bordé par deux belles **plages** – également appelées "Grand Capo" et "Petit Capo" ou "Sevani" – séparées par un champ. Les surfeurs y ont leurs habitudes, car les vagues sont régulièrement puissantes, les plages étant exposées au large. La baignade, en revanche, est réputée parfois dangereuse. En été, le **Capo Surf Club** (☑04 95 21 07 13 ; www.caposurfclub.com) propose des leçons de surf ou du stand-up paddle et des randonnées en kayak de mer, en plus de la simple location de matériel.

Quelques **paillotes** s'installent sur la plage en saison.

Le sud du golfe d'Ajaccio

PORTICCIO ET SES ENVIRONS

Commençons par la mauvaise nouvelle : avec ses locations à la semaine, ses hôtels-clubs, ses établissements de luxe et autres constructions sans charme, Porticcio n'évoque guère la Corse telle qu'on se l'imagine habituellement. Maintenant la bonne nouvelle, qui explique son succès : cette station balnéaire animée est bordée de magnifiques plages de sable fin qui s'étalent sur une dizaine de kilomètres vers le sud, et offre toute la gamme des loisirs nautiques.

ⓘ Renseignements

Office du tourisme (☑04 95 25 10 09 ; www.porticcio-corsica.com ; Les Échoppes ; ☺tte l'année). Au centre de la station. Un **Point information** ouvre à la pointe sud de la plage de la Viva en saison.

Un **accès Internet** Wi-Fi est disponible au Point information (voir ci-dessus) et au bar-restaurant le Colisée, sur la plage de la Viva.

❂ À voir et à faire
Plages

Les amateurs de baignade seront comblés, avec une série de belles plages qui se succèdent vers le sud. La **plage de la Viva**, au centre de la station balnéaire, est la plus fréquentée. De son extrémité nord, vous pourrez rejoindre l'imposante **tour de Capitellu**, construite au XVIe siècle, en une dizaine de minutes de marche. De là, on jouit d'un très beau point de vue sur le golfe d'Ajaccio.

Dans la baie suivante, la **plage d'Agosta** est un peu plus tranquille que la Viva et incite davantage au farniente. Des criques plus discrètes vous attendent à la **presqu'île de l'Isolella** : Cala Medea, Sainte Barbe et La Stagnola. Cette presqu'île, malheureusement gagnée par de nombreuses constructions, est coiffée d'une superbe **tour génoise**, que l'on peut atteindre en une dizaine de minutes de marche.

Vient ensuite la belle **plage de Ruppione**, au sud de la presqu'île de l'Isolella. Vous pourrez profiter de criques discrètes à son extrémité nord (suivez la petite allée en pierre), en contrebas du restaurant la Bergerie.

En continuant vers le sud, on arrive sur la plage préférée des Ajacciens, la **plage de Mare e Sole**, également appelée **plage d'Argent**, avec son beau liseré de sable blanc et fin et ses agréables paillotes.

Sorties en mer

En saison, plusieurs compagnies proposent des sorties en mer au départ de Porticcio. Leurs itinéraires sont quasi identiques à ceux qui sont proposés depuis Ajaccio (voir p. 167).

Nave Va (☎04 95 25 94 14 ; www.naveva.com)

Découvertes naturelles (☎06 24 69 48 81, 04 95 22 97 42 ; www.promenades-en-mer. org). Sorties en mer et service de navette maritime vers Ajaccio, trois fois par jour en saison (5/8 € aller simple/aller-retour).

Marie-Madeleine (☎06 33 81 82 55 ; www.peche-mer-corse.fr)

Activités nautiques

Le **centre nautique de Porticcio** (☎04 95 25 01 06 ; www.le-cnp.fr ; plage de la Viva ; ☉avr-oct) s'installe en saison sur la plage. Il assure des cours et loue des catamarans de sport (à partir de 23 € de l'heure), des planches à voile (à partir de 13 €) et des kayaks de mer (à partir de 10 €).

Plongée

Plusieurs centres installés dans les environs sont très bien situés pour la desserte des grands classiques du sud du golfe d'Ajaccio (voir p. 36 pour les descriptifs des sites).

Agosta Plongée (☎06 20 90 22 30 ; www.agosta-plongee.fr ; plage d'Agosta). Club établi de longue date.

Corse Plongée (☎04 95 25 50 08, 06 07 55 67 25 ; www.corseplongee.fr ; presqu'île de l'Isolella)

Maeva Plongée (☎04 95 25 02 40, 06 23 13 35 39 ; www.maeva-plongee.com ; marines de Porticcio). À l'extrémité sud de la plage de la Viva, à quelques mètres du restaurant le Colisée.

Randonnée

Porticcio est le point de départ ou d'arrivée de deux beaux sentiers : le Mare e Monti® sud et le Mare a Mare® centre. Ce dernier est détaillé, étape par étape, au chapitre *Randonnée*, p. 295.

🛏 Où se loger et se restaurer

Porticcio regroupe avant tout des villages de vacances et des établissements haut de gamme. Côté restauration, de multiples snacks et restaurants servent une cuisine sans surprise, notamment aux marines et en bordure de la plage. Tous ou presque disposent de terrasses ouvertes sur la mer et de tables sur la plage.

Camping Benista　　QUATRE-ÉTOILES €
(☎04 95 25 19 30 ; www.benista.fr ; forfait 2 pers 22,50-29,50 € selon saison ; ☉avr à mi-oct ; 🏊). Ce camping quatre-étoiles équipé d'une piscine, de courts de tennis (7 €), d'un snack-pizzeria et d'aires de jeux pour enfants dispose d'emplacements délimités par des haies de troènes, ce qui garantit un peu d'intimité malgré l'affluence estivale. Vous le trouverez à l'entrée de la ville, 2,8 km avant la plage de la Viva (la plus proche du camping). Certains lecteurs ont été déçus par la prestation.

Hôtel de Porticcio　　HÔTEL-MOTEL €€
(☎04 95 25 05 77 ; www.hotelporticcio.com ; s/d 53,50-84/58,50-93 € selon saison ; ☉mai-oct ; 🅿🛜). L'un des rares établissements de la station à pratiquer des tarifs raisonnables, ce deux-étoiles sans surprise est installé près de la plage de la Viva, dans un virage de la route principale. Ses chambres offrent peu de charme mais sont claires et bien tenues. Possibilité de louer des appartements équipés, à la nuitée ou à la semaine.

Kallisté Molini　　HÔTEL €€
(☎04 95 25 54 19 ; www.hotel-kalliste-porticcio. com ; d 80-180 € selon vue et saison ; 🅿❄🏊🛜). Conseillé par des lecteurs, ce bel hôtel-résidence est situé à 700 m de la plage d'Agosta, et donc un peu à l'écart du centre-ville, mais ne manque pas d'atouts. Dans une grande villa précédée d'une très belle piscine, d'où l'on embrasse un large panorama du golfe, il abrite des chambres à la belle décoration sobre, faisant la part belle aux boiseries. Les plus chères disposent d'un balcon avec vue sur la mer.

Le Maquis　　HÔTEL DE LUXE €€€
(☎04 95 25 05 55 ; www.lemaquis.com ; d 180-800 € selon confort et saison, ste à partir de 315 € ; 🅿❄🏊🛜). Pour un hébergement grand luxe, optez pour cet hôtel accueillant (même s'il a choisi un fusil comme emblème !). Installé dans une altière demeure en bordure d'une petite plage, au-delà de l'agitation de la plage de la Viva, il dispose de 2 belles piscines (l'une couverte, l'autre en plein air) et de chambres bien équipées et décorées avec goût. La dimension modeste de cet hôtel limité à 27 chambres et son restaurant gastronomique, l'Arbousier, s'ajoutent à ses atouts.

Le Colisée　　BAR-RESTAURANT €€
(☎04 95 25 00 43 ; Les Marines ; plats 10-22 € ; ☉lun-sam tte l'année). À l'extrémité sud de la plage de la Viva, en face du ponton, cet établissement jeune et branché est l'un des incontournables de la ville, où les Ajacciens se rendent toute l'année. Il fait à la fois office

de bar à cocktails, pizzeria et restaurant, et les tarifs restent sages malgré sa situation exceptionnelle, sur la plage, face aux eaux claires de la baie. L'accueil semble inégal.

La Plage d'Argent
PAILLOTE €€

(☎04 95 25 57 54 ; www.laplagedargent.com ; plage de Mare et Sole ; plats 12-24 € ; ☺mi-fév à déc). Atmosphère décontractée et chaleureuse dans cette paillote tout en bois, égayée en soirée d'éclairages multicolores, qui mise avant tout sur la convivialité et la bonne humeur. Carte éclectique (salades, pizzas, fruits de mer, poissons et viandes), conçue pour contenter tous les goûts et tous les budgets. Un bon choix sur la "plage d'Argent".

A Pineta
PAILLOTE DE LUXE €€

(☎04 95 25 44 08 ; www.apineta-beach.com ; plage de Mare et Sole ; plats 15-30 € environ ; ☺avr-oct). Dans le style m'as-tu-vu, cette paillote remporte la palme d'or, avec ses transats, ses boiseries, son ambiance chic savamment distillée, et son lot de "peoples" (ou supposés tels) en saison. Qu'importe, les spécialités (pizzas, viandes, fruits de mer, pâtes) sont correctes et l'emplacement idyllique, à même le sable de la plage d'Argent. L'accueil, en revanche, laisserait parfois à désirer.

♥ La Bergerie
RESTAURANT €€

(☎04 95 25 40 53 ; Ruppione ; plats 25-30 € ; ☺juin-sept). Une adresse confidentielle, sans enseigne tapageuse, qu'il faut dénicher au nord de la plage de Ruppione. Ouverte en saison seulement, la Bergerie dispose d'un cadre magnifique, avec les eaux turquoise de la plage en ligne de mire, et sert une cuisine délicate inspirée des saveurs du monde.

❶ Depuis/vers Porticcio

BATEAU En saison, les bateaux de la société **Découvertes naturelles** (☎06 24 69 48 80, 04 95 22 97 42 ; www.promenades-en-mer.org) assurent 4 navettes quotidiennes entre le vieux port d'Ajaccio et Porticcio (20 min, 5/8 € aller simple/aller-retour).

BUS Les **Autocars Casanova** (☎04 95 25 40 37 ; www.autocars-casanova.com) assurent une navette entre Ajaccio et la plage de Mare e Sole, de 2 à 5 fois par jour selon la saison (3 €). En chemin, les bus s'arrêtent à Porticcio et à Isolella.

BISINAO

Le village de Bisinao, dans l'arrière-pays de Porticcio (20 km au plus court, par des routes sinueuses), peut constituer une

bonne base pour rayonner dans l'arrière-pays d'Ajaccio et découvrir toute la partie sud du golfe.

🛏 Où se loger et se restaurer

BON PLAN A Funtana – Chez Dominique
MULTIFORMULE €-€€

(☎0495242166, 0673558428; www.giteafuntana.com ; Bisinao ; dort seul/dort en demi-pension 14/40-43 €, camping 12-14 €/pers, d 62-72 € petit-déj inclus, repas 20 € ; ☺avr-nov ; 🕾). Une bonne adresse en plein centre du village. Au choix : 3 chambres de 4 lits avec sdb, très bien entretenues, louées en formule gîte d'étape (location de draps en supplément, 2 € ; demi-pension obligatoire en haute saison) et 2 chambres d'hôtes, spacieuses et fonctionnelles, avec entrée indépendante. En prime, une belle vue sur les collines de l'arrière-pays. Il est également possible de camper dans le jardin-terrasse, avec votre propre matériel ou des tentes fournies. Mention spéciale pour la table d'hôtes, copieuse et savoureuse, à base de produits frais.

La petite **épicerie** attenante au gîte prépare à midi de bons plats du jour et des sandwichs, et peut dépanner les randonneurs en quête de ravitaillement. Il est possible de s'installer sur la terrasse du gîte A Funtana.

PORTIGLIOLO

Envie de prendre les chemins de traverse ? À partir de Porticcio, vous pouvez rejoindre Propriano et le golfe du Valinco par des routes secondaires. Votre trajet empruntera d'abord la D55 jusqu'à Portigliolo, où vous pourrez lézarder sur la **plage**.

🍴 Où se restaurer

Chez Mico
PAILLOTE €€

(☎04 95 25 47 69 ; plats 12-25 € ; ☺tte l'année, midi seulement hors saison). Établie depuis plus de 20 ans, cette paillote au cadre agréable – terrasse en teck, mobilier imitation osier, pelouse, massifs de fleurs et vue sur la mer – sert des pizzas (en été), des poissons et des plats corses.

CAPO DI MURO ET CALA D'ORZU

Environ 8 km après Portigliolo, la D155 croise la route menant à Capo di Muro et à la plage de **Cala d'Orzu**. Renseignez-vous à l'avance sur l'état de cette voie : après 2,5 km, le bitume cède en effet la place à 3 km de piste qui posent parfois problème aux véhicules légers. La plage de Cala d'Orzu est entrée dans l'histoire en 1999, lorsque des gendarmes avaient clandestinement tenté de détruire la paillote "Chez Francis" sur l'ordre du préfet de l'époque. Sur la rive nord de la baie, un sentier permet de rejoindre à pied la superbe **tour de Capo di Muro** en 45 minutes environ.

De retour sur la D155, vous rejoindrez en une dizaine de kilomètres la bifurcation pour la **plage de Cupabia** (voir p. 190), puis Serra di Ferro et Porto-Pollo (voir p. 190).

✖ Où se restaurer

Quelques paillotes vous attendent sur la plage de Cala d'Orzu.

Le Lagon Bleu ⸻ EN TOUTE SIMPLICITÉ €
(☎04 95 27 13 31 ; www.lagon-bleu-corse.com ; plats 10-25 € ; ⊙avr-oct). La moins chère des paillotes de la Cala d'Orzu. Carte éclectique et cuisine sans prétention. Soirées musicales certains soirs.

Chez Francis ⸻ GRILLADES DE LA MER €€
(☎04 95 27 10 39 ; plats 20-40 € ; ⊙mi-avr à oct). La célèbre paillote que les autorités françaises avaient dans le collimateur et voulaient faire sauter est aujourd'hui l'une des plus courues du secteur. Cette notoriété inattendue a fait s'envoler les tarifs de ses poissons grillés...

COTI-CHIAVARI

Si vous souhaitez admirer le plus beau coucher de soleil sur le golfe d'Ajaccio, montez jusqu'à Coti-Chiavari, en empruntant la bifurcation signalée à environ 5 km de Portigliolo. Ce village bâti en belvédère offre une vue incomparable sur la Méditerranée.

À 7 km du village en descendant vers la plage de Mare e Sole (D55), vous découvrirez les **ruines d'un pénitencier**. Construit en 1855 et fermé en 1906, il accueillit jusqu'à 800 prisonniers. De là, un circuit balisé forme une boucle, via la plage de Mare e Sole (4 heures à pied, 2 heures à VTT) et la magnifique forêt de Coti-Chiavari.

🛏 Où se loger et se restaurer

Au centre du bourg, le restaurant **Chez Véro** sert des plats simples.

Le Belvédère ⸻ HÔTEL-RESTAURANT €€
(☎04 95 27 10 32 ; www.lebelvederedecoti.com ; d en demi-pension 52-60 €/pers ; ⊙mars-oct). Un établissement bénéficiant d'un cadre exceptionnel, réputé pour ses menus qui font la part belle aux spécialités corses, à savourer en terrasse. Au couchant, la vue sur le golfe est splendide.

VALLÉE DU PRUNELLI

À quelques kilomètres de la sortie sud d'Ajaccio, peu après l'aéroport, la D3 quitte la route nationale pour monter en serpentant sur une trentaine de kilomètres vers le bourg de Bastelica. En chemin, elle joue à cache-cache avec le Prunelli. Ce cours d'eau a été assagi depuis la création d'un barrage, en 1965, mais sa vallée révèle virage après virage un tableau de plus en plus saisissant.

Le paysage, marqué à faible altitude par de grosses productions agricoles sous serres, devient réellement beau à partir d'Ocana, village créé au XVIIe siècle qui présente une belle harmonie d'habitat. Il évolue ensuite vers le maquis, puis se fait de plus en plus minéral et grandiose à mesure que la route, de plus en plus étroite et sinueuse (attention aux véhicules qui arrivent en face, notamment les bus), prend de l'altitude.

On atteint ainsi Tolla et son lac, le col de Mercujo, Bastelica et enfin, pour les plus courageux, la station d'Ese.

Tolla et le col de Mercujo

Surplombant le **lac** du même nom, le village de **Tolla** s'atteint en suivant la D3 sur 25 km. Encaissé dans le relief et bordé de végétation, ce qui le fait presque ressembler à un fjord, le lac est un vaste et beau plan d'eau artificiel. Vous en aurez un beau point de vue en continuant la route vers Bastelica sur 3 km.

Un **centre nautique** (☎04 95 27 00 48 ; ⊙juil-sept), installé en saison au bord du lac, loue des pédalos et des kayaks. Vous pourrez faire trempette dans les eaux rafraîchissantes du lac et vous restaurer aux buvettes qui le bordent.

Juste avant Tolla et le lac, le **col de Mercujo** est réputé pour ses voies d'**escalade** et dispose d'une **via ferrata**. Pour toute information sur la pratique de ces activités, contactez **Rêves de Cimes** (☎04 95 21 89 01, 06 16 07 55 67 ; www.revesdecimes.fr ; ⊙tlj juil-août). Comptez 35 € avec l'encadrement, plus 12-15 € de location de matériel, pour vous élancer sur la via ferrata.

Au col, le restaurant **Chez Baptiste** (☎04 95 27 00 54 ; menu 13,80 € ; ⊙tte l'année, fermé lun) sert des grillades et les plats que l'on trouve habituellement dans les auberges corses.

N'en déplaise à une célèbre bande dessinée, les porcins que l'on peut voir s'égailler en grand nombre au bord des routes de l'intérieur de l'île ne sont pas plus des cochons sauvages que des sangliers domestiques. Il s'agit en effet de porcs domestiques élevés dans un cadre particulier, désignés sous le terme de "cochons coureurs". Contrairement à une idée reçue, ils ne sont pas issus d'un croisement avec le sanglier, avec lequel ils n'ont de commun que la couleur foncée de la robe, noire ou rousse, ainsi qu'une grande rusticité et une robustesse caractéristique de leur race.

La saveur particulière de leur viande est due à leur alimentation. Livrés à eux-mêmes – ce qui explique leur voracité –, ils se nourrissent de glands et de châtaignes, allongés d'un complément à certaines périodes de l'année. Ils sont abattus après avoir grandi 12 et 24 mois, le plus souvent dans des élevages familiaux. On en dénombre environ 45 000 dans toute l'île.

La charcuterie ainsi produite est aussi excellente que... chère. En été, de nombreuses spécialités prétendument corses sont élaborées à base de viande de porc importée...

Bastelica

Après Tolla, la route longe les **gorges du Prunelli** – que l'on distingue en contrebas entre les lacets de la route – jusqu'à Bastelica (485 habitants). À 32 km de la route côtière, ce rude bourg de montagne est connu pour la charcuterie issue de ses cochons coureurs (voir l'encadré ci-dessus) et pour être la patrie de Sampiero Corso, dont une glorieuse statue accueille le visiteur.

🛏 Où se loger et se restaurer

Camping à la ferme Minocchi   CAMPING € (📷04 95 28 70 27 ; 6 €/pers ; ☉mai-sept). Si vous avez envie de beaucoup de calme et êtes prêt à sacrifier quelques éléments de confort pour l'obtenir (notamment l'électricité), ce camping situé à 4 km de Bastelica sur la D27 est ce qu'il vous faut. Un grand terrain herbu en terrasse, de l'ombre à profusion, des sanitaires simples mais propres, une rivière à proximité et la quiétude... que demander de plus ?

BON PLAN **Chez Paul**   AUBERGE €€ (📷04 95 28 71 59 ; d en demi-pension 50 €/pers, menus 17-26 € ; ☉tte l'année). La bonne adresse de Bastelica fait l'unanimité grâce à la charcuterie locale (végétariens s'abstenir) et à la gouaille de son accueillant patron. Appréciés pour leur authenticité, les copieux menus mettent l'accent sur la charcuterie, les grillades et la terrine de sanglier. Ils sont servis dans une jolie petite salle avec vue sur la vallée ou sur une belle terrasse. Six spacieux appartements équipés, au confort simple, sont proposés aux abords du restaurant. À la sortie du village.

❤ **Artemisia**   HÔTEL DE CHARME €€€ (📷04 95 28 19 13 ; www.hotel-artemisia. com ; d 90-190 € selon confort et saison ; ☉tte l'année ; ❄🐕📶). L'ouverture en 2010 de cet hôtel au style contemporain et design dans ce village traditionnel était un pari risqué. Aujourd'hui, on peut affirmer qu'il est réussi tant l'Artemisia remporte de bons échos. L'architecture audacieuse de la bâtisse, aux formes anguleuses, étonne dans ce cadre presque montagnard, mais l'ensemble est bien intégré dans l'environnement, et le confort est au rendez-vous. Les chambres, à la décoration claire et lumineuse, s'ouvrent sur l'extérieur par de belles baies vitrées. Restaurant et salon de thé sur place.

🛍 Achats

Bastelica est particulièrement renommé pour sa charcuterie. Les deux producteurs suivants vendent leurs *lonzo*, *coppa* et autres salaisons aux particuliers :

L'Aziana (📷04 95 21 62 68). À l'entrée du village, sur la droite de la route, la charcuterie de Sauveur Nunzi est une valeur sûre.

Les Salaisons Sampiero (📷04 95 27 89 89 ; www.salaisonssampiero.com). L'une des premières usines de charcuterie créées dans la montagne corse, en 1964.

Val d'Ese

De Bastelica, une route sinueuse se poursuit sur 16 km jusqu'à la **station de ski** du Val d'Ese. Outre une décharge, elle croise une bergerie, mais surtout de superbes paysages de montagne. À 1 700 m d'altitude, la station se résume à deux bâtiments et ne compte ni hôtel ni restaurant. Seuls les pylônes des quatre remontées mécaniques, qui dépassent çà et là, témoignent en été de l'activité hivernale.

Col de Cricheto

Pour redescendre vers Ajaccio depuis Bastelica, vous pourrez emprunter la D27 via le col de Cricheto (725 m). Au col, un **sentier découverte** (☑ 04 95 28 41 36 ; www. cricheto.com ; ☉ avr-oct) de 3,5 km vous dévoilera toutes les richesses du maquis. Il est possible d'effectuer cette balade à bord d'un petit train touristique.

HAUT TARAVO

Reconnaissons-le : il est des jours d'été où l'on a désespérément envie de quitter la côte corse, sa chaleur et ses foules. Des jours où l'on a soif de fraîcheur et de calme, où l'on a envie de respirer l'air du maquis à pleins poumons… C'est par un jour comme celui-là qu'il faut mettre le cap sur le Haut Taravo et ses villages discrets et rustiques.

Sauvage, luxuriante et discrète, cette vallée qui s'insinue jusqu'au cœur de l'île est parcourue d'un réseau de routes secondaires peu fréquentées, qui conviennent parfaitement pour un périple en voiture. Son principal accès est la D83, qui s'enfonce en serpentant vers les hauteurs de l'île depuis la N196 aux environs du col de Saint-Georges, à une quinzaine de kilomètres d'Ajaccio en direction de Propriano. Apprécié des amateurs d'écotourisme, le Taravo est par ailleurs un sanctuaire de la *cucina corsa* et l'on y trouve d'agréables gîtes et chambres d'hôtes. Quelques sentiers, dont le Mare a Mare® centre, traversent la région.

◉ À voir et à faire

Depuis le **col de Saint-Georges** (746 m), où est produite l'eau du même nom (voir l'encadré p. 181), la D83 mène à **Sainte-Marie-Sicche** et à **Campo**, puis se poursuit sur une trentaine de kilomètres jusqu'à **Zicavo**, qui se déploie à flanc de montagne. Posé à 750 m d'altitude au fond de la vallée, le village le plus important du Haut Taravo est le fief d'une grande famille, les Abbatucci, dont plusieurs membres ont connu un destin national aux côtés des deux Napoléon. Plusieurs sentiers passent à Zicavo et offrent d'intéressantes

possibilités de **randonnée pédestre**. Du village, on accède également facilement au **plateau du Coscione**, aux portes du GR®20 (voir p. 318). **Cozzano**, quelques kilomètres après Zicavo, présente une ambiance similaire. Les deux villages sont fréquentés par les randonneurs descendus du GR®20, qui passe non loin.

Pour prolonger l'expérience, empruntez les petites routes de l'ouest de Cozzano (D28, D128). Elles se dirigent vers une série de hameaux d'atmosphère avant tout fréquentés par les randonneurs parcourant le sentier Mare a Mare® centre : **Tasso, Sampolo, Ciamanacce, Palneca, Giovicacce, Guitera-les-Bains, Quasquara**.

Si vous poursuivez votre route vers le sud depuis Zicavo, la très belle et isolée D69 permet de rejoindre l'Alta Rocca par le col de la Vaccia.

🛏 Où se loger et se restaurer

COL DE SAINT-GEORGES

Auberge du col
de Saint-Georges ⠀⠀⠀⠀⠀ AUBERGE ET GÎTE €

(☑ 04 95 25 70 06 ; d 70 € ; nuitée/demi-pension en gîte 15/43 € ; plats 12-25 €, menu 30 € ; ☉ tte l'année). En bordure de la N196, très passante en saison, cette adresse ne mise pas sur le charme mais peut s'avérer pratique. Heureusement, les 7 chambres, au confort acceptable, donnent sur l'arrière. Le restaurant a bonne presse grâce à ses spécialités régionales : escargots, sauté de veau aux olives, *figatelli* en saison… Un gîte, ouvert d'avril à octobre uniquement, car principalement destiné aux randonneurs du Mare a Mare® centre, est aménagé de l'autre côté de la route.

CAMPO

💙 **Châtelet de Campo** ⠀⠀ MAISON D'HÔTES €€€

(☑ 04 95 53 74 18 ; www.chatelet-de-campo. com ; Campo ; d avec petit-déj 105-165 € selon confort et saison ; ☉ tte l'année ; 🅿 ♨ 🐾). Environ 6 km après avoir quitté la N196 en direction de Zicavo, un peu après Santa-Maria-Sicche, le village de Campo peut se féliciter d'abriter une bien belle adresse. Coup de cœur assuré, en effet, pour cette maison d'hôtes aménagée dans une "maison d'Américains", de style Art nouveau, en granite. Les 4 chambres (dont une suite, avec terrasse), avec parquet, mobilier ancien, cheminée et bonne literie, sont élégantes et douillettes. Le plaisir se prolonge sur la terrasse ou dans la piscine, en contemplant les sommets dans le lointain. Bon accueil des jeunes propriétaires, qui connaissent bien les sentiers du

En vente un peu partout dans l'île, l'eau de Saint-Georges provient d'une source située à 1 km environ du col du même nom, sur la route d'Ajaccio. L'exploitation a démarré en 1980 à l'initiative de deux particuliers, MM. Livrelli et Colonna d'Ornano, qui étaient à l'époque les seuls à croire à leur entreprise. Après des débuts difficiles, l'eau de Saint-Georges se vend aujourd'hui à plus de 16 millions de bouteilles chaque année, en Corse mais aussi dans quelques points de vente sur le continent. C'est l'une des plus célèbres de l'île, en partie grâce à sa bouteille dessinée par Philippe Starck. Il est possible de visiter l'usine sur réservation (☑04 95 25 71 64 ; www.eauxstgeorges.fr).

secteur. Séjours de deux ou trois nuits au minimum selon la saison.

U Carabonu RESTAURANT €
(plats à partir de 10 € environ ; ☺mai-oct). Cette séduisante bâtisse en pierre de la rue principale donne envie de s'arrêter pour déguster une cuisine simple mais que l'on dit réussie (grillades, charcuterie, salades, sandwichs). Animations musicales certains soirs en saison.

QUASQUARA

BON PLAN **Gîte l'Aghja** GÎTE D'ÉTAPE €
(☑04 95 53 61 21, 06 19 57 28 53 ; couchage extérieur 10 €, nuitée 23 €, 45 €/pers en demi-pension, repas 23 € ; ☺tte l'année). Ce gîte accueillant à l'ambiance décontractée dispose de 3 chambres bien entretenues de 5 ou 6 lits, de sanitaires communs et d'une salle basse de plafond offrant une vue sur la vallée et les collines entourant le village. L'option "couchage extérieur" propose une formule originale : on dort dans des lits aménagés sur la terrasse. Cuisine et machine à laver à disposition. Des soirées musicales sont régulièrement organisées en saison.

ZEVACO

U Taravu FERME-AUBERGE €€
(☑04 95 24 46 06 ; menu 26 € ; ☺fermé oct-nov). Porcelet, veau, agneau, légumes... Ici, les produits que vous trouvez dans votre assiette sont issus de l'exploitation de M. Andreucci, le propriétaire, et la qualité est garantie. Faites-vous plaisir avec les desserts maison à la châtaigne. La salle, rustique, décorée de quelques outils agricoles, est agréable. Au bord de la route principale.

GUITERA

♥ Chez Paul-Antoine Lanfranchi GÎTE D'ÉTAPE-AUBERGE €
(☑04 95 24 44 40, 06 84 22 40 47 ; www.chez-paul-antoine.com ; nuitée/demi-pension 19/42 €, camping 8 € ; menus 18-25 € ; ☺tte l'année ; ☎). Chez les Lanfranchi, on "charcute" en famille,

dans les règles de l'art. Et le résultat – *coppa*, *figatelli*, *prisuttu*, terrines maison parfumées aux herbes du maquis – est à la hauteur. Les repas sont servis sous une tonnelle, à l'ombre d'un mûrier et d'un platane, ou dans une salle au décor campagnard. La partie gîte d'étape comprend 20 places, réparties dans des chambres de 4 à 10 couchages, plutôt compactes mais agréables grâce à leurs touches rustiques (parquet, pierre apparente). Possibilité de planter la tente dans le jardin (8 €). Le propriétaire peut dépanner en déposant ses clients à Guitera-les-Bains, à l'arrêt du bus circulant entre Zicavo et Ajaccio. Accueil sympathique. Paniers repas sur demande (9 €). Réservation recommandée.

ZICAVO

Les randonneurs trouveront tout le ravitaillement nécessaire, ainsi que des renseignements sur la région, à l'**épicerie du village** (☑04 95 24 45 32 ; ☺lun-sam 8h-12h30 et 16h-19h avr-oct).

Camping de Pajana CAMPING €
(☑06 76 05 93 42 ; route de Cozzano ; camping 5 €/pers, chalets 250 €/sem ; ☺mai-sept). À 1 km du village en direction de Cozzano. Le cadre sauvage et l'accueil souriant compensent les infrastructures particulièrement rustiques, notamment l'absence d'électricité. N'attendez pas un service quatre-étoiles, mais juste un emplacement où passer la nuit, sur un grand terrain ombragé de vieux châtaigniers. Le propriétaire distille des huiles essentielles.

Le Paradis CHAMBRES D'HÔTES €
(☑04 95 24 41 20 ; www.zicavo-paradis.com ; d 60 € avec petit-déj, table d'hôtes 20 € ; ☺tte l'année ; ❋☎). Une valeur sûre ! Les 5 chambres d'hôtes proposées par Mme Pirany, l'accueillante et volubile propriétaire, ancienne institutrice, sont modernes, fonctionnelles et lumineuses, mais sans aucun élément décoratif. Elles occupent un bâtiment récemment ajouté à l'habitation

principale, avec entrée indépendante. Deux d'entre elles possèdent une terrasse. Calme et fleurie, la propriété est un havre de paix où Mme Pirany, aidée de sa fille, soigne sa table d'hôtes qui fait la part belle aux produits de saison et à la charcuterie de son fils.

A Casella
CHAMBRE D'HÔTES €

(📞04 95 24 44 03 ; http://acasella.e-monsite. com ; s/d 65/70 € avec petit-déj ; ⊘avr-oct ; 🕾). Tenue par un couple corso-allemand, A Casella ne comprend qu'une seule chambre, avec entrée indépendante, propreté exemplaire et confort soigné. La maison, un bâtiment moderne repérable à ses volets bleus, se trouve à l'entrée du village en venant d'Ajaccio, au bord de la route principale.

Hôtel du Tourisme
HÔTEL €

(📞04 95 24 40 06 ; www.tourisme-zicavo.com ; d 55-58 €, demi-pension s/d 70/100 € ; menus 15-20 € environ ; ⊘tte l'année ; 🕾). Dans cet hôtel familial de 14 chambres, au cœur du village, le mobilier n'est vraiment plus de première jeunesse et le confort est minimaliste, mais les chambres sont correctes et la terrasse ménage une vue spectaculaire sur les vallées. Un dortoirs de 16 places avec sdb est également disponible.

Bergeries de Bassetta
AUBERGE DE MONTAGNE €€

(📞04 95 25 74 20, 06 27 25 95 33 ; dortoir 37,50 € en demi-pension, chalet 42,50 € en demi-pension ; menu 23 € ; ⊘mi-avr à oct). Le cadre montagnard de cet établissement fréquenté par les randonneurs (il se trouve à 1 360 m d'altitude à la lisière du plateau du Coscione, sur le tracé du GR®20, voir p. 318), mais également accessible par une route secondaire depuis Zicavo, est son principal atout. La salle rustique, décorée de photos anciennes, fait bonne impression, et la cuisine met à l'honneur les produits locaux. Côté hébergement : un gîte de 17 places, dans lequel l'espace est compté, une ancienne bergerie pouvant accueillir 6 personnes et des petits chalets en bois de 5 places. L'ensemble vous attend à une quinzaine de kilomètres de Zicavo, par la D69 vers le sud puis la D428.

Le Pacific Sud
PIZZERIA €

(📞04 95 24 41 37 ; pizzas à partir de 8 € environ ; ⊘mars-oct). Pourquoi ce nom ici ? Mystère… D'autant plus que la carte n'a rien de

dépaysant : la maison est spécialisée dans les pizzas au feu de bois, servies en été sur une petite terrasse. Le restaurant, qui appartient aux mêmes propriétaires que l'Hôtel du Tourisme, se double d'un bar à vins.

COZZANO
Les randonneurs pourront se ravitailler dans les snack-bars du village.

A Filetta
AUBERGE €

(📞04 95 24 45 61 ; www.auberge-afiletta.com ; route de Guitera ; d 50 €, s/d en demi-pension 65/85 € ; repas 16 € ; ⊘mi-avr à sept ; P🛏). Cette "auberge" de village – qui se présente plutôt comme un pavillon moderne – se distingue par ses tarifs raisonnables et son ambiance familiale sans chichis. Certaines de ses 8 chambres, propres et fraîches, donnent sur la vallée, et la petite piscine hors sol invite à piquer une tête pendant les fortes chaleurs. Côté cuisine, on se contentera de plats simples à des tarifs sages. Le Mare a Mare® centre passe juste à côté de la propriété. Dommage que les chambres, auxquelles on accède par le restaurant, manquent un peu d'intimité.

Bella Vista
GÎTE D'ÉTAPE €

(📞04 95 24 41 59 ; www.gitecozzanoheberge-mentcorse.com ; camping 7 €/pers, dort 14 €/ pers, d 39 € ; repas 17,50 € ; ⊘avr à mi-oct). La bâtisse n'a rien de très typique, mais le cadre est flatteur : le gîte, à flanc de colline, offre une superbe vue panoramique sur la vallée. Côté hébergement, il se décline en 5 chambrées de 6 lits avec sanitaires communs, 3 chambres doubles au confort rudimentaire et une petite aire de camping. Cuisine commune à disposition, et repas sur commande. Baptiste Pantalacci, le propriétaire et ancien gardien du refuge d'Usciolu, sur le GR®20, pourra vous renseigner sur les possibilités de randonnée dans les environs.

ℹ️ Depuis/vers le Haut Taravo

BUS Au départ d'Ajaccio, les **Autocars Santoni** (📞04 95 22 64 44) desservent certains villages du Haut Taravo, dont Cozzano et Zicavo, une fois par jour, du lundi au samedi. Possibilité de correspondance pour Porto-Vecchio à Santa-Maria-Sicche.

Sud de la Corse

Le top des hébergements

» A Pignata (p. 242)

» Domaine de Piscia
(p. 206)

» Chambres d'hôtes
Cavallo Morto (p. 214)

» Chambres d'hôtes
A Littariccia (p. 227)

Le top des restaurants

» La Poudrière (p. 215)

» Kissing Pigs (p. 215)

» Le Gregale (p. 220)

» Auberge Santa Barbara
(p. 202)

» Le Moulin Farellacci
(p. 193)

Pourquoi y aller

Une ville perchée sur des falaises de calcaire au fond d'un goulet (Bonifacio), une cité de pierre sombre semblant tout droit sortie d'un film de cape et d'épée (Sartène), des plages aux allures tropicales (Rondinara, Palombaggia, Santa Giulia), des aiguilles de granite dressées à plus de 1 600 m dans le ciel méditerranéen (Bavella), des villages de montagne où le temps semble s'être arrêté (Alta Rocca), des villes balnéaires (Porto-Vecchio, Propriano)... Le sud de l'île réserve de nombreuses (bonnes) surprises.

Cette région offre un bel éventail d'activités, de la randonnée pédestre aux balades à cheval, sans oublier le canyoning, l'escalade ou les parcs aventure. Côté mer, les baies ventées proches de Bonifacio sont idéales pour s'initier au kitesurf, le golfe de Valinco, l'archipel des Lavezzi et les îles Cerbicales dévoilent toutes leurs richesses sous-marines aux amateurs de plongée, et les côtes rocheuses se découvrent à merveille en kayak.

Les amateurs d'histoire ancienne se régalent sur les sites archéologiques de Filitosa et de Levie.

Le tableau est idyllique, sauf en pleine saison : les localités du bord de mer sont saturées et les tarifs crèvent les plafonds. Il faut alors trouver les plages et les calanques restées secrètes, emprunter des sentiers de randonnée moins fréquentés, explorer les villages et les vallées de l'arrière-pays.

Quand partir

Pâques	Juin	Septembre
Les cérémonies du Catenacciu, à Sartène, sont uniques en Corse. Le soir du Vendredi saint, l'Enchaîné, un pénitent, parcourt la ville en réinterprétant le chemin de croix du Christ.	Explorez le massif de Bavella, enveloppé d'un silence majestueux, avant les arrivées massives d'estivants. Au programme : canyoning, escalade et randonnée.	Les plages de Porto-Vecchio et de Bonifacio retrouvent toute leur quiétude après les foules estivales. Profitez-en pour découvrir le littoral en kayak ou vous initier au kitesurf ou à la planche à voile.

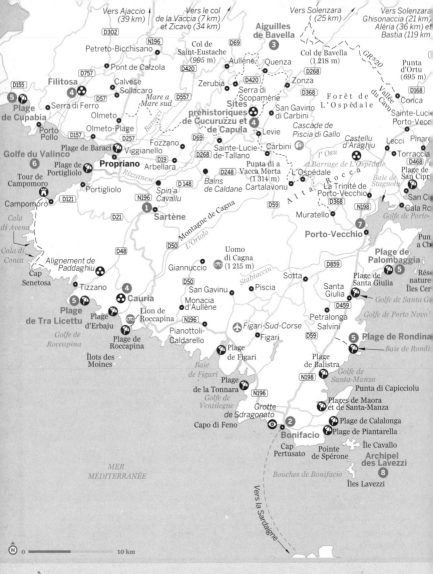

À ne pas manquer

1 Se perdre dans les ruelles pavées de **Sartène** (p. 198), "la plus corse des villes corses"

2 Admirer **Bonifacio** (p. 207), perchée sur un promontoire de calcaire

3 S'émerveiller devant la beauté des **aiguilles de Bavella** (p. 236)

4 Remonter le temps sur les sites de **Filitosa** (p. 192), de **Cucuruzzu** (p. 241) ou de **Cauria** (p. 203)

5 Soigner son bronzage sur les plages de **Rondinara** (p. 220), de **Palombaggia** (p. 226), de **Cupabia** (p. 190) ou de **Tra Licettu** (p. 204)

6 Découvrir les coins secrets du **golfe du Valinco** en kayak de mer (p. 186)

7 Faire la fête jusqu'au bout de la nuit au Via Notte à **Porto-Vecchio** (p. 225)

8 Plonger dans les eaux turquoise de l'**archipel des Lavezzi** (p. 216)

LIEUX	ACTIVITÉS	BON À SAVOIR
Propriano	Une découverte des éléments marins dans le **jardin des mers** du centre nautique Valinco (p. 186)	Le plan d'eau de Propriano, au fond du golfe, est très sécurisant pour les enfants.
Propriano	Une **balade avec un âne** à Asinu di a Figuccia (p. 187)	Vous pouvez prévoir une balade d'une journée avec votre enfant (dès 2 ans).
Propriano	Un parcours découverte réservé aux enfants dans le **parc aventure** Baracci Natura (p. 187)	Pour jouer les Indiana Jones, dès 6 ans.
Sartène	Une rencontre avec chèvres, cochons et chevaux dans le **domaine d'Olva** (p. 200)	Des promenades à poney sont proposées.
Sartène	Une balade à **poney** dans le domaine de Croccano (p. 200)	Il est possible de loger sur place, dans l'une des 3 chambres d'hôtes.
Tizzano	Une initiation au **poney** dans le centre équestre Cavadda di Santu Pultru (p. 204)	Dès 5 ans.
Golfe de Pinarello	Une balade en **kayak** jusqu'à la tour génoise de l'île Pinarello (p. 230)	Balade sans difficulté, sur un plan d'eau calme, encadrée par une animatrice à bord de kayaks bi- ou triplace.

PROPRIANO ET LE GOLFE DU VALINCO

Une ribambelle de plages de sable blanc, une poignée de stations balnéaires à taille humaine, des loisirs nautiques à profusion et un cadre exceptionnel, entre mer et montagne : le golfe du Valinco incarne à merveille les atouts de la Corse littorale. Si d'aventure vous trouvez l'ambiance balnéaire trop étouffante, rassurez-vous : côté culture, l'arrière-pays du golfe rassemble des sites archéologiques de première importance, dont le célèbre Filitosa.

Propriano (Pruprià)

Propriano serait-elle un décor de cinéma ? On pourrait le croire en se promenant dans la ville : derrière un premier plan balnéaire, en front de mer, Propriano aligne en effet des rues et un environnement sans charme, qui semble laissé à l'abandon.

On se contentera donc des abords du port, qui concentrent les atouts de la localité, notamment une série de bars et de restaurants qui lui donnent une ambiance d'éternelles vacances. La clientèle qui y prend place en été témoigne de la revanche prise par la ville au cours des dernières décennies : aujourd'hui port et station balnéaire actifs, Propriano resta un modeste hameau à l'ombre des villages de l'arrière-pays pendant plusieurs siècles.

Nichée au fond du golfe, la ville est idéalement située pour explorer le Sartenais et le littoral du Valinco.

Orientation

Toute l'activité se concentre le long de l'avenue Napoléon-III, qui longe le port et le bord de mer, et la rue du Général-de-Gaulle, qui file vers Sartène, en direction du sud-est. Venant du nord, on entre dans Propriano par la rue du 9-Septembre (grande corniche), qui débouche à l'intersection des deux rues précédentes.

🛈 Renseignements

Office du tourisme (☏04 95 76 01 49 ; www.lacorsedesorigines.com ; ⊘toute l'année sauf entre Noël et 1er jan ; oct-mai lun-ven 9h-12h et 14h-18h, sam 9h-12h, juin-sept tlj 9h-20 sauf dim 9h-13h). À la marina.

Valinco numérique (☑04 95 21 92 88 ; 10 rue Général de Gaulle ; 6 €/heure ; ☉lun-sam 9h30-12h et 15h-19h). Ce magasin photo propose un accès Internet.

🏃 Activités

Plages
Les plages de Propriano – la **plage du Corsaire** (également appelée plage de Puraja) et la **plage du Lido** –, ne sont pas les plus spectaculaires du golfe mais feront largement l'affaire pour barboter ou lézarder sur le sable. En continuant sur la D319, au-delà de la plage du Corsaire, on rejoint la **plage de Capu Laurosu**. La plus belle portion de sable s'étend de part et d'autre de l'hôtel le Lido. La **plage de Portigliolo**, à 7 km au sud (voir p. 196), est plus impressionnante.

Sports nautiques
Le plan d'eau très calme de Propriano, au fond du golfe, est idéal pour l'apprentissage de la voile et de la planche à voile. Le **Centre nautique Valinco** (☑06 32 84 12 77 ; www.centre-nautique-valinco.com ; port de plaisance ; ☉mi-mai à sept) loue des planches à voile et des dériveurs (à partir de 17 €/h), des catamarans (à partir de 34 €/h), des paddle boards (à partir de 10 €/h) et des kayaks de mer (simple/double, à partir de 10/15 €/h). Les tarifs sont dégressifs. Le club propose aussi un "jardin des mers", initiation à la mer pour les enfants dès 4 ans.

Sorties en mer
Plusieurs prestataires, qui disposent de guichets sur le port en été, organisent des sorties en bateau pour découvrir le golfe et les magnifiques baies qui entaillent la côte, vers le sud, inaccessibles en voiture.

Découvertes naturelles　　À LA JOURNÉE (☑06 29 18 13 44, 06 03 77 42 56 ; www.promenades-en-mer.org ; port de plaisance ; ☉mai-sept, oct-avr selon météo). Découvertes naturelles propose deux très belles sorties à la journée au départ de Propriano. Une en direction des calanques de Piana et de la réserve naturelle de Scandola (60/40 € adulte/enfant 4-10 ans) avec un arrêt à Girolata. Une autre en direction de Tizzano (45 € avec votre pique-nique, 65 € avec déj fourni), au cours de laquelle vous pourrez découvrir les criques et les anses inaccessibles de cette partie du littoral. Un arrêt de 3 heures est prévu dans la splendide crique

de Tivella, baignée par des eaux turquoise. De Tivella, il est possible de participer à une randonnée de deux heures accompagnée par un guide naturaliste jusqu'à la tour génoise de Senetosa.

Promenade en mer
Valinco　　CATAMARANS ET VEDETTES (☑06 12 54 99 28 ; www.promenade-en-mer-à-propriano.com ; port de plaisance ; ☉mai à mi-oct). Organise une sortie "pique-nique convivial" (3 heures 30, 39/19 € adulte/enfant) à bord d'un catamaran d'une capacité de 12 personnes, avec arrêts snorkeling. Prévoyez le pique-nique. Ce prestataire offre également des excursions à bord d'une vedette à moteur, dans la journée (20/11 € pour 1 heure 30) ou pour le lever ou le coucher du soleil (24/12 €, 1 heure 45) avec possibilité de pauses baignades aquaphoniques. Grâce à l'immersion de sonars sous l'eau, on peut entendre les sonorités de la mer par les pores de la peau.

Si vous préférez organiser vous-même votre sortie, plusieurs prestataires louent des bateaux à moteur sur le port.

Plongée
Le golfe du Valinco bénéficie d'une excellente réputation en matière de plongée sous-marine, autant pour les débutants que pour les confirmés. Reportez-vous au chapitre *Plongée* (p. 35) pour plus de renseignements sur les sites. À Propriano, contactez le centre **U Levante – Plongée Évasion** (☑04 95 76 23 83, 06 22 44 75 99 ; www.plonger-en-corse.com ; port de plaisance). Comptez 50 € pour un baptême, de 30 à 48 € la plongée d'exploration (le tarif varie en fonction de l'équipement, du niveau du plongeur et de la distance des sites ; possibilité de forfait de 3, 5 ou 10 plongées à prix réduit), et 345 € pour la formation au niveau 1.

Balades à cheval
Situé en face de l'aérodrome, après 500 m de pistes, le seul centre équestre de Propriano, **L'Hacienda** (☑06 22 15 56 85 ; simone.rocca@wanadoo.fr ; Villa Toviciola ; ☉tte l'année) propose des cours et des stages pour tous niveaux et tous âges. De juin à septembre, le centre organise des promenades à cheval tarifées de 20 à 30 €/heure en fonction du nombre de participants.

Balades avec un âne
Les enfants adorent ! Les balades avec un âne dans le maquis, en suivant les anciens

Renseignements
1 Office du tourisme.....................C2
2 Valinco numérique C3

Activités
3 Centre nautique Valinco D2
4 Découvertes Naturelles C2
5 Promenade en Mer Valinco C2
6 U Levante – Plongée Évasion ...C2

Où se loger
7 Hôtel Beach.............................A3
8 Hôtel Bellevue.........................C3
9 Le Claridge..............................C3
10 Le Lido...................................A3
11 Le Neptune.............................D2

Où se restaurer
12 Glaces artisanales B3
13 Le Cocodile.............................B2
Le Lido ....(voir 10)
14 No Stress Café – Bischof.........B3
15 Riva Bella...............................B3
16 Tempi Fa.................................C3
17 Terra Cotta.............................B3

**Où prendre un verre
et sortir**
Le Cocodile.................(voir 13)
Tempi Fa....................(voir 16)

Achats
Tempi Fa....................(voir 16)

Transports
18 Alta Rocca Voyages -
Ricci......................................C3
19 Eurocorse................................C3
20 Sorba.....................................A2
21 TTC Moto................................D3

sentiers muletiers, connaissent un succès croissant en Corse. Les parents marchent à côté de l'animal, tandis que les enfants sont sur son dos.

Dissimulée dans un virage de la D257 environ 2,5 km avant Olmeto, la très sympathique structure baptisée **Asinu di a Figuccia** (☏06 03 28 92 00, 06 03 28 81 85 ; Olmeto ; ☺Pâques et juil-août) organise des balades accompagnées pour 20 € l'heure. Sur réservation.

Parcours aventure et canyon du Baracci

Le parcours aventure **Baracci Natura** (☏06 20 95 45 34 ; www.baraccinatura.fr ; route de Baracci ; 15-20 € ; ☺tte l'année sur rdv) a été aménagé dans une forêt de chênes-lièges, à 3 km de Propriano, sur la route de Baracci. Plusieurs circuits de difficulté croissante sont proposés. Au programme : tyroliennes, ponts népalais, plates-formes et autres ateliers qui vous donneront le frisson.

Plus loin dans la vallée, il est possible de pratiquer le **canyoning** (35 €, matériel fourni) dans le canyon du Baracci. Le parcours est agréable, court (comptez deux heures dans le canyon), avec une tyrolienne de 25 m, des sauts et 3 toboggans. L'un des atouts du canyon est d'être facile d'accès (5 min de marche seulement depuis la

route, et 10 min pour la sortie). Enfin, une **via ferrata** d'une heure et demie (30 €, matériel fourni) est accessible dès 10 ans. Contactez **Baracci Natura** (voir ci-contre) ou **Olivier Chapon-Seigneur** (☏06 12 41 19 74 ; ochaponghm@free.fr ; ☺mai-oct), qui assurent l'encadrement.

🛏 Où se loger

Camping Colomba CAMPING €
(☏04 95 76 06 42 ; www.camping-colomba. com ; route de Baracci ; adulte/enfant/tente/ voiture 8,50/4,50/3,50-6/3,50 € ; ☺réception et services avr-sept, camping tte l'année ; 🛝). Le meilleur camping des environs immédiats de Propriano est installé à 1 km du centre-ville, sur la route de Baracci. Dans un domaine calme, aéré et ombragé, il propose des infrastructures bien entretenues, un restaurant, une épicerie et une piscine. La plage la plus proche, celle du Valinco, est malheureusement l'une des moins agréables du secteur (risque de courants). Location de bungalows équipés à la semaine. Réduction de -30% en dehors de la haute saison sur les tarifs du camping.

BON PLAN **U Fracintu** AUBERGE-GÎTE D'ÉTAPE €
(☏04 95 76 15 05 ; www.gite-hotel-valinco. fr ; Borgu ; dort 40 € en demi-pension, d/tr 55/70 € ; ☺avr-début nov). Cette auberge-gîte

d'étape à l'ambiance conviviale, isolée au milieu du maquis, est un bon point de chute pour les voyageurs à petit budget. Les chambres sont petites et sans charme particulier, mais le cadre est agréable malgré les séquelles encore visibles d'un incendie à proximité. De plus, cette grande demeure blanche offre de belles perspectives sur le golfe du Valinco. Repas 20 € vin compris, et formules demi-pension à 49 € par personne (30 € pour les moins de 12 ans). À 7 km de Propriano, vers l'intérieur des terres.

Hôtel Bellevue SUR LE PORT €€
(☏04 95 76 01 86 ; www.hotels-propriano.com ; port de Plaisance ; s/d 44-88/48-108 € ; ☏). Voyez-vous cette façade rose saumon agrémentée de volets bleu foncé sur le front de mer ? C'est le Bellevue. Les couloirs, aux tons bleutés, conduisent à des chambres sans réel charme mais correctes, repeintes de couleurs pastel. Mieux vaut opter pour celles donnant sur le port (plus chères) car celles situées à l'arrière n'ont aucune vue. Réception au bar, au rez-de-chaussée. Les tarifs de la haute saison incluent le petit-déjeuner.

Hôtel Beach BORD DE MER €€
(☏04 95 76 17 74 ; http://beach.hotel.pagesperso-orange.fr ; 58 av. Napoléon-III ; d/tr/q 54-92/64-102/74-135 € selon saison ; ☺avr-oct ; P☏). Ce deux-étoiles à l'architecture impersonnelle vaut surtout pour sa situation, en bordure immédiate de la plage, et pour l'exposition des chambres (14 d'entre elles, sur les 17 que compte l'établissement, ont un balcon qui ouvre sur la mer). Cet atout ferait (presque) oublier la déco et l'intérieur, de style motel. Le jardinet est agréable pour prendre le petit-déjeuner.

Le Claridge HÔTEL €€
(☏04 95 76 05 54 ; www.hotels-propriano.com ; rue Bonaparte ; s/d/tr/q 45-98/49-114/60-134/72-150 € selon saison ; ☺avr-oct ; P❄☏). Situé quelques rues en arrière du front de mer, Le Claridge ne brille pas par la vue : une bonne partie des chambres donnent sur un parking. Il compte cependant parmi les bons choix de Propriano grâce à ses chambres avec balcon, impeccables, auxquelles des rideaux et couvre-lits colorés donnent une touche pimpante. Les tarifs incluent le petit-déjeuner du 14 juillet à fin septembre.

Le Neptune HÔTEL €€
(☏04 95 76 10 20 ; www.hotels-propriano.com ; 39 rue du 9-Septembre ; s/d 50-130/60-170 € selon confort et saison ; P☏). Le dernier-né des hôtels du centre-ville a vu le jour en 2008 et dispose de chambres modernes, plutôt petites et avenantes, orientées côté rue ou côté golfe. La clientèle bénéficie d'un accès gratuit aux installations bien-être de l'hôtel : hammam, jacuzzi, salle de fitness. Belle terrasse avec vue dégagée sur le golfe à l'arrière pour les petits-déjeuners. Tarifs stratosphériques en très haute saison.

Hôtel Bartaccia HÔTEL-RESTAURANT €€€
(☏04 95 76 01 99 ; www.bartaccia.com ; route de la corniche ; s/d/tr/q 60-233/125-260/150-341/185-352 € avec demi-pension selon saison ; ☺tte l'année ; P❄⚓☏). À 900 mètres de Propriano et à 200 mètres de la mer, cet ancien complexe touristique transformé en hôtel est situé dans un havre de verdure de 2 ha. Le restaurant et la réception ont fait peau neuve et 8 chambres de catégorie supérieure ont récemment été créées. Ses chambres avec vue sur le golfe de Valinco, sa piscine érigée en lieu de vie avec ses summer-beds, son jacuzzi-bar et son ambiance décontractée font du Bartaccia une vraie alternative hédoniste aux établissements du centre-ville. La demi-pension est inclue dans le prix en haute saison.

Le Lido HÔTEL €€€
(☏04 95 76 06 37 ; www.le-lido.com ; av. Napoléon III ; d 110-225 € selon confort et saison ; ☺mai-sept ; P❄☏). Cet établissement bénéficie d'un emplacement exceptionnel, sur un socle rocheux entre la plage du Lido et la plage du Corsaire, à deux pas du centre-ville. Disposées autour d'un patio, les chambres aux teintes claires n'ont rien d'exceptionnel vu les tarifs proposés, mais on paye aussi le cadre. Certaines ont des terrasses qui donnent directement sur la plage (évitez si vous tenez à votre intimité). L'établissement est plus connu pour son restaurant qui s'enorgueillit d'une recette de langouste qui fait sa réputation depuis 1932 (voir *Où se restaurer*).

🍴 Où se restaurer

Propriano est nettement mieux lotie en restaurants qu'en hôtels. La plupart sont situés sur le port. À côté des adresses établies de longue date, de belles terrasses récentes – qui semblent toutes avoir le même décorateur, qui copie qui ? – poussent comme des champignons.

La Glacière GLACES CORSES €
(☏06 84 78 26 38 ; 33 av. Napoléon-III ; ☺mars-juin). Une halte tout indiquée pour les

amateurs de glaces aux parfums inédits ; essayez la glace à la châtaigne, à la myrte ou, pourquoi pas, au brocciu. Possibilité de commander à l'avance des gâteaux glacés ou des vacherins.

Tempi Fa
BAR À TAPAS €

(✆04 95 76 06 52 ; www.tempi-fa.com ; 7 av. Napoléon-III ; tapas 5,90 €, menus 29,90-34,90 €, assiettes 8,90-22,90 € ; ☺mars-déc). Une adresse branchée, qui fait à la fois office d'épicerie fine, de bar à vin, de bar à tapas et de restaurant. L'intérieur est aménagé comme une rue d'un village corse. Faites-vous plaisir avec une assiette de fromage ou de charcuterie, ou des *piattini* (tapas corses), face au front de mer.

Le Cocodîle
RESTAURANT-PIZZERIA €

(✆04 95 73 27 85 ; quai L'Herminier ; plats 10-24,50 €, menus 15,50-28 € ; ☺tlj midi et soir en saison, fermé lun hors saison). Isolé près du quai des ferries, le Cocodîle se démarque par la déco gris clair et prune de sa belle salle aux airs de lounge, qui lui vaut d'être fréquentée par une clientèle assez jeune. Outre les inévitables pizzas, la carte fait la part belle aux viandes : filet de bœuf aux morilles, carré d'agneau en croûte de persillade et jus d'herbes du maquis. La situation, un peu à l'écart de l'animation du port, est appréciée par certains et regrettée par d'autres. Animations musicales (chants corses et polyphoniques) certains soirs en haute saison.

Riva Bella
CUISINE MÉDITERRANÉENNE €€

(✆04 95 76 30 58 ; 11 av. Napoléon-III ; plats 15-28 € ; ☺tlj midi et soir mars-oct). La belle terrasse face au port n'est pas l'unique atout du Riva Bella : cette bonne adresse se distingue également par sa cuisine méditerranéenne, fraîche, goûteuse et bien présentée. À la carte : linguine aux gambas, conchiglioni gratinés au chèvre, mérou simplement rehaussé d'un filet d'huile d'olive et de graines de fenouil... L'ambiance est plus gastronomique le soir. Le restaurant comprend aussi un sushi bar. Le service pourrait être plus souriant.

No Stress Café – Bischof
PIZZERIA-GRILL €€

(✆04 95 51 27 78 ; 59 av. Napoléon-III ; plats 8,80-28,60 €, menus 16,90-24 € ; ☺tlj midi et soir avr-sept, fermé lun et mer hors saison, fermé 10 déc-10 jan). Pour goûter d'excellentes viandes (et aussi des pizzas, salades, pâtes) dans un cadre contemporain et aéré, installez-vous dans la salle design ou sur

l'agréable terrasse de cet établissement animé en bordure du port. La pièce du boucher nous a laissé un excellent souvenir. Service plutôt efficace vu la fréquentation ; les frères Bischof veillent au grain. Accueil souriant.

Terra Cotta
CUISINE DE LA MER €€€

(✆04 95 74 23 80 ; 31 av. Napoléon-III ; plats 27-28 €, menus 45-64 € ; ☺lun-sam, dim soir juil-août, fermé fin oct à fin mars). L'une des adresses les plus raffinées du port dont la qualité de la cuisine justifie la différence de prix avec les établissements voisins. Terra Cotta se décline en une minuscule salle et une élégante terrasse en bois sombre éclairée par des lampes marocaines. Les spécialités de poisson et de fruits de mer ont fait la réputation des lieux, à l'image de l'alléchant croquant de *denti* à la citronnelle. Également de très bons desserts, mention spéciale pour le service distingué et souriant.

Le Lido
GASTRONOMIQUE €€€

(✆0495760637;www.le-lido.com;av.Napoléon-III; menu 75 € ; ☺mai-sept le soir). Avec sa salle à la décoration blanche et sa belle terrasse face aux lumières du golfe qui brillent le soir, le restaurant de l'hôtel le Lido a tous les attributs de l'adresse romantique. Outre une spécialité de langouste préparée selon la même recette depuis 1932, vous pourrez notamment y déguster une soupe de poissons de roche, des huîtres de l'étang de Diane, des ravioles de langouste et quelques viandes sélectionnées.

🍷 Où prendre un verre

Les terrasses du port sont bien sûr idéales pour prendre un verre en soirée, notamment **le Cocodîle** et le bar à vin/bar à tapas **Tempi Fa**. Signalons également **Bartaccia**, avec sa déco branchée, ses tapas, sa piscine et ses cocktails. Retrouvez toutes les infos pratiques de ces établissements dans les rubriques Où se loger et Où se restaurer.

🛍 Achats

Tempi Fa
ÉPICERIE FINE

(✆04 95 06 16 52 ; www.tempi-fa.com ; 7 av. Napoléon III ; tapas 5,90 €, assiettes à partir de 8,90 € ; ☺mars-déc). Une jolie boutique de produits corses rigoureusement sélectionnés.

ℹ Depuis/vers Propriano

BATEAU Des ferries desservent Marseille ainsi que Porto Torres en Sardaigne. Achetez vos

ESCAPADE AU PAYS DE COLOMBA

Lassé des plages ? Il est temps de se perdre le long des routes tortueuses qui desservent l'arrière-pays de Propriano. En moins d'une demi-heure, le changement de paysage et d'ambiance est complet. Prenez la D19 jusqu'à **Viggianello** et **Arbellara**, à 10 km de la côte, puis montez jusqu'à Fozzano, dont les maisons de granite toisent le golfe du Valinco, au loin. **Fozzano** a marqué la mémoire collective après avoir été le théâtre de sanglantes vendettas au cours des siècles passés. C'est le village natal de la Colomba qui a inspiré Mérimée, enterrée dans le village. Vous remarquerez deux très belles bâtisses, **Torra Vecchia** (XIVe siècle) et **Torra Nova** (XVIe siècle).

Un petit creux ? Faites halte **Chez Charlot** (⏨04 95 76 00 06 ; Viggianello ; plats 10-15 € ; menu 19 € ; ⏱mi-avr à sept), à Viggianello. Au menu, des spécialités corses traditionnelles, à savourer sur la terrasse panoramique. Ou faites le plein de fromages, de charcuterie bio et d'huile d'olive à Arbellara auprès de la charmante **fromagerie l'Eternu** (⏨04 95 73 46 79, 06 13 61 21 53 ; Arbellara).

En redescendant vers le littoral, faites un crochet par les **Bains de Caldane** (⏨04 95 77 00 34 ; Caldane ; 4 € ; ⏱9h30-24h de mi-juin à mi-sept, jusqu'à 20h de mi-sept à fin oct, week-end en basse saison), dans la vallée du Fiumicicoli (d'Arbellara, suivez la D119 jusqu'au carrefour avec la D268, et suivez le fléchage). Ces sources chaudes, sulfureuses, sont réputées pour leurs vertus relaxantes. On peut se restaurer sur place, et même s'offrir une coupe de champagne tout en se prélassant dans la piscine.

Reprenez la direction de Propriano en suivant la D268. Vous passerez près d'un superbe pont génois, le **Spin'a Cavallu**. Vous ne le trouverez pas facilement car il est invisible de la route et il n'est pas signalé.

billets à l'agence maritime **Sorba** (⏨04 95 76 04 36 ; quai L'Herminier ; ⏱lun-jeu 8h-11h30 et 14h-17h30, ven 8h-11h30 et 14h-16h30, également sam 8h-11h30 juil-août). Reportez-vous aussi au chapitre *Transports*, p. 398.

BUS Alta Rocca Voyages – Ricci (⏨04 95 76 25 59 ; www.altarocca-voyages. com ; rue du Général-de-Gaulle) assure d'avril à septembre 4 services (3 tlj et 1 du lun au sam) entre Ajaccio et Zonza via Olmeto ou Porto-Pollo, Propriano, Sartène et Sainte-Lucie-de-Tallano. Le reste de l'année, deux services par jour sont assurés du lundi au samedi via Olmeto ou Porto-Pollo.

Eurocorse (⏨04 95 76 13 50 ; www.eurocorse. com) effectue 3 services du lundi au samedi hors saison entre Ajaccio et Bonifacio via Olmeto, Propriano, Sartène et Porto-Vecchio. En juillet-août, 4 services sont assurés du lundi au samedi et 2 le dimanche.

❶ Comment circuler

MOTO, SCOOTER ET VTT TTC Moto (⏨04 95 76 15 32 ; www.ttcmoto.fr ; 25 rue du Général-de-Gaulle ; ⏱lun-sam 9h-12h15 et 15h-19h). Location de VTT (18 €/j) et de scooters (42-60 €/j selon la cylindrée). Tarifs dégressifs.

Le nord du golfe du Valinco

PORTO-POLLO ET SES ENVIRONS

À 18 km de Propriano, cette station balnéaire à visage humain est une base idéale pour rayonner dans le nord du golfe du Valinco. Rien ne manque : les plages, un centre nautique, quelques bons restaurants et des petites routes qui permettent de jolies échappées dans les collines environnantes. Sans oublier la proximité du site archéologique de Filitosa.

Le village de Serra-di-Ferro, à 4 km de Porto-Pollo, vaut le détour pour la vue magnifique qu'il réserve sur le golfe. De là, faites quelques kilomètres vers le nord puis prenez la D155^A sur la gauche. La récompense, magnifique, s'appelle la **plage de Cupabia**. Cette belle étendue de sable a gardé son aspect sauvage car elle ne compte pas d'infrastructures, hormis une buvette et un camping en été. La **plage de Taravo**, plus proche, s'étend à l'est de Porto-Pollo.

Vous ne trouverez ni banque ni distributeur automatique à Porto-Pollo. Le plus proche est à Propriano.

Renseignements

Centre névralgique du village, le bar **les Oliviers** (☎04 95 74 01 67 ; Porto-Pollo ; ⊙tlj avr-oct) et sa grande terrasse avec vue sur le golfe est aussi un café Internet et dispose d'une zone Wi-Fi pour les consommateurs.

Activités

La localité est une bonne base pour s'initier à la planche à voile et à la voile, car ses eaux sont assez calmes et protégées. Le **centre nautique** (☎06 09 40 37 65 ; Porto-Pollo ; ⊙mai-sept), qui s'installe en été sur la plage, en face du supermarché Spar, propose des cours et locations (catamarans de sport/planches à voile à partir de 40/16 € l'heure). Vous pourrez également louer un kayak de mer pour découvrir au ras de l'eau les criques des environs (à partir de 10 €/heure et 35 €/jour) ; comptez 2 heures de navigation jusqu'à la plage de Cupabia. Autre option, cette fois motorisée : louer un bateau à moteur sans permis – l'idéal pour pousser l'exploration du golfe un petit peu plus à l'ouest. Comptez 30 € pour une heure, 55 € la demi-journée et 110 € la journée. Avec ce type d'embarcation, vous rejoindrez la plage de Cupabia en 1 heure environ.

Le **centre équestre la Plage** (☎06 31 92 29 93 ; Abbartello), à Olmeto Plage, organise des promenades à cheval de 1 à 3 heures et des promenades sur la plage (25 €/h, tarifs dégressifs). Poney pour les enfants à partir de 4 ans.

Pour les randonneurs, Porto-Pollo est une village-étape du sentier **Mare e Monti® sud**, qui rejoint Porticcio et Propriano.

Les plus beaux sites de plongée du golfe sont accessibles en quelques minutes depuis Porto-Pollo (voir le chapitre consacré à la plongée p. 35). Installé dans des bâtiments modernes sur le port, **Porto-Pollo Plongée** (☎06 85 41 93 94 ; www.portopollo-plongee.fr ;

⊙avr-nov) est une structure professionnelle qui propose des baptêmes (45 €), des plongées d'exploration et des formations. Bien placé pour les sites phares (Cathédrales, Les Aiguilles, La Vallée des mérous), il assure également des sorties **snorkeling**, guidées ou en solo, hors saison (20 €) et des plongées au Nitrox.

Tex Racing (☎04 95 26 48 30, 06 03 53 55 62 ; http://tex.racing.pagesperso-orange.fr), non loin de l'hôtel Kallisté, loue des **VTT** (à partir de 16 €/j), des motos et des scooters (à partir de 58 €/j).

Où se loger et se restaurer

Camping U Caseddu   CAMPING €
(☎04 95 74 01 80 ; empl/adulte/voiture/moto 11/7/3,50/3 € ; ⊙juin à mi-oct). Certains emplacements de ce camping standard, situé à l'entrée de Porto-Pollo, manquent un peu d'ombre. Malgré une certaine promiscuité, il est apprécié car il est installé juste au bord de la plage.

Camping U Turracconu   CAMPING €
(☎04 95 74 00 57 ; www.turracconu.com ; Serra-di-Ferro ; adulte/empl avec voiture 9,90/9 € ; ⊙avr-oct ; ⊛☎). Perché sur les hauteurs de Serra di Ferro, à 4,5 km de Porto-Pollo, ce beau terrain séduit ceux qui préfèrent la vue, le calme et la beauté du site aux plaisirs balnéaires, remplacés ici par une coquette piscine. U Turracconu n'est pas le plus luxueux des campings, mais vous y trouverez de l'ombre à profusion et la brise rafraîchissante qui y souffle est particulièrement agréable par grande chaleur.

Hôtel Kallisté   HÔTEL €€
(☎04 95 74 02 38 ; www.lekalliste.fr ; d 63-150 € selon confort et saison, menus 18 € ; ⊙avr-oct ; P⊛☎). Ce bâtiment moderne et sans charme loue des chambres fonctionnelles et assez quelconques, mais tenues avec un soin méticuleux. Surtout, le Kallisté réserve

---

MI VACHE, MI-TIGRE

Elle jouit d'une certaine notoriété, vous croiserez peut-être son pelage tigré et son faux air de zébu dans les enclos de la basse vallée du Taravo autour de Porto-Pollo. Fruit de l'obstination de Jacques Abbatucci, la vache-tigre, élevée dans la **ferme Fil di Rosa** (☎ 06 45 59 26 07 ; www.vachetigre.com ; Serra-di-Ferro) est issue d'une souche bovine corse qu'il est parvenu à remettre au goût du jour après maintes prospections et sélections. Rustique, cette vache à la robe étonnante n'hésite pas à s'attaquer aux essences du maquis pour se nourrir. L'élevage, certifié "agriculture biologique" jouit d'une très belle réputation dans les restaurants et les boucheries de l'île. Il donne, dans l'assiette, une viande rosée d'une saveur incomparable que vous pourrrez goûter au restaurant **le Frère** (p. 194) à Pont de Calzola.

un très bon accueil à ses hôtes. Toutes les chambres sont au même prix mais les prestations varient (terrasse, clim ou TV). Petits-déjeuners copieux. Des lecteurs nous ont signalé des problèmes avec la clim.

Les Eucalyptus HÔTEL €€
(📞04 95 74 01 52 ; www.hoteleucalyptus.com ; d/tr/q 60-140/93-150/110-180 € selon confort et saison ; ⊙début avr à début oct ; P✳🛜). Son secret ? La vue ! La façade de cet hôtel s'ouvre en effet sur un panorama qui embrasse tout le golfe. Repris depuis 2009 par le fils de l'ancien propriétaire, l'établissement a subi un sérieux lifting et arbore aujourd'hui une façade blanche immaculée. Les chambres se parent d'une déco identique, sobre et contemporaine et sont très bien équipées : clim, TV, sanitaires impeccables, terrasse privative avec vue sur mer et parasol. Pour les voyageurs à petit budget, les 3 chambres donnant sur l'arrière sont un peu moins chères. Plage de l'autre côté de la route à 50 mètres. Petit-déjeuner inclus en juillet-août. Tennis.

Le Golfe QUATRE-ÉTOILES €€€
(📞04 95 74 01 66 ; www.hotel-porto-pollo.com ; d140-380 € selon confort et saison ; ⊙avr à mi-nov ; P✳@🛜). Ouvert en 2008, cet établissement de 14 chambres et 4 suites (à partir de 295 €) doit avant tout ses 4 étoiles (mais les vaut-il vraiment ?) à son emplacement sur le port et au décor des lieux – sobre, design et innovant – qui fait oublier quelques choix architecturaux étonnants. Les chambres à la déco contemporaine (mobilier en bois sombre, sdb à l'italienne, belle literie, jolies terrasses...) sont particulièrement agréables et soignées.

Quant au restaurant, baptisé **la Cantine du golfe** (plats 13,50-35 €, menus 16,50-29 €), rien n'y a été négligé pour donner au lieu un look branché : chaises en Plexiglas, jeux de lumières, ambiance New Age... La cuisine, très correcte, mise sur les retours de pêche et les produits frais, sans oublier les pizzas.

Ajoutons deux adresses situées dans les environs de Serra-di-Ferro, à 4,5 km au-dessus de Porto-Pollo :

U San Petru SPÉCIALITÉS CORSES €
(📞04 95 26 45 32, 06 19 94 79 95 ; Serra di Ferro ; plats 9-18 €, menu 20/25 € ; ⊙fermé lun hors saison). Au-delà de la cuisine – spécialités habituelles des auberges corses et grillades au feu de bois –, cette adresse où le menu est écrit en langue corse est appréciée pour ses soirées animées par les guitares et chants

polyphoniques (mercredi et vendredi en juillet et août, vendredi seulement en septembre).

A Cala di Cupabia CAMPING EN BORD DE PLAGE €
(📞04 95 74 04 38 ; plage de Cupabia ; empl/adulte/tente/voiture/moto 3/8/3/3/2 € ; ⊙fin avr-oct). À 4 km de Serra-di-Ferro, le lieu est véritablement paradisiaque. Un grand champ à l'ombre d'immenses peupliers, seulement séparé de la superbe plage de Cupabia et de ses eaux translucides par un petit cordon dunaire... Résultat, le soir et le matin, la plage vous appartient. Seul bémol, l'isolement implique un générateur électrique bruyant dont il vaut mieux se tenir éloigner et des horaires spécifiques pour les douches (souvent froides). Les sanitaires sont d'ailleurs un peu décatis. Laverie et épicerie sur place en saison. Restaurant très correct. Accueil familial sympathique.

ⓘ **Depuis/vers Porto-Pollo**

BUS Alta Rocca Voyages – Ricci
(📞04 95 51 08 19, 04 95 78 86 30 ; www.altarocca-voyages.com) assure une liaison avec Ajaccio et Zonza, tlj en juillet-août, du lundi au samedi de septembre à juin.

FILITOSA ET SES ENVIRONS

ⓘ **Renseignements**

Un petit et accueillant **syndicat d'initiative** (📞04 95 74 07 64 ; ⊙lun-ven 10h-17h avr-sept) se trouve à 500 m du site préhistorique de Filitosa à côté d'une boutique de poterie en continuant la route.

De Filitosa, il est possible de rejoindre facilement les hameaux de **Calvese** et de **Sollacaro**, perchés sur les replis de la montagne face à un joli panorama du golfe du Valinco.

👁 **À voir**

Site préhistorique de Filitosa VESTIGES
(📞04 95 74 00 91 ; www.filitosa.fr ; 7 € ; ⊙9h-coucher du soleil avr-oct). Particulièrement bien mis en scène grâce à une série de bornes sonores, ce site préhistorique mérite la visite, que l'on soit passionné ou non par l'histoire ancienne. Sa particularité est de concentrer des vestiges dont l'histoire s'étale sur une très longue période : du néolithique ancien (VIe millénaire avant notre ère) à l'occupation romaine. Le plus connu des sites préhistoriques corses, Filitosa, n'a cependant pas encore livré tous ses mystères. Le site fut

découvert en 1946 par le propriétaire du terrain, Charles-Antoine Cesari, dont la famille gère l'accueil.

La fin de matinée est le meilleur moment pour voir les **statues de l'époque mégalithique** qui constituent le point fort du site et remontent à environ 1800 av. J.-C. La signification de ces monolithes de 2 à 3 m de haut, taillés dans le granite, polis et sculptés pour figurer des visages humains ou des armes, reste obscure. S'agit-il de symboles phalliques supposés fertiliser la terre, de représentations de chevaliers locaux (les Paladini) ou encore de monuments mètres destinés à conjurer la menace des envahisseurs torréens ? Nul ne peut apporter de réponse. L'arrivée des Torréens à l'apogée de la culture mégalithique semble cependant faire l'unanimité. Mieux armé et plus avancé que les communautés insulaires, ce "peuple de la mer" aurait chassé les créateurs des statues-menhirs de Filitosa vers 1500 av. J.-C. (voir l'encadré p. 194). Détruisant ou enterrant face contre terre un grand nombre de leurs œuvres, ils les remplacèrent par des constructions circulaires au rôle tout aussi mystérieux, les *torre*, dont on voit des exemples au centre et à l'ouest du site.

Après avoir acquitté le droit d'entrée, vous dépasserez le petit musée (mieux vaut le visiter en sortant) pour rejoindre la statue-menhir Filitosa V. Reconnaissable à sa tête rectangulaire, elle est la plus volumineuse et la mieux "armée" de Corse. Remarquez les représentations d'épée et de poignard, très nettes, qui l'ornent.

Continuez le chemin jusqu'au **monument central** (*torre*) et ses 6 petites statues, parmi lesquelles Filitosa IX, dont le visage est considéré comme un chef-d'œuvre d'art mégalithique. Le monument ouest, où un amoncellement de pierres forme la cavité d'un *torre*, se dresse quelques mètres plus loin, avant que le sentier ne descende pour atteindre le clou de la visite : 5 statues-menhirs alignées en arc de cercle au pied d'un **olivier** de 1 200 ans. Derrière elles s'étend une petite carrière de granite qui aurait fourni son matériau aux sculpteurs et un rocher dont la forme évoque la tête d'un dinosaure. Un petit guide bien réalisé est en vente à l'entrée (4 €).

Consacrez quelques minutes au **musée** avant de quitter le site. Il renferme d'autres statues-menhirs, des céramiques, des outils de pierre et quelques informations sur les Torréens-Shardanes.

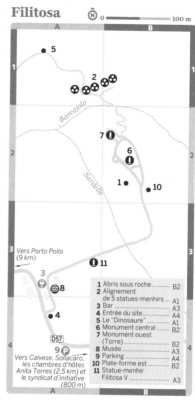

Filitosa

0   100 m

1 Abris sous roche B2
2 Alignement de 5 statues-menhirs ... A1
3 Bar A3
4 Entrée du site A4
5 Le "Dinosaure" A1
6 Monument central B2
7 Monument ouest (Torre) B2
8 Musée A3
9 Parking A4
10 Plate-forme est B2
11 Statue-menhir Filitosa V A3

Vers Porto Pollo (9 km)

Vers Calvese, Sollacaro, les chambres d'hôtes Anita Torres (2,5 km) et le syndicat d'initiative (800 m)

D57

SUD DE LA CORSE LE NORD DU GOLFE DU VALINCO

🛏 Où se loger et se restaurer

Les campings et les hôtels les plus proches se trouvent à Porto-Pollo, mais il existe quelques options très intéressantes autour de Filitosa, loin des foules. Pour les rejoindre, continuez la route après le village.

Chambres d'hôtes

Anita Torres CHAMBRES D'HÔTES **€€**
(☑04 95 74 29 48, 06 62 43 13 69 ; Annitat20@orange.fr ; Sollacaro ; d 70 € avec petit-déj). Quelle vue ! Trois kilomètres après Filitosa, Anita Torres loue 3 chambres fraîches et pimpantes au milieu d'une propriété fleurie qui bénéficie d'une vue superbe sur le golfe du Valinco. Accueil charmant, jardin où l'on peut se détendre ou prendre l'apéritif, cuisine à disposition, pain et confitures maison au petit-déjeuner. Une excellente adresse.

💜 **Le Moulin Farellacci** CUISINE CORSE **€€**
(☑04 95 74 62 28 ; http://lemoulinfarellacci.free.fr ; Calvese ; plats 10-25 €, menu 38 € ; ☺soir

Qui étaient les Torréens, ce peuple "venu de la mer" qui chassa les populations insulaires de Filitosa, détruisit leurs statues et édifia ses *torre* à leur emplacement ? Leur trace, ô combien faible, ne se retrouve guère que dans les eaux de la mer Cyrénaïque et dans la lointaine Égypte.

Selon Roger Grosjean, l'autorité archéologique de Filitosa, il pourrait en effet s'agir des Shardanes, c'est-à-dire de l'un de ces peuples que les historiens désignent sous l'énigmatique appellation de "peuples de la mer" et qui eurent maille à partir avec le pharaon Ramsès III. Vraisemblablement originaires d'Anatolie, de Crète ou des côtes de la mer Égée, les "peuples de la mer" commencèrent à faire parler d'eux vers 1200 av. J.-C. Alliés des Libyens, ils forgèrent alors le projet de s'attaquer à la prospère civilisation de la vallée du Nil. Mal leur en prit : Ramsès III, pourtant déclinant, parvint à bloquer leur avancée et à couler leur flotte au cours d'un combat que retracent les hiéroglyphes gravés sur un mur du temple de Médinet-Habou. Suite à cette défaite, les Shardanes se seraient repliés en Sardaigne – et peut-être en Corse, comme Filitosa le laisse penser – avant de disparaître dans la nuit des temps...

juin-sept). Mention spéciale à cet ancien moulin à huile restauré où l'on sert une cuisine qui mérite le déplacement. La carte affiche des plats qui sonnent comme autant de promesses : terrine de sanglier aux pistaches et sa confiture d'oignons, roulés de pâtes fraîches aux herbes, tripettes, crème brûlée à la châtaigne... Le festin est souvent accompagné de chants et d'accords de guitare. Pensez à réserver. Le moulin est situé au milieu du village de Calvese, 6 km après Filitosa.

U Paese   CUISINE FAMILIALE €
(☎04 95 25 97 91 ; Sollacaro). Au-dessus du village de Calvese, la D57 arrive sur la D302. En prenant cette dernière voie à droite, vous accéderez en 700 m au village de Sollacaro. C'est là que se tient U Paese et son agréable terrasse sur la place du village. Il était fermé lors de nos recherches pour cause de changement de propriétaires.

En prenant la D302 sur la gauche, vous parviendrez à deux adresses :

♥ **Mulinu di Calzola**   AUBERGE €€
(☎04 95 24 32 14, 06 84 79 21 86 ; www.umulinu.net ; Pont-de-Calzola ; d/tr 72-92/82-99 € selon saison, menu demi-pension 23 € ; ☉avr-oct). Cette auberge discrète est aménagée dans un ancien moulin à huile en pierre. Le cadre est attrayant, en bord du Taravo, dans un jardin verdoyant qui exhale d'agréables senteurs, et les chambres sont impeccables, à défaut d'être originales par leur décoration. Il est possible de se baigner dans de superbes vasques à proximité. Cuisine corse servie en salle ou sur une agréable terrasse au bord de l'eau.

♥ **Le Frère**   AUBERGE-CAMPING €€
(☎04 95 24 36 30 ; Pont-de-Calzola ; plats 18-22 € ; ☉juin à mi-sept). Situé peu après l'adresse précédente, ce restaurant propose une cuisine corse traditionnelle simple qui ravira les amateurs de produits de qualité et de bons vins. La viande, du veau tigré bio, est issue de l'élevage du frère du tenancier. Sur la carte des vins, vous ne trouverez que les vins du domaine Comte Abbatucci (onze cuvées et trois couleurs), que l'on retrouve dans de nombreux restaurants étoilés, et dont la vigne est cultivée en biodynamie par un autre frère. Bref, c'est toute une fratrie qui vous accueille sous la tonnelle, dans un cadre champêtre à l'orée d'un bois de chêne-liège. Réservation recommandée.

Le restaurant fait aussi office de cave de dégustation pour les vins du **domaine Comte Abbatucci** (www.domaine-abbatucci.com ; ☉point de vente 9h-11h30 et 15h-20h avr-sept, sur rdv oct-mars) qui sont en vente sur place. Comptant parmi les plus anciens vignobles de l'île, certains de ces vins sont élaborés à partir de cépages corses rarissimes, conservés sur une parcelle du domaine. Jouxtant le restaurant le Frère, le **domaine de Kiesale** (☎04 95 24 36 30 ; adulte/tente/voiture 6/3,50-6/3 € ; ☉avr-nov), aire naturelle de camping de 3 ha au confort rustique propose une trentaine d'emplacements. Possibilité également de louer des gîtes à la semaine.

🔒 **Achats**

Moulin de Sardelle   HUILE D'OLIVE
(☎04 95 74 03 83). Vous trouverez ce moulin à la sortie du village de Filitosa et pourrez y acheter de l'huile d'olive AOC de Corse.

OLMETO

Cerné de collines où règnent chênes et oliviers centenaires, le bourg d'Olmeto (1 200 habitants) s'accroche à flanc de montagne à 340 m d'altitude. Il doit sa célébrité à Colomba, l'héroïne de Prosper Mérimée : une plaque orne la façade de la maison où s'éteignit en 1861 Colomba Carabelli-Bartoli, alors âgée de 96 ans, qui inspira le célèbre roman. Olmeto, qui domine le golfe du Valinco, constitue une agréable escapade lorsqu'on étouffe sur la côte. Dommage que le bourg soit traversé par la route nationale menant à Ajaccio, très fréquentée.

❶ Renseignements

Un petit **office du tourisme** (☑04 95 74 65 87 ; www.oti-sartenaisvalinco.com ; Olmeto ; ⊙horaires variables) accueille le public au centre du bourg.

🛏 Où se loger et se restaurer

Hôtel Santa Maria   HÔTEL **€€**
(☑04 95 74 65 59 ; www.hotel-restaurant-santa-maria.com ; place de l'Église ; d/tr 46-113/61-155 € selon saison, en août demi-pension obligatoire ; ⊙jan-oct ; ❋ P). Cet établissement en vieilles pierres jouit d'une vue magnifique sur le golfe du Valinco. Il possède 12 chambres climatisées, égayées de couleurs pimpantes, avec de petites sdb. Marie Buresi, la maîtresse des lieux, propose une bonne cuisine locale dans le restaurant du rez-de-chaussée, **Chez Mimi** (plats 10-36 €, menu 24 €), qui occupe un ancien moulin à huile du XVIIe siècle. Au menu : sanglier ou veau en sauce, courgette farcie au brocciu, côte d'agneau, et des desserts maison. Terrasse très agréable à l'ombre des mûriers platanes.

BON PLAN **L'Aiglon**   BELLE DEMEURE **€€**
(☑04 95 74 66 04 ; www.hotel-aiglon.fr ; Cours Balisoni ; d 55-65 € petit-déj inclus ; 🛜). Le temps semble s'être figé dans cette demeure bourgeoise en granite datant du XIXe siècle, mais les chambres sont très correctes pour le prix. Celles du bâtiment d'origine ont un petit quelque chose de plus que celles de l'aile récente grâce à leur mobilier ancien, à leur carrelage patiné et à leur belle hauteur sous plafond, mais elles disposent de sdb communes. Au bord de la route principale, mais le double vitrage est efficace (demandez les chambres donnant sur l'arrière, si vous redoutez le bruit). Garage pour les motos ou vélos, bar au rez-de-chaussée et pas d'augmentation des tarifs en haute saison !

Chez Antoine   CUISINE DU TERROIR **€**
(☑06 13 52 13 14 ; N196 ; plats 10,50-16,50 €, menu enfant 7 € ; ⊙tte l'année). Bien que situé dans le centre du bourg, son emplacement au bord de la très passante N196 laisse à désirer. Cependant, la cuisine de terroir, simple mais fraîche, et la qualité des ingrédients, sauvent l'honneur (sanglier, tripes, sauté de veau, lasagnes, assiette de charcuterie).

❶ Depuis/vers Olmeto

BUS En juillet et en août, **Eurocorse** (☑04 95 76 13 50 ; www.eurocorse.com) effectue 4 liaisons quotidiennes du lundi au samedi et deux liaisons le dimanche entre Ajaccio et Bonifacio via Olmeto, Propriano, Sartène et Porto-Vecchio. Hors saison touristique, 3 services quotidiens sont assurés du lundi au samedi.

OLMETO-PLAGE

Version balnéaire d'Olmeto, Olmeto-Plage s'étend le long de la rive nord du golfe, en face de Propriano. Plus qu'un village en soi, le nom désigne une suite de plages miniatures séparées par des rochers, entre lesquels les enfants peuvent s'amuser dans des vasques. L'ensemble, assez récent et sans réel charme, s'étend au bord de la D157, assez passante, qui mène en une dizaine de kilomètres à Propriano.

🛏 Où se loger et se restaurer

Hôtel Abbartello   HÔTEL DE CHARME **€€**
(☑04 95 74 04 73 ; www.hotelabbartello.com ; d/q 100-190/100-240 € ; ⊙avr-oct ; ❋ 🛜 P). L'Abbartello a été entièrement rénové et se positionne désormais dans le créneau du trois-étoiles de charme, avec 13 chambres orientées vers la mer. Location, également, de studios la semaine. L'hôtel accueille aussi une pizzeria les pieds dans l'eau et un restaurant. Le tout au-dessus d'une petite crique où il est bien sûr possible de se baigner.

Plusieurs restaurants en terrasse fréquentés en été sont installés en bordure de la route, au-dessus des petites plages d'Olmeto-Plage. **La Crique** (☑04 95 74 04 57) et **Una Stonda** (☑04 95 74 07 53) ont de belles terrasses et proposent des pizzas et plats (9-24 €) et de nombreuses formules.

❶ Depuis/vers Olmeto-Plage

BUS Alta Rocca Voyages – Ricci (☑04 95 51 08 19, 04 95 78 86 30 ; www.altarocca-voyages.com) assure une liaison quotidienne avec Ajaccio tous les jours en juillet-août et du lundi au samedi de septembre à juin.

Le sud du golfe du Valinco

PLAGE DE PORTIGLIOLO

Vous cherchiez une plage de rêve au sud du golfe ? La voici. À 7 km de Propriano, la plage de Portigliolo, longue de près de 4 km, est l'une des plus belles et des plus étendues du golfe. Même au plus fort de la saison, on peut sans trop de difficulté poser sa serviette sans se faire piétiner. Pour avoir une belle vue, montez jusqu'à Belvédère-Campomoro, d'où l'on a une vue fantastique sur le golfe et la côte sauvage.

Activités

Le centre nautique **Aqualoisirs** (⏍06 09 52 24 20 ; plage de Portigliolo ; ◷juin-nov) loue des planches à voile (17 € l'heure) et de surf (13 € l'heure), des Optimist, des catamarans de sport (à partir de 35 €), des kayaks de mer (simple/double 12/16 €) et des stand-up paddle (13 € l'heure). En plus de la simple location, le club propose des cours d'initiation et de perfectionnement. Également ski-nautique et wake-board.

Si vous préférez les escapades à bord d'un bateau à moteur, Aqualoisirs dispose d'une petite flotte de bateaux sans permis (69/98 € par demi-journée/journée). On vous remettra une carte plastifiée indiquant les plus beaux coins du golfe. À la journée, vous pouvez espérer vous rendre jusqu'à la crique de Conca.

Où se loger

Village Lecci e Murta BUNGALOWS €€-€€€ (⏍04 95 76 02 67 ; www.villageleccciemurta.com ; bungalows 450-1 540 €/sem selon saison et confort ; ◷avr-oct ; ▨). Les services de cette structure installée dans un parc de 5 ha où dominent les fragrances du maquis, à seulement 300 m de la plage, n'ont rien à envier à ceux de nombreux hôtels : restaurant, dépôt de pain, tennis et surtout une piscine paradisiaque, composée de deux bassins étincelants entourés d'une terrasse en teck et de rocailles.

♥ CAMPOMORO

Frère jumeau de Porto-Pollo, à l'exact opposé sur la rive nord du golfe, Campomoro conclut une langue de maquis en partie protégé qui s'avance dans la mer. Les deux villages drainent la même clientèle, essentiellement familiale en saison, et se ressemblent à bien des égards : maisonnettes en bord de mer, terrains de camping à l'entrée du village, et des plages à n'en plus finir. Campomoro compte cependant moins d'infrastructures que Porto-Pollo (et des possibilités d'hébergement assez décevantes), mais présente davantage de charme grâce à son site naturel plus préservé.

❶ Renseignements

Vous trouverez un petit **office du tourisme**, ouvert en saison dans le bâtiment de la mairie, mais ni banque ni distributeur automatique.

En été, la circulation automobile dans Campomoro s'apparente à une partie de Rubik's Cube...

◉ À voir

La superbe **tour génoise** (entrée 3,50 € ; ◷avr à mi-oct 10h-16h), accessible par un sentier, est la principale attraction de Campomoro. Fortifiée par un mur d'enceinte en forme d'étoile, cette tour datant de 1586, restaurée en 1986, est considérée comme l'une des plus importantes de l'île. On y accède par un sentier botanique et pédagogique, parsemé de panneaux explicatifs, situé au bout de la route goudronnée.

Activités

Plusieurs **sentiers de randonnée** sillonnent le secteur ; il est même possible de rallier Tizzano (voir p. 204) en suivant le littoral.

Vous passerez sans doute beaucoup de temps à lézarder sur la plage de sable fin, qui s'étire sur 1 km. À moins que la **plongée** ne vous tente. À Campomoro, deux centres de plongée ont pignon sur rue à Campomoro. Ils ont l'avantage d'être proches des plus beaux sites du golfe, à la sortie de celui-ci :

Campomoro Plongée Plaisir (⏍06 09 95 44 43 ; www.campomoro-plongee.com). Dans une ruelle, en retrait du quai. Comptez 50 € pour un baptême.

Torra Plongée (⏍06 83 58 81 81 ; www.torra-plongee.com ; ◷fin mars à mi-nov). Sur le quai. Baptême 55 €, nombreuses formules dégressives en fonction du nombre de plongée et du niveau. Le club propose aussi une randonnée palmée accompagnée ou non (12/20 €), une manière ludique de découvrir les fonds sous-marins, avec planche/carte, palmes, masque, tuba et shorty. Il est prudent de réserver en juillet et août.

Laissez-vous également tenter par une excursion guidée en **kayak** à la découverte des petits coins secrets du golfe, inaccessibles par voie terrestre. C'est une approche respectueuse de l'environnement, que l'on peut réaliser en famille (aucune difficulté). **Sud Kayak** (⏍06 14 11 68 82 ; www.sudkayak.com ; ◷avr-oct 10-19h), sur la plage, propose

CAMPOMORO, LA BOUCLE DE MANNA MULINA

Départ : tour de Campomoro
Durée : 6-7 heures aller-retour
Balisage : bornes du Conservatoire du littoral
Dénivelé : 200 m
Difficulté : Peu de zones ombragées, se protéger du soleil.
À éviter par temps brumeux.

Cette randonnée côtière permet de découvrir une bande littorale sauvage, propriété du Conservatoire du littoral, entre Campomoro et le cap Senetosa. La randonnée peut commencer par une visite du tour de Campomoro (p. 196). Pour la rejoindre, suivez les panneaux à l'extrémité de la route goudronnée après le Bar-restaurant des Amis (p. 198). En sortant de la tour, redescendez par un sentier vers le large. Devant l'anse des Génois et la Punta di Cala Genovese à l'extrémité de la pointe de Campomoro, vous découvrirez de très belles formes oniriques découpées par la mer et le vent dans un granite tantôt clair, tantôt rose pâle ou jaunâtre. Longez ensuite le littoral vers le sud. Commence alors une longue succession de pelouses littorales, de pointes rocheuses (I scoddi Longhi, Punta di Scalonu, Puntonu), d'îlots et de tafoni sculptés par la mer et le vent. Suivez le balisage jusqu'à la Cala d'Agulia, magnifique plage protégée dans une calanque, peu avant la punta d'Eccica. Laissez le "sentier des douaniers" filer au sud vers le cap de Senetosa et longez le ruisseau qui se jette dans la mer en traversant la plage. Il s'enfonce dans un maquis épais qui vous procurera un peu d'ombre et de fraîcheur. Peu après avoir traversé le ruisseau, vous trouverez une fontaine. À partir de là, le sentier grimpe jusqu'au sommet de Manna Mulina (180 m) d'où l'on jouit d'une magnifique vue en balcon sur le littoral. Le sentier serpente ensuite dans les collines, rattrape le sentier de Canuseddu, puis celui des Pozzi, avant de revenir au pied de la tour de Campomoro d'où l'on peut rejoindre la route goudronnée.

une balade découverte d'environ 3 heures (30 €/pers, incluant une collation). Il n'est pas rare que des dauphins passent à proximité des embarcations ! Également location simple.

🏠 Où se loger et se restaurer

La Vallée   CAMPING €
(📞 04 95 74 21 20 ; www.campomoro-lavallee.com ; adulte/tente/voiture 8/5/5 € ; ⊙mai-sept). À l'entrée de Campomoro, vous y trouverez un terrain fleuri de 3,5 ha planté d'oliviers, des espaces gazonnés et des sanitaires corrects. Possibilité de louer à la semaine des chalets en bois récents.

Le Ressac   HÔTEL-RESTAURANT €€
(📞 04 95 74 22 25 ; www.hotel-ressac.fr ; d 60-105 € selon confort hors saison, d en demi-pension 95-235 € selon confort en saison ; plats 17 à 22 €, menu 19,28 € ; ⊙avr-sept). Le bâtiment moderne n'a guère de cachet et les chambres, certes fonctionnelles et à la propreté irréprochable, sont surévaluées. Le site, dans une rue en retrait du front de mer, offre en revanche l'avantage du calme.

La demi-pension servie dans la salle de restaurant rustique, avec pierres et poutres apparentes, est obligatoire en saison.

Hôtel Campomoro   HÔTEL €€
(📞 04 95 74 20 89 ; www.hotelcampomoro. com ; d 80-90 € selon saison, d en demi-pension 139-149 € selon saison ; ⊙fin mai-fin sept). Au bout du village, un peu avant le sentier qui mène à la tour génoise. Petit hôtel d'une vingtaine de chambres, sans prétention mais bien situé face à la mer. La demi-pension est privilégiée en haute saison.

La Mouette   RESTAURANT €
(📞 04 95 74 22 26 ; plats 7-14 € ; ⊙mai-sept). Adresse incontournable de Campomoro, sur le quai. Rien d'extraordinaire à la carte (salades, quelques poissons), mais de quoi assouvir une petite faim en regardant les bateaux qui dodelinent dans la baie. Cartes de crédit non acceptées.

U Spuntinu   RESTAURANT €€
(📞 06 12 32 00 86 ; plats 10-28 €, menu 19 € ; ⊙avr-oct). Un établissement jeune et dynamique, qui a le vent en poupe. La carte s'appuie sur

des produits frais et des préparations originales au wok ou des braseros (barbecue de table) de viande ou de poisson. Des transformations étaient en cours lors de nos recherches.

**Bar-restaurant
des Amis**   CUISINE DE LA MER €€
(📞0495742350, 0620482936; www.hotelcampomoro.com; plats 12-27 €, menus 15, 28 ou menu langouste à 58 € ; ☺mai-sept). Le restaurant de l'hôtel Campomoro a fait d'importants travaux et s'est élevé d'un niveau, perdant au passage un peu son ambiance retour de pêche pour une atmosphère plus lounge et contemporaine, surtout à l'étage. L'établissement est toujours apprécié pour ses poissons proposés à petits prix, sa bouillabaisse et ses spécialités à base de langouste. Le tout se déguste face à la plage, les tables au bord de l'eau sont bien sûr les plus prisées. Cartes de crédit acceptées.

SARTENAIS

Tellement proche mais pourtant si éloigné de la côte, le Sartenais respire une atmosphère résolument différente de celle de la Corse estivale et littorale. À bien des égards, la région fait figure de gardienne de la mémoire et des traditions insulaires. Tandis que Sartène perpétue avec ferveur des traditions dont l'origine remonte au

---

L'ENCHAÎNÉ DE SARTÈNE

Le soir du Vendredi saint, Sartène est le théâtre de l'une des plus anciennes traditions religieuses de l'île : la procession du Catenacciu. Dissimulé sous un habit rouge, l'Enchaîné parcourt la ville en réinterprétant le chemin de croix du Christ. Pieds nus, portant une lourde croix de bois, des chaînes attachées aux chevilles, il est suivi d'un pénitent blanc, de huit pénitents noirs, de membres du clergé, de notables et d'une foule de curieux. Anonyme, l'Enchaîné a souvent dû postuler des années à l'avance pour avoir l'honneur de prendre la place du martyr et d'expier un péché dont l'assistance ne connaîtra pas la teneur. Les chaînes et la croix du Catenacciu sont visibles dans l'église Sainte-Marie.

Moyen Âge, les sites préhistoriques au sud de la ville témoignent du mode de vie des premiers habitants de l'île.

♥ Sartène (Sartè)

"Son aspect respire la haine et la vengeance", écrivait Paul Valéry au sujet de Sartène. Et pour cause : cette ombrageuse cité, qui semble surveiller d'un œil sévère la vallée du Rizzanese depuis ses hauts murs de granite, a l'air à première vue austère. La vieille ville est lovée autour de sa place centrale, vers laquelle convergent d'étroites ruelles pavées et pentues bordées de hautes maisons brunes aux volets qui semblent perpétuellement clos, des passages voûtés... Ajoutons au tableau les sonorités à la fois chantantes et rocailleuses de la langue corse, bien vivante dans ce bastion de la corsitude. Un vrai décor de film de cape et d'épée, où l'on croit distinguer le fantôme de Colomba au détour d'un escalier de pierre.

Sartène est cependant particulièrement accueillante pour les visiteurs. Au point que les estivants sont nombreux à venir en saison s'immerger dans cette ambiance ô combien différente de Propriano, enlevant une partie de son cachet à la cité, transformée en carte postale. Un conseil : visitez la ville hors saison, par exemple à l'occasion des cérémonies du Catenacciu (voir l'encadré ci-contre).

Sartène est remarquablement bien placée pour ceux qui veulent rayonner dans tout le Sud corse, de l'Alta Rocca au Valinco en passant par Tizzano, et compte des infrastructures de qualité à des tarifs plus abordables que sur la côte.

Histoire
Bastion de grandes familles de notables qui n'aimaient guère que l'on s'intéresse à leurs affaires, Sartène est peu loquace sur son passé. L'histoire se rappelle cependant qu'elle fit l'objet de nombreux raids barbaresques aux XVe et XVIe siècles et que des pirates venus d'Alger emmenèrent 400 de ses habitants en esclavage en 1583.

Le danger n'est pourtant pas toujours arrivé par l'extérieur, tant s'en faut. La ville tient en effet une place de choix dans l'histoire de l'une des plus célèbres traditions corses : la vendetta. Outre les retombées de la vendetta de Colomba Carabelli – on raconte qu'un curé protagoniste de l'affaire serait resté cloîtré 9 années dans sa maison du Borgo par peur de représailles ! –, une célèbre rivalité opposa durant la première moitié du XIXe siècle deux familles sartenaises, l'une du quartier du Borgo, l'autre de Santa Anna, et fit des ruelles du bourg le théâtre d'une véritable guerre civile. Le calme ne revint dans la cité qu'après la signature d'un traité de paix dans l'église Sainte-Marie.

Peut-être est-ce cet attachement aux valeurs les plus profondes de l'île qui fit dire à Mérimée que Sartène était "la plus corse des villes corses". La citation fait maintenant la fierté de la ville, qui accueille les visiteurs par ces mots. Longtemps isolée et introvertie, Sartène se positionne comme la gardienne des traditions insulaires. Depuis le Moyen Âge, la procession du Catenacciu est suivie avec ferveur (voir l'encadré p. 198). La religion est ici, peut-être plus qu'ailleurs, un sujet sensible. En 2004, un attentat (dénoncé par nombre de Sartenais comme étant un acte isolé) a pris pour cible un membre de la communauté musulmane locale.

Orientation

Toute la vie sartenaise s'organise autour de la place de la Libération (aussi appelée place Porta). De là descendent le cours Sœur-Amélie et le cours du Général-de-Gaulle, les artères principales. Le vieux quartier de Santa-Anna s'étend au nord. La circulation automobile suit un itinéraire à sens unique passant par la place.

🛈 Renseignements

Office du tourisme (📞 04 95 77 15 40 ; www.lacorsedesorigines.com ; cours Sœur-Amélie ; 🕙lun-sam 9h30-19h30 juil-août, lun-sam 9h-12h30 et 14h-18h30 juin et sept, lun-ven 9h-12h et 14h-18h hors saison). Non loin de la place de la Libération. L'office de tourisme propose un audioguide (3,50 €/ 2 heures) couvrant tout le secteur de la vieille ville autour de la place Porta.

⊙ À voir

La vieille ville   PROMENADE
Dédale d'escaliers et de ruelles, dont certaines sont si étroites qu'un homme y passe à peine, la vieille ville est un labyrinthe de pierre. L'une des vertus de ses venelles – ô combien appréciable en été ! – est d'accorder un peu d'ombre, en attendant la tombée du jour lorsqu'elles restituent la chaleur accumulée dans le granite pendant les heures chaudes.

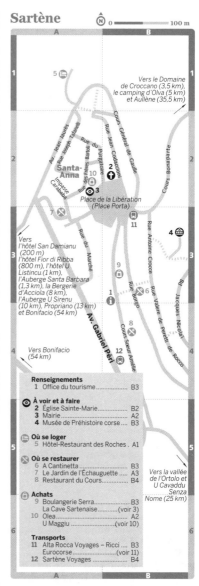

L'**église Sainte-Marie** dresse son clocher au-dessus de la place de la Libération (place Porta). Érigée sur les ruines d'une précédente construction qui s'écroula peu de temps après son inauguration, elle fut bâtie à partir de 1766. Outre un superbe maître-autel en marbre polychrome provenant du couvent Saint-François et des toiles représentant le chemin de croix, réalisées sur place en 1843 par un artiste de passage, elle contient les chaînes et la croix utilisées au cours de la procession du Catenacci.

Jouxtant l'église Sainte-Marie, le bâtiment qui abrite maintenant la mairie servait au XVIe siècle de **palais** aux lieutenants génois. Classé monument historique, il renferme des toiles anonymes italiennes malheureusement peu mises en valeur. En passant sous le porche qui s'ouvre sous cet ancien palais, vous accéderez à la perle du vieux Sartène, le quartier de Santa-Anna, et à ses ruelles. Essayez de trouver l'impasse Carababa, que l'on croirait préparée pour une reconstitution historique !

Musée de
Préhistoire corse   MUSÉE ARCHÉOLOGIQUE
(☑04 95 77 01 09 ; rue Croce ; tarif plein/réduit 4/2,50 € ; ⊙tlj 10h-18h juin-sept, mar-sam 10h-17h reste de l'année). Construit dans une ancienne maison d'arrêt surplombant la ville, le musée rassemble des éléments de fouilles (du Néolithique au Moyen Âge) trouvés sur les sites archéologiques du Sartenais. À voir, une belle collection d'ossement de faune endémique de l'île (loutre, tortue d'Hermann, cerf), des outils en pierres taillées, des œuvres d'art caractéristiques du mégalithisme insulaire, des vases funéraires de l'âge du bronze, de magnifiques parures en pâte de verre trouvées dans les sépultures de l'âge du fer et de belles assiettes d'époque médiévale. Ces vestiges choisis parmi la riche collection du musée (plus de 250 000 pièces) sont aussi le témoignage d'échanges précoces, dès le 6e millénaire av. J.-C., avec d'autres populations du bassin méditerranéen.

🏃 Activités
Domaine d'Olva   PARC ANIMALIER
(☑06 11 75 29 64 ; www.parc-animalier-corse. com ; adulte/4-18 ans/- 4 ans 7/5 €/gratuit ; ⊙tlj 9h30-19h en saison, sur rdv hors saison) Ne ratez pas ce beau parc animalier et ferme pédagogique situé à environ 3,5 km de Sartène en direction du camping du même nom (la route part de la place de la Libération). Il fait la joie des enfants avec ses poneys, chevaux, ânes, poules et autres animaux qui s'y égayent dans un décor digne d'un tournage de film. Les activités incluent une promenade botanique dans les plantes du maquis et des baptêmes à poney (4 €). Il est possible d'apporter son pique-nique et de le manger dans le très beau cadre vallonné

du parc. Hors saison (de novembre à juin), démonstration de traite des chèvres le matin à 10h30.

Promenades équestres
Au **Domaine de Croccano** (☑04 95 77 11 37 ; www.corsenature.com ; D148, route de Granace). Claudine et Christian Perrier proposent des promenades à cheval dans le maquis (24 € l'heure) dans les environs de Sartène et des balades à dos de poney dans la propriété pour les enfants de 2 à 12 ans accompagnés de leurs parents (7 € les 15 min). Le domaine, qui comprend également 3 chambres d'hôtes (voir p. 201), est situé à 3,5 km de Sartène sur la route de Granace.

Toujours dans le registre équestre, le **centre Cavadda di Santu Pultru** (voir p. 204), à 10 km de Sartène sur la route de Tizzano, propose des prestations intéressantes (sortie à cheval sur les plages ou aux abords du site de Cauria) et il est ouvert toute l'année.

🛏 Où se loger
Camping d'Olva   CAMPING €
(☑04 95 77 11 58 ; www.camping-olva.com ; route de la Castagna ; adulte/empl/voiture ou moto 5,50-8,20/3,50-5/2-3,50 € selon saison ; ⊙avr-oct ; ✚🛜). À 4,5 km de Sartène, sur la D69 en direction d'Aullène, juste après le domaine d'Olva, ce camping loue surtout des maisons préfabriquées, à la semaine, mais il est possible de planter sa tente sur les 7 ha de cette propriété plantée d'eucalyptus.

BON PLAN **U Listincu**   HÔTEL €
(☑04 95 77 17 51 ; fax 04 95 77 71 50 ; route de Propriano ; s/d 52-68/55-72 € ; ⊙avr-sept ; 🅿🛉). À 1 km de Sartène en venant de Propriano, dans un virage de la nationale, cet établissement discret est une bonne solution de repli lorsque tout est complet. Le bâtiment moderne et les chambres, ordinaires et fonctionnelles, n'en font pas un champion d'originalité, mais l'arrière du bâtiment réserve une belle vue sur la vallée du Rizzanese et les tarifs sont raisonnables. Évitez les chambres du devant, qui donnent sur le parking et la nationale.

Hôtel-Restaurant
des Roches   HÔTEL-RESTAURANT €€
(☑04 95 77 07 61 ; www.sartenehotel.fr ; rue Jean-Jaurès ; s/d 61-99/72-113 € selon vue et saison, demi-pension possible ; 🅿🛉🛜). Le seul hôtel du centre-ville est également l'un des meilleurs du coin, mais il est souvent pris d'assaut. Les chambres, claires et confortables, présentent

LA VALLÉE DE L'ORTOLO

Rares sont les touristes qui se hasardent dans la vallée de l'Ortolo. Cette vallée secrète, accessible par l'étroite et sinueuse D50 à la sortie de Sartène (direction Mola), vous fera découvrir un univers étonnant, très peu urbanisé, entre montagnes, vignes, forêts et champs. La route passe par le hameau de Mola et dévale vers le fond de la vallée, avant de rejoindre le **domaine Saparale** (☎04 95 77 15 52 ; www.saparale.com ; ☺sur rendez-vous), un domaine viticole réputé, puis le charmant camping à la ferme **U Cavaddu Senza Nome** (☎04 20 03 48 21, 06 10 39 14 29 ; http://ucavaddu.fr ; Ranfonu, Ortolo ; camping 21-25 € pour 2 pers ; ☺fév-nov), tenu par Heidi, qui propose de beaux emplacements boisés au milieu de gros blocs de granite. Sur place miel, fruits et légumes de saison et œufs frais sont en vente directe. Les enfants s'amuseront au milieu des animaux de la ferme qui circulent dans la propriété. De là, il suffit de continuer sur 2,5 km et de rejoindre la "civilisation" au pont de l'Ortolo, sur la N196.

un bon rapport qualité/prix et sont dotées de sdb impeccables. Elles sont majoritairement climatisées et certaines possèdent une loggia orientée vers le golfe du Valinco. En revanche, les moins chères donnent sur le parking. Deux chambres sont accessibles aux handicapés. La grande salle de restaurant est impersonnelle, mais elle offre une belle vue sur l'Incudine et le golfe du Valinco.

Hôtel Fior di Ribba HÔTEL FAMILIAL €€
(☎04 95 77 01 80 ; www.hotelfiordiribba.com ; route de Propriano ; d 69-105 € selon saison ; ☺mars à fin oct ; P▣❋☀☎). Tarifs très raisonnables et belle petite piscine permettant de se rafraîchir tout en comtemplant un exceptionnel panorama de la vieille ville : tels sont les atouts de cet hôtel familial et accueillant qui loue des chambres confortables mais sans prétention. Côté points faibles, citons la décoration assez quelconque et le bruit de la route, qui reste présent malgré le double vitrage. À 800 m du centre-ville en direction de Propriano. Des studios, près de la piscine, sont loués à la semaine.

Domaine de Croccano CHAMBRES D'HÔTES €€
(☎04 95 77 11 37 ; www.corsenature.com ; D148, route de Granace ; d 79-90 € selon saison avec petit-déj ; ☺fermé déc ; ☎). Imaginez une propriété de 10 ha plantée de chênes-lièges et d'oliviers dont le calme est à peine troublé par le hennissement d'un cheval, au milieu de laquelle se dresse une jolie demeure traditionnelle en pierre… Elle abrite 3 chambres d'hôtes au charme rétro, avec pierres apparentes et mobilier ancien. Le petit-déjeuner se prend en terrasse, avec vue sur le golfe du Valinco. Les propriétaires proposent des activités équestres. En juillet-août, location

à la semaine uniquement. Pour vous y rendre, prenez la direction d'Olva près de la place de la Libération, puis la route de Granace, à droite (à 3,5 km de Sartène).

Hôtel San Damianu HÔTEL €€€
(☎04 95 70 55 41 ; www.sandamianu.fr ; d 104-182 € selon saison ; ☺avr-oct ; ❋☀☎). L'établissement le plus chic de Sartène est une petite prouesse architecturale : il a fallu aménager de belles chambres et une piscine, sur différents niveaux, sur un terrain pentu à deux pas de la vieille ville. Fleuri, l'hôtel se démarque du classicisme de ses concurrents par ses chambres lumineuses, avec balcon, qui s'ouvrent sur un beau panorama, mais aussi par sa décoration sans âme. Le restaurant panoramique (menu à 25 €) offre une belle vue sur le golfe de Valinco. Mention spéciale, également, à la belle petite piscine. Accès handicapés.

✖ Où se restaurer

A Cantinetta SPÉCIALITÉS CORSES €
(☎04 95 77 08 75 ; rue Borgo ; assiettes 7-14 € ; ☺tlj 10h-21h avr-oct). Ne vous attendez pas à un restaurant traditionnel : cette minuscule "cantine", située dans une cave fondée en 1902, ne compte que quelques tables. Vous serez gentiment accueilli par Marie-Dominique Bartoli, spécialiste des polyphonies corses, qui vous proposera de déguster une assiette de charcuterie ou de fromage, de goûter à son excellent vin de myrte ou à ses liqueurs et de conclure par un gâteau à la châtaigne. Une adresse simple et revigorante, à l'écart de la foule des rues piétonnes du centre-ville. Ouvert non-stop jusqu'à 21h. Vente de produits régionaux.

BON PLAN **Restaurant du Cours** CUISINE FAMILIALE €

(☎04 95 77 19 07 ; cours Sœur-Amélie ; plats 6-15 € ; menus 15-24 € ; ⏰tlj le soir, fermé mer hors saison). Cette petite salle voûtée du centre-ville doit sa réputation à ses tarifs minimalistes (les pizzas commencent à 6 €) et à sa cuisine familiale. Outre les classiques corses, la carte propose des pâtes préparées de 9 façons différentes et n'hésite pas à préciser que le bruccio est remplacé par de la brousse dans les préparations entre juin et octobre.

Le Jardin de l'Échauguette CUISINE CORSE €€

(☎06 20 40 71 49 ; place de la Vardiola ; menus 20-28 € ; ⏰mi-avr-sept, tlj midi et soir). Il fait bon s'installer sur les sièges en teck de cette terrasse ombragée flanquée d'une échauguette, dans un angle calme de la vieille ville. L'adresse est certes touristique, mais l'accueil et la cuisine, très honorable, justifient son succès. Spécialité de la maison : la daube de veau à la sartenaise et polenta.

♥ **Auberge Santa Barbara** CORSE MODERNE €€€

(☎04 95 77 09 06 ; www.santabarbara.fr ; plats 23-50 €, menu 34 € ; ⏰Pâques à mi oct, fermé lun en basse saison, fermé lun midi juil-août). Réputée de longue date pour sa cuisine qui mêle tradition et inventivité, l'auberge Santa Barbara vous accueille dans un espace contemporain, sobre et lumineux ou sur une jolie terrasse en bois. En cuisine, Gisèle Lovichi concocte de savoureuses spécialités, légères et impeccablement présentées : tripettes à la sartenaise, pigeon rôti aux myrthes, gambas soufflées... Une cuisine simple et goûteuse. Le repas, sans fausse note, se conclut par un des nombreux desserts (dont un flan à la châtaigne délicieusement onctueux). À 400 m en contrebas de la route nationale (embranchement un peu en dessous de l'hôtel Fior di Ribba).

Ajoutons deux adresses situées à quelques kilomètres de la ville, sur la route de Bonifacio :

BON PLAN **Bergerie d'Acciola** PRODUITS RÉGIONAUX €

(☎04 95 77 14 00 ; route landaise de Bonifacio, Acciola ; plats 8-16 € ; ⏰tlj midi et soir juin-sept). À 8 km de Sartène en direction de Bonifacio, cette boutique de produits régionaux installée en bordure de la route se double d'une belle et conviviale terrasse couverte, à l'arrière du bâtiment. Sur de solides tables en bois, face à un beau panorama, on sert des plats où le fromage est à l'honneur (salades, assiettes composées, tartes salées, cheesecake au fromage frais de brebis), des grillades et des galettes à la farine de châtaigne. Assiettes de fromage et de charcuterie à toute heure.

Auberge U Sirenu RUSTIQUE €€

(☎04 95 77 21 85 ; www.usirenu.com ; route de Bonifacio, Orasi ; plats 13,50-19 €, menus 18,50-19,50 € ; ⏰tlj midi et soir, déc le soir sur réservation). À 10 km de Sartène sur la route de Bonifacio, cette auberge installée dans une maison récente cultive un look rustique et une ambiance "retour de chasse". Les viandes grillées et le gibier ont fait la réputation des lieux (autant dire que les végétariens ne seront pas à la fête...). Piscine à disposition pour les clients.

🛍 Achats

Quelques bonnes adresses pour remplir son panier à provisions :

La Cave Sartenaise (☎04 95 77 12 01 ; place de la Libération ; ⏰9h30-20h avr-sept, 9h30-13h et 15h-20h oct-mars). Bon choix de vins, fromages et charcuterie. Sous l'hôtel de ville.

U Maggiu (☎04 95 77 21 36 ; ⏰fin mars à mi-oct). Sans doute la façade la plus photographiée de la vieille ville. *Canistrelli*, confitures, miel, liqueurs, etc.

Olea (☎04 95 77 12 01 ; ⏰avr-sept). Entre les deux adresses précédentes. Bon choix d'huiles d'olive en provenance de plusieurs régions de l'île, que l'on peut goûter.

Boulangerie Serra (☎04 95 77 12 01 ; 11 cours Sœur-Amélie ; ⏰9h30-20h avr-sept, 9h30-13h et 15h-20h oct-mars). Marre de vous casser les dents sur les *canistrelli* ? Goutez plutôt les tendres *biscotti* de la maison Serra vendus par sac de 200/400/800 grammes et dont la recette remonte à l'arrière-grand-mère.

ℹ Depuis/vers Sartène

BUS Alta Rocca Voyages – Ricci (☎04 95 51 08 19, 04 95 76 25 59 ; www.altarocca-voyages. com ; rue du Général-de-Gaulle) assure 3 services quotidiens entre Ajaccio et Zonza via Olmeto, Propriano, Sartène et Sainte-Lucie-de-Tallano. Les départs ont lieu tous les jours en juillet et août et du lundi au samedi en dehors de la haute saison. Les bus s'arrêtent place de la Libération.

En juillet et en août, **Eurocorse** (☎04 95 77 18 41, 04 95 76 13 50 ; www.eurocorse.com) effectue 4 liaisons quotidiennes entre Ajaccio et Bonifacio via Olmeto, Propriano, Sartène et Porto-Vecchio (seules 2 fonctionnent le dimanche). Hors saison touristique, 3 services quotidiens sont assurés du lundi au samedi. Les bus d'Eurocorse s'arrêtent à l'agence de voyages **Sartène Voyages** (rue Gabriel-Péri).

Sites préhistoriques du Sartenais

Au sud de Sartène, les sites de Cauria et de Paddaghiu, libres de toute exploitation touristique, comptent parmi les plus réputés de Corse. On sait peu de chose des dolmens et des menhirs de l'île. Si les préhistoriens s'accordent pour penser que les dolmens faisaient office de sépultures, les menhirs gardent tout leur mystère. S'agit-il de représentations de divinités, de défunts ou d'ennemis sculptés dans le but de conjurer leur puissance ?

L'hétérogénéité de ces réalisations de pierre complique encore la tâche : certaines sont de simples et grossiers blocs dressés, d'autres représentent des visages humains ou des armes. D'autres, à connotation phallique – comme à Filitosa –, seraient enfin des symboles de la fécondité de la terre nourricière.

Que l'on soit ou non passionné de préhistoire, la visite de ces sites est intéressante pour l'atmosphère sereine particulière qui s'en dégage, à plus forte raison si vous profitez de la lumière apaisante de la fin de journée pour les découvrir.

CAURIA

À une quinzaine de kilomètres de Sartène, le beau plateau désert de Cauria regroupe 3 curiosités mégalithiques classées monuments historiques : les alignements de menhirs de Stantari et de Renaghju et le dolmen de Funtanaccia. Aucun droit d'entrée n'est requis pour accéder à ces sites situés en plein maquis. Quelques panneaux explicatifs ont été posés sur place – espérons qu'ils résisteront au temps ! – et un itinéraire a été tracé (mais le balisage est insuffisant). Depuis l'alignement de menhirs de Stantari, un sentier rejoint Renaghju puis le dolmen de Funtanaccia avant de revenir à Stantari. Comptez en tout une heure de visite.

Si le dolmen (il pèserait plus de 15 tonnes et était jadis appelé "la forge du diable") est incontestablement le clou du site, les menhirs méritent que l'on s'y attarde un peu. Parmi les 9 menhirs de Stantari, le quatrième en partant de la gauche représente une épée ; sur ses 2 voisins de droite, un visage de pierre est statufié bouche ouverte, comme figé en un cri muet. Renaghju, plus anarchique et plus grand, fait penser à une forêt de pierre car les menhirs se dressent entre les arbres au pied d'un petit bois, que certains disent sacré.

Pour vous y rendre depuis Sartène, parcourez 2 km en direction de Bonifacio puis prenez la D48, qui descend en lacets sur la droite. Le site mégalithique de Cauria est indiqué à 8 km, sur la gauche. Une fois sur le parking (à l'ombre des arbres), descendez le chemin de terre sur environ 500 m.

ALIGNEMENT DE PADDAGHIU

Avec près de 260 menhirs, debout ou couchés, l'alignement de Paddaghiu (Palaggiu) est

---

CES TRÈS CHÈRES BERGERIES

Ces bergeries massives en pierres plantées au bord d'une eau turquoise, à l'embouchure de l'Ortolo, vantent souvent la Corse sur les dépliants touristiques. Elles ne font pourtant pas parler d'elles que dans les pages tourisme des magazines. Propriété de Paul Canarelli, fils d'un ancien maire de Figari, qui possède aussi la discothèque Via Notte et l'hôtel Cala Rossa près de Porto-Vecchio, les bergeries du **domaine de Murtoli** (☎ 04 95 71 69 24 ; www.murtoli.com ; 280-2 500/1 500-24 600 € nuitée/semaine selon saison et bergerie ; ⊗ tte l'année) sont au centre d'un imbroglio juridique digne de L'Enquête corse de Pétillon. Il oppose le propriétaire de Murtoli à une ancienne mannequin corse, mariée à un Italien fortuné, qui a racheté l'une des bergeries du domaine en 2001. Il faut dire que le domaine de Murtoli égrène les superlatifs et peut-être aussi les jalousies. Souvent en tête des classements des hôtels les plus luxueux du monde : ses 2 000 ha seulement accessibles par un simple chemin de terre, ses 8 km de littoral, sa ferme, ses deux restaurants, dont un dans une grotte, en font un petit paradis pour ses résidents. La décoration de ses onze bergeries mêlant le rustique et le très chic dans un environnement exceptionnel est particulièrement réussie. Certains y voient, un domaine réservé à une jet-set fortunée, d'autres un exemple de rénovation respectueuse de l'environnement participant au développement de la Corse. Une partie de la réponse est peut-être déjà dans le prix de la nuitée.

le plus grand rassemblement de statues mégalithiques de Méditerranée. Quatre alignements de 4 à 8 menhirs debout, dont certains sculptés, constituent le principal attrait de ce site entouré d'un enclos, entre maquis et vignes. Malheureusement, le site n'est pas très bien mis en valeur et, qui plus est, il est mal signalé.

Pour le rejoindre en voiture de Cauria, revenez sur la D48 et empruntez-la en direction de Tizzano. L'entrée se trouve sur la droite, à 1,3 km d'un bâtiment de dégustation du domaine viticole Mosconi (le domaine se trouve 1 km avant, sur la gauche). Du parking, un chemin de terre de 1,2 km mène à l'alignement (entrée libre). Comptez 20 minutes de marche.

♥ Tizzano

Le bout du monde, c'est ici. Le hic, c'est que cela commence à se savoir (le nombre grandissant de villas dans les alentours l'atteste), et que la marine de Tizzano, au terminus de la D48, devient peu à peu un endroit à la mode, même si le nombre encore modéré d'infrastructures limite la fréquentation du village à des seuils acceptables. En s'éloignant un petit peu du "centre" (à pied ou en bateau), on retrouve vite une atmosphère sauvage.

✈ Activités

Outre le farniente sur la plage de Tizzano, appelée **Cala di l'Avena**, vous pourrez rejoindre le cadre encore plus isolé de la plage de **Tra Licettu**, accessible par une piste cabossée, à environ 6 km au sud-est (la piste n'est pas indiquée; renseignez-vous sur place ou munissez-vous d'une carte détaillée du secteur). Elle n'est plus vraiment secrète depuis qu'un magazine lui a consacré un article voilà quelques années mais elle garde tout son charme sauvage. De l'autre côté de Tizzano, la plage de **Cala du Barcaju**, plus petite et située dans une calanque, est plus abritée. Pour y accéder : longez le port jusqu'au bout de la route goudronnée, puis suivez la piste sur 3 km. Garez-vous sur le parking sauvage situé juste avant que la piste ne croise un ruisseau.

La **plongée** est restée confidentielle à Tizzano, et c'est tant mieux. Les sites, près du cap Senetosa, ne sont fréquentés que par le centre de plongée local, **Altramanera** (☎06 19 86 67 55 ; www.plongeetizzano.com ; ⏱avr-oct). Pour plus de renseignements sur

les sites de plongée du secteur, reportez-vous au chapitre *Plongée*, p. 34.

En été, vous pourrez louer des **kayaks de mer** sur la plage, face à l'hôtel Lilium Maris, et rejoindre, si vous êtes motivé, la crique de Cala di Conca et la **Cala di Tivella** (vers l'ouest), ou la **plage d'Erbaju** et la **plage d'Argent** (vers l'est), inaccessibles par la route. **Stintu Marinu** (☎04 95 77 00 26, 06 10 61 35 10 ; sur le port : www.stintu-marinu. com) loue des bateaux à moteur avec et sans permis en période estivale.

À terre, l'un des meilleurs moyens de découvrir les étendues sauvages du sud-ouest est de faire une **balade à cheval**. Adressez-vous au centre équestre **Cavadda di Santu Pultru** (☎06 82 33 61 28 ; www. randochevalcorse.fr ; route de Tizzano), situé sur la D48 près du carrefour pour Cauria, 6 km environ avant Tizzano. Emmanuel Lucchini, son sympathique propriétaire, organise des sorties accompagnées dans le maquis, des chevauchées sur la plage, des randonnées de plusieurs jours. Tarifs dégressifs : 1 heure 25 €, 3 heures 60 €, demi-journée 70 €. Initiations au poney dès 5 ans. Ce centre, bien tenu, est ouvert toute l'année.

Pour les randonneurs, un sentier côtier relie Tizzano à Campomoro. Méfiez-vous car il est mal indiqué jusqu'à Senetosa. Renseignez-vous sur place.

🛏 Où se loger et se restaurer

Camping l'Avena CAMPING €
(☎04 95 77 02 18 ; www.camping-corse.info ; Tizzano ; empl 14,10-25,20 € pour 2 pers selon période, bungalow 27-77 € selon période ; ⏱fin mai à fin sept). Une route de 1 km, qui quitte la route principale 900 m avant Tizzano, mène à ce grand camping installé à 600 m de la plage. Il loue avant tout des bungalows en toile qui le font ressembler à un village d'Indiens mais il est également possible de planter sa tente sur son beau site fleuri et ombragé. Les services incluent des aires de jeux pour enfants et un restaurant.

Hôtel du Golfe HÔTEL BORD DE MER €€
(☎04 95 22 02 51 ; www.hoteldugolfetizzano.com ; d 80-149 € selon saison ; ⏱avr à mi-oct ; [P]❄🐾). L'endroit, les pieds dans l'eau, est superbe et l'architecture des lieux plutôt réussie, à peine gâché par la décoration assez banale des chambres. Reste que le confort est au rendez-vous, avec clim, TV et téléphone, et un balcon pour profiter du clapotis de l'eau en contrebas. À deux pas du port, excellent accueil et accessible aux handicapés.

Lilium Maris HÔTEL €€€
(📞04 95 77 12 20 ; www.lilium-maris.com ; d 75-165 € ; ⊙avr-oct ; P 🌡 🏖 🛜). Les tarifs sont élevés mais il faut tenir compte du confort des lieux et de l'emplacement en bord de plage. Le bâtiment moderne manque un peu de cachet vu de l'extérieur et certaines parties communes mériteraient d'être mieux entretenues, mais les chambres, à la dominante de tons blancs avec des touches de matériaux naturels, disposent d'une excellente literie et sont bien équipées. A noter, certaines chambres donnant sur le parking, les moins chères, sont petites et peu lumineuses et l'accueil est parfois distant. Quant à la paillote située au pied de l'hôtel, mieux vaut l'éviter et s'en tenir aux restaurants situés au-dessus du port de Tizzano.

♥ **Chez Antoine –**
The Beach SPÉCIALITÉS DE POISSON €€
(📞04 95 77 07 25 ; plats 12-30 € environ ; ⊙tlj midi et soir mai-sept). En quelques années, Chez Antoine est passé du statut d'adresse confidentielle à celui de restaurant à la mode, ce qui a fait grimper les prix. Reste que le cadre – une spacieuse terrasse en pierre donnant sur une petite plage – est toujours aussi agréable et les spécialités de poisson (6,50-7,50 € les 100 g), toujours aussi délicieuses. Du restaurant, on peut admirer, le soir venu, les poissons du port dans une eau éclairée multicolore. Sous la terrasse, au niveau de la plage, les deux fils du fameux Antoine, ont récemment ajouté un lounge-bar, **The Beach**, avec son mobilier en gros bambous et ses voiles en lin. Tout au bout de Tizzano, au-dessus du minuscule port.

DE ROCCAPINA À BONIFACIO

Au sud de Sartène, le rocher de Roccapina marque le début des 37 km de la N196 qui relient le sud de l'île à Bonifacio. Bordant un littoral sauvage protégé dans le cadre de la réserve naturelle des Bouches de Bonifacio, cet "extrême sud" de la Corse recèle des paysages particulièrement beaux. Le décor, de plus en plus minéral, oscille entre roche claire et langues de maquis se découpant au-dessus de criques aux eaux turquoise et cristallines. Vers l'intérieur des terres se détache la silhouette de l'**Uomo di Cagna**, coiffé par un énorme rocher.

La côte compte peu d'hébergements mais de bonnes possibilités d'activités. Quelques belles chambres d'hôtes sont installées sur les hauteurs.

Roccapina

À 20 km de Sartène, le site de Roccapina désigne avant tout une curiosité géologique : une sculpture naturelle en forme de lion, née de l'érosion, juchée dans le roc. Le fauve se laisse observer un peu après l'auberge Coralli en direction de Bonifacio, dans un virage au niveau d'une buvette, côté mer. On distingue deux blocs rocheux, au sommet d'une crête que couronne une tour génoise, qui dessinent la forme d'un lion allongé, tandis que des rochers dressés font office de crinière.

Ouvert en 2012 grâce au Conservatoire du littoral, le musée **A Casa di Roccapina** (📞04 95 17 56 30 ; N196 ; tarif plein/réduit 2/1 €) présente une exposition consacrée aux paysages du site et à son histoire, racontée par la voix de Jane, la mystérieuse "fille du lion". Deux sentiers pédestres ont été aménagés.

De là, vous pourrez descendre jusqu'à la **plage de Roccapina**, accessible par 2,5 km d'une piste cahoteuse (généralement praticable en voiture légère).

🛏 Où se loger et se restaurer
Hôtel Coralli AUBERGE €€
(📞04 95 77 05 94 ; www.hotel-coralli-roccapina. com ; route de Bonifacio ; d 45-116 € selon saison, plats 18-21 € ; ⊙avr-oct, fermé mer). En bordure de la N196, au niveau de l'embranchement vers la plage de Roccapina, cette auberge offre des chambres rénovées, situées sur l'arrière du bâtiment, et donc en retrait de la route. Le principal atout de l'auberge est la proximité de la piste vers la plage. Restaurant de spécialités corses ouvert le soir, sur réservation uniquement. Séjour d'une semaine, demi-pension obligatoire de mi-juillet à août.

Ferme de Minora RESTAURANT-BERGERIE €
(📞04 95 73 41 15 ; www.ferme-minora.com ; Serragia ; plats 9-20 € ; ⊙tlj midi et soir, mai-sept). Située en bord de route, 2 km avant Roccapina, suffisamment à l'écart pour être au calme, cette adresse familiale propose des spécialités corses dans un cadre agréable, sous une jolie tonnelle fleurie avec un étonnant mobilier en teck. Le restaurant est adossé à une bergerie artisanale où l'on peut acheter d'excellents fromages de brebis AOC, du miel, et de la confiture. Accueil souriant.

Pianattoli-Caldarello et ses environs

Le bourg de Pianottoli-Caldarello, à l'intérieur des terres, traversé par la N196, n'a pas grand intérêt, mais la partie littorale cache quelques plages discrètes et sauvages, loin des hauts lieux touristiques surpeuplés (même en haute saison), notamment la **plage de Chevanu**, dans l'anse du même nom, la **plage de Capineru** et la **plage de la Tour**, accessibles par des routes secondaires qui traversent le maquis (prendre la D122 qui descend au petit port de plaisance, puis bifurquer à droite). Au bout de la plage de la Tour se profile la **tour génoise de Caldarello**.

L'idéal, pour découvrir ce littoral encore préservé, est de suivre le **sentier des Bruzzi**, une randonnée pédestre facile de 1 heure 30, en boucle. Le sentier, fléché, serpente à travers le maquis puis longe le littoral, découvrant de magnifiques panoramas. À hauteur du camping Kévano Plage (en venant du bourg), prenez à droite sur environ 1,5 km, jusqu'à un petit parking, où commence le sentier.

🛏 Où se loger et se restaurer

Vous trouverez plusieurs chambres d'hôtes au bourg, ainsi que deux campings près de l'anse de Chevanu, dont le **camping Kévano Plage** (☑04 95 71 83 22 ; www.campingkevano. com ; 9-14 €/pers selon saison ; ⊙avr-oct), bien tenu et ombragé, à 400 m de la plage de Chevanu.

BON PLAN **Chez Robert et Sylvie** CHAMBRES D'HÔTES €
(☑06 15 90 28 67 ; d 40-100 €, appt 350-750 € par semaine, selon confort et saison ; ⊙tte l'année). À la sortie de Caldarello, en direction du port face à de magnifiques rochers, un sympathique couple a aménagé trois mini-appartements avec sdb et wc privatifs : l'un dans le bâtiment principal, l'autre dans l'ancien poulailler et le troisième dans le moulin à huile de cette ancienne ferme en pierre. Terrasses privatives et cuisine d'été avec barbecue commun à tous les résidents. Situé à 800 mètres du port et 1 km des plages.

Chez Mika PAILLOTE-PIZZERIA €
(☑06 17 11 04 81 ; plats 11-15,50 € ; ⊙avr-début oct). Une paillote plantée en plein maquis (de Pianottoli, passez le hameau de Caldarello puis suivez le fléchage). Tenue par un rondelet et truculent personnage qui n'hésite pas à plaisanter avec ses clients, elle sert de copieuses pizzas à des tarifs très raisonnables, dont une pantagruélique cinq fromages, et des spécialités maison comme les encornets façon Giacomo.

Figari et ses environs

Indissociable de l'aéroport du sud de la Corse dans l'esprit de nombreux visiteurs, la région de Figari est en fait synonyme d'un environnement préservé où le maquis le dispute au vignoble, l'AOC Figari. Elle comblera ceux qui ont envie de solitude et de repos, entrecoupé de baignades sur les plages des environs (Figari, Tonnara, Roccapina) et d'escapades à Bonifacio ou dans le Sartenais, tout proches.

☉ À voir et à faire

Plusieurs caves viticoles disposent de boutiques au centre du bourg, dont le **Domaine de Murta** (☑04 95 71 00 34), directement au domicile des propriétaires, apprécié pour ses vins bio (à partir de 7 € la bouteille).

Pour les sportifs, **Fun Eole Figari** (☑06 11 48 13 92 ; www.eolefigari.com) propose des stages de planche à voile et de kitesurf, ainsi que des randonnées en kayak à destination de criques inaccessibles à pied.

🛏 Où se loger et se restaurer

Plusieurs chambres d'hôtes à la personnalité affirmée sont installées autour du hameau de Poggiale. Il s'atteint par la D22, qui quitte la N196 environ 2 km à l'est de Pianottoli-Caldarello et 3 km à l'ouest de la route vers l'aéroport.

Gîte rural Sheranée CHAMBRES D'HÔTES €€€
(☑06 82 58 17 32 ; www.sheranee.com ; hameau de Vallicella ; d/tr 85-95/100-110 € avec petit-déj ; table d'hôtes 25 €). Sheranée c'est "Chez Renée", du nom de la propriétaire des lieux, qui loue 5 chambres d'une propreté exemplaire, avec entrée indépendante et une petite touche de décoration bienvenue, dans une maison moderne située en pleine nature. Pour vous y rendre, rejoignez Poggiale et continuez la D22 sur 3 km puis prenez à gauche en direction du domaine de Piscia (fléchées). Vous parviendrez à Sheranée en 600 m. Clair, au calme et *gay friendly*.

♥ Domaine de Piscia CHAMBRES ET TABLE D'HÔTES €€€
(☑04 95 71 06 71, 04 95 21 48 45 ; www.domainedepiscia.com ; d 180-450 €, petit-déj 20 €,

repas 40 € ; ⊙avr-oct ; ☒). Des chambres de charmes originales et bordées du plus beau panorama qui soit ! Isolé sur les contreforts montagneux, le domaine de Piscia séduit d'abord par son cadre. Les chambres, ne sont pas en reste, surtout les plus récentes, avec murs blancs et un soin particulier apporté aux boiseries et matériaux. Le restaurant, dans une grande pièce rustique ornée de multiples bibelots et d'une immense cheminée, sert une cuisine traditionnelle. Pour vous y rendre, rejoignez Poggiale et continuez la D22 sur 3 km, puis prenez à gauche (des panneaux indiquent la direction), sur 5 km, une route de plus en plus semée de nids-de-poule à mesure que l'on monte.

Pozzo di Mastri   AUBERGE €€€
(☑04 95 71 02 65 ; www.pozzodimastri.com ; Figari ; menu 40 € ; ⊙mai-oct ; ❊☒). Mieux vaut arriver avec l'estomac dans les talons lorsqu'on s'attable dans cette ferme-auberge, réputée pour ses viandes grillées et ses légumes du jardin. La grande salle de style rustique, avec poutres, immense cheminée surmontée d'une crèche et mobilier en bois, a un certain cachet, l'extérieur offre de spacieuses tables où l'on déguste une cuisine corse certes soignée mais limitée à un menu unique. Vins, café et digestif compris. À 800 m à droite avant le village de Figari en venant de Porto-Vecchio. Possibilité de loger toute l'année sur place (120-220 € selon saison) dans de confortables chambres double donnant sur la piscine.

Plage de la Tonnara

Cette belle plage de sable remporte un franc succès en saison, tant auprès des familles que des sportifs. Assez ventée, c'est en effet l'un des meilleurs spots de planche à voile et de kitesurf du sud de l'île.

Accessible en 15 minutes de marche depuis la plage de la Tonnara en suivant le littoral (vers le sud), la **plage de Stagnolu** a les faveurs des naturistes et des gays.

Si vous êtes tenté par des leçons d'initiation au kitesurf, contactez **Corsica Kiteboarding** (☑06 75 01 50 04 ; www.corsica-kiteboarding.com), club réputé qui s'installe sur le spot dit "du pont", au niveau d'un petit pont sur la route nationale, 2 km à l'ouest de la plage.

L'embranchement vers la plage de la Tonnara quitte la N196 environ 7 km avant Bonifacio.

✖ Où se restaurer

Le Goéland Beach   RESTAURANT €
(☑04 95 73 02 51 ; plats 9-25 €, menus 28 € ; ⊙mars-oct tlj midi et soir, début nov fermé dim soir et lun, mi-nov à fév ouvert ven soir à dim). Une adresse sans prétention mais conviviale et bien située, avec une grande salle doublée d'une terrasse, face à la mer. La carte, éclectique, devrait satisfaire tous les goûts proposant un large choix de plats, des pizzas à la langouste en passant par les poissons et les pâtes. Sans oublier un bel assortiment de cocktails. Une partie de la salle est réservée aux couples le soir avec des menus à 65 et 85 €. Le service est parfois un peu lent les jours d'affluence. Animations par un DJ une fois par semaine en saison.

Chez Marco   CUISINE DE LA MER €€€
(☑06 24 56 94 76 ; www.chezmarco-tonnara.com ; menus 60-105 € ; ⊙avr-sept). Vu les tarifs, consultez au préalable le solde de votre compte en banque... Heureusement, la qualité, le cadre et le service sont au rendez-vous. Les menus, complets, sont axés sur les poissons (chapon, rouget, corb, sar, denti...) ou la langouste et la bouillabaisse. La salle décline une ambiance maritime à l'aide de casiers et de filets accrochés au plafond mais, au soleil couchant, rien ne remplace la superbe terrasse les pieds dans l'eau.

♥BONIFACIO (BUNIFAZIU)

Dressée sur sa falaise de calcaire, Bonifacio est un pur bijou. Le problème, c'est que tout le monde le sait... À l'extrême sud de l'île, la plus célèbre ville de Corse doit beaucoup de sa beauté à l'extraordinaire site marin sur lequel elle est bâtie : imaginez un fjord qui s'enfonce dans des falaises de pierre blanche sculptées par le vent et la mer. Imaginez encore, juchée sur celles-ci, une citadelle aux ruelles étroites et pentues dominant de près de 70 m les eaux turquoise des Bouches de Bonifacio. La proximité des côtes sardes, à seulement 12 km, ajoute encore à la magie des lieux.

Avec une telle carte de visite, il ne faut pas s'étonner que la ville soit totalement saturée en haute saison. Victime de son succès, Bonifacio se négocie au plus offrant : les tarifs de certaines prestations, notamment hôtelières, vont jusqu'à tripler en août.

Bonifacio

Renseignements
1 Boniboom.com F3
2 Capitainerie F2
3 Hôpital F3
4 Office du tourisme C3
5 Poste B4
6 Société générale D3

À voir et à faire
7 Bastion de l'Étendard D3
8 Chapelle Saint-Roch D4
Citerne communale .... (voir 11)
9 Église Saint-Dominique B4
10 Église Saint-Érasme D3
11 Église Sainte-Marie-Majeure .. C4
12 Escalier du roi d'Aragon ... B4
13 Guichet de la Société des Promenades en Mer F3
14 Guichet de La Méditerranée .. F3
15 Guichet Tony Chiocca Croisières F3
Memorial du Passé bonifacien .... (voir 7)
16 Porte de France C3

Où se loger
17 Porte de Gênes D4
18 Camping Araguina F1
19 Hôtel Colomba B4
20 Hôtel des Étrangers F1
21 Hôtel du Centre nautique .. E2
22 Hôtel du Roy d'Aragon F3
23 Hôtel Genovese B3
24 Hôtel La Caravelle F3
25 Hôtel Solemare E2
26 Hôtel-restaurant Le Royal .. C4

Où se restaurer
27 Cantina Doria C4
28 Kissing Pigs C3
29 L'Archivolto C4
30 Le Voilier E3
31 Les 4 Vents C3
32 Les Terrasses d'Aragon B4
Restaurant du Centre nautique .... (voir 21)
33 Stella d'Oro – Chez Jules .. C4

Où prendre un verre et sortir
34 B52 .... F3
35 Lola Palooza F3
36 Pub O'Brian's E3

Transports
37 Eurocorse F2
38 Gare maritime B3
Moby Lines .... (voir 38)
Saremar .... (voir 38)

Plage de la Caterina

Vers la plage de l'Arnella (700 m) et l'anse du Fazzio

Vers Santa Teresa di Gallura (Sardaigne, 12 km)

Baraquements militaires

Vers la Poudrière (200 m) et le monument commémoratif du naufrage de la Sémillante (200 m)

Vers l'église Saint-François (300 m), le cimetière marin (300 m), le gouvernail de la Corse (300 m)

Jardin de la Carrotola

Goulet de Bonifacio

Bouches de Bonifacio

Grain de Sable

Plage de Sotta Rocca

Plage de la Manichella

Citadelle

Place d'Armes
Place du Marché
Rue des Deux Empereurs
Rue longue
Rue du Palais
Rue Doria
Rue St-Jean Baptiste
Rue F. Scamaroni
Rue Fondaccio
Montepagano
Place Montepagano
Place Carrega
Rue Ste-Dominique
Av. de la Carrotola
Rue St-Érasme
Montée St-Roch
Montée Rastello
Av. Charles
Quai Banda del Ferro
Av. Charles de Gaulle
Quai Jérôme Comparetti

Vers Barakouda (1 km), l'hôtel A Cheda (2 km), le Domaine de Foresta (4 km), l'hôtel U Capu Biancu (7 km) et Porto-Vecchio (27 km)

Vers l'hôtel A Trama (2 km), le cap Pertusato (2 km), Tre Punti (2 km), le cap Pertusato (4 km), les chambres d'hôtes Cavallo Morto (4 km), le golfe de Santa Manza (6 km)

Av. Sylvère Bohn

N196

Giovasole

Marina

Sentier vers l'anse du Fazzio

Sentier vers le cap Pertusato et le phare (4 km)

200 m

Histoire

La découverte de la Dame de Bonifacio (voir p. 243), ou plutôt des ossements de cette jeune femme qui vivait il y a 8 500 ans aux abords de l'actuelle cité, atteste d'un peuplement dès le néolithique. Quelques millénaires plus près de nous, le site fut sans doute actif dans l'Antiquité. La fondation de la ville est vraisemblablement l'œuvre du marquis de Toscane, Boniface, qui lui aurait donné son nom en l'an 828. L'histoire rapporte que c'est en profitant d'une journée où tous les habitants étaient réunis à l'occasion d'un mariage que les Génois s'en emparèrent en 1187. La puissante République y installa par la suite ses colons, que de nombreux avantages financiers ne tardèrent pas à convaincre de rester sur place. Fidèle à son habitude, Gênes chassa alors la population insulaire de la ville.

La colonie génoise de Bonifacio dut par deux fois protéger ses murs. La première remonte à 1420, quand l'Aragonais Alphonse V assiégea la cité durant 5 mois au motif que le pape Boniface VIII avait cédé la Corse à l'Espagne. Selon la légende, c'est alors que fut taillé l'escalier du roi d'Aragon, lequel finit par se retirer lorsqu'une escadre génoise fut dépêchée au secours de la colonie.

Le second siège de la ville eut lieu en 1553. Suite à l'alliance des troupes françaises avec les partisans de Sampiero Corso et le corsaire turc Dragut, il visait à libérer l'île de l'occupation génoise. La trahison de l'un de ses habitants obligea la ville à rendre les armes après 18 jours de siège et de résistance acharnée. Elle fut rendue aux Génois en 1559, comme l'ensemble de l'île, par le traité de Cateau-Cambrésis. Aujourd'hui encore, la langue parlée par la population est issue du génois du XIIe siècle.

Orientation

Bonifacio se divise en deux quartiers principaux : la marine, à l'extrémité du goulet, et la citadelle (aussi appelée Vieille Ville ou Haute Ville), perchée sur la falaise. On entre dans la citadelle par la très belle porte de Gênes (réservée aux piétons), en haut de la montée Saint-Roch, et la porte de France (ouverte aux véhicules), qui surplombe le port des ferries.

ⓘ Renseignements

Office du tourisme (☑04 95 73 11 88 ; www.bonifacio.fr ; 2 rue Fred-Scamaroni ; ☉tlj 9h-20h juil-août, tlj 9h-19h mi-avr à mi-oct,

À proximité de l'office du tourisme débute un **chemin de ronde**, qui suit les anciennes fortifications, le long du goulet de Bonifacio. Il offre de splendides vues sur le goulet et les plages de la Catena et de l'Arinella.

lun-ven 10h-17h hors saison). Accès Internet gratuit limité à 30 minutes (sur présentation d'une pièce d'identité). Une annexe s'installe sur le port en saison.

Boniboom.com (quai Comparetti). Accès Internet jusqu'à minuit en saison.

Capitainerie (☑04 95 73 10 07 ; sur le port ; ☉7h-21h30 juil-août, 7h-21h juin, 8h-12h et 14h-18h le reste de l'année)

Hôpital de Bonifacio (☑04 95 73 95 73 ; sur le port). Au début de la route de Santa Manza, en plein centre-ville. Service d'urgence ouvert tous les jours, 24h/24.

Société Générale (☑04 95 73 02 49 ; 38 rue Saint-Érasme ; ☉lun-ven 8h15-12h et 14h-16h50). La seule banque de Bonifacio est dissimulée dans un angle du port. DAB. Vous trouverez également un DAB à la poste, dans la citadelle.

Marché Le mardi aux abords de l'église Saint-Dominique. Vêtements et produits locaux.

◉ À voir

L'office du tourisme édite un "pass culturel", en vente dans ses bureaux, qui donne accès au bastion de l'Étendard, à l'escalier du roi d'Aragon et à l'église Saint-Dominique pour 3,50 €. Il propose aussi un audioguide pour la haute ville (5 €, 1 heure 30) et organise des visites thématiques en saison.

Citadelle et haute ville VIEILLE VILLE
Mieux vaut rejoindre à pied la haute ville et sa citadelle, points forts de la visite de Bonifacio pour leur atmosphère et le panorama qu'elles révèlent. Les conditions de circulation et de stationnement (payant) y sont en effet très difficiles.

Deux escaliers mènent du port à la citadelle bâtie par les Génois. La **montée Saint-Roch** – qui débute sous le nom de montée Rastello – relie la rue Saint-Érasme à la porte de Gênes, en passant devant la petite **chapelle Saint-Roch**, édifiée à l'endroit où mourut la dernière victime de la grande peste de 1528. Au pied de la montée Saint-Roch, l'**église Saint-Érasme**, bâtie au XIIIe siècle, est dédiée au saint patron des

TRE PUNTI ET LE FAZZIO,
DEUX PETITS PARADIS AUX PORTES DE BONIFACIO

Même à Bonifacio, il est possible d'échapper aux foules estivales en profitant de coins restés encore secrets, moyennant quelques efforts... La calanque de **Tre Punti** est accessible par la route qui mène au phare de Pertusato. Dans un virage en surplomb d'un vallon, guettez le panneau "Réserve naturelle des Bouches de Bonifacio – Zone de non-prélèvement de Tre Punti". Garez votre véhicule et prenez le sentier qui descend en 10 minutes au bord de mer. Quel éblouissement ! Au pied des falaises, cette calanque est idéale pour le snorkeling ou un pique-nique, un peu moins pour le farniente car il n'y a presque pas d'ombre et pas de sable (juste du calcaire). Pour la remontée, comptez 15 minutes de marche.

Autre option : l'**anse du Fazzio**, à l'ouest de Bonifacio. Prenez le chemin des Génois, qui débute 100 m avant le camping L'Araguina, sur la gauche. Au bout de 30 minutes, vous rejoindrez une bifurcation, signalée "Boucle littorale du Fazzio", qui vous mènera à travers le maquis puis le long des falaises jusqu'à cette magnifique anse aux airs de petites Caraïbes (comptez une demi-heure de marche depuis la bifurcation). La petite plage est idéale pour la baignade, mais n'oubliez pas de prendre de l'eau car il n'y a aucune infrastructure.

pêcheurs. Le second escalier mène à la porte de France depuis le quai Banda-del-Ferro, non loin du quai des ferries.

Aménagée en pont-levis dans les dernières années du XVIᵉ siècle, la **porte de Gênes** resta l'unique accès à la citadelle jusqu'au percement de la porte de France, en 1854. À sa droite, le **bastion de l'Étendard** (adultes 2,50 ; ☉avr-sept lun-ven 9h-19h (20h 1er mai-10 sept), sam-dim 10h-18h, oct lun-dim 10h-17h) révèle des fortifications érigées après le siège de 1553. Il abrite le **mémorial du Passé bonifacien**, qui remporte un franc succès grâce à sa scénographie relatant divers épisodes de l'histoire de la ville. Au sud du bastion, la **place du Marché** et la **place de la Manichella** offrent de beaux points de vue sur les bouches de Bonifacio.

Rue principale de la citadelle à l'époque génoise, la **rue des Deux-Empereurs** doit son nom au fait que Charles Quint et Napoléon Iᵉʳ ont séjourné dans la ville : le premier alors qu'il se rendait à Alger en 1541, le second en 1793. Seules des plaques commémoratives témoignent de ces impériaux passages (n°4 et n°7 de la rue) ; les maisons ne se visitent pas.

L'**église Sainte-Marie-Majeure**, édifice le plus ancien de Bonifacio, fut bâtie par les Pisans et achevée au XIVᵉ siècle. Si de nombreux remaniements lui ont fait peu à peu perdre son style d'origine, elle a gardé sa principale caractéristique : la loggia, sous les arcades de laquelle se réunissaient naguère les notables de la ville.

En face, l'ancienne **citerne communale** servait autrefois à stocker les eaux de pluie recueillies par les nombreux aqueducs qui courent au-dessus des ruelles de la haute ville. Nombre d'ornementations de pierre de la citadelle contribuaient à résoudre l'épineux problème de l'adduction d'eau de la ville, longtemps assurée par des norias de mulets.

L'**escalier du roi d'Aragon** (adultes 2,50 € ; ☉mêmes horaires que le bastion de l'Étendard) témoigne à sa manière de la même préoccupation. La légende se plaît à raconter que ses 187 marches – qui descendent du coin sud-ouest de la citadelle au niveau des flots, une soixantaine de mètres en contrebas – auraient été creusées en une seule nuit par les troupes du roi d'Aragon au cours du siège de 1420. Plus vraisemblablement, cette impressionnante cicatrice dans la falaise fut taillée pour accéder à une source découverte par des moines franciscains.

À l'ouest de la citadelle, l'**église Saint-Dominique** (☉avr-sept lun-ven 11h-18h, sam 10h-18h, oct lun 11h-18h) est l'un des rares édifices religieux de style gothique en Corse. Outre un maître-autel en marbre polychrome du milieu du XVIIIᵉ siècle, elle abrite les châsses portées en procession dans la ville lors de diverses cérémonies religieuses.

En continuant vers l'ouest, on traverse un plateau cailouteux, appelé le Bosco, sur lequel se dressent deux anciens **moulins à vent**. À l'extrémité du Bosco, on rejoint l'église Saint-François et le cimetière marin, avec ses impressionnants alignements de caveaux immaculés. Devant le cimetière s'étend une esplanade, qui se termine par des fortifications, d'où l'on découvre un beau panorama des côtes sardes, à une dizaine de kilomètres, et du phare de la Madonetta. Au même endroit, un **souterrain** (2,50 € ; ⏰ jusqu'à 18h en saison), creusé de main d'homme durant la Seconde Guerre mondiale, mène au Gouvernail de la Corse, un rocher qui surplombe les flots d'une dizaine de mètres et dont la forme évoque l'étambot d'un navire (voir encadré p. 213). En revenant vers le centre-ville par la partie sud du Bosco, vous passerez devant le **monument commémoratif du naufrage de la Sémillante**, encadré de deux canons, orienté face au large.

🏃 Activités

Plages

Un chemin très escarpé mène du bas de la montée Saint-Roch à la **plage de Sotta Rocca**, qui se niche au pied des falaises, face au rocher du Grain de sable et à des fonds marins turquoise d'une éclatante limpidité. Méfiez-vous des marées au pied des falaises. C'est une plage de galets.

Les petites **plages de la Catena** et de **l'Arinella** s'étendent au fond des étroites criques du même nom, sur la rive nord du goulet. Un sentier y mène depuis l'avenue Sylvère-Bohn. Toutes deux ont malheureusement tendance à récupérer les détritus du goulet...

Mieux vaut prendre une voiture pour se rendre sur les belles plages des environs : **Piantarella** (p. 217), **Calalonga** (p. 218), **Santa Manza**, **Rondinara** (p. 220). Vous pouvez également dénicher **Tre Punti**, un lieu idyllique à l'est de Bonifacio, accessible à pied uniquement (voir l'encadré p. 210).

Sorties en mer

Beauté du site marin oblige, plusieurs compagnies organisent des promenades en mer d'avril à octobre, au départ de Bonifacio, à bord de vedettes. Deux itinéraires principaux sont proposés. Le premier, d'une durée d'une heure, inclut le goulet et le **phare de la Madonetta**, la **grotte du Sdragonato** et la **calanque du Fazzio**. Au retour, les vedettes passent devant la vieille ville, la plage de Sotta Rocca et le rocher du Grain de Sable, avant de rentrer au port. Le second met le cap sur les **îles Lavezzi**. Les vedettes d'une dizaine de mètres font la navette vers les îles,

permettant ainsi de débarquer et de rester sur place pendant la journée (pensez à vous munir d'eau et de nourriture car vous ne trouverez rien sur place). Comptez environ 30 minutes pour rejoindre les Lavezzi et près de 1 heure pour le circuit du retour, qui passe aux abords de l'île Cavallo, du cap de Spérone, de la grotte du Sdragonato, des calanques et des falaises. Les départs ont en général lieu toutes les 30 minutes au plus fort de la saison.

Malgré le côté extrêmement touristique de cette prestation, il serait dommage de se priver de cet excellent moyen de découvrir les abords du goulet de Bonifacio. La haute ville, perchée sur son promontoire de calcaire, est plus belle encore vue de la mer, et nombre des curiosités du littoral – escalier du roi d'Aragon, Gouvernail de la Corse, Grain de sable, grotte du Sdragonato – se laissent mieux admirer du pont d'un bateau.

La **Société des Promenades en mer de Bonifacio** (📞 04 95 10 97 50 ; www.ginacroisiere. com, www.rocca-croisières.com, www.vedettes-thalassa.com ; circuit grottes-falaises 17,50 €, circuit Lavezzi 35 €, vision sous-marine 22,50 € ; ⏰ fermé en jan), installée au bout du port derrière un imposant comptoir en bois, regroupe plusieurs compagnies proposant toutes les mêmes tarifs et les mêmes prestations qui incluent une place de parking à proximité du port. Le long du quai Comparetti, deux entreprises indépendantes, **La Méditerranée** (circuit grottes-falaises 15 €, circuit Lavezzi 20 €) et **Tony Chiocca Croisières** (📞 06 01 35 75 87 ; circuit grottes-falaises 15 €, circuit Lavezzi 25 € ; ⏰ avr-oct) proposent des prestations quasi identiques sur des embarcations plus petites et moins

---

ULYSSE À BONIFACIO ?

Ulysse a-t-il mené bataille face à Bonifacio ? Certains avancent que l'épisode de l'*Odyssée* où le héros d'Homère a maille à partir avec les Lestrygons – un peuple de géants anthropophages – pourrait avoir eu lieu à l'entrée du célèbre goulet. Ils s'appuient notamment sur la description géographique des lieux : un "port bien connu des marins : une double falaise, à pic et sans coupure, se dresse tout autour, et deux caps allongés qui se font vis-à-vis au-devant de l'entrée en étranglent la bouche".

clinquantes. Pas de place de parking (le parking municipal coûte de 10,50 à 14,50 €/jour), moins de rotations, mais des prix beaucoup plus doux.

Pour une sortie en mer un peu moins stéréotypée (mais nettement plus onéreuse), optez pour l'Autre Croisière (☎06 17 62 31 06, 04 95 10 97 56 ; journée adulte/enfant 85 € petit-déj et déj compris ; ☺mai-oct). L'originalité du programme est de faire une sortie à la journée incluant un repas (avec les fameuses pâtes à la langouste, ce qui explique en partie le prix élevé de la croisière) et une escale baignade à proximité de la plage de Spérone. Propose aussi des circuits plus classiques (17,50 €).

Plongée
Tous les plongeurs rêvent de découvrir les richesses sous-marines des îles Lavezzi, réputées pour leur population de mérous et de barracudas. Contactez le centre de plongée Barakouda (☎04 95 73 13 02 ; http://club.barakouda.free.fr ; route de Porto-Vecchio), à 2 km du centre de Bonifacio sur la route de Porto-Vecchio (sites des Lavezzi uniquement). Comptez entre 32 et 55 € la plongée. Pour plus de détails, reportez-vous au chapitre *Plongée*, p. 33.

🛌 Où se loger
Curieusement, l'offre hôtelière n'est pas très étoffée à Bonifacio et le rapport qualité/prix s'avère peu intéressant en haute saison. Il est par ailleurs impératif de réserver. Si vous disposez d'une voiture, n'hésitez pas à vous loger en dehors de la ville.

Si vous arrivez en saison et n'avez rien réservé, sachez que l'office du tourisme de la haute ville affiche une liste des disponibilités des hôtels pour le soir même. Elle peut cependant être trompeuse car seuls les hôtels ayant appelé pour communiquer leurs disponibilités sont cités.

Petits budgets
Certaines chambres de l'hôtel le Royal (ci-contre) s'adaptent aux voyageurs à petit budget, hormis au plus fort de la saison.

Camping Araguina CAMPING € (☎04 95 73 02 96 ; www.campingaraguina.fr ; av. Sylvère-Bohn ; adulte/tente/voiture 6,30-7,10/2,70-3,20/2,70-3 € ; ☺avr-oct). Les emplacements sont un peu tassés et l'ensemble manque d'intimité, mais le camping offre l'avantage de se trouver à quelques centaines de mètres seulement du port. Assez ombragé, il dispose de sanitaires corrects,

d'un snack, d'une laverie et loue des chalets et des bungalows en saison.

Pour davantage de calme, optez pour le Camping des Îles, sur la route de Piantarella, à 4 km de la ville (voir p. 217).

Hôtel des Étrangers HÔTEL € (☎04 95 73 01 09 ; fax 04 95 73 16 97 ; www.hoteldesetrangers.fr ; av. Sylvère-Bohn ; d/tr 42-84/55-95 € selon saison ; ☺avr-oct ; P✱⊚). Des chambres au confort simple, du mobilier banal, un emplacement en bord de route à l'entrée de la ville... et pourtant l'une des adresses les plus attachantes de Bonifacio. Et pour cause : cet hôtel où l'on vous accueille avec bonne humeur est le seul de la ville à proposer des tarifs raisonnables pour ses chambres très correctes, fraîches, carrelées, avec quelques touches colorées, une literie de qualité et la clim pour les plus chères. Celles de l'avant sont insonorisées. Parking gratuit et box fermé pour motos. Bon rapport qualité/prix donc, en toute saison, même si on sent poindre une petite fièvre inflationniste. Réservez bien à l'avance.

Catégorie moyenne
Les tarifs de tous les établissements de cette catégorie situés en centre-ville sont surévalués en saison touristique, dès le mois de juin. Pour un meilleur rapport qualité/prix, optez pour ceux situés aux environs de la ville, en fin de liste.

Hôtel-restaurant
Le Royal HÔTEL-RESTAURANT €€ (☎04 95 73 00 51 ; www.hotel-leroyal.com ; 8 rue Fred-Scamaroni ; s/d 40-100/50-115 € selon saison ; P✱⊚). Le Royal bénéficie d'une situation idéale si vous tenez absolument à être dans la haute ville. Service minimum pour le cadre et la déco mais les chambres offrent un confort correct, et les tarifs restent raisonnables, sauf en août. Les plus chères bénéficient d'une vue sur le port. Quelques places de parking à 500 m. Réception derrière le bar, au rez-de-chaussée. Ouvert toute l'année.

Hôtel du Roy d'Aragon AVEC VUE €€ (☎04 95 73 03 99 ; www.royaragon.com ; 13 quai Comparetti ; d 59-225 € selon orientation et saison ; ☺fermé jan-fév ; P✱⊚). Surévalué comme ses concurrents, cet hôtel est cependant l'un des seuls du port à garder quelques options à tarifs raisonnables. Les chambres présentent une décoration minimale (un coup de peinture blanche), sont inégales par la taille et la vue et manquent

Quelques fantasmagories nées de la conjonction des vents, de la mer et du calcaire jalonnent les abords du goulet de Bonifacio.

L'**à-pic de la Haute Ville**, qui se laisse découvrir du bas de la montée Saint-Roch ou de la mer, n'est pas le moins surprenant : les flots ont érodé la falaise haute de près de 70 m, et les maisons semblent vouloir faire bloc pour s'accrocher à un rempart qui fait mine de se dérober chaque jour davantage. En portant votre regard sur la gauche, du bas de la montée Saint-Roch, vous découvrirez également, à quelques dizaines de mètres du rivage, un étonnant morceau de falaise qui semble avoir été oublié par l'érosion : le **Grain de sable**.

Le **Gouvernail de la Corse** doit son nom à sa forme qui évoque l'étambot d'un navire. Vous ne verrez ce petit rocher situé au ras des flots, à la sortie est du goulet, que depuis la mer. L'imagination aidant, on en viendrait presque à croire, à le regarder, que la Corse est un gigantesque bateau dirigé depuis ce gouvernail de calcaire. Légèrement à l'ouest du goulet, la **grotte du Sdragonato** ("petit dragon") est connue pour l'échancrure de sa voûte, dont les contours évoquent la forme de l'île. Les rayons du soleil qui pénètrent dans la grotte par ce puits de lumière naturelle éclairent les algues qui tapissent les fonds marins, donnant à l'eau une couleur verte presque fluorescente.

Ces curiosités (et quelques autres, comme le phare de la Madonetta ou l'escalier du roi d'Aragon, qui forme une longue cicatrice rectiligne dans la falaise) figurent au programme des multiples compagnies qui proposent en été des sorties en mer depuis les quais de Bonifacio.

de personnalité, mais sont propres et plutôt agréables. Celles du dernier étage donnant sur le port, avec terrasse, ont une vue imprenable.

♥ **Hôtel Colomba** HÔTEL DE CHARME €€
(☎04 95 73 73 44 ; www.hotel-bonifacio-corse.fr ; rue Simon Varsi ; d 80-165 € ; ☺mi-fév à mi-déc ; P ❄ ☎). Au cœur de la haute ville, mais dans une rue calme, cet établissement possède un certain cachet, avec 10 chambres toutes différentes, au confort intimiste, meublées avec goût, et d'une propreté irréprochable. Le petit-déjeuner (10 €) est servi dans une petite salle voûtée. Un bon point de chute.

Hôtel la Caravelle TROIS-ÉTOILES €€
(☎04 95 73 00 03 ; www.hotelrestaurant-la-caravelle-bonifacio.com ; 35-37 quai Comparetti ; d/ste 88-250/178-335 € selon confort et saison ; ☺avr à mi-oct ; P ❄ ☎). Ce trois-étoiles confortable, installé sur le port, est un peu cher, surtout pour les chambres standard dont certaines ont une décevante vue sur la cour, quant à celle qui ont vue sur le port, elles sont réputées bruyantes du fait de la présence d'une discothèque jouxtant l'hôtel. Les suites, en revanche, sont pimpantes et colorées celles qui sont situées dans les étages supérieurs possèdent une vue superbe. Restaurant chic avec terrasse et pianiste certains soirs, au rez-de-chaussée.

Deux adresses situées sur le quai nord, qui se refait une beauté depuis quelques années et d'où l'on a, au réveil, la plus belle vue sur le port et la citadelle :

Hôtel Solemare MODERNE €€
(☎04 95 73 01 06 ; www.hotel-solemare.com ; quai Nord ; d 95-195 € selon saison ; ☺avr-oct ; P ❄ ☀ ☎). La belle piscine et les chambres rénovées compensent l'architecture sans aucun charme de cet ensemble moderne. Les chambres les plus récemment refaites (série 500) se distinguent par leur belle déco contemporaine – teintes beiges, noires et touches de couleur, et sdb avec vasques design.

Hôtel du Centre nautique HÔTEL €€
(☎04 95 73 02 11 ; www.centre-nautique.com ; quai Nord ; d 75-200 € selon vue et saison ; ☺mai-oct ; P ❄). Le bâtiment, siège de l'ancienne capitainerie, est élégant. Le hall d'accueil aussi, avec des boiseries, des tableaux et divers objets qui évoquent le monde de la mer. Les chambres ? Aménagées en duplex, elles sont certes confortables et originales par leur décoration qui évoque une cabine de bateau, mais leur escalier en colimaçon est peu pratique avec des bagages. Les familles apprécieront cependant la possibilité de faire dormir un enfant au niveau inférieur. Les plus proches de la réception sont bruyantes à certaines heures.

Quatre adresses, situées en dehors de la ville, seront utiles si vous recherchez plus de calme, un meilleur rapport qualité/prix ou si tout est complet :

BON PLAN Domaine de Licetto CHAMBRES ET STUDIOS €€
(☎04 95 73 03 59 ; www.licetto.com ; route du Phare ; d 55-100 € ; P ✳). Une bonne surprise, isolée au milieu du maquis dans un domaine de 25 ha, à quelques minutes du centre-ville en direction du phare de Pertusato. Les 7 chambres, de plain-pied, soignées, dans un décor d'hacienda mexicaine, sont décorées dans un esprit contemporain et zen, avec du mobilier récent. Également 8 studios équipés, plus anciens, loués à la semaine ou à la nuitée, selon disponibilité. Un bon rapport qualité/prix. Paiement en espèces ou par chèque. Il est prudent de réserver.

Domaine de Foresta HÔTEL €€
(☎04 95 73 08 04, 06 64 74 44 42 ; http://foresta.monsite.orange.fr ; route de Santa Manza ; d 65-112 € avec petit-déj ; ☼avr-oct ; P ✈). Le terme de "domaine" est un peu trop valorisant pour ce bâtiment moderne de couleur rose qui cultive des airs vaguement pompéiens (colonnes, statues...) au milieu d'une propriété arborée à 4 km de Bonifacio. Ses 6 chambres offrent cependant un bon rapport qualité/prix et son emplacement (à mi-chemin entre Bonifacio et les plages) est pratique. La piscine et le calme contribuent par ailleurs à faire de cette adresse une étape agréable. Pour vous y rendre, prenez la route de Porto-Vecchio sur 3 km puis tournez à droite vers Santa Manza. Foresta est situé 300 m plus loin sur la gauche.

Hôtel A Trama HÔTEL €€
(☎04 95 73 17 17 ; www.a-trama.com ; route de Santa Manza ; d 93-198 € ; ☼avr-oct ; P ✳ ✈ 🛜). Calme et repos garantis dans ce petit complexe moderne avec jardin et piscine, sur la route de Santa Manza, à 2 km de Bonifacio. Les chambres, en rez-de-jardin, présentent un confort très honorable (TV, clim, terrasse individuelle), mais la déco ne ferait pas la "une" d'un magazine. L'accueil n'est pas toujours à la hauteur des trois étoiles affichées. Restaurant apprécié localement (menu 36 €).

♥ Cavallo Morto CHAMBRES D'HÔTES €€
(☎04 95 73 05 41, 06 09 36 35 50 ; www.cavallomorto.com ; Cavallo Morto ; s/d avec petit-déj 70-100/90-150 € ; ☼mai-oct). Fabienne Maestracci, oléicultrice et agricultrice de son état, également auteur d'ouvrages sur la Corse, vous fera visiter son exploitation de 15 ha, qu'elle bichonne soigneusement. Cette belle maison de famille du XVIIᵉ siècle, restée dans son jus, comprend 4 chambres sans fioritures mais impeccablement tenues. Le calme est assuré dans cette propriété, à l'écart de la route principale, à 4 km de Bonifacio (prendre direction Porto-Vecchio, puis à droite). Les petits-déjeuners se prennent dans le jardin, à l'ombre d'un mûrier. Vente d'huile d'olive maison.

Catégorie supérieure

Hôtel Genovese DESIGN €€€
(☎04 95 73 12 34 ; www.hotel-genovese.com ; quartier de la Citadelle ; d 140-610 € selon vue et saison, ste 190-420 € ; ☼mars-oct ; P ✳ ✈ 🛜). Posé à l'entrée de la haute ville, le Genovese décline une ambiance zen et sobre placée sous le signe du design : tons clairs, lignes épurées, superbe piscine avec terrasse en teck... Sans oublier une vue imprenable sur le port ou la vieille ville pour les chambres les mieux orientées. La seule escale "tendance" de Bonifacio ne compte que 15 chambres. Envie de faire une folie ? C'est le lieu ou jamais...

A Cheda QUATRE-ÉTOILES €€€
(☎04 95 73 03 82 ; www.acheda-hotel.com ; Cavallo Morto ; d 120-360 € selon saison, ste 216-648 € ; P ✳ ✈ 🛜). Situé à la sortie de la ville, cet établissement quatre étoiles se situe à mi-chemin entre l'hôtel et la maison d'hôtes de charme. Les 16 chambres de plain-pied diffèrent par la taille et le confort mais sont toutes chaleureuses et intimistes, avec une décoration originale à base de bois flottés, de tons ocre et de beaux matériaux. Elles occupent une propriété plantée d'arbustes et de massifs floraux, au bord d'une superbe piscine entourée d'un caillebotis de cèdre. Restaurant apprécié. À l'entrée de Bonifacio en venant de Porto-Vecchio.

Dans les environs, signalons également l'hôtel **U Capu Biancu** (p. 219).

✗ Où se restaurer

Bonifacio ne manque pas de restaurants touristiques, ouverts en saison, proposant des moules "à la bonifacienne" et autres "spécialités". La ville, heureusement, compte aussi son lot de bonnes tables à tous les prix.

QUARTIER DE LA CITADELLE

BON PLAN **Cantina Doria**   CANTINE CORSE € (☎04 95 73 50 49 ; 27 rue Doria ; plats 11-15,50 €, menus 16-20 € ; ⊙tlj avr-oct). Mention spéciale à cette version corse des bodegas espagnoles, décorée d'ustensiles au plafond et de photos anciennes. On y sert dans la bonne humeur des plats corses bien préparés, à des tarifs très sages : rôti de porc à la Pietra et aux châtaignes, soupe corse, salades, plats du jour à l'ardoise, crème renversée au cédrat... L'ensemble se déguste dans une petite salle, assis sur des bancs de bois, ou sur une terrasse installée dans la ruelle. Une adresse attachante.

♥ **La Poudrière**   PRODUITS FERMIERS € (☎04 95 73 01 45 ; quartier Saint-François ; plats 9-22 € ; ⊙mi-mai à fin sept, fermé dim). À l'écart des flots touristiques (près de l'église Saint-François), cet établissement installé dans une ancienne poudrière se fait volontairement discret. Toutes les préparations sont à base de produits fermiers. Assiette de fromages, salade, tarte à la tomate et au chèvre, tartine au chèvre, miel et fruits (addictive !), citronnade maison et bon choix de vins de la région. Terrasse avec vue sur la mer. Cartes de crédit non acceptées.

L'Archivolto   CORSE MODERNE €€ (☎04 95 73 17 58 ; 2 rue Archivolto ; plats 15-25 € ; ⊙avr-sept, fermé dim hors saison, fermé le midi en haute saison). Ici, tout est maison, insiste la patronne. Les suggestions à l'ardoise changent souvent mais le filet de veau corse au jus de romarin et les lasagnes chèvre aubergine restent des valeurs sûres. L'ensemble, qui marie épices et saveurs, se déguste sur l'agréable terrasse donnant dans une ruelle de la haute ville ou dans une petite salle remplie de bric-à-brac (ici, on fait aussi dans la brocante) où se côtoient anciens jeux d'enfants, tentures, bibelots, tableaux et argenterie.

Les Terrasses d'Aragon   SPÉCIALITÉS DE POISSON €€ (☎04 95 73 51 07 ; 21 rue Simon-Varsi ; plats 12-23 €, menus 22,80-37 € ; ⊙tlj midi et soir avr-oct). La principale carte de visite de cet établissement est son emplacement, quasiment à l'aplomb de la falaise. Plusieurs menus à dominante de poisson sont proposés à la carte, outre les poissons, propose des fruits de mer et des plats de pâtes (à la boutargue, au pistou, aux palourdes). L'ensemble est servi dans une jolie salle dont la vue est malheureusement gâchée par de petites fenêtres, ou sur la terrasse attenante, située dans le passage (très fréquenté) conduisant aux escaliers du roi d'Aragon.

Stella d'Oro – Chez Jules   CUISINE INVENTIVE €€ (☎04 95 73 03 63 ; 7 rue Doria ; plats 17-65 €, menu 27,50 € ; ⊙tlj midi et soir avr-sept). L'atmosphère des lieux est un peu surannée mais la cuisine de qualité fait de cette adresse, installée dans un vieux moulin à huile, l'une des valeurs sûres de la citadelle. À côté des spécialités de la maison – aubergines et moules à la bonifacienne, spaghettis à la langouste – la carte propose quelques alléchantes (mais onéreuses !) suggestions, comme le dos de bar rôti ou l'épaule d'agneau confite. En dessert, nous avons craqué pour le délice au brocciu frais, très bien présenté, et fondant à souhait.

SUR LE PORT

♥ **Kissing Pigs**   SPÉCIALITÉS CORSES € (☎04 95 73 56 09 ; quai Banda del Ferro ; plats 10-19 €, menus 13-20,50 € ; ⊙tte l'année). Quelle belle surprise que ce petit restaurant au nom curieux ! Les Ferricelli proposent, au bord du quai, une cuisine simple et goûteuse : excellente charcuterie faite par le patron, salades, assiettes composées, tarte au myrte et même un énigmatique "saucisson au chocolat"... Ici, la charcuterie est vraiment corse, les fromages sont affinés et les produits frais. Le vin, choisi en fonction des papilles et des cépages, peut être servi au verre. Le tout avec sourire et bonne humeur. Que demander de plus ?

Les 4 Vents   PRODUITS RÉGIONAUX €€ (☎04 95 73 07 50 ; 29 quai Banda-del-Ferro ; plats 10-39 € ; ⊙fermé sam midi en saison, fermé lun-mar hors saison). Un peu à l'écart de l'animation du quai, cette adresse appréciée propose une carte réduite mais mise sur la qualité des produits : poissons de la pêche locale, tarte aux herbes et au brocciu, marmite du pêcheur façon bouillabaisse, tagliatelles à la boutargue... Jolie salle et bon rapport qualité/prix.

Restaurant du Centre nautique   CUISINE DE LA MER €€ (☎04 95 73 02 11 ; www.centre-nautique.com ; port de plaisance ; plats 12-40 €, menu 25 € ; ⊙mi-mars à mi-nov, fermé mer). Cet établissement chic sans pour autant être trop guindé cultive son atmosphère "yacht-club" à l'écart des terrasses du port, auquel il fait face depuis le quai nord. La salle avec boiseries et matériaux naturels ne manque pas d'allure et la cuisine est à la hauteur du cadre, proposant des spécialités de poissons, de fruits de mer et de pâtes. La carte dépend des arrivages.

Le Voilier CUISINE FUSION €€€
(04 95 73 07 06 ; 81 quai Comparetti ; plats 25-55 €, menu autour de 30 € ; mi-fév à début nov, ouvert pour les fêtes de fin d'année). Atmosphère résolument chic pour cette adresse du port où l'on est accueilli dans une salle sobre, avec mobilier en bois sombre et teintes douces. Les tarifs sont élevés mais la cuisine, à base de produits de qualité travaillés en s'inspirant d'autres horizons, est en rapport. Également d'excellentes pâtisseries.

À L'EXTÉRIEUR DU CENTRE-VILLE

Domaine de Licetto CORSE TRADITIONNEL €€€
(04 95 73 19 48, 04 95 73 03 59 ; www.licetto. com ; route du Phare ; menu 38 € ; le soir seulement, fermé dim). Ce restaurant a la réputation de rassasier les plus gros appétits (ce que nous confirmons !) grâce à un pantagruélique menu corse (entrée, 2 plats, plateau de fromages, dessert, apéritif et digestif…). Jouez les aventuriers du goût en goûtant le *casgiu merzu* ("fromage pourri"), proposé de juillet à octobre. Sinon, sur réservation 24 heures à l'avance : langouste grillée, pâtes à l'araignée de mer, bouillabaisse, agneau de lait au four…

Où prendre un verre

La vie nocturne de Bonifacio n'est pas aussi animée que celle de Porto-Vecchio en saison. Faites un tour sur le port, où se trouvent la plupart des bars. Quelques pistes :

B52 (quai Jérôme-Comparetti). Un bar branché, point de convergence habituel des fêtards.

Lola Palooza (quai Jérôme-Comparetti). Pas loin du précédent, récemment ouvert et tout aussi branché.

Pub O'Brian's (quai Jérôme-Comparetti). Sombre comme un vrai pub irlandais, il propose, chose rare en Corse, 6 bières pression.

Depuis/vers Bonifacio

AVION L'**aéroport de Figari-Sud Corse** (04 95 71 10 10 ; www.2a.cci.fr) est situé à 21 km au nord de Bonifacio, près du village de Figari. Vols pour Paris, Marseille, Nice et Lyon. Voir p. 398 pour plus de renseignements.

BATEAU Bonifacio est la principale porte d'accès à la Sardaigne, à 12 km de là seulement (1 heure de traversée jusqu'à Santa Teresa di

Gallura). Deux sociétés effectuent la traversée. Les billets (à partir de 21 € environ l'aller) sont en vente à la gare maritime. Voir également le chapitre *Transports*, p. 398.

Saremar (04 95 73 00 96). Deux ou trois liaisons par jour selon la saison.

Moby Lines (04 96 11 40 20 ; www.mobylines.it). Jusqu'à 4 rotations quotidiennes entre avril et septembre.

BUS Eurocorse (04 95 70 13 83 ; www. eurocorse.com) relie Porto-Vecchio, Roccapina, Sartène, Propriano, Olmeto et Ajaccio (en saison 4 départs/j du lundi au samedi, deux le dimanche). Davantage de destinations, dont Bastia et l'Alta Rocca, sont desservies depuis Porto-Vecchio.

Comment circuler

VOITURE Cul-de-sac routier, Bonifacio est un piège pour les véhicules. Mieux vaut donc laisser votre voiture au parking (certains hôtels en possèdent) et circuler à pied.

DESSERTE DE L'AÉROPORT En taxi, comptez 45-50 € environ.

ENVIRONS DE BONIFACIO

Les environs immédiats de Bonifacio recèlent plusieurs trésors naturels où les prestations touristiques sont limitées, et aussi quelques plages qui ne sont pas (encore ?) trop fréquentées.

Archipel des Lavezzi

Paradis protégé entre ciel et mer, l'archipel des Lavezzi regroupe une petite dizaine d'îles. La beauté de leurs paysages doit beaucoup à leur palette de couleurs, qui alterne les turquoise et bleu outremer des fonds marins avec les teintes claires du granite. Érodés par le vent et la mer, certains de ces blocs rocheux évoquent par leur forme les écailles d'un étrange monstre marin. D'autres, polis et arrondis, ont des reliefs plus sensuels.

L'île Lavezzi, la plus accessible et le point le plus méridional de la Corse, donne son nom à l'archipel. Les gardiens du sémaphore sont les seuls habitants de cet îlot de 65 ha, exceptionnel par la pureté de ses fonds marins et la splendeur du site. De nombreuses vedettes la desservent en saison au départ de Bonifacio et l'affluence est forte (prévoyez de l'eau et de la nourriture car vous ne trouverez rien sur place). Reportez-vous p. 211. Il est également possible de rejoindre les Lavezzi en kayak au départ de la plage de Piantarella (voir ci-contre).

Outre de superbes petites criques propices à la baignade, l'île abrite un cimetière où sont enterrés les malheureux qui périrent à bord de *La Sémillante* (voir l'encadré ci-contre), une chapelle paléochrétienne sculptée dans la roche et le mûrier endémique, seul arbre de l'île. Au nord-est des îles Lavezzi, l'île Cavallo, presque deux fois plus grande, est un paradis protégé pour les milliardaires et la jet-set qui y ont fait construire de luxueuses villas fermées au citoyen lambda.

Les îles Lavezzi sont incluses dans le périmètre de la réserve nationale des bouches de Bonifacio, qui participe, avec le parc national de l'archipel de la Maddalena, en Sardaigne, à un projet de parc marin transfrontalier. Si vous avez vos palmes, masque et tuba, vous devriez pouvoir découvrir l'espace protégé au cours d'une balade aquatique avec un accompagnateur du parc marin (gratuit) depuis les Lavezzi.

Cap Pertusato (pointe Saint-Antoine)

Reconnaissable à sa forme de navire en train de sombrer, le cap Pertusato est un agréable lieu de promenade à partir de Bonifacio. L'itinéraire qui y mène en longeant les falaises crayeuses en haut de la montée Saint-Roch est décrit p. 218. Vous pourrez également parcourir en voiture les 4 km qui le séparent de la ville en prenant la D58, au coin de l'hôpital.

Décrire la vue qui s'offre du cap sur les falaises, les fonds marins, les îles Lavezzi et la citadelle de Bonifacio relève de la gageure. Sachez simplement que le cap est le meilleur endroit pour avoir un aperçu féerique de la ville à partir du large sans poser le pied sur le pont d'un bateau...

Pointe de Spérone

Lieu de prédilection de célébrités internationales, la pointe de Spérone est sous haute surveillance. Le terrain de golf (www.sperone. com) qui la surplombe, réalisé en amenant sur place la terre fertile nécessaire à la pousse du gazon impeccable, est l'un des plus réputés d'Europe du Sud. Pour les simples mortels, la **plage du Petit Spérone**

LA TRISTE FIN DE LA SÉMILLANTE

L'alignement de tombes du cimetière de l'Achiarino, sur l'île Lavezzi, rappelle la tragique nuit du 15 février 1855. Embarquant à son bord plus de 350 hommes d'équipage et 400 militaires de l'armée de terre, *la Sémillante* avait quitté la veille les quais de Toulon. Cinglant vers Sébastopol – où elle amenait des renforts pour la guerre de Crimée (1854-1856) –, la frégate de trois mâts s'engagea de nuit dans les Bouches de Bonifacio, alors très mal balisées. Surprise par un coup de vent, elle fit naufrage devant l'île Lavezzi avec ses 750 passagers. Seul le capitaine, identifié grâce à ses bas, put recevoir une sépulture à son nom. Les autres victimes de la tragédie furent enterrées anonymement dans le paisible cimetière de l'île Lavezzi. Dans ses *Lettres de mon moulin*, Alphonse Daudet livre un récit de ce naufrage, qui reste à ce jour l'une des plus importantes catastrophes maritimes de la Méditerranée.

fera l'affaire. De la plage du Petit Spérone, un sentier mène en 10 minutes à la **plage du Grand Spérone**, tout aussi idyllique.

Plage de Piantarella

À environ 5 km à l'est de Bonifacio, la plage de Piantarella est un bon spot pour les adeptes de **planche à voile** et de **kayak de mer**. Le plan d'eau, peu profond et plat par vent d'est, est par ailleurs idéal pour les débutants. En kayak, vous pourrez naviguer jusqu'à l'**île de Piana**, surnommée les "petites Caraïbes", ourlée de sable fin, en face de la plage de Piantarella, ou jusqu'à Spérone et Pertusato, voire pousser jusqu'à l'île Lavezzi si la mer est calme.

Contactez les prestataires suivants :
Bonifacio Windsurf (☎06 80 31 51 41 ; www.bonifacio-windsurf.com ; ☺mai-sept). Location kayak, planche à voile, paddle (à partir de 10/25/15 € l'heure). Cours collectifs à partir de 140 € (7 heures) et leçons particulières (60 € l'heure). Cours enfants à partir de 6 ans

DE BONIFACIO AU PHARE DE PERTUSATO

Départ : à Bonifacio, dans la rue qui mène à la haute ville, dans le virage, sur la gauche
Durée : 2 heures 30 aller-retour
Dénivelé : minime
Balisage : bornes indicatives au départ
Difficulté : pas de zones ombragées ; les enfants devront être étroitement surveillés, car le chemin est proche des falaises

À l'écart du tumulte touristique de la vivante Bonifacio, cette balade côtière épouse les contours des falaises à l'est de la ville. Le chemin forme un excellent belvédère pour observer les spectaculaires Bouches de Bonifacio.

L'itinéraire débute sur une rampe dallée qui grimpe rapidement jusqu'au sommet de la falaise. Suivez le sentier qui longe celle-ci, vers le sud-est. Sur votre gauche, s'étend un maquis ras ; sur votre droite, l'à-pic plonge vers la mer, révélant çà et là de très beaux panoramas des falaises crayeuses. Au bout d'une petite demi-heure, vous déboucherez sur la D260, qui mène au sémaphore et au phare. Suivez cette petite route qui s'écarte momentanément du bord de la falaise.

Après avoir dépassé quelques bâtiments, la route décrit un grand lacet puis remonte jusqu'à un sémaphore que vous atteindrez au bout de 45 minutes. Elle suit ensuite une longue échancrure en forme d'épingle à cheveux puis rejoint le phare de Pertusato. Cinquante mètres avant le phare, un chemin descend jusqu'à une crique ourlée de sable blanc et jusqu'à l'îlot Saint-Antoine.

À l'aller, vous apprécierez le modelé des falaises calcaires mangées par la mer. Sur le chemin du retour, vous aurez le loisir d'admirer la vieille ville de Bonifacio, en équilibre précaire sur son promontoire, avec, au sud, des perspectives sur la Sardaigne.

Évitez les heures les plus chaudes de la journée, compte tenu de l'absence d'ombre et de point d'eau.

(140 € les 5 séances de 1 heure 30). Dissimulé derrière les rochers en direction de Spérone.
Club de voile de Bonifacio (06 83 17 37 17 ; www.ecole-windsurf.com ; mai-sept). Location planche à voile, paddle et kayak. Club de voile (catamaran à partir de 32 € l'heure, stages 130 € les 5 séances de 1 heure 30). Activités pour enfants : jardin des mers pour les 4-6 ans, Optimist, petits catamarans (dès 7 ans). Croisières à la demi-journée ou à la journée à bord d'un catamaran de croisière de 9 m ou d'un voilier de 15 m.
Bonif Kayak (06 27 11 30 73 ; www.bonifacio-kayak.com ; mi-avr à mi-oct). Spécialité : des balades en kayak guidées par une naturaliste avec pause pique-nique (à partir de 35 €). Jusqu'aux Lavezzi par temps calme ou jusqu'aux falaises de Bonifacio, avec une halte sur la plage du Petit Spérone. Également location de kayak et paddle. Le kiosque se tient au milieu de la plage, en allant vers Petit Spérone, en face de l'île de Piana.

Où se loger et se restaurer
Camping des Îles   TROIS-ÉTOILES €
(04 95 73 11 89 ; www.camping-desiles.com ; route de Piantarella ; adulte/tente/voiture

5,90-9,90/3-5,10/3-5 € ; mi-avr à sept ;). À 5,5 km de Bonifacio et 1 km avant la plage de Piantarella, ce camping trois étoiles bénéficie, sur près de 8 ha, d'un bel environnement fleuri et d'équipements dignes de certains hôtels (minigolf, jolie piscine, tennis, épicerie, laverie, aire de jeux). Certains emplacements manquent un peu d'ombre mais le cadre est le plus agréable aux abords immédiats de Bonifacio. Location de chalets et bungalows.

Chez Momo   PIZZERIA €
(pizzas 8-10 € ; juin-oct). Une sympathique pizzeria-buvette, sur la plage.

Plage de Calalonga

Restée sauvage (notamment parce qu'elle est bordée par un terrain militaire), la petite plage de Calalonga est généralement moins bondée en saison que les autres plages des environs car elle demeure plus difficile d'accès : la D58/258, qui y mène en 6 km vers l'est depuis Bonifacio, finit en effet par une piste posant parfois problème aux véhicules.

Golfe de Santa Manza

À 7 km à l'est de Bonifacio, le petit golfe de Santa Manza se décline en une suite de jolies petites plages assez isolées. En saison, il vit au rythme des résidences hôtelières installées dans ses environs. Hors période estivale, sa principale activité se résume à celle des loups de mer et dorades qui sont élevés dans ses eaux.

Régulièrement venté et offrant des conditions de pratique idéales, le golfe est un paradis pour les amateurs de planche à voile et de kitesurf, notamment les plages de Maora et de Santa Manza, au terminus de la D58. Quelques petites criques propices à la baignade se trouvent un peu avant la **plage de Santa Manza** (suivre la D58). La **plage de Maora**, mal entretenue, est assez régulièrement envahie par des détritus.

L'immense **plage de Balistra**, sur la rive nord du golfe de Santa Manza, est encore plus sauvage, et pour cause : elle n'est accessible que par une piste très cahoteuse de 2,5 km qui part de la N198 (suivre la direction de Porto-Vecchio). Elle est également très prisée des amateurs de kitesurf et des véliplanchistes. Une paillote est installée sur la plage en été.

🤿 Activités

Corsica Kiteboarding · · · · · · · · · KITESURF
(☏06 75 01 50 04 ; www.corsica-kiteboarding. com ; ⊗avr-oct) Une école de kitesurf itinérante, qui propose des stages sur plusieurs plages du Sud corse.

Pouss Vague · · · · · · · LOCATION DE BATEAUX
(☏06 07 94 25 82 ; www.poussevague.com). Pour découvrir le golfe (et ses sites inaccessibles par la route) à votre rythme, vous pouvez louer un bateau à moteur de 6 CV (sans permis) pour 90/115 € la demi-journée/ journée. Kayaks à partir de 8 € l'heure.

Ranch San Diego · · · · · · · BALADES ÉQUESTRES
(☏04 95 73 01 67, 06 26 95 42 83 ; www.leranchsandiego.com ; ⊗avr-oct). Sorties équestres de l'heure, à la demi-journée, à la journée et baignades avec les chevaux. Sur la route de Santa Manza.

🛏 Où se loger et se restaurer

Hôtel du golfe · · · · · HÔTEL-RESTAURANT €€
(☏04 95 73 05 91 ; www.hoteldugolfe-bonifacio. com ; Santa Manza ; d 120-175 € en demi-pension ; plats 9-20 €, menus 15-24 € ; ⊗avr à mi-nov ; P❄🐾🛜). Le seul hébergement à des prix accessibles dans le golfe. L'établissement

propose 12 petites chambres à la décoration sommaire mais bien tenues. La plupart ont vue sur le port de Santa Manza et sur une exploitation ostréicole à l'abandon. La cuisine familiale très portée sur la cuisine de la mer (loup grillé du golfe de Santa Manza, soupe de poisson maison, calamar), n'est pas à négliger. Desserts maison. Demi-pension obligatoire.

U Capu Biancu · · · · · · · QUATRE-ÉTOILES €€€
(☏04 95 73 05 58 ; www.ucapubiancu.com ; domaine de Pozzoniello, route de Canetto ; d 195-450 € selon confort et saison, ste 425-975 € ; ⊗mi-avr à mi-oct ; P❄🛜🛜). Ce quatre-étoiles "rustique chic" isolé dans le maquis joue la carte de l'atmosphère décontractée tout en offrant un service impeccable. Certes, les couleurs vives qui ornent les chambres, assez petites, ne sont plus vraiment tendance, mais la piscine à débordement, le cadre sauvage, les 2 restaurants, un bar design et la petite plage privée dans une calanque en font un lieu idéal pour se ressourcer. Depuis Bonifacio, prenez sur 5 km la route de Porto-Vecchio puis obliquez à droite (c'est indiqué). La route alterne piste et bitume sur 5 km.

La Cabane du Pêcheur · · · PRODUITS DE LA MER €
(☏04 95 73 06 27 ; http://lacabanedupecheur.e-monsite.com ; Santa Manza ; plats 13-38 € ; ⊗mai-sept). L'intitulé ne ment pas, dans cette maisonnette en bois, qu'il faut se donner la peine de trouver (de la plage de Maora, continuez sur la rive sud du golfe, en suivant la D58), Pierre-Louis vous propose de déguster les produits de la pêche familiale à la fraîcheur garantie : salade de raie, salade de poulpe, poissons grillés issus de la pêche du jour, langouste... Cour ombragée avec vue sur le golfe.

Maora Beach · · · · · · · · · · · · PAILLOTE €€
(☏04 95 73 11 93 ; www.restaurant-maorabeach. com ; plage de Maora ; plats 8-45 € ; ⊗tlj mi-mars à fin sept, mer-dim midi et ven-sam soir oct-déc, fermé jan et mi-mars). Cette paillote bénéficie d'un emplacement idéal, sur la plage de Maora, directement face à la mer et mise sur son emplacement. De belles banquettes aux coussins colorés et moelleux, au milieu d'un jardin de plantes exotiques, invitent au farniente et à la rêverie, tout en se désaltérant d'une Pietra ou d'un jus de fruit. Dommage que la cuisine ne soit pas à la hauteur et les prix à la hausse. Une adresse convenable pour prendre l'apéritif, avant d'aller se régaler au Gregale, à 2 minutes de là (voir p. 220).

Le Gregale   RESTAURANT DE POISSON €€
(☏04 95 73 51 46 ; plage de Maora ; poisson 7 €/100 g ; ☺juin-sept, le soir). L'adresse des connaisseurs, légèrement en retrait de la plage de Maora. Dans cette affaire familiale où s'affairent le père, la mère et les deux fils (pêcheurs), on se délecte de spécialités de poissons ultrafrais, qui vous sont présentés avant cuisson (à la plancha). Également langoustes (14 € les 100 g). Cartes de crédit non acceptées.

DE BONIFACIO À PORTO-VECCHIO

À l'écart de la N196, la ligne droite de plus de 25 km qui relie Bonifacio et Porto-Vecchio, le littoral de cette partie de l'île est ponctué de magnifiques échancrures et de plages paradisiaques. Notamment celle de Rondinara, qui ne déparerait en rien sous des cieux plus exotiques. Plus au nord encore se trouve l'incontournable plage de Palombaggia (voir p. 226), qui est sans doute l'une des plages les plus connues de Corse, à juste titre.

♥ Plage de Rondinara

Son charme ? Une anse quasi parfaite fermée par deux presqu'îles couvertes de langues de maquis, qui s'avancent l'une vers l'autre. Entre les deux, un liseré de sable blanc et des eaux cristallines, turquoise, peu profondes. L'image est tellement idyllique que la baie de Rondinara est l'une des plus photographiées de Corse. En été, il faut ajouter au tableau la silhouette des yachts mouillés dans la baie et les couleurs de l'arc-en-ciel des parasols et serviettes de bain. Car Rondinara est superbe, et cela se sait. D'autant plus qu'elle est située entre deux villes fréquentées.

Hormis la location de pédalos, les services se limitent à un camping et à un restaurant (voir ci-dessous).

Pour vous y rendre depuis Bonifacio, suivez la route de Porto-Vecchio sur 13 km puis prenez une petite route sur la droite, en direction de Suartone, sur 7 km. Au niveau de la plage, un parking est aménagé (payant uniquement en saison 2/3,50 € par moto/voiture).

🛏 Où se loger et se restaurer

Camping Rondinara   CAMPING €
(☏04 95 70 43 15 ; www.rondinara.fr ; adulte/tente/voiture 6,40-8,20/3,30-4,20/3,30-4,30 € ;

☺mi-mai à sept ; ☒). Fleuri, bien entretenu et agréable, ce camping est installé 400 m avant la plage de Rondinara. Il bénéficie d'équipements dignes d'un bon hôtel et d'une belle piscine. Location de chalets à la semaine.

Restaurant de la plage   PAILLOTE-RESTAURANT €
(☏04 95 70 07 08 ; plats 6-22 € ; ☺mai-sept). L'unique paillote-restaurant de Rondinara, en bordure de la plage propose crêpes, salades, entrecôtes ou brochettes de poisson... la carte satisfait tous les goûts et la cuisine est très correcte compte tenu du lieu et des prix.

PORTO-VECCHIO ET SES PLAGES

Porto-Vecchio (Portivecchju)

Que de changements en moins de trois siècles. Au XVIIIe siècle, Porto-Vecchio comptait tout juste 300 habitants. Aujourd'hui troisième ville de Corse, l'ancienne "cité du sel" s'est trouvé une nouvelle vocation avec le tourisme estival qui lui donne un petit air de Saint-Tropez. Cet essor s'est traduit par un développement un peu tentaculaire – la ville est bardée de ronds-points et de centres commerciaux, et la fièvre immobilière s'est emparée du secteur – mais le centre historique garde un charme indéniable. Plus qu'aux vestiges somme toute relativement modestes de sa citadelle, Porto-Vecchio (11 000 habitants en hiver, 88 000 résidents en été) doit son succès aux belles plages qui s'étendent de part et d'autre de son golfe. Elle est aussi devenue un lieu de villégiature prisé des célébrités françaises et étrangères.

Bien sûr, vous n'échapperez pas aux embouteillages en juillet-août. Ni aux prix irréalistes en haute saison. La solution ? Venir, autant que possible, en avant-saison ou en septembre, lorsque Porto-Vecchio retrouve une certaine sérénité.

Histoire

Désireuse de s'implanter sur la côte orientale de l'île, la république de Gênes jeta son dévolu sur Porto-Vecchio au XVe siècle. Au fond d'un golfe profond, ce site, certainement fréquenté dès l'Antiquité, offrait le meilleur abri entre les places fortes de Bonifacio et de Bastia. Les Génois s'installèrent sur les hauteurs du golfe, où ils créèrent la ville haute, bientôt cernée d'épais remparts. Cette tentative d'éloignement d'un littoral insalubre ne s'avéra guère payante : le paludisme, endémique le long de cette côte, décima les premiers colons.

Quelques années plus tard, une seconde tentative de peuplement – par des Corses recrutés de force, cette fois – ne rencontra pas davantage de succès. Laissée quasiment à l'abandon, Porto-Vecchio réapparut dans l'histoire en 1564, lorsque Sampiero Corso choisit la ville comme base d'une nouvelle tentative de reconquête de l'île. Assiégé, il dut capituler quelques mois plus tard.

Porto-Vecchio ne connut un véritable essor qu'après la transformation en salines des marais alentour, qui s'accompagna d'une disparition du paludisme. Forte de sa nouvelle salubrité, la "cité du sel" repartit alors sur une nouvelle base. La beauté des plages qui s'effilochent de part et d'autre de son golfe contribua par la suite à la propulser sur le devant de la scène touristique.

Orientation

Porto-Vecchio est divisée en deux parties : la ville haute, avec ses quelques ruelles et les vestiges de sa citadelle ; et la marina, d'architecture plus moderne, que longe l'avenue Georges-Pompidou. La rue de Cavasina, qui part du premier rond-point au nord du port de plaisance, relie les deux en 400 m environ.

ℹ️ Renseignements

Office du tourisme (☎04 95 70 09 58 ; www.ot-portovecchio.com ; rue du Général-Leclerc ; ☺tlj 9h-20h en saison, lun-sam 9h-12h et 14h-18h hors saison). Propose un jeu de piste patrimonial pour les 8-12 ans dans la ville haute. Accès Wi-Fi gratuit.

👁 À voir

Citadelle   CENTRE HISTORIQUE
Quelques vestiges de la citadelle bâtie par les Génois rappellent que Porto-Vecchio fut jadis une ville fortifiée. Si la **porte génoise** et le **bastion de France** sont fermés au public, la charmante rue Borgo, bordée de maisons anciennes, laisse deviner une partie de son riche passé. Épicentre de la ville haute, la place de la République, flanquée de terrasses de cafés, est dominée par l'**église Saint-Jean-Baptiste** (XIXe siècle).

Plages

Malheureusement, elles ne sont pas à proximité immédiate de la ville ; il faut aller soit vers le nord (voir p. 229), soit vers **Palombaggia** (voir p. 226), **Santa Giulia** (voir p. 228) ou **Rondinara** (voir p. 220), au sud.

🏃 Activités
Excursions en bateau

Des excursions en bateau sont possibles au départ de Porto-Vecchio. À bord de grosses vedettes, vous longerez la réserve des îles Cerbicale et les plages du sud de la ville avant d'atteindre les îles Lavezzi et Cavallo, le golfe de Spérone, puis Bonifacio (si la météo le permet). Le tarif inclut un repas et un arrêt baignade dans une anse superbe. Comptez environ 65/40 € par adulte/enfant.

Chiocca Croisières – Ruscana & Amour des îles (☎04 95 70 33 67, 06 26 05 37 24 ; www.amour-des-iles.com ; ☺avr-oct). À proximité de la capitainerie.

Plongée

Installé à la marina de Porto-Vecchio, le centre **Plongée Nature** (☎06 64 43 26 04, 06 19 26 26 51 ; www.plongee-nature.com), bien tenu, propose des sorties plongée aux îles Cerbicale et sur l'épave de *La Pinella*, pour tous les niveaux. Comptez 55 € le baptême, et à partir de 39 € pour une exploration. On citera également :

Dolfinu Biancu (☎06 21 46 71 49, 04 95 72 01 33 ; www.dolfinu-biancu.fr ; plage de La Folacca-Asciaghju ; ☺juin-sept). Géré par Michel Rossi. Sur réservation.

Hippocampe (☎04 95 70 56 54, 06 09 99 36 33 ; www.hippocampe.de ; La Chiappa ; ☺mai-oct). Sur la plage du club naturiste la Chiappa, au sud du golfe de Porto-Vecchio.

Kalliste PLongée (☎04 95 70 44 59, 06 09 84 91 51 ; www.corsicadiving.com ; plage de Palombaggia). À 13 km environ du centre de Porto-Vecchio, sur la plage de Palombaggia.

Oxygène (☎04 95 70 10 21, 06 09 69 58 62 ; www.oxygene-plongee.com ; Santa Giulia). Sur le port de Santa Giulia

Reportez-vous à la section *Plongée* p. 33 pour des renseignements détaillés sur les sites.

🛏 Où se loger

Outre la liste ci-dessous, vous trouverez des hébergements, du camping à l'hôtel de luxe,

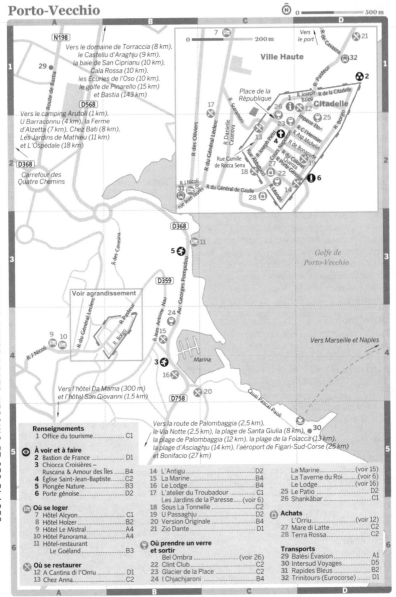

500 m

N198

*Vers le domaine de Torraccia (8 km),
le Castellu d'Araghju (9 km),
la baie de San Ciprianu (10 km),
Cala Rossa (10 km),
les Écuries de l'Oso (10 km),
le golfe de Pinarello (15 km)
et Bastia (143 km)*

D568

*Vers le camping Arutoli (1 km),
U Barraconnu (4 km), la Ferme
d'Alzetta (7 km), Chez Bati (8 km),
Les Jardins de Mathieu (11 km)
et L'Ospédale (18 km)*

D368

*Carrefour des
Quatre Chemins*

7

*Vers
le port*

Ville Haute

**Place de la
République**

Citadelle

*Rue Camille
de Rocca Serra*

D368

*Golfe de
Porto-Vecchio*

D359

Voir agrandissement

Marina

Vers Marseille et Naples

*Vers l'hôtel Da Mama (300 m)
et l'hôtel San Giovanni (1,5 km)*

D758

*Vers la route de Palombaggia (2,5 km),
le Via Notte (2,5 km), la plage de Santa Giulia (8 km),
la plage de Palombaggia (12 km), la plage de la Folacca (13 km),
la plage d'Asciaghju (14 km), l'aéroport de Figari-Sud-Corse (25 km)
et Bonifacio (27 km)*

Renseignements
1 Office du tourisme.................C1

À voir et à faire
2 Bastion de France D1
3 Chiocca Croisières –
   Ruscana & Amour des Îles B4
4 Église Saint-Jean-Baptiste.......C2
5 Plongée Nature.......................B3
6 Porte génoise..........................D2

Où se loger
7 Hôtel Alcyon...........................C1
8 Hôtel Holzer............................B2
9 Hôtel Le Mistral.......................A4
10 Hôtel Panorama......................A4
11 Hôtel-restaurant
    Le Goéland............................B3

Où se restaurer
12 A Cantina di l'Orriu D1
13 Chez Anna.............................C2

14 L'Antigu D2
15 La Marine...............................B4
16 Le Lodge................................B4
17 L'atelier du Troubadour C1
   Les Jardins de la Paresse .... (voir 6)
18 Sous La Tonnelle C2
19 U Passaghju............................D2
20 Version Originale B4
21 Zio Dante...............................D1

**Où prendre un verre
et sortir**
Bel Ombra .... (voir 26)
22 Clint Club...............................C2
23 Glacier de la Place C2
24 I Chjachjaroni B4

La Marine.....................(voir 15)
La Taverne du Roi....(voir 16)
Le Lodge ....(voir 16)
25 Le Patio D2
26 Shankâbar...........................C1

Achats
L'Orriu............................(voir 12)
27 Mare di Latte........................C2
28 Terra Rossa C2

Transports
29 Balési Évasion....................A1
30 Intersud Voyages................D5
31 Rapides Bleus.....................B2
32 Trinitours (Eurocorse) D1

---

dans les environs de la ville, notamment sur la route de Palombaggia (voir p. 226).

Camping Arutoli CAMPING €
(☎04 95 70 12 73 ; www.arutoli.com ; route de l'Ospédale ; adulte/tente/voiture 6,15-7/2,80-4,75/2,80-3,40 € ; ☺avr à mi-nov ; ⚒🛜). Le camping le plus proche du centre-ville est installé au tout début de la route montant à l'Ospédale, près de l'un des nombreux ronds-points qui ceinturent la ville. Emplacements ombragés, dans une forêt de chênes. Restaurant, aires de jeux, piscine. Location de bungalows à la semaine (de 301 à 586 € pour 2 pers).

Hôtel Panorama
HÔTEL €€

(04 95 70 07 96 ; fax 04 95 70 46 78 ; 12 rue Jean-Nicoli ; d 56-98 € selon saison ; mai-sept ; P @). Bon accueil, propreté, bonne literie et vue sur le port de plaisance pour les chambres sur l'avant. Les chambres plus chères disposent d'une toute petite sdb ; les autres partagent les sanitaires sur le palier. Les chambres 8 et 9, au dernier étage, mansardées, offrent une belle vue sur les marais salants. À deux minutes à pied de la vieille ville. Parking gratuit (une place par chambre).

Hôtel Da Mama
HÔTEL €€

(04 95 70 56 64 ; www.damama.com ; rue du Maréchal-Juin ; d 54-98 € ; avr-oct ; P). Certes, le Da Mama est un peu excentré, à environ 800 m du centre-ville, au bord de la route principale (direction Bonifacio), et la déco est franchement banale, mais les chambres présentent un confort acceptable, avec des sdb en bon état. Demandez une chambre avec balcon (pas de supplément). Bonnes confitures maison au petit-déjeuner. Sans prétention, mais d'un bon rapport qualité/prix.

Hôtel le Mistral
HÔTEL €€

(04 95 70 08 53 ; www.lemistral.eu ; rue Jean-Nicoli ; s 46-90 €, d 60-140 € selon saison ; mars-déc ; P @). À deux minutes du centre-ville, ce deux-étoiles occupant une demeure sans caractère offre l'un des meilleurs rapports qualité/prix de la ville (hormis en août, où les prix crèvent les plafonds comme ailleurs !). À défaut d'une décoration très actuelle, les chambres sont climatisées et disposent de sdb rutilantes. Quelques places de parking gratuites.

Hôtel Holzer
MOTEL €€

(04 95 70 05 93 ; www.hotel-holzer.com ; rue Jean-Jaurès ; s/d 40-89/50-150 € selon saison ; tte l'année ; P @). Ultra-central, rénové en 2010 avec des chambres aux tons crème, cet hôtel pratique des tarifs raisonnables (sauf en haute saison) et peut dépanner pour une nuit ou deux, avec des chambres compactes, de style motel. Quelques places de parking gratuites. Garage payant pour les vélos et les motos (2/5 €).

Hôtel Alcyon
HÔTEL €€

(04 95 70 50 50 ; www.hotel-alcyon.com ; d/tr/q 85-250/125-280/145-300 € selon confort et saison ; tte l'année ; @). Entièrement refait dans un style assez contemporain, l'Alcyon apporte une touche de modernité à l'hôtellerie de milieu de gamme de la ville, même si les chambres sont petites et impersonnelles. Celles qui se situent à l'arrière ont une vue bouchée ; mieux vaut opter pour celles qui donnent sur la rue. Lors de nos recherches, un toit-terrasse avec vue panoramique était en construction.

♥ Hôtel Le Goéland
HÔTEL-RESTAURANT €€€

(04 95 70 14 15 ; www.hotelgoeland.com ; La Marine ; d en demi-pension 166-306 €, ste 276-476 € selon confort et saison ; mars-nov ; P @). Le Goéland est à la fois en ville et les pieds dans l'eau et dispose d'une belle terrasse gazonnée léchant les flots. Les chambres, rénovées au cours des dernières années, présentent une déco chaleureuse et originale, à base de tons grèges et de matériaux naturels : rotin, jonc de mer, galets, bois cérusés. Mieux vaut opter pour les "côté mer", car les "côté pins" ont une vue bouchée par un bâtiment. Jolie salle de restaurant, lumineuse, face à la mer. Ambiance décontractée et accueil chaleureux. La demi-pension est vivement souhaitée en dehors de la basse saison.

Hôtel San Giovanni
HÔTEL €€€

(04 95 70 22 25 ; www.hotel-san-giovanni.com ; route d'Arca ; s/d 65-135/70-150 € selon saison ; mars à mi-nov ; P @). Le San Giovanni est à 2 km du centre mais il mérite le détour pour son cadre : massifs floraux colorés, rocailles, bassins, palmiers, jets d'eau... Un véritable jardin botanique de 3 ha, auquel s'ajoutent une belle piscine, des jeux d'extérieur et un court de tennis. Étonnamment, les chambres, en rez-de-jardin avec terrasse pour la plupart, paraissent banales. Idéal avec des enfants.

Quelques adresses à l'extérieur de Porto-Vecchio (vers l'intérieur des terres) :

La Ferme d'Alzetta
CAMPING À LA FERME €

(04 95 70 02 32 ; www.fermedalzetta.com ; Muratello ; adulte/enfant selon l'âge 8/3-5,10 € ; juin-sept). Une aire naturelle de camping, au confort simple, qui vaut pour sa tranquillité et son cadre, ombragé, dans une exploitation agricole, à la sortie du village de Muratello. On peut acheter les légumes et fruits bio de la propriété, et les enfants seront ravis de découvrir les activités de la ferme.

Chambres d'hôtes

U Barraconu
CHAMBRES D'HÔTES €€

(06 15 08 53 71 ; www.barraconu.com ; route de l'Ospédale ; d avec petit-déj 70-115 € selon saison ; tte l'année). Une adresse rafraîchissante,

à la campagne, en lisière de forêt (suivre la direction de l'Ospédale). Les 5 chambres, de bon confort, occupent une ancienne ferme soigneusement restaurée. Le centre de Porto-Vecchio est à environ 5 km.

Chez Bati
CHAMBRES D'HÔTES €€

(☑06 18 40 22 65 ; www.chezbati.com ; d 59-95 € selon saison petit-déj inclus ; ⊘fév-nov ; P ✳ 🛜).
À 8 km de Porto-Vecchio, indiquée au-dessus du village de Muratello, cette maison récente dissimule d'agréables chambres d'hôtes, à la propreté exemplaire. Table d'hôtes le soir sur réservation avant midi (29 €, tarifs dégressifs en demi-pension).

Les Jardins de Mathieu
CHAMBRES D'HÔTES €€€

(☑04 95 26 78 41, 06 83 50 62 08 ; www.lesjardinsdemathieu.net ; Pascialella de Muratello ; d 120-230 € selon saison petit-déj inclus ; ⊘tte l'année ; ☎🛜). En plein maquis, sur les hauteurs de Porto-Vecchio (à 12 km), vous vous prélasserez autour de la petite piscine, en contemplant le panorama du golfe au loin. Les 4 chambres, spacieuses, avec accès indépendant, sont aménagées dans des bâtiments en pierre imitant l'architecture des bergeries. Déco épurée à l'intérieur. Possibilité de table d'hôtes (35 €).

✖ Où se restaurer

Existe-t-il des recoins de la ville haute qui n'accueillent pas des tables de restaurants en saison ? Vous aurez l'embarras du choix. Les établissements de la rue Borgo se doublent d'une terrasse panoramique sur la marina et le golfe, qu'ils font payer cher.

VILLE HAUTE

💙 A Cantina di l'Orriu
SPÉCIALITÉS CORSES €€

(☑04 95 25 95 89 ; www.orriu.com ; cours Napoléon ; plats 10-28 € ; ⊘avr à mi-jan). C'était un bar à vin réputé, c'est devenu un restaurant, avec une plus grande capacité d'accueil grâce à l'adjonction d'une terrasse dans la ruelle à côté. Spécialités corses servies dans les règles de l'art : assiette de charcuterie fermière, "Piattu di u Pastore" (assiette de fromages), cabri de lait grillé au myrte, raviolis maison, salades… et, bien sûr, une belle sélection de vins au verre (à partir de 3,50 €).

Les Jardins de la Paresse
TERRASSE AVEC VUE €€

(☑04 95 70 38 26 ; porte génoise ; plats 8-20 €, menu 16-34 € ; ⊘fermé dim midi). Seul réel atout des lieux : le cadre. Accrochée à flanc de falaise juste après la porte génoise, cette adresse touristique profite d'une vue sublime sur le golfe et offre 3 terrasses ombragées par des mandariniers et de la vigne vierge. Carte éclectique et cuisine sans aucune prétention, à des prix qui ont tendance à prendre de l'embonpoint au fil des ans.

Chez Anna
PÂTES À L'ITALIENNE €€

(☑04 95 70 19 97 ; rue Camille-de-Rocca-Serra ; plats 16-24 € ; ⊘soir seulement, mars à mi-oct). À l'écart des adresses de la touristique rue Borgo, Chez Anna se démarque par une salle déclinant des teintes de blanc et de gris, sobre et plutôt design. Spécialités de pâtes à l'italienne, notamment les légers et délicieux *dollari* ; ces médaillons de pâte fraîche cuisinés à la viande et aux légumes, gratinés au four avec de la crème et du parmesan, font la réputation de Chez Anna depuis 1969.

L'Antigu
PRODUITS RÉGIONAUX €€

(☑04 95 70 39 33 ; 51 rue Borgo ; plats 20-30 €, menus 19-25 € ; ⊘fermé mi-jan à fév). Une valeur sûre dans cette rue où les restaurants sont au coude à coude. Cuisine correcte utilisant les produits de l'île : pigeon fermier mariné au myrthe, poitrine de porc noir braisée, poisson grillé (8 € les 100 g). Desserts succulents, notamment les terrines de poires Williams pochées à la vanille avec pain d'épice, brocciu et glace au miel corse. Cadre sobre et terrasse panoramique.

L'Atelier du troubadour
CORSE INVENTIF €€

(☑04 95 70 08 62 ; 13 rue du Général-Leclerc ; plats 9-19 € ; ⊘lun-sam). Dans cette imposante maison de maître un peu à l'écart du centre-ville, l'Atelier est une brasserie moderne qui complète l'offre du restaurant gastronomique le Troubadour (menus 30-90 €). Dans un décor mêlant touche industrielle et contemporaine, on y goûte une cuisine méditerranéenne présentée sur une grande ardoise : linguini aux sèches façon thaï, todanu à la bastiaise. La carte fait la part belle aux viandes, poissons à la plancha et aux pâtes. Belle carte des vins.

Autres suggestions :

💙 Zio Dante
CUISINE TOSCANE €

(☑04 95 72 08 77 ; 10 rue Pasteur ; plats 9-18 €, menus 16-18 € environ ; ⊘fermé jeu).

Le spécialiste de la *cucina toscana* (cuisine toscane) est également apprécié pour ses pizzas et son ambiance moins touristique que beaucoup d'autres. Vous avez le choix entre l'extérieur aux tables et chaises en plastique et un intérieur beaucoup plus raffiné, avec napperons et chaises en tissu.

Sous la Tonnelle CORSE CONTEMPORAIN €€
(☎04 95 70 02 17 ; rue Abbatucci ; plats 13-28 € ; ☺fermé dim et lun en basse saison). Cuisine corse contemporaine, présentée sur l'ardoise. Alléchant. Goûtez aux *petti morti* (farine de maïs gratinée au four et sa daube de veau aux olives et aux cèpes) et aux *sciaccie* de pommes de terre et son échine de porc au thym et à l'ail.

U Passaghju CORSE INVENTIF €€
(☎04 95 20 15 66 ; 16 rue Borgu ; plats 11-25 €, menus 14,50-26,50 € ; ☺avr-nov). Cuisine corse avec une touche de créativité : stuffatu de sanglier, brochette de bœuf cuite au bois de myrthe. En dessert, la catalane à la framboise nous a laissé un bon souvenir. Petite salle à l'étage. Bon rapport qualité/prix pour Porto Vecchio.

SUR LE PORT

Version Originale SALADES €
(☎04 95 70 38 75 ; port de plaisance ; plats 5-14,80 € ; ☺mars-nov, fermé dim). Ambiance jeune et branchée pour cette adresse où l'on sert des salades et des assiettes composées. Elles sont joliment présentées et les prix serrés. À déguster sur une terrasse face au port de plaisance, sur des chaises en métal multicolore.

La Marine PIZZERIA-GRILL €€
(☎04 95 70 08 33 ; quai Pascal-Paoli ; plats 16-26 € ; ☺tlj juil-sept, fermé lun oct-juin, fermé jan). Deux salles et deux ambiances : l'une assez chic, avec du mobilier en bois, l'autre plus tendance avec tabourets colorés et néons de couleur. La carte, éclectique, va des sushis aux viandes en passant par les pizzas. L'une des rares adresses du port qui reste ouverte hors saison.

Le Lodge CAFÉ-RESTAURANT €€
(☎04 95 22 47 93 ; quai Pascal-Paoli ; plats 10-26 € ; ☺fermé fév-début mars). Une grande terrasse en bois face au port avec de confortables coussins colorés et deux imposants palmiers..., voilà une adresse qui sent la décontraction chic. S'y ajoute une touche branchée avec l'appellation – "restaurant, salon, cocktail-bar" – et la

déco, à la limite du baroque New Age, de la salle. Côté restauration : brochettes, pâtes, salades, poissons et viandes à la plancha.

☆ Où sortir et prendre un verre

La place de l'Église concentre quelques options intéressantes. En été, les terrasses s'étalent au point que, si les choses continuent à ce rythme, il y aura un jour des tables et des buveurs jusque dans la sacristie. Le **Glacier de la Place** (☎04 95 70 21 42), véritable institution, affiche une carte de près de 130 bières, de dizaines d'alcools et d'une quarantaine de parfums de glaces (à partir de 3,10 €). Plusieurs terrasses assez "tendance", notamment le **Shankâbar** (☎04 95 70 06 53), le **Bel Ombra** (☎04 95 70 52 21 ; place de la République) ou **le Patio** (☎04 95 10 73 41 ; impasse Ettori), situés sur une placette entourée de maison, en pierre, font office d'avant-boîte. À deux pas de là, le **Clint Club** (☎04 95 70 19 19 ; 3 rue Jérôme-Landri) est la seule discothèque de la ville haute, parfaite pour ceux qui n'auront déjà plus envie de prendre leur voiture.

Le port est un autre quartier de choix pour regarder s'étirer la soirée. On y trouve quelques adresses et terrasses branchées rivalisant d'effets de décoration et de cocktails aux noms exotiques, notamment **le Lodge** (☎04 95 22 47 93) et **la Marine** (☎04 95 70 08 33).

Toutes ces adresses font cependant office de préambule avant de rejoindre la boîte de Porto-Vecchio : **Via Notte** (☎04 95 72 02 12 ; www.vianotte.com ; route de Porra ; ☺juin à mi-sept) connaît chaque soir en été un succès démentiel. Musique variée, piscine. En plein air, à la sortie de la ville, en direction de Bonifacio. Pour les amateurs de soirées plus traditionnelles, c'est à **la Taverne du Roi** (☎04 95 70 41 31 ; www.lataverneduroi.com ; porte génoise) qu'il faut se rendre. Ce bar-cabaret, dans la porte génoise, abrite des soirées chants et guitares, à partir de 22h30 en été. Dans un genre encore different, le théâtre de la compagnie **I Chjachjaroni** (☎04 95 72 02 57 ; www.ichjachjaroni.com ; usine à liège du port) propose de nombreux spectacles en soirée, principalement pour enfants, dans une ancienne usine à liège située sur le port. Les mardi, mercredi et jeudi en juillet et août.

🛍 Achats

L'Orriu ÉPICERIE FINE
(☎04 95 70 26 21 ; www.orriu.com ; 5 cours Napoléon ; ⊙avr à mi-jan). Une épicerie fine qui
ne triche pas avec la qualité (ni avec l'origine) des produits qu'elle commercialise.
Jambons, fromages, gâteaux, confitures,
liqueurs, terrines, coutellerie corse... Une
caverne d'Ali Baba.

Terra Rossa AUTOUR DE L'OLIVE
(☎04 95 70 04 35 ; www.terrarossa.fr ; 18 rue du
Général-de-Gaulle ; ⊙tte l'année). Une très belle
boutique consacrée à l'olive dans tous ses
états : plats et objets en bois d'olivier, huiles
AOC de variété et de typicité différentes :
chaque bouteille précise le producteur et sa
région d'origine.

Mare di Latte STYLISTE CORSE
(☎04 95 24 77 23 ; www.maredilatte.com ;
4 cours Napoléon ; ⊙tte l'année). Stéphanie de
Pedretti, qui a créé sa griffe, Mare di Latte
propose des créations plutôt bohèmes chics
(écharpes, sacs à main, robes).

ℹ Depuis/vers Porto-Vecchio

AVION L'**aéroport de Figari-Sud-Corse** est
à 25 km de Porto-Vecchio. Pour plus de détails
sur la desserte aérienne, voir p. 398.

BATEAU La **SNCM** (www.sncm.fr) assure un
service entre Marseille et Porto-Vecchio 3 fois
par semaine (jusqu'à 5 en été).

Vous pouvez acheter vos billets à l'agence
Intersud Voyages (☎04 95 70 06 03 ;
quai Pascal-Paoli ; ⊙lun-sam 8h30-11h45
et 14h30-18h). Voir Transports p. 398 pour
plus d'informations.

BUS Les **Rapides Bleus** (☎04 95 20 20 20,
04 95 72 35 57 ; rue Jean-Jaurès) effectuent
la liaison Porto-Vecchio-Bastia (2/j sauf
dim et jours fériés en hiver) via Solenzara,
Ghisonaccia, Aléria et Moriani (22 €, 3 heures).

Balési Évasion (☎04 95 70 15 55 ; www.
balesievasion.com ; route de Bastia) dessert
Ajaccio (1/j lun-sam en juil-août, 1/j lun et
ven en hiver) en passant par l'Alta Rocca :
l'Ospédale, Zonza, Bavella, Aullène (22 €
pour Ajaccio).

Eurocorse, représenté en ville par l'agence
Trinitours (☎04 95 70 13 83 ; rue Pasteur),
dessert Ajaccio (4/j lun-sam, 2/j dim et jours
fériés en haute saison ; 3/j lun-sam en basse
saison) par le littoral via Sartène et Propriano.
Eurocorse dessert également Bonifacio. Vous
pouvez aussi acheter vos billets directement
auprès du conducteur.

Les Rapides Bleus et Eurocorse assurent des
navettes vers les plages de Palombaggia
et Santa Giulia en été (5/9 € l'aller simple/

l'aller-retour pour Santa Giulia/Palombaggia).
Renseignez-vous sur les horaires et l'itinéraire
auprès de l'office du tourisme.

ℹ Comment circuler

DEPUIS/VERS L'AÉROPORT La course en
taxi depuis/vers l'aéroport coûte environ 50 €.

Sud de Porto-Vecchio

Cette portion de littoral abrite quelques-
unes des étendues de sable blanc les plus
paradisiaques de Corse, depuis la plage de
Palombaggia au golfe de Santa-Manza (voir
p. 226) en passant par la baie de Rondinara
(voir p. 220). En chemin, les abords de la ville
offrent de bonnes possibilités d'activités.
Autant d'atouts ne pouvaient hélas pas passer
inaperçus : ces édens sont souvent surfré-
quentés au cœur de la saison touristique.

Les plages de Palombaggia et de Santa
Giulia sont desservies en haute saison par
des navettes de bus (voir ci-contre). Renseignez-vous à l'office du tourisme.

SECTEUR DE LA PLAGE DE PALOMBAGGIA

C'est quasiment devenu un mythe, au
point que certains sont (presque) déçus en
la voyant tellement on leur avait vanté sa
beauté. Mais ne boudons pas notre plaisir :
Palombaggia, qui s'étire sur près de 3 km,
est une plage de rêve. Son long ruban de
sable bordé de pins, qui se déploie en face
de la réserve naturelle des îles Cerbicale, en
fait la plage la plus courue du sud de la Corse
en haute saison. Autant vous prévenir : elle
est bondée en été.

De très nombreux hôtels, restaurants,
campings et prestataires d'activités sont
disséminés le long des 11 km de route qui
séparent la plage de la ville (l'embranchement
quitte la N198 au niveau d'un rond-point à la
sortie sud de Porto-Vecchio). Vous trouverez
également des restaurants sur la plage.

Palombaggia se prolonge par la **plage de
la Folacca** puis par celle **d'Asciaghju**, tout
aussi photogéniques.

Envie d'une plage secrète ? Cap sur la
plage de Cateraggio, qui offre une belle
étendue de sable fin. Elle se mérite : elle
n'est accessible qu'à pied, par un sentier
(non indiqué) qui part à proximité du Ranch
Campo. Comptez 20 minutes de marche.

🤿 Activités

Les îles Cerbicale et les magnifiques sites de
plongée qui les entourent sont facilement

Environs de Porto-Vecchio

accessibles depuis Palombaggia. Reportez-vous au chapitre *Plongée* (p. 33) pour plus d'informations sur les sites. Pour la liste des clubs de plongée du secteur, voir p. 221.

Le **Ranch Campo** (☎04 95 70 13 27 ; www.ranchcampo.com), 1 km avant la plage, propose des **balades équestres** de 2 heures sur la plage le matin, avec baignade (40 €) et une balade le soir (20 €, débutants acceptés), sur la plage de Cateraggio ou la plage de Palombaggia. Poney dès 2 ans.

⊟ Où se loger

De nombreuses adresses, de la plus simple à la plus chic, se succèdent le long de la route menant à la plage. Des restaurants ouvrent sur celle-ci en été.

Camping U Pirellu　　　　CAMPING €
(☎04 95 70 23 44 ; www.u-pirellu.com ; route de Palombaggia ; adulte/tente/voiture 6-9,80/3-7/3-4 € ; ☉avr-oct ; 🛋). Seulement 3 km avant la plage, ce camping est doté de toutes les commodités : restaurant, épicerie, courts

de tennis et piscine à débordement. Les emplacements, délimités par des haies et des murets de pierre, sont assez ombragés. Location de chalets à la semaine (ou pour deux nuits minimum hors saison).

♥ Chambres d'hôtes
A Littariccia　　　CHAMBRES D'HÔTES €€
(☎04 95 70 41 33 ; www.littariccia.com ; route de Palombaggia ; d avec petit-déj 65-210 € selon saison et chambre ; 🛋). Une agréable maison d'hôtes, où il fait bon se détendre, de préférence au bord de la piscine, en contemplant la plage de Palombaggia à l'horizon. Les chambres sont de ravissants cocons décorés de tissus lumineux. À 400 m de la route côtière, accessible par une piste carrossable en direction de Piccovaggia (suivez les panneaux).

Les Bergeries de Palombaggia　　HÔTEL €€€
(☎04 95 70 03 23 ; www.hotel-bergeries-palombaggia.com ; d 169-760 € selon confort et saison ; ☉avr-nov ; ❄🛋🖥). Un havre de paix, chic et zen, composé de plusieurs bâtiments en pierre évoquant d'anciennes bergeries et d'une splendide piscine à débordement d'où l'on embrasse un panorama époustouflant

de Palombaggia. À savoir : les chambres les moins chères n'ont pas de vue. Service de restauration sur place.

Ranch Campo
CHAMBRES D'HÔTES €€

(☎04 95 70 13 27 ; www.ranchcampo.com ; d 60-300 € selon confort et saison ; ▨). Ce centre équestre, doté d'une piscine et situé 1 km avant la plage, propose aussi des chambres d'hôtes et des minivillas. Hormis les moins chères, toutes les chambres sont situées dans des bungalows construits en pierre de pays. Une adresse atypique, dont l'atmosphère évoque celle des haciendas. Pour les possibilités d'équitation, voir *Activités* p. 227.

Private Hotel
HÔTEL DE CHARME €€€

(☎04 95 70 13 66 ; www.private-hotel-corsica.com ; route de Palombaggia ; d 150-650 € selon confort et saison ; ☉mai-oct ; ❋▨✿). Cet établissement caché dans le maquis mise avant tout sur l'intimité. Les chambres sont spacieuses et se caractérisent par leur décoration contemporaine et colorée. La piscine grande comme un timbre poste invite à se rafraîchir en savourant le panorama du golfe. À savoir : pas d'accès direct à la plage, pas de vue sur la mer depuis les chambres, et service de restauration limité au petit-déj.

Casa Del Mar
PALACE €€€

(☎04 95 72 34 34 ; www.casadelmar.fr ; route de Palombaggia ; d et ste 390-2 900 € selon confort et saison ; ☉avr-oct ; ❋▨✿). Une bâtisse à l'architecture avant-gardiste qui se fond harmonieusement dans l'environnement, une déco très design, un cadre somptueux en bord de mer, un service irréprochable, un restaurant gastronomique, un spa avec une cabine de massage dans les arbres... Ce palace est l'adresse de tous les superlatifs. Seule fausse note : les chambres côté nord n'ont pas une belle vue.

✖ Où se restaurer

Pizzeria-Grill Costa Marina
RESTAURANT €

(☎04 95 70 36 57 ; route de Palombaggia ; plats 9,50-28,50 € ; ☉soir seulement, mi-avr à mi-nov). Cet établissement renommé, en surplomb de la route de Palombaggia, vers le sud, offre de belles perspectives sur le bord de mer, à quelques centaines de mètres. Spécialités de grillades (thon, espadon, bœuf) au feu de bois, joliment présentées, de pâtes (excellentes), et pizzas appétissantes. Un bon point également pour le mobilier en teck et le service, dynamique et efficace. Cartes de crédit non acceptées.

Playa Baggia
PAILLOTE €

(☎06 23 43 27 63 ; sud de la plage de Palombaggia ; plats 10-26 € ; ☉tlj midi fin avr à mi-oct, aussi ven soir en juil-août). Une paillote sur la plage, à côté du Tamaricciu. Spécialités de poissons, plats de pâtes et salades. Rapport qualité/prix correct vu le site. Animations le vendredi soir en saison.

Tamaricciu
PAILLOTE BRANCHÉE €€

(☎04 95 70 49 89 ; www.tamaricciu.com ; sud de la plage de Palombaggia ; plats 15-32 € ; ☉tous les midis mi-avr à début nov, midi et soir en juil-août). Mitoyen de l'adresse précédente, le Tamaricciu est l'une des paillotes les plus sélectes et branchées de la plage, installée les pieds dans l'eau. Mobilier en teck, service constant, cuisine soignée.

SECTEUR DE SANTA GIULIA

Avant tout fréquentée par les clients de deux grands villages-vacances, la belle **plage de Santa Giulia** n'est pas très adaptée aux voyageurs indépendants et il est difficile de s'y garer en saison. La baie, dans laquelle les débutants se sentiront en sécurité, se prête cependant à merveille à la pratique de la **voile** et du **kayak**.

Le **Club nautique Santa Giulia** (☎04 95 70 58 62, 06 22 74 49 53 ; www.club-nautique.fr ; plage de Santa Giulia ; ☉mai à mi-oct) loue des planches à voile (à partir de 18 € l'heure), des catamarans (à partir de 35 €), des canoës, (11 €) et propose des cours collectifs et particuliers.

Autre option, moins sportive : louer un petit bateau à moteur de 6 CV (sans permis) et découvrir la baie à sa guise, en profitant des criques et des plages inaccessibles par la route. Contactez **Multi Services Plaisance** (☎04 95 70 29 13, 06 10 83 59 25 ; http://multi-services.pagespro-orange.fr ; marina de Santa Giulia ; ☉mai-sept) et prévoyez environ 125 € la journée.

Le centre de plongée **Oxygène** (☎04 95 70 10 21, 06 09 69 58 62 ; www.oxygene-plongee.com) effectue des sorties plongées dans le secteur des îles Cerbicale. Reportez-vous au chapitre *Plongée* (p. 33) pour plus d'informations sur les sites de plongée.

🛏 Où se loger et se restaurer

♥ Hôtel Alivi
HÔTEL DE CHARME €€€

(☎04 95 52 01 68 ; www.santa-giulia.fr ; d 140-370 € ; ☉avr-oct ; ⓟ❋▨✿). Un hôtel de charme auquel nous ne trouvons que des qualités : intimiste (10 chambres seulement, dont deux avec vue sur la mer), bien situé sur les hauteurs, avec un service personnalisé.

Sans oublier une belle piscine ronde, des produits bio au petit-déjeuner et un confort irréprochable.

L'Hôte Antique
CHAMBRES D'HÔTES €€

(☎04 95 71 20 17, 06 22 24 85 73 ; www.lhote-antique.com ; Petralonga Salvini ; d 75-105 € avec petit-déj selon saison ; ❄🖥). Cette agréable maison d'hôtes est située dans le hameau de Petralonga Salvini, d'où l'on découvre un large point de vue sur Porto-Vecchio, Rondinara, Santa Giulia et Bonifacio. Accueil enjoué et bon rapport qualité/prix distinguent cette adresse où vous trouverez 5 chambres spacieuses, bien équipées et dotées d'une bonne literie et de jolis carrelages. La 4 et la 6 ont une belle vue sur la mer. Depuis Bonifacio, prenez la route vers Petralonga Salvini (elle quitte la N198 sur la gauche 4,5 km après l'embranchement vers Suartone et Rondinara) et montez sur 3,5 km.

Hôtel Moby Dick
HÔTEL AU BORD DE L'EAU €€€

(☎04 95 70 70 00 ; www.sud-corse.com ; baie de Santa Giulia ; d 83-286 € par pers avec petit-déj hors saison, avec demi-pension en juil-août ; ☺mi-avr à mi-oct ; ❄🖥). Avec son mythique ponton qui s'enfonce dans des eaux turquoise, cet hôtel qui fit la gloire du Club Med dans les années 1970 a subi un relooking complet en 2011. Parfaitement intégré avec son bardage en bois, il allie aujourd'hui confort et modernisme dans un esprit zen et épuré. Ses 44 chambres spacieuses sont dotées d'un balcon. Évitez, si possible, les chambres donnant sur l'étang d'où se dégage parfois une odeur nauséabonde. Location également de pavillons en bois à proximité de l'hôtel à la semaine.

Nord de Porto-Vecchio

Les golfes et les plages qui s'étendent au nord de Porto-Vecchio sont moins glamour que leurs homologues du sud mais on ne s'en plaindra pas, d'autant plus que le cadre est tout aussi attrayant. La D46 vous conduira à Cala Rossa et à la baie de Saint-Cyprien (San Ciprianu). Plus au nord, la très belle presqu'île de Pinarello (Pinareddu), ponctuée d'une tour génoise, est cernée de superbes rubans de sable.

PLAGE DE CALA ROSSA ET SES ENVIRONS

Plus petite et moins impressionnante que certaines de ses voisines – mais là réside son charme – Cala Rossa est la plage la plus huppée des environs. Elle frange une très jolie baie, l'anse de Tramulimacchia. La route qui longe la plage (après les restaurants 37°2 et Ranch'o Plage) se termine en cul-de-sac au bout d'une péninsule, la pointe de Benedettu, où se trouve une autre plage moins connue, la plage de Benedettu.

❶ Renseignements

Office du tourisme (☎04 95 71 05 75 ; www.lecci-sudcorse.com ; RN 198, Lecci ; ☺tlj 9h-20h juil-août, 9h-12h et 14h-18h le reste de l'année). Au centre de Lecci, en bord de route.

🛏 Où se loger et se restaurer

Hôtel Caranella
HÔTEL-RÉSIDENCE €€

(☎04 95 71 60 94 ; www.caranella.com ; route de Cala Rossa ; d 75-365 € selon confort et saison ; ☺avr-oct ; ❄🖥). Seule adresse à prix raisonnables, cet hôtel-résidence avec piscine propose des chambres gaies, de plain-pied, ouvrant sur un jardin verdoyant. La plage est à 2 minutes à pied. La demi-pension (au restaurant Ranch'o Plage) est obligatoire en juillet et en août. Loue aussi des studios à la semaine.

Grand Hôtel de Cala Rossa
HÔTEL DE LUXE €€€

(☎04 95 71 61 51 ; www.hotel-calarossa.com ; Cala Rossa ; d 240-1 000 € selon confort et saison, avec petit-déj ; ☺avr à mi-nov ; 🅿❄@🖥). Une adresse de luxe au style classique, affiliée au réseau Relais & Châteaux. Le Cala Rossa dispose de 40 chambres qui respirent les couleurs de la Méditerranée, d'un spa et de tout le confort d'un palace, dans une magnifique pinède qui débouche sur une plage privative. Évitez les chambres côté nord, car elles n'ont aucune vue particulière ; les autres donnent sur la pinède. Restaurant gastronomique.

Le Figuier
CUISINE MÉDITERRANÉENNE €

(☎04 95 72 08 78 ; route de Cala Rossa ; plats 10-26 € ; ☺mai-sept). On ne s'attend pas à trouver une aussi bonne adresse au bord d'un rond-point. Protégé de la route par un décor de rocaille, Le Figuier est réputé pour ses délicieuses pizzas, ses carpaccios aux compositions originales (à la mozzarella, au gingembre, au roquefort), ses grillades et ses salades. Terrasse et salle voûtée en pierre agrémentée de plantes, dans un style tropical. Carte de crédit non acceptée.

37°2
RESTAURANT DE PLAGE €

(☎04 95 71 70 24 ; plage de Cala Rossa ; plats 9-27 € ; ☺mai-sept). Voila une adresse "de plage" qui ne manque pas d'allure. Le décor est réussi – terrasse en bois façon cérusé, meubles en teck, lampes marocaines – et la carte sait aussi bien être sage (pizzas au feu de bois) que recherchée (tournedos de lotte, carré d'agneau, lasagnes de légumes). À retenir.

Ranch'o Plage   PAILLOTE CHIC **€€**
(☑04 95 71 62 67 ; www.restaurant-rancho-plage. com ; plage de Cala Rossa ; plats 13-28 €, menus 17-29 € ; ◉mai-sept). Cette paillote chic, dont la terrasse surplombe directement la plage, a ses inconditionnels dans la région de Porto-Vecchio. Spécialités de poissons (8,50 € les 100 g) et de langouste.

SAINT-CYPRIEN (SAN CIPRIANU) ET SES ENVIRONS

Ici encore, le sable, les activités nautiques et l'équitation sont à l'honneur.

Les Écuries de l'Oso (☑04 95 70 69 81 ; route de Saint-Cyprien), sur la route menant à la baie, organisent des promenades à cheval dans les environs (25 € pour 1 heure), comprenant pour certaines une baignade avec les chevaux (60 €, 3 heures 30, pour cavaliers confirmés).

Pour les activités nautiques, adressez-vous à **Lolly Loops** (☑06 14 67 91 55 ; lollyloops. com ; plage de Saint-Cyprien), qui loue des Hobie Cat (40 € l'heure), des planches à voile (15 € l'heure) et des kayaks (12 € l'heure).

À 3 km de la N198 vers l'intérieur des terres, non loin de Saint-Cyprien, le site préhistorique de **Casteddu d'Araghju** (entrée libre), moins visité que ceux de Cucuruzzu et de Capula dans l'Alta Rocca, est pourtant mieux conservé. L'entrée en bon état laisse deviner l'importance du monument datant du IIe millénaire av. J.-C. Un couloir d'une dizaine de mètres pavé d'énormes dalles de pierre mène à l'intérieur des ruines de l'édifice, qui comprend plusieurs salles. Du haut des murs épais, on découvre une vue magnifique sur le golfe de Porto-Vecchio et la montagne. Du village d'Araghju, comptez environ 25 minutes de marche pour y parvenir. Prévoyez de l'eau et une bonne paire de chaussures. Une buvette, dans le village, permet de se rafraîchir après la visite.

♥ PINARELLO (PINAREDDU) ET SES ENVIRONS

Personne ne contredira le fait que Pinarello est un redoutable piège pour les automobilistes en été. Mais qu'importe : l'attraction de cette presqu'île aux belles plages bordées de pins est trop forte... Conséquence de cet

afflux, un parking payant municipal est maintenant ouvert de juin à septembre au centre de Pinarello.

ⓘ Renseignements

Office du tourisme (☑04 95 71 48 99 ; www.zonza-saintelucie.com ; mairie annexe ; ◉lun-sam 8h30-12h30 et 14h30-18h30 juin-sept, lun-ven 8h30-12h et 14h-17h30 oct-mai). Sympathique accueil dans la mairie de Sainte-Lucie de Porto-Vecchio où vous trouverez aussi beaucoup d'infos sur l'Alta Rocca. Sainte-Lucie de Porto-Vecchio est en effet rattaché administrativement à la commune de Zonza .

⊙ À voir et à faire

L'école de voile de Pinarello (☑06 86 85 62 08 ; plage de Pinarello) loue des catamarans, des dériveurs, des planches à voile et des kayaks, et assure des cours (initiation et perfectionnement) de voile et de kitesurf.

Sportsica (☑06 24 26 51 83 ; sport.sica@ orange.fr) propose une intéressante excursion guidée en kayak : à bord d'un kayak (simple, double ou, pour les familles, un quattro), vous longerez la côte jusqu'à l'île de Pinarello, où un arrêt est prévu, incluant une dégustation de produits corses. Plusieurs pauses snorkeling et baignade émaillent le parcours. La sortie dure 3 heures et coûte 30 €. À faire en famille ou entre amis. Location de pédalos et de stand-up paddle.

Chiocca croisières – Ruscana (☑04 95 70 33 67 ; www.croisieres-ruscana.com) propose en saison des sorties en mer, aux Cerbicale et aux Lavezzi depuis Pinarello.

Si par hasard vous vous lassiez du sable blanc et de la mer turquoise, rejoignez le village de Lecci, sur la N198 peu avant Sainte-Lucie, où se trouve le **domaine de Torraccia** (☑04 95 71 43 50 ; ◉lun-sam 8h-20h juil-août, 8h-12h et 14h-18h hors saison). Les propriétaires de ce domaine de 43 ha produisent des vins doux, des eaux-de-vie de marc, des olives et de l'huile, mais surtout l'un des meilleurs vins de Corse (Domaine de Torraccia et cuvée prestige L'Orriu). Dégustation et vente sont proposées tout au long de l'année (évitez la période des vendanges).

🛏 Où se loger et se restaurer

Motel des Amandiers HÔTEL **€**
[BON PLAN] (☑04 95 71 43 64 ; d 48-68 € ; ◉mai-sept). Quelle surprise de trouver ici une adresse proposant de tels tarifs, surtout en été ! Dans une propriété verdoyante située à l'arrière du restaurant le Rouf (voir p. 231), à 100 m de la plage, cet hôtel dispose de 7 chambres à la décoration et à l'agencement simples

mais très corrects pour le prix demandé. Les places sont rares en haute saison car les lieux sont fréquentés par des habitués. Tarifs dégressifs à partir de trois nuits.

Le Pinarello
HÔTEL DE LUXE €€€

(✆04 95 71 44 39 ; www.lepinarello.com ; d 235-562 € selon saison, ste 289-1 087 € ; ◷mi-avr à mi-oct ; P). Charme et sobriété, cet hôtel de luxe est une réussite en matière de rénovation. Toutes les chambres ont une terrasse donnant sur la mer mais les 7 suites, aménagées dans un bâtiment de l'autre côté de la route, ne bénéficient que d'une vue partielle sur la mer. Un soin particulier a été apporté à la qualité des tissus et aux jeux des couleurs, alternant tonalités chaudes et nuances plus virginales. L'établissement s'est doté d'un espace fitness en 2010. Plage au pied de l'hôtel.

Le Rouf
SPÉCIALITÉS DE POISSON €€

(✆04 95 71 50 48 ; plats 19-39 € ; ◷mai-sept). Une adresse à la mode où l'on aperçoit parfois quelques têtes connues du show-biz ou de la politique, à ne pas confondre avec la pizzeria située juste à côté. Tarifs élevés : poisson (11 € les 100 g), langouste (21 € les 100 g), mais pêche locale et terrasse idyllique.

♥ VALLÉE DU CAVU

Dans cette vallée encore sauvage, pas trop fréquentée en saison, on pourra se baigner dans de magnifiques vasques. De Sainte-Lucie de Porto-Vecchio, prenez la direction de Taglio Rosso, puis remontez la vallée en suivant la route forestière. À vous de trouver votre petit coin de paradis...

Cette vallée boisée peut se découvrir à VTT. Sportsica (✆06 24 26 51 83 ; sport. sica@orange.fr) propose des balades guidées, faciles, dans la forêt de San Martinu, avec des arrêts baignade dans le Cavu. La sortie dure 3 heures et coûte 20 €. Des VTT enfants sont disponibles. Possibilité de combiner la pratique du kayak et du VTT.

Aménagé au bord du Cavu, à 2 km de Taglio Rosso (suivre la route forestière), le parc aventure A Tyroliana (✆06 18 40 44 39 ; ◷mi-juin à mi-sept) comprend 4 parcours (de 11 à 20 €) réunissant une soixantaine d'ateliers, au milieu des pins maritimes.

ALTA ROCCA

Changement de décor. Surplombant les plages du sud de l'île, l'Alta Rocca, univers singulier en équilibre entre le Sartenais et la région de Porto-Vecchio, révèle à ceux qui en doutaient encore la nature montagnarde de la Corse. Cette accueillante région a tout pour plaire, surtout aux passionnés de loisirs sportifs : les possibilités d'équitation et de canyoning sont nombreuses et quasiment tous les villages sont traversés par des sentiers de randonnée. Les autres seront séduits par la nature généreuse qu'offre cette région située à l'extrémité de l'épine dorsale montagneuse de l'île. D'immenses forêts de pins laricios, de châtaigniers et de chênes verts recouvrent les plateaux et les collines, tandis que des montagnes de granite animent l'horizon. En point d'orgue, le fabuleux massif de Bavella et ses aiguilles taillées en lames de couteaux est à couper le souffle. Au point que cette forteresse de granite est devenue emblématique du sud de la Corse.

Les villages de l'Alta Rocca et leurs altières maisons de granite, discrètement blottis au milieu de ce décor extraordinaire, méritent également une visite prolongée. Aux abords de Levie, on découvrira des vestiges mégalithiques qui comptent parmi les plus importants de l'île et apportent à la région une note culturelle bienvenue.

ⓘ Renseignements

Le petit office du tourisme de Zonza (✆04 95 78 56 33 ; Zonza ; ◷tlj 9h-18h30 juil-août, lun-sam juin et sept à mi-oct) est situé au milieu du village. Consultez également le site www.alta-rocca.com.

ⓘ Depuis/vers l'Alta Rocca

BUS Pour une région montagneuse isolée, l'Alta Rocca est plutôt bien desservie par les transports en commun.

Alta Rocca Voyages – Ricci
(✆04 95 51 08 19, 04 95 78 86 30 ; www. altarocca-voyages.com). En juillet-août, 4 départs du lundi au samedi et 2 le dimanche, entre Ajaccio et Zonza via Olmeto, Propriano, Sartène, Sainte-Lucie-de-Tallano et Levie. En juin et septembre 3 départs par jour dont 1 le dimanche. Le reste de l'année, 2 liaisons du lundi au samedi avec Zonza. En juillet-août, ou sur demande hors saison, ce service se prolonge jusqu'au col de Bavella.

Balési Évasion (✆04 95 70 15 55 ; www. balesievasion.com). Ligne Ajaccio-Porto-Vecchio via Aullène, Serra di Scopamène, Sorbollano, Quenza, Zonza et l'Ospédale. En juillet-août : du lundi au samedi avec en plus la desserte du col de Bavella. Hors saison : les lundi et vendredi uniquement.

L'Ospédale

Fraîcheur garantie à l'Ospédale. Longtemps, les habitants de Porto-Vecchio fuyaient en été la chaleur de la côte et venaient se réfugier dans ce paisible hameau perché à 800 m d'altitude. L'influence de Porto-Vecchio et de la côte, nettement visibles par temps clair, à une vingtaine de kilomètres, se fait encore sentir, mais l'Ospédale garde son cachet de village d'altitude, avec ses sobres maisons de granite et la proximité immédiate de sa superbe forêt, l'une des plus belles de Corse du Sud. Une bonne base pour ceux qui hésitent entre mer et montagne.

◉ À voir et à faire

La route qui mène au hameau de **Cartalavonu**, sur la gauche lorsque l'on va en direction de Zonza, peu après être entré sous le couvert végétal, est idéale pour découvrir la **forêt de l'Ospédale**, composée de majestueux pins laricios. Suivez-la sur 2 km environ pour arriver au **sentier des Rochers**, ou sentier des Taffoni. Bien balisé par l'ONF (balisage jaune), ce chemin pédestre est un parcours facile, sans réel dénivelé, entre les arbres et les taffoni, cavités creusées dans la roche par l'érosion. En une demi-heure, vous atteindrez un petit plateau herbeux parsemé de rochers, traversé par le sentier Mare a Mare® sud, qui offre un beau panorama. D'autres sentiers sont indiqués depuis le même point de départ. Cartalavonu constituant la première étape du sentier Mare a Mare® sud, vous pourrez facilement vous lancer pour quelques heures de marche sur le sentier depuis le gîte si le cœur vous en dit. Il est par exemple possible de monter jusqu'à

la **Punta di a Vacca Morta** (1 314 m), d'où l'on découvre un point de vue extraordinaire sur le golfe de Porto-Vecchio et le lac de l'Ospédale. Comptez 2 heures aller-retour.

D'autres possibilités d'activités vous attendent sur la route principale en direction de Zonza. Mention spéciale au **parc aventure Xtrem Sud** (☑ 04 95 70 01 20, 04 95 72 12 31 ; www.xtremsud.com ; forêt de l'Ospédale ; ⊙ mi-mai à mi-sept) et à son superbe parcours aménagé dans le décor magique de la forêt de l'Ospédale (juste avant le barrage de l'Ospédale en venant du village). Comptez 22/18 € la demi-journée adulte/enfant (3 niveaux de difficultés et 100 ateliers). Un "baby parc" est spécialement réservé aux enfants de 3 à 8 ans (12 €). Le site comprend également une via ferrata (2 niveaux), incluse dans le prix d'entrée du parc aventure. Les animateurs proposent enfin des activités d'escalade et de **canyoning**, à Piscia di Gallo (55 €) ou à Bavella (45/50 € suivant la descente).

Vous arriverez ensuite à hauteur du **lac de l'Ospédale**, dont le barrage interdit toute baignade et canotage, avant d'arriver à la belle balade menant à la cascade de Piscia di Gallo (voir la randonnée p. 233). Elle est malheureusement très fréquentée en été.

🛏 Où se loger et se restaurer

Le Refuge   GÎTE-RESTAURANT **€-€€**
(☑ 04 95 70 00 39 ; Cartalavonu ; gîte 40 € en demi-pension, d 110 € avec petit-déj ; plats 15-18 € ; ⊙ avr à mi-nov). Ce gîte-restaurant installé dans une maison en pierre et en bois, au milieu des pins laricios de la forêt de l'Ospédale, au bout d'une piste, est une bonne base pour découvrir les trésors des environs (sentier des Rochers, Punta di a Vacca Morta, Mare a Mare® sud). La partie gîte d'étape comprend des dortoirs de 6 places, avec sdb, qui mériteraient d'être modernisés. Pour plus d'intimité, optez pour l'une des 4 chambres doubles, dépouillées mais correctes. Le restaurant propose une cuisine familiale sans prétention. Soirées guitare mardi et vendredi soir en juillet et août. Par la route, continuez 1 km au-dessus de l'Ospédale puis prenez à gauche vers Cartalavonu sur 3 km.

♥ **U Spitaghju**   CHAMBRES D'HÔTES **€€**
(☑ 04 95 26 77 53, 06 12 51 01 25 ; nadetdom@wanadoo.fr ; l'Ospédale ; s/d 65-75/75-85 € selon vue avec petit-déj ; 🛜). Une jolie maison en granite posée en bordure de la route principale, trois chambres confortables décorées

À SAVOIR

Les services sont limités dans l'Alta Rocca. Les stations-service sont rares (Aullène, Levie, Sainte-Lucie de Tallano) et leurs horaires d'ouverture sont aléatoires. De même, il n'existe qu'un seul distributeur de billets dans la région, à la poste de San Gavino di Carbini, entre Levie et Zonza.

L'Alta Rocca, par ailleurs, semble facilement accessible. Ne vous y fiez pas : que l'on parte de Sartène ou de Porto-Vecchio, les routes d'accès sont longues et sinueuses.

CASCADE DE PISCIA DI GALLO ("PISSE DE COQ")

Départ : 7 km après le barrage de l'Ospédale, à environ 32 km de Porto-Vecchio (impossible à rater en été car de nombreuses voitures y stationnent, parking payant au cœur de la saison). Vous y accédez par la D368, entre Porto-Vecchio et Zonza

Durée : 1 heure 30 aller-retour ; retour par le même itinéraire

Dénivelé : 80 m

Difficulté : passage très escarpé en fin de parcours

À la découverte d'une curiosité naturelle nichée dans les hauteurs de l'arrière-pays de Porto-Vecchio, en plein cœur du magnifique massif boisé de l'Ospédale.

Garez votre véhicule sur l'imposante aire de stationnement au bord de la D368, dépassez la buvette La Cascade et rejoignez le sentier. La première partie du parcours longe d'abord un ruisseau puis rejoint au milieu d'une superbe forêt de pins maritimes, une piste forestière qui descend en pente douce. Vous traverserez ensuite deux ruisseaux à gué, avant d'entamer une remontée qui vous conduira sur un petit plateau dénudé. À ce stade, la côte devient visible vers l'ouest. Le sentier se poursuit sur une crête en surplomb d'un canyon encaissé sur la droite, où coule un torrent – celui-là même qui jaillit en cascade en aval. On passe alors un petit col, d'où l'on embrasse une vaste perspective sur la côte et le golfe de Porto-Vecchio. Le sentier descend ensuite à travers le maquis, dominé par des arbousiers et de la bruyère, et serpente au milieu de gros blocs rocheux. Le bruit de la chute d'eau devient nettement perceptible. Un belvédère a été aménagé, d'où l'on contemple une partie de la chute d'eau. Les randonneurs chevronnés peuvent éventuellement poursuivre la descente dans un couloir rocheux très abrupt, en s'aidant d'une main courante jusqu'à un petit ressaut. De là, on jouit du spectacle de l'eau qui se fracasse sur une avancée rocheuse et se scinde en deux gerbes. Attention : ce dernier tronçon est fortement déconseillé avec des enfants ou en cas de pluie (risques de glissade). À défaut de pouvoir se baigner au pied de la cascade, on peut, à la remontée, sur le petit plateau, à hauteur d'un pin, prendre une piste qui descend sur la gauche. Elle mène au ruisseau en contrebas, où des vasques invitent à la baignade.

dans des tons ocre et jaune, des meubles de famille, un salon avec TV et un jardin fleuri où trône une terrasse perchée d'où l'on embrasse un vaste panorama de la côte : tous les atouts d'un séjour agréable sont réunis dans cette adresse chaleureuse. Sans oublier, insistent les propriétaires, la promesse d'un excellent sommeil grâce à l'altitude (850 m) !

U Funtanonu CUISINE FAMILIALE €€
(☑04 95 70 47 11 ; l'Ospédale ; plats 12-26 €, menus été 22-26 € ; ☻mi-mars à mi-nov). Coup de cœur pour cette auberge chic et accueillante qui occupe une belle maison en pierre au centre du village de l'Ospédale. La terrasse ombragée d'une abondante glycine est séduisante, tout comme la salle intérieure avec son mobilier en bois et ses poutres. Même impression côté cuisine : familiale, simple et de qualité (terrine de sanglier au myrte, civet de sanglier, cannelloni au brocciu).

Achats

Faites provision de fromages, de coppa et de miel de l'Ospédale (en particulier le miel de printemps, très recherché) à la **maison Valli** (☑06 21 14 25 61 ; route de l'Ospédale ; ☻avr-sept). Pensez à appeler pour vous assurer de la disponibilité des produits.

Zonza

Zonza (à prononcer "tsonsz" !) doit à la proximité des aiguilles de Bavella, dont la haute silhouette se découpe en toile de fond au-dessus de ses toits, d'être le village le plus actif de l'Alta Rocca. En 1953, ce bourg de montagne de 2 000 habitants accueillit l'exil forcé de Mohammed V (avant qu'il ne préfère les rivages de L'Île-Rousse, au climat moins rigoureux). En ce début de XXIᵉ siècle, il est avant tout fréquenté par les randonneurs et traversé par les véhicules se rendant vers les célèbres aiguilles. Son

L'HIPPODROME DE VISEO

Tous les dimanches, de début juillet à fin août, Zonza vit à l'heure des courses de chevaux. L'**hippodrome de Viseo** (www.hippodrome-zonza.fr), en pleine forêt, à 2 km du bourg en direction de Bavella, est le plus haut champ de courses d'Europe (950 m), et certainement pas le moins animé, quand on voit les foules qu'il attire les jours de course. Les paris vont bon train autour des courses de plat (trot attelé, galop). Le calendrier est disponible sur le site Internet.

emplacement exceptionnel, à la confluence de quatre routes, au milieu des montagnes et des forêts de pins, de châtaigniers et de chênes verts, allié à des infrastructures diversifiées, en font une base idéale pour rayonner dans l'Alta Rocca.

ℹ️ Renseignements

Point information (☎04 95 78 56 33 ; ⏱lun-sam 9h-18h juin-sept). Au centre du village dans une petite cabane en bois.

🛏️ Où se loger

Camping municipal　　　CAMPING €
(☎04 95 78 62 74 ; adulte/enfant 6/3 € ; ⏱mai-sept). Un havre de paix en pleine forêt, à quelque 3 km du bourg (sur la D368 en direction de Porto-Vecchio). Très ombragé par d'immenses pins. Les équipements se limitent à un bloc sanitaire, très simple, et à des branchements électriques. Le camion du boulanger passe le matin.

Camping la Rivière　　　CAMPING €
(☎04 95 78 68 31 ; adulte/enfant 7/4 € ; ⏱avr-sept). À environ 2 km de Zonza en direction de Quenza. Rudimentaire, mais calme et ombragé, et proche d'un cours d'eau (le Rizzanese) dans lequel on peut faire trempette.

Le Pré aux Biches　　YOURTE MONGOLE €
(☎06 27 52 48 03 ; www.lepreauxbiches.com ; d/q avec sdb 50/80 €, petit-déj 5-10 € ; ⏱mai-oct). Après 2 kilomètres de piste cabossée (embranchement en face de l'hôtel Clair de Lune), on découvre l'adresse la plus originale de l'Alta Rocca. Accueilli par Nicole, vous logerez dans une grande et confortable yourte mongole, au milieu d'une prairie entourée de pins laricios, à 20 minutes à pied du village. Depuis le campement, les eaux limpides du Rizzanezze ne sont qu'à 15 minutes à pied, les repas se prennent sur une grande table en bois à l'extérieur. Difficile d'être plus près de la nature ! Pour ceux qui aiment la tranquillité absolue, c'est l'idéal. Blocs sanitaires avec sdb privative. Possibilité de demi-pension (22 €).

L'Incudine　　　　　　HÔTEL €€
(☎04 95 78 67 71 ; www.hotel-incudine.com ; d 58-74 €, d en demi-pension 62-72 €/pers selon saison ; ⏱avr-oct ; 🛜P). Réception à la décoration évoquant les intérieurs marocains, salle de restaurant étonnamment contemporaine pour une auberge de montagne, chambres aux murs passés à la chaux teintée de couleurs chatoyantes... voilà une adresse qui a su se mettre au goût du jour. Celles du dernier étage, un peu petites, sont mansardées.

Hôtel Clair de Lune　　　HÔTEL €€
(Chiar di Luna ; ☎04 95 78 56 79 ; www.hotel-clairdelune.com ; route de Levie ; d 54-76 € selon confort et saison ; ⏱tte l'année ; ❄️). Du jaune, du vert, du bleu... En contrebas du village, le Clair de Lune se distingue par les couleurs vives qui habillent les murs des chambres et des parties communes. Les chambres au dernier étage sont mansardées, avec des sdb carrelées en bleu, et certaines possèdent une terrasse. Bon confort général (clim pour les plus chères, TV, téléphone). Préférez les chambres du devant, plus claires, qui donnent sur la vallée du Rizzanezze. Le petit-déjeuner, copieux, est servi dans une véranda inondée de lumière. Les clients bénéficient d'une réduction de 10% pour les activités de Corsica Madness (voir *Activités*, dans Col de Bavella, p. 237). Demi-pension possible (25 €/ personne).

Hôtel l'Aiglon　　　　　HÔTEL €€
(☎04 95 78 67 79 ; www.aiglonhotel.com ; d 54-70 € selon confort et saison ; ⏱avr-nov). Douillettement installées dans une maison de famille rénovée, les 12 chambres de l'Aiglon (dont deux mansardées) vous séduiront si vous aimez le charme rétro. La déco, originale (mobilier Napoléon III, couvre-lits colorés, têtes de lit en tissu...), fait oublier l'absence de vue et l'exiguïté des chambres. Les moins chères ont des toilettes communes. La demi-pension est privilégiée en juillet-août (restaurant sur place, formules 18,50-24 €).

Aux bords du temps CHAMBRES D'HÔTES €€€
(☑06 22 23 44 73 ; www.auxbordsdutemps.fr ;
d 90-110 € avec petit-déj ; ⊘tte l'année). En plein
centre-ville, ces 7 chambres d'hôtes sont
réparties dans 2 bâtiments. Cinq sont installées dans une jolie petite maison bicentenaire en pierres, entièrement rénovées
et aménagées en 2010, et les deux autres,
avec jardinet privatif, dans une ancienne
bergerie, le Caseddu, situées dans une
petite rue en contrebas du village. Toutes
sont très agréablement décorées : autour
de murs blancs, les matériaux nobles se
mêlent au confort moderne : douche à
l'italienne ou baignoire multi-jets, lit en fer
forgé ou lit rond, mosaïque, vasques... Salle
de petit-déjeuner dans la maison principale,
bibliothèque fournie d'ouvrages sur la Corse
à disposition des hôtes.

Hôtel le Tourisme HÔTEL €€€
(☑04 95 78 67 72 ; www.hoteldutourisme.fr ; s/d
89-139/99-159 € ; ⊘avr-oct ; ✳☒☎). Sa botte
secrète, c'est sa très belle piscine chauffée
entourée d'un deck en bois, face à la vallée. Sa
seule vue est déjà un plaisir... Pour le reste, cet
établissement de bon confort aménagé dans
un ancien relais de diligence propose des
chambres lumineuses et bien tenues, avec la
clim. Certaines sont orientées côté vallée, avec
une vue magnifique. Salle à manger-véranda,
claire et agréable, pour les petits-déjeuners.
De nouvelles chambres, aux couleurs vives,
occupent une annexe, juste en face.

À l'extérieur du village :
Le Mouflon d'Or MINIVILLAS AVEC VUE €€
(☑04 95 78 72 72 ; www.lemouflondor.com ; route
de Levie ; semaine 544-1 184 €, possibilité de louer
à la nuitée ; P✳☒☎). Imaginez 24 minivillas
avec terrasse privative (loués à la semaine
de mi-juillet à fin août), construites en pierre
et en bois, disséminées dans un parc boisé
de 11 ha, avec une piscine de 25 mètres et
deux courts de tennis. Certes, la déco n'a
rien d'exceptionnel, mais les intérieurs sont
spacieux, pratiques, et entièrement équipés.
Demandez ceux qui sont situés derrière
la piscine, pour profiter du panorama. Le
centre du bourg est à 700 m. L'imposant
bâtiment central, n'abrite, lui, aujourd'hui
aucun logement, il fut le lieu de villégiature
du sultan marocain Mohammed V lors de
son exil à Zonza en 1953.

Chambres d'hôtes
de Cavanello MAISON D'HÔTES €€
(☑04 95 78 66 82, 06 09 50 05 01 ; www.location-
zonza.com ; hameau de Cavanello ; d 77-89 € avec

petit-déj ; ☒☎). La famille Bornéa, également
propriétaire du Mouflon d'Or, est fière de ces
9 chambres aménagées dans deux maisons
modernes, de plain-pied, au milieu d'un
magnifique domaine, isolé dans la nature
à 2 km de Zonza. Les chambres, avec
entrée indépendante, sont fonctionnelles
et accueillantes. Plusieurs chambres bénéficient d'une vue sur les aiguilles, l'Incudine
ou le plateau du Coscione. Les petits plus :
la piscine en demi-lune, avec balnéo incor-
porée, et la terrasse en teck, d'où l'on jouit
d'une vue imprenable sur les aiguilles de
Bavella et les forêts avoisinantes.

✗ Où se restaurer

L'Aiglon CUISINE CORSE €
(☑04 95 78 67 79 ; www.aiglonhotel.com ; plats
7,50-32 €, menus 18,50-24 € ; ⊘avr-oct). Le
restaurant de l'hôtel l'Aiglon se distingue
par ses bonnes assiettes d'assortiments
de spécialités (gigot de cochon à la crème
de figues, tomates au chèvre, polenta de
châtaigne au four) ou de plats plus traditionnels (agneau, entrecôte...). Nouveau, une
assiette végétarienne avec des produits bio.
De bons desserts également. Une cuisine
corse originale, servie en terrasse ou dans la
salle chaleureuse, décorée de livres anciens,
photos, tableaux et autres objets.

Auberge du Sanglier CUISINE CORSE €
(☑04 95 78 67 18 ; plats 9-24 €, menu 24 € ; ⊘mi-
mars à mi-nov). On est accueilli par une tête
de sanglier dans cette véritable institution
locale, en plein centre du bourg. L'animal
figure à la carte, cuisiné aux châtaignes (la
spécialité de la maison). Superbe terrasse
en bois d'où l'on profite d'une vue époustouflante sur les massifs de l'Alta Rocca.
Cuisine correcte, sans plus (on vient surtout
pour le panorama).

Le Randonneur RESTAURANT-PIZZERIA €
(☑04 95 78 69 97 ; plats 7,80-19 €, menus 12-22 € ;
⊘fév à mi-nov). Une adresse sans prétention
mais toujours animée en saison, grâce à une
grande terrasse et à des tarifs raisonnables.
Bon choix de pizzas, salades et plats classiques, comme le carré d'agneau, l'entrecôte
ou le magret de canard au miel.

♥ **L'Eterninsula** BRASSERIE CORSE €
(☑04 95 27 44 71 ; sandwich 5 €, assiette
7,50-12 €, hors saison menu corse 16 € ; ⊘tlj midi et
soir avr-oct). Tenue par un couple anglo-corse
et située face à l'hôtel le Tourisme dans une
imposante maison en pierre, l'Eternisula
propose des formules originales de petite
restauration : brunch, sandwich à composer

soi-même, salades, tartines salées, petit-déjeuner... L'espace est divisé en deux : une partie épicerie-restauration et une partie salon avec d'agréables canapés club, où l'on peut prendre un thé ou un café.

Restaurant
de l'Incudine   CUISINE DU TERROIR **€€**
(☎04 95 78 67 71 ; plats 12-24 € ; menus 16-23 € ; ⏱avr-oct). Une cuisine appréciée localement qui accorde un peu plus d'attention au contenu de l'assiette que d'autres adresses du village. Service en terrasse ou dans une salle avenante à la décoration contemporaine. La grande cheminée est utilisée pour les grillades, l'une des spécialités de la maison.

🛍 Achats

U Muntagnolu   PRODUITS CORSES
(☎04 95 78 54 10 ; ⏱mai à mi-oct). C'est une bonne adresse pour faire ses emplettes. Tous les produits corses sont représentés, des canistrelli à la charcuterie locale en passant par les vins et les confitures maison.

♥ Col et aiguilles de Bavella

Avec les tours génoises, les falaises de Bonifacio et les calanques de Piana, le col de Bavella (1 218 m) est l'un des sites les plus spectaculaires de l'île. Surplombé par les aiguilles de Bavella, pointes de granite acérées sculptées par les intempéries et culminant à plus de 1 600 m, dont la couleur vire de l'ocre au doré selon la course du soleil, le col a indéniablement de l'allure. Derrière ces aiguilles de pierre, aussi appelées "cornes d'Asinao", se profile le Monte Incudine (2 134 m), que le GR®20 relie au col.

Un décor aussi exceptionnel attire les foules. En saison, c'est peu dire que l'on se bouscule au col de Bavella. Familles montées de Porto-Vecchio ou de Sartène pour admirer l'époustouflant panorama du massif de Bavella, marcheurs d'un jour en balade sur l'un des nombreux parcours qui sillonnent le secteur, passionnés d'escalade ou de canyoning et randonneurs fourbus se côtoient dans une joyeuse cacophonie.

Au-delà du paysage, le col et ses environs offrent l'occasion de pratiquer de nombreuses activités. Si vous êtes en voiture et cherchez à éviter un peu la foule, redescendez par la D268 jusqu'à Solenzara par le col de Larone (voir p. 265). C'est l'une des plus belles routes de Corse !

Outre le panorama, vous pourrez admirer au col la statue de **Notre-Dame-des-Neiges**, décorée d'ex-voto. Chaque 5 août, elle fait l'objet de l'un des pèlerinages les plus importants de l'île.

Les responsables du parc naturel régional de Corse ont entrepris une réflexion sur les moyens permettant de faire face à l'engorgement estival du col. Première étape : la mise en place d'un parking payant au col (3 €) l'été pour éviter le stationnement anarchique.

🏃 Activités

Canyoning

Les environs de Bavella sont réputés pour la pratique du canyoning. Le **canyon de la Vacca** et le **canyon de la Purcaraccia**, les plus réputés, réservent des sensations fortes dans un cadre extraordinaire : saut dans des piscines naturelles, toboggans, nage et descentes en rappel. Ils ne présentent pas de difficultés techniques majeures et conviennent à tous, d'autant plus que l'on peut contourner certains passages. La principale difficulté tient à la marche d'approche (de 30 minutes à une heure) et à la marche de sortie, qui peut se révéler éprouvante après plusieurs heures passées dans le canyon ; par exemple, la marche de sortie du canyon de la Vacca est d'environ 1 heure, sur un sentier escarpé.

Pour les amateurs de sensations encore plus fortes, le **canyon de Piscia di Gallu** passe pour le plus spectaculaire ; très court mais dense, il se finit par un rappel de 65 m, dans une cascade verticale. La marche d'accès n'est que de 20 minutes environ (30 minutes pour la sortie, très raide). À noter : il n'y a pas d'échappatoire dans ce canyon (impossible de revenir en arrière)...

Le **canyon de Pulischellu** demande moins d'efforts (20 minutes de marche d'approche, et sortie immédiate) et ne comporte que des petits sauts et des toboggans ; il est idéal pour les familles.

Les sorties s'effectuent à la demi-journée ou à la journée, et coûtent de 45 à 60 € par personne environ (voir *Prestataires*, p. 237) selon le canyon.

Escalade

Le massif de Bavella est très prisé des grimpeurs novices et confirmés. Des falaises-écoles ont été aménagées. Parfaitement

U CUMPULEDDU – LE TROU DE LA BOMBE

Départ : parking payant du col de Bavella
Durée : 2 heures 30 aller-retour
Dénivelé : environ 160 m
Difficulté : facile

C'est une marche facile à travers la forêt de pins laricios jusqu'à une curiosité naturelle, le "Trou de la Bombe", une cavité de 8 m de diamètre percée dans une barre rocheuse.

Plusieurs chemins d'accès sont possibles. Nous indiquons l'un des moins fréquentés (du moins sur sa partie initiale). Garez votre voiture sur le parking payant, et marchez jusqu'à son extrémité. Prenez la piste forestière qui s'ouvre sur la droite ; assez plate, elle longe la D268 avant de bifurquer à gauche au bout de 20 minutes environ. Quelques minutes plus tard, on rejoint un croisement (en fait, on rattrape le sentier principal). Continuez à droite. Le sentier mène à un petit col, d'où l'on aperçoit le Trou de la Bombe à travers les pins, puis redescend légèrement ; veillez ensuite à prendre à droite (suivez le balisage par les cairns) pour accéder au fameux trou. Attention ! Il est déconseillé de monter jusqu'au trou proprement dit, car les passages sont escarpés.

Au retour, plutôt que de revenir intégralement sur vos pas, redescendez jusqu'au panneau en bois signalant "Cumpuleddu 15 minutes ; Bavella par Alturaghja", accessible en 15 minutes environ, et suivez la direction de Bavella par Alturaghja. Environ 20 minutes plus tard, vous parviendrez à une patte d'oie ; prenez à droite. Vous passerez à hauteur de la chapelle Santa-Maria, avant de rejoindre Bavella.

Faites cette balade tôt le matin (vers 8h), avant l'arrivée des touristes.

SUD DE LA CORSE COL ET AIGUILLES DE BAVELLA

adaptées à l'initiation, elles s'élèvent de 40 à 90 m. Les voies plus techniques sont situées en amont du massif, entre la Punta di l'Acellu et la Punta di u Pargulu (accès par la variante alpine du GR®). Le niveau de difficulté oscille entre 3 et 8a, et bon nombre de voies sont cotées 4 ou 5, ce qui les met à la portée d'un grimpeur moyen. En allant vers le sud-est en direction du refuge di Paliri par le GR®20, on rencontre d'autres possibilités, notamment sur la Punta Tafunata di Paliri, reconnaissable au trou percé au sommet, au pied de laquelle se blottit le refuge di Paliri.

Parc aventure

Le parc aventure **Corsica Madness** (☎06 13 22 95 06, 04 95 78 61 76 ; www.corsicamadness. com ; 18 €, baby park 8 € ; ⏰juil à début sept) a été aménagé à 2 km du col de Bavella (en direction de Zonza). Le cadre est époustouflant, avec les aiguilles de Bavella en toile de fond. Le site comprend 3 parcours différents, pour tous les niveaux (dont un équipé d'une tyrolienne de 120 m !), et a la particularité d'inclure quelques tronçons en via ferrata.

Randonnée pédestre

Outre le GR®20, qui traverse le massif de Bavella et le col, de nombreux sentiers balisés permettent de faire des balades plus faciles. La plus connue est celle du Trou de la Bombe (voir la randonnée ci-dessus), mais celle des piscines naturelles de Pulischellu et de Purcaraccia (voir la randonnée p. 238) est également très appréciée.

Dans un registre plus sportif et panoramique, vous pourrez faire une boucle dans les aiguilles en empruntant la variante alpine du GR®. Comptez 5 à 6 heures et consultez bien la météo avant de vous lancer dans cette randonnée qui s'adresse à des marcheurs motivés et équipés de bonnes chaussures. Informations à l'étape 14 du GR®20, p. 318.

Prestataires

Les prestataires suivants encadrent les activités à Bavella :

Aqa-Canyon (☎06 20 61 76 81, 04 95 78 58 25 ; www.aqa-canyon.com ; Levie). Canyoning.

Alte Cime (☎06 11 01 63 16 ; www.altecime. fr ; Zonza). VTT.

Corsica Madness (☎06 13 22 95 06, 04 95 78 61 76 ; www.corsicamadness.com ; Zonza). Canyoning, escalade, randonnée. Petit local dans le centre de Zonza.

Didier Micheli (☎06 16 90 08 37 : www.canyonencorse.fr ; Ghisoni). Canyoning et escalade.

LES VASQUES DU POLISCHELLU ET DE LA PURCARACCIA

Départ : à 12 km après le col de Bavella (par la D268 Bavella-Solenzara)
Durée : 2 heures aller-retour pour la Purcaraccia
Dénivelé : environ 200 m
Difficulté : moyenne ; chaussures de marche impératives

Une découverte de jolies cascades, avec possibilité de baignade dans de magnifiques piscines naturelles.

L'itinéraire débute au niveau d'un virage en épingle à cheveux. Garez votre voiture près du muret en pierre et prenez le petit sentier qui part dans le sous-bois, au milieu du virage. Le début du parcours est facile. Ensuite, on pénètre dans la vallée de la Purcaraccia, que l'on surplombe sur une corniche (attention, le sentier est étroit, et certains passages peuvent être dangereux, surtout en cas de pluie). Continuez sur cette corniche (ne descendez pas vers le ruisseau) jusqu'à ce que vous arriviez à une paroi verticale (le balisage – des cairns – est par endroits confus), visible sur la droite, au pied de laquelle coule la Purcaraccia. Traversez le lit de la rivière pour rejoindre l'autre rive, passez sous un énorme rocher (en forme de grotte) et marchez 5 minutes le long du ruisseau ; vous débouchez alors sur une superbe vasque, au pied d'une petite cascade. Vous pouvez la contourner par la droite et grimper jusqu'à une deuxième vasque au pied d'une grande paroi où rebondissent deux belles cascades.

Sachez que cette randonnée ne doit être effectuée que par temps sec. Prévoir de bonnes chaussures de marche.

Corse Montagne (☎06 17 92 11 05 ; www.corse-montagne.com ; Sainte-Lucie-de-Tallano). Canyoning et escalade.

Jean-Paul Quilici (☎04 95 78 64 33, 06 16 41 18 53 ; www.canyoningcorse.net). Canyoning, escalade, randonnée.

Olivier Chapon-Seigneur (☎06 12 41 19 74 ; ochaponghm@free.fr). Canyoning.

Xtrem Sud (☎04 95 72 12 31 ; www.xtremsud.com ; forêt de l'Ospédale). Canyoning et escalade.

🛏 Où se loger et se restaurer

Les Aiguilles de Bavella RESTAURANT-GÎTE €
(☎04 95 72 01 88 ; dort 12-18 €, 34 € en demi-pension ; plats 9-16 €, menus 14,80 et 22 €). Une cuisine familiale qui semble avoir les faveurs de la clientèle de passage, ainsi que des crêpes et des salades. Le gîte de randonnée, sous le restaurant, se compose de minuscules box de 4 lits, fonctionnels et propres. Cuisine équipée.

Auberge du Col de Bavella RESTAURANT-GÎTE D'ÉTAPE €
(☎04 95 72 09 87 ; www.auberge-bavella.com ; dort 19 €, 36 € en demi-pension ; plats 8-21 €, menu 24 € ; ☺avr-oct). Cette adresse accueillante, ouverte en 1936, est appréciée pour sa cuisine corse consistante et bien préparée (terrine de sansonnet, ragoût de haricots à la panzetta,

ragoût de cochon sauvage à la polenta de maïs). Les carnivores se feront plaisir avec l'énorme côte de bœuf à la moelle (45 € pour deux), excellente. Grande salle rustique, avec poutres au plafond et terrasse, bondée en été. Avec un peu de chance, vous tomberez sur une soirée guitare et chants corses en été. Le gîte d'étape, au sous-sol, est assez rudimentaire. Il se compose de chambres de 6 lits avec sanitaires communs et d'une cuisine équipée. À 300 m du col en direction de Solenzara.

Le Refuge RESTAURANT €
(☎04 95 72 08 84 ; plats 9-20 €, menus 15 et 22 € ; ☺avr-sept). À quelques mètres de l'auberge du col de Bavella. Petite salle au décor d'auberge de campagne (mobilier en bois, cheminée, murs blancs) et carte hétéroclite où dominent les salades, viandes et pizzas.

Quenza

À quelques kilomètres de Zonza par la D420, le joli village de Quenza vit dans l'ombre de son voisin et s'en porte plutôt bien. Agréable et isolé, il présente quelques intéressantes possibilités d'hébergement et de restauration. La proximité du hameau de Jallicu et du plateau du Coscione en fait une villégiature idéale pour partir explorer ces lieux encore très sauvages.

◉ À voir et à faire

La petite **chapelle Santa-Maria** (vers le XIe siècle), construite pas les Pisans, située en bas du village, mérite le coup d'œil.

N'hésitez pas à monter au hameau de **Jallicu**, perdu à près de 1 200 m d'altitude. Pour vous ressourcer dans ce site magnifique, faites une **balade à cheval** en compagnie de Pierrot, au départ du relais équestre Chez Pierrot (voir ci-contre). Comptez 40 € la balade jusqu'à la rivière (1 heure 30).

Du relais équestre, la route continue à monter sur 6,6 km, jusqu'au centre d'accueil de Bucchinera, "porte d'entrée" du **plateau du Coscione**, l'un des sites naturels les plus spectaculaires et les plus isolés de Corse, et un haut lieu du pastoralisme insulaire. Ce vaste plateau vallonné, couvert de pozzines alternant avec des chaos rocheux (voir p. 318), a des airs de steppe mongole. En été, il se prête à merveille à la **randonnée pédestre** (voir l'encadré ci-dessous) et aux balades à cheval (adressez-vous au Relais équestre Chez Pierrot). En hiver, il est prisé des amateurs de ski de fond et de raquettes.

🛏 Où se loger et se restaurer

♥ **Corse Odyssée** CHAMBRES D'HÔTES €
(☎04 95 78 64 05 ; www.gite-corse-odyssee. com ; d 60/65 €/pers en demi-pension ; ◷avr-oct ; 🛜). La maîtresse des lieux a créé ses chambres en pensant aux voyages que les Corses ont naguère entrepris de par le vaste monde : Afrique, Amériques, Vietnam... Situées en mezzanine, elles sont un peu petites, mais coquettes. Chaque chambre possède sa propre douche et un lavabo, mais les toilettes sont en commun, sur le palier. Mention spéciale à l'accueil, familial et chaleureux, et aux repas, cuisinés avec soin (porc aux pruneaux, feuilleté de brick au thon, tagines, crêpes au brocciu, selon le marché et l'humeur du chef). Le dîner est ouvert aux clients extérieurs (25 €), uniquement sur réservation. Panier pique-nique sur demande.

Au hameau de Jallicu :
Chez Pierrot   GÎTE-RELAIS ÉQUESTRE €
(☑04 95 78 63 21 ; http://chezpierrot.over-blog. com ; hameau de Jallicu ; dort 45 €/pers en demi-pension, d 60 €/pers en demi-pension, table d'hôtes 25 € ; ◷tte l'année). L'adresse du bout du monde ! Tout là-haut, à 6 km au nord-ouest de Quenza, sur le plateau de Jallicu... Pierrot, véritable légende vivante de l'île, est indissociable de cette auberge de montagne appréciée pour son calme absolu, ses nuits étoilées, son côté très "retour aux sources" et ses copieux menus. Éleveur de chevaux, Il loue 5 studios équipés dans une bâtisse en pierre, dotés d'une bonne literie et de carrelage ancien, sobres mais avenants. Pour les voyageurs à petit budget, trois dortoirs de 4, 6 et 8 places, rudimentaires et compacts,

RANDONNÉE

LE PLATEAU DU COSCIONE DEPUIS BUCCHINERA

Départ : 9 ou 12 km après le col selon l'option choisie (par la D268 Bavella-Solenzara)
Durée : 3 heures aller-retour
Dénivelé : environ 110 m
Difficulté : facile ; chaussures de marche impératives. Balade à n'entreprendre que par temps clair

La nature à l'état pur : cette balade vous permettra de découvrir un site unique, recouvert de pelouses, parsemé de chaos granitiques et parcouru de ruisseaux et pozzines, au milieu des troupeaux de bovins, de chevaux et de cochons sauvages.

Il n'y a pas de balisage ; suivez la piste 4x4 qui part du centre de ski de fond. Le parcours ne pose pas de difficulté, dans un paysage dégagé. De part et d'autre, des troupeaux paissent dans les pâturages ; le plateau est recouvert d'un tapis vert sur lequel des ruisselets forment des entrelacs, avec çà et là des chaos rocheux qui émergent. La piste passe au pied du Castellu d'Ornucciu, à droite. Continuez jusqu'à ce que vous arriviez à hauteur de deux piliers en béton (dont l'un s'est effondré). Poursuivez en montant à flanc de colline ; la sente contourne la colline pour aller jusqu'au sommet de la crête, signalé par les ruines d'un mur et une petite structure métallique rouillée. La vue est splendide sur les ondulations du plateau et les grands sommets du centre de l'île. Retour par le même itinéraire.

sont aussi disponibles. Le gîte dispose également d'une table d'hôtes, sur réservation, dans une pièce conviviale avec poutres apparentes, cheminée crépitante, bancs en bois et plats à l'image du lieu : tripettes, haricots à la corse, soupe, charcuterie. Des randonnées à cheval sont organisées au départ du gîte (voir *À voir et à faire* p. 239).

Funtana Bianca FERME-AUBERGE €
(☏04 95 25 44 40 ; www.funtana-bianca.fr ; hameau de Jallicu ; d 60 €, petit-déj 5 € ; plats 12-23 € ; ☉juin-oct, week-ends hors saison). Située à 1 298 m d'altitude, cette ferme-auberge, 600 mètres après Chez Pierrot, est l'une des plus isolées de toute l'île. Les chambres petites mais impeccables, sont installées dans de petites bergeries en pierre sèche. Quant à la cuisine (côte de bœuf, agneau...), elle se savoure en terrasse ou dans une belle salle rustique avec une grande cheminée. Cartes de crédit non acceptées.

🛍 Achats

Magnani MIEL
(☏04 95 78 72 78 ; Quenza). Le miel de chez Magnani passe pour l'un des meilleurs de la région. La miellerie se trouve à l'entrée de Quenza en venant de Sorbollano, en face de la chapelle Santa-Maria. Spécialités de miel (AOC) toutes fleurs, de miel de châtaignier et de miellat. Téléphonez pour prendre rendez-vous.

Serra-di-Scopamène

Ce village discret est avant tout fréquenté par les randonneurs qui suivent le Mare a Mare® sud (voir p. 333). Le village s'étire tout en longueur, à flanc de colline, et ménage des vues sublimes sur la vallée du Rizzanese.

👁 À voir et à faire

Alta Rocc'anes (☏06 83 40 70 48) propose des promenades à dos d'âne pour les enfants au départ du camping, sorties à l'heure ou à la journée.

Vous pourrez aussi vous balader sur le très agréable **Sentier du patrimoine** de Serra-di-Scopamène (une petite heure de marche) balisé par des cairns. Prétexte à une évocation d'une histoire villageoise marquée par la présence du châtaigner, il permet de découvrir le patrimoine du village, bâti en pierre sèche : séchoir à châtaignes, moulin, lavoir. Dépliant disponible auprès de la mairie, départ du centre du village.

🛏 Où se loger et se restaurer

Camping de Serra di Scopamène CAMPING MUNICIPAL €
(☏04 95 78 72 20, 04 95 78 60 13 ; 6,50 €/pers ; ☉juil-août). Vous serez au frais dans cette grande chataîgneraie en terrasse située au-dessus du village. Asinerie et promenade avec des ânes sur place. Commerce au village.

BON PLAN **Gîte d'étape le Scopos** GÎTE D'ÉTAPE €
(☏04 95 78 64 90, 06 62 81 52 47 ; www.gite-corse-scopos.com ; dort 40 € en demi-pension ; ☉mi-mars à mi-nov). L'un des meilleurs gîtes d'étape de Corse-du-Sud, impeccablement tenu par Annie. Dortoirs très propres, spacieux et lumineux, avec une vue superbe sur la vallée. Confitures maison au petit-déjeuner et plats du terroir au dîner (porc à la châtaigne, poulet au thym sauvage).

Chambres d'hôtes
U Rughjonu CHAMBRES ET TABLES D'HÔTES €
(☏04 95 78 73 64, 06 85 33 44 88 ; www.chambres-dhotes-alta-rocca-corse.com ; Zerubia ; d avec petit-déj 60 € ; ☉avr-oct). Une prestation très correcte, dans une belle maison ancienne en pierre de taille, au hameau de Zerubia, à 2 km de Serra di Scopamène. Les 5 chambres possèdent une entrée indépendante. Table d'hôtes possible sur réservation (20 €), à base de produits artisanaux.

Le Ranch CHAMBRES ET TABLES D'HÔTES €€
(☏04 95 78 64 61, 06 24 13 82 22 ; www.myspace.com/le_ranch ; Sorbollano ; d avec petit-déj 60-75 € selon saison ; ☉tte l'année ; ☎). Dans une demeure située au pied du Mare a Mare® sud, Pascale Mariani loue trois chambres, simples mais bien tenues, équipées de douches à l'italienne. Aux beaux jours, le petit-déjeuner est servi dans le jardin, sous un cerisier. Table d'hôtes excellente (18-30 €), à base de produits de la région et de légumes du jardin (porc farci aux figatelli, canard à la clémentine corse, courgettes au brocciu *passu*, pancake à la châtaigne).

Aullène (Auddè)

Aullène qui fut le théâtre d'un gigantesque incendie en 2009 dont les séquelles sont encore visibles est à la croisée de quatre routes ("Auddè" signifie "carrefour"). Parmi elles, la superbe D420, qui file vers Petreto-Bicchisano et Ajaccio, et la D69, qui monte jusqu'à Zicavo (dans le haut Taravo). Cette dernière passe par le **col de la Vaccia**

(1 193 m), où vous pourrez faire une halte rafraîchissante (voir ci-dessous).

🛏️ Où se loger et se restaurer

Auberge du Col de la Vaccia　　AUBERGE €€
(☑06 84 75 70 27 ; col de la Vaccia ; d 70 € avec petit-déj, menus 20-30 € environ ; ☺mi-avr à mi-oct). Au col de la Vaccia, sans doute l'une des auberges les plus isolées de Corse. Elle loue 4 vastes chambres, lumineuses et fraîches. Une seule s'ouvre sur la vallée que vous pourrez contempler à loisir depuis la terrasse du restaurant. A 11 km d'Aullène par la D69.

Chambres d'hôtes

San Laurenzu　　CHAMBRES D'HÔTES €€
(☑04 95 78 63 12 ; s/d/tr 60/65/85 € avec petit-déj, demi-pension 21 € par pers ; ☺avr-oct ; P 🛜). À Aullène même, elle se repère facilement à sa façade jaune soleil, dans la rue principale. Vous y trouverez des chambres impeccables, claires et accueillantes. Les petits-déjeuners sont servis dans une salle, de l'autre côté de la route, à la superbe charpente et ouverte sur la vallée. La mère du propriétaire, Mireille Chiaroni, fin cordon bleu, exerce, elle, à la **ferme-auberge le Chalet** (☑04 95 78 63 12 ; rue de la Poste ; plats 9-21 €, menus 19,50-25 € ; ☺soir avr-oct), cinquante mètres plus loin dans la même rue (possibilité de demi-pension). Cuisine familiale et goûteuse (terrine de sanglier ou de lapin, entrecôte, daube de porc aux châtaignes).

Biscuiterie artisanale Sabidini　　BISCUITS
(☑06 89 06 10 84 ; http://aullene.free.fr/sabidini ; Casa Rosalinda). Bernard et Isabelle réalisent des petites merveilles de bouche sucrées et salées : *frappi*, *sciaccia* (chaussons au brocciu sucré cuit sur la pierre), *canistrelli* (à la poudre de noisette, au zeste d'orange et même au vin blanc !), *ambrucciata*, beignets au brocciu... Quelques tables sont disposées en terrasse, pour une dégustation immédiate. Atelier-boutique à la sortie du village en direction du col de la Vaccia.

Levie (Livia)

Levie invite à une promenade culturelle et à une plongée dans l'histoire. Ce village paisible abrite l'un des plus intéressants musées de l'île et des sites archéologiques bien mis en valeur s'étendent à quelques kilomètres. Traversé par le sentier Mare a Mare® sud, Levie ne voit donc pas seulement passer des randonneurs. Le village

compte de bonnes infrastructures, ce qui en fait une option intéressante si tout est complet à Zonza.

👁 À voir

Musée de l'Alta Rocca　　HISTOIRE CORSE
(☑04 95 78 00 78 ; quartier Prato ; adulte 4 €, -18 ans gratuit ; ☺tlj 10h-18h juin-sept, lun-sam 10h-17h oct-mai). Rénové, agrandi, modernisé et rouvert en 2007, cet intéressant musée offre une promenade à travers l'histoire, du neuvième millénaire avant notre ère au XVIᵉ siècle. La star des lieux est la Dame de Bonifacio, le plus ancien vestige humain de Corse, datée d'environ 6570 av. J.-C. Les panneaux explicatifs sont étonnamment précis à son sujet (voir l'encadré p. 243). Outre la vénérable ancêtre, le musée présente des informations sur la géologie et la préhistoire de l'île, mais aussi sur ses premiers habitants : outils, armes, alimentation, habitats, parures. On peut aussi y voir le squelette de la Dame de Capula, plus "jeune" que sa célèbre consœur, puisqu'elle vivait vers 50 av. J.-C.

L'ensemble est remarquablement bien présenté, dans un espace moderne et soigné, et mérite incontestablement la visite.

♥ Cucuruzzu et Capula　　SITES ARCHÉOLOGIQUES
Le *pianu* (commune) de Levie recèle deux étonnants sites archéologiques : les *castelli* (châteaux) de **Cucuruzzu** et de **Capula** (☑04 95 78 48 21 ; avec/sans audioguide 5,50/3 € ; ☺9h30-18h avr-mai et oct, 9h-19h juin-sept). Découvert en 1963, le site de Cucuruzzu est un exemple intéressant d'architecture monumentale de l'âge du bronze. Aménagé dans un chaos granitique, cet ensemble révèle l'implantation d'un véritable village organisé dont l'activité, à l'origine fondée sur l'élevage et l'agriculture, évolua à l'âge du bronze récent (1200 à 900 av. J.-C.) pour s'ouvrir à la meunerie, à la poterie et au tissage. À l'intérieur du *castellu*, on remarque des cavités qui étaient destinées aux activités artisanales.

Plus récent, le *castellu* de Capula, accessible en une vingtaine de minutes depuis Cucuruzzu fut habité jusqu'au Moyen Âge. Admirez l'appareillage qui forme le mur d'enceinte ainsi que la statue-menhir plantée au pied de celui-ci. On peut monter sur le *castellu* en suivant une rampe.

Outre un beau point de vue sur les aiguilles de Bavella, ces *castelli* méritent le détour pour leur excellente mise en valeur.

L'audioguide que l'on vous remettra à l'entrée parvient en effet à transformer la visite de sites peu parlants en un passionnant voyage spatio-temporel.

Les sites archéologiques sont fléchés à droite sur la D268, à 3,5 km du village de Levie en direction de Sainte-Lucie-de-Tallano. Il reste alors 4 km à parcourir sur une petite route jusqu'à l'entrée du site. Prévoyez de l'eau et de bonnes chaussures. À l'entrée, vous devrez laisser une pièce d'identité en caution pour l'audioguide. Comptez environ 2 heures pour la visite, qui totalise 3 km de marche (non accessible aux poussettes).

🏃 Activités

Levie est traversé par le sentier **Mare a Mare®** **sud** (voir le descriptif p. 333). Si vous avez envie de marcher, élancez-vous sur ce sentier en suivant les panneaux, au milieu du village.

🛏️ Où se loger et se restaurer

Camping d'Ora   CAMPING €
(📞04 95 78 48 17, 04 95 78 43 11 ; www.camping ora.fr ; San Gavinu di Carbini ; adulte/tente/voiture 3/3/3 € ; ☺juin-sept). Beaucoup d'ombre et de fraîcheur dans ce camping accueillant, magnifiquement situé dans le hameau de San Gavinu di Carbini, environ 4 km avant Levie sur la route de Zonza.

BON PLAN **Gîte d'étape de Levie**   GÎTE D'ÉTAPE €
(📞04 95 78 46 41 ; dort 40 €/pers en demi-pension ; ☺avr-oct). Située à 100 m de la gendarmerie, légèrement à l'écart du bourg, cette maison de granite un peu impersonnelle dispose d'une vingtaine de lits en chambres de 4, avec salle d'eau (mais les toilettes dans le couloir). Cuisine familiale pour la demi-pension.

Chambres d'hôtes
Aravina   CHAMBRES D'HÔTES €€
(📞04 95 72 21 63, 06 33 87 04 14 ; domi. jy@wanadoo.fr ; route du Pianu ; d 85 € avec petit-déj, 70 €/pers en demi-pension ; 📶). Le silence absolu, la fraîcheur de l'altitude, une demeure en granite impeccablement restaurée, les aiguilles de Bavella à l'horizon... Les 4 belles chambres, toutes différentes, sont vastes, décorées d'enduits et de teintures colorés. Toutes (sauf la "Rétro") offrent une vue sur le massif de Bavella. Table d'hôtes (30 €), à base de produits de l'exploitation. Vente de miel (possibilité de visiter les ruches sur la propriété) et de charcuterie (élevage de porc Nustrale). Sur la route des sites archéologiques de Cucuruzzu et de Capula, 3 km avant de les atteindre.

♥ **A Pignata**   FERME-AUBERGE €€€
(📞04 95 78 41 90 ; www.apignata.com ; route du Pianu ; d en demi-pension 90-145 €/pers selon confort et saison ; menu 45 € ; ☺mars-oct, sam-dim nov-déc ; 🅿🐾📶). Réputée de longue date pour sa cuisine, cette adresse familiale gérée avec professionnalisme, sur la route du site de Cucuruzzu, se distingue maintenant également par son hôtellerie. Hormis les moins chères, plus standard, ses chambres affichent en effet une décoration mêlant éléments naturels et matériaux contemporains. Le résultat, dans des teintes de gris, de beige et de chocolat, est réussi, moderne et chaleureux. Une nouvelle chambre s'est même posée dans un arbre. Les plus belles chambres sont attribuées en priorité aux séjours d'une semaine. Le plus : une belle piscine intérieure chauffée, bordée d'un deck en bois (réservée aux clients des chambres). Quant au menu unique, gargantuesque, il est élaboré à partir de produits choisis avec soin. Il se déguste soit dans une grande salle avec poutres apparentes, tables en chêne massif et photos de famille accrochées aux murs, soit sur la terrasse couverte, avec les sommets de l'Alta Rocca en toile de fond. Une chambre accessible aux handicapés. Réservation impérative.

La Pergola   BAR-RESTAURANT €
(📞04 95 78 41 62 ; rue de Sorba ; plat unique 10 €, menu 14-19 € ; ☺avr-oct). On peut facilement passer devant cet établissement de la rue principale sans voir sa terrasse microscopique, protégée du soleil par une treille en vigne vierge, qui précède une salle tout aussi minuscule qui contient à peine 4 tables... Format timbre-poste, donc, mais ambiance conviviale garantie dans cette "guinguette" familiale sur laquelle veille Jean-Paul Maestrati. La cuisine est à l'image des lieux : franche et simple (gigot d'agneau, carpaccio de betterave à l'orange, assiette de charcuterie...). Une bonne adresse de village.

Auberge U n'Antru Versu PIZZERIA-GRILL €€
(📞04 95 78 31 47 ; www.aubergeunantruversu. com ; San-Gavinu-di-Carbini ; plats 8-24 €, menu 24 € ; ☺mars à fin déc). Une pizzeria-grill sans prétention à découvrir au hameau de San-Gavinu-di-Carbini (entre Levie et Zonza), dans une maison en pierre, au bord de la route. Petite terrasse, ou salle accueillante, avec un joli mobilier. Pizzas très correctes. Possibilité de chambres d'hôtes.

8 500 ANS ET PLUS TOUTES SES DENTS

Plus ancien vestige humain mis au jour par les archéologues en Corse, la Dame de Bonifacio, découverte en 1972 par François Lanfranchi dans le goulet de Bonifacio, foulait le sol de l'île il y a environ 8 500 ans. On la connaît cependant fort bien grâce aux scientifiques. Les panneaux explicatifs du musée de l'Alta Rocca de Levie nous apprennent en effet que la doyenne des Corses était de petite taille (1,54 m), qu'elle mourut vers 30-35 ans et qu'elle n'était pas en bonne santé : elle était en effet atteinte d'une dysmorphie qui rendait sa marche difficile, de troubles de la croissance, de plusieurs fractures et surtout d'une lésion de la première molaire droite, certainement responsable de son décès.

🔒 Achats

Ferme I Frassedi   PRODUITS DU TERROIR
(☎ 06 12 34 21 71). Hmm, la délicieuse tomme corse, et le non moins délicieux fromage de chèvre (de mars à septembre) et de brebis, produits directement sur place ! Jean Viti et sa femme travaillent également la charcuterie (de novembre à avril). Sur la route des sites archéologiques de Cucuruzzu et Capula, à 1 km avant le parking. Téléphonez au préalable.

♥ Atelier du Lotus   COUTELLERIE CORSE
(☎ 04 95 74 05 13 ; www.couteaulotus. canalblog.com). Créé par Franck Thomas il y a plus de 25 ans, cet atelier-boutique de coutellerie, où exercent aujourd'hui plusieurs artisans talentueux, est l'un des meilleurs de l'île. Tous les couteaux, certains avec de magnifiques lames en acier damassé, sont faits sur place. Si vous ne vous contentez pas de répliques, un arrêt s'impose ici où vous pourrez acquérir un "vrai" couteau corse. Comptez au minimum 150 €. Possibilité de couteaux sur mesure sans limite de prix et de matériaux. Au bourg.

Carbini

Au départ de Levie, la D59 dévale vers une vallée avant de descendre en lacets jusqu'au village de Carbini qui, même en haute saison, reste à l'écart des voies de circulation et des animations principales de la région.

Outre pour son côté discret, il mérite le détour pour son **église Saint-Jean-Baptiste** (XIIᵉ siècle), de style roman, flanquée d'un imposant **campanile** d'une trentaine de mètres de hauteur. La partie supérieure de la façade est décorée de petites arcatures qui reposent sur des corniches, autour de l'édifice.

Ce modeste bourg de quelques centaines d'âmes abrita au XIVᵉ siècle Giovanni Martini, fondateur de la secte des Giovannali. Les membres prêchant la pauvreté et condamnant les fastes de l'Église, s'attirèrent les foudres de la hiérarchie catholique. Excommuniés, jugés hérétiques, accusés de se livrer aux pires débauches, ils furent réduits au silence.

De Carbini, la D59 rejoint la côte vers le sud.

♥ Sainte-Lucie-de-Tallano (Santa Lucia di Tallà)

Sainte-Lucie-de-Tallano (et ses 450 habitants) serait sans nul doute un candidat sérieux si le titre de plus beau village de Corse devait être décerné. Perché à 450 m d'altitude, le bourg doit son charme à ses maisons de granite aux toits de tuile rouge orangé serrées les unes contre les autres, qui se détachent sur le vert profond des forêts et du maquis environnants. Pour la petite histoire, c'est ici qu'ont été tournées certaines scènes de l'adaptation cinématographique de la bande dessinée *L'Enquête corse* de Pétillon (pour les besoins du film, le village a été rebaptisé Rossignoli).

🎊 Fête

Fin mars se tient la grande fête de l'huile d'olive, **A Festa di L'Oliu Novu**. Elle rassemble plus de 80 exposants et artisans, en provenance de toute l'île.

⊙ À voir

Un **moulin à huile** (2 € ; ⊙ lun-sam 10h-12h et 15h-18h mai-sept) du début du XIXᵉ siècle, restauré avec soin, témoigne de l'importance de l'olivier dans l'histoire du village.

On y accède en 200 m par la rue qui part près du bar-tabac Ortoli, sur la place. Le bourg est par ailleurs célèbre pour son gisement – actuellement inexploité – de **diorite orbiculaire**. Cette roche éruptive rare, reconnaissable à ses alvéoles grises, est visible aux pieds de la statue du monument aux morts sur la place principale. L'**église Sainte-Lucie** (XVIIᵉ siècle) vaut également le coup d'œil, tout comme le **couvent Saint-François**, de style Renaissance, à 1,5 km du centre du bourg par la D268.

La rue du Borgo mène à une **tour fortifiée**, percée de meurtrières et équipée de mâchicoulis. On suppose qu'elle a été édifiée au XVᵉ siècle pour servir de refuge aux habitants en cas de danger. Des mâchicoulis, on jetait de l'huile sur les assaillants.

Pour vous rafraîchir, rejoignez le très joli hameau de **Zoza** (signalé), à environ 4 km de Sainte-Lucie, adossé à un amphithéâtre montagneux. Le Rizzanese coule en contrebas du village (accès signalés), mais nous n'avons pas trouvé l'eau très propre lors de notre passage.

🛏 Où se loger et se restaurer

U Fragnonu ⸱ GÎTE D'ÉTAPE €
(☎04 95 78 82 56 ; www.alta-roc.fr ; dort 42 € en demi-pension ; ☺avr-oct). À 300 m de la place principale, en direction du hameau de Zoza, ce superbe gîte occupe un ancien moulin à huile. Tenu par les sympathiques Palma et Carlos (moniteur de canyoning et d'escalade), il comprend 8 chambres de 4 lits, avec sdb, fonctionnelles et très propres. Une salle commune vaste et plaisante ajoute à l'agrément du lieu. Repas copieux.

Chambres d'hôtes
Palazzo MAISON D'HÔTES €€
(☎04 95 78 82 40, 06 79 07 93 77 ; upalazzu@ orange.fr ; d/tr 84/105 € avec petit-déj ; ☺mars-oct ; @). Cette belle maison de maître, au centre du village, loue 5 chambres douillettes, toutes décorées différemment

avec de jolis tissus, des couleurs pastel, du mobilier ancien (dont un lit à baldaquin dans 2 chambres). Deux d'entre elles ménagent de belles perspectives sur la vallée du Rizzanese. Demandez au propriétaire de vous montrer le moulin à huile, dans les parties les plus anciennes de la maison. Jardin ensoleillé, idéal pour savourer son petit-déjeuner.

Restaurant Santa Lucia CUISINE CORSE €€
(☎04 95 78 81 28 ; plats 12-18 €, menus 18,50-24,50 € ; ☺fév-nov). Son agréable terrasse ombragée, sur la place de la mairie, est le centre névralgique du village. Cuisine de spécialités corses (lapin au vin de myrte, civet de sanglier aux cèpes) de qualité honnête, sans plus. Le choix est limité dans les deux menus.

Chez Dumé AUBERGE €
(☎04 95 78 80 67 ; plats 7-16 € ; ☺tte l'année). Pergola fleurie et terrasse d'où l'on peut observer les joueurs de pétanque, sur la place principale. Cuisine familiale, sans chichi et sans prétention. Également quelques chambres en location.

🛍 Achats

L'huile d'olive occupe une place à part dans l'histoire du village, comme en témoigne son beau moulin restauré. Plusieurs producteurs profitent de cette manne et commercialisent de l'huile, avec des olives qui ne proviennent pas toujours de Sainte-Lucie-de-Tallano.

Nepita HUILE D'OLIVE
(☎04 95 78 84 90, 06 87 87 04 28 ; www. nepita.fr ; Poggio-di-Tallano). Au hameau voisin de Poggio-di-Tallano. L'huile est d'excellente qualité, bio, et bénéficiant du label AOC. À Sainte-Lucie-de-Tallano, elle est en vente à l'épicerie libre-service sur la place centrale, sous l'étiquette "Poggio di Tallano". Comptez 20 € le litre. Appelez avant car la production étant bisannuelle, il y a des risques de rupture de stock.

Est de la Corse

Pourquoi y aller

L'est de l'île, moins bien loti en merveilles naturelles que d'autres régions, est doté d'une image peu flatteuse. En effet, les paysages de grandes plaines agricoles, entre Moriani et Solenzara, n'ont rien de grandiose. La plaine orientale, longtemps à l'abandon, a été un foyer de paludisme jusqu'au milieu du siècle dernier. La N198, qui la traverse comme une flèche, n'incite guère à s'arrêter...

Mais il suffit de faire quelques kilomètres vers l'intérieur des terres pour découvrir les admirables paysages de son arrière-pays. Les quatre microrégions qui le composent (Casinca, Castagniccia, Fiumorbu et Morianincu) sont encore méconnues. Gardiennes des traditions et de la langue corse, elles présentent une beauté et une atmosphère qui n'a rien à envier à des terroirs reconnus comme les plus beaux de l'île. On y découvrira par ailleurs une vraie société montagnarde développée autour de la châtaigne, qui fit jadis leur richesse. Quelques étapes culturelles, et surtout un patrimoine religieux aussi beau qu'original, témoignent de ces glorieuses heures passées. Noyées dans la végétation entre 600 et 1 000 m d'altitude, ces microrégions sont accessibles par des routes longues et sinueuses qui les préservent de la fréquentation anarchique en période estivale.

Quand partir

Mai-juin	Juillet	Août-septembre
Les routes sinueuses des microrégions de l'arrière-pays (Castagniccia, Morianincu, Rustinu, Fiumorbu) sont désertes à cette saison, et les villages sublimés par la lumière printanière.	Les longues plages de Moriani ou de la Costa Serena sont propices au farniente et aux activités nautiques. Fin juillet, la foire agricole du col de Prato attire près de 8 000 visiteurs.	La Fiera di a Nuciola (fête de la Noisette), fin août à Cervione, mérite le détour pour son ambiance rurale. En septembre, la saison est idéale pour emprunter les sentiers qui sillonnent les forêts de la Castagniccia.

À ne pas manquer

❶ L'**église Saint-Jean-Baptiste** (p. 253), une splendeur baroque perdue au fond de la Castagniccia, dans le village de **La Porta**

❷ Le village de **Penta-di-Casinca** (p. 248), l'un des trésors de la Casinca

❸ L'indispensable étape dans la **maison natale de Pascal Paoli** (p. 255), le "père de la patrie", à **Morosaglia**

❹ Les crustacés de l'**étang de Diane** (p. 259) et de l'**étang d'Urbino** (p. 260)

❺ Les panoramas depuis le village de **Cervione** (p. 250), et son patrimoine

❻ L'ascension du **Monte San Petrone** (p. 253), pour profiter d'une superbe vue

❼ Le **musée archéologique Jérôme-Carcopino** (p. 258), et le site antique d'**Aléria**

CASINCA

Aux portes de Bastia et face à la plaine orientale, la minuscule Casinca a su garder son côté sauvage, entre mer et montagne. Ses gros bourgs aux hautes maisons de schiste sombre, adossés aux collines, semblent surgir comme par enchantement des forêts de châtaigniers et d'oliviers. Oubliée des dépliants touristiques, la Casinca a pourtant l'avantage d'être facilement accessible. De Torra, sur la N198, une boucle d'une vingtaine de kilomètres traverse une série de villages de caractère, dotés d'un remarquable patrimoine architectural, de belles églises baroques et de chapelles romanes. Avec, en toile de fond, la silhouette du Monte Sant'Angela (1 218 m) et la mer Tyrrhénienne.

Si ce type d'atmosphère et de paysage vous convient, il est facile de prolonger l'itinéraire en le couplant avec les villages du Morianincu, au sud, ou de la Castagniccia, à l'ouest. Munissez-vous alors d'une bonne carte routière, car vous ne fréquenterez que d'étroites routes secondaires.

ⓘ Comment circuler

BUS Les **Autobus de la Casinca** (☎04 95 36 74 13) effectuent la liaison Bastia-Vescovato-Venzolasca (4/j lun-ven, 6,50 €, 45 minutes).

Vescovato et ses environs

À quelques kilomètres de la côte par la D237, l'ancienne place forte de **Vescovato** (2 300 habitants) apparaît au détour d'un virage, au milieu des forêts. Le bourg, qui tire son nom de *vescovo* (évêque), fut au XVe siècle la résidence de l'évêché, avant que ce dernier ne soit transféré à Bastia. Laissez votre voiture à l'entrée du village pour découvrir à pied les ruelles et les escaliers où s'alignent de hautes maisons, adossées à la montagne. Au sommet du bourg, une large place bordée de platanes et de cafés mène à l'**église San-Martino**, de style baroque, bâtie sur une terrasse. On y accède par un souterrain d'époque médiévale qui débouche sur un parvis qui surplombe les toits des maisons alentour. Demandez les clés à la mairie si vous souhaitez visiter l'intérieur.

Venzolasca (1 500 habitants), quelques kilomètres plus loin, possède avec l'**église Sainte-Lucie** un bel exemple d'architecture baroque. Si les édifices religieux vous intéressent, renseignez-vous sur les ruines d'un couvent et d'une ancienne chapelle, visibles dans les environs du village.

🛏️ Où se loger et se restaurer

Les adresses ci-dessous sont situées entre les abords de la côte, la N198 et la route qui relie Venzolasca à Vescovato. Outre ces adresses, des bars-restaurants sont installés sur la place principale de Vescovato.

Domaine de Valle   MAISON D'HÔTES €€
(☎04 95 38 93 03 ; www.domainedevalle.fr ; Querciolo ; d avec petit-déj 65-70 € selon saison ; ☉janv-nov ; ❄🐾). Cette maison d'hôtes située à la sortie de Querciolo en direction d'Aléria (à 3 km au sud de Torra, le village d'où part la route menant à Vescovato) est l'un des meilleurs choix des environs. Cet ancien relais de diligence se dresse au milieu d'une propriété arborée suffisamment loin de la route pour que son bruit soit très largement atténué. Quant aux 4 chambres, elles sont accueillantes et claires, avec de beaux carrelages et des sanitaires impeccables. L'huile d'olive produite sur le domaine est excellente, tout comme la confiture de clémentines. Plage à 4 km et restaurants à proximité.

BON PLAN **A Stella Serena**   MAISON D'HÔTES €
(☎04 95 36 65 29, 06 23 86 22 26 ; stella-serena@hotmail.fr ; Torra ; s/d 40/50 € avec petit-déj ; ☉avr-oct). Jacques et Sharon, un couple franco-californien installé de longue date en Corse, vous ouvrent les portes de leur maison récente à la déco aussi atypique que ses propriétaires : un joyeux bric-à-brac mêlant livres, chapeaux, sculptures... Les 2 chambres assez petites, dont une avec entrée privative, partagent des sanitaires à côté du salon (ce qui n'est pas la panacée question intimité). Le cadre n'a rien d'exceptionnel mais les tarifs sont avantageux, la convivialité réelle et l'emplacement pratique, à 6 km de la côte, 10 minutes de l'aéroport et 5 min de la gare de Casamozza (les propriétaires peuvent venir vous chercher). Mention spéciale aux confitures maison faites avec les fruits du jardin.

Maison de la vigne   CHAMBRES ET TABLE D'HÔTES €€
(☎04 95 34 36 68, 06 23 21 33 14 ; www.vacancesa venzolascaencorse.fr ; Venzolasca ; s/d/tr/q 60/75/90/110 € avec petit-déj, 120 € demi-pension pour 2). Dans un virage de la D37 (direction Venzolasca) situé à 1,5 km après le croisement avec la RN 198, ces deux demeures récentes aux boiseries rouges, reliées par des caillebotis en bois, disposent de trois chambres au cachet différent (mansardée, avec balcon et entrée indépendante, avec sauna) où domine le bois et les couleurs vives. L'extérieur, une forêt de chênes-liège et de châtaigniers envahie par les oiseaux – la maison est aussi un refuge Ligue

AVEC DES ENFANTS

LIEUX	ACTIVITÉS	BON À SAVOIR
Moriani-Plage	Une initiation au **poney** dans les écuries de la Costa Verde (p. XXX)	Dès 3 ans. Sur réservation.
Aléria	Un **stage équestre** avec le centre de tourisme équestre de Bravone (p. 259)	De très belles promenades dans le maquis ou sur la plage sont également possibles pour les enfants dès 7 ans avec leurs parents.
Solenzara	Un **parcours baby** dans le parc aventure de la Solenzara (p. 263) ou dans le Corsica Forest (p. 265)	Dès 3 ou 5 ans.

pour la protection des oiseaux – est parsemé de petites mares permettant de recycler les eaux usées. Dommage que la proximité de la route rende l'adresse un peu bruyante. La maîtresse de maison fabrique de délicieux "produits confiturés", que vous pourrez déguster au petit-déjeuner dans une grande salle donnant sur le littoral. Possibilité de louer un gîte à la semaine à Venzolasca (350 à 550 € suivant la saison). Table d'hôtes (25 €) et panier pique-nique (10 €) sur demande.

Chez Mathieu　　　　　　　　PAILLOTE €€
(Vescovato ; plats 9-25 € ; ☺mai-sept). Certes, la plage n'est pas la plus belle de Corse, les chaises en plastique en rebuteront certains, mais cette petite paillote campée face à la mer depuis 45 ans est une bonne adresse. Sur la carte de Mathieu, des pizzas mais surtout de très bonnes spécialités de la mer : gambas à la Mathieu flambées au safran et au cognac, espadon sauce aux câpres... Au bout de la route de la plage (6 km) depuis le rond-point qui mène à Vescovato.

L'Ortu　　　　　　　　RESTAURANT BIO €
(☎04 95 36 64 69 ; route de Venzolasca, Vescovato ; plats 6-20 €, menu 22 € ; ☺mer-dim midi et soir, Pâques à fin sept). Précurseur de la cuisine bio sur l'île, L'Ortu vous accueille dans une maison aux airs de chalet plantée dans la végétation à la sortie de Vescovato. On y redécouvre le goût du potager et des choses simples : carottes, salades, galettes de céréales, pâtes, fromages, côte de veau, etc. La formule est originale, le cadre champêtre agréable, la cuisine correcte et l'accueil familial. Il est prudent de réserver.

U Fragnu　　　　　　　　FERME-AUBERGE €€
(☎04 95 36 62 33 ; Venzolasca ; menu 40 € ; ☺tous les soirs juil-août, jeu-sam soir et dim midi sept et mi-nov à juin). À l'entrée nord du village de Venzolasca, à un virage de la route, cette ferme-auberge installée dans une demeure traditionnelle est réputée pour sa cuisine corse de qualité. Soupe corse, beignets de courgettes et sauté de veau se dégustent dans la salle, autour du pressoir à olives, ou sur la terrasse qui surplombe les champs. Menu fixe, sur réservation uniquement.

♥ Penta-di-Casinca

Classé "site pittoresque" en 1973, ce qui fait la fierté de ses habitants, Penta-di-Casinca compte parmi les villages de Corse les plus beaux et les plus étonnants. Perché sur une colline tapissée d'oliviers et de châtaigniers, il est en effet bâti le long d'une ruelle unique, parallèlement à la côte sur laquelle il révèle un superbe panorama.

Outre son atmosphère particulière et ses belles maison en lauze de schiste vert, notez l'architecture de son église baroque et les inscriptions qui figurent sur le porche du cimetière, à l'écart du village : en entrant, *Oghie a me* ("Aujourd'hui à moi"), en sortant, *Dumane a te* ("Demain à toi").

De Penta-di-Casinca, il est possible de rejoindre la N198 par la D206, en passant par **Castellare-di-Casinca**, où se trouve la **chapelle Saint-Pancrace**, dotée d'une admirable abside.

Il n'existe pas de possibilité d'hébergement à Penta-di-Casinca. Le café de la rue principale, repaire des habitués près de l'église, ouvre toute l'année.

✗ Où se restaurer

BON PLAN　**A Teppa**　　　　　　PIZZERIA-GRILL €
(☎06 74 52 47 75 ; plats 8-16 € ; ☺mi-juin à mi-sept). Ce restaurant mérite le détour

pour l'accueil chaleureux du patron et sa connaissance de la région. Dissimulée face à la mairie, en contrebas, cette belle petite terrasse révèle par ailleurs un sublime panorama qui laisse le regard s'évader jusqu'à la côte. La carte mise sur les pizzas au feu de bois, salades et plats simples (entrecôtes, brochettes). Petite mais bonne sélection de vins corses.

U fornu CUISINE CORSE € (06 13 08 39 48 ; plats 8,50-13,50 €, menu 20 € ; mai-sept midi et soir). Autour de quelques tonneaux perchés sur une terrasse d'où l'on observe une magnifique vue sur les villages de la Casinca et sur la mer, on déguste une cuisine corse traditionnelle faisant la part belle à la charcuterie et aux viandes grillés (entrecôte, pièce de rumsteack de 400 g, panzetta) dans un four à bois. Vente directe de charcuterie à des prix compétitifs. Pas de cartes de crédit. En contrebas du village, prendre la rue principale puis à gauche.

Loreto-di-Casinca

Littéralement posé sur un éperon à 630 m d'altitude, sous un bloc rocheux, le village de Loreto-di-Casinca (180 habitants) est particulièrement impressionnant. Ses toits de lauzes irrégulières et sa place encadrée de platanes ajoutent à son charme et, par temps clair, la vue porte jusqu'à l'île d'Elbe, voire jusqu'à l'Italie.

Une route secondaire permet de rejoindre La Porta, en Castagniccia, depuis Loreto-di-Casinca.

Où se loger et se restaurer

En dhors des adresses suivantes, vous trouverez également des bars-restaurants sur la place principale, ainsi qu'une pizzeria, **Indé Tittinu** (04 95 36 10 31 ; pizzas 9-15 €).

BON PLAN **Villa Paradincu** CHAMBRES D'HÔTES € (04 95 36 00 06 ; d avec petit-déj 50 € ; mai-sept). Un chemin en terre mène à cette maison d'hôtes située 800 m avant Loretto en venant de Vescovato. Une vaste maison en pierre, isolée face aux montagnes, abrite des chambres propres, vastes et confortables. Une cuisine et un salon sont à disposition.

U Rataghju CUISINE CORSE €€ (04 95 36 30 66 ; menu 28 € ; sur réservation). Accueil tout en gentillesse pour ce restaurant qui vous reçoit dans le superbe décor

d'un ancien séchoir à châtaignes. On vous y expliquera tout sur les châtaignes autour d'un copieux menu : charcuterie, ragoûts de viande, beignets au brocciu. Une deuxième salle, plus conventionnelle, a été aménagée de l'autre côté de la ruelle, et bénéficie d'une vue dégagée sur la plaine. Pour vous y rendre, suivez les panneaux au fil des ruelles en descendant dans le village.

CASTAGNICCIA

Parcourue de mille cours d'eau, de collines et de montagnes, sillonnée d'un réseau de routes qui forment d'interminables lacets, la Castagniccia est un monde à part. Boisée et sereine, cette belle région qui doit son nom aux innombrables châtaigniers qui y furent plantés à l'époque génoise est tapissée d'un épais manteau végétal d'où émergent des villages aux maisons de pierres sèches coiffées de toits de lauzes.

Ici et là, la région laisse entrevoir des vestiges de sa richesse d'autrefois, notamment de belles églises dotées d'étonnants clochers et campaniles, qui lui apportent une note d'exubérance. L'art roman est également représenté par une vingtaine de chapelles, construites entre les IXe et XIIIe siècles.

Au XIXe siècle, avec plus de 50 000 habitants, la Castagniccia était la région la plus peuplée et la plus prospère de l'île. Elle subit ensuite l'exode de ses populations, à la fin de la Première Guerre mondiale. Aujourd'hui, ses villages dépeuplés semblent perdus dans l'immensité verte. Le potentiel en matière d'écotourisme est immense, mais les réalisations sont encore limitées. Raison de plus pour s'y aventurer...

Il n'est pas toujours facile de se repérer dans le dédale de villages et de routes de la région. Nous vous proposons donc ici un itinéraire

À SAVOIR

Munissez-vous d'une bonne carte routière pour découvrir cette Corse secrète et prenez vos précautions : vous ne trouverez ni banques ni stations-service en chemin. Les possibilités d'hébergement restent par ailleurs limitées (mieux vaut réserver en saison).

Sur Internet, vous trouverez quelques informations utiles sur le site www.castagniccia.fr.

LA PETITE HISTOIRE

LA CHÂTAIGNE, MANNE DE TOUTE UNE RÉGION

Si des châtaigniers étaient présents sur l'île avant l'arrivée des Génois, l'essor de la culture des châtaignes débuta sous leur impulsion, à la fin du Moyen Âge. L'arbre colonisa la Castagniccia (de *castagnu*, châtaigne) jusqu'à en faire sa terre d'élection. Son fruit, transformé en farine, devint ainsi l'un des éléments principaux de l'alimentation (notamment pour fabriquer la *pulenta*), faisant la richesse des villages de la région. Exportée sur le continent, la châtaigne servit même de monnaie d'échange, devenant ainsi la base de l'économie locale. On alla jusqu'à parler de "civilisation du châtaignier".

Le déclin de la châtaigne débuta après la Première Guerre mondiale. Le dépeuplement, les maladies de l'encre et du chancre, le non-renouvellement des plants et le porc coureur, qui déterre les racines et ravine les sols, portèrent des coups fatals à cette production dont les techniques n'évoluèrent guère d'un siècle à l'autre.

La production corse, qui s'élevait à 150 000 tonnes dans les années 1880, tomba à 2 000 tonnes en 1992 puis à 1 200 tonnes en 2004.

de découverte, de la côte à Morosaglia, en passant par les principaux villages de Castagniccia. Cet itinéraire emprunte des routes sinueuses mais révèle de très beaux panoramas de la région. Nous avons choisi de traiter ici la corniche de la Castagniccia et le village de Cervione (qui relèvent officiellement de la Costa Verde) car ils s'inscrivent logiquement dans cet itinéraire.

Corniche de la Castagniccia

Depuis San Nicolao, sur les hauteurs de Moriani-Plage, la D330, une magnifique route en corniche, longe sur 5 km des contreforts montagneux et ménage des points de vue spectaculaires sur la côte. Peu après avoir quitté San Nicolao, juste avant un tunnel, faites halte à la **cascade de l'Ucelluline**, un superbe site naturel où l'on peut se baigner (accès par un petit sentier escarpé, sur la droite). Chacun trouvera son petit paradis cristallin, mais la prudence reste de mise : si les premières vasques sont faciles d'accès, les passages suivants peuvent être glissants et plus faciles à monter qu'à descendre.

La D330 passe ensuite à **Santa Maria Poggio** avant de déboucher sur **Valle di Campoloro** et Cervione.

Cervione

Village d'atmosphère – son ambiance tranquille évoque presque un décor de cinéma – Cervione est une très agréable

surprise. Agencé en amphithéâtre à plus de 300 m d'altitude, ce bourg entouré de châtaigniers et d'oliviers a su préserver le visage serein de ses ruelles pavées et pentues, de ses passages voûtés et de ses panoramas de la plaine. Sa belle cathédrale témoigne sur sa part d'un passé d'une grande richesse : Cervione a en effet été une villégiature estivale à l'époque romaine, une capitale sous le roi Théodore de Neuhoff, puis la résidence des évêques d'Aléria à partir de 1578.

◉ À voir

Cathédrale Saint-Érasme   ART BAROQUE
Cette remarquable cathédrale, dont le majestueux campanile se dresse au centre du bourg, date du XVIIIe siècle.

Musée ethnographique de l'Adecec   PATRIMOINE
(☑04 95 38 12 83 ; www.adecec.net ; place du Musée ; adulte/enfant 3/2 € ; ⊘mi-juin à mi-sept lun-sam 9h-12h et 14h-19h, mi-sept à mi-juin lun-sam 9h-12h et 14h-18h). Au pied de la cathédrale, aménagé dans l'ancienne demeure de l'évêque d'Aléria, ce lieu de mémoire du patrimoine insulaire présente un panorama des métiers et des traditions corses au fil de 14 salles d'exposition.

Chapelle Sainte-Christine   STYLE ROMAN
Une chapelle isolée en pleine nature à 2,5 km environ du centre de la localité (prenez la direction de Prunete, puis suivez le fléchage "Cappella Santa Cristina"). Ses fresques représentent des scènes bibliques, aux coloris bien conservés, sont exceptionnelles (les clés sont en principe sur la porte).

🛏 Où se loger et se restaurer

Des bars et des restaurants sont installés en ville et les proches environs sont parsemés de chambres d'hôtes.

BON PLAN **Villa A Suera**　CHAMBRES D'HÔTES €
(☑04 95 38 17 41 ; rubechi.eliane@gmail.com ; Sant'Andrea di Cotone ; d avec sdb 55 € petit-déj inclus ; **P 🏊**). Particulièrement bon marché ces 3 chambres offrent l'un des meilleurs rapports qualité/prix des environs. Lambrissées, assez spacieuses et orientées côté mer, elles disposent d'une terrasse panoramique ombragée par deux énormes pins maritimes et même d'une piscine. Possibilité de table d'hôtes sur demande. La maison, moderne et sans charme particulier, vous attend à 4 km de Cervione, à la sortie du village de Sant'Andrea di Cotone, en direction de San Giulianu.

BON PLAN **U Casone**　CUISINE CORSE €
(☑04 95 38 10 47 ; plats 5-24 €, menus 13-21 € ; ⊘fermé lun midi en saison, lun tte la journée hors saison). À l'ombre d'un imposant tilleul, on savoure ici une cuisine simple mais généreuse à des prix très raisonnables. Spécialités de grillades de viandes corses au feu de bois et de terrines maison. Bonne sélection de vins corses et bon accueil. Derrière la voûte, non loin de l'église.

Aux 3 Fourchettes　CUISINE FAMILIALE €
(☑04 95 38 14 86 ; place de l'Église ; plats 8-13 €, menus 15-16 €). Difficile de faire plus central : Aux 3 Fourchettes est littéralement tassé sous une aile de l'église. Cuisine familiale sans prétention à base de produits régionaux : charcuterie, gratin de riz aux courgettes, entrecôtes, cannellonis. Le tout est servi sur l'agréable terrasse ombragée ou dans la salle voûtée qui décline un décor type "retour de chasse".

De Cervione à Piedicroce

Ce bel itinéraire, long de 35 km, serpente dans un univers boisé et reposant, ponctué de petits villages. De Cervione, la D71 rejoint **Sant'Andrea di Cotone** en 4 km, puis poursuit son chemin à flanc de montagne jusqu'à **Valle-d'Alesani**, 12 km plus loin, via **Ortale**. Le parcours est rythmé par d'interminables virages et d'extraordinaires panoramas. Environ 8 km plus loin, vous arriverez au **col d'Arcarotta** (819 m), où se tient un **marché** de produits régionaux tous les dimanches en saison.

Peu avant le col, vous pourrez vous ménager un rendez-vous avec l'histoire

en empruntant la D17, qui mène à l'ancien **couvent Saint-François-d'Alesani**. Blotti au cœur d'un vallon, le couvent révèle un joli cloître livré aux herbes folles. Ses murs en décrépitude ne laissent guère imaginer l'étonnant épisode dont il fut le théâtre : en 1736, après 7 ans de guerre contre l'occupant génois, Théodore Ier, baron de Neuhoff, y fut proclamé premier roi de Corse et couronné pour seulement 9 mois de règne (voir p. 349). Les portes du couvent, souvent ouvertes, ne respectent pas d'horaires fixes.

Après le col d'Arcarotta, la D71 se poursuit sur une dizaine de kilomètres jusqu'à Piedicroce. Elle croise au passage le village de **Carcheto**, remarquable pour ses jolies maisons en pierres sèches. Ne manquez pas la visite de l'**église Sainte-Marguerite** (XVIe siècle), d'une émouvante simplicité, dotée d'un monumental clocher ajouré. De la place de l'église, une petite route descend à une cascade, où il est possible de se baigner au milieu d'une nature luxuriante.

🛏 Où se loger et se restaurer

BON PLAN **Gîte d'étape de Valle-d'Alesani**　GÎTE D'ÉTAPE €
(☑06 23 74 34 38 ; Valle-d'Alesani ; dort 28 € avec petit-déj, 45 € en demi-pension ; ⊘avr-nov). L'une des rares possibilités d'hébergement des environs, ce gîte d'étape repérable à sa façade jaune tournesol, en plein centre du village de Valle-d'Alesani, est une excellente surprise. Ses chambres de 4 lits avec sanitaires, impeccables et fonctionnelles, n'ont rien à envier en termes de confort à de nombreux hôtels. Demi-pension possible en partenariat avec le restaurant San Petru.

Restaurant San Petru　CUISINE DU TERROIR €
(☑04 95 35 94 74 ; Valle-d'Alesani ; plats 10-18 €, menus 18-23 € ; ⊘tlj mai à mi-oct, sur réservation mi-oct à fin déc et avr). Environ 200 m après l'adresse précédente, le San Petru doit sa bonne réputation à ses spécialités à base de produits locaux : boudin à la châtaigne, salade de confit de porc aux châtaignes, beignets de fromage, carpaccio de museau...

Auberge des Deux Vallées　CUISINE DU TERROIR €
(☑04 95 35 91 20 ; col d'Arcarotta). L'auberge du col d'Arcarotta connaît des hauts et des bas depuis quelques années. Lors de nos recherches, des travaux étaient en cours suite à un nouveau changement de propriétaire. La belle vue sur le Monte San Petrone depuis la terrasse panoramique devrait quoi qu'il en soit toujours être au rendez-vous...

L'EAU D'OREZZA

Les bienfaits de l'eau d'Orezza sont connus de longue date. L'histoire rapporte que Pascal Paoli venait faire une cure annuelle à Orezza, tout comme la bonne société de Bastia ou d'Ajaccio en quête de fraîcheur. Au début du siècle dernier, la source fut classée parmi les eaux "ferrugineuses et gazeuses de France".

Déclarée d'utilité publique en 1866, l'eau fut mise en bouteilles et commercialisée dans toute l'île, mais aussi sur le continent. Un établissement thermal, avec salles de massage, douches et bains, vit même le jour en 1896. Bien que concurrencée par les stations du continent, Orezza connut dès lors un important développement.

L'année 1934 marque un tournant dans cette belle réussite. Un violent orage, qui détruisit les canalisations, fut en effet à l'origine de l'abandon des installations. Par la suite, les occupants nazis, conscients des vertus curatives de cette eau, installèrent une petite usine d'embouteillage. La concession changea de mains à plusieurs reprises après guerre, mais la petite bouteille à capsule verte continua de se vendre jusqu'en 1995, année où la production s'arrêta faute de repreneur. La source fut finalement rachetée par le conseil général de Haute-Corse qui, après rénovation complète, inaugura une nouvelle exploitation en juillet 2000. N'hésitez pas à goûter l'eau d'Orezza, vendue dans de jolies bouteilles aux étiquettes bleues. Elle rivalise allègrement avec les meilleures eaux gazeuses.

Piedicroce et ses environs

Bourg assez actif bâti à flanc de montagne, au pied du Monte San Petrone, Piedicroce est un carrefour important en Castagniccia. Il peut servir de base pour rayonner dans la région et présente une belle église.

Renseignements

Un petit **office du tourisme** (☎04 95 33 38 21; ☉lun-ven 9h-12h et 14h-18h) se cache dans le centre de Piedicroce. Suivre le fléchage.

◉ À voir

**Église Saint-Pierre-
et-Saint-Paul**   STYLE BAROQUE
Au centre du village, cette très belle église classée monument historique se distingue par sa façade baroque colorée, chef-d'œuvre du XVIIᵉ siècle admirablement restauré. À l'intérieur, son buffet d'orgues, le plus ancien de l'île, mérite le coup d'œil.

Couvent d'Orezza   RUINES
Les ruines du couvent d'Orezza vous attendent à 1 km de Piedicroce en direction de Campana. Fondé en 1485 par des franciscains, il fut détruit par les soldats allemands en 1943. Le campanile, enserré de lierre, est toujours debout.

Eaux d'Orezza   SITE D'EMBOUTEILLAGE
(☎04 95 39 10 00 ; www.orezza.fr ; ☉boutique mi-juin à mi-sept, lun-ven 10h-17h, jusqu'à 18h sam-dim). De Piedicroce, une route passe à Stazzona et descend jusqu'au site des Eaux d'Orezza. Cette ancienne station thermale jadis réputée pour ses eaux ferrugineuses est maintenant le site d'embouteillage de la plus célèbre eau gazeuse corse. L'atelier se visite sur demande préalable (10 personnes minimum) mais il est possible de se promener librement autour (la balade décrite p. 254 passe par les sources). De là, il est possible de rejoindre le village de Valle-d'Orezza, réputé pour son artisanat (travail du bois). Boutique et vente d'eau sur place en saison.

VILLAGES
Un itinéraire intéressant depuis Piedicroce consiste à emprunter la D506 puis à bifurquer à droite sur la D46, qui dessert les villages de **Piazzole**, **Monacia d'Orezza** – où se trouve une église dotée d'un campanile – et enfin **Parata**. Dernier village desservi par la route, Parata présente également une très belle église baroque.

Ne ratez pas non plus **Verdèse**, magnifique hameau perdu dans un repli de la montagne et entouré d'un océan de verdure, où le temps semble s'être arrêté. Le village, indiqué sur la droite après Campana, s'atteint en quelques kilomètres d'une route noyée sous les frondaisons des châtaigniers.

Il est enfin possible de rejoindre le Morianincu (voir p. 256) depuis Piedicroce, par la superbe mais interminable D146.

⚡ Activités

Des **randonnées pédestres** sont possibles autour de Piedicroce mais nombre de sentiers ne sont malheureusement pas très fiables, faute d'entretien et de fréquentation. Procurez-vous la brochure *Sentiers de pays Castagniccia*, en principe disponible dans certains restaurants et structures d'hébergement de la région, et renseignez-vous sur l'état des sentiers. Un itinéraire de balade est décrit p. 254. C'est une randonnée idéale pour découvrir une forêt de châtaigniers centenaires et de jolis petits villages à flanc de montagne. Attention : le sentier monte et redescend plusieurs fois la montagne ; mieux vaut donc être bien chaussé.

L'ascension du **Monte San Petrone** (1 787 m), le point culminant de la Castagniccia, visible à des kilomètres à la ronde, est un must pour les marcheurs. Deux voies d'accès sont possibles : l'une au départ du hameau de Campodonico, à quelques kilomètres au nord de Piedicroce, l'autre depuis le col de Prato (voir p. 255). L'itinéraire au départ du col de Prato est considéré comme le plus facile. Il est également plus ombragé et traverse une superbe hêtraie. Du sommet, la vue est à couper le souffle. Comptez de 5 à 6 heures aller-retour.

🛏️ Où se loger et se restaurer

La première adresse de cette liste est installée à Piedicroce, les suivantes dans les environs proches.

Le Refuge Orezza   HÔTEL-RESTAURANT € (📞04 95 35 82 65 ; www.hotel-le-refuge. fr ; Piedicroce ; s/d 44-47/47-60 € selon vue ; menus 17-30 € ; ⊙avr-oct). Cet hôtel-restaurant moderne est l'une des adresses les plus actives de la Castagniccia. Dans une demeure moderne et fonctionnelle, au centre du bourg, vous trouverez des chambres au confort simple mais agréables, claires et lumineuses. Préférez celles avec vue sur la vallée : le réveil en sera d'autant plus magique ! Le restaurant sert des menus de cuisine traditionnelle sur une terrasse panoramique. Cartes de crédit acceptées.

Les Prairies   CAMPING € (📞04 95 36 95 90 ; Rumitoriu ; camping 8/4 € adulte/enfant ; ⊙juin-sept). À mi-chemin entre Piedicroce (11 km) et la côte (13 km) sur la D506, ce camping au confort sommaire comblera les amoureux de la nature. Accueillis par Jean-pierre et Marie, les campeurs s'installent sous d'immenses châtaigniers, dans une grande propriété verdoyante, et disposent d'un bloc sanitaire bien entretenu. Certains emplacements ont une magnifique vue sur le Monte San Petrone. Il est possible de pêcher ou de se baigner dans le Fiumalto, tout proche. Pas de table d'hôtes mais une pizzeria à 3 km.

La Diligence   CHAMBRES D'HÔTES €€ (📞04 95 34 26 33 ; www.la-diligence.net ; d/ tr/q 60-80/85-105/110-115 € avec petit-déj selon saison et confort ; ⊙mi-janv à mi-nov). Beauté du cadre, tarifs raisonnables... Les 5 chambres, dont 2 mansardées, aménagées dans un ancien relais muletier ont été rénovées par Anik et Raymond Lahure, les nouveaux propriétaires. Elles sont toutes différentes mais proches par leur style : poutres apparentes, mobilier ancien, cheminée... Table d'hôtes, proposée 5 soirs par semaine (25 € tout compris), en terrasse ou dans une jolie salle colorée. Dans le village de Verdèse, à quelques kilomètres de Piedicroce (à droite après Campana).

La Porta

L'**église Saint-Jean-Baptiste** et son étonnant **campanile** justifient à eux seuls une visite de La Porta. L'église, dotée d'une magnifique façade ocre et blanc, est considérée comme l'un des plus beaux édifices baroques de Corse. Elle fut construite entre 1648 et 1680. Son orgue artisanal de 1780, destiné initialement au couvent Saint-Antoine-de-Casabianca, fut offert à l'église pendant la Révolution par le commissaire Saliceti, chargé de la destruction du couvent. Son puissant campanile, haut de 45 m, se dresse sur sa gauche.

🍴 Où se restaurer

Outre l'Ampugnani, vous trouverez également des possibilités de petite restauration au centre du bourg. La boutique **Casi di Cornu** (📞04 95 39 23 91 ; www.gites-corse-stoppianova.com ; Stoppia Nova), installée à environ 4 km de La Porta, à Stoppia Nova, vend des produits régionaux.

Chez Élisabeth – L'Ampugnani   RESTAURANT € (📞04 95 39 22 00 ; rue principale ; plats 7,50-19 €, menus 14,50-25 € ; ⊙fermé jan-fév, ouvert midi seulement hors saison). Ce restaurant est une valeur sûre où l'on vient déguster les beignets au fromage, spécialité de la maison, mais aussi le traditionnel sauté de veau et autres plats familiaux, proposés à petit prix et servis en toute simplicité. Accueil souriant.

AU CŒUR DE LA CASTAGNICCIA

Départ : au centre du village de Piedicroce
Durée : 6 heures aller-retour
Dénivelé : important
Difficulté : moyenne. Attention : le sentier monte et redescend plusieurs fois la montagne ; mieux vaut être bien chaussé.

Du centre du village, suivez le balisage orange. Descendez environ 200 m sur la route, puis empruntez un petit chemin à gauche du cimetière, dans le virage. Le sentier qui oblique légèrement vers la droite conduit jusqu'au village de Stazzona, que l'on traverse en passant devant la fontaine et sous le clocher. À la sortie du village, un petit panneau indique la direction des eaux d'Orezza sur la droite. Une fois au petit cimetière, continuez tout droit et passez devant la tombe d'Antoine Luigi (ne pas tourner vers la route). En bas de la descente dans le bois, ne ratez pas le sentier à gauche, et longez la rivière. Rejoignez ensuite la route jusqu'à la source des eaux d'Orezza, que l'on peut goûter.

Le sentier repart 100 m au-dessus des sources vers le village de Rapaggio. La montée dans les bois (45 min) mène à un cimetière que l'on contourne par la droite. Le chemin le plus large conduit à l'église de Rapaggio. Admirez son extraordinaire architecture en pierres sèches. Traversez le village, et prenez la direction de Poggio. Vous atteindrez ce village en suivant le balisage, sur la route. Cette partie d'asphalte est moins agréable, mais la circulation est très faible. Là encore, il faut traverser le village, et passer une petite barrière après la dernière maison.

Le chemin grimpe ensuite dans la forêt jusqu'au col d'Arcarotta, en passant devant la jolie chapelle San-Giorghju. Au sommet, le sentier se scinde en deux. Prenez à droite et descendez jusqu'à l'auberge des Deux Vallées.

Le sentier repart à 100 m de l'auberge sur la droite de la route, en direction de Carpineto et de ses belles demeures. Après le village, il descend jusqu'à la rivière, qu'il traverse. Vous croiserez alors un panneau indiquant deux itinéraires possibles. Remontez sur la gauche jusqu'au village de Carcheto (dont la belle église est classée). L'arrivée dans le village n'est pas bien balisée : vous devrez passer par-dessus une barrière, longer une tour du XIIIe siècle et ressortir par un portail en bois. Ne suivez pas l'itinéraire et le premier sentier qui descend vers la droite, mais grimpez dans le village et prenez plus haut le chemin en direction de la cascade. Dans le sous-bois, vous croiserez une petite fontaine pour remplir votre gourde. L'eau de la cascade est très fraîche, mais n'hésitez pas à vous tremper.

Pour repartir, prenez le chemin dans le sous-bois de l'autre côté du bassin, en passant la rivière. À partir de là, le chemin est balisé dans l'autre sens. Après quelques centaines de mètres, vous franchirez une barrière. Au bout de la ligne droite, engagez-vous sur le chemin de droite, par l'ouverture du grillage, puis remontez jusqu'au village de Piedipartino.

Dans le village, après l'église, le sentier descend sur la droite en direction de Piedicroce. Une fois que vous avez dépassé le cimetière, une nouvelle bifurcation indique plusieurs directions. Continuez sur la gauche vers Piedicroce. Au passage de la rivière dans le fond de la vallée, une petite piscine vous attend sous le pont. Remontez vers Piedicroce en suivant le balisage orange. Vous arriverez au niveau de l'hôtel le Refuge.

Morosaglia et ses environs

Gros bourg au charme rustique posé dans la montagne entre Ponte-Leccia et La Porta, Morosaglia est avant tout célèbre pour être le lieu de naissance de Pascal Paoli, celui que ses concitoyens appellent très respectueusement *Babbu di a Patria* ("le père de la patrie"). L'une de ses constructions grises dominant une vallée abrupte, avec en toile de fond les sommets du centre corse, est en effet sa maison natale.

👁 À voir et à faire

Maison natale de Pascal Paoli
MUSÉE

(📞04 95 61 04 97 ; adulte/12-18 ans 2/1 € ; 🕐tlj 8h-12h et 13h-17h oct à mi-mai, 9h-12h et 13h-18h mi-mai à fin sept, fermé dim nov-mars). Sa visite est la principale raison qui attire les touristes dans le bourg. Ce joli petit musée départemental comprend 4 salles qui présentent des peintures, des livres, des lettres et des habits d'époque. La dépouille de Paoli, rapatriée d'Angleterre où il mourut en exil en 1807, repose dans la chapelle qui jouxte le musée (voir l'encadré p. 350).

Col de Prato
ACCÈS DE RANDONNÉE

De La Porta, on atteint Morosaglia en passant par ce col (985 m), point de départ de la randonnée pour le Monte San Petrone (voir p. 253). Il est également possible de rejoindre le Rustinu (voir ci-dessous) ou le Boziu (voir p. 286) par la D15, une route étroite et spectaculaire, très peu fréquentée.

🛏 Où se loger et se restaurer

♥ A Curbaghja
APPARTEMENTS €

(📞04 95 61 11 39 ; appartement 50 € pour 2 pers, groupe de 12 à 17 pers 100 €/sem/pers ; 🕐Pâques-oct). Indiquée à la sortie du village en direction de Ponte-Leccia par un simple panneau "chambres à louer", cette adresse se compose de deux appartements très spacieux, entièrement équipés, aménagés dans une demeure de caractère datant du XVIIᵉ siècle. Ils sont loués à la semaine en juillet-août et à la nuitée hors saison.

Quelques bars-restaurants occupent le centre de Morosaglia.

Le Rustinu

Discret et méconnu, le Rustinu coule des jours paisibles au nord de la Castagniccia, entre Morosaglia et la vallée du Golo (où passe la N193, l'axe Bastia-Corte). Dénuée de localité d'importance, la région compte seulement quelques villages et hameaux perdus au milieu du relief montagneux et est moins verte que la Castagniccia méridionale. Les dénivelés sont en revanche tout aussi prononcés et les routes aussi tortueuses !

👁 À voir

Outre l'atmosphère de bout du monde qui caractérise le Rustinu, son principal attrait tient à son patrimoine religieux. De Morosaglia, on rejoint assez facilement **Valle di Rustinu**, où s'élèvent les ruines de l'église Santa Maria (Xᵉ siècle) et de son baptistère (XIIᵉ siècle), à l'écart du village. Le site, en pleine nature, est particulièrement émouvant.

De Valle di Rustinu, la route sinue jusqu'à **Pastoreccia**, où l'on peut admirer les superbes fresques du XVᵉ siècle qui tapissent l'intérieur de la **chapelle San Tumasgiu**, avec son toit en lauzes, à l'écart du village, en surplomb de la vallée du Golo.

On peut ensuite rejoindre La Porta (voir p. 253) en faisant une longue boucle sur une route en corniche qui passe par Bisinchi, Campile et **Ortiporio**, village doté d'une très belle église, dont la façade est incurvée vers l'intérieur.

🛏 Où se loger et se restaurer

BON PLAN U Penta Rossa
HÔTEL-RESTAURANT €€

(📞04 95 38 21 32 ; Ortiporio ; d 63 € avec petit-déj juil-août, 53 € hors saison ; menus 17,50-25 € ; 🕐restaurant fermé mar soir-mer hors saison). U Penta Rossa, dans le village d'Ortiporio, est plus connu pour son restaurant que pour ses chambres, simples et ordinaires, qui peuvent néanmoins dépanner. Le menu à 17,50 € présente un excellent rapport qualité/prix, avec des *buglidicci* (beignets au fromage frais de brebis), du sanglier, des cannellonis au brocciu et la coupe Penta Rossa, un savoureux dessert maison à base de châtaigne préparé par la patronne. L'accueil familial et la vue sur les collines font oublier le décor sans charme.

♥ U Vecchju Mulinu
GÎTE AVEC PISCINE €€€

(📞04 95 28 91 87 ; www.vecchju-mulinu.fr ; hameau de Fornoli ; gîte 260-550 € la sem selon la saison, gîte de charme 550-1 150 € ; 🕐mi-mars à mi-nov ; 🏊). Installée dans un ancien moulin, dont il subsiste quelques vestiges, cette adresse propose 3 gîtes (pour 2 à 4 personnes), dont un de charme, très soignés et dotés de sdb spacieuses et lumineuses. L'ensemble s'intègre dans la verdure et une rivière coule en contrebas. Nombreux sont cependant ceux qui préfèrent se baigner dans la belle piscine chauffée. Bon accueil de Colette Routa, la propriétaire. U Vecchju Mulinu vous attend au hameau de Fornoli, à 4 km d'Ortiporio.

COSTA VERDE

Entourée par la Casinca au nord, la Castagniccia à l'ouest et la Costa Serena au sud, la "Costa Verde" est encore une quasi-inconnue qui cherche à se faire de la pub. Sa façade maritime plutôt décevante, dont l'épicentre est Moriani-Plage, ne doit pas faire oublier les beaux villages de son arrière-pays, à découvrir avec l'aide d'une bonne carte routière...

Moriani-Plage

Cette station balnéaire moderne et un peu artificielle ponctuée d'une zone pavillonnaire et de boutiques sans grand charme, qui s'étire le long de la N198, concentre néanmoins des services utiles : banques, office du tourisme et stations-service. Et des plages, bien sûr : la ville s'enorgueillit d'être bordée de 17 kilomètres de sable fin...

Renseignements

L'office du tourisme de la Costa Verde (☎04 95 38 41 73 ; www.costaverde-corsica. com ; N198 ; ☉lun-sam 9h-20h, dim 10h-19h juil-août, lun-sam 9h-13h et 14h-19h, dim 9h-13h juin et sept, lun-ven 9h-13h et 14h-18h, sam 9h-13h mai et oct, lun-ven 9h-13h et 14h-18h nov-avr), est situé dans un ancien chaix à vin le long de la nationale. Accès Wi-Fi (15 min gratuites, puis 2 € les 10 heures).

☆ Activités

Une douzaine de **plages** bordent Moriani. Si vous êtes lassé du sable, vous pourrez découvrir la région autrement grâce au centre équestre **les Écuries de la Costa Verde** (☎06 14 55 89 01 ; Moriani-Plage ; flo. megret@yahoo.fr ; ☉tte l'année). Situé à l'entrée de Moriani-Plage, il organise des balades à cheval dans les villages du Morianincu (25 € pour 1 heure 30, 40 € la demi-journée, le matin pour les cavaliers confirmés, l'après-midi pour les débutants). Les enfants peuvent faire des stages et des balades dès 10 ans. Sur réservation.

Où se loger et se restaurer

Merendella CAMPING **€**
(☎04 95 38 53 47 ; www.merendella.com ; Moriani-Plage ; adulte/voiture/tente 7,45-8,85/3,10-3,50/3,20-3,60 €, bungalows 334-492 €/sem selon saison ; ☉avr-oct). Un excellent quatre-étoiles installé dans un grand parc de 6 ha en bord de plage, avec de vastes emplacements ombragés.

Casa Corsa – Chambres d'hôtes Doumens MAISON D'HÔTES **€**
(☎04 95 38 01 40, 06 25 89 89 32 ; www.casa-corsa.com ; Casa Corsa, Acqua Nera Prunete ; s/d/tr 62/70/106-126 € avec petit-déj). Cette jolie maison moderne aux airs de mas provençal, abrite 5 chambres coquettes à

la décoration chaleureuse. Tout ici respire l'harmonie, jusqu'aux transats installés dans le grand jardin. Les petits-déjeuners sont servis sous une treille de vigne, dans la cuisine d'été. Qu'elle semble loin la N198, pourtant à 100 m seulement ! Plage de Prunete à 500 m. À 6 km au sud de Moriani-Plage.

U Lampione RESTAURANT **€€**
(☎04 95 59 08 87 ; route du Village, Moriani-Plage ; plats 8-28 €, plat du jour 15 € ; ☉fermé mer hors saison). À 400 m du carrefour principal sur la route qui mène à San Nicolao, cette adresse discrète a plus de charme que nombre de restaurants du bord de mer. Coup de cœur pour la pergola, abondamment ombragée de vigne vierge, et la salle, elle aussi accueillante, avec des tons grenat et de jolis meubles en bois. Cuisine simple mais bien préparée.

Depuis/vers Moriani-Plage

BUS Les bus des sociétés **Rapides Bleus Corsicatours** (☎04 95 31 03 79, 04 95 72 35 57) et **Transports Tiberi** (☎04 95 57 81 73) relient Moriani-Plage à Aléria, Porto-Vecchio, Solenzara et Bastia.

Villages du Morianincu

L'arrière-pays de Moriani, le Morianincu, offre un changement d'univers radical : quittant l'ambiance un peu fade de la côte, on s'enfonce (le mot n'est pas trop fort) dans les replis pentus et verdoyants des collines pour rejoindre, au prix d'innombrables virages sur des routes étroites, une série de magnifiques villages perchés. La récompense est au rendez-vous, avec des points de vue à couper le souffle !

De Moriani-Plage, suivez la D34 qui monte en sinuant jusqu'à **San-Nicolao**, un très beau village-terrasse dont l'**église baroque**, à l'écart des habitations, au milieu des tilleuls, mérite le coup d'œil. De là, vous pouvez rejoindre **Santa-Lucia-di-Moriani** et ses maisons austères aux toits de schiste, qui semblent posées en équilibre sur une crête en forme d'amphithéâtre. Prenez ensuite la direction de **San-Giovanni-di-Moriani**, autre village ménageant des vues sublimes sur les collines boisées du Morianincu et la plaine orientale. Le **campanile** en pierre grise de l'église Saint-Jean (ou San-Giovanni), classé monument historique, culmine à 33 m et rivalise avec celui de La Porta en Castagniccia (p. 253). Montez ensuite jusqu'à

LE SENTIER BOTANIQUE DE SAN-GIOVANNI-DI-MORIANI

Départ : église paroissiale de San-Giovanni-di-Moriani,
à 10 km de Moriani-Plage.
Durée : 3 h 30 aller-retour
Balisage : orange
Dénivelé : 300 m
Difficulté : faible. Partir de préférence tôt le matin ou tard dans l'après-midi
avec de l'eau. Prévoir de bonnes chaussures de marche.

L'itinéraire, qui alterne petite portion de route et sentier, est un excellent moyen
de découvrir les richesses botaniques de la Corse. Préférez le printemps ou
l'automne qui correspondent à la période de floraison de nombreuses essences
méditerranéennes.

Avec pour point de départ la magnifique église de San-Giovanni-di-Moriani et
son clocher classé, ce sentier, parsemé de nombreux panneaux explicatifs (une
cinquantaine en tout), nous éclaire sur l'identité, les vertus médicinales et les usages
culinaires des arbres, arbustes et plantes herbacés rencontrés sur en chemin. Depuis
l'église, le sentier grimpe jusqu'au hameau de Cioti où il est possible d'acheter du
fromage à la fromagerie "I Cucchi", située au bord du sentier. Après la traversée
de la route de Casone, où se trouve une table d'orientation, il prend la direction de
la chapelle romane San Mamilianu (du Xe siècle) où une aire de pique-nique et un
refuge ont été aménagés. Le retour se fait par un sentier passant par Castellu Vechju
(fouilles archéologiques à 300 m), le hameau de Serrale et la chapelle Saint-Laurent
pour retrouver la place de l'église paroissiale. Il est possible d'écourter l'itinéraire
en rejoignant le hameau de Serrale depuis celui de Cioti par la route. Un dépliant fort
instructif recense toutes les espèces rencontrées et un descriptif de l'itinéraire est
disponible à l'office du tourisme de Costa Verde à Moriani-Plage.

Santa-Reparata-di-Moriani, un village situé au bout d'un cul-de-sac, sur le sentier Mare a Mare® nord, où se trouve un gîte d'étape (voir *Où se loger et se restaurer*). Pour retrouver la vie trépidante du littoral, redescendez en direction de San Nicolao puis continuez en direction de Cervione en suivant la corniche de la Castagniccia.

🏃 Activités

Le Morianincu est un paradis pour la **randonnée pédestre**. Traversé par le sentier Mare a Mare® nord (Moriani-Cargèse), il est sillonné de plusieurs itinéraires qui relient les villages entre eux. Procurez-vous la brochure *Balades en Costa Verde* à l'office du tourisme de Moriani-Plage qui décrit une vingtaine de boucles dont celle du sentier botanique au départ de l'église San Giovanni. Les sentiers sont également propices à la **randonnée équestre**.

🛏️ Où se loger et se restaurer

Gîte d'étape Luna Piena GÎTE D'ÉTAPE **€**
(☑ 04 95 38 59 48 ; Santa-Reparata-di-Moriani ; dort 13 €, 35 € en demi-pension, menus 15-30 € ;

avr-oct). L'endroit se mérite (comptez une demi-heure de montée en voiture depuis Moriani-Plage) mais la récompense est une superbe demeure en pierre entourée de châtaigniers. Elle possède 19 couchages répartis en chambres de 2 ou 4 lits, avec sdb commune, et cuisine équipée. Des menus, à déguster dans une salle avec cheminée, sont également proposés. Se renseigner sur place pour randonner dans les environs.

**Le Belvédère
d'E Catarelle** CHAMBRES ET TABLE D'HÔTES **€€€**
(☑ 04 95 38 51 64, 06 81 84 58 33 ; http://catarelle.pagesperso-orange.fr ; San-Giovanni-di-Moriani ; d 70-150 € selon confort et saison, demi-pension 95-110 €/pers selon saison, menu 25 € ; avr-sept ; **P**). L'accueillante Maddy, la propriétaire, est un personnage. Auteur d'un livre de recettes corses et chevalier de l'Ordre national du mérite, elle s'est fait un nom grâce à ses spécialités traditionnelles : *buglidicci* (beignets de fromage frais), cannellonis au brocciu, omelette au brocciu, sauté de veau, fiadone, flan à la châtaigne. Rien de bien original mais dans l'assiette, le tour de main fait toute la différence... La terrasse réserve

un beau panorama et les 10 chambres sont lumineuses, personnalisées et intimistes. Motards et gays bienvenus.

COSTA SERENA ET CÔTE DES NACRES

Belle opération de marketing touristique : la "plaine orientale", région à la réputation peu enviée auprès des touristes, a été rebaptisée "Costa Serena" entre Aléria et Ghisonaccia et "côte des Nacres" autour de Solenzara. C'est déjà plus glamour sur le plan sémantique.

Dans ces faits, la physionomie de l'ex-plaine orientale reste inchangée : étirée sur plus de 80 km, la seule véritable plaine de l'île, fertile qui plus est, garde sa vocation agricole et est traversée comme une flèche par la N198, qui relie Bastia et Porto-Vecchio. Inhabitée jusqu'à la dernière guerre pour cause de paludisme, elle a pris son essor dans les années 1960 lorsque des rapatriés d'Algérie, soutenus par l'État français, y plantèrent des vignes et utilisèrent des techniques d'exploitation moderne. L'État encouragea la création de coopératives vinicoles et construisit des barrages pour améliorer l'irrigation. Aujourd'hui, la production s'est diversifiée vers les agrumes, la clémentine, le cédrat et le kiwi.

Sur le plan touristique, cette plaine considérée comme monotone et souvent délaissée par les visiteurs mérite cependant quelques arrêts, notamment au site antique d'Aléria et pour ses longues plages de sable fin. Les infrastructures de cette partie de côte pratiquent par ailleurs des tarifs honnêtes, même en haute saison (rien à voir avec le Sud).

Ne négligez pas non plus les hauteurs de cette côte, notamment le Fiumorbu, à l'ouest de Ghisonaccia (voir l'encadré p. 261) et la vallée du Travo (voir l'encadré p. 263).

Aléria

Avouons-le d'emblée : il est difficile d'avoir le coup de foudre pour Aléria. L'ancienne capitale de la Corse antique (appelée alors Alalia) est aujourd'hui une localité sans grand charme qui sert essentiellement d'étape entre Bastia et Porto-Vecchio. La proximité immédiate des plages, à 3 km, ne change pas grand-chose à l'impression d'ensemble. Faut-il pour autant bannir la ville des itinéraires touristiques ? Non. Son site antique, qui inclut des ruines et un musée, mérite une visite.

ⓘ Renseignements

L'**office du tourisme intercommunal de l'Oriente** (☏04 95 57 01 51 ; www.oriente-corsica.com ; ☺lun-ven 9h-19h, sam 9h-18h juil-août, lun-ven 8h30-12h et 13h30-17h hors saison) est installé au centre-ville. Une annexe se trouve à Linguizzetta.

◉ À voir

Site antique   VESTIGES ROMAINS
Principal intérêt touristique de la ville, le site antique d'Aléria inclut le Musée archéologique et les ruines romaines. L'ensemble, qui reste très modeste comparé à d'autres sites antiques des îles de la Méditerranée, est indiqué à environ 1,5 km de l'entrée sud de la ville. Quelques bars-restaurants sont installés à proximité.

**Musée archéologique
Jérôme-Carcopino**   OBJETS ANTIQUES
(☏04 95 57 00 92 ; fort de Matra ; 2 € ; ☺tlj 8h-12h et 14h-19h mi-mai à fin sept, tlj 9h-12h et 13h-18h oct à mi-mai) est installé dans le magnifique **fort de Matra**, bâtisse d'aspect mauresque faisant face à une petite église, construite en 1484 par les Génois. Nommé en l'honneur de Jérôme Carcopino (1881-1970), académicien et historien de la Rome antique, il

---

LE PREMIER COUP DE FORCE DU MILIEU INDÉPENDANTISTE

L'événement fit grand bruit. Le 21 août 1975, Edmond Simeoni, leader du mouvement autonomiste, se barricade avec le commando qu'il dirige dans la cave d'un viticulteur d'Aléria. La gendarmerie donne l'assaut. Le bilan est lourd : deux gendarmes mobiles sont tués.

Le leader autonomiste, à l'origine de ce coup de force, souhaitait dénoncer l'injustice que, selon lui, son peuple subissait. En investissant la cave d'un viticulteur de la plaine orientale, il s'attaquait à la politique de l'État français qui, par ses aides financières aux rapatriés d'Algérie installés sur ces terres fertiles depuis les années 1960, "dépossédait" les Corses. Pour la première fois, un événement stigmatisait le combat des nationalistes contre l'"envahisseur", que ce soit le "colon" – comme étaient appelés les pieds-noirs – ou l'État français.

L'étang de Diane, au nord d'Aléria, doit à sa superficie (600 ha) et à sa profondeur (jusqu'à 11 m) d'avoir été utilisé dès l'Antiquité comme port naturel. Mais c'est sa production ostréicole qui fit sa renommée. Ses huîtres étaient à l'époque surtout expédiées à Rome. Leur chair, extraite des coquilles, était conservée dans des amphores, soit avec du sel, soit avec de l'huile d'olive et du vinaigre. La production fut importante au point qu'il est encore possible de voir une petite île constituée par les coquilles jetées au fond de l'étang. L'ostréiculture et la pisciculture sont toujours pratiquées et vous pouvez faire provision de moules, d'huîtres ou de langoustes.

se compose de 4 salles qui renferment des objets provenant du site d'Alalia (l'Aléria antique) et témoignent de son passé étrusque, phocéen et romain. Le billet d'entrée donne également accès aux **ruines**, situées à 300 m au sud-ouest du fort. Elles comportent les vestiges d'un forum, d'un capitole, de temples et d'une partie du centre de la ville romaine.

🏃 Activités

La **plage de Padulone**, à 3 km du centre-ville, fera l'affaire pour les amateurs de baignade, même si elle n'est pas la plus belle de l'île, loin s'en faut. Les amoureux de la petite reine pourront la rejoindre par une piste cyclable depuis le centre-ville. L'**étang de Diane**, au nord de la ville, vaut également le détour pour son cadre naturel. Dépourvu d'urbanisation et bordé de vignes, il est réputé pour sa production ostréicole. Vous pourrez y acheter des huîtres, des moules et de la boutargue (œufs de mulet séchés).

Le **Centre équestre de Bravone** (☑06 84 53 25 38 ; Bravone), à 10 km au nord d'Aléria sur la N198, propose des promenades de 1 ou 3 heures (20 € l'heure) dans le maquis et sur la plage, ainsi que des stages équestres. Les enfants sont acceptés à partir de 7 ans.

Le Tavignano, qui traverse Aléria et va se jeter dans la mer, se prête parfaitement à 4 kilomètres de descente en **kayak**. Contactez le **Club nautique d'Aléria** (☑06 67 26 52 49 ; route de la plage, Aléria ; ⊘tte l'année) qui loue des kayaks monoplaces (13/38 € par heure/journée) et biplaces (18/48 € par heure/journée), des paddle boards... Les tarifs sont dégressifs.

🛏️Où se loger

Bonne surprise : Aléria possède des hébergements variés pratiquant des tarifs bon marché, comparé à d'autres régions de l'île.

Camping Marina d'Aléria   QUATRE-ÉTOILES € (☑04 95 57 01 42 ; www.marina-aleria.com ; plage de Padulone ; forfait 2 pers 18,60-40,30 € selon saison ; ⊘fin avr à mi-oct ; 🛜). Ce camping quatre étoiles, ombragé, moderne et bien équipé, propose un excellent confort mais peu d'intimité. Il est installé en bordure de la plage de Padulone, à 3 kilomètres d'Aléria par une route bordée d'un océan de vigne. Des bungalows à la semaine sont également proposés.

Hôtel les Orangers   HÔTEL € (☑04 95 57 00 31, 06 18 46 43 44 ; www.hotel-aleria-lesorangers.com ; route de la plage ; d 45-72 €, petit-déj 7 € ; ✳️🅿️🛜). Une option à prendre en compte si votre budget est limité ou si tout est complet. Vous y trouverez des chambres impersonnelles mais correctes, dont certaines climatisées. À 100 m de la N198 en direction de la plage de Padulone, il offre par ailleurs l'avantage d'être un peu éloigné du bruit de la nationale.

Hôtel l'Empereur   HÔTEL-RESTAURANT €€ (☑04 95 57 02 13 ; www.hotel-empereur.com ; N198 ; s/d 42-61/49-94 € selon saison ; 🅿️✳️🍽️🛜). Les atouts de cette adresse qui offre l'un des meilleurs rapports qualité/prix d'Aléria ne se laissent guère deviner de l'extérieur. L'agréable surprise tient à l'agencement des lieux : une grande cour intérieure qui isole du bruit de la route et abrite une jolie piscine autour de laquelle s'organisent les chambres. Celles-ci sont confortables, bien équipées et pourvues d'une bonne literie.

Hôtel Atrachjata   HÔTEL €€ (☑04 95 57 03 93 ; www.hotel-atrachjata.net ; N198 ; d standard/confort/luxe 49-89/69-119/79-139 € selon saison, petit-déj 8 € ; 🅿️✳️🛜). Situé en bord de route mais bien insonorisé, cet établissement récent repérable à sa façade jaune soleil se dresse juste à côté de l'office du tourisme. Il loue des chambres moquettées et climatisées, impeccables et confortables, mais manquant d'originalité dans leur décoration.

✗ Où se restaurer

Outre les bars-restaurants qui bordent la N198 et le front de mer, citons deux adresses :

Le Bounty　　　　　RESTAURANT DE PLAGE €€
(☎04 95 57 00 50 ; plage de Padulone ; plats 14-30 €, menus 18-25 € ; ⊘avr-sept). Avec sa tour crénelée coiffée d'un drapeau de pirate qui lui donne des airs de Disneyland, on aurait pu s'attendre au pire. Dans les faits, cette adresse située aux pieds dans l'eau sur la plage de Padulone se révèle plutôt agréable côté salle et sans surprise côté cuisine (pizzas, viandes, poissons et plats habituels). On vient avant tout pour le spectacle des vaguelettes qui s'écrasent à ses pieds.

**Aux Coquillages
de Diane**　　　　　SPÉCIALITÉS DE POISSON €€
(☎04 95 57 04 55 ; www.auxcoquillagesdediana. fr ; étang de Diane ; plats 13-22 € ; ⊘tlj midi et soir juin-sept, tlj déj et ven-sam soir oct-mai, fermé jan). Installé sur un ponton flottant aménagé au bord de l'étang de Diane, ce restaurant tout en bois, percé de hublots et doté d'une terrasse, est l'endroit rêvé pour déguster des spécialités de poissons (espadon, filets de rougets, daurade). Sans oublier, bien sûr, les huîtres et moules en provenance directe de l'étang. Les tarifs sont un peu surévalués mais le cadre justifie les quelques euros supplémentaires.

🔒 Achats

Domaine Mavela　　　DISTILLERIE ARTISANALE
(☎04 95 56 63 15, 04 95 56 60 30 ; www.domaine-mavela.com ; U Licettu ; ⊘tte l'année). Indiqué à environ 5 km au nord d'Aléria en direction de Bastia, il présente un très grand choix de liqueurs dans une cave voûtée de 700 m². La famille Venturini gère ce domaine spécialisé dans les liqueurs depuis une vingtaine d'années. Prunes, myrtes, châtaignes, cédrats... tous les fruits sont issus de la culture locale. Le domaine produit également l'unique whisky corse, le P&M et, depuis 2008, un vin cuit baptisé Cap Mavella. Le magasin possède l'une des plus belles caves à vin de toute l'île et vend les meilleurs crus corses à prix raisonnables. Il propose également des confitures, de la charcuterie, du miel et des fromages locaux.

❶ Depuis/vers Aléria

BUS Les Rapides Bleus Corsicatours
(☎04 95 31 03 79, 04 95 72 35 57). Liaison Bastia–Porto-Vecchio via Aléria, deux fois par jour du lundi au samedi de mi-septembre

à mi-juin, et tous les jours de mi-juin à mi-septembre. Comptez environ 14 € entre Aléria et Bastia.

Transports Tiberi (☎04 95 57 81 73). Liaison Solenzara-Bastia via Aléria une fois par jour du lundi au samedi.

Ghisonaccia

À mi-distance entre Bastia et Bonifacio, Ghisonaccia séduit peu les visiteurs, qui la traversent le plus souvent sans s'arrêter. La ville essaie cependant d'améliorer son image de marque, cantonnée à celle d'une station balnéaire sans charme le long de la nationale.

Rendons-lui justice : s'il est vrai que le centre-ville, avec son urbanisme moderne et passe-partout, n'a rien de très séduisant, la "route de la mer" le relie en quelques kilomètres à un long et beau ruban de sable. Les abords des **plages** – Vignale et Pinia – sont avant tout occupés par des campings, des restaurants et des villages de vacances.

❶ Renseignements

L'**office du tourisme** (☎04 95 56 12 38 ; www.corsica-costaserena.com ; ⊘lun-sam 9h-12h30 et 14h-20h, dim 9h-12h juil-août, lun-ven 9h-12h30 et 14h-19h, jusqu'à 17h30 sam juin et sept, lun-ven 9h-12h30 et 14h-17h30 oct-mai) est installé route de Ghisoni (D344), à deux pas du centre-ville. Il ouvre les vendredi de 21h à minuit en juillet et août pour des shoppings de nuit.

◉ À voir

Étang d'Urbino　　　　　PLAN D'EAU
À 5 km en direction d'Aléria, ce plan d'eau de 750 ha apporte une touche sauvage au paysage agricole domestiqué de la Costa Serena. Les curieux pourront observer la levée des coquillages, leur nettoyage et leur calibrage sur le ponton. Et tout un chacun pourra les déguster à la Ferme d'Urbino (voir *Où se loger et se restaurer*).

🏃 Activités

Sur la plage de Vignale, **Fun Orizonte** (☎06 13 04 30 95 ; www.fun-orizonte.fr ; ⊘mi-avr à mi-oct) loue des catamarans (40 € l'heure), des pédalos ainsi que des kayaks (à partir de 15 € l'heure). En kayak, on peut gagner l'embouchure du Fiumorbu et remonter le fleuve.

🛏 Où se loger et se restaurer

Casa Maria Cicilia　　　HÔTEL-RESTAURANT €€€
(☎04 95 56 00 41 ; www.casamariacicilia.com ; d 59-154 €, suite 109-199 € selon saison et confort,

petit-déj 8,90 € ; ✳ @ 🛜). Ne vous laissez pas décourager par l'architecture extérieure, très géométrique, de cet établissement installé en face de l'office du tourisme – l'un des rares du centre-ville. À l'intérieur, vous découvrirez des chambres confortables, au design sobre et épuré (mobilier en bois de style exotique, carrelage ancien, TV à écran plat, couvre-lits crème...). S'y ajoute tout le confort d'un trois-étoiles – clim, double vitrage, Wi-Fi – et un petit patio ombragé. Le restaurant de l'hôtel, **L'Ancura** (plats 8-26 €, menus 28-34 €) sert une cuisine honorable tournée vers les spécialités de la mer et la viande charolaise.

Le centre-ville de Ghisonaccia ayant peu d'intérêt pour les visiteurs, nombre d'adresses sont installées dans les environs proches :

Camping Arinella Bianca QUATRE-ÉTOILES €€ (📞 04 95 56 04 78 ; www.camping-corse.fr ; route de la Mer, Ghisonaccia ; forfait 2 pers 23-41 € ; ⏱ mi-avr à début oct ; ✳ 🛜). Ce magnifique quatre-étoiles occupe un bel emplacement en bord de plage, à 4,5 km du centre de Ghisonaccia. Il dispose de divers bungalows, de mobil-homes, d'une superbe piscine, d'une épicerie et d'un restaurant. Pour vous y rendre, prenez la route de la mer, puis tournez à droite au rond-point du supermarché Spar.

VAUT LE DÉTOUR

ESCAPADE DANS LE FIUMORBU

Tenté par une petite infidélité à la côte ? Dirigez-vous vers le Fiumorbu, l'une de ces microrégions dont la Corse a le secret. Enclavée à l'ouest de Ghisonaccia, elle se prête à merveille à un circuit d'une journée en voiture, voire plus si vous voulez profiter de ses hébergements. Ses villages, bâtis sur des promontoires, révèlent d'incomparables vues sur la plaine, les étangs et la mer. De Ghisonaccia, prenez la D145 et laissez-vous porter par les méandres des routes de montagne. Vous traverserez **Pietrapola**, connu pour ses sources thermales, et traversé par la rivière Abatescu, **San-Gavinu-di-Fiumorbu**, adossé à la montagne, **Isolacciu-di-Fiumorbu**, le plus haut village de la région, à 700 m d'altitude, et **Prunelli-di-Fiumorbu**, un superbe village-belvédère où se trouve un modeste musée consacré à l'histoire locale.

Où se loger et se restaurer

Caffè Buttéa (📞 04 95 56 74 75 ; Prunelli-di-Fiumorbu ; plats 9-15 € ; ⏱ avr-oct, sur réservation le reste de l'année). Alors que les jeunes ont souvent tendance à fuir les villages de l'intérieur de l'île, cet agréable bistrot est au contraire tenu par un jeune couple dynamique. Le patron concocte une carte de 5 entrées et plats corses qui changent régulièrement, au gré des saisons et de son inspiration, et sont servis dans la petite salle ou sur l'agréable terrasse.

Gîte d'étape de Serra-di-Fiumorbu (📞 04 95 56 75 48, 06 81 04 69 49 ; Serra-di-Fiumorbu ; dort 15 €/pers, 37 € en demi-pension ; ⏱ avr-oct). Localisé à la fin de la première étape du sentier Mare a Mare® centre, ce gîte accueille avant tout des randonneurs. Il est installé dans une ancienne école et propose un hébergement correct dans des chambres de 4, 5 et 9 lits (18 places au total). Le village ne compte pas d'épicerie mais le gîte comprend une cuisine, et la responsable, Mme Giudicelli, propose dîners et paniers-repas (5 €). Sur réservation.

Gîte d'étape de Catastaju – San-Gavinu-di-Fiumorbu (📞 04 95 56 70 14, 06 79 74 81 58 ; dort 17 €/pers, 39 € en demi-pension, douche 3 €, dîner 5-15 € ; ⏱ avr-oct). Concluant la deuxième étape du sentier Mare a Mare® centre et situé à 3 heures de marche du GR®20, ce gîte est aménagé dans une ancienne centrale hydraulique au milieu d'un décor de rêve : totalement isolé en pleine forêt, à 3 km du village de San Gavinu, il surplombe la rivière Abatescu, dans laquelle on peut faire trempette. L'hébergement consiste en des lits répartis dans des box pouvant accueillir 4, 5 ou 10 personnes, séparés par des cloisons à hauteur d'homme et dotés de sanitaires simples mais fonctionnels. Outre le cadre, les principaux atouts des lieux sont les bons repas corses – tarte aux herbes, soupe, "gâteau du pauvre" à la confiture d'orange – et le chaleureux accueil de Mme Paoli, qui prépare également des paniers-repas sur demande (7,50 €).

Chambres d'hôtes

Annonciade Prieur MAISON D'HÔTES €€
(☎06 24 29 58 84, 04 95 57 43 83 ; www.
taglio-di-sacramento.com ; Villa le Cèdre bleu,
Vix-Ventiseri ; d/tr 80-110/110-160 € avec
petit-déj ; ☺tte l'année, sur réservation oct-avr ;
❄❂). Une propriété fleurie, une piscine
impeccable, des transats pour la détente
et 3 chambres avec clim, TV et entrée indépendante aménagées dans une construction moderne : tous les ingrédients du
succès sont ici réunis. Ajoutons que l'accueil est agréable, la déco réussie (tons
pastel, voilages, peintures au pochoir...)
et que les propriétaires, passionnés par
leur région, vous renseigneront utilement.
Environ 5 km au sud de Ghisonaccia, à
droite après le lieu-dit Mignataja.

La Ferme
BON PLAN d'Urbino SPÉCIALITÉS DE POISSON €
(☎04 95 57 30 89 ; étang d'Urbino ; plats 9-20 €,
menus 12-24 € ; ☺avr à début oct). Directement
installé sur les berges de l'étang du même
nom, ce restaurant doit sa réputation à
ses excellentes huîtres, moules, crevettes
et autres fritures et poissons grillés. Pas
d'esbroufe dans le décor ou la cuisine : on
vient ici pour un repas à la bonne franquette
en profitant de la vue sur l'étang. Les abords
laissent un peu à désirer (on est sur le site
même de production des coquillages) mais
le rapport qualité/prix est excellent. Réservation conseillée.

🍷 Où prendre
un verre et sortir

A Tribberia – Pasquale Paoli BAR À BIÈRE
(☎04 95 56 37 23 ; Casamozza ; ☺mar-dim jusqu'à
2h environ). Envie d'une bière blanche à l'ar-
bouse ? D'une blonde au miel de Corse ?
D'une stout parfumée à la clémentine
corse ? Ces bières originales peuvent être
dégustées dans ce pub-brasserie situé à
3 km au sud de Ghisonaccia, en bordure
de la N198. Commandez un Mezzu (25 cl),
une Pinta (50 cl), un carafon (1 l), voire une
Funtana (2 l)... Concerts tous les vendredis.

ⓘ Depuis/vers Ghisonaccia

BUS Les Rapides Bleus Corsicatours
(☎04 95 31 03 79, 04 95 72 35 57).
Liaison Bastia–Porto-Vecchio via Ghisonaccia,
deux fois par jour du lundi au samedi de
mi-septembre à mi-juin, et tous les jours
de mi-juin à mi-septembre.

Transports Tiberi (☎04 95 57 81 73). Liaison
quotidienne du lundi au samedi entre Bastia
et Solenzara, via Ghisonaccia.

Solenzara

Solenzara est l'archétype de la station
balnéaire récente. L'absence de charme
architectural est compensé par de longues
plages de sable fin, au nord et au sud de la
localité, et une marina au bord de laquelle
il est agréable de boire un verre.

Traversée par la N198, comme toutes
les localités de la côte est, la ville est par
ailleurs le point de départ de la très belle
route menant au col de Bavella (voir p. 236)
et à l'Alta Rocca.

ⓘ Renseignements

L'**office du tourisme** (☎04 95 57 43 75 ;
www.cotedesnacres.com ; ☺lun-ven 9h-13h
et 14h-19h, sam 9h-13h et 15h-18h, dim 9h-13h
juin, lun-ven 9h-20h, sam-dim 9h-13h et 16h-19h
juil-août, lun-ven 9h-19h, sam 9h-13h et 16h-
19h, dim 9h-13h sept, lun-ven 9h-12h et 14h-18h
oct-mai) est implanté au centre du bourg.

Une **éco-navette** de 8 places permet
différentes excursions (piscines naturelles de
Punte Grossu, Bavella, etc.). Renseignements
et réservation auprès de l'office du tourisme.

🏃 Activités
Plages

La plage la plus proche est celle de **Scaffa**
Rossa, juste après le pont de la Solenzara,
vers le nord. Au sud, l'**anse de Canella** est
la plus réputée, mais les **plages de Favona,**
Tarco et **Fautea** valent également le détour.

Activités nautiques

En saison, **Lolia marine** (☎04 95 57 10 94,
06 12 16 43 33 ; www.loliamarine.fr) s'installe
sur la plage de Favone et loue des bateaux
sans permis (semi-rigide à partir de 120 €
la journée), avec lesquels vous pourrez par
exemple rejoindre en 45 minutes environ
les plages de Fautea ou de la presqu'île de
Pinarello, au nord de Porto-Vecchio.

Acqua Vanua (☎06 12 85 66 39, 06 03 60
87 29 ; www.acquavanua.com ; plage de Favone),
installé aussi sur la plage de Favone en
saison, mise sur l'exotisme en louant des
pirogues polynésiennes à balancier. En
louant une pirogue à la journée (45 €/
adulte), vous pourrez rejoindre l'anse de
Fautea ou si une demi-journée vous suffit
(35 €/adulte) vous pourrez pagayer jusqu'à
celle de Canella.

Au départ de Solenzara, **Bordemer** (☎06
83 54 37 15 ; www.bordemer-croisieres.fr ; port de
plaisance) organise des matinées de pêche
côtière (60 €) et des sorties à la journée vers
le sud de l'île à bord de voiliers de 11 mètres
(90/65 € adulte/– 12 ans).

ESCAPADE DANS LA VALLÉE DU TRAVO

La discrète vallée du Travo, qui se termine en cul-de-sac, vous fera basculer sans transition dans un univers intimiste et sauvage, loin des foules de la côte. Elle est accessible par une route étroite (la D645), perpendiculaire à la N198, entre Ghisonaccia et Solenzara. En partie en corniche, la route longe le Travo jusqu'au village de **Chisà**, à environ 15 km de la N198. Vous pourrez vous baigner dans de jolies **vasques** juste après le pont à l'entrée du village (accès par le portail gris). Un autre lieu superbe pour faire trempette vous attend un peu plus loin : du pont, parcourez 1,4 km en direction de la N198 et repérez un grand pin sur la gauche, une vingtaine de mètres avant une petite aire de stationnement. Juste avant l'arbre, à hauteur d'un poteau électrique en bois, un sentier descend dans le maquis jusqu'au Travo, dans un site escarpé, avec de belles dalles rocheuses pour pique-niquer, et des vasques cristallines.

Chisà est également réputé pour sa **via ferrata**. Un parcours, baptisé U Calanconi, a été aménagé au départ du gîte de Bocca Bé. Assez sportif, il dure environ 4 heures. Comptez 15 € plus 10 € pour la location du matériel (renseignements à la mairie de Chisà ☑04 95 57 31 11, ou directement au gîte d'étape).

Séduit par le site ? Vous pourrez loger dans l'excellent **gîte d'étape Bocca Bè** (☑04 95 56 36 61, 06 14 90 34 08 ; 45 €/pers en demi-pension ; Chisà). Moderne, bien conçu, d'une capacité de 16 places, il est situé en pleine nature, face au site de la via ferrata d'U Calanconi.

Les abords de Solenzara ne sont pas les plus propices à la **plongée**. Vous trouverez néanmoins quelques sites dignes d'intérêt dans le secteur de l'anse de Favone. Le centre **Favone plongée** (☑06 74 64 52 72 ; www.favone-plongee.com ; ☉mai à mi-sept) propose des baptêmes (60/190 € 1/3 plongées) et des explorations (40 €).

Ranch José
BALADE ÉQUESTRE

(☑06 22 62 91 18 ; Pielza). Le ranch, à 5 km au nord de Solenzara, propose des prestations variées : balade au clair de lune de 2 heures (50 €), sorties bord de plage (30 €, 1 heure 30), galop sur la plage pour cavaliers confirmés (de 7h à 8h ou de 19h à 20h, 30 €), balades dans le maquis pour les débutants (20 €, 1 heure), baignade à cru avec les chevaux, le matin (35 €). Des itinéraires permettent également de partir dans le maquis, en petite montagne, et de revenir par le bord de mer (demi-journée/journée 40/80 €).

Parc de la Solenzara
PARC AVENTURE

(☑06 29 19 19 04 ; www.corse-canyoning-parc. com ; ☉mi-juin à mi-sept). À la sortie nord de Solenzara, en face du restaurant A Mandria, ce parc aventure se décline en 4 parcours différents, dont un "parcours baby" à partir de 3 ans (6 €). Les plus sportifs apprécieront la tyrolienne de 120 m qui enjambe la Solenzara. Comptez de 15 à 22 € selon le

parcours. Le site est implanté dans une forêt d'eucalyptus, malheureusement au bord de la route.

🛏 Où se loger

Les 3 terrasses
HÔTEL €

(☑04 95 57 40 44 ; www.hotel-les3terrasses. com ; d 56-62 €, d 128-162 € en demi-pension en août ; ❄🐾). Ne vous fiez pas aux trois étoiles qui ornent la façade : plus que le confort, simple mais suffisant, ce sont les prix, raisonnables en dehors du mois d'août, qui attirent ici les visiteurs. Accueil au bar du rez-de-chaussée.

Hôtel Orsoni
HÔTEL €€

(☑04 95 57 40 25 ; www.hotelorsoni.com ; route principale ; d 60-100 € avec petit-déj selon confort ; ☉avr à fin oct). Petit hôtel familial propre et bien tenu. La sympathique propriétaire veille au grain sur ses chambres, réduites au minimum côté confort, un peu bruyantes, mais avenantes. Les moins chères partagent des sanitaires sur le palier, les autres disposent de sdb au format timbre-poste. Un petit restaurant est tenu au rez-de-chaussée par la fille de la propriétaire, **Casa Corsa** (menus à partir de 18 € ; ☉juin-sept). Un jardinet et un garage à motos et vélos complètent les services de cette adresse sans prétention mais agréable.

La Solenzara HÔTEL DE CHARME €€€
(☎04 95 57 42 18 ; www.lasolenzara.com ;
route principale ; d avec petit-déj 85-140 € selon
vue et saison ; ☺mi-mars à début nov ; P✳☀☎).
Coup de cœur pour cette belle demeure de
style génois du XVIIIᵉ siècle. Les palmiers et
les bougainvilliers qui ornent la façade sont
de bon augure, et cette bonne impression se
confirme dans les belles chambres, toutes
différentes, climatisées pour la plupart. La
décoration donne aux lieux une vraie atmosphère de vacances que ne démentent pas la
piscine à débordement, l'accès direct à la
mer (plage et port de plaisance à 300 m) et
la dernière nouveauté : un espace bien-être
mêlant spa, massages et soin. Bon accueil
et tarifs raisonnables s'ajoutent au charme
des lieux.

U Saltu GÎTE D'ÉTAPE-RESTAURANT €
(☎04 26 78 15 24, 06 50 22 08 61 ; Solaro ; nuitée
20 €, plats 9-18 €, menu corse en hiver 25 €).
Très calme, ce gîte d'étape agréable et
accueillant, situé dans le village de Solaro,
à environ 10 km au nord-est de Solenzara,
propose des chambres de 4 lits et quelques
doubles, à des tarifs très avantageux. Les
sanitaires, communs, sont d'une propreté
exemplaire, et le cadre vaut son pesant
d'or : le matin, en ouvrant les volets, on a
une vue panoramique sur la plaine orientale. Les repas, sur réservation en hiver,
et le bon petit-déjeuner (6 €), sont servis
dans une salle en pierre ou sur la terrasse
ombragée.

✗ Où se restaurer

La scène culinaire de Solenzara fait la part
belle aux pizzerias et aux fast-foods. Pour le
reste, voici quelques suggestions :

La Fonderie CORSE MODERNE €€
(☎04 95 57 42 47 ; port de plaisance ; plats 9-25 € ;
☺Pâques à mi-oct). Cette adresse prépare une
cuisine corse rehaussée d'une touche d'originalité : fettucine à l'encre de seiche et
aux gambas, filet de Saint-Pierre aux petits
légumes, porcelet de montagne à la stretta...
Pêche locale et vivier à langoustes. Le tout
servi sur de jolies assiettes, avec une présentation soignée. Le cadre, en retrait du port,
est agréable.

**A Mandria
de Sébastien** SPÉCIALITÉS CORSES €€
(☎04 95 57 41 95 ; plats 12-25 € environ,
menus 28-35 € ; ☺fév-nov, fermé dim soir et
lun hors saison). On est accueilli dans cette
adresse qui rencontre un réel succès par
un panneau précisant plusieurs "bonnes"

raisons de passer son chemin : vouloir payer
par carte de crédit (pas acceptée), être
pressé, de mauvaise humeur, etc. Si vous
ne remplissez aucune de ces conditions,
vous vous attablerez dans cette bergerie où
l'on fait griller au feu de bois des viandes
et du *figatellu*, servis avec des haricots à
la corse et autres spécialités insulaires. La
pergola, dans un jardin gazonné à l'arrière,
permet d'échapper au bruit de la route. À
la sortie nord de Solenzara, en face du parc
aventure.

Glacier du Port GLACES ET PLATS €
(☎04 95 57 42 21 ; port de plaisance ; plats 9-20 € ;
☺avr-oct). Outre un grand choix de glaces
– on l'avait deviné ! – cette adresse propose
des salades, pizzas et plats du jour. L'emplacement, en face de la marina (et donc loin de
la route !) est l'un de ses principaux atouts.
En saison, trouver une place libre relève de
l'exploit.

**A Buttega
di A Mandria** PRODUITS CORSES
(☎04 95 31 59 35 ; route principale ; ☺mar-dim
avr-oct). Ouvert par le propriétaire de
A Mandria de Sébastien, cette boutique de
produits corses et bar à vin vous accueille au
centre de Solenzara.

Dans les environs de Solenzara :

U Veniqui SPÉCIALITÉS CORSES
(☎04 95 73 22 72 ; www.veniqui.com ; plats
10,50-18 €, pizzas 7,50-12,50 € ; plage de Favone ;
☺tlj juil-août, soir juin et sept). Il n'est pas étonnant que les Italiens apprécient l'endroit,
réputé pour ses pizzas généreuses cuites
au feu de bois et à la pâte fine comme du
papier à cigarette. On avoue un faible pour
la Veniqui à base de poire, mozzarella,
gorgonzola et jambon corse. Le restaurant
propose aussi une cuisine corse traditionnelle dans un cadre agréable, en retrait
de la route nationale et face à la plage de
Favone. Accueil familial et piscine à disposition pour les clients.

ⓘ Depuis/vers Solenzara

BUS Les Rapides Bleus Corsicatours
(☎04 95 31 03 79, 04 95 72 35 57). Liaison
Bastia–Porto-Vecchio via Solenzara, deux
fois par jour du lundi au samedi de mi-
septembre à mi-juin, et tous les jours de
mi-juin à mi-septembre. Comptez environ 18 €
pour Solenzara-Bastia, et environ 8 € pour
Solenzara–Porto-Vecchio.

Transports Tiberi (☎04 95 57 81 73). Liaison
quotidienne du lundi au samedi entre Bastia et
Solenzara (17 €).

De Solenzara à Bavella

C'est l'une des plus belles routes de Corse : depuis Solenzara, la D268 décrit d'interminables lacets sur une trentaine de kilomètres jusqu'au col et aux aiguilles de Bavella, dans un paysage somptueux et sauvage. Les dix premiers kilomètres suivent le cours de la Solenzara, dans une vallée encaissée, où de magnifiques **vasques** attendent les amateurs de baignade. Après le Ponte Grosso, la route s'écarte du cours de la rivière et continue sa montée progressive jusqu'au **col de Larone** (608 m), au milieu d'immenses pinèdes et de chaos rocheux. Puis apparaît le massif de Bavella, magique...

✷ Activités

Corsica Forest PARC AVENTURE
(☑06 25 97 27 95, 06 16 18 00 58 ; www.corsica-forest.com ; adulte/- 16 ans 19/16 € ; ☺mai-oct). Ce superbe parc a été aménagé à 7 km de Solenzara, juste après le camping U Rosumarinu. Dans un cadre enchanteur, avec la rivière en contrebas, il comprend 25 ateliers (tyroliennes, ponts de singe, filets-araignées, sauts de Tarzan...) dont une tyrolienne de 250 m, particulièrement appréciée. Un petit cours d'initiation est proposé avant le grand départ et un "baby parc" est accessible aux enfants dès 5 ans (6 €). Le site a aussi été équipé d'une **via ferrata**, appelée A Buccarona, très spectaculaire, classée assez difficile. Notez que la pratique de la via ferrata est impossible pour des questions techniques aux personnes pesant moins de 45 kg. La même équipe propose également des sorties canyoning dans le secteur de Bavella (30-50 €).

Corsica Canyon CANYONING
(☑06 22 91 61 44 ; www.corsicacanyon.com ; ☺mi-avr à mi-oct). Installée en bord de route dans une petite bâtisse à 15 km de Solenzara, l'équipe Corsica Canyon propose des sorties sur les trois canyons phare du massif de Bavella : Pulischellu, Purcaraccia et Vacca. Comptez de 45 à 55 € par personne.

🛏 Où se loger et se restaurer

BON PLAN **Camping U Rosumarinu** CADRE IDYLLIQUE €
(☑04 95 57 47 66 ; www.urosumarinu.fr ; adulte/voiture/tente 6-6,80/3-3,50/3,50-6 € selon saison ; ☺avr-oct). On devrait décerner à ce camping la palme du plus bel emplacement de Corse ! Il profite en effet d'un cadre grandiose, à 7 km de Solenzara, au bord de la rivière et de ses magnifiques vasques (avec des petites plages !), et à quelques minutes à pied du parcours aventure (voir page précédente). Nombreux sont ceux qui ont été tellement séduits par le site qu'ils reviennent chaque année y planter leur tente ou garer leur camping-car. Pizzeria et snack. Il est prudent de réserver au cœur de la saison.

U Ponte Grossu BORD DE RIVIÈRE €
(☑04 95 48 26 61 ; www.upontegrossu.com ; adulte/voiture/tente 5,50-6,50/3-3,50/3,50-5,50 € selon saison ; ☺mai-sept). Une bonne alternative à l'adresse précédente si celle-ci s'avère complète (à 3 km en direction de Bavella). Situé lui aussi au bord de la rivière, ce camping a récemment changé de propriétaire et propose enfin des prestations correctes, avec notamment un bloc sanitaire entièrement refait à neuf. Certains emplacements, notamment ceux en bord de rivière, manquent cependant d'ombre. Snack et base de canyoning sur place.

A Pinzutella FERME-AUBERGE €€
(☑04 95 57 41 18, 06 14 82 85 56 ; www.auberge-apinzutella.com ; gîtes 285-870 €/sem, plat du jour 15 €, menu 24 € ; ☺avr-sept). Impossible de ne pas être séduit par le cadre, en plein milieu des pâturages, avec les aiguilles de Bavella en arrière-plan. Le décor de la salle, moderne et carrelée, est moins plaisant mais la terrasse compense avec sa vue superbe. La cuisine devrait achever de vous convaincre : croustillant au chèvre, cabri rôti, feuilleté aux herbes, cassolette de foie de cabri, etc. Les fromages, légumes et quelques autres produits viennent directement de la ferme. Sur la route de Bavella, à 5 km de Solenzara.

Montagnes du Centre

Le top des hébergements

Le top des restaurants

Pourquoi y aller

Le centre géographique de l'île est aussi son âme et son cœur sauvage. Un enchevêtrement de sommets aux parois abruptes ; une série de vallées encaissées ; un univers verdoyant, dominé par des forêts de pins laricios et de feuillus ; des torrents impétueux et des rivières cristallines dans lesquelles il fait bon faire trempette ; une seule route principale, la N193, et de multiples routes secondaires, étroites, qui serpentent de manière interminable ; des villages discrets au cachet certain ; une seule ville d'importance, Corte, bastion de l'identité insulaire : voilà le centre de la Corse.

Rien à voir avec les ambiances du littoral, les plages bondées, les bouchons et la frénésie commerciale qui s'empare des stations en haute saison. Ici, on respire, on vit au rythme de la nature. L'ère du pastoralisme n'est pas si loin. Le tourisme se fait plus discret qu'ailleurs. On pourrait presque parler d'écotourisme, avec des infrastructures à échelle humaine et des activités de pleine nature qui sont l'occasion de se ressourcer au milieu de paysages somptueux : canyoning ou autres sports en eau vive, randonnée équestre ou pédestre, balade d'arbre en arbre, baignades dans des vasques idylliques, escalade à la belle saison, ski et raquettes en hiver… Sans oublier quelques perles en matière de patrimoine, religieux notamment, dans la région du Boziu.

Quand partir

Mi-janvier à fin février	Début mai	Début septembre
En hiver, les pistes forestières de la forêt de Valdu Niellu se prêtent à merveille à la pratique du ski de fond et des raquettes. La période la plus favorable va de mi-janvier à fin février.	Ne manquez pas la Fiera di u Casgiu, une grande foire au fromage qui rassemble tous les producteurs de l'île à Venaco, la principale localité (660 habitants) de la région du Venacais.	À Casamaccioli se déroule le 8 septembre l'une des plus grandes foires centenaires de l'île, lors de la fête de la Santa di u Niolu.

CORTE (CORTI)

On dirait une pierre précieuse sertie dans un écrin montagneux. Plantée au débouché de plusieurs vallées et entourée de cimes dentelées, Corte (6 700 habitants) est dans un cadre naturel de toute beauté. Cœur battant de la nation corse et gardienne de l'identité insulaire, la cité cultive le souvenir de Pascal Paoli (voir l'encadré p. 350), le héros du pays. Pour autant, elle ne vit pas recroquevillée sur son passé. On a plaisir à découvrir une ville universitaire (la seule de l'île), accueillante et animée. En s'enfonçant dans la ville haute (vieille ville), fièrement campée sur son promontoire rocheux et dominée par sa vertigineuse citadelle, on découvre un univers intimiste peuplé de petits trésors : des boutiques d'artisanat, des demeures anciennes aux façades patinées, des maisons en schiste noir qui s'égrènent le long de venelles pentues, des rampes pavées de galets de granite, des passages secrets, des points de vue sur les vallées avoisinantes... En contrebas, le cours Paoli, l'artère animée de la ville, a fait l'objet de rénovations importantes, et ses immeubles anciens retrouvent progressivement leurs couleurs vives d'origine.

Corte est idéalement placée pour visiter le Centre corse. Les splendides vallées du Tavignano et de la Restonica commencent aux portes de la ville, et les hameaux perdus du Boziu ne sont qu'à quelques kilomètres.

Histoire

Place forte dès le IXe siècle, investie par les Génois au XIIIe siècle, Corte fut conquise en 1419 par un seigneur insulaire attaché à la cour d'Aragon, Vincentello d'Istria, vice-roi de Corse de 1421 à 1434 (date de sa décapitation à Gênes). Il fit construire sur le promontoire rocheux un fortin, surnommé le Nid d'aigle. Seule ville fortifiée de l'intérieur de l'île, à mi-chemin sur la route reliant Bastia à Ajaccio, Corte fut le théâtre de toutes les batailles menées contre l'occupation génoise. De 1755 à 1769, Pascal Paoli y installa le premier gouvernement indépendant corse et fit voter au couvent d'Orezza (en Castagniccia) l'une des premières constitutions démocratiques du monde. Une première université fut créée en 1765, quatre ans avant que Paoli ne soit battu par les Français. Corte, ensuite, devint une ville de garnison. Elle accueillit même la Légion étrangère à son départ d'Afrique du Nord, en 1962. La ville dut attendre 1981 pour que soit créée une nouvelle université, revendiquée depuis 20 ans.

Orientation

Corte se parcourt facilement à pied. Le cours Paoli, principale artère, la sépare en deux. À l'ouest, des escaliers mènent à la ville haute et à la citadelle. À l'est, la ville basse et les nouveaux quartiers s'étendent vers la vallée. L'avenue Jean-Nicoli, qui longe l'université de Corte, rejoint le cours Paoli. La gare SNCF se trouve à environ 800 m du centre.

ℹ Renseignements

Office du tourisme Centre-Corse (☏04 95 46 26 70 ; www.corte-tourisme.com ; ☉variable). À l'entrée de la citadelle, à côté de la caserne Padoue. Bonne documentation sur l'ensemble du Centre corse, dont un intéressant parcours historique.

Café du Cours (☏04 95 46 00 33 ; cours Paoli ; 6 €/heure ; ☉tlj 7h-2h). Accès Internet dans une salle à l'arrière du bar. Également consigne gratuite pour les sacs à dos.

Vidéo Games (☏04 95 47 32 86 ; av. du Président-Pierucci ; 4 €/heure ; ☉lun-sam 8h-2h, dim 16h-1h). Accès Internet.

◉ À voir

À l'office du tourisme, demandez la brochure *Suivre la voix du père de la patrie, Pascal Paoli*, qui comporte, au recto, le plan de Corte, avec un itinéraire patrimonial, et, au verso, la carte du Centre corse. En complément, demandez l'audioguide (7 € la demi-journée) ; comptez 2 heures pour effectuer la visite de la ville, une journée pour celle de la région.

Signalons aussi que la société **Altipiani** (voir *Activités*, p. 270) propose une approche ludique de Corte sous la forme d'une chasse au trésor, au cours de laquelle vous devrez résoudre des énigmes qui vous permettront de découvrir des aspects méconnus de la ville (2 à 3 heures, 10 € par équipe).

Citadelle
VIEILLE VILLE

Vision impressionnante que celle de la citadelle, perchée à une centaine de mètres de hauteur, arborant, telle une figure de proue, un nid d'aigle qui semble posé en équilibre à l'extrémité du piton. Au sud se trouve le vieux château, auquel on accède par un escalier taillé dans le marbre de la Restonica. Joliment restauré, ce bâtiment – qui ressemble plutôt à un fortin – fut construit en 1419 et agrandi par les Français aux XVIIIe et XIXe siècles. Vauban y fit élever de puissants remparts. Du chemin de ronde, la vue est admirable.

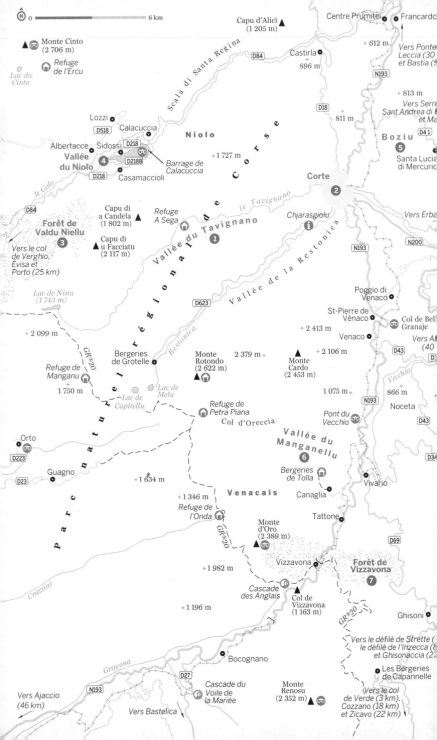

Passé l'entrée, on accède à deux grandes bâtisses qui se font face : les casernes Serrurier et Padoue. Construites sous Louis-Philippe, elles furent utilisées à diverses fins, notamment en tant que centre pénitencier, puis caserne pour la Légion étrangère de 1962 à 1983. Aujourd'hui, la caserne Serrurier héberge le musée de la Corse.

Si seul le panorama vous intéresse, grimpez l'escalier qui mène au belvédère (accès gratuit) à l'extérieur des remparts (suivez le fléchage). Vous découvrirez l'arrière-plan montagneux, une partie de la vieille ville et le confluent des trois rivières en contrebas : le Tavignanu, la Restonica et l'Orta.

Musée de la Corse HISTOIRE RÉGIONALE
(musée régional d'Anthropologie ; ☏04 95 45 25 45 ; www.musee-corse.com ; Citadelle ; tarif plein/réduit 5,30/3 € ; ⊙mar-sam 10h-17h nov-mars, mar-dim 10h-18h avr-21 juin, tlj 10h-20h 22 juin-20-sept, mar-dim 10h-18h 21 sept-oct). Dans le cadre magnifique de la citadelle, le musée de la Corse, très bien conçu, mérite qu'on lui consacre quelques heures pour ses riches collections évoquant la Corse d'hier et d'aujourd'hui. Au 1er étage, la galerie Doazan, du nom du prêtre qui rassembla entre 1951 et 1978 près de 3 000 objets de la Corse traditionnelle, propose un inventaire de l'artisanat et des savoir-faire (tissage, pastoralisme, vie agraire, patrimoine) à travers la découverte de la Corse rurale. Le 2e étage aborde des domaines plus contemporains : l'industrialisation de la Corse, le renouveau des confréries, le tourisme, les entreprises

À ne pas manquer

❶ Randonner dans la **vallée du Tavignano** (p. 278), accessible uniquement à pied

❷ Flâner dans les venelles de la ville haute de **Corte** (p. 267)

❸ Se balader d'arbre en arbre dans le **parc aventure de la forêt de Valdu Niellu** (p. 280)

❹ Parcourir à cheval les hauteurs de la **vallée du Niolo** (p. 279)

❺ Admirer les églises romanes du **Boziu** (p. 286)

❻ Se baigner dans les vasques du **Manganellu** (p. 290)

❼ Se rafraîchir dans la Cascade des Anglais, au cœur de la **forêt de Vizzavona** (p. 291)

familiales (Mattei, en l'occurrence). Le rez-de-chaussée est réservé aux expositions temporaires (entrée comprise dans le billet général). Vous pourrez louer un audioguide à la réception (1,50 €).

Palazzu Naziunale
(Palais national) BÂTIMENT HISTORIQUE
Juste sur votre gauche avant de pénétrer dans la citadelle, la grande bâtisse rectangulaire de l'ancien palais du lieutenant génois abrita le premier et unique gouvernement indépendant de la Corse, dirigé par Pascal Paoli. Ce dernier en fit sa résidence, mais aussi le siège de l'université, dont le palais abrite encore quelques services, ainsi qu'une bibliothèque. Le palais est souvent fermé durant l'été.

Place Gaffory PLACE HISTORIQUE
Au cœur de la ville haute, au beau milieu de cette jolie place trône la **statue** du général Jean-Pierre Gaffory (1704-1753), chef du gouvernement national corse avant Pascal Paoli. Derrière, repérable au cadran solaire sur sa façade, la maison familiale de ce héros de la résistance antigénoise porte encore les impacts des balles tirées par les Génois contre les patriotes corses. Sur le socle supportant le bronze de Gaffory, notez les bas-reliefs illustrant les hauts faits du général et de son épouse, la courageuse Faustina, qui refusa de céder aux pressions des Génois.

Église de l'Annonciation ÉDIFICE RELIGIEUX
De l'autre côté de la place Gaffory se dresse cette église surmontée d'un impressionnant campanile. Construite au milieu du XVe siècle, puis transformée et agrandie au XVIIe siècle, elle est l'un des édifices les plus anciens de la ville. L'intérieur comporte une belle chaire en bois.

Chapelle Sainte-Croix ÉDIFICE RELIGIEUX
De la place Gaffory, la rue du Colonel-Feracci mène à cette discrète chapelle du XVIIe siècle d'où part, chaque Jeudi saint au soir, la procession de pénitents qui réalisent une procession en forme d'escargot, la granitula. La façade est modeste, mais l'intérieur abrite un retable baroque et un petit orgue à l'italienne.

Place Paoli PLACE HISTORIQUE
Le *Babbu di a Patria* possède une place qui porte son nom, au centre de laquelle s'élève sa statue. Bordée de terrasses de café et de restaurants, c'est le cœur battant de Corte. De la place Paoli, une rampe pittoresque, appelée Scoliscia, mène rapidement à l'autre place célèbre de la ville, la place Gaffory.

MONTAGNES DU CENTRE CORTE

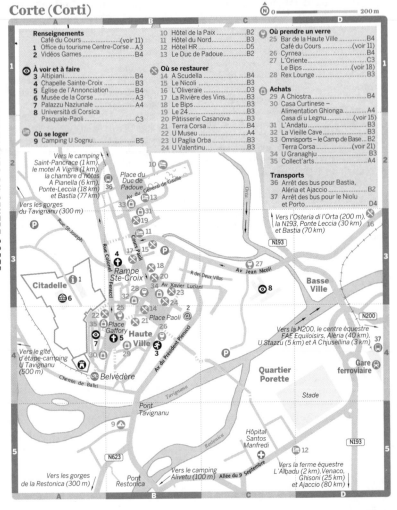

Renseignements
Café du Cours ....(voir 11)
1 Office du tourisme Centre-Corse ...A3
2 Vidéos Games B4

À voir et à faire
3 Altipiani...................................B4
4 Chapelle Sainte-Croix B3
5 Église de l'Annonciation B4
6 Musée de la Corse A4
7 Palazzu Nazionale A4
8 Università di Corsica
Pasquale-Paoli C3

Où se loger
9 Camping U Sognu.......................B5

10 Hôtel de la Paix B2
11 Hôtel du Nord.........................B3
12 Hôtel HR................................D5
13 Le Duc de Padoue....................B2

Où se restaurer
14 A Scudella B4
15 Le Nicoli B3
16 L'Oliveraie D3
17 La Rivière des Vins...................B3
18 Le Bips B3
19 Le 24 ....B3
20 Pâtisserie Casanova.................B3
21 Terra Corsa B3
22 U Museu A4
23 U Paglia Orba B3
24 U Valentinu.............................B3

Où prendre un verre
25 Bar de la Haute Ville B4
Café du Cours ....(voir 11)
26 Cyrnea B4
27 L'Oriente................................C3
Le Bips ....(voir 18)
28 Rex Lounge B3

Achats
29 A Chiostra B4
30 Casa Curtinese –
Alimentation Ghionga.............A4
Casa di u Legnu.............(voir 15)
31 L'Andatu B3
32 La Vieille Cave B3
33 Omnisports – le Camp de Base...B2
Terra Corsa ....(voir 21)
34 U Granaghju B3
35 Collect'arts.............................A4

Transports
36 Arrêt des bus pour Bastia,
Aléria et Ajaccio B2
37 Arrêt des bus pour le Niolu
et Porto.................................D4

Università di Corsica Pasquale-Paoli

UNIVERSITÉ CORSE

Réclamée dans les années 1960 par les nationalistes, accordée par l'État en 1975, l'université Pasquale-Paoli a ouvert ses portes en octobre 1981, soit presque deux siècles après la création de la première université de la Corse indépendant (1765-1768). Le campus accueille aujourd'hui plus de 4 000 étudiants (sciences humaines, biologie, langues, sciences économiques...) et ambitionne de devenir un pôle de référence en matière de recherches sur l'environnement, les nouvelles technologies de l'information et de la communication et l'identité méditerranéenne. Le principal bâtiment se trouve avenue Jean-Nicoli, à l'entrée de la ville basse. La taille modeste de Corte pose certains problèmes aux étudiants, comme la pénurie de logements (ils logent souvent dans les hôtels de la ville) et de transports publics.

🏃 Activités

La ville est traversée par le **Mare a Mare®** **nord** (voir p. 326) et constitue une étape pour les randonneurs.

Altipiani
ACTIVITÉS DE PLEIN AIR
(📞 06 86 16 67 91 ; www.altipiani-corse.com ; 5 rue du Pr-Santiaggi). Ses bureaux sont à deux

pas de la place Paoli. Cette agence organise des sorties canyoning (39/53 € selon circuit) dans plusieurs canyons du Centre corse, ainsi que des randonnées dans la vallée de la Restonica ou du Tavignano (100/160 € demi-journée/journée par groupe) et des sorties escalade dans la vallée de la Restonica (90/150 € demi-journée/journée). Cette société loue également des VTT (19 € la journée) – un bon moyen, pour les plus sportifs, de circuler sans encombre dans la vallée de la Restonica. Sur place, petite boutique spécialisée dans le matériel de canyoning, de camping et d'escalade.

Randonnées et nature
MARCHE
(☎06 26 58 12 37 ; www.randonneesetnature.fr ; 25 € jour/personne ; ☺mai-sept). Organise en saison des excursions à la journée de niveau et de durée variables suivant les jours de la semaine dans les vallées de la Restonica, du Tavignano et autour de Corte.

L'Albadu
RANDONNÉE ÉQUESTRE
(voir p. 272). Cette ferme équestre propose différentes formules de randonnées à cheval pour découvrir les environs de Corte (25 € pour 1 heure 30) et la vallée du Tavignano et ses piscines naturelles (60/80 € la demi-journée/journée, avec pique-nique, adultes uniquement).

FAE Equiloisirs
RANDONNÉE ÉQUESTRE
(☎04 95 61 09 88 ; www.equiloisirs-fae.com ; pont de Papineschi ; balade 1/2 heures 20/40 €, journée 90 € ; ☺tte l'année). Si vous êtes avec des enfants, adressez-vous à ce centre équestre, l'un des plus importants de Corse, qui organise des balades en baby-poney à partir de 4 ans (5 €/15 min) ou à cheval à partir de 6 ans, accompagnées d'un moniteur, dans le secteur du Boziu. Des randonnées équestres de 6 jours dans différentes régions de Corse sont également possibles. À 5 km de Corte par la N200 en direction d'Aléria, puis la D214 à gauche vers Sermano.

🛏 Où se loger

Camping Alivetu
CAMPING €
(☎04 95 46 11 09 ; www.camping-alivetu.com ; allée du 9-Septembre ; adulte/enfant/voiture/tente 8,80-9/4,40-4,50/4/4 € ; ☺avr-sept ; 🛜). Cadre idéal et très calme, à l'ombre des oliviers (pour les premiers arrivés), au sud du pont sur la Restonica et à 900 m environ de la gare SNCF. Autre avantage : l'accès direct aux piscines naturelles de la rivière, en contrebas. Le camping loue aussi à la semaine d'agréables bungalows en bois climatisés avec sdb, kitchenette et véranda. Hors saison, les bungalows se

AVEC DES ENFANTS

LIEUX	ACTIVITÉS	BON À SAVOIR
Corte	Du **baby-poney** au centre équestre FAE Equiloisirs (p. 271)	Prévoyez des chaussures fermées pour les enfants.
Vallée de la Restonica	Une **baignade** dans l'une des multiples vasques (p. 274)	En saison, venez tôt le matin pour éviter l'affluence. N'oubliez pas votre pique-nique !
Vallée du Niolo	Une **promenade en âne** jusqu'au lac de Nino (p. 281)	L'occasion d'observer des pins laricios pluricentenaires.
Vallée de l'Asco	Une promenade le long d'une **via ferrata** ou une **tyrolienne** dans le parc Asco Vallée Aventure (p. 284)	La via ferrata A Zitellina s'adresse aux enfants de 4 à 8 ans.
Le Venacais	Une sortie **canyoning** (p. 288)	Certains canyons, faciles, conviennent aux familles, et ont l'avantage d'être très peu fréquentés.
Ghisoni	Une **promenade** "sur la trace des bergers" (p. 293)	Pensez à emporter une polaire et un coupe-vent, même en été.

louent pour 3, 4, 5 ou 6 nuits. Laverie et aire de jeux pour enfants.

Camping U Sognu
PROCHE DU CENTRE €

(☎04 95 46 09 07 ; adulte/enfant/voiture/tente 7,50/3/2,50/2,50 € ; ⊙mars-oct). Principal atout : la proximité du centre-ville, facilement accessible à pied, et la vue imprenable sur la citadelle. En revanche, l'ombre procurée par de jeunes oliviers est un peu insuffisante. Une petite pizzeria ouvre en saison. Les sanitaires, implantés dans le bâtiment d'une ancienne fermette, sont un peu anciens mais propres.

♥ Camping Saint-Pancrace
CAMPING À LA FERME €

(☎04 95 46 09 22, 06 22 73 74 86 ; www.camping-saintpancrace.fr ; place Saint-Pancrace ; adulte/voiture/tente 6/3/3-4 € ; ⊙avr-sept). Une aire naturelle de camping très tranquille, implantée au sein d'une exploitation agricole fromagère, à l'écart du centre. Vente de produits régionaux : fromage, confiture, miel, etc. Snack sur place dans une belle maison en pierre.

Gîte d'étape-camping
U Tavignanu
GÎTE D'ÉTAPE-CAMPING €

(☎04 95 46 16 85 ; chemin de Baliri ; camping adulte/enfant/tente 6/4/2 €, dort avec petit-déj 21 €, demi-pension 40 €/pers ; ⊙avril à mi-sept). Le calme est le maître mot de ce gîte d'étape situé à l'écart du centre, non loin du Tavignano. Il n'est d'ailleurs pas accessible en voiture car avant tout destiné aux randonneurs. Vous y trouverez de petites chambres de 4 et de 5 lits très convenables et des emplacements de camping ombragés, dans une ambiance rustique et 100% corse. Pour vous y rendre, prenez le chemin de Baliri au niveau du pont sur le Tavignano jusqu'à une passerelle étroite que vous traverserez, puis poursuivez une dizaine de minutes sur le sentier.

L'Albadu
À LA FERME €

(☎04 95 46 24 55 ; www.hebergement-albadu.fr ; ancienne route d'Ajaccio ; demi-pension en ch/dort 48-53/45 € par pers, camping pers/tente/voiture 5,50/2,50-4,50/2,50 € ; ⊙tte l'année). Cette ferme équestre (voir p. 271) accueillante, à l'ambiance sans chichi et gentiment anarchique, se situe en pleine campagne, sur l'ancienne route d'Ajaccio (la route du Calvaire), à 2 km de Corte. Au choix : 5 chambres avec lavabo et douche (sanitaires communs), petites et quelconques, mais avec vue sur les montagnes ; une aire de camping (qui n'offre pas beaucoup d'ombre) ; et un dortoir de 10 lits superposés, plutôt exigu. Cuisine

à base de produits de la ferme, simple et copieuse. Table d'hôtes ouverte aussi aux clients extérieurs, au tarif de 18 à 20 €.

BON PLAN Hôtel HR
RÉSIDENCE UNIVERSITAIRE €

(☎04 95 45 11 11 ; www.hotel-hr.com ; 6 allée du 9-Septembre ; s/d sdb ext 35/45 €, d avec sdb 55-65 €, ch 4 pers 100 € ; ⊙avr à mi-sept ; P☒☎). Cette résidence universitaire de 135 chambres est utilisée comme hôtel en période estivale. Les bâtiments n'ont aucun charme et les installations ne sont plus de première fraîcheur (notamment les cages d'escalier) mais les chambres sont fonctionnelles et propres, et les tarifs imbattables. La bonne surprise : jardin-patio à l'arrière, avec une piscine, et des nombreux services (petit-déjeuner, salle de fitness et sauna, accès Wi-Fi, laverie, garage fermé pour les vélos et les motos). À 150 m de la gare.

Hôtel de la Paix
AU CALME €

(☎04 95 46 06 72 ; www.hoteldelapaix-corte.fr ; av. du Général-de-Gaulle ; s 42-75 €, d 47-75 € selon confort et saison ; ⊙tte l'année ; ☎). Dans un bâtiment des années 1960 dont la façade rosée se dresse au fond d'une rue calme, l'Hôtel de la Paix offre un rapport qualité/prix honorable, même en haute saison. Certes, les chambres ne remporteront pas la palme du design, mais leur côté fonctionnel et l'ambiance paisible du lieu jouent en leur faveur. Les plus chères possèdent un balcon. Parking pour motos et vélos. Cartes de crédit non acceptées.

♥ Hôtel du Nord
CENTRAL €€

(☎04 95 46 00 68 ; www.hoteldunord-corte.com ; 22 cours Paoli ; s 61-107 €, d 72-107 €, petit-déj 1 € ; ⊙tte l'année ; ☒@☎). Au cœur de la cité, l'Hôtel du Nord, dans une imposante bâtisse de caractère entièrement rénovée, combine avec bonheur l'ancien et le moderne. Passée la porte en bois de l'entrée, un vieil escalier doté d'une jolie rampe en fer forgé mène aux 16 chambres, spacieuses, accueillantes et bien équipées (TV satellite, écran plat, Wi-Fi gratuit, clim). Celles donnant sur la rue sont équipées du double vitrage. Les "côté campagne" ont une jolie vue.

Motel A Vigna
HÔTEL €€

(☎04 95 46 02 19 ; tcampana@wanadoo.fr ; chemin de Saint-Pancrace ; d 60 € ; ⊙avr-sept ; P). Dans cet établissement atypique, vous logerez dans une petite résidence composée de 16 studios tout équipés, dans une propriété calme et verdoyante, à environ 1 km du centre-ville. Les chambres, vastes et fonctionnelles, se doublent d'une terrasse ou d'un balcon. Hors saison touristique, des étudiants occupent les lieux. Une option abordable, idéale pour les familles.

A Pianella –
Chez Paul et Sylvie   CHAMBRES D'HÔTES €€
(☎06 07 16 86 37 ; www.apianella.fr ; Castirla ; d/tr 73/95 € avec petit-déj ; ☺tte l'année ; ☎). Dans leur belle maison ocre, à 6 km de Corte (accès par la D18, en direction de Castirla), Sylvie et Paul (figure locale et connu pour être un rescapé d'une émission de télé-réalité), ont joué sur les couleurs lumineuses ainsi que sur l'association de boiseries anciennes et d'éléments modernes pour égayer leurs 5 chambres. En prime, de belles sdb et une vue sur la vallée du Golo. Les espaces à vivre, vastes et confortables, comprennent une salle à manger dotée d'une cheminée, une belle terrasse à l'étage, un spacieux coin repas prolongé d'une terrasse au rez-de-chaussée, ainsi qu'un bain bouillonnant. Les repas sont préparés à la demande (28 €, boissons comprises).

A Chjusellina   FERME AUBERGE €€€
(☎04 95 47 13 83, 06 22 39 73 12 ; www.achjusellina.com ; lieu-dit Avantu ; d/tr/q avec petit-déj 95/110/120-135/145-160 € ; ☺tte l'année ; ✼ ☒ ☎). À 3 km du centre-ville sur la route d'Aléria, cette adresse a l'avantage d'offrir un peu plus de calme que les autres et de miser sur le confort de ses hôtes. Au sein d'une exploitation agricole que l'on peut visiter, cette bâtisse grise récente et en retrait de la route possède de vastes chambres carrelées à la déco épurée et bien équipées : clim, TV, terrasse privative, lit extra-large. Sa salle à manger où l'on déguste en priorité les produits de la ferme Leonelli (terrine au *figatellu*, beignets au fromage, sauté de veau) donne sur une jolie piscine. La table d'hôtes (25 €) est aussi ouverte aux clients extérieurs. Vente sur place de produits de la ferme. N'accepte pas les cartes de crédit, et est accessible aux handicapés.

Osteria di l'Orta –
Casa Guelfucci   CHAMBRES D'HÔTES €€€
(☎04 95 61 06 41 ; www.osteria-di-l-orta.com ; 2 av. Pont-de-l'Orta ; d avec petit-déj 88-95 €, ste 120-180 € ; ☺tte l'année ; ✼ ☒ ☎). Cette imposante maison de maître, près du pont de l'Orta, se remarque grâce à sa jolie façade couverte d'un enduit bleu. Tenue par un jeune couple, Antoine et Marina, elle se compose de 3 chambres et de 2 suites plus onéreuses, claires et spacieuses, dotées de beaux parquets et de sdb impeccables. À l'étage, un salon avec TV et lecteur de DVD

est mis à disposition des hôtes. Côté table d'hôtes (ouverte aux clients extérieurs, sur réservation ; 25 €), l'Osteria propose un menu différent par jour, réalisé à partir de produits locaux, que l'on savoure dans une salle moderne, aux larges baies vitrées.

Le Duc de Padoue   TROIS-ÉTOILES €€€
(☎04 95 46 01 37 ; www.ducdepadoue.com ; place Padoue ; s 65-102 €, d 75-123 € ; ⓟ ✼ ☎). Ce trois-étoiles occupe 2 étages dans un bâtiment ancien, au centre-ville. Les parties communes de l'immeuble sont vieillottes, mais la partie "hôtel", avec 11 chambres, a été impeccablement restaurée et modernisée, avec du mobilier contemporain, des couleurs dans l'air du temps (dominante ficelle et blanc), une literie de qualité, du parquet stratifié et de bons équipements (Wi-Fi, TV satellite, clim). Les chambres de devant ouvrent sur la place ; à l'arrière, elles ont vue sur la campagne... et le parking.

✘ Où se restaurer

♥ ✎ **Pâtisserie Casanova**   PÂTISSERIES
(☎04 95 46 00 79 ; 6 cours Paoli ; ☺tte l'année lun-sam 7h-20h, dim 7h30-12h30). Les Casanova régalent les gourmands depuis 1887. *Canistrelli*, macarons, *amaretti* (sorte de macaron), *migliacci, fiadone, falculella* (présentés sous des feuilles de châtaignier), tartes aux herbes... on en gémit encore de plaisir. Tout est réalisé à partir de produits bio. Installez-vous au salon de thé, à l'arrière, et régalez-vous d'une assiette gourmande.

BON PLAN **Le Bip's**   CUISINE FAMILIALE €
(☎04 95 46 06 26 ; 14 cours Paoli ; plats 5-23 € ; ☺tte l'année). Des plats de pâtes bien garnis et des salades à moins de 10 € ? Au Bip's, c'est possible. Dans cette salle voûtée, tout en pierre, au sous-sol, on se régale d'une tambouille familiale toute simple. Terrasse sans charme à l'arrière, donnant sur un parking.

U Valentinu   PIZZERIA €
(☎04 95 61 19 65 ; 1 place Paoli ; plats 7-14 € ; ☺tlj). À première vue, cet établissement idéalement situé sur la place Paoli a tout d'un attrape-touristes, mais les Cortenais amateurs de pizzas y ont aussi leurs habitudes. Outre les "classiques", U Valentinu prépare de bonnes déclinaisons locales : au *figatellu*, aux herbes du maquis, au brocciu... U Valentinu sert aussi des plats de pâtes.

La Rivière des Vins   RESTO-BAR À VIN €
(☎04 95 46 37 04 ; 5 rampe Sainte-Croix ; plats 9-15 €, menus 10-19 € ; ☺mars-nov fermé sam et

LES VASQUES DE RIVIÈRES

Pour les amateurs de farniente et de bronzette, il existe d'étonnantes possibilités de baignade dans les vasques des rivières. Ces superbes piscines naturelles, creusées par des torrents pendant des millions d'années au cœur d'une nature somptueuse, offrent un havre de fraîcheur inespéré en été. Le petit effort qu'il faut consentir pour y accéder renforce leur attrait. Ces sites figurent parmi les meilleurs du centre de la Corse :

» **Vallée de la Restonica** (p. 276)

» **Vallée du Tavignano** (p. 278)

» **Gorges de l'Asco** (p. 283), au niveau du parc Asco Vallée Aventure et du pont génois d'Asco, et **vallée de la Tassineta** (p. 283), encore moins connue, en remontant la vallée à partir de la Maison du mouflon (p. 283).

» **Cascades des Anglais** et le **Voile de la Mariée** (p. 291)

» **Gorges du Manganellu**. Accessibles à partir de Canaglia (voir p. 290). Nettement moins connues que les autres sites. Superbes vasques et petites cascades, dans un décor sublime. Pour être tranquille, marchez 30 min ou plus vers l'amont. En poussant jusqu'aux bergeries de Tolla (environ 1 heure 30 de marche depuis Canaglia), vous pourrez vous restaurer après avoir fait trempette.

» **Pont de Noceta**. Au départ de Venaco (voir p. 288). Encore moins connues et tout aussi idylliques. Apportez votre brocciu pour pique-niquer sur les berges après le bain.

» **Pont du Vecchio**. Près de Vivario (voir p. 290). Accès facile à la rivière, dont les eaux limpides invitent à la baignade. Minicascades, bassins aux allures de Jacuzzi géants, petits promontoires servant de plongeoir, ombre à profusion sur les berges – un vrai bonheur !

» **Vasques du Fiumorbu**. Près de Ghisoni (voir p. 293). Reculées et très peu connues. Accessibles lors de sorties guidées.

dim midi, déc-fév ouvert le soir). Une adresse pour carnivores : ce petit restaurant-bar à vin concocte des grillades de viande au feu de bois, que l'on savoure dans la petite salle ou attablé à de grandes tables rustiques à l'extérieur, et propose un "plateau gourmand" réunissant les grands classiques du terroir corse (omelette au brocciu, charcuterie, fromage, terrine de sanglier, *figatellu*). Le lieu s'anime souvent en soirée lorsque quelques musiciens parmi les habitués se saisissent de leur guitare.

A Scudella RESTAURANT €
BON PLAN (☑04 95 46 25 31 ; 2 place Paoli ; plats 9-15 €, menus 12-23 € ; ⊗mi-janv à mi-déc, fermé dim). A Scudella se distingue par une cuisine sans esbroufe et joliment présentée. Les cuisiniers coiffés de leurs toques préparent les plats devant vous dans une charmante salle voûtée. Les plats varient au gré des saisons et du marché et les prix doux n'empêchent pas une certaine recherche, comme en témoignent le mignon de porc aux figues et aux raisins, la brochette de mozzarella

fondue ou, en dessert, la mousse au chocolat blanc sur coulis de fruits rouges.

U Museu CUISINE CORSE €
(☑04 95 61 08 36 ; rampe Ribanelle ; plats 8-19 €, menus 13-17 € ; ⊗avr-sept, mai-juin fermé dim). Ne pas s'attendre à la moindre prouesse culinaire dans cette adresse très touristique (du *figatellu* en été ? Bizarre !), mais à un décor agréable, sous de grandes tonnelles aérées et bordées de verdure. Carte généreuse (tripettes, truite, lasagnes, penne, salades, crêpes...) et tarifs très raisonnables.

U Paglia Orba CUISINE CORSE €€
(☑04 95 61 07 89 ; 5 av. Xavier-Luciani ; plats 12-18 €, menu 15 € ; ⊗tte l'année sauf vacances Noël, fermé dim). Certes, la terrasse surplombant la rue et la salle d'allure très conventionnelle n'incitent pas à s'arrêter, mais la carte alléchante et le bon rapport qualité/prix donnent entière satisfaction. Faites votre choix entre les salades composées, le gratin d'aubergines aux châtaignes, les oignons farcis au brocciu ou le sauté de veau au miel et petites *storzapretti* (variété de pâtes faites maison).

L'Oliveraie CORSE TRADITIONNEL €€
(☑04 95 46 06 32 ; route d'Erbajola ; plats 10-21 €, menus 12-27 € ; ☺tlj tte l'année sauf lun soir nov-avr, fermé vacances Noël). Ce restaurant traditionnel met en valeur les produits du terroir, notamment la châtaigne : rôti de porc aux châtaignes, gambas à la châtaigne, tarte à la châtaigne, mais aussi calamars farcis au brocciu... Le style de cuisine ? Familial et sans chichi. À l'écart du centre-ville, sur la route d'Erbajola.

♥ **Terra Corsa** CORSE TRADITIONNEL €€
(☑04 95 61 08 00 ; 3 rue Sauveur-Casanova ; plats 13-19 € ; ☺mars-oct). Dans leur antre gourmand (voir ci-contre), les Cesari proposent quelques plats réalisés à partir des produits fermiers de leur exploitation : assiette de charcuterie artisanale (13 €), agneau de lait déglacé au muscat (14,50 €) ou veau aux châtaignes confites au miel (14,50 €), à déguster sur une agréable terrasse à deux pas de la place Paoli. Un petit bonheur.

Le 24 CUISINE INVENTIVE €€
(☑04 95 46 02 90 ; 24 cours Paoli ; plats 13-24 €, menus 18-24 € ; ☺fermé mi-janv à mi-fév). On vient au 24 autant pour apprécier le décor qui marie le rustique et le contemporain que pour savourer une cuisine imaginative, de Corse et d'ailleurs, qui varie selon les saisons. Choisis à l'ardoise, les *penne rigate* au *prisuttu* et cœur d'artichaut ont laissé un bon souvenir, tout comme le tiramisu aux canistrelli.

Le Nicoli RÔTISSERIE CORSE €€
(☑04 95 33 27 17 ; av. Jean Nicoli ; plats 12-24 €, menus 15-19,50 € ; ☺tte l'année). Dans cette salle voutée en pierre à la décoration contemporaine, l'imposante rôtisserie située derrière le comptoir laisse présager une carte s'appuyant uniquement sur des spécialités de viandes rôties à la broche. Pourtant le Nicoli propose aussi une cuisine d'inspiration méditerranéenne raffinée : risotto crémeux à l'artichaut, wok de gambas et légumes, mille-feuille de rouget et ses légumes craquants... À noter une très belle carte des vins incluant d'excellents crus corses et du continent.

U Stazzu FERME-AUBERGE €€€
(☑04 95 46 31 84, 06 23 01 62 08 ; N200 ; menu 28 € ; ☺tte l'année, sur réservation). Une ferme-auberge réputée, à 5 km à l'est de Corte, en direction du Boziu (suivez la N200 ; à l'intersection avec la D214 pour Bustanico, continuez sur 300 m et prenez la piste à droite). Marie-Rose Guglielmi n'a pas son pareil pour cuisiner les *storzapretti* (sortes de raviolis au brocciu ; à commander la veille)

ou les plats de viande, avec du veau de la ferme. La salle à manger n'a rien de traditionnel, mais le plaisir est dans l'assiette.

🍷 Où prendre un verre

Population étudiante oblige, la vie nocturne cortenaise est bien plus dynamique en hiver qu'en été.

Quelques bars agréables bordent le cours et la place Paoli, en particulier le **Café du Cours** (☑04 95 46 00 33 ; http://cafeducours. free.fr ; 22 cours Paoli), incontournable, le **Bip's** (voir p. 273), inoxydable, et le **Rex Lounge** (☑04 95 46 08 76 ; 1 cours Paoli), très branché. Tous disposent d'une terrasse, agréable aux beaux jours.

Pour vous imprégner de l'ambiance de la vieille ville, installez-vous au **Bar de la Haute Ville** (place Gaffory), au pied de la statue du général Gaffory. Des musiciens corses s'y produisent le soir en saison plusieurs fois par semaine. Au **Cyrnea** (rue du Professeur-Santiaggi), petit bar local sans prétention où se retrouvent les vieux Cortenais, on sirote le pastis Dami le moins cher de Corse : 0,80 € ! **L'Oriente** (☑04 95 61 11 77 ; 5 av. Jean-Nicoli), une institution cortenaise, en face de l'université, est le bastion de la population estudiantine hors saison, et l'endroit pour tout savoir sur les fêtes étudiantes.

🛍 Achats

Omnisport – le Camp de base ÉQUIPEMENT
(☑04 95 46 09 35 ; www.omnisports-campdebase. com ; 28 cours Paoli). Si vous avez besoin de matériel pour partir en randonnée.

U Granaghju PRODUITS CORSES
(☑04 95 46 20 28 ; 2 cours Paoli ; ☺avr-oct). Boutique de produits corses bien approvisionnée. Très centrale, mais très touristique.

L'Andatu PRODUITS CORSES
(☑04 95 46 11 98 ; impasse du Cours). Cette épicerie corse est une caverne d'Ali Baba : charcuterie, vin, fromage et terrines. Elle est située quelques mètres en retrait du cours Paoli, dans une impasse.

Terra Corsa PRODUITS CORSES
(☑04 95 61 08 00 ; rue Sauveur-Casanova ; ☺mars-oct). Une sympathique échoppe gourmande, dans la montée menant à la ville haute. Les charcuteries artisanales de la famille Cesari ont bonne réputation, mais les plus belles pièces sont souvent réservées d'une année sur l'autre. Terra Corsa propose également à la vente des confitures, des terrines et des liqueurs.

La Vieille Cave CAVISTE
(☑04 95 46 33 79 ; 2 ruelle de la Fontaine ; ☺tte l'année, fermé dim en hiver). Amateurs de vin, ne manquez pas cet authentique caviste qui propose la plupart des vins corses, ainsi que des liqueurs artisanales de châtaigne, cédrat, myrte, orange ou mandarine.

A Chiostra ATELIER DE POTERIE
(☑04 95 46 19 53 ; 4 rue Chiostra ; ☺tlj 9h-19h mai-oct, fermé nov-déc, sur rdv jan-mars). Au départ de la place Gaffory, dans la vieille ville, un pittoresque parcours fléché mène à cet étonnant atelier de poterie où œuvre en famille un trio d'artisans : le père, le fils et la fille. Les nombreuses pièces (cendrier, vase, plat, bougeoir, tasse...), sobres et élégantes, dont certaines aux superbes tons turquoise, sont exposées à la vente dans une belle cave multicentenaire.

Casa di u Legnu JOUETS
(☑04 95 47 05 52, 06 08 31 83 28 ; place Gaffory). Michel Andrei fabrique des jouets, des jeux et des ustensiles réalisés à partir de bois locaux – de belles idées cadeaux, à tous les prix. Sa femme possède une boutique de tissage près de la place Paoli.

**Casa Curtinese –
Alimentation Ghionga** ÉPICERIE
(près de la place Gaffory ; ☺tte l'année). Cette épicerie restée dans son jus est sans doute la plus photographiée du Centre corse, avec sa devanture et son intérieur débordant de produits corses en tout genre.

Collect'arts GALERIE
(☑04 20 03 74 32, 06 09 37 01 55 ; www.collect-arts.com ; 3 rue de l'Ancien-Collège ; ☺tte l'année). Cette petite galerie, située près de la place Gaffory et tenue par des férus d'histoire corse, présente une sélection de toiles et de créations (couteaux, bijoux) réalisées par des artistes peintres et des créateurs locaux.

ⓘ Depuis/vers Corte

BUS Eurocorse (☑04 95 21 06 30). Desserte biquotidienne de Bastia (11,50 €) et Ajaccio (12 €) tous les jours sauf le dimanche et les jours fériés. Correspondance à Ponte-Leccia en direction de Calvi une fois par jour (lun-sam juil-août, lun-ven sept-juin). L'arrêt de bus se trouve devant la brasserie Le Majestic (19ter cours Paoli).

Autocars Mordiconi (☑04 95 48 00 04). De juillet à mi-septembre, une liaison quotidienne du lundi au samedi entre Corte et Porto via Calacuccia, Vergio et Évisa (20 €, départ de la gare SNCF).

TRAIN De la **gare** (☑04 95 46 00 97), plusieurs trains partent chaque jour vers Ajaccio (2 heures, 11,50 €) et Bastia (1 heure 45, 10,10 €), et s'arrêtent dans de nombreuses petites gares intermédiaires (dont Vizzavona, dans le sens Corte-Ajaccio). Des trains desservent également Vizzavona (5,30 €). L'Île-Rousse et Calvi sont également accessibles en train, en changeant à Ponte-Leccia.

VALLÉE DE LA RESTONICA

Véritable bijou du Centre corse, la vallée de la Restonica commence aux portes de Corte. Bondissant entre les montagnes couleur vert-de-gris, le torrent, qui prend sa source dans le lac de Melu (1 711 m) et rejoint le Tavignanu au pied de la citadelle de Corte, a creusé sur son passage de magnifiques vasques propices à la baignade dans un cadre naturel grandiose.

Malheureusement, ce petit paradis est trop facile d'accès (la vallée est desservie par une étroite route goudronnée), ce qui provoque des embouteillages et une surfréquentation en période estivale, avec la garantie de se retrouver avec plusieurs centaines d'estivants qui ont la même idée que vous : faire trempette dans la rivière ou se dégourdir les jambes sur les hauteurs. En revanche, hors saison, la vallée reprend son aspect sauvage.

De Corte, la D623 serpente dans les gorges jusqu'aux bergeries de Grotelle, soit une quinzaine de kilomètres. À mesure que l'on monte, les versants rocailleux de cette vallée glaciaire où se dressent de vieux pins laricios se font toujours plus impressionnants.

ⓘ Renseignements

Le **point d'information de la vallée de la Restonica** (☑04 95 46 33 92 ; lieu-dit Chjarasgiolu ; ☺8h-17h mi-juin à fin sept) est installé à 4 km de Corte (les horaires peuvent fluctuer d'une saison à l'autre).

🏃 Activités
Baignade dans les vasques
Le torrent zigzague le long de la vallée au milieu de gros éboulis rocheux qui forment autant de piscines naturelles, dont les eaux cristallines et rafraîchissantes invitent à la baignade. Les endroits les plus adaptés pour faire trempette se situent entre l'auberge la Restonica et le point d'information (au niveau d'une petite chapelle où vous attendent de belles piscines naturelles) et sur les trois derniers kilomètres de route avant les bergeries. N'oubliez pas votre pique-nique !

ⓘ VISITER LA VALLÉE DE LA RESTONICA

L'affluence dans la vallée de la Restonica impose en été le respect de quelques règles. Il est notamment interdit de se garer n'importe où le long des gorges, à plus forte raison sur les aires qui permettent à 2 véhicules de se croiser. La circulation des caravanes et camping-cars est interdite au-delà du lieu-dit Tuani, à 7 km de Corte. Les parkings de Grotelle et de Lamaghjosu sont payants en saison (5 €). Lorsqu'ils sont saturés, ce qui est fréquent l'après-midi de juin à septembre, des agents chargés de réguler les flux de voitures vous demanderont d'attendre en aval. Mieux vaut en tout état de cause partir très tôt le matin pour éviter les engorgements sur cette route étroite et sinueuse. Sinon, en passant, renseignez-vous au point d'information.

Il est également interdit de faire du feu, de bivouaquer, de pratiquer le camping sauvage et de jeter des déchets aux abords de la rivière, qui alimente en eau potable la ville de Corte.

Randonnée pédestre

Un grand nombre de randonnées pédestres, de 30 minutes à plusieurs heures, sont balisées tout le long de la route. La plupart des visiteurs viennent dans les gorges pour monter au **lac de Melu** (1 711 m ; environ 1 heure de marche dans le sens de la montée) et au **lac de Capitellu** (1 930 m ; environ 45 minutes supplémentaires). Le sentier est balisé en jaune depuis le parking des bergeries de Grotelle (1 370 m). Attention ! Il s'agit d'une véritable randonnée ; certains passages, situés juste avant l'arrivée au lac de Melu, escarpés, sont équipés d'échelles en fer fixes et de mains courantes, et quelques tronçons sur dalles peuvent être très glissants. Du lac de Melu au lac de Capitellu, la montée est abrupte, au milieu de la rocaille. N'entreprenez pas ces randonnées sans un équipement adéquat (chaussures de marche, casquette, protection solaire, eau) et évitez les heures les plus chaudes. Méfiez-vous de la neige, qui peut perdurer jusqu'en mai.

Escalade

Quatre sites d'escalade jalonnent la route entre Corte et le sentier menant aux bergeries d'Alzu, sur le versant est de la vallée.

🛏 Où se loger et se restaurer

Les adresses ci-après sont présentées dans l'ordre où vous les rencontrerez en venant de Corte. La dernière de la liste est ainsi la plus proche du début du sentier vers les lacs.

Les Jardins de la Glacière   HÔTEL €€

(📞 04 95 45 27 00 ; www.lesjardinsdelaglaciere.com ; s 50-90 €, d 60-100 € ; ⊙avr-déc ; P ✳ ✉ 🕿). Aux portes de la vallée, cet établissement, situé au bord de la rivière, possède 16 chambres confortables. Demandez une chambre côté rivière ; les autres donnent sur la route et, pour certaines, ont une vue bouchée par le talus. Le jardin, avec piscine et pelouse, est vraiment magnifique et débouche directement sur de belles vasques propices à la baignade, à l'abri des regards.

Hôtel la Restonica   HÔTEL €€

(📞 04 95 45 25 25 ; www.hotelrestonica.com ; d 50-95 €, petit-déj inclus de mai à sept ; ⊙tte l'année ; ✉ 🕿). La maison de pierre, située à quelques mètres d'une cascade et d'un bassin naturel, comprend 7 chambres au confort rétro et au mobilier sombre. La grande cheminée, les fauteuils en cuir dans le salon-bar, l'abondance des boiseries sombres donnent un air de club britannique à cet établissement. Son principal atout est sans doute la piscine de 13,50 m sur 9 m. Sur la gauche de la route, à moins de 2 km du centre de Corte.

Auberge la Restonica   RESTAURANT €€

(📞 04 95 46 09 58 ; www.aubergerestonica.com ; plats 10-25 €, menu midi lun-ven 17 €, menus 23-26 € ; ⊙Pâques-oct). Installée dans le même bâtiment que l'hôtel précédent, cette auberge a bonne presse, avec un menu du terroir et une carte qui semblent ne pas avoir évolué depuis des temps immémoriaux (filet mignon de porc et sa sauce au myrte, civet de sanglier, truite aux herbes du maquis). Une petite restauration est servie (tlj 10h-18h mi-juin à fin août) sur la terrasse qui borde la piscine, accessible à tous.

Hôtel
Dominique Colonna   TROIS-ÉTOILES €€€

(📞 04 95 45 25 65 ; www.dominique-colonna.com ; d 75-225 € selon saison et confort ; ⊙avr-début nov ; P ✳ ✉ 🕿). Des photos sépia dans le hall ayant pour thème le foot, des chambres portant toutes un nom de joueur… Explication : ce trois-étoiles doit son nom au père de l'actuel propriétaire, ancien joueur de football professionnel. Propreté irréprochable, bon confort (clim, Wi-Fi, TV, écran plat dans les supérieures, terrasse ou balcon, petite piscine chauffée), mais déco passe-partout. La plupart des chambres donnent sur la rivière.

Possibilité de prendre le petit-déjeuner dans le jardin, devant la rivière, aux beaux jours. Service professionnel. Dans la même propriété que l'auberge de la Restonica, juste en face (il appartient à la même famille).

Hôtel Arena – Le Refuge HÔTEL €€
(☏04 95 46 09 13 ; www.hotel-arena-lerefuge.com ; s 75-98 €, d 85-110 € ; ☉avr-oct ; ❋☎). Distante de 800 m du précédent établissement, cette construction moderne, sans charme mais bien agencée, est également positionnée entre la route et la rivière. Elle offre un confort digne d'un trois-étoiles (clim, TV, téléphone, minibar, Wi-Fi), et des chambres fraîches et lumineuses. La plupart ont vue sur la rivière, certaines disposent d'un balcon.

Camping Tuani CAMPING €
(☏04 95 46 11 65 ; Tuani ; adulte/voiture/tente 7,50/3,50/3,50 € ; ☉mi-avr à mi-sept). Quel contraste entre, d'une part, l'aspect grandiose du site, ombragé de majestueux pins laricios, et, d'autre part, l'impression de promiscuité en pleine saison, lorsque les tentes et les véhicules sont presque à touche-touche. Les sanitaires, corrects, sont en nombre insuffisant. Hors saison, ce camping retrouve sa sérénité. Bar et pizzeria. À 6 km de Corte et 5 km avant les bergeries de Grotelle.

Chez César –
Relais des Lacs CUISINE CORSE €€
(☏06 86 06 51 71 ; plats 9-15 €, menus 19-25 € ; ☉12h-16h, bar jusqu'à 20h, avr-sept). Ce restaurant occupe un chalet en bois qui ne dépareraît pas dans l'Ouest canadien, presque au bout des gorges, 3,5 km après le camping Tuani. La terrasse, très agréable avec des tables elles aussi en bois, surplombe le torrent. On savoure des plats corses honnêtement préparés, et plus particulièrement des viandes grillées au feu de bois à des prix acceptables.

Bergeries de Grotelle –
La Table du Berger RESTAURATION-GÎTE €
(Grotelle ; plats 5-14 €, dort 7 € ; ☉juin-sept). Terminus de la route goudronnée ! Dans un cadre sublime, ces bergeries traditionnelles ont su habilement tirer parti de leur emplacement stratégique. Une petite restauration est assurée (sandwichs, omelette, assiette de charcuterie et bien sûr fromage). Une halte idéale après être monté aux lacs de Melu et de Capitellu. Possibilité de couchage (7 €), dans des conditions très simples. Dommage que le plaisir soit en grande partie gâché par la surfréquentation touristique en été.

ⓘ Depuis/vers la vallée de la Restonica

BUS En saison (de mi-juillet à mi-août, en principe, selon les crédits votés par la mairie), les minibus de la société **Rinieri** (contactez le point d'information, voir p. 276), à Corte, font la navette entre le point d'information de la Restonica et les bergeries de Grotelle (adulte/enfant 4/2 € l'aller-retour, 4 navettes à la montée le matin, 4 navettes à la descente l'après-midi, départ toutes les heures).

VALLÉE DU TAVIGNANO

Coup de cœur pour cette vallée, d'une époustouflante beauté, et qu'une particularité distingue de toutes les autres : elle n'est accessible qu'à pied. Tranquillité garantie ! Au départ de la citadelle de Corte, un sentier, en partie empierré, suit le cours du Tavignano. Le balisage, orange, correspond à celui du Mare a Mare® nord. Le paysage est spectaculaire : par endroits, la vallée se resserre et fait plutôt penser à des gorges. Tout au long du parcours, on trouve quantité de vasques étincelantes. Attention, il n'y a aucune infrastructure avant le refuge A Sega (voir ci-dessous), soyez prévoyant.

Le dénivelé est relativement faible pendant les premiers kilomètres, mais la chaleur est oppressante en plein été, car aucun vent ne souffle. Au bout de 2 heures de marche environ, vous arriverez à la **passerelle de Rossolino**, un endroit idyllique pour la baignade.

Si vous en avez le courage (comptez 3 heures de marche depuis la passerelle), poussez jusqu'au refuge A Sega. De là, on peut rejoindre le **lac de Nino** en 5 heures, **Calacuccia** dans la vallée du Niolo en 4 heures (voir p. 279) et la **vallée de la Restonica** (à hauteur du pont de Frasseta) par le plateau d'Alzu en 3 heures 30.

Pas envie de parcourir la vallée à pied ? Contactez le centre équestre l'Albadu (voir p. 271), à Corte, qui organise des **balades à cheval** le long du Tavignano.

🛏 Où se loger

A Sega GÎTE ET CAMPING €
(☏06 10 71 77 26 ; camping 6 €, dort 11 € ; ☉mai-oct). Un excellent gîte de 36 couchages (en chambres de 4 à 8 lits), à 1 192 m d'altitude. Confortable, moderne et bien aménagé, au bord de la rivière, ce gîte est accessible en 5 heures 30 depuis Corte. Du gîte, de nombreuses randonnées en étoile sont

possibles (les propriétaires vous renseigneront). À signaler : A Sega accepte les réservations en direct, sauf pour les nuitées simples en dortoir, pour lesquelles il faut réserver par l'intermédiaire du parc naturel régional de Corse (voir p. 321). Possibilité de demander des paniers pique-nique (12 €, panier composé de produits corses), et dîner corse à 25 € (soupe corse, pâtes, lentilles au *figatellu*), mais pas de ravitaillement. Autres prestations intéressantes : location de tentes (10 €, avec 2 matelas gonflables).

VALLÉE DU NIOLO

Si Corte est l'âme de la Corse, c'est dans la vallée du Niolo (Niolu en corse) que bat le cœur de l'île. Longtemps resté enclavé, ce secteur conserve une atmosphère de territoire ultime, loin des fracas du monde moderne. Le pastoralisme y joue encore un rôle éminent et cette terre de bergers produit un fromage d'excellente réputation.

L'accès au Niolo est spectaculaire. Depuis le hameau de **Castirla**, la porte d'entrée du Niolo, à une quinzaine de kilomètres au nord-ouest de Corte, la route, étroite, se faufile au milieu de profondes gorges de granite, le long du lit du Golo, appelées **Scala di Santa Regina**. De part et d'autre du lit de la vallée, de vertigineuses parois atteignant 500 m accentuent cette impression de sauvagerie. Par endroits, la route est construite en corniche sur des accotements renforcés d'arches de soutènement. Ce paysage entièrement minéral est l'un des plus étonnants de l'île, tant par ses couleurs que par son écrasante âpreté. Les pylônes électriques qui suivent le lit du Golo sont la seule ombre de ce somptueux tableau de pierre. La vue depuis la route est magnifique.

ⓘ Renseignements

Office du tourisme (☏04 95 47 12 62 ; www.office-tourisme-niolu.com ; av. de Valdu-Niellu, Calacuccia ; ◷9h-19h en saison, lun-ven 9h-12h et 14h-18h hors saison). Vous pourrez vous procurer la brochure *Niolu Les Randonnées*, un descriptif de 5 randonnées dans les environs (d'une durée de 1 heure 30 à 6-7 heures A/R), accompagné d'un plan de la région (1 €).

☏ Association d'animations sportives et culturelles du Niolu (AS Niolu ; ☏04 95 48 05 22, 06 22 50 70 29 ; www.haute-montagne-corse.com ; route de Cuccia, Calacuccia ; ◷9h-12h et 14h-17h). Bureau 1 km

avant le village en venant de la Scala di Santa Regina, à côté de la caserne des pompiers. Organise différentes activités de pleine nature (voir la rubrique *Activités*).

⊙ À voir

Après le splendide défilé de la Scala di Santa Regina, on arrive dans le cœur du Niolo, composé d'une vaste cuvette, avec un lac (non propice à la baignade) et une poignée de bourgs, dont à **Corsica**, un village perché, et **Calacuccia**, la "capitale" du Niolo, d'où l'on peut rejoindre le hameau de **Lozzi**. Vers l'ouest, on arrive rapidement à **Albertacce** puis, en bifurquant vers la rive sud du lac, à **Casamaccioli**, où se déroule le 8 septembre une des plus grandes foires centenaires de l'île, la fête de la Santa. D'Albertacce, une route secondaire monte jusqu'à **Calasima**, le plus haut village de Corse, à 1 100 m. Le cadre est surnaturel : où que porte le regard, il bute sur des murailles de granite. Les cimes du massif du Monte Cinto (2 706 m) et l'arête effilée de la Paglia Orba surplombent la vallée. Vous remarquerez également les Cinq Moines, une série de 5 pics en dents de scie.

Musée archéologique du Niolo   MUSÉE
(☏06 23 90 01 97, 04 95 47 13 51 ; Albertacce ; ◷juil-août lun-sam 10h-12h30 et 15h30-18h30, juin et sept fermé sam). Les collections de vestiges archéologiques présentées dans ce petit musée datent principalement du néolithique et proviennent de sites de la haute vallée du Niolo ou de régions voisines (obsidienne, silex, roches volcaniques taillées, tessons de poteries cardiales, statues-menhirs).

♥ Forêt de Valdu Niellu   PROMENADE
Après Albertacce, on retrouve des paysages plus verdoyants. La D84 file vers le sud-ouest et monte jusqu'au **col de Verghio** (voir p. 283) après avoir traversé l'immense forêt de Valdu Niellu, la plus vaste de Corse, composée en grande partie de majestueux pins laricios, de bouleaux et de hêtres. En chemin, vous passerez devant la **maison forestière de Popaghja**, point de départ de plusieurs randonnées, dont celle qui mène au lac de Nino. Au-delà du col, la route redescend vers Évisa (voir p. 140) et la côte ouest.

Facilement accessibles à pied au départ de la D84 (voir *Randonnée pédestre* p. 280) nichées dans un magnifique cadre montagneux, les **Bergeries de Radule** (plats 9-12 € ; ◷fin juin à fin sept) proposent une petite restauration (brocciu en début de saison, fromage de chèvre et de brebis, crêpes au lait de chèvre, migliacci), à dévorer confortablement installé sur la terrasse ombragée – le paradis.

Activités

Avec sa nature vierge et son environnement spectaculaire, le Niolo est un formidable terrain d'aventure.

Baignade

À la sortie d'Albertacce (en direction du col de Verghio), au niveau du pont génois appelé **Ponte Altu**, vous pourrez vous rafraîchir dans les superbes vasques émeraude du Golo.

Si vous êtes à la recherche de vasques encore plus sauvages, baignez-vous dans les eaux du **Viru** (voir *Randonnée pédestre* ci-dessous).

Randonnée pédestre

Les villages du Niolo sont une base idéale pour partir à l'assaut des grands sommets environnants (Monte Cinto, Paglia Orba), mais il existe également des balades plus faciles. Quelques possibilités :

Le Monte Cintu (8 heures A/R). Depuis Lozzi ou depuis le refuge de l'Ercu (accès en taxi 4x4).

Paglia Orba (6 heures A/R). Depuis Calasima.

Sentier A Scala di Santa Regina (1 heure 45). Voie de circulation ancestrale, depuis le pont de l'Accia jusqu'au village de Corscia. À 10 minutes environ du pont de l'Accia, vous emprunterez une section magnifique du sentier, composée de 17 lacets superposés, appelée "la Scala (l'escalier) di Santa Regina".

Lac de Ninu (5 heures A/R). Depuis la maison forestière de Poppaghja, sur la D84, dans la forêt du Valdu Niellu. Randonnée magnifique, jusqu'aux tourbières près du lac.

Circuit archéologique d'Albertacce (2 heures 30 A/R). Balade facile sur les hauteurs d'Albertacce. À voir : vestiges archéologiques (abris sous roche, tour de guet, statues-menhirs), pont génois et moulin de Muricciolu, tour de guet du néolithique.

Sentier de Radule (1 heure 30 A/R ou boucle). Départ du parking situé au virage appelé "Fer à Cheval", sur la D84, à 2,5 km avant l'hôtel Castel di Verghio. Accès aux bergeries de Radule en 30 minutes (petite restauration et vente de fromage frais en saison) et aux cascades de Radule 15 minutes plus tard.

Bergeries de Ballone (1 heure 30 A/R). Départ du terminus de la route goudronnée qui traverse Calasima. Le sentier remonte la vallée du Viru (possibilité de baignades dans les vasques).

A SANTA DI U NIOLU

Chaque année, autour du 8 septembre, ont lieu à Casamaccioli les festivités célébrant la Vierge. Appelée A Santa di u Niolu, cette commémoration religieuse dure trois jours et attire des milliers de pèlerins en provenance de toute l'île. La messe a lieu le 8 septembre au matin, suivie de la *granitula* (procession). Elle s'est doublée d'une importante foire commerciale et artisanale, et des activités culturelles sont venues enrichir la manifestation, avec la présence de groupes polyphoniques renommés et les *Chjam'è rispondi* (improvisation de poètes). À ne pas manquer !

Ces circuits sont balisés mais vous pouvez également faire appel aux guides de l'AS Niolu (voir *Renseignements* p. 279), qui facturent de 170 à 220 € la journée (tarif forfaitaire).

Escalade

Les moniteurs de l'AS Niolu (voir *Renseignements* p. 279) peuvent vous encadrer dans des parcours d'escalade sur les sites de Cuccia et de Calasima (environ 25 voies, en initiation ou en perfectionnement, 160 € la demi-journée).

Canyoning

Pour les débutants, le canyoning se pratique dans le **canyon de Ruda** (50 €/pers, demi-journée) ou le **canyon de Frascaghju** (35€/pers, demi-journée), d'avril à mi-octobre. Ces canyons comportent des vasques, des sauts, des toboggans et des rappels. L'accès est facile (20 minutes de marche pour Ruda, accès direct pour Frascaghju).

Pour les confirmés uniquement, le **canyon de Falcunaghja**, très aérien, est un "must". Pratiqué à la journée (100 €/pers), en groupe de 4 personnes maximum, il offre 17 rappels, de 30 à 80 m.

Contactez l'AS Niolu (voir *Renseignements* p. 279).

Parc aventure

L'AS Niolu (voir *Renseignements* p. 279) a équipé un **parc aventure** (route de Verghio ; adultes/enfants 15/13 € ; ☉juin-sept). dans la forêt de Valdu Niellu, à environ 7 km d'Albertacce en direction du col de Verghio. Le cadre est somptueux : la progression se fait au milieu de pins laricios pluricentenaires. Les 4 parcours d'arbre en arbre totalisent 26 ateliers. Un parcours a été spécialement aménagé pour les 4-7 ans.

Ski de fond et raquettes

En hiver, les pistes forestières de la forêt de Valdu Niellu se prêtent à merveille à la pratique du ski de fond et des raquettes. La période la plus favorable va de mi-janvier à fin février. Comptez 170 € la journée, matériel inclus.

Contactez l'AS Niolu (voir *Renseignements* p. 279).

Randonnée équestre

Pour les amateurs de randonnée équestre, le **Ranch U Niolu A Cavallu** (📞06 11 05 79 04, 06 23 67 92 90 ; www.ranchunioluacavallu.com ; route de Verghio, Albertacce), installé en pleine forêt à 5 km environ d'Albertacce (direction de Verghio), organise de superbes balades de 2 heures, 4 heures ou plus, à la demande (minimum 2 personnes). Quelques exemples de sorties régulièrement proposées : la forêt de Valdu Niellu avec baignade dans les piscines naturelles du Golo (2 heures, 38 €), montée au village de bergers de Tillerga avec baignade (4 heures, 60 €), randonnée archéologique avec baignade en rivière (une journée, 100 €, pique-nique inclus), montée au lac de Nino et galop sur les pelouses du lac (une journée, 110 €). À savoir : le centre peut assurer l'hébergement sur place (en chambres, 35 €) et la restauration, pour ses clients uniquement. Des randonnées de plusieurs jours sont également proposées, notamment une superbe sortie de deux jours incluant le lac de Nino, les bergeries de Vaccaghja et le lac de Creno.

Balade en âne

Une façon sympathique de randonner à pied aux côtés d'un compagnon qui se charge du portage. La formule permet aussi aux enfants d'accompagner à dos d'âne des parents randonneurs. **La Promenâne** (📞06 15 29 45 64 / 06 25 70 70 71 ; www.randonnee-ane-corse.com ; 36 rue Canali ; Albertacce ; ⊙mi-juin à fin sept) loue des ânes pour de courtes balades ou des randonnées d'une journée ou plus (lac de Ninu, bergeries de Radule, GR®20, Mare a Mare®, col de Verghio). Comptez 35/70 € la demi-journée/journée. La veille du départ, le propriétaire vous fera un "brief" d'environ 45 minutes.

🛏 Où se loger

Camping Acqua Viva   CAMPING €
(📞04 95 48 00 08 ; www.acquaviva-fr.com ; Calacuccia ; adulte/tente/voiture 6/3-6/3 € ;

⊙mai-sept). Ce camping occupe un vaste terrain découvert, en face de l'hôtel du même nom. Quel bonheur de se lever le matin avec une vue panoramique sur les hauts sommets de l'île, et le lac à une encablure ! La réception est installée dans un ancien séchoir à châtaignes. Mention très bien pour les sanitaires, impeccables. S'il n'y a personne, accueil du camping au bar de l'hôtel.

L'Arimone   CAMPING ET CHAMBRES D'HÔTES €
(📞04 95 48 05 51 ; Lozzi ; adulte/voiture/tente 6/3/3 €, d 45 € ; ⊙juin-sept). À 4 km de Calacuccia, au bout de la route du Monte Cinto, un terrain agréable qui jouit d'une vue à 360° sur les massifs environnants. Des saules ou des pins laricios ombragent la plupart des emplacements. Le bâtiment principal comprend aussi 8 chambres fraîches et propres, mais assez exiguës et sans charme particulier.

Camping Monte Cintu   CAMPING €
(📞04 95 48 04 45 ; www.camping-montecintu. com ; route du Cintu, Lozzi ; adulte/voiture/tente 6/3/3 € ; ⊙mi-mai à mi-sept). À côté du précédent, ce camping bien aménagé, qui s'étage sur plusieurs niveaux, offre de superbes emplacements nichés au milieu des rochers. Petite restauration et Lavomatic.

**Gîte d'étape
de Casamaccioli**   GÎTE D'ÉTAPE €
(📞04 95 48 03 31 ; Casamaccioli ; dort 15 € ; ⊙avr-oct). Aménagé dans les anciennes classes de l'école communale, au-dessus de l'église, ce gîte d'étape constitue une halte agréable et originale pour les voyageurs à petit budget. Il possède 12 lits, répartis dans des box de 4 lits, carrelés et propres. Les réservations se font à la mairie du village (lun-ven 9h-12h).

**Gîte d'étape
d'Albertacce** `BON PLAN`   GÎTE D'ÉTAPE €
(📞04 95 48 05 60 ; Albertacce ; dort 20 €, avec petit-déj 24 €, en demi-pension 40 € ; ⊙avr à mi-oct). Valeur sûre pour les randonneurs et les petits budgets, cette belle maison de village en pierre, au bord de la route principale, compte une vingtaine de lits en dortoirs de 4 à 8 places, une salle commune, une cuisine et des sanitaires très propres. Possibilité de petit-déjeuner et de demi-pension en saison. À 2,5 km de la sortie de Calacuccia en direction du sud (à hauteur de la bifurcation pour Calasima).

**Hôtel des Touristes
et gîte d'étape** `BON PLAN`   HÔTEL-GÎTE €
(📞04 95 48 00 04 ; www.hotel-des-touristes.com ; Calacuccia ; s 39-56 €, d 49-66 € selon confort ;

⊘mai à mi-oct). Dans cette vaste demeure en granite datant de 1925, au bord de la route principale, le confort et l'équipement varient selon le type de chambres : les moins chères, avec lavabo (douche et WC sur le palier), sont très convenables ; les autres possèdent une douche privative (toilettes sur le palier) ou une sdb privée. L'idéal est de visiter plusieurs chambres, car certaines paraissent plus modernes que d'autres. Également un "gîte d'étape randonneur" (22 €/pers), à 400 m de l'hôtel, dans des bungalows. Le petit-déjeuner est servi dans une belle salle.

♥ **Casa Balduina**   AUBERGE €€
(☎04 95 48 08 57, 06 20 53 65 18 ; www.casabalduina.com ; Calacuccia ; d 62-79 € ; ⊘jan-oct ; 🛜). Jeanne Quilichini, l'une des (fortes) personnalités de la vallée, accueille ses hôtes dans une jolie maison restaurée aux airs de mas provençal, précédée d'une tonnelle abondamment fleurie, juste en face du couvent... Les 7 chambres, 4 côté jardin et 3 côté lac, pimpantes et gaies, dans des tons pastel, s'agrémentent de meubles cérusés et de carrelage à l'ancienne et sont joliment décorées. Petit-déjeuner à 9 € par personne. Cartes de crédit acceptées.

Hôtel Acqua Viva   HÔTEL €€
(☎04 95 48 06 90 ; www.acquaviva-fr.com ; Calacuccia ; d 62-75 € ; ⊘tte l'année ; 🛜). Installé devant la station-service du bourg, ce deux-étoiles ne réserve aucune mauvaise surprise. Chambres doubles soignées et fonctionnelles, avec sdb, balcon, TV et téléphone. Motards et cyclistes disposent de garages gratuits.

🖉 BON PLAN **Casa Vanella**   MAISON D'HÔTES €€€
(☎04 95 48 69 33, 06 15 75 16 37 ; www.vallecime.com ; Casamaccioli ; d 85-110 € avec petit-déj, demi-pension 140-165 € ; ⊘tte l'année ; 🛜). Plantée sur une petite butte face au village de Casamaccioli, cette demeure récente à l'esprit écolo (tri sélectif, panneaux solaires), agrémentée d'une terrasse sous une tonnelle en fer forgé, possède 5 chambres, avec vue sur la Paglia Orba et le Monte Cinto. Les dynamiques propriétaires, accompagnateurs de moyenne montagne, sont incollables sur la randonnée en Corse et peuvent organiser tout type de sortie en montagne.

✕ Où se restaurer

Le Corsica   CUISINE CORSE €
(☎04 95 48 01 31 ; Calacuccia ; plats 10-14 € ; ⊘avr-sept). Adresse sans prétention, ce restaurant tranquille et intime, aux murs peints en jaune, à 1 km du centre de Calacuccia, est célèbre pour son tianu de haricots blancs au petit salé, la spécialité de la maison. Laissez-vous également tenter par la crêpe à la farine de châtaigne et au brocciu, ou le *stufatu* de veau corse aux olives.

Restaurant du Lac   CUISINE CORSE €
(☎04 95 48 02 73 ; route de Sidossi, Calacuccia ; plats 12-20 €, menus 16-24 € ; ⊘mai-sept). En bordure du lac, régalez-vous de veau corse de montagne (*manzu*), cuisiné de différentes façons : grillade, *stufatu*, etc., puis d'un fromage du Niolo. Les végétariens ne sont pas oubliés, avec une assiette à 16 €. Seuls regrets : les chaises en plastique sur la terrasse et l'absence de vue, malgré le nom qui laisse supposer une proximité immédiate du plan d'eau. À 2 km de Calacuccia.

BON PLAN **Auberge U Cintu – Chez Jojo**   CORSE TRADITIONNEL €
(☎04 95 48 06 87 ; Albertacce ; plats 14-15 € ; ⊘tte l'année). Dans cette modeste auberge située dans le centre d'Albertacce, on se sent vraiment comme à la maison. Attablé dans la petite salle accueillante, vous vous régalerez d'une cuisine corse familiale (beignet au brocciu, fiadone, charcuterie maison en hiver), à la bonne franquette, sous l'œil attentionné de Jojo. Aux beaux jours, on peut s'installer sur la terrasse, face aux montagnes. Hors saison, il arrive que des habitants se réunissent ici pour entonner des chants corses.

U Valdoniellu   CUISINE RÉGIONALE €
(☎04 95 48 06 92 ; Calacuccia ; plats 13-22 €, menu corse 19-20 € ; ⊘avr-oct). Une bâtisse moderne, dans un virage, agrémentée d'une terrasse, qui offre une carte étoffée : feuilleté au brocciu et aux légumes, truite au brocciu et à la menthe, souris d'agneau, civet de sanglier.

Chez Jacqueline   CUISINE FAMILIALE €€
(☎04 95 47 42 04 ; Pont-de-Castirla ; menus 17-25 € ; ⊘midi et soir en saison, midi hors saison). L'emplacement, en bord de route, et sans vue particulière, est d'une désespérante banalité, mais la terrasse, ombragée de vigne vierge, convient pour déguster une cuisine familiale, honnête et sans surprise (cannellonis, lasagnes, beignets au brocciu...). Pas de carte, menus uniquement. À l'entrée du défilé de la Santa Regina, à 6 km de la N193.

🔒 Achats

🖉 **Sucré Salé**   PRODUITS CORSES
(☎04 95 46 15 66, 06 11 05 99 18 ; Calacuccia ; ⊘avr-nov). La propriétaire de ce magasin de produits corses raffinés (dont beaucoup

sont bio) s'adresse aux gourmets les plus exigeants. Foie gras local en saison, sélection d'huiles d'olive et de vins, miel d'arbousier, crème de noisette au cédrat confit ou aux châtaignes confites, gustinella (pâte de noisette au miel), marrons glacés corses... À côté de l'office du tourisme.

Représentations surréalistes d'objets familiers, les sculptures de Gérard Acquaviva en pierre et en bois, exposées dans sa petite boutique, juste à côté, méritent le coup d'œil.

ℹ️ Depuis/vers la vallée du Niolo

BUS En juillet-août (éventuellement jusqu'au 30 sept), les **bus Mordiconi** (☎04 95 48 00 04) assurent la liaison Corte-Porto via Évisa, Verghio et Calacuccia. Les départs ont lieu tous les jours, sauf le dimanche, à 9h en direction de Porto (16 €) et à 15h45 vers Corte (9 €). L'arrêt se trouve devant l'Hôtel des Touristes, au centre du village de Calacuccia, où l'on pourra vous renseigner.

Col de Verghio

Pour une description de ce col (1 477 m), qui marque la frontière entre la Haute-Corse et la Corse-du-Sud, reportez-vous p. 141.

♥ VALLÉE DE L'ASCO

Autre bijou du Centre corse, la vallée de l'Asco forme une longue entaille d'une trentaine de kilomètres au nord de Corte. Dominée par des crêtes rocheuses, dont le Monte Cinto, elle n'a rien à envier aux paysages spectaculaires de la vallée de la Restonica. Plus sauvage, plus austère, sans doute plus envoûtante, elle présente également l'avantage d'être moins fréquentée. Cette vallée reculée est aussi un sanctuaire pour plusieurs espèces, dont le mouflon, le gypaète et la sittelle. L'accès est facile : il suffit de suivre la D47, à quelques kilomètres au nord de Ponte-Leccia. On trouvera de nombreuses vasques pour se baigner dans des eaux calmes et peu profondes tout au long de la vallée.

⊙ À voir et à faire

San Francescu di Caccia   ANCIEN COUVENT
Commencez votre découverte de la vallée par un petit détour par ce couvent, entre les villages de Moltifao et de Castifao, à quelques kilomètres au nord de la vallée de l'Asco (faites 5 km sur la D47, jusqu'à l'embranchement). Ce monument du XVIe siècle, poignant, est en ruine, sauf la façade, bien conservée. On bénéficie d'une belle vue sur les deux villages et les sommets de l'Asco.

🎋 Village des Tortues   CENTRE D'ÉLEVAGE
(☎04 95 47 85 03 ; route d'Asco ; adulte/enfant 5/2 € ; ⊙juil-août tlj, juin fermé sam-dim, horaires variables). Revenez dans la vallée de l'Asco, et suivez la D47. En face du camping A Tizarella, à 7 km de Ponte-Leccia, un centre d'élevage et de soins consacré à la tortue d'Hermann, dernière tortue terrestre en France, qui ne survit plus qu'en Corse et dans le massif des Maures (Var).

Asco   VILLAGE
La route serpente jusqu'à ce village réputé pour son miel, aux qualités gustatives exceptionnelles. En contrebas d'Asco, à 1 km du centre du village par une route goudronnée pentue, vous découvrirez un remarquable **pont génois** en dos d'âne enjambant la rivière. À pied, de l'église, prendre le chemin à gauche qui serpente et longe la rivière. Profitez-en pour faire trempette dans les eaux cristallines.

🎋 Maison du mouflon et de la nature   ÉCOMUSÉE
(☎04 95 47 82 07 ; www.eco-musee-corse.com ; Asco ; ⊙lun-ven 9h-12h). Pour y accéder, suivre la D47 qui continue de monter jusqu'à ce centre, situé 1,5 km en aval du camping Monte Cinto. En pleine forêt, il propose des informations et des expositions sur la faune et la flore de la vallée avec, bien entendu, une thématique sur le mouflon, le grand seigneur de l'Asco.

Vallée de la Tassineta   PROMENADE À PIED
À hauteur de la Maison du mouflon, n'hésitez pas à suivre pendant une vingtaine de minutes le sentier qui remonte cette vallée dotée de superbes **vasques** aux eaux transparentes, très peu fréquentées.

Haut Asco   STATION DE SKI
La route traverse de splendides paysages de gorges avant de finir sa course au milieu de forêts de pins laricios centenaires. Terminus : cette station de ski située sur le tracé du GR®20, à plus de 1 400 m d'altitude, désaffectée depuis 1992 à la suite d'intempéries, qui détonne un peu dans ce paysage exceptionnel. Elle reste néanmoins très fréquentée par les randonneurs du GR®20 et sert de base aux randonneurs.

VALLÉE DU PINARA

Départ : 1 km en contrebas du village d'Asco, au niveau du pont génois
Durée : 2 heures aller, comptez 1 heure 30 supplémentaire pour le retour
Difficulté : facile

Cette vallée permettait autrefois de rejoindre le Niolo depuis Asco. Descendre à gauche à la sortie du village d'Asco jusqu'au pont génois (où l'on peut garer sa voiture). Traverser le pont et emprunter le chemin muletier indiquant Asciu-Corscia (balisage orange). Après la Funtana di Misaidi où l'on peut faire provision d'eau, on passe à gué sur l'autre rive du torrent, avant de dépasser des ruines de bergeries entourées de genévriers thurifères et de traverser une châtaigneraie. Nouveau passage à gué sur l'autre rive, puis vous atteignez une grotte et, selon la saison, une cascade. Le parcours traverse encore plusieurs fois le ruisseau à gué. À la bifurcation, prenez à gauche pour parvenir aux bergeries de Cabane, un lieu idéal pour pique-niquer. Les plus courageux pourront continuer jusqu'au col de Serra Piana (1 846 m), en sachant que le tracé n'est pas toujours facile à repérer.

🏃 Activités

À 11 km de la N197, l'équipe d'In Terra Corsa, basée à Ponte-Leccia, a aménagé un parc de loisirs dédié aux activités de montagne, le **Parc Asco Vallée Aventure** (☎04 95 47 69 48 ; www.interracorsa.fr ; route de Calvi, Ponte-Leccia ; ☺jan-nov). Il est équipé de 5 **via ferrata** (22/32 € la demi-journée/journée, avec location de matériel et instructions), de 5 niveaux de difficulté différents. La via ferrata A Zitellina est destinée aux enfants de 4 à 8 ans dotés d'une certaine adresse et n'ayant pas peur du vide. La via ferrata A Manicella, très aérienne, est l'une des plus célèbres de Corse.

Vous trouverez également un remarquable **parcours aventure** (3 heures, 22 €), de 50 ateliers (2 niveaux), ainsi qu'un site de "**tyrotrekking**" (mêmes tarifs que la via ferrata), unique en Corse, qui se compose uniquement de tyroliennes sur un parcours de 2 km ; la plus longue mesure près de 300 m, la plus haute est à 180 m du sol !

In Terra Corsa propose aussi des sorties **canyoning** dans la vallée de l'Asco, à la demi-journée (38 €) ou à la journée (65 €), pour tous les niveaux. Le plus facile, le Strancia-cone, convient aux débutants et s'apparente plus à une randonnée aquatique. Le Logo-niellu est le plus sportif. Possibilité aussi de location de **VTT** ou de sorties de **rafting** sur le Golo.

Autres activités possibles, avec des enfants : une chasse au trésor dans la forêt (15 €), et un sentier botanique (5 €).

Ceux qui préfèrent le farniente se baigneront dans les **vasques** de la rivière, à l'entrée du site. Apportez votre pique-nique !

Il est conseillé de réserver auprès d'In Terra Corsa (voir plus haut) au moins un jour à l'avance. Le rendez-vous pour toutes les activités se fait au siège de la société, à l'entrée de la vallée de l'Asco dans de tous nouveaux locaux au bord de route.

La station de haut Asco sert de point de départ à de nombreuses **randonnées pédestres**, dont la montée au Monte Cinto (7 heures aller-retour) ou au cirque de la Solitude (4 heures aller-retour). Les moins endurants se contenteront d'aller jusqu'à la passerelle du Monte Cinto (2 heures aller-retour).

🛏 Où se loger et se restaurer

Les établissements dans la vallée de l'Asco restent assez bon marché, ils sont listés dans l'ordre où vous les rencontrerez entre Ponte-Leccia et le haut Asco.

Ascosa   ECOLODGE DESIGN **€€** (☎04 95 47 69 48 ; www.ascosa.net ; route de Calvi, Ponte-Leccia ; d 65-75 € ; ☺avr-oct). Attenant aux locaux d'In Terra Corsa à la sortie de Ponte-Leccia, cet ecolodge ouvert en 2011, a été bâti selon les règles de construction éco-responsable. Le résultat peut laisser perplexe, tant il s'apparente à un hangar depuis la route. Mais côté jardin, le décor, avec ses oliviers plantés au milieu d'une belle pelouse et ses terrasses privatives avec vue sur les vignes, est agréable. Dans les 6 chambres, l'ambiance est minimaliste et industrielle, de belles vasques en pierre font office de lavabo, de rares touches colorées et des matériaux naturels égayent un peu un espace design épuré. Petite restauration sur place, baignade possible dans des piscines naturelles à proximité. À noter, 10% de réduction sur les activités d'In Terra Corsa, cartes bancaires acceptées. Accessible aux handicapés.

La Ventulella
CHAMBRES D'HÔTES €€
(☎04 95 48 14 09, 06 17 02 27 29 ; christine. colle0022@orange.fr ; Moltifao ; d 60-75 € selon confort avec petit-déj ; ☻avr-oct ; 📶). Située au-dessus du village de Moltifao, juste avant le couvent San Francescu di Caccia, cette imposante demeure des années 1940 ne manque pas de charme. Depuis son immense terrasse, on observe un paysage aux airs de Toscane englobant le village de Moltifao, les 7 ha d'oliviers, d'amandiers et de chênes de la propriété et, au loin, les aiguilles de Popolasca. Les 4 chambres offrent des prestations variées : certaines avec de belles terrasses, d'autres avec les WC à l'extérieur. Toutes ont une belle décoration rustique avec de beaux meubles de famille. Table d'hôtes (25 €) sur réservation. Tarifs dégressifs à partir de la 3e nuit, gîte à partir de 410 € la semaine.

Autour du hamac
CHAMBRES D'HÔTES ET GÎTE €€
(☎04 95 32 68 34, 06 86 58 07 63 ; http:// hotescorse.e-monsite.com ; route d'Asco ; d 70-80 € avec petit-déj ; table d'hôtes 25 € ; ☻avr-oct ; 🌼@). Ces jeunes propriétaires accueillants proposent une suite familiale, dotée d'une superbe sdb, à l'étage de leur maison, décorée dans un style design, ainsi que quatre chambres doubles au rez-de-chaussée, qui se partagent une sdb. Jolie terrasse extérieure et four à pizza pour les beaux jours. Repas (sur réservation) à base de produits du jardin, et liqueurs maison. Sur la gauche en venant de Ponte-Leccia, juste après le camping E Canicce, la maison se trouve en retrait de la D47.

Camping A Tizarella
CAMPING €
(☎04 95 47 83 92, 06 83 88 76 66 ; www.camping-tizarella.com ; route d'Asco ; adulte/voiture/ tente 6,50/3/2,50-3,50 € ; ☻mars-oct ; 🌼). Un havre de paix en bord de rivière (baignade possible), avec beaucoup d'ombre, juste en face du village des Tortues. Pizzeria en saison pour caler les petites faims (pizzas, salades, pâtes, viandes).

Camping E Canicce
CAMPING €
(☎04 95 35 16 75 ; www.campingecanicce.com ; route d'Asco ; forfait 2 pers 15 € ; ☻avr-oct). Autre camping bien situé, au bord de l'Asco. Également location de mobil-homes et de maison en pierre à la semaine (à partir de 450 €/

sem). Baignade dans l'Asco possible depuis le camping, snack sur place.

L'Acropole
CHAMBRES ET TABLE D'HÔTES €€
(☎04 95 47 83 53 ; www.acropole-asco.com ; Asco ; d/ste 75-85/100 € ; plats 8-20 €, menu 25 € ; ☻mi-mars à début oct ; @🌼). Reprise en 2008 par le fils de la propriétaire, cette table et chambres d'hôtes dans le centre d'Asco propose 2 chambres standard, 2 chambres confort de 35 m² et une suite, avec une belle vue sur la vallée et les massifs environnants. Les chambres ont fait l'objet d'une rénovation, comme la façade. On peut se rafraîchir dans une petite piscine bordée d'une terrasse herbue. Côté restaurant, on mise sur la cuisine corse traditionnelle, comme les beignets de fromage de chèvre frais et, le soir, sur les grillades de viande. Assiettes copieuses. Accueil sympathique et agréable terrasse.

♥ E Cime
AUBERGE €€
(☎04 95 47 81 84, 06 83 42 10 78 ; www. e-cime.com ; Asco ; d/tr/q 75/90/105 € avec petit-déj, d/tr/q en demi-pension 125/155/200 € ; plats 9-18 € ; ☻mars-oct ; 🌼📶). Dominant le village et offrant un panorama somptueux des vallées de l'Asco et de Pinnera, et du Capo Bianco, cette auberge installée dans une demeure moderne dispose de chambres spacieuses, à la décoration sobre et élégante, bien équipées, avec une vaste sdb et une terrasse panoramique privative. Le restaurant propose des plats traditionnels, des grillades et des pizzas cuites au feu de bois (à partir de 9 €). En dessert, ne manquez pas le flan maison à la châtaigne, divin. Service de restauration rapide au déjeuner. Les propriétaires sont une mine d'informations sur la vallée. La grande salle à manger est ornée de superbes photos anciennes évoquant la vie pastorale d'Asco. Vente de miel AOC de la vallée et de confitures artisanales. Cartes de crédit non acceptées.

Camping Monte Cinto
CAMPING €
(☎04 95 47 86 08 ; www.campingmontecinto-asco. com ; Asco ; adulte/voiture/tente 4,50/2,50/3 € ; ☻mai-oct). Hmm... les délicieuses senteurs de la pinède ! Ce camping est magnifiquement situé dans une forêt à 4 km en aval de la station de ski de haut Asco, à 1 050 m d'altitude, au bord de la rivière. Hors saison, on se croirait au bout du monde, bercé par les cloches des vaches et le bruit de la rivière qui offre de petites "plages" où se baigner. Service de petit-déjeuner, petite restauration et mini-épicerie.

Refuge d'Asco Stagnu　　　REFUGE €
(haut-Asco ; dort 11 €, bivouac 6 € ; ☉mai-oct). Le refuge du PNRC, en face du Chalet. Pour plus de renseignements, reportez-vous à l'étape 3 du GR®20 p. 303.

Le Chalet　HÔTEL-RESTAURANT ET GÎTE D'ÉTAPE €€
(📞04 95 47 81 08 ; Haut-Asco ; s/d 65-70/90-95 €, demi-pension 65-85 €/pers, gîte 12 €, 35 € en demi-pension ; plats 9-20 €, menu 19 € ; ☉mai à mi-oct). Le bâtiment a enfin reçu les soins auxquels il pouvait prétendre vu son cadre somptueux. La façade est désormais habillée façon chalet et, à l'intérieur, les 22 chambres, le gîte et la salle à manger ont été rénovés. C'est l'adresse idéale pour les randonneurs du GR®20 ou ceux qui viennent pour des balades à la journée. Au choix : des box de 6 et 8 couchages, ou des chambres, avec sdb modernes et TV pour celles qui ont été rénovées. Côté restaurant, le copieux "menu randonneur" à 19 € requinquera le soir les plus fourbus. Bon choix de ravitaillement. On peut emporter son pique-nique (12 €). Cartes de crédit acceptées à partir de 15 €.

🔒 Achats

Miellerie d'Asco　　　VENTE DE MIEL
(📞04 95 47 80 49 ; Asco ; ☉avr-oct). À l'entrée du village d'Asco. Vente de miel de la vallée, réputé pour sa qualité gustative exceptionnelle, et de gâteau à la châtaigne ou au miel. Spécialité de miel de genévrier, d'asphodèle et de bruyère (6 € les 500 g).

ℹ️ Depuis/vers la vallée de l'Asco

De mi-juin à mi-septembre, les **autocars Grisoni** (📞07 60 65 03 20) desservent Ponte-Leccia depuis le haut Asco (15 €) avec un arrêt à Asco deux fois par jour, une fois par jour dans le sens Ponte-Leccia vers le haut Asco.

♥ LE BOZIU

Si vous êtes lassé des foules qui se pressent dans la vallée de la Restonica, accordez-vous une journée hors du temps et faites une escapade dans le Boziu (Bozio), région méconnue, aux allures mystérieuses et impénétrables, qui commence aux portes de Corte. Vous y découvrirez des villages assoupis que relient entre eux des sentiers pédestres, de profondes vallées boisées, des cimes altières, des points de vue sublimes, des routes minuscules et sinueuses et des chapelles magnifiques... Cette terre ancestrale, pétrie de traditions et de culture, est aussi un des berceaux de la *paghjella* (chant polyphonique). Les monts du Boziu sont traversés par l'itinéraire du Mare a Mare® nord.

👁 À voir

Plusieurs voies d'accès sont possibles au départ de Corte sur des routes étroites et peu fréquentées. Nous suggérons de suivre la N193 vers le nord, puis de bifurquer après 5 km à droite sur la D41 en direction de **Tralonca**, qui abrite les **chapelles San-Lurenzu** et **Santa-Maria** ainsi que les vestiges archéologiques d'un village médiéval. Continuez vers **Santa-Lucia-di-Mercurio**, puis **Sermano**. La superbe **chapelle romane San-Nicolao** renferme des fresques d'une poignante sensibilité, datées du XVe siècle (demandez les clés au gîte d'étape de Sermano). Poursuivez jusqu'à **Bustanico**, où s'élève une belle église de pierre. De là, faites un crochet d'une dizaine de kilomètres vers le nord, jusqu'à **Carticasi** et **Cambia**, aux limites du Boziu et de la Castagniccia. À Cambia, suivez la D39 en direction de San Lorenzo et tournez à droite au panneau "chapelle du XIIIe siècle, San-Quilico". Isolée au milieu d'une petite forêt, cette chapelle en schiste clair, de style roman, est ornée de superbes sculptures extérieures et de jolies fresques représentant la Trinité et l'archange Gabriel pesant les âmes (demandez les clés à la dernière maison du hameau).

Revenez à Bustanico. Cette fois, prenez la direction d'**Alando**, à 2,5 km, où se trouve le **couvent San-Francescu-di-u-Boziu**. C'est à Alando qu'eut lieu en 1358 la première révolte anti-féodale de l'île, prélude à l'organisation de l'administration corse. Continuez jusqu'à **Favallelo**, à 3 km, pour admirer les remarquables fresques de la **chapelle Santa-Maria-Assunta**, juste devant la mairie. Poursuivez sur 1 km puis prenez à gauche la D339. Vous rejoindrez **Sant-Andrea-di-Boziu** au bout de 9 km environ et sa magnifique église en cours de restauration. Son clocher, véritable phare du Boziu, visible depuis Corte, culmine à 37 m de hauteur.

Si vous aimez aussi l'art contemporain, faites un saut en direction du village voisin de **Mazzola** pour visiter la **galerie de peintures** (📞04 95 35 90 84, 06 18 04 15 43) de Jean-Charles Fabiani, qui expose des artistes de réputation nationale et internationale. Ce peintre tient également une chambre d'hôtes, la Casa di Lucia (voir p. 287).

Au hameau de **Piedilacorte** se dresse une très belle église, classée monument historique, qui semble toiser les vallées environnantes.

Cap ensuite sur **Erbajola**, où la **chapelle San-Martinu**, un émouvant petit bâtiment au toit de lauzes, est accessible par un chemin empierré en 15 minutes de marche. Ce sentier conduit également à **Casella**, un ancien village en ruine envahi par le maquis. Sa chapelle est toujours debout.

D'Erbajola, suivez la direction de **Foccichia** (6 km) et d'**Altiani** (8 km), avant de reprendre la N200 (Aléria-Corte) en direction de Corte, 8 km après Altiani. Au carrefour de la N200 et de la route d'Altiani, vous apercevrez un **pont génois**. Corte n'est plus qu'à une vingtaine de kilomètres.

🛏 Où se loger et se restaurer

La région reste relativement isolée, ainsi, rejoindre Corte le soir pour aller dîner peut s'avérer relativement compliqué. La plupart des hébergements sont fléchés depuis la D39 qui relie Corte au Boziu. Néanmoins, si vous souhaitez prolonger votre séjour dans le Boziu, voici quelques adresses :

U San Fiurenzu   GÎTE D'ÉTAPE €
(📞04 95 48 68 08 ; Sermano ; dort 18 €, demi-pension 44 €/pers ; ⏱avr-oct). Un bon gîte, moderne et propre, avec 3 chambres de 4 lits. Cuisine sans façons (repas 20 €). Agréable terrasse avec vue panoramique.

A Casa Aperta   CHAMBRES D'HÔTES €€
(📞04 95 61 09 21, 06 80 58 31 50 ; www.a-casa-aperta.com ; plaine du Féo, Favalello ; s/d/tr 65/70/80 € ; ⏱avr-oct ; 🅿🛜). Une adresse située à l'entrée du Boziu qui à l'énorme avantage de n'être qu'à 9 km de Corte. La demeure moderne, en pleine nature, rassemble 5 chambres spacieuses aux murs blancs, dispersées sur trois étages. Le petit-déjeuner est servi dans une grande pièce à vivre ou sur la terrasse au rez-de-chaussée. Belle piscine avec vue sur le Monte d'Oro. Une excellente base pour visiter le Boziu et Corte.

Altu Pratu   HÔTEL ET FERME-AUBERGE €€
(📞04 95 48 80 07 ; www.altupratu.fr, www.hotel-armonia-corte.com ; Erbajola ; d hôtel 76-106 € avec petit-déj, d 120 € pour 2 pers en demi-pension ; table d'hôtes 23 € ; ⏱mi-avr à mi-oct ; 🅿❄). Un petit complexe associant un hôtel de 10 chambres, de plain-pied, attenantes, avec terrasse, séparé d'une ferme-auberge par un mini-terrain de foot ! Vue superbe sur le Monte d'Oro et le Monte Renoso. La cuisine

a bonne réputation, les soirées souvent animées au son des guitares et la piscine est un plus. Repas du soir sur réservation.

Casa Capellini   CHAMBRES D'HÔTES €€€
(📞04 95 48 69 33 ; www.casacapellini.com ; Sant Andrea di Boziu ; d 90-105 € avec petit-déj, d 145-160 € en demi-pension ; ⏱avr-oct ; 🛜). Cette imposante maison couleur saumon magnifiquement décorée, qui se trouve dans le plus central des 4 hameaux formant Sant-Andrea-di-Boziu, offre des prestations de qualité, 5 chambres confortables (dont deux avec terrasse) et des repas copieux (27,50 €). Belle vue depuis les chambres, sur la vallée, le vieux village ou l'église.

Casa di Lucia   MAISON D'HÔTES DE CHARME €€€
(📞04 95 35 90 84, 06 18 04 15 43 ; www.casa-di-lucia.com ; Mazzola ; d 95-150 € avec petit-déj selon confort et saison ; repas 25 €/pers ; ⏱fermé jan à mi-mars ; 🛜). Sant-Andrea-di-Boziu et Mazzola, cette demeure du XVIe siècle abrite trois suites équipées d'une kitchenette, une galerie de peintures et l'atelier du maître des lieux, Jean-Charles Fabiani. Les chambres, carrelées et lumineuses, allient mobilier ancien et moderne, et leurs murs blancs s'ornent d'œuvres d'art et de tissus aux couleurs gaies. Elles possèdent une terrasse privative offrant une belle vue sur les environs. La table d'hôtes est ouverte à tous, midi et soir. La galerie se veut "café d'ambiance", un lieu convivial pour discuter autour d'un verre. Des soirées littéraires, philosophiques et musicales ont également lieu, ainsi que des stages de peinture. Cartes de crédit acceptées.

❤ **Auberge U Fragnu**   SPÉCIALITÉS CORSES €€
(📞06 12 23 76 11 ; Alando ; menu 26 € ; ⏱sur réservation). On vient de loin pour se délecter des spécialités corses traditionnelles dans cet ancien moulin à huile, au cachet inimitable, situé à côté du couvent d'Alando. Xavier Bernardi ressuscite de vieilles recettes corses, avec brio et générosité. Les jours d'ouverture n'étant pas fixés, mieux vaut appeler pour réserver.

DE CORTE À VIZZAVONA

De Corte, la N193 suit son cours en direction d'Ajaccio en traversant les paysages superbes du centre de l'île, dominés par les silhouettes imposantes du Monte d'Oro et du Monte Rotondo. Partout, des forêts tapissent les flancs des montagnes ; elles deviennent de plus en plus denses au fur et à mesure que l'on s'approche de Vizzavona.

Immédiatement au sud de Corte, la microrégion du Venacais comporte de bonnes infrastructures et réserve de belles surprises aux amateurs de baignade dans les vasques.

Cette région a l'avantage d'être bien desservie par la micheline des Chemins de fer de la Corse, qui serpente au milieu d'un cadre spectaculaire ; une expérience à vivre absolument.

Depuis/vers Vizzavona, Vivario et Venaco

Les principales localités du centre de l'île sont plutôt bien desservies, par les bus et les trains.

BUS Les bus **Eurocorse** (☎04 95 21 06 30 ; www.eurocorse.com) assurent 2 fois par jour (sauf le dimanche et les jours fériés) la liaison Ajaccio-Vizzavona-Vivario-Venaco-Corte-Ponte-Leccia-Bastia (dans les deux sens). Comptez 15 € pour le trajet Ajaccio-Vizzavona (1 heure environ), et 16 € pour le trajet Bastia-Vizzavona.

TRAIN Les **Chemins de fer de la Corse** (☎04 95 23 11 03 ; www.ter-sncf.com/corse) assurent 5 liaisons quotidiennes entre Ajaccio, Vizzavona, Tattone, Savaggio, Vivario, Venaco, Corte, Ponte-Leccia et Bastia (dans les deux sens). Le trajet Ajaccio-Vizzavona dure 1 heure 10, Bastia-Vizzavona 2 heures 45 environ. Les arrêts de Tattone et Savaggio sont facultatifs. Pour l'Île-Rousse et Calvi, il faut changer à Ponte-Leccia.

Le Venacais

Entre Corte et Vizzavona, le Venacais est une région sauvage et tranquille, piquetée de quelques villages et hameaux au milieu de forêts profondes. À 600 m d'altitude, **Venaco** (660 habitants), la principale localité, surplombe la vallée du Tavignano. Réputé pour les truites de ses torrents et les fromages de ses brebis, ce bourg naguère actif semble quelque peu assoupi, à peine troublé par le passage de la route nationale et des michelines. La gare se situe tout en bas du village, à 600 m de la route nationale. De Venaco, on peut rayonner dans les environs et visiter les villages de **Saint-Pierre-de-Venaco** et de **Poggio-di-Venaco**. Si vous êtes dans le secteur au début du mois de mai, ne manquez pas la Fiera di u Casgiu, une grande foire au fromage qui rassemble à Venaco les producteurs de l'île.

✈ Activités

À l'entrée de Venaco en venant d'Ajaccio, la D143 descend dans la vallée et mène au **pont de Noceta** (voir l'encadré p. 274), à 5 km, où vous pourrez vous baigner dans le Vecchio, que domine un superbe paysage de montagne. Cette route permet de découvrir un beau point de vue sur le village.

Le secteur est sillonné par de nombreux sentiers de randonnée, malheureusement insuffisamment entretenus et balisés.

La société **Altipiani** (☎06 86 16 67 91 ; www.altipiani-corse.com ; Corte) propose du **canyoning** dans le Vecchio et le Verghjellu. Pour les débutants, le canyon du haut Verghjellu est tout indiqué (39 € la demi-journée). Gros avantage par rapport au secteur de Bavella : ces canyons sont très peu connus, et donc peu fréquentés.

🛏 Où se loger et se restaurer

VENACO

U Frascone HÔTEL €€
(☎04 95 47 00 85 ; www.ufrascone.com ; Venaco ; s 46-61 €, d 53-70 € ; ⊗tte l'année ; 🛜). À l'entrée sud de Venaco, cette maison de village rénovée par un jeune couple dispose de 12 chambres, spacieuses pour la plupart, à la déco personnalisée : noir et blanc, rustique, sobre, ou dans des tons plus acidulés. Celles qui sont situées en angle sont particulièrement agréables avec leurs 2 fenêtres. C'est calme malgré la route passante, et la plupart des chambres donnent sur l'arrière, avec de jolies perspectives sur le Venacais. Bonne literie et terrasse. Demi-pension possible avec le bar de la Place, tenu par la même famille.

Bar-restaurant de la Place RESTAURANT €
(☎04 95 47 01 30 ; Venaco ; plats 9-20 €, menu 19 € ; ⊗fermé nov à mi-déc). Carte variée et prix sages. En plein centre du village, au bord de la route principale.

♥ A Cantina di Matteu SPÉCIALITÉS CORSES €
(☎04 95 47 36 70 ; N193 ; plats 8-14 € ; ⊗tte l'année). Matteu Leonelli et son épouse vendent des produits corses de la région, rigoureusement sélectionnés (dont le délicieux fromage de chez Loefgen), dans leur petite boutique au centre de Venaco, au bord de la route principale. Ils préparent également des assiettes de charcuterie, de fromage ou de tomates, servies sur le trottoir, avec un verre de vin corse. En hiver, c'est ici qu'il faut venir déguster le *figatellu* grillé !

Camping-auberge de la ferme de Peridundellu CAMPING-AUBERGE €
(☎04 95 47 09 89 ; http://campingvenaco. monsite.wanadoo.fr ; adulte/voiture/tente 5/2,30/2,50 € ; ☺avr à fin sept). On ne pouvait rêver plus beau cadre : ce petit terrain de camping familial, bâti sur un promontoire, domine une vallée, avec le Monte d'Oro et le Monte Cardo en toile de fond. Sanitaires bien entretenus, laverie automatique (5 €) et réfrigérateurs. Le soir, menu complet à 14 €, sur réservation, à base de produits fermiers régionaux (civet de lapin au myrte, aubergines farcies et spécialités à base de brocciu en saison). Pas de piscine pour se rafraîchir, mais les vasques du Vecchio ne sont qu'à 10 minutes à pied. Les enfants pourront jouer avec les moutons qui batifolent dans l'exploitation.

Paesotel e Caselle RÉSIDENCE HÔTELIÈRE €€€
(☎04 95 47 39 00 ; www.e-caselle.com ; lieu-dit Polveroso, Venaco ; s/d 70-92/115-148 €, s/d demi-pension 105-133/173-206 €, selon saison ; menu dégustation 40 € ; ☺avr-oct ; ☎☏). Dans un cadre exceptionnel, le Paesotel consiste en une série de bâtiments et de pavillons en pierre installés dans un vaste parc planté de pins laricios, au bord du Vecchio, juste après le pont de Noceta, à 5 km de Venaco. La plupart des chambres ont été rénovées récemment (sauf celles des pavillons). Les plus agréables ont droit à un jardin privatif, à quelques mètres de la piscine et de la rivière qui coule en contrebas. Le restaurant possède un joli jardin orné d'un bassin où flottent des nénuphars. Dommage que l'aménagement des espaces communs, comme le bar et la salle à manger, bas de plafond, et les murs de pierre grise fassent plus années 1970 que *Côté Sud*.

POGGIO-DI-VENACO

BON PLAN **Gîte d'étape de Poggio-di-Venaco** GÎTE MUNICIPAL €
(☎04 95 47 07 45 ; Poggio-di-Venaco ; dort 13 €, d 35-40 € ; ☺tte l'année ; ☏). Aubaine pour les randonneurs ou les voyageurs à petit budget, ce gîte géré par la mairie, en plein centre du village, se compose de 2 dortoirs de 8 lits, un peu compacts mais propres, carrelés et modernes, et de 6 chambres doubles (dont 4 avec sdb), très bien tenues. Cuisine équipée à disposition. Possibilité de prendre un petit-déjeuner au bar, au-dessus du gîte.

Auberge Casa Mathea AUBERGE-RESTAURANT €
(☎04 95 47 05 27 ; www.auberge-casamathea-corse.com ; du studio au F3 48,55-83,15 € ; plats 5-39 €, menus 18,50-30 € ; ☺tlj le soir en saison, mar-sam le soir hors saison ; ☎). Cette auberge de village est un bon point de chute, avec 5 studios équipés, fonctionnels, modernes et spacieux (de 25 à 70 m²), loués à la nuitée ou à la semaine. Au restaurant, ouvert le soir uniquement, vous pourrez commander des pizzas cuites au feu de bois dans un ancien four à pain, ou des spécialités corses classiques (escalope de veau, filet de saint-pierre au myrte). Vente de charcuterie de montagne, de fromage de brebis et de vin d'orange maison. Au centre du village.

♥ **Casa Giafferi** MAISON D'HÔTES €€
(☎04 95 46 04 33 ; www.casagiafferri.fr ; d avec petit-déj 85 € ; ☺tte l'année ; ☏). Une adresse atypique, comme la propriétaire, Annette Luciani, une Venacaise qui a longtemps vécu aux États-Unis, à la sensibilité d'esthète, comme en témoigne la galerie de peintures dans les parties communes. La maison est immense – 14 chambres, toutes différentes, la plupart très colorées (rose, fauve, bleue...), sont à disposition ! Spécialité de la maison : les stages de cuisine corse, le week-end. Table d'hôtes (22 €), repas servis sur la terrasse, avec vue sur la vallée, et salle de jeux pour les enfants. En direction de la gare de Poggio-di-Venaco.

SAINT-PIERRE-DE-VENACO

Chez Antoinette et Charles Hiver CHAMBRES D'HÔTES €€
(☎04 95 47 07 29, 06 03 92 60 83 ; http:// antoinette.charles.free.fr ; d 60 € avec petit-déj ; table d'hôtes 19 € ; ☺avr-sept). Cette belle maison de pierre à l'écart du village comprend 4 chambres doubles, simplement aménagées. Perchée sur les hauteurs, la maison est entourée d'un jardin très agréable. Côté ambiance, c'est plutôt à la bonne franquette et convivial – les repas du soir (deux fois par semaine, sur réservation) se prennent en commun dans une grande salle avec cheminée, autour d'une grande table. Le patron, Charles Hiver, se fera un plaisir de vous renseigner sur les balades dans les environs. Les motards sont bien reçus. Notez que l'accueil se fait à partir de 17h seulement.

Vivario

Cerné de montagnes, resserré autour de son église, ce joli bourg (515 habitants), dont les toits de tuiles se détachent sur le vert des forêts environnantes, mérite le coup d'œil.

L'une des curiosités de Vivario est le **pont du Vecchio**, qui enjambe la rivière du même nom, à 3 km au nord du village. Cet ouvrage d'art en forme de viaduc possède un manteau métallique, œuvre de Gustave Eiffel. L'ensemble est doublé d'un pont moderne en béton, assez disgracieux (et dont l'unique intérêt semble être d'éviter un virage). Le site est réputé pour ses **vasques** (voir l'encadré p. 274). Vivario compte quelques bars, des restaurants, 2 épiceries et une poste. La gare se trouve à 500 m environ, au nord du village.

🛏 Où se loger et se restaurer

U Campanile   HÔTEL-RESTAURANT **€€**
(🖉04 95 47 22 00, 06 19 53 56 54 ; www.hotel-restaurant-ucampanile.com ; d 45-60 €, en demi-pension 80 €/pers juil-août ; menu 20 € ; ☺tte l'année ; 🛜 P). Belle maison de village située à côté de l'église, au bord de la route principale (peu passante la nuit). Karine, la maîtresse de maison, loue 5 chambres avec poutres au plafond et petites sdb. Les lieux dégagent tout le charme d'une résidence de campagne : un salon doté d'une belle cheminée et une terrasse fleurie de gros massifs d'hortensias et de rosiers. Savoureuses spécialités corses à petits prix (aubergines à la vivaraise, *tianu* de veau, soupe corse).

🛍 Achats

💛 **Bergerie Loefgen**   FROMAGES
(🖉04 95 47 23 62 ; bergerie d'Arca). Le fromage de brebis fermier au lait cru de chez Loefgen passe pour la "Rolls" des fromages de Corse – il a d'ailleurs été primé 9 fois d'affilée lors de concours. Harry est d'origine allemande, mais a été "adopté" par un berger du cru qui lui a transmis tous ses secrets. L'endroit se mérite : il faut marcher une vingtaine de minutes le long d'un sentier, depuis le hameau de Muracciole (pas de panneau ; départ de l'église). Sinon, demandez "du Loefgen" dans les boutiques de produits corses de la région. Brocciu et fromage frais de décembre à juillet, fromage affiné de fin janvier à mi-septembre. Également confitures artisanales. Venir l'après-midi de préférence de février à juin, en été sur rendez-vous.

Canaglia, Savaggio et Tattone

Des hameaux du bout du monde, noyés dans une abondante végétation, bien connus des randonneurs (le GR®20 et une variante du Mare a Mare® nord passent à proximité)... et des passionnés de train, puisque le *trinichellu* (train de la Corse) dessert Savaggio et Tattone (faire signe au conducteur), sur la ligne Bastia-Vizzavona-Ajaccio.

🛏 Où se loger et se restaurer

Bar-camping du Soleil   CAMPING **€**
(🖉04 95 47 21 16 ; Tattone ; pers/voiture/tente 7/2/2-4 € ; ☺mai-sept). Site agréable, à 100 m de la gare de Tattone, avec pizzeria en saison et ravitaillement pour randonneurs.

Camping-gîte de Savaggio   CAMPING-GÎTE **€**
(🖉04 95 47 22 14 ; adulte/voiture/tente 5/2/2 €, dort 11 €, 32 € en demi-pension ; plats 8-12 €, menu 15 € ; ☺mai-sept). Juste en contrebas de la gare de Savaggio, cette structure discrète dispose d'un gîte d'une vingtaine de places, confortable, orné de quelques peintures murales, avec sanitaires (propres) à l'extérieur, et d'une aire de camping sur un terrain légèrement pentu. Bons petits plats corses (sur commande) mitonnés par la sympathique mamma-propriétaire.

💙 Gorges du Manganellu

Depuis Canaglia, on accède facilement aux gorges du Manganellu en suivant le sentier du Mare a Mare® nord, très facile car bien matérialisé, sur une piste forestière. Notre conseil : marchez jusqu'aux **bergeries de Tolla** (comptez 1 heure 30 de marche environ). Vous trouverez de magnifiques vasques pour faire trempette le long du parcours (voir l'encadré p. 274). En été, les bergeries proposent un service de restauration (fromage, charcuterie, omelette) dans un cadre exceptionnellement bucolique – un grand moment de bonheur !

Vizzavona

Ouf, un peu de fraîcheur ! Protégé par un épais couvert végétal, en altitude, le secteur de Vizzavona offre un répit à ceux qui veulent échapper à la chaleur oppressante de la côte. Respirez à pleins poumons : la forêt est ici omniprésente. Sur 1 633 ha, elle se compose essentiellement de hêtres et de pins laricios (certains seraient pluricentenaires !). Vous aurez l'embarras du choix pour la découvrir, tant les sentiers pédestres qui la sillonnent sont nombreux. Redoutée au XIXᵉ siècle car des bandits avaient l'habitude d'y rançonner les voyageurs, la magnifique forêt de Vizzavona est redevenue un havre de paix.

Dominé par le Monte d'Oro (2 389 m), cinquième sommet de l'île, le hameau de Vizzavona est bien connu des nombreux randonneurs qui choisissent d'y commencer ou d'y finir leur escapade sur le GR®20. Autour de la gare, une poignée de maisons et d'hôtels forme une minuscule localité de quelques dizaines d'habitants, aussi insolite que pittoresque, à 700 m de la route nationale. Le **col de Vizzavona** (1 163 m) est à 3 km au sud.

🏃 Activités
Randonnée pédestre
La forêt de Vizzavona est sillonnée de nombreux sentiers balisés. Un intéressant panneau descriptif (avec plan), face à la gare de Vizzavona, recense les principales randonnées du secteur. Leur durée est très variable : de quelques heures à l'ascension du Monte d'Oro (9 h aller-retour). Il existe aussi un sentier archéologique au départ de la gare jusqu'à l'abri Southwell, preuve d'une occupation humaine depuis le Néolithique.

Cascades des Anglais   PROMENADE À PIED
L'une des balades les plus courues. À 2,5 km de l'embranchement vers la gare en direction d'Ajaccio, le court sentier menant aux cascades est indiqué sur la droite. Une piste forestière sans difficulté, balisée en vert par l'ONF, descend dans la superbe forêt de pins et de hêtres. Après une quinzaine de minutes de marche, on arrive à une buvette (ouverte en été), au niveau de l'intersection du GR®20. Les cascades vous attendent sur ce dernier, vers la gauche (vous atteindrez la gare de Vizzavona en 30 min de marche en empruntant le GR®20 vers la droite). Ne vous attendez pas à découvrir des cataractes en été, mais plutôt de modestes vasques remplies d'eau claire, parfaites pour une petite baignade. Accessibles à tous, ces piscines naturelles (qui doivent leur nom aux Britanniques qui venaient jadis en nombre à Vizzavona et que l'eau froide n'effrayait pas...) se succèdent sur 15 minutes de montée. Chacun pourra y trouver son coin de paradis, sauf au cœur de l'été, lorsqu'il y a foule.

Cascade
du Voile de la Mariée   PROMENADE À PIED
Continuez sur la nationale jusqu'au village de Bocognano. La route du Voile de la Mariée, facile d'accès, part de la N193 à la sortie du village, à gauche en venant de Corte. Dépassant un pont de chemin de fer, cette route étroite atteint un second pont – immanquable avec ses rambardes en fer – 3,5 km après avoir quitté la route nationale. Là, une petite échelle en bois, sur la gauche, permet de franchir la clôture et de s'engager sur le sentier qui monte en sous-bois. Grossièrement balisé de morceaux de ficelle noués aux arbres, il atteint en une dizaine de minutes de progression, parfois difficile, une haute et large cascade. Impressionnante en hiver par son débit, elle est plus décevante en été mais elle permet de se rafraîchir.

Parc Aventure
Vizzavona
Parc Aventure   PARCOURS EN FORÊT
(☑04 95 37 28 41, 06 03 56 24 33 ; www.corsica-natura.fr ; col de Vizzavona ; adultes/enfants 22/18 € ; ⊙9h-19h juil-août, 10h-18h juin et sept). Aménagé par la société Corsica Natura, au col de Vizzavona, il séduira les amateurs de balade d'arbre en arbre, parmi les hêtres et les pins laricios de la forêt de Vizzavona. Treize parcours ont été équipés, correspondant à 5 niveaux de difficulté progressive. Au programme : tyroliennes (dont une de plus de 100 m), sauts de Tarzan, ponts de singe, filets... De quoi jouer les aventuriers en toute sécurité dans un cadre somptueux. Les enfants sont les bienvenus : 4 parcours sont spécialement destinés aux 4-6 ans (taille minimale : 1 mètre), qui doivent être accompagnés par un adulte.

VTT
Il est possible de louer des VTT sur le site du Vizzavona Parc Aventure, moyennant 20 €/jour. On peut également participer à des randonnées à VTT avec encadrement (20/35 € la demi-journée/journée, minimum 6 pers) – une formule idéale pour découvrir tous les trésors de la forêt de Vizzavona.

Canyoning
À proximité du village de Bocognano (à environ 8 km au sud-ouest du col de Vizzavona, en direction d'Ajaccio), on peut pratiquer le canyoning dans le **canyon de la Richiusa**, réputé l'un des plus ludiques de Corse, avec des petits rappels, des sauts et des toboggans. Seul problème : la marche d'approche prend une heure. La descente proprement dite fait environ 3 heures.

Vizzavona Parc Aventure (voir *Parc Aventure* ci-dessus) organise des sorties encadrées dans ce canyon (45 € la journée).

📛 Où se loger et se restaurer

VIZZAVONA-GARE

Restaurant du Chef de Gare – L'Altagna RESTAU-GRILL €

(📞 04 95 47 24 41 ; plats 9-17 €, menus 13-18 € ; ⊘avr-oct). Attenant à la gare, L'Altagna sert de tout, à tous les prix : salades, omelettes, entrecôtes, pâtes, desserts, petits-déjeuners. Service à toute heure. Parfait pour se rassasier après une randonnée.

Épicerie Rosy RAVITAILLEMENT ET MATÉRIEL

(📞 04 95 47 24 41 ; ⊘avr-oct). Dans le restaurant du Chef de gare (entrée côté gare). Une caverne d'Ali Baba pour les randonneurs en quête de "ravito" : spécialités corses, repas lyophilisés, pain, boissons fraîches, alimentation générale, recharges de gaz, piles ou petite pharmacie.

Bar-restaurant de la Gare – Le Refuge ÉTABLISSEMENT FAMILIAL €

(📞 04 95 47 22 20 ; dort en demi-pension obligatoire 36 € ; plats 16-28 €, menu 17,50 € ; ⊘mai-oct). En face de la gare, cette modeste structure familiale se compose d'un restaurant, de 2 dortoirs de 6 lits, de 3 chambres de 4 lits, simples et propres, avec sanitaires communs (en nombre insuffisant) et d'un dortoir de 16-18 lits, équipé de 2 douches. Cuisine sans chichi (omelettes, pâtes, viandes, sandwichs), et ravitaillement (charcuterie, fromage, biscuits). Machine à laver (5 €) et sèche-linge (3 €).

Hôtel-gîte I Laricci CHAMBRES-GÎTE €€

(📞 04 95 47 21 12 ; www.ilaricci.com ; s/d 65/87 €, 72/97 € en demi-pension, dort 32 € en demi-pension ; menu 19 € ; ⊘mai-sept). Cette imposante bâtisse datant de 1904, sur 3 niveaux, abrite 12 chambres spacieuses, avec parquets de bois et une belle hauteur sous plafond. Le hic : les sanitaires sont sur le palier (sauf 2 chambres, louées avec un supplément de 6 €), et les matelas sont un peu mous. À l'arrière, l'ancien logement des palefreniers a été aménagé en gîte, avec des dortoirs de 5 places, avenants, mais sans cuisine équipée. Le propriétaire connaît bien le Maroc et a décoré la salle à manger de tapis berbères et de lustres de Marrakech. Au dîner (menu unique), on savoure des spécialités de l'île et d'ailleurs (veau corse, poulet basquaise). À midi, assiette corse, brick à l'œuf ou tajine à 12 € (sur commande), et sandwichs (4-6 €). Également thé à la menthe, servi dans de l'argenterie, comme là-bas ! Cartes de crédit acceptées.

Casa Alta CHAMBRE D'HÔTES €€

(📞 04 95 47 21 09, 06 75 27 13 11 ; www.casa-alta. fr ; d 64-96 € avec petit-déj selon saison ; ⊘tte l'année ; 📷). Cette belle demeure en pierre, entourée d'immenses pins laricios, en surplomb de la N193, en face de la bifurcation pour la gare de Vizzavona (à 400 m en contrebas) a été entièrement rénovée par ses nouveaux propriétaires en 2008. Elle offre 5 chambres, hautes de plafond, équipées de sdb, dont 2 pouvant accueillir 4 pers. Mobilier de style ancien, tableaux de marqueterie, mélodieux carillons, rayonnages de livres et vieux outils d'ébénisterie se détachent sur des murs blancs. Un supplément de spécialités corses est proposé au petit-déjeuner (7,50 €), de même qu'un panier pique-nique (12 €, uniquement pour les hôtes). Service de blanchisserie (10 €).

U Castellu HÔTEL €€€

(📞 04 95 30 53 00 ; www.hotel-ucastellu.fr ; d/tr 70-150/90-150 € ; ⊘tte l'année ; 📷 P). Au bord de la N193, cette adresse de charme propose 10 chambres dans une belle demeure du début du siècle, admirablement restaurée. Sa terrasse donnant sur la forêt, sa déco soignée, ses chambres spacieuses, ainsi que ses soirées chants et guitares corses l'été, en font une halte des plus sympathiques.

COL DE VIZZAVONA

Monte d'Oro HÔTEL-RESTAURANT €€

(📞 04 95 47 21 06 ; www.monte-oro.com ; d avec sdb commune 52-57 €, d 79-95 €, d 146-195 € en demi-pension ; plats 16-28 €, menu 25 € ; ⊘mai-sept ; @). Dans la maison principale, couverte de vigne vierge, on a l'impression d'être plongé dans un roman d'Agatha Christie tant le lieu compte de coins et de recoins, de bibelots et de meubles en tout genre. Chambres au charme désuet, avec sdb commune, ou plus modernes, avec sdb, dans deux autres bâtiments. Le restaurant propose des plats très classiques, préparés pour la plupart avec des produits bio (soupe corse, agneau aux cèpes, tiramisu à la châtaigne). Mais nous avons trouvé le veau corse aux olives décevant. Cartes de crédit acceptées.

Monte d'Oro GÎTE-RELAIS

(📞 04 95 47 21 06 ; www.monte-oro.com ; dort gîte 19 €, 42 € en demi-pension, dort refuge 14 € ; ⊘mai-sept). Le Monte d'Oro, version petits budgets. À 50 m de l'hôtel, au bord de la nationale, vous aurez le choix entre des chambres de 2 lits individuels et 2 lits superposés, très agréables, avec sdb commune (formule gîte), et des boîtes d'allumettes de

3 lits dans un bâtiment en béton, à l'arrière, spartiate, ressemblant à une casemate (formule refuge, à éviter). Navette gratuite sur simple appel depuis la gare, à 3 km. Machine à laver (7 € avec séchage) et location de draps (7 €). Coin cuisine et snack-bar au gîte (sandwichs, assiettes corses).

VERS LA PLAINE ORIENTALE

Des montagnes du centre de la Corse, plusieurs routes dévalent vers la côte. La plus rapide, au départ de Corte, est la N200, qui suit la vallée du Tavignano jusqu'à Aléria.

Bien plus spectaculaire (mais bien plus longue et sinueuse !), la D69, dont l'embranchement se trouve à environ 2 km au sud de Vivario, descend à Ghisoni, après 19 km d'interminables lacets dans un paysage forestier de toute beauté, avec le mont Kyrie Eleison (1 260 m) en toile de fond. Ce secteur, assez enclavé, est l'un des plus sauvages de Corse.

Ghisoni

En déambulant dans les rues bordées de belles maisons en pierre de taille, on devine aisément ce que Ghisoni fut avant-guerre, lorsque la localité vivait principalement de la farine de châtaigne et de l'exploitation forestière, notamment du pin laricio. Le village sort de sa torpeur en été lorsque reviennent les enfants du pays, exilés à Bastia, à Ajaccio ou sur le continent.

Aucune ligne de bus ne dessert Ghisoni.

Activités

Bonne nouvelle pour les amateurs de **randonnée pédestre** : Ghisoni est une bonne base pour partir à l'assaut du lac Bastani et monter jusqu'au sommet du Monte Renoso, le "belvédère de la Corse" (voir la description de la randonnée p. 294).

Les environs de Ghisoni comptent également une **station de ski**, active de janvier à mars. On y pratique le ski de piste (3 téléskis), le ski de randonnée et la raquette.

L'ancien responsable du centre UCPA de Ghisoni (aujourd'hui fermé) a créé une structure loisirs, **Capinera** (⌨04 95 57 30 83, 06 87 85 71 93 ; ☺juin à fin sept). Au programme : des randonnées-baignades (à partir de 7 ans) dans des vallons secrets des environs de Ghisoni, les mardi et jeudi, ainsi que des circuits pédestres thématiques accessibles aux familles (notamment le circuit "Sur la trace des bergers", consacré au pastoralisme, d'une durée de 4 heures et le "Paysages insolites", centré sur les pozzi d'Ese, d'une durée de 5 heures). Également randonnées à la journée sur les lignes de crête surplombant le village. Comptez 35/25 € par adulte/enfant, pique-nique inclus.

🛏 Où se loger et se restaurer

Des commerces bordent l'artère principale du bourg, ainsi qu'une épicerie, un bar et un restaurant, A Stazzona, réputé pour ses pizzas. D'autres adresses se situent à quelques kilomètres du bourg (voir *Environs de Ghisoni*).

U Pianu GÎTE D'ÉTAPE € (⌨04 95 36 10 77 ; Ghisoni ; dort 15 €, ch 3/4 pers 55/70 €, d 40 €, demi-pension 23 € ; ☺tte l'année). Ce gîte, situé dans un bâtiment de la mairie possède 2 dortoirs (14 et 5 lits) et des chambres d'une capacité de 2, 3 ou 4 pers (avec sanitaires communs également).

Environs de Ghisoni

De Ghisoni, la D69 poursuit son cours plein sud vers le col de Verde, qui constitue la fin de l'étape 11 du GR®20 (reportez-vous p. 315). Pour rejoindre la plaine orientale, suivez la D344, qui longe la vallée du Fiumorbu et traverse des paysages impressionnants, dont le **défilé des Strette** et le **défilé de l'Inzecca**, deux tranchées de granite, avant d'obliquer en direction de Ghisonaccia.

En chemin, faites halte au **parc Indian Forest** (⌨04 95 48 54 66, 06 08 24 67 87 ; www.indian-forest-corse.fr ; adulte/enfant 22/12 € ; ☺tlj 10h-18h fin mai à mi-sept), à 4 km de Ghisoni. Deux parcours d'arbre en arbre dans une pinède sont proposés ; celui pour les adultes comporte 30 ateliers, une tyrolienne de 250 m et passe plusieurs fois au-dessus de la rivière ; le parcours enfants compte une dizaine d'ateliers.

🛏 Où se loger et se restaurer

♥ **A Casetta di u Banditu** CABANE EN BOIS €€€ (⌨04 95 56 63 32, 06 09 40 66 21 ; www.casettadiubanditu.com ; Salastraco ; d 100-160 € tarifs dégressifs dès 2 jours, petit-déj inclus ; ☺tte l'année ; ☎). Le bout du monde, c'est ici, dans cette étonnante cabane en bois de 25 m²

LAC BASTANI ET MONTE RENOSO

Départ : bergeries de Capanelle (première route à droite 6 km après le village de Ghisoni sur 15 km en direction de la station de ski Campu di Neve)
Durée : 2 heures 30 aller-retour
Difficulté : moyenne

Un paysage alpin rehaussé d'un lac d'altitude, offrant une magnifique vue. L'un des rares sommets de plus de 2 000 m facilement accessibles. Le dénivelé est de 420 m jusqu'au lac et 260 m de plus jusqu'au sommet.

Garez votre voiture à côté du refuge U Fugone. Le sentier démarre à 1 670 m, au pied des bergeries de Capanelle, au même endroit que le GR®20. Un panneau en bois vous indique le départ. Il faut ensuite grimper au milieu des aulnes nains et des sorbiers des oiseleurs. Vous remarquerez aussi quelques belles fleurs pourpres en clochettes, des digitales. De magnifiques hêtres, aux troncs violacés et déformés, bordent le début du chemin. Après 45 min de montée, vous traversez un premier plateau herbeux où coule le ruisseau du Pizzolo.

Le paysage est lunaire, parsemé de gros blocs de pierre. Une deuxième ascension plus douce vous attend pendant 20 minutes avant de traverser un deuxième plateau. Au printemps, le sol est parfois recouvert de crocus. Enfin, encore un petit effort : une dernière côte se dresse devant vous. Dix minutes de montée avant d'atteindre le lac Bastani, à 2 089 m. Au loin, par beau temps, on aperçoit la côte. Les plus courageux pourront monter jusqu'au sommet du Monte Renoso (2 352 m). Cela vaut le détour pour admirer la Corse du Sud, d'autant qu'il s'agit d'une montagne facile à gravir pour cette altitude. Comptez environ un quart d'heure pour parvenir à la crête et ensuite 30 minutes jusqu'au sommet. Prenez un coupe-vent, car des bourrasques assez fraîches balaient parfois la montagne, même en été. Vous redescendrez ensuite par le même chemin.

surplombant un ruisseau aux eaux cristallines (possibilité de pêcher la truite), dans un hameau perdu, entre Ghisoni (à 15 km) et Ghisonaccia (à 20 km). Ressourcez-vous dans ce petit nid douillet dans lequel le confort n'est pas sacrifié (Wi-Fi, cuisine équipée). Vous aimez les produits du terroir ? Vous êtes à bonne enseigne : les propriétaires, fromagers, vous proposeront des dégustations de leur gamme (brocciu, tommette et petit brebis ; voir leur site www.fiore-di-muntagna.com). Tarifs un peu élevés, mais dépaysement garanti.

A Vecchia Mina   RESTAURANT-GRILL €€
(☏ 04 95 57 63 42 ; route de Ghisoni ; plats 10-15 €, menu 18 € ; ◷mai-sept). Juste à côté du parc Indian Forest, ce restaurant prépare des viandes grillées et une spécialité : la brick de volaille à la tomme corse. De la terrasse,

vous n'aurez que quelques pas à faire pour vous rafraîchir dans les vasques de la rivière.

U Sampolu   FERME-AUBERGE €€
(☏ 04 95 57 60 18 ; route de Ghisoni ; plats 8-13 €, menus 18-22 € ; ◷mai à fin sept). Au menu, des spécialités du terroir corse : soupe corse, beignets de poireaux, sauté de veau corse, aubergines paysannes... Produits en provenance de la ferme.

**Ferme-auberge
l'Inzecca**   PRODUITS DE LA FERME €€
(☏ 04 95 56 62 62 ; route de Ghisoni ; plats 10-16 €, menu 28 € ; ◷mai-sept). À 4 km plus en aval de la ferme-auberge U Sampolu, au bord de la route. Même registre traditionnel : beignets de poireaux, veau aux olives, charcuterie maison... issus en grande partie de l'exploitation agricole familiale. Cadre rustique.

Randonnée

Île montagneuse par excellence, la Corse ne se découvre pas de meilleure façon qu'en marchant. L'omniprésence du relief incite à délaisser la voiture au profit de l'un des multiples sentiers qui tissent une toile serrée sur l'île, du littoral aux recoins les plus intimes de l'intérieur.

Ce dense réseau de sentiers permet en outre de se familiariser avec le patrimoine naturel et culturel de l'"autre Corse", celle de l'intérieur, plus secrète, loin de l'effervescence des stations balnéaires. Par ailleurs, et c'est peut-être sa plus fameuse carte de visite, l'éventail des possibilités s'avère incroyablement riche. De la randonnée "sportive" de plus de 15 jours à la tranquille balade côtière de quelques heures, il y en a pour tous les goûts et tous les niveaux.

Loin d'offrir un inventaire exhaustif, ce chapitre se veut incitatif, en présentant un maximum d'éléments – techniques, pratiques, voire culturels – pour choisir au mieux vos randonnées. Tous les parcours décrits ont été testés. Nous avons retenu le GR®20, incontournable, dont l'exceptionnelle réputation est en tout point justifiée, ainsi que les sentiers Mare a Mare® centre et Mare a Mare® sud, de niveaux intermédiaires et aux profils variés. Nous avons détaillé les ressources (hébergement et restauration notamment) utiles pour le GR®20, le Mare a Mare® centre et le Mare a Mare® sud.

Par ailleurs, des **balades familiales**, accessibles à tous et d'une durée de quelques heures, sont décrites dans le cours des chapitres régionaux.

LE GR®20

Créé en 1972, ce sentier balisé est devenu une institution. Il relie Calenzana, en Balagne, à Conca, dans l'arrière-pays de Porto-Vecchio, et attire chaque année plus de 12 000 courageux venus de toute l'Europe se frotter à ses dénivelés. Le parcours suit grossièrement une diagonale orientée nord-ouest/sud-est, correspondant à la ligne de partage des eaux, sur environ 200 km. Conçu à l'origine en 15 étapes, le tracé a été modifié en 2012. Il se décline dorénavant en 16 étapes, d'une durée moyenne de 4 heures 30 à 8 heures, qu'il est possible pour certaines de fractionner. En plein cœur du parc naturel régional de Corse (ou PNRC), il traverse les magnifiques paysages sauvages de l'intérieur de l'île, perché à une altitude moyenne de 1 000 à 2 000 m avec

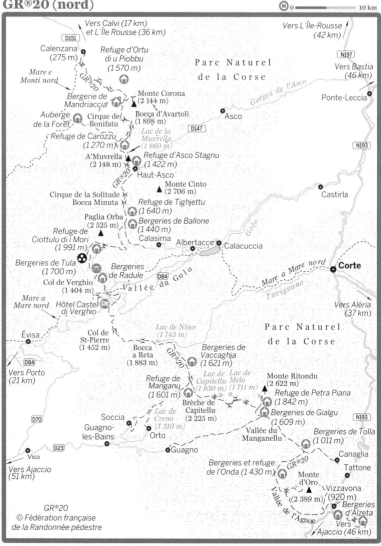

GR®20
© Fédération française
de la Randonnée pédestre

un point culminant à 2 225 m. La diversité des milieux rencontrés en fait un parcours d'exception : forêts de hêtres ou de pins laricios, paysages granitiques lunaires, crêtes ventées, torrents, lacs glaciaires, maquis, sommets enneigés, tourbières, plateaux, névés... Les amoureux de la nature seront comblés. Ceux de la tranquillité également : il ne croise que trois hameaux (Haut-Asco, Vizzavona et Bavella). Des refuges et des bergeries jalonnent l'itinéraire.

Ne vous laissez pas abuser par la faiblesse – relative – de l'altitude. Le GR®20 est un parcours de montagne qui nécessite un véritable engagement physique et ne doit pas être pris à la légère. Les dénivelés sont sans concession (environ 10 000 m de dénivelé positif au total, avec des étapes pouvant comporter 800 m de montée), le sentier est rocailleux et parfois escarpé, les conditions climatiques peuvent être difficiles, et il faut être muni d'un équipement suffisant pour

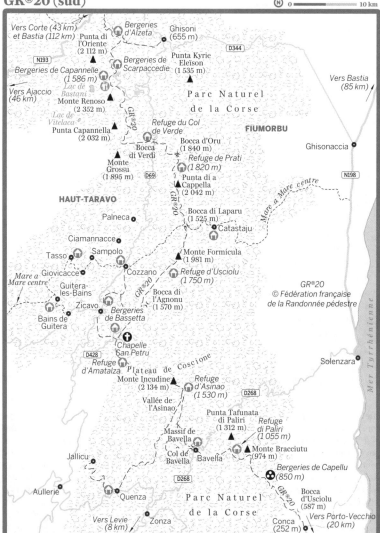

être autonome pendant plusieurs jours. Une bonne condition physique et une sérieuse motivation sont indispensables pour aborder ce sentier.

Reste qu'il existe des solutions pour vivre le GR® différemment. Pensez à exploiter les ressources "périphériques" du parcours (villages reliés au GR® permettant un décrochage, possibilités de demi-étape, ravitaillement et repas dans les refuges, nuitées dans les quelques hôtels du parcours, etc.). Nous donnons des détails sur les principales "liaisons villages" à la suite du descriptif des étapes concernées. Lisez également attentivement les encadrés de ce chapitre, et notamment celui intitulé *Bien vivre le GR®20*, p. 303.

Temps et distances

Les temps indiqués dans la description des étapes correspondent à des temps de marche

NE MARCHEZ PAS SANS...

» des chaussures de randonnée de bonne qualité et "rodées"

» au moins un bâton de randonnée

» une carte précise

» une paire de baskets et/ou de tongs (pour les douches)

» un sac à dos confortable, ajusté à votre morphologie

» une trousse médicale

» un coupe-vent et une cape de pluie

» un couvre-chef pour se protéger du soleil et de la pluie

» des lunettes de soleil et un short

» un nécessaire de toilette (savon, serviette)

» des vêtements de rechange (sous-vêtements, tee-shirts, chaussettes)

» de la crème solaire

» un pantalon pour protéger les jambes de la végétation arbustive

» une couverture de survie

» une veste polaire

» une lampe de poche

» un peu de nourriture (plats lyophilisés, aliments énergétiques)

» un couteau multifonction

» une gourde et une réserve d'eau (au moins 2 l)

» un sac de couchage

» une tente pour bivouaquer, au cas où les refuges seraient bondés

» un téléphone portable (secours et météo)

» du papier hygiénique

» du fil de pêche et une aiguille solide (petite réparation de sac)

» des gants ou mitaines en cuir (utiles pour certains passages)

effectifs. Autrement dit, ils ne tiennent pas compte des pauses et sont valables pour des marcheurs moyens. Modulez-les selon le poids de votre sac (15 kg en moyenne), votre condition physique, votre entraînement, vos centres d'intérêt (botanique, photographie, sieste, etc.) et la durée prévue de vos arrêts. Ainsi, une étape estimée à 6 heures peut facilement prendre 2 à 3 heures de plus. Gardez ce fait en tête lors de la planification de votre étape.

Les distances kilométriques sont mentionnées à titre indicatif. En montagne, seuls les dénivelés constituent un repère efficace. On estime qu'un marcheur moyen monte 250 à 300 m à l'heure.

Période

La meilleure période pour effectuer le GR® s'étend entre mai et octobre. Des portions du sentier restent en partie enneigées jusqu'au mois de juin, rendant certains passages délicats. Juillet et août sont très fréquentés. L'avant-saison (juin) et l'après-saison (septembre) sont idéales (le choix entre les senteurs printanières et les couleurs de l'automne est difficile à faire !). Par ailleurs, on notera que de mi-août à fin septembre des orages, parfois violents, sont à craindre, généralement dans l'après-midi.

Hébergement et ravitaillement

Vous trouverez différents types d'hébergement au fil du GR®20. Les plus courants sont les refuges gérés par le PNRC. Ouverts toute l'année, ils ne sont gardés que de mai/juin à septembre/octobre (les dates d'ouverture et de fermeture peuvent varier légèrement d'une année à l'autre). Le ravitaillement et la restauration étant assurés par les gardiens, il est important de vérifier auprès du PNRC les dates exactes d'ouverture et de fermeture pour les randonnées en début ou en fin de saison ; le poids de votre sac en dépend ! À côté du refuge se trouve une aire de bivouac où s'installent les campeurs.

En 2012, le tarif de la nuitée dans les refuges gérés par le PNRC se montait à 11 € (6 € pour les campeurs). Le paiement s'effectue auprès du gardien, de préférence en espèces compte tenu de la somme. Une salle commune équipée (tables, bancs, réchauds à gaz, ustensiles de cuisine, cheminée ou poêle l'hiver) est à disposition. Attenant, un dortoir est doté de bat-flanc avec housses et matelas, mais pas de couverture (prévoir un sac de couchage). Un point d'eau est aménagé à l'extérieur, ainsi que des WC (souvent en nombre insuffisant) et des douches (rarement chaudes). L'aire de bivouac dispose de réchauds à gaz avec parfois quelques ustensiles, les casseroles faisant cependant défaut dans bien des cas.

Il est possible – et même conseillé en haute saison – de réserver ses nuitées en refuge sur le site du parc naturel régional de Corse (www.parc-corse.org), en réglant par carte bancaire. Sinon, les premiers arrivés sont les premiers servis... Sachant que la capacité est limitée (de 20 à 50 places environ), partez tôt le matin et prenez une tente en cas de besoin. Le confort et la tenue des gîtes du PNRC dépendent étroitement des gardiens mais aussi de ses occupants. À certaines étapes, généralement celles qui sont accessibles par la route, des structures privées complètent l'offre du PNRC. Il s'agit soit de refuges ou de gîtes proposant des petits dortoirs et des repas (comptez en général 30-35 € par personne pour la demi-pension en dortoir), soit d'auberges ou d'hôtels. Les prestations sont en général plus élaborées que celles des refuges du PNRC, mais les tarifs sont parfois excessifs. La possibilité d'y réserver sa nuit constitue un avantage de poids.

Les possibilités de restauration et de ravitaillement n'ont cessé de s'améliorer dans les refuges du GR®20 au fil des dernières années. Désormais, la plupart des gardiens de refuges proposent aux randonneurs des produits locaux (fromage, charcuterie corse...), des boissons (vin, bière...) et autres denrées (boîtes de conserve, pâtes, miel, chocolat...). Cette prestation relève directement des gardiens gérant les refuges, indépendamment du PNRC, et dépend toujours de l'approvisionnement, qui reste irrégulier compte tenu des difficultés d'accès. Autre bonne nouvelle : les gardiens proposent souvent des plats chauds (soupe corse, pâtes au pesto, ragoût de sanglier aux pâtes, omelette au brocciu, etc.) pour le dîner (10-18 € environ). Il n'est donc plus nécessaire, comme par le passé, de charger son sac à dos de nourriture. Et, même si la sécurité requiert un minimum d'autonomie, 2 ou 3 plats lyophilisés et des barres de céréales rempliront pour un poids minime cette fonction capitale (voir l'encadré p. 298).

Sachez également que des possibilités d'hébergement et de restauration s'offrent à vous dans les villages des vallées, accessibles, en 2 à 4 heures de marche, par des sentiers balisés depuis le GR®, désignés sous le terme de "liaison village". Cette solution implique souvent 1 demi-journée à 1 journée supplémentaire, mais, programmée, elle peut constituer une judicieuse "escale" pour se ressourcer (dormir dans un vrai lit, prendre un bain chaud, manger dans un restaurant) et permet de découvrir de superbes petits villages accrochés à flanc de montagne. Tous bénéficient de logements confortables et de commerces bien approvisionnés. Sur présentation d'une carte de crédit et d'une pièce d'identité, vous pourrez théoriquement retirer de l'argent dans les bureaux de poste. Parmi les localités en contrebas du GR®, certaines peuvent être ralliées en transport en commun et donc constituer des points d'entrée ou de sortie.

Questions d'argent

Le budget du géhériste dépendra du poids de son sac ! Les partisans de l'autonomie quasi totale auront un budget allégé, car ils dormiront au bivouac et auront une solide logistique programmant chaque repas. Cependant, la lourdeur de leur sac risque de nuire au plaisir de la randonnée. Les autres dormiront dans les refuges, achèteront leur ravitaillement à chaque étape et profiteront des plats préparés par les gardiens. Ils auront à porter un sac de 8 à 12 kg tout au plus mais, de fait, auront un budget plus important à envisager. À chacun son GR®, nous conseillerons donc de prévoir 20-35 €/ jour suivant les cas. Le paiement par carte bancaire n'étant possible que dans certains des refuges, gîtes et hôtels privés qui jalonnent le parcours, prévoyez des espèces. Si le GR®20 croise quelques hameaux (Haut-Asco, Vizzavona et Bavella), il n'existe pas de distributeur sur le parcours. Un chéquier sera utile dans bien des cas.

Objectif de la journée, le refuge fait bien souvent figure d'oasis pour le randonneur fatigué, surtout quand le mauvais temps s'est mis de la partie. Il convient donc de veiller à ce que le lieu reste agréable et réparateur pour tous. Si les gardiens donnent le ton en faisant respecter quelques règles, ils ne peuvent pas être derrière tout le monde. Au-delà du bon sens, il nous semble donc utile de rappeler quelques points :

» Enlevez vos chaussures dégoulinantes et laissez-les à l'entrée.

» Quand vous avez fini de manger, libérez la table (il n'est pas rare de voir des randonneurs timides manger debout pendant que d'autres "tapent" le carton sur l'unique table du refuge !).

» Lavez votre vaisselle tout de suite après avoir mangé. Certains refuges ne comptent que quelques casseroles et souvent des couverts en nombre insuffisant (nous en avons même retrouvé dans les poubelles...).

» Si les poubelles sont pleines, n'hésitez pas à jeter les sacs dans les incinérateurs placés à l'extérieur.

» Si vous faites chauffer de l'eau pour le petit-déjeuner, n'hésitez pas à remplir la casserole à fond, vous ferez certainement des heureux.

» Si vous veillez un peu, respectez le sommeil des autres.

En période d'affluence, les refuges sont bondés, et il n'est pas rare de compter plus de 100 personnes au moment des repas. Ces petites attentions multipliées par autant de randonneurs rendent la vie plus facile. Du savoir-vivre, du bon sens : un peu comme à la maison. Et c'est finalement ce que l'on attend d'un refuge.

Météo

Les gardiens de refuges seront bien souvent vos meilleurs informateurs. Certains afficheront un bulletin météo, d'autres placarderont un "Partez tôt, orages dans l'après-midi". Les serveurs téléphoniques accessibles depuis un portable donnent également de précieux renseignements. Ils restent cependant uniquement indicatifs tant les conditions météorologiques sont variables sur un même secteur. En toute saison, vous aurez à faire face à de grandes amplitudes thermiques en fonction de l'altitude, du vent et du soleil. Prévoyez un équipement en conséquence. Voir aussi Climat et l'encadré Météo France p. 393.

Faune et flore

Un descriptif des principales composantes de la faune et de la flore corses figure p. 377.

Eau

Beaucoup n'hésitent pas à boire l'eau des ruisseaux au cours de leurs randonnées. Elle n'offre cependant aucune garantie, à plus forte raison dans une région comme la Corse où la libre circulation du bétail est de règle. Prévoyez donc, par précaution, des cachets stérilisants.

Informations et documentation

Contactez la maison d'information du PNRC à Ajaccio, qui vous fournira tous les renseignements et les documents utiles. Pour les coordonnées, voir l'encadré p. 321. Vous trouverez également des informations utiles sur le site du parc : www.parc-corse.org.

À travers la montagne corse (FFRP, 2012) est un guide de référence sur le GR®20 ; *Balades nature en Corse* (Dakota Éditions) décrit 26 randonnées de tous niveaux.

Cartes et balisage

Le balisage se compose de deux traits horizontaux, rouge et blanc, apposés sur des troncs d'arbres ou des blocs rocheux. Des cairns (monticules de pierres) sont également utilisés dans certains passages où le balisage à la peinture ne serait pas visible. Le sentier étant régulièrement entretenu par les agents du parc, l'orientation ne devrait pas poser problème. L'emploi d'une carte est recommandé, ne serait-ce que pour donner un nom aux vallées et aux villages que l'on croise. Les cartes IGN au 1/25 000 (Top 25, série bleue) sont bien conçues, précises et largement distribuées. Il faut cependant compter 6 ou 7 cartes pour la totalité du GR®.

Les sentiers reliant le GR®20 aux villages situés en contrebas sont généralement balisés en jaune. Attendez-vous cependant à un balisage confus ou insuffisant sur les moins fréquentés. Il est donc recommandé, pour ces derniers, de se munir de cartes au 1/25 000.

Réglementation

Il est strictement interdit de faire du feu sur l'ensemble du parcours et de pratiquer le camping sauvage. Le camping est autorisé aux emplacements spécialement prévus à proximité des refuges. Des écriteaux vous rappelleront cette interdiction dans plusieurs endroits stratégiques. Respectez le patrimoine botanique et abstenez-vous de cueillir des fleurs : plusieurs espèces sont protégées. Emportez vos détritus et jetez-les en fin de journée dans les poubelles des refuges.

ÉTAPE 1

Calenzana (275 m) – Bonifato (536 m)
Balisage : orange
Difficulté : difficile
Durée moyenne : 4 heures
Point culminant : 581 m

Cette première journée de marche, à fort dénivelé, confronte d'emblée aux rudes conditions du GR®20, qui peuvent paraître "violentes" physiquement et moralement. Une longue ascension, à découvert et sans point d'eau, conduit à franchir une succession de lignes de crête, pratiquement sans aucune descente en guise de répit. Pour ceux qui veulent une première journée plus douce, nous conseillons de court-circuiter l'étape 1 et de partir de l'Auberge de la Forêt à Bonifato, accessible par la route (D251) en taxi depuis Calvi (20 km) et de rejoindre directement en 2 heures le refuge de Carozzu (refuge de la 2ᵉ étape). Voir le descriptif de cet accès parallèle à la fin de la 2ᵉ étape.

Descriptif de la randonnée

La randonnée démarre en serpentant jusqu'au sommet du village, avant que le chemin ne grimpe ferme à travers les fougères en dévoilant de belles vues sur Calenzana et Moncale, autre village à flanc de coteau.

Un peu plus haut, quand le sentier s'engage dans les forêts de pins, on découvre la mer et Calvi. À moins d'une heure de Calenzana, vous arriverez à la hauteur du panneau "Carrefour de sentiers" (550 m), qui marque la séparation entre le GR®20 et le Mare e Monti® nord, qui relie Calenzana à Cargèse. Ceux qui auront choisi l'option via Bonifato suivront le balisage orange, sur la droite (reportez-vous à la fin de cette étape). Le GR®, balisage rouge et blanc, continue sur la gauche.

Le chemin atteint peu après les rochers de la Bocca di Ravalente, à 616 m.

Après le col, d'où la vue s'étend sur une vaste vallée en terrasse, le sentier contourne ladite vallée en croisant plusieurs petits cours d'eau, sans doute asséchés en fin de saison, avant de monter assez doucement jusqu'à 820 m. Après ce tronçon facile, le chemin grimpe en lacets jusqu'au col de **Bocca a u Saltu** (1 250 m), endroit tout désigné pour un pique-nique, à environ 3 heures 30 de marche depuis le départ. De l'autre côté de la crête, sur la face nord-est du Capu Ghiovu, l'itinéraire devient encore plus escarpé, obligeant parfois à se servir de ses mains pour se hisser sur les rochers – prélude aux passages techniques qui vous attendent d'ici à quelques jours.

La montée s'adoucit avant d'atteindre le sommet, après environ 5 heures 30 de marche. Bien dégagé et tapissé d'herbe, le col de **Bocca a u Bassiguellu** (1 486 m) peut être l'occasion d'une halte agréable à l'ombre des pins. Le chemin continue en traversant un paysage rocheux et dépourvu d'abri mais relativement plat. On aperçoit alors le refuge, de l'autre côté de la vallée, à une demi-heure de marche. Ce dernier tronçon semble ardu, mais se révèle plus facile qu'il n'y paraît. Un ultime raidillon mène au refuge. Le repos est bien mérité à la fin de cette journée passée presque entièrement à grimper d'une crête à l'autre. Nul doute que certains randonneurs trouvent éprouvante cette première étape, a fortiori au cœur de l'été, lorsque les cours d'eau sont à sec.

Les marcheurs les plus endurants auront peut-être envie de gravir le proche **Monte Corona** (2 144 m). Un chemin, balisé par des cairns et des traits de peinture, part juste derrière le refuge et grimpe jusqu'à la **Bocca di Tartaghjine** (1 852 m). De là, prenez vers le sud et suivez en grimpant la ligne de crête rocheuse jusqu'au moment où vous voyez le sommet arrondi, couvert de pierres branlantes, signalé par un cairn. Le panorama, superbe, s'étend du refuge en contrebas jusqu'à la côte nord. Comptez de 2 heures 30 à 3 heures aller-retour depuis le refuge.

🛏 Où se loger et se restaurer

À 1 570 m, le **refuge d'Ortu di u Piobbu** (dort 11 €, camping 6 €) abrite 30 lits et l'espace ne manque pas pour planter sa tente, sur les pentes en contrebas du bâtiment ou derrière, au milieu des arbres. Vous ne trouverez qu'une seule douche et un seul WC, plutôt sommaires. Le gardien propose quelques plats et des boissons.

ÉTAPE 2

Refuge d'Ortu di u Piobbu (1 570 m) – refuge de Carozzu (1 270 m)
Kilométrage : 8 km
Difficulté : difficile
Durée moyenne : 6 heures 30
Point culminant : 2 020 m
Remarque : deux itinéraires possibles ; le plus classique traverse une chaîne montagneuse de part en part, l'autre l'évite en contournant le massif par l'ouest via Bonifato. Il est par ailleurs possible de rejoindre le GR® à ce stade depuis la forêt de Bonifato. Reportez-vous à l'encadré p. 109.

Une journée de marche variée : après une brève montée et descente suivent une ascension longue et ardue jusqu'à 2 020 m d'altitude, puis une traversée dans un paysage rocheux souvent spectaculaire. La dernière portion consiste en une descente vers le refuge, si longue qu'elle en paraît interminable.

Descriptif de la randonnée

Le parcours commence par une montée en pente douce, au milieu d'une forêt de pins, jusqu'à la ligne de crête (1 630 m) d'où s'étend une vue qui pourrait en décourager plus d'un : juste en face de vous, une descente à pic plonge au fond de la vallée, tandis que de l'autre côté se dresse un versant long et abrupt menant à une ligne de crête plus élevée encore.

Le chemin descend rapidement dans la vallée, en croisant les ruines de la **bergerie de Mandriaccia** (1 500 m) et le torrent du même nom, avant de se transformer en un long raidillon sur l'autre versant. À mi-chemin de cette implacable ascension jaillit une source d'eau potable.

Quelque 3 heures de marche vous mèneront à la **Bocca Piccaia** (1 950 m), après avoir monté 500 m depuis le fond de la vallée. Le peu d'ombre tout au long du chemin rend l'ascension particulièrement rude aux heures chaudes de la journée.

Le sommet vous réserve le choc d'un panorama très différent de ce que vous avez vu jusque-là : de l'autre côté de la crête s'étend un paysage de précipices et de roches dénudées ponctué d'aiguilles rocheuses. Quel contraste, alors même que le versant nord vous paraissait déjà abrupt et rocailleux !

Le sentier ne franchit pas tout de suite la ligne de crête, mais s'attarde sur le versant nord à une altitude assez élevée (2 020 m), avant de passer de l'autre côté et de descendre doucement jusqu'à la **Bocca d'Avartoli** (1 898 m).

En contournant les versants sud et ouest de la ligne de crête suivante, le chemin descend à pic avant de remonter de façon abrupte pour franchir le prochain col. Il passe ensuite sur le versant est de la crête, puis vous ramène du côté ouest à la Bocca Carozzu ou **Inuminata** (1 865 m), après 5 heures de marche environ. De là, on entame la longue et quelque peu fastidieuse descente vers le refuge. Au début, le sentier se compose de gravillons.

NORD-SUD OU SUD-NORD ?

Dans quelle direction faire le GR® ? Près des deux tiers des randonneurs optent pour le trajet nord-sud. Accès à Calenzana plus facile, description du topo-guide faite dans ce sens, habitudes... Nous avons suivi le mouvement, mais il n'existe pas vraiment de raison objective. Certains plaident en faveur du trajet sud-nord, en se basant sur le fait que le tronçon sud, plus facile, favorise l'adaptation de l'organisme à l'effort. D'autres, à l'opposé, préfèrent commencer par les étapes du nord, tant qu'ils sont "frais". Des randonneurs préfèrent enfin l'option sud-nord pour la simple raison que le nombre de marcheurs est plus faible dans ce sens.

Le GR®20 ? Une carte de visite enviée et prestigieuse, que tout marcheur rêve d'entreprendre. Le profil du "géhériste" ? Il est français, allemand, anglais ou hollandais. Il y a les forçats des temps modernes, venus expier le stress d'une année sur ses dénivelés ; les inconditionnels de la performance qui, obnubilés par leur montre, avancent au pas cadencé et ne s'autorisent aucune fantaisie ; les organisés, qui ont préparé leur parcours comme un plan de vol, calculant au gramme près les rations d'aliments lyophilisés ; les doux dingues – dont un certain nombre renoncent – venus tenter l'aventure sans préparation sur ce parcours de légende, juste "pour voir". Les chiffres, sans pitié, sont là pour rappeler que sur les plus de 12 000 personnes qui relèvent chaque année le défi, plus de la moitié abandonnent en cours de chemin.

Et il y a ceux, de plus en plus nombreux, pour qui GR® n'est pas synonyme de travaux forcés. Ces randonneurs vivent l'itinéraire non comme un défi, mais comme une expérience, un moyen de découverte, et aspirent à concilier effort et art de vivre. C'est résolument dans cette optique que nous avons conçu cette rubrique : agrémenter l'"esprit GR®" d'une touche d'épicurisme. Notre propos n'est pas d'ôter au GR® sa dimension "aventure" – son côté sportif fait une grande partie de son aura –, mais simplement de donner quelques clés au randonneur pour qu'il vive sa ou ses semaines de marche dans de meilleures conditions. À cette fin, nous avons détaillé les possibilités de "décrochage" et d'accès aux villages qui nous paraissaient les plus intéressantes, c'est-à-dire les sentiers aménagés qui relient le GR® aux localités les plus proches. Bien sûr, il ne s'agit pas de descendre dans la vallée à chaque fois – la rupture de rythme serait trop grande –, mais d'échapper, l'espace d'un jour, aux rigueurs d'"en haut" et de rompre ainsi avec les refuges surpeuplés – bref, de se ressourcer. L'idéal, à notre avis, est de descendre une fois entre Calenzana et Vizzavona (première semaine, GR® nord) et une seconde fois entre Vizzavona et Conca (GR® sud). Lors de la préparation de votre voyage, pensez à intégrer ces crochets dans votre itinéraire et composez-vous un GR® "à la carte" en utilisant ces chemins de traverse. Pensez également à profiter des possibilités de restauration à chaque étape, dans les refuges, ainsi que dans les quelques hôtels-restaurants traversés par le GR® (à Haut-Asco, au col de Verghio, au col de Verde, au col de Vizzavona, au col de Bavella, aux bergeries de Tolla...).

Sans parler de l'aspect culturel et humain : ces brèves incursions dans des vallées reculées vous permettront de faire plus ample connaissance avec des villages où l'"âme corse" est encore bien vivace. Ne faites pas comme ces forcenés qui, de l'aéroport, filent directement à Calenzana, avalent leur parcours et, arrivés à Conca, prennent l'avion du retour le dernier jour. Et n'ont fait que passer.

Ne manquez pas de vous retourner pour admirer les vues magnifiques que procurent les deux dernières heures de marche.

Il faut attendre d'être suffisamment bas au cours de cette interminable descente pour que des arbres offrent enfin un peu d'ombre. Le sentier croise un torrent peu avant le refuge.

🛏 Où se loger et se restaurer

Le **refuge de Carozzu** (dort 11 €, camping 6 €), à 1 270 m, bénéficie d'un cadre merveilleux : il est entouré sur trois côtés par des parois rocheuses et donne, sur le quatrième, sur une terrasse qui domine la vallée, à l'ouest. L'endroit dispose de 24 lits et offre un large choix d'emplacements pour camper dans les

bois alentour. Vous trouverez de la soupe corse, des omelettes au fromage, ainsi que des boissons, alcoolisées ou non, des assiettes de charcuterie mais pas de provisions. La douche est plus que sommaire, mais un bloc sanitaire était en cours de construction lors de notre passage.

ÉTAPE 3

**Refuge de Carozzu (1 270 m)
– refuge d'Asco Stagnu
(Haut-Asco, 1 422 m)**
Kilométrage : 6 km
Difficulté : moyenne à difficile
Durée moyenne : 5 heures
Point culminant : 2 010 m

Cette étape s'avère à peine plus facile que celles des 2 jours précédents : elle comporte une brève montée et descente, le franchissement du pont sur la Spasimata, des passages de blocs rocheux équipés de câbles, puis une longue mais souvent spectaculaire ascension jusqu'au lac de la Muvrella. Après quoi, il ne reste plus qu'une courte montée jusqu'à la dernière crête – Bocca a i Stagni (2 010 m) – avant la descente sur la station de ski de Haut-Asco (1 422 m).

Descriptif de la randonnée

La mise en jambes commence par la montée d'un petit chemin en lacets, au milieu des rochers et de la forêt, jusqu'à une ligne de crête. Une descente à peine plus longue mène ensuite à la Spasimata (1 220 m d'altitude), rivière que l'on franchit grâce à un **pont suspendu**. Au début, le sentier longe la rivière en traversant de longues plaques rocheuses pentues. Des câbles plastifiés offrent parfois une prise rassurante, mais ces tronçons rocheux peuvent être dangereusement glissants en cas de pluie.

S'éloignant de la rivière et de la fraîcheur tentatrice de ses bassins, le chemin commence ensuite une longue ascension au milieu des rochers jusqu'au **lac de la Muvrella** (1 860 m), que l'on atteint après environ 2 heures 15 de marche (l'eau du lac n'est pas potable). En regardant derrière vous sur la fin de l'ascension, vous apercevrez Calvi sur la côte nord. Depuis le lac, il ne reste qu'une courte escalade (environ 20 min) en s'agrippant avec les mains pour gagner la crête, taillée au couteau. Après une brève descente sur l'autre versant, il faut encore monter environ 30 min sur le flanc d'A'Muvrella jusqu'à la **Bocca a i Stagni** (2 010 m).

Le chemin franchit ensuite le col, puis entame la longue plongée vers **Haut-Asco**, que l'on aperçoit distinctement au fond de la vallée, soit une descente assez pénible de 600 m (comptez de 1 heure 15 à 1 heure 30) qui traverse une forêt de pins larlicios sur le dernier tiers.

Comme la plupart des stations de ski hors saison, Haut-Asco a un peu grise mine en été avec son côté désert. Elle fait, quoi qu'il en soit, office d'oasis pour les marcheurs après les conditions spartiates des journées précédentes.

🛏 Où se loger et se restaurer

À 1 422 m, le **refuge d'Asco Stagnu** (☏04 95 47 86 83 ; dort 11 € ; camping 6 € ; ravitaillement)

offre 32 lits en chambre de 2, 4 ou 6. Il est doté de douches avec eau chaude, d'une vaste cuisine, d'un espace où dîner et d'une terrasse où prendre le soleil. La place ne manque pas pour planter sa tente sur les pistes de ski herbues. Les campeurs pourront bénéficier de la douche chaude au refuge. L'accueil de la sympathique gardienne figure également en tête sur la liste de ses attraits.

L'autre possibilité d'hébergement est **le Chalet** ; pour plus de détails sur cet établissement privé, reportez-vous p. 286.

Il existe un téléphone public dans le bar de l'hôtel et une cabine téléphonique en face du refuge, au pied du remonte-pente. Vous trouverez de quoi vous ravitailler au refuge, ainsi qu'au Chalet, tous deux très bien approvisionnés (pain, plats lyophilisés, saucisson, fromage, barres énergétiques, chocolat, céréales et fruits frais).

Haut-Asco est accessible par la D147, qui rejoint la N197 à 2 km au nord de Ponte-Leccia. Vous pouvez donc éventuellement quitter le GR® ou le commencer à Haut-Asco (mais Haut-Asco n'est pas accessible par les transports en commun ; il vous faudra faire du stop).

ÉTAPE 4

Refuge d'Asco Stagnu (1 422 m) – bergeries de Ballone (1 440 m)
Kilométrage : 8 km
Difficulté : difficile ; passages techniques (mains courantes) dans le cirque de la Solitude ; parcours faiblement ombragé
Durée moyenne : 7 heures
Point culminant : 2 218 m
Remarque : possibilité de rejoindre les villages de Calasima et d'Albertacce en fin d'étape

Ce tronçon est considéré comme le plus spectaculaire du GR®20. Il commence par une longue ascension suivie par l'impressionnante traversée du cirque de la Solitude, fermé au sud par le Bocca Minuta (2 218 m) – l'un des temps forts du GR®. Cet exaltant parcours est suivi d'une longue descente vers le refuge de Tighjettu (1 640 m) et les bergeries de Ballone (1 440 m).

Descriptif de la randonnée

De Haut-Asco, le sentier file sur la gauche (vers le sud) en bordure de la piste de ski. On risque facilement de perdre sa trace au début, quand il s'éloigne des pentes pour s'enfoncer dans les bois. Pendant 45 min environ, vous cheminez à l'ombre des pins laricios, sur un sentier en pente régulière, avant d'arriver sur un replat dénudé, d'où l'on découvre un grand amphithéâtre cerné de pics. Le sentier se dirige vers le fond de cet amphithéâtre – une longue marche à terrain découvert, sur du faux plat, avant d'attaquer franchement la montée dans un paysage de rocailles jusqu'au site d'**Altore** (2 000 m), où se trouve un petit lac, à 2 heures de marche depuis le départ environ. Faites une pause dans ce décor totalement minéral, avant d'entreprendre la montée jusqu'à la **Bocca Tumasgina** (2 183 m), très escarpée (45 min de montée). Arrivé au col, on découvre une vue exceptionnelle sur le **cirque de la Solitude**, le ravin, et la mer au loin.

C'est sans doute la vision la plus impressionnante de tout le GR®20. La plupart des randonneurs restent stupéfaits : comment imaginer qu'il soit possible de descendre la paroi abrupte de cette vallée suspendue et de remonter sur l'autre flanc ?

La descente dure en moyenne 50 min (souvent plus pour les marcheurs qui n'ont pas le pied sûr), à l'aide de chaînes fixées le long de la paroi rocheuse. Les randonneurs se trouvant souvent les uns au-dessous des autres, à la verticale, vous devrez faire particulièrement attention à ne pas détacher de pierres en cheminant. Pour la remontée, prévoyez une bonne heure, également à l'aide de chaînes et d'échelles, dans un paysage composé au départ de dalles (presque verticales), auxquelles succèdent des éboulis et un couloir empierré. Arrivé au col de **Bocca Minuta** (2 218 m), qui signifie la fin de la remontée et la sortie du cirque de la Solitude, on est récompensé par une vue exceptionnelle, et l'on distingue le refuge de Tighjettu en contrebas. Le paysage change radicalement une fois la crête passée, pour devenir plus vaste et ouvert. La descente jusqu'au refuge (1 640 m), assez éprouvante, demande environ 1 heure 20, au milieu de pierres et de dalles.

🛏 Où se loger et se restaurer

Le **refuge de Tighjettu** (dort 11 €, camping 6 € ; ravitaillement), à 1 640 m, compte 44 places. Il est très bien entretenu. Deux douches (froides) et 2 WC sont à disposition en contrebas. Le gardien vend un peu de ravitaillement (pâtes, conserves, biscuits, barres énergétiques, saucisson) et des boissons, alcoolisées (vin, bière) ou non, et prépare également des plats du jour,

À BOIRE, À BOIRE

Vous trouverez un point d'eau aménagé au moins à chaque refuge. Entre les deux, les possibilités sont rares. Nous les indiquons dans les descriptifs d'étape. Cependant, par prudence, nous recommandons de prendre avec soi de quoi se désaltérer pour la journée (2 litres est un minimum). Quant à l'eau des ruisseaux, elle ne présente aucune garantie. N'y ayez recours qu'en cas de nécessité. Purifiez-la si possible avec des pastilles désinfectantes.

notamment des spaghettis sauce Tighjettu ou des omelettes. Vu le peu d'espace pour planter une tente autour du refuge, nombre de campeurs préfèrent s'installer plus bas, au bord de la rivière. Attention, cette dernière peut gonfler dangereusement en cas d'orage.

S'il vous reste quelque énergie, vous avez intérêt à pousser jusqu'aux **bergeries de Ballone** (☑06 12 03 44 65 ; www.bergeriedeballonegr20.com ; lit sous tente 6 €, camping 5 € ; ☺juin-oct) à 45 min de marche en descente (1 440 m). À mesure que l'on approche de la vieille ferme, le chemin devient moins raide, les arbres et la végétation sont plus fournis et l'on aperçoit la petite rivière qui étincelle en serpentant dans la vallée. Les tentes sont en bon état et comprennent un petit matelas. Le restaurant-bar des bergeries est réputé pour sa copieuse cuisine. Il propose un menu corse avec trois plats, une petite carte (crudités, charcuterie, daube, pâtes, omelettes, soupe corse), ainsi que des sandwichs, du fromage, du saucisson et du chocolat (mais rien d'autre en matière de ravitaillement). Après ce grand moment qu'est la traversée du cirque de la Solitude, c'est un délice de siroter une bière bien fraîche sur la terrasse des bergeries, en contemplant la ravissante petite vallée boisée alors que le soleil se couche derrière la chaîne de montagnes.

Liaison village

Il est à noter qu'un décrochage vers les petits villages de **Calasima** et d'**Albertacce** est possible depuis les bergeries de Ballone. Des bergeries, un sentier part sur la gauche vers la "grotte des Anges" pour rejoindre une route forestière, puis la D318.

Comptez 1 heure 30 pour Calasima, puis 45 min par la route pour rejoindre Albertacce, où vous trouverez des offres d'hébergement et de restauration, ainsi que des transferts en bus vers Corte et Porto. À l'entrée du village de Calasima, en venant des bergeries de Ballone, vous pouvez également rejoindre Albertacce en récupérant un sentier balisé qui vous connectera, après 1,5 km, au sentier du Mare a Mare® nord, que vous prendrez sur la gauche. Pour des détails sur ces villages, reportez-vous p. 279.

ÉTAPE 5

Bergeries de Ballone (1 440 m) – Castel di Verghio (1 404 m)
Kilométrage : 13 km
Difficulté : moyenne ;
parcours partiellement ombragé
Durée moyenne : 6 heures 30
Point culminant : 2 000 m
Remarque : possibilité de demi-étape au refuge de Ciottulu di i Mori

Variée, la marche de la journée commence par une montée tranquille à travers la forêt. Le chemin devient ensuite raide et rocailleux à l'approche d'un col situé en dessous de la Paglia Orba. Il contourne le versant sud de la Paglia Orba (2 525 m) et plonge dans la vallée boisée du Golo, qu'il suit, pour continuer vers la station de ski de Castel di Verghio (1 404 m). L'itinéraire longe des cours d'eau la plupart du temps.

Descriptif de la randonnée

Tout commence par une longue marche d'approche, dans les pins, assez facile (comptez 1 heure 30), qui contourne les flancs de la Paglia Orba. Ensuite les choses sérieuses commencent, cette fois en terrain découvert, sur des dalles abruptes, avec des passages escarpés par endroits ; en vous retournant, vous distinguerez le village de Calacuccia et le lac, dans la vallée du Niolo. Comptez 1 heure 30 de progression avant d'arriver, enfin, au col de **Bocca di Fogghiale** (1 962 m), sur une crête, d'où l'on bénéficie d'une vue époustouflante, très bien dégagée. On continue à monter, doucement cette fois, pendant environ 15 min, en restant sur la crête, avant d'obliquer et de descendre au refuge de Ciottulu di i Mori (1 991 m), que l'on rejoint un quart d'heure plus tard environ.

Juste derrière le refuge se dresse la **Paglia Orba** (2 525 m), troisième sommet de Corse. Si vous décidez de faire halte à cet endroit, profitez-en pour effectuer l'itinéraire qui passe par le col des Maures et mène au sommet (3 heures aller-retour). Méfiez-vous cependant du dernier tronçon : il comporte des passages relativement difficiles, déconseillés aux débutants. On peut aussi monter au **Tafunatu** (1 heure 30 aller-retour).

🛏 Où se loger et se restaurer

Demi-étape : le **refuge de Ciottulu di i Mori** (dort 11 €, camping 6 € ; ravitaillement) est le refuge le plus haut de tout le GR®20. Il compte 24 lits. La terrasse, qui s'étend sur toute la largeur du bâtiment, offre une belle vue sur la vallée. On y mange très bien ; le copieux menu est servi à toute heure et comprend une soupe ou des crudités, des macaronis et du fromage. Également omelettes, soupe corse, charcuterie, salade, sandwichs et petit ravitaillement (barres chocolatées, lait concentré, biscuits). Et, bien sûr, du vin et de la bière.

Descriptif de la randonnée (depuis le refuge de Ciottulu di i Mori)

Le sentier reste sur la crête dénudée pendant environ 30 min, avant de plonger brutalement dans la **vallée du Golo**, que l'on rejoint au bout d'une demi-heure de descente environ, escarpée, au milieu des pierres. Une fois arrivé au ruisseau, à la cote 1 700 m, on longe le cours de la rivière, dans une vallée encaissée, et l'on rejoint une passerelle au bout de 1 heure 10 ; profitez-en pour faire des arrêts baignades dans les eaux cristallines du Golo. À 10 min après la passerelle, on débouche sur les **bergeries de Radule** (1 370 m), où l'on peut parfois acheter du fromage frais, de mi-juin à mi-septembre. Une structure d'accueil y était en construction lors de notre dernier passage.

Le dernier tronçon se déroule au milieu des forêts de hêtres du Valdo Niello. Attention, peu après les bergeries de Radule, le balisage était défectueux lors de notre dernier passage (suivez les cairns). Au bout de 45 min, vous déboucherez sur une clairière, où se trouve l'embranchement pour le Mare a Mare® nord, bien signalé ; continuez dans la forêt et, moins d'une demi-heure plus tard, vous déboucherez (enfin !) sur la D84, à 100 m à l'ouest de Castel di Verghio (1 404 m). Les pistes de ski s'étendent de l'autre côté de la route.

🛏 Où se loger et se restaurer

Pour des détails sur l'hôtel Castel di Verghio, reportez-vous p. 142.

ÉTAPE 6

**Castel di Verghio (1 404 m)
– refuge de Manganu (1 601 m)**
Kilométrage : 14 km
Difficulté : moyenne ;
parcours partiellement ombragé
Durée moyenne : 5 heures 30
Point culminant : 1 883 m
Remarque : accès possible aux villages
de Soccia et d'Orto en fin d'étape

Voilà une journée facile et agréable : elle débute par une balade en forêt, se poursuit par une bonne grimpette jusqu'à la Bocca a Reta – un col situé à 1 883 m – et redescend sur le magnifique lac de Nino (1 760 m). Le reste de l'étape, une fois les bergeries de Vaccaghja (1 621 m) passées, consiste essentiellement en une descente jusqu'à la halte de la nuit.

Descriptif de la randonnée

Un fait exceptionnel marque le début de la journée : le GR®20 croise la D84, seule route que vous pourrez voir au cours des 9 jours de marche qui séparent Calenzana de Vizzavona !

Après avoir traversé la route, le GR®20 chemine gentiment au milieu des pins laricios et des hêtres de la **forêt domaniale de Valdu Niellu**, descendant doucement jusqu'à 1 330 m (comptez 1 heure de marche), puis effectue une grimpette de 20 min jusqu'au petit oratoire situé à la **Bocca San Petru** (ou col de Saint-Pierre – 1 452 m).

Après le col, le sentier continue sa montée en suivant un ancien chemin muletier soigneusement dallé de pierres. Des vues superbes s'étendent vers l'est, où l'on découvre des successions de chaînes de collines, tandis qu'au nord le regard porte de l'hôtel et des pentes de ski de Castel di Verghio jusqu'à la vallée du Golo et la Paglia Orba. Le sentier monte régulièrement sur une crête, s'en écarte pour continuer sous un couvert végétal, puis remonte à nouveau sur la crête, puis reste à flanc, avant de rejoindre la **Bocca a Reta** (1 883 m). De la Bocca San Petru à la Bocca a Reta, comptez 1 heure 45 de progression.

De là, on descend jusqu'au **lac de Nino** (1 760 m), en 30 min (soit un peu plus de 3 heures de marche effective depuis le début de l'étape). Scintillant au milieu des prairies verdoyantes, le lac offre un havre de tranquillité qui incite de nombreux randonneurs à pique-niquer sur ses berges. Une **source** est aménagée dans un oratoire, juste au-dessus du lac.

Le chemin continue vers l'est en suivant le cours du Tavignano, déversoir des eaux du lac. Il traverse des prairies, puis – après les

---

RANDONNÉES ORGANISÉES

Plusieurs prestataires organisent des randonnées guidées, encadrées par des moniteurs qualifiés, à la carte ou sous forme de circuits, dans toute l'île, ainsi que divers produits "loisirs". Certaines sociétés proposent le portage de votre sac à chaque étape.

» **Couleur Corse** (☎04 95 10 52 83 ; www.couleur-corse.com ; 6 bd Fred-Scamaroni), à Ajaccio. Circuits adaptés sans portage en privilégiant les petits villages.

» **Compagnie régionale des guides et accompagnateurs en montagne de Corse** (☎04 95 48 05 22, 06 22 50 70 29 ; www.asniolu.com), à Calacuccia. Voir l'AS Niolu p. 279.

» Guides et accompagnateurs en montagne : **Jean-Paul Quilici** (☎04 95 78 64 33 ou 06 16 41 18 53 ; www.canyoningcorse.net) ; **Pierre Grisgelli** (☎04 95 65 48 00) ; **Pierre Piétri** (☎04 95 32 62 76).

» **In Terra Corsa** (☎04 95 47 69 48 ; www.interracorsa.fr), à Ponte-Leccia.

» **A Montagnola** (☎04 95 78 65 19 ; www.a-montagnola.com), à Quenza.

» **Sud Corse Rando** (☎06 23 08 39 44)

Pour toute information complémentaire sur la randonnée pédestre, contactez le PNRC (www.parc-naturel-corse.com) ou le **Comité régional de la randonnée pédestre de Corse** (☎06 38 84 14 25 ; comitecorserandonnee@gmail.com ; BP 34, bd Wilson, 20260 Calvi).

LE TABLEAU DE BORD DU GR®20

Sont indiqués les départs et arrivées d'étape, les altitudes, les durées moyennes, les variantes éventuelles de l'itinéraire, les possibilités de demi-étape, de décrochage vers des villages, de ravitaillement, ainsi que les possibilités d'hébergement (autres que les refuges et les bivouacs). Sont également identifiées les routes qui, croisant le sentier, offrent autant d'occasions d'entrer ou de sortir du GR®20.

Étape 1 : Calenzana (275 m) – refuge d'Ortu di u Piobbu (1 570 m), 7 heures
Ravitaillement et petite restauration au refuge d'Ortu di u Piobbu
Possibilité d'un démarrage en douceur depuis l'Auberge de la Forêt à Bonifatu
Hébergement et restauration à l'Auberge de la Forêt

Étape 2 : Refuge d'Ortu di u Piobbu (1 570 m) – refuge de Carozzu (1 270 m), 6 heures 30
Ravitaillement et petite restauration au refuge de Carozzu
Variante possible depuis l'Auberge de la Forêt (hébergement et restauration), à Bonifato
Route D251 à Bonifato

Étape 3 : Refuge de Carozzu (1 270 m) – refuge d'Asco Stagnu (Haut-Asco) ou chalet Haut-Asco (1 422 m), 5 heures
Restauration et ravitaillement au refuge d'Asco Stagnu, hébergement et restauration au chalet Haut-Asco
Route D147 (qui rejoint la N197)

Étape 4 : Refuge d'Asco Stagnu (1 422 m) – refuge de Tighjettu ou bergeries de Ballone (1 440 m), 7 heures
Ravitaillement au refuge de Tighjettu et restauration aux bergeries de Ballone
Décrochage possible sur les villages de Calasima et d'Albertacce en fin d'étape

Étape 5 : Bergeries de Ballone (1 440 m) – Castel di Verghio (1 404 m), 7 heures
Hébergement, restauration et ravitaillement à Castel di Verghio
Demi-étape possible au refuge de Ciottulu di i Mori (restauration et ravitaillement)
Route D84 (bus vers Corte ou Porto)

Étape 6 : Castel di Verghio (1 404 m) – refuge de Manganu (1 601 m), 5 heures 30
Petite restauration et ravitaillement au refuge de Manganu
Décrochage possible sur les villages de Soccia et d'Orto en fin d'étape

Étape 7 : Refuge de Manganu (1 601 m) – refuge de Petra Piana (1 842 m), 6 heures
Petite restauration et ravitaillement au refuge de Petra Piana

vestiges d'un refuge abandonné – des pans de forêts de hêtres, jusqu'aux **bergeries de Vaccaghja** (1 621 m), à 1 heure-1 heure 30 de marche du lac. Du fromage est en vente de juin à septembre.

Le paysage est exceptionnel : on surplombe une vaste cuvette, entourée de montagnes pelées, où paissent des chevaux. De l'autre côté de la cuvette, on aperçoit le refuge de Manganu, à moins d'une heure de marche.

Le sentier dévale ensuite doucement de la bergerie jusque dans la cuvette, puis remonte jusqu'à un petit col, la **Bocca d'Acqua Ciarniente** (1 568 m), où se trouve l'embranchement pour les villages de Soccia et d'Orto (2 heures 30 à 3 heures).

Le sentier se transforme ensuite en un court mais dur raidillon qui franchit le pont sur le Manganu et conduit au refuge de Manganu (1 601 m).

Où se loger et se restaurer

L'agréable **refuge de Manganu** (dort 11 €, camping 6€) est doté de 31 lits et de bonnes

Étape 8 : Refuge de Petra Piana (1 842 m) – refuge et bergeries de l'Onda (1 430 m), 5 heures
Petite restauration et ravitaillement à la bergerie de Tolla et aux bergeries de l'Onda
Décrochage possible vers les villages de Canaglia et de Tattone en cours d'étape, par la vallée (5 heures)
Variante possible par les crêtes (4 heures). Possibilité de décrochage vers Guagno (4 heures) en début d'étape par la variante alpine

Étape 9 : Refuge et bergeries de l'Onda (1 430 m) – Vizzavona (920 m), 5 heures 30
Hébergement, restauration et ravitaillement à Vizzavona
Variante possible par le Monte d'Oro, au nord
Route N193 (train et bus vers Bastia, Ajaccio et Calvi)

Étape 10 : Vizzavona (920 m) – bergeries de Capanelle (1 586 m), 5 heures 30
Hébergement, restauration et ravitaillement aux bergeries de Capanelle
Décrochage possible vers le village de Ghisoni (4 heures 30)

Étape 11 : Bergeries de Capanelle (1 586 m) – col de Verde (1 289 m), 5 heures
Restauration et ravitaillement au col de Verde
Route D69
Possibilité de poursuivre jusqu'au refuge de Prati (1 820 m, 2 heures) pour réduire la longue étape 12

Étape 12 : Col de Verde (1 289 m) – refuge d'Usciolu (1 750 m), 7 heures à 7 heures 30
Ravitaillement et petite restauration au refuge de Prati
Ravitaillement et petite restauration au refuge d'Usciolu
Décrochage possible vers le village de Cozzano (6 heures)

Étape 13 : Refuge d'Usciolu (1 750 m) – refuge d'A Matalza (1 430 m), 5 heures
Ravitaillement et petite restauration au refuge d'A Matalza
Restauration aux bergeries de Bassetta
Décrochage possible vers le village de Zicavo (2 heures)
Route D428

Étape 14 : Refuge d'A Matalza (1 430 m) – refuge d'Asinao (1 530 m), 4 heures 30
Ravitaillement et petite restauration au refuge d'Asinao

Étape 15 : Refuge d'Asinao (1 530 m) – refuge di Paliri (1 055 m), par la variante alpine, 6 heures 15
Demi-étape possible à Bavella (hébergement et restauration)
Pas de ravitaillement ni de petite restauration au refuge de Paliri
Décrochage possible vers le village de Quenza (5 heures)

Étape 16 : Refuge di Paliri (1 055 m) – Conca (252 m), 5 heures
Hébergement, restauration et ravitaillement à Conca
Route D168

douches et toilettes. L'herbe abonde alentour pour planter sa tente et le Manganu offre tout un choix d'endroits tentants pour la baignade. Un plat du jour est proposé, ainsi que des boissons et du ravitaillement (saucisson, chocolat, salades, pâtes, biscuits), mais pas de fromages ni de petit-déjeuner.

Liaison village

Accès aux villages de **Soccia** et d'**Orto**. Vu la relative facilité de la marche de la journée, les randonneurs qui n'ont pas lézardé trop longtemps sur les rives du lac de Nino peuvent avoir envie de descendre jusqu'au lac de Creno (1 310 m), accessible en 1 heure à peine du refuge de Manganu, vers l'ouest. Entouré de pins, ce lac aux abords agréables constitue un but de promenade très couru à partir du village de Soccia (voir p. 161, pour en savoir plus sur cette promenade et sur le lac). Moyennant 1 heure 30 supplémentaire de marche, vous arriverez à Soccia. Juste après le lac de Nino, un autre sentier rejoint le village d'Orto (700 m).

**Refuge de Manganu (1 601 m)
– refuge de Petra Piana (1 842 m)**
Kilométrage : 10 km
Difficulté : difficile
Durée moyenne : 6 heures
Point culminant : 2 225 m
Remarque : possibilité d'ascension du Monte
Rotondo (2 622 m) en fin d'étape

*Très spectaculaire, cette étape commence
par une ascension ardue jusqu'à la brèche
de Capitellu, point culminant du GR®20
(2 225 m), qui se prolonge par une progression sur des arêtes rocheuses, en surplomb
de deux lacs glaciaires, avant une longue
descente sur le refuge de Petra Piana.*

Descriptif de la randonnée

La montée vers la brèche de Capitellu n'est
pas immédiate. En guise de hors-d'œuvre,
on commence par une marche d'approche
d'environ 1 heure 15, sous forme d'une
montée progressive, dans la vallée, le long
d'un ruisseau, puis dans une prairie. On
rejoint le fond d'un amphithéâtre montagneux, et là, les choses sérieuses commencent : la montée est très abrupte, au milieu
d'éboulis, dans un couloir rocheux, jusqu'à
la **brèche de Capitellu** (2 225 m), une
étroite et spectaculaire trouée dans la ligne
de crête hérissée d'aiguilles, que l'on rejoint
au bout de 2 heures/2 heures 30 de marche
depuis le refuge de Manganu. La vue est
éblouissante : en contrebas miroitent le **lac
de Capitellu** et, plus loin, le **lac de Melo**

(1 711 m). Au premier abord, on ne soup-
çonne pas que ces deux plans d'eau sont à
des altitudes différentes.

Le chemin oblique alors vers le sud-est
et longe une crête escarpée, haut au-dessus
du lac, et passe tantôt d'un côté de la crête,
tantôt de l'autre. Certains passages néces-
sitent l'aide des mains.

La neige qui subsiste souvent sur ce
sentier bien après le début de la saison estivale oblige à rester extrêmement prudent,
ce qui rend la descente particulièrement
longue. Une heure après avoir franchi la
brèche de Capitellu, on arrive à la **Bocca a
Soglia** (2 050 m). Quelque 10 min plus tard,
on débouche sur une petite éminence, où le
sentier bifurque ensuite plein est. À savoir :
quelques minutes après cette éminence, un
sentier descend sur la gauche jusqu'au lac
de Melo et rejoint ensuite les bergeries de
Grotelle et la vallée de la Restonica (voir
p. 276).

L'itinéraire normal grimpe légèrement
à flanc, au milieu de gros éboulis, assez
pénibles à négocier. La vue est fantastique,
sur les lacs en contrebas et les murailles de
l'autre côté de l'amphithéâtre montagneux
(on distingue à peine la brèche de Capitellu).
Au bout de 40 min environ (depuis l'éminence précédemment signalée), on attaque
une montée abrupte (environ 20 min) pour
rejoindre le col de **Bocca Rinosa** (2 150 m),
aux rebords adoucis, dans un paysage
lunaire. Cette fois, on quitte définitive-
ment les lacs glaciaires, et l'on rejoint sans
difficulté la **Bocca Muzzela** – ou col de la

LES LACS D'ALTITUDE ET LES POZZINES

Ignorés des scientifiques jusque dans les années 1980, les quelque quarante lacs
d'altitude corses sont désormais activement surveillés par les agents du PNRC. On
sait aujourd'hui qu'ils proviennent des glaciers qui recouvraient jadis les montagnes.
Différentes analyses ont permis de montrer que certains étaient menacés par le
creusement des porcs coureurs et par la pollution qu'occasionne la surfréquentation
touristique en été. Depuis plusieurs années, le PNRC a mis sur pied un système
de gardiennage estival des lacs les plus fréquentés : Melo, Nino et Creno. Des
saisonniers ramassent les déchets laissés par les randonneurs et veillent à faire
respecter l'interdiction de campement. Le GR®20 a même été détourné afin de ne
pas contribuer à la dégradation des pelouses du lac de Nino. Respectez les consignes
élémentaires : ni feu, ni ordures, ni piétinement intempestif.

Les pozzines (du corse *pozzi*, puits) constituent également un milieu fragile,
menacé par les pâturages intensifs. Il s'agit de petits trous d'eau reliés entre eux
par des ruisselets, reposant sur un substrat imperméable – comme des tourbières.
Le marcheur a la délicieuse impression de fouler un tapis de mousse frais. Vous en
rencontrerez près du lac de Nino, ainsi que sur le plateau du Coscione, entre le GR®20
et les bergeries de Bassetta.

Haute-Route (2 206 m) –, en une vingtaine de minutes (soit environ 4 heures 30/5 heures depuis le départ de l'étape).

Allez, courage ! Encore 35 min à flanc de montagne, dans un décor uniquement minéral, et vous arriverez sur un replat, d'où l'on aperçoit le refuge, en contrebas. De là, la descente (assez escarpée) jusqu'au refuge nécessite une petite demi-heure supplémentaire.

Du refuge, on peut faire l'ascension du **Monte Rotondo** (2 622 m), le deuxième sommet de l'île. Elle ne présente pas de difficultés techniques en soi, malgré ses 800 m de dénivelé. L'aller-retour à partir du refuge prend environ 5 heures.

🛏 Où se loger et se restaurer

Le petit **refuge de Petra Piana** (dort 11 €, camping 6 € ; ravitaillement) compte 25 lits et bénéficie d'une jolie situation : perché à flanc de montagne, il surplombe la vallée du Manganellu au sud. C'est un refuge agréable, bien équipé et entouré d'herbe en abondance pour planter sa tente. Il dispose de 2 WC et de 2 douches équipées de panneaux solaires qui offriront – parfois – de l'eau chaude. La sympathique gardienne et son mari préparent des plats chauds (des spaghettis au pesto, par exemple) et des gâteaux maison. En vente également : saucisson, chocolat, biscuits, pain de mie, boissons (bière, vin, sodas). Signalons également que les téléphones portables passent.

ÉTAPE 8

Refuge de Petra Piana (1 842 m) – refuge de l'Onda (1 430 m)
Kilométrage : 10 km
Difficulté : facile ; parcours largement ombragé
Durée moyenne : 5 heures
Point culminant : 1 842 m
Remarques : par la vallée, ravitaillement aux bergeries de Tolla et possibilité de rejoindre les villages de Canaglia et de Tattone en cours d'étape. Variante alpine.

Facile, la randonnée de la journée commence par une descente assez raide après une bergerie et suit une ancienne piste fréquentée par les bergers dans la vallée du Manganellu. La bergerie de Tolla (1 011 m) peut faire l'objet d'une halte agréable pour déjeuner, avant d'entreprendre l'ascension finale vers les bergeries et le refuge de l'Onda (1 430 m).

Descriptif de la randonnée

Après les spectaculaires ascensions et les descentes abruptes des jours précédents, voilà une journée de marche tranquille, sur un chemin qui descend la plupart du temps. Qui plus est, les ruisseaux sont légion et vous pourrez boire de la bière ou du vin à la bergerie de Tolla.

Peu après le refuge de Petra Piana, vous arriverez à un embranchement qui vous laissera le choix entre deux itinéraires possibles : l'un est le parcours classique du GR®20 dans la vallée du Manganellu ; l'autre est une variante qui correspond à une route de haute altitude qui suit les lignes de crête jusqu'au refuge et aux bergeries de l'Onda.

Cette seconde voie, qui présente quelques passages techniques et aériens, est plus rapide (4 heures, balisage double jaune) et offre une vue superbe sur Ajaccio (à 30 km à vol d'oiseau) par temps clair. Notons par ailleurs que cette variante permet de décrocher en début d'étape vers le village de **Guagno** (4 heures environ, balisage orange).

L'itinéraire classique descend en piqué presque dès le départ et atteint les **bergeries de Gialgu** (1 609 m) au bout d'une heure environ. Le tracé continue ensuite à dévaler la pente en suivant un ancien sentier muletier bien dallé serpentant jusqu'au **Manganellu**, qui coule à cet endroit à 1 440 m. Le sentier s'enfonce en plongeant doucement dans une épaisse forêt jusqu'aux **bergeries de Tolla** (plats 10-12 € environ ; ⊙ mi-juin à mi-sept), à 1 011 m, que l'on atteint au terme d'environ 3 heures de marche. C'est une véritable oasis, l'une des plus agréables sur l'ensemble du GR®, où vous pourrez acheter les produits habituellement en vente dans les bergeries, mais également vous régaler d'un excellent repas : omelette au fromage de brebis et à la menthe fraîche, amandes et noisettes grillées au miel de châtaignier... accompagnées d'un verre de vin ou d'une bière fraîche. Également ravitaillement.

Juste en dessous des bergeries, un pont franchit le Manganellu (940 m). De là, vous pouvez décrocher sur les villages de **Canaglia** et de **Tattone** (reportez-vous à la fin de cette étape).

Aussitôt franchi le pont, le GR®20 oblique vers l'amont du cours d'eau et croise presque immédiatement le Goltaccia, autre affluent du Manganellu. Ne franchissez pas le pont qui enjambe le Goltaccia, mais longez ce

DÉTRITUS ET ENVIRONNEMENT

Le GR®20 est propre. Le PNRC commence à mettre en place un tri des déchets, comme au refuge de Manganu (étape 6). Le point faible reste les sanitaires, qui sont en nombre insuffisant autour des refuges. Si les randonneurs sont généralement sensibles aux questions d'environnement, il nous semble cependant utile de faire trois remarques :

» l'une s'adresse aux consommateurs de barres de céréales. Si l'enveloppe principale est généralement ramassée, il est frappant de constater le nombre de petits coins en plastique servant à l'ouverture de l'emballage qui jonchent le parcours. Merci de les ramasser ;

» la deuxième concerne les fumeurs de cigarettes avec filtres qui ne semblent pas considérer leurs mégots comme des détritus. Leur présence sur le parcours n'a rien de naturel et constitue une véritable pollution. Merci de les conserver jusqu'à la prochaine poubelle ;

» la dernière, plus délicate, est relative à la multitude de petits papiers qui "ornent" les abords du sentier... Est-il envisageable que le randonneur accepte de prendre ce papier en charge jusqu'à la prochaine étape ? Petit rappel : plus de 12 000 personnes empruntent le GR® chaque année !

cours d'eau en remontant vers l'amont. Après avoir finalement franchi la rivière, le chemin monte en s'éloignant vers le nord pour rejoindre les bergeries de l'Onda – actives en été – qui jouxtent l'aire de bivouac herbue du refuge de l'Onda (1 430 m), situé 10 min plus haut.

🛏 Où se loger et se restaurer

Les **bergeries de l'Onda** (camping 5 € ; ravitaillement) sont entièrement entourées de clôtures, afin d'éviter que les nombreux porcs et brebis ne viennent fourrager sur le site. Le spectacle de géhéristes parqués dans un enclos tandis que les bêtes (200 brebis) errent en totale liberté est cocasse. Le **refuge** (dort 11 €) se situe un peu plus haut, d'où il domine les bergeries et l'aire de bivouac. Il dispose de 12 places avec une cuisine et un petit bloc sanitaire composé d'une douche et d'un WC. Il est souvent déserté par les randonneurs qui, s'ils transportent une tente, lui préfèrent les bergeries, beaucoup plus conviviales. Du vin, du pain, du fromage et du saucisson sont en vente aux bergeries.

Liaison village

Accès aux villages de **Canaglia** et de **Tattone**. Du pont sur le Manganellu, un chemin forestier, large et facile, mène en une heure environ jusqu'au joli village de Canaglia. Une succession de bassins vous invite à de merveilleuses baignades, et les promeneurs sont nombreux sur ce sentier

qui longe la rivière. De Canaglia, il faut marcher 4 km sur une route pour rejoindre Tattone. **Pierrot** (☎ 06 14 66 42 20), du refuge qui porte son nom sur la N193, peut venir vous chercher à Canaglia, puis vous déposer le lendemain à Vizzavona (ce qui vous évite de revenir sur vos pas, et court-circuite l'étape 9). Par ailleurs, les gares de Savaggio et de Tattone offrent des possibilités de transfert en train pour Ajaccio et Bastia. Pour plus de détails sur les possibilités d'hébergement et de restauration de Canaglia et de Tattone, reportez-vous p. 290.

ÉTAPE 9

Refuge de l'Onda (1 430 m) – Vizzavona (920 m)
Kilométrage : 10 km
Difficulté : moyenne
Durée moyenne : 5 heures 30
Point culminant : 2 159 m
Remarque : variante alpine possible par le Monte d'Oro, au nord

La marche jusqu'à Vizzavona, traditionnelle étape du milieu du GR®20, démarre par une ascension ardue sur roches. Suit une longue descente en terrain nu, avant de gagner les bois qui entourent la série de chutes, de cascades et de bassins connus sous le nom de cascades des Anglais (1 150 m). Vizzavona est, de tout le GR®20, le terminus d'étape qui offre le plus de ressources, avec sa gare ferroviaire, ses hôtels, ses restaurants et ses cafés.

Descriptif de la randonnée

Le chemin part vers le nord en suivant la variante haute de l'itinéraire vers le refuge de Petra, puis revient sur ses pas pour piquer cette fois plein sud par une longue ascension jusqu'à la **crête du Muratellu** (2 020 m), que l'on atteint au bout de 2 heures 30. De ce sommet venté, le reste de l'étape n'est plus qu'une longue descente.

Une **variante** alpine, balisée seulement par des cairns, continue à grimper la crête du Muratellu, légèrement en direction nord-est, jusqu'à la Bocca di u Porcu (2 159 m), puis oblique vers le sud-est pour escalader le sommet du **Monte d'Oro** (2 389 m), la cinquième plus haute montagne de Corse. Vu les portions d'escalade rocheuse difficiles, il ne faut pas aborder cet itinéraire si l'on manque d'expérience. Il rejoint finalement le trajet normal du GR®20 juste avant Vizzavona et ajoute environ 2 heures à l'itinéraire.

L'itinéraire normal du GR®20 plonge sur les hauts de la **vallée de l'Agnone** par une descente abrupte et rocheuse – qui peut être glissante par temps de pluie. Le sentier devient moins escarpé et l'environnement plus verdoyant à partir de 1 600 m. Il passe devant les vestiges d'un refuge abandonné, à 1 500 m. Le chemin croise une haute chute d'eau aux **cascades des Anglais** (1 150 m), après environ 4 heures de marche. Puis le sentier continue au milieu des forêts de pins où l'on croise des promeneurs à la journée venus profiter de ces attrayantes baignoires naturelles. Au nord-est, la haute silhouette du Monte d'Oro plane au-dessus de la scène.

Un snack-bar et un **pont** sur l'Agnone annoncent l'approche de la civilisation. Ceux qui auront choisi de loger à l'hôtel Monte d'Oro monteront sur la droite sans traverser le pont pour rejoindre, par un chemin forestier, la N193, qu'ils prendront à droite pour arriver à l'hôtel après 5 min de marche. Une fois le pont franchi, le sentier vers Vizzavona cède la place à une piste tout à fait carrossable. Encore plusieurs lacets, plusieurs ponts, un trajet qui paraît interminable et pénible... et, enfin, le chemin débouche sur la route, en plein dans le hameau de **Vizzavona**, non loin de la gare ferroviaire.

Minuscule station climatique au pied du géant Monte d'Oro, au cœur d'une de plus belles forêts de Corse, Vizzavona forme une charnière dans le GR®, divisant traditionnellement le parcours en GR® nord et GR® sud. Ceux qui effectuent le GR® dans son intégralité la considèrent comme un salutaire retour à la civilisation et en profitent pour se réapprovisionner en vivres et s'octroyer une nuit d'hôtel et un bon repas. Certains terminent leur parcours à cet endroit, alors que d'autres le commencent, dans un sens ou dans l'autre.

🛏 Où se loger et se restaurer

Pour des détails sur les possibilités d'hébergement, de restauration, de ravitaillement et de transfert, reportez-vous p. 292.

ÉTAPE 10

**Vizzavona (920 m)
– bergeries de Capanelle (1 586 m)**
Kilométrage : 13,5 km
Difficulté : moyenne
Durée moyenne : 5 heures 30
Point culminant : 1 647 m

Ponctuée par de splendides panoramas, cette journée n'offre pas de difficulté particulière. Elle donne l'occasion de progresser dans un décor de hêtres et de pins laricios jusqu'à la petite station de ski du Monte Renoso (2 352 m).

Descriptif de la randonnée

Au départ de la gare de Vizzavona, suivez l'itinéraire balisé du GR® sud qui passe devant l'hôtel I Laricci. Il croise tout d'abord le sentier d'accès au GR® nord sur la droite et, après un petit pont, grimpe pour rejoindre la N193 et la maison de l'ONF, atteinte au bout de 15 min. Il rejoint ensuite un large sentier qui se poursuit jusqu'à un panneau indiquant "Refuge de Capanelle, 5 heures". Le GR® quitte quelques minutes plus tard ce sentier pour monter sur la gauche. Vous aurez le loisir de rencontrer, çà et là, des houx de plusieurs mètres de haut perdus au milieu des pins et, après avoir croisé une bifurcation menant à une fontaine (localisée à 450 m sur la droite), vous profiterez des premières vues sur la forêt de Vizzavona et le Monte d'Oro, dont on perçoit très nettement encore la sourde mélodie des cascades.

L'itinéraire grimpe en lacets jusqu'à une ligne à haute tension (atteinte 1 heure environ après le départ) qui annonce un long passage à plat en sous-bois. Mettant fin à cet agréable répit, un petit raidillon mène à l'intersection d'un sentier balisé en jaune. En l'empruntant sur la droite, vous découvrirez, 100 m plus loin, une belle vue sur le Monte d'Oro et Vizzavona, que l'on

"LE GR®20 PROCURE UNE FASCINANTE IMPRESSION DE LIBERTÉ"

Guide de haute montagne, Jean-Paul Quilici (voir l'encadré p. 307) a été l'un des premiers à baliser le GR®20, au tournant des années 1960-1970.

Comment expliquer la popularité du GR®20 ? C'est tout simplement fantastique de pouvoir traverser une île de part en part, sur ses hauteurs, et de rejoindre la mer aux deux bouts. Fantastique, également, de regarder le matin le paysage que l'on va traverser et le soir, en se retournant, de voir d'où l'on est parti. Ce sentier procure une fascinante impression de liberté. J'ai marché au Spitzberg, en Islande, en Patagonie... et le GR®20 m'émerveille encore par ses paysages et sa variété.

En quoi ce sentier est-il hors du commun ? Sa spécificité est d'être une randonnée en montagne, un sentier véritablement alpin. L'idée de départ était de traverser la Corse en suivant le cheminement le plus beau possible. Il a surtout été tracé par Michel Fabrickant, montagnard amoureux de la Corse, qui s'est entouré de guides locaux, dont je faisais partie, pour le baliser. Les sentiers de transhumance ne permettant pas de traverser l'île, il a fallu créer des raccords – souvent assez raides, voire faisant appel à des chaînes – pour relier des chemins existants. D'où la difficulté du tracé, qui contribue pour une large part à sa beauté et à la fascination qu'il exerce. J'y ai récemment emmené des Américains qui connaissaient les grands parcs du Colorado. Ils ont été émerveillés !

Quels conseils donner à ceux qui veulent se lancer sur le sentier ? Vaste question, car, malgré les conseils, les gens n'en font toujours qu'à leur tête. J'en vois parfois partir en tongs, avec un enfant sur les épaules ou avec des sacs de plus de 20 kg... Rappelons donc l'évidence : il faut un équipement adapté, se renseigner sur la météo, écouter les montagnards locaux. La montagne corse peut être dangereuse, fantasque, changeante. Il ne faut pas la prendre à la légère. Comme toutes les montagnes, il faut l'aborder avec prudence, humilité et modestie.

devine en contrebas. Le GR®20 se poursuit pour sa part en épingle à cheveux sur la gauche et ne tarde pas à émerger des sous-bois pour évoluer dans un paysage dénudé faisant face à la **Bocca Palmente** (1 647 m). Faites attention au marquage et à la bifurcation vers la droite qui mène à ce col. Si vous allez tout droit, vous vous retrouverez à la fontaine de Palmente, à 200 m du GR®. Au bout de 15 min d'ascension, un cairn marque l'arrivée imminente au col, atteint 2 heures après avoir quitté Vizzavona. Derrière vous se dessine la sombre silhouette du Monte d'Oro (2 389 m). Sous vos yeux, la crête d'Oculo apparaît au premier plan, précédant celle de Cardo et le petit Monte Calvi (1 461 m). Le sentier redescend ensuite sur les **bergeries d'Alzeta**, puis continue à plat. Une demi-heure plus tard, un virage serré marque le départ sur la gauche du sentier qui mène à Ghisoni, décrochage possible.

L'intersection entre le GR® et le sentier vers Ghisoni est le lieu idéal pour pique-niquer, tant la vue sur le massif du Monte Renoso est superbe. Le GR® poursuit sa route à flanc de coteau, à travers une forêt de pins laricios dont certains sont

d'une taille impressionnante. Vous atteindrez, 1 heure 15 plus tard, les charmantes **bergeries de Scarpaccedie**.

Juste après, l'itinéraire oblique à droite toute. Respirez bien, car vous devez faire face à un dénivelé brutal de 150 m, qui vous demandera environ 20 min d'effort. Vous serez récompensé par une belle vue sur le Monte Renoso (2 352 m), avant d'atteindre une route bitumée qu'il faut emprunter sur une centaine de mètres en montant. Vous vous trouverez alors face à un panneau vantant les mérites de la bière pression vendue au gîte privé U Fugone, à Capanelle. En continuant dans la direction indiquée, vous atteindrez en 20 min environ les **bergeries de Capanelle** (1 640 m), bâties au pied des remonte-pentes de la station de ski de Ghisoni. Bien qu'un seul berger soit encore en activité, toutes les bergeries ont été conservées par les familles et servent aujourd'hui de maisonnettes de vacances et de chasse. Auparavant, elles étaient perdues au milieu des hêtres. Aujourd'hui, les arbres ont été coupés pour dégager les pistes et, à la fonte des neiges, l'eau emporte tout sur son passage, ce qui explique l'aspect désolé des pentes en été.

🛏 Où se loger et se restaurer

Face au décor un peu austère des modestes installations de la station de ski, le site des bergeries de Capanelle offre une large palette d'hébergements pour le GR®20. Une promenade balisée de 2 heures 30 aller-retour mène au lac Bastani. Du lac, il est possible de poursuivre jusqu'au sommet du Monte Renoso (2 352 m).

Refuge du PNRC (dort 8 €). Accueil au gîte U Fugone. Très rudimentaire mais d'importantes rénovations étaient prévues. Lors de nos recherches, il était envisagé de rendre payant (5 €) le bivouac aux abords du gîte U Fugone (voir ci-dessous), mais il inclueirait alors une douche chaude au gîte.

Gîte U Fugone (☎04 95 57 01 81 ; dort 35 € en demi-pension, menus 12-22 € ; ⊙mai-sept). La majorité des randonneurs dirigent leurs pas vers ce gîte privé offrant un bon rapport qualité/prix. Il rassemble des dortoirs de 4 ou 5 personnes et des sanitaires avec douches chaudes dans un grand bâtiment qui ressemble à un restaurant d'altitude. L'établissement totalise 62 places, en demi-pension. Une petite épicerie vend des aliments de base. Le restaurant sert une nourriture copieuse en demi-pension et des menus de spécialités corses.

ÉTAPE 11

**Bergeries de Capanelle (1 586 m)
– col de Verde (1 289 m)**
Kilométrage : 11,5 km
Difficulté : moyenne
Durée moyenne : 5 heures
Point culminant : 1 591 m

Relativement courte et facile, cette étape contourne à l'est le massif du Monte Renoso (2 352 m), en restant à une altitude moyenne de 1 500 m, sur un plateau, puis rejoint le col de Verde, dernière halte avant les crêtes. Nombreux sont les randonneurs qui préfèrent la prolonger jusqu'au refuge de Prati, au début de l'étape suivante, afin de réduire la longue étape 12.

Descriptif de la randonnée

Le sentier débute au pied du remonte-pente (prenez garde à suivre le balisage blanc-rouge du GR®, direction "Bocca di Verdi", et non le sentier se dirigeant vers le lac Bastani). Il s'enfonce rapidement dans une forêt de hêtres qui témoigne de ce qu'a pu être l'environnement idyllique des bergeries de Capanelle avant la construction de

la station de ski. Il vous faudra moins d'une demi-heure pour atteindre les bergeries de Traggette (1 520 m). Le tracé longe ensuite un torrent et descend jusqu'à la D169, que vous atteindrez après une petite heure de marche.

Le GR® reprend une cinquantaine de mètres plus loin, sur la droite, cette fois-ci dans le sens de la montée. Après avoir offert d'amples perspectives du Fiumorbu et de toute la chaîne du mont Kyrie, il pénètre dans une épaisse forêt de hêtres et de pins.

Après 45 min en sous-bois, le GR® effectue un virage en épingle à cheveux vers la droite. Environ 45 min plus tard, après avoir croisé une kyrielle de ruisseaux dont la traversée s'avère plus ou moins acrobatique pendant la fonte des neiges, il atteint un deuxième virage en épingle à cheveux, cette fois à découvert. Vous êtes alors à mi-parcours et faites face à Punta Capella (2 032 m). Au-dessus de vos têtes, le ruisseau du Lischetto, qui prend sa source dans les petits lacs de Rina (1 882 m), dévale la pente dans une profusion de cascades.

Une fois traversé le ruisseau du Lischetto, il ne vous faudra plus que 30 min pour parvenir au **plateau de Gialgone** (1 591 m), d'où la vue sur le col de Verde est en tout point réconfortant. Devant vous se dessine le **Monte Grosso** (1 895 m) et, à la sortie du plateau, un panneau en bois pointe la direction du sentier qui mène aux **pozzines**, magnifique plateau herbeux qui mérite éventuellement un détour (comptez 2 heures, aller-retour).

Le GR®20, quant à lui, poursuit tout droit en direction de la Bocca di Verdi (col de Verde) et entame une descente en lacet caillouteuse. Elle aboutit 30 min plus tard à un petit pont en bois qui enjambe le ruisseau du Marmano.

Le sentier se poursuit ensuite à plat jusqu'à croiser un gros bloc rocheux. Il précède un large sentier qui mène en un quart d'heure à une aire de pique-nique et à un embranchement. En empruntant le chemin de gauche, vous parviendrez au bout de 300 m au **col de Verde** (à droite, la route forestière conduit au petit village de Palneca).

🛏 Où se loger et se restaurer

Le **Relais San-Petru di Verdi** (☎04 95 24 46 82 ; www.boccadiverdi.com ; dort 15 €, dort en demi-pension 39 €, camping 6,50 €/pers douche comprise, repas 19 € ; ⊙mai à mi-oct), plus connu sous l'appellation de refuge du col de Verde, est un agréable gîte privé implanté dans un cadre de verdure séduisant, en bordure de la D69. La maisonnette principale, en bois, abrite un dortoir de 26 places. Dans l'entrée, un coin cuisine permet de faire ses repas. Les sanitaires sont irréprochables et les deux douches sont chaudes. Trois chalets privés de 8 places et deux de 2 places sont également disponibles (mieux vaut réserver). Un des points forts de ce refuge réside incontestablement dans sa sympathique terrasse (ou sa cheminée s'il fait froid), où vous vous régalerez de salades, de grillades et de charcuterie. Ravitaillement.

ÉTAPE 12

**Col de Verde (1 289 m)
– refuge d'Usciolu (1 750 m)**
Kilométrage : 14 km
Difficulté : difficile ; peu d'ombre ; passages escarpés et vent parfois fort sur les crêtes
Durée moyenne : 7 heures à 7 heures 30
Point culminant : 1 981 m

Cette longue étape – à moins que vous ne l'ayez réduite en "poussant" la veille jusqu'à Prati – pourrait être qualifiée de "route des crêtes". Du col de Verde, l'itinéraire grimpe sur la crête, qu'il ne quittera pratiquement plus jusqu'au refuge d'Usciolu, oscillant entre 1 500 et 2 000 m. Au col de Laparo (1 525 m), il coupe le sentier Mare a Mare® centre. Véritable survol de la région, du Fiumorbu à l'est au Taravo, à l'ouest, cette étape est l'un des points forts du GR® sud.

Descriptif de la randonnée

Après avoir traversé la route départementale, le sentier s'élève doucement au cœur d'une forêt de pins. Dix minutes plus tard vient la fin des illusions : le GR®20 oblique à gauche toute et part à l'assaut de la montagne. Il vous faudra 20 min d'efforts soutenus pour atteindre un plateau intermédiaire qui constitue la fin du premier tronçon. En regardant au fond de la vallée, on aperçoit le petit village de Palneca. Un petit ruisseau annonce ensuite le début imminent d'un deuxième raidillon, situé heureusement à l'ombre des hêtres. Vous en viendrez à bout en 20 min. L'objectif final se trouve désormais sous vos yeux.

Encore 35 min d'une montée abrupte, le long d'un sentier rocailleux exposé aux rayons du soleil, et vous atteindrez la **Bocca**

d'Oru (1 840 m), qui offre un excellent point de vue sur la plaine orientale. En vous retournant, vous pourrez considérer avec satisfaction la distance parcourue, puisque l'on distingue en enfilade le Monte Rotondo, le Monte d'Oro et le Monte Renoso.

Commence alors une agréable promenade qui mène en 15 min au **refuge de Prati** (dort 11 €, camping 6 €). Perché à 1 820 m, ce refuge du PNRC accueille les nombreux randonneurs qui préfèrent rallonger de 2 heures l'étape 11 pour diminuer d'autant l'étape 12. Le refuge de Prati compte par ailleurs quelques atouts non négligeables. Citons notamment la beauté du site – un plateau gazonné idéal pour les campeurs – et son sympathique gardien qui, outre sa charcuterie maison, ses fromages et autres produits, concocte des plats de pâtes et de viande en sauce aussi bons que copieux en juillet-août. Le refuge dispose de 28 places et d'une douche (froide). Possibilité de location de tentes.

Le GR®20 poursuit son chemin vers la droite (à gauche, un sentier balisé en jaune mène au village d'Isolacciu di Fiumorbu) et conduit tout droit aux crêtes. Le subit affolement des courbes de niveau ne durera qu'environ 20 min, mais la fin reste escarpée dans les rochers. La vue façon "aérienne" sur les villages de Palneca, de Ciamannace et de Cozzano, à plus de 1 000 m en contrebas, est époustouflante. Sur le versant gauche (est), on aperçoit nettement le village de Prunelli, perché sur une hauteur, et Ghisonaccia dans la plaine.

Profitez bien de la vue, car vous aurez besoin de toutes vos forces pour négocier la suite du parcours, où il s'agit de gravir de larges blocs rocheux. Ce passage, qui dure une petite demi-heure, sera éprouvant pour les randonneurs sensibles au vertige et il peut se montrer dangereux par de mauvaises conditions climatiques. Vous longerez ensuite les crêtes pendant près de 1 heure 15 sur un sentier peu commode, très rocailleux, qui tutoie par moments des précipices peu rassurants. Vos efforts seront récompensés par l'exceptionnel panorama que vous découvrirez depuis la ligne de crête.

Après avoir passé **Punta di a Capella** (2 041 m), vous contournerez le rocher de la Penta, puis quitterez les crêtes par une petite forêt qui constitue une halte pique-nique idéale. Il ne vous faudra qu'une petite demi-heure de marche, dans un paysage où le minéral a cédé la place au végétal, pour rejoindre le **col de Laparo** (1 525 m), à la jonction avec le Mare a Mare® centre (l'itinéraire vers Cozzano – environ 2 heures 30 de marche – qui emprunte ce dernier constitue l'étape 3 du sentier Mare a Mare® centre, détaillé p. 326). Une source est indiquée à proximité. Au total, comptez environ 3 heures pour rejoindre le col depuis le refuge de Prati.

Le sentier poursuit son tête-à-tête avec la crête après le col. Il s'élève régulièrement jusqu'au **Monte Formicula**, à 1 981 m d'altitude, point culminant de la journée, soit un peu moins de 500 m de dénivelé par rapport à Laparo. Comptez de 1 heure 45 à 2 heures d'ascension, dans un paysage où la végétation se raréfie à mesure que l'on prend de la hauteur. Le décor, qui voit le sentier se frayer un chemin parmi un chaos rocheux, est grandiose. Vous cheminerez tout d'abord sur le flanc est de la crête, avant de passer à l'ouest, plus venté.

Du Monte Formicula, le refuge d'Usciolu n'est plus très éloigné (30-45 min environ) et le parcours, en descente, constitue presque une promenade de santé. Le sentier repasse sur le flanc est et surplombe un vaste plateau herbeux tacheté d'amas pierreux voué aux pâturages. Il longe ensuite la crête avant d'entamer la descente proprement dite en direction du plateau, puis atteint le refuge d'Usciolu.

🏠 Où se loger et se restaurer

Le **Refuge d'Usciolu** (refuge du PNRC ; dort 11 €, camping 6 € ; ravitaillement), unique possibilité d'hébergement de cette superbe étape, est adossé en balcon aux flancs de la montagne et offre une vue plongeante sur la vallée, dominée par la stature majestueuse de l'Incudine. Propre et bien tenu, il affiche une capacité de 29 places. L'aire de bivouac est juste en contrebas. Le gardien prépare de copieux plats de pâtes et de viande et propose de la charcuterie, du fromage, du chocolat, des confitures et des boissons...

ÉTAPE 13

Refuge d'Usciolu (1 750 m)
– refuge d'A Matalza (1 430 m)
Kilométrage : 11 km
Difficulté : moyenne
Durée moyenne : 5 heures
Point culminant : 1 836 m
Remarques : décrochage possible pour Zicavo

L'étape commence par un parcours aérien, puisque vous resterez sur la crête pendant au moins 2 heures, avant de descendre jusqu'au carrefour de la Bocca di l'Agnonu. Le tracé a été ensuite modifié en 2012 pour se diriger vers le superbe plateau du Coscione en passant par les bergeries de Bassetta.

Descriptif de la randonnée

Du refuge, un court raidillon (10-15 min) rejoint la crête. Un panneau indique la direction de Cozzano, un décrochage possible mais peu pratique. À partir de là, le GR®20 joue au funambule sur la crête, particulièrement escarpée, pendant 2 bonnes heures avec, en ligne de mire, l'Incudine.

Le dénivelé est faible, voire inexistant, mais ne vous réjouissez pas, car la progression sur les dalles rocheuses s'avère malaisée, et certains passages vous obligeront à utiliser les mains pour vous équilibrer. Par endroits, il faut se faufiler parmi de gros blocs rocheux ou des amas de granite en forme de lames de couteaux. L'altitude, quasi constante, frise les 1 800 m, mais on joue au yo-yo en permanence – des mini-descentes suivies de remontées tout aussi courtes –, ce qui rend la marche harassante, impression renforcée par l'absence d'ombre. Vous serez en revanche gratifié de panoramas sublimes : le sentier ménage des vues sur la vallée du Taravo à l'ouest, sur l'Incudine au sud, vers lequel on chemine, et sur les pâturages du plateau à l'est.

En matière de flore, ce n'est pas sur cette partie du parcours que vous jouerez les botanistes. La rocaille nue et lisse sera votre lot pendant au moins 2 heures. Après avoir passé une brèche rocheuse caractéristique en forme de U, deux bonnes heures après le départ, le tracé descend en direction d'une hêtraie, sur le flanc ouest de la crête. La végétation est à nouveau au rendez-vous. Arbustes et bruyère sont progressivement remplacés par des hêtres.

Trois heures environ après avoir quitté le refuge, vous rejoindrez un plateau empierré et arboré, idéal pour une pause pique-nique, à l'ombre des hêtres majestueux. Une source est aménagée (indiquée). Environ 10 min plus tard, vous arriverez au carrefour de la **Bocca di l'Agnonu**, à 3 heures 15 de marche environ depuis le début de l'étape.

Peu après le col, vous croiserez le départ du sentier menant à **Zicavo** en 2 heures (voir p. 318). Le GR se poursuit tout droit dans la hêtraie vers les **bergeries de Bassetta**

UN JOYAU ENCHÂSSÉ DANS LA MONTAGNE : LE PLATEAU DU COSCIONE

Entre la Bocca di l'Agnonu et le Monte Incudine, le GR® traverse une partie du plateau du Coscione. Cette vaste étendue constitue une mosaïque de plusieurs milieux qui lui donne un cachet inimitable : bosquets de hêtres, ruisseaux, pozzines, prairies et pâturages, éboulis, landes se succèdent à une altitude moyenne de 1 400 m avec, en arrière-plan, la masse de l'Incudine (2 134 m). En août, lorsque les aconits sont en fleurs, le Coscione est recouvert de taches violettes. Par ailleurs, la topographie du Coscione – une succession de légers moutonnements, de terrasses et de petits vallons – offre un contraste saisissant avec le reste du GR®20, au relief nettement plus accusé.

Le Coscione n'est pas qu'un décor bucolique. C'est également un lieu d'une grande importance socio-économique, une terre de pacage où l'activité pastorale fut – et reste, dans une certaine mesure – vivace. Il y a quelques décennies encore, les bergers de tout le sud de la Corse venaient estiver leurs troupeaux. Au début du siècle, près de 600 personnes vivaient sur le Coscione. Cette époque est révolue et le mythe du "berger corse" a vécu. Le dernier "vrai" berger du Coscione est décédé en 1997. Aujourd'hui, leurs homologues des temps modernes montent leurs bêtes en bétaillère sur le plateau, par des pistes, puis viennent les inspecter toutes les semaines en 4x4. Quelques traditions ont pourtant perduré, telle la fête des bergers au village de Zicavo, à la chapelle San-Petru, chaque année au début du mois d'août, au cours de laquelle les troupeaux sont bénis. Jadis, cette fête attirait plus de 1 000 personnes. De nos jours, et à défaut des vastes troupeaux de jadis, vous pourrez certainement apercevoir des chevaux en liberté sur le plateau.

En hiver, le Coscione est fréquenté par des skieurs de fond, mais l'enneigement n'est pas toujours suffisant pour garantir la pratique de cette activité.

Pour apprécier au mieux le Coscione, nous conseillons de faire étape aux bergeries de Bassetta (voir p. 318), à environ 1 heure 15 à l'ouest du GR®. Vous aurez ainsi l'occasion de fouler les pozzines (voir l'encadré p. 310), ces tourbières remplies d'eau qui donnent l'impression de marcher sur un gazon anglais.

(voir *Où se loger et se restaurer*, ci-dessous), accessibles en 1 heure 30 environ, révélant au passage une perspective dégagée sur le **plateau du Coscione** et, en toile de fond, l'imposante stature de l'Incudine. L'itinéraire traverse ensuite une route départementale (D428), puis rejoint une deuxième liaison vers Zicavo (en environ 1 heure 30), avant de monter doucement vers la **chapelle San Petru**. Une montée dans une hêtraie permet ensuite de rejoindre la piste menant au refuge d'A Matalza.

🛏️ Où se loger et se restaurer

Refuge d'A Matalza (dort 11 €, camping 6 € ; ravitaillement). Ce refuge du PNRC de 39 places s'apprêtait à ouvrir lors de notre dernier passage. Renseignez-vous.
Bergeries de Bassetta (☎04 95 25 74 20, 06 27 25 95 33 ; dortoir 37,50 € en demi-pension, chalet 42,50 € en demi-pension ; menu 23 € ; ⏱mi-avr à oct). À environ 45 min de marche avant le refuge d'A Matalza, ces bergeries proposent plusieurs possibilités d'hébergement. Reportez-vous p. 182.

Liaison village

Accès au village de **Zicavo** depuis le plateau de Tignosellu. Il permet de décrocher du GR® et de rallier le village de Zicavo (750 m), situé dans la vallée du Taravo, en moins de 2 heures. Prenez la bifurcation indiquée (balisage jaune). L'itinéraire, agréable sans être exceptionnel, à l'ombre dans sa majeure partie, ne présente pas de difficulté particulière. En cours de route, vous déboucherez sur le sentier Mare a Mare® centre (balisage orange), que vous suivrez sur la gauche jusqu'à Zicavo.

Pour les randonneurs, Zicavo est une oasis. Les ressources hôtelières et les possibilités de ravitaillement du village sont traitées p. 181.

ÉTAPE 14

Refuge d'A Matalza (1 430 m) – refuge d'Asinau (1 530 m)
Kilométrage : 8,5 km environ
Difficulté : moyenne
Durée moyenne : 4 heures 30

Point culminant : 2 025 m
Remarques : une étape résultant de la modification du tracé de 2012

Avec la haute stature de l'Incudine en toile de fond, cette étape entièrement créée en 2012 passe à l'ouest du tracé "historique" du sentier de grande randonnée. Elle permet ainsi d'apprécier au mieux les sublimes panoramas de cette portion de la montagne insulaire.

Descriptif de la randonnée

Du refuge, le sentier part vers le sud-est, franchit un gué, puis poursuit son chemin en longeant épisodiquement le ruisseau de Croce, dans un paysage qui alterne hêtraies et pozzines. En une petite heure, il atteint le lieu dit **I Croci**, où se trouvent une bergerie et une source. Le balisage monte ensuite par une piste, puis oblique vers l'est en montant sur environ 200 m de dénivelé pour rejoindre une crête. On atteint le col de **Bocca di Chiralba** (1 740 m) en la suivant pendant environ une heure. La montée se poursuit ensuite en prenant pour cap le Monte Incudine, ponctué d'une croix juchée à 2 134 m d'altitude. Le paysage est de plus en plus minéral à mesure que le sentier franchit les courbes de niveau, et il n'est pas rare d'apercevoir quelques névés à cette altitude au mois de juin. Cette portion d'environ 1 heure 30 totalise environ 300 m de dénivelé positif jusqu'à la **Bocca Stazzunara** (2 025 m). Un sentier abrupt descend ensuite vers le refuge, au sud-est

🛏 Où se loger et se restaurer

Refuge d'Asinao (dort 11 €, camping 6 € ; ravitaillement). Unique possibilité d'hébergement de cette fin d'étape, cet accueillant refuge géré par le PNRC affiche une capacité de 22 places. Vente de charcuterie, miel, fromage et boissons, et repas le soir.

ÉTAPE 15

Refuge d'Asinao (1 530 m) – refuge di Paliri (1 055 m), par la variante alpine
Kilométrage : 13 km
Difficulté : difficile (passages délicats par la variante alpine) ; absence d'ombre lors de la traversée du massif de Bavella
Durée moyenne : 6 heures 15
Point culminant : 2 134 m
Remarques : demi-étape possible au col de Bavella ; accès possible au village de Quenza

peu après le refuge d'Asinao ; possibilité d'emprunter le parcours classique (plus facile) qui contourne le massif de Bavella

L'une des plus belles étapes du GR® sud avec, en point d'orgue, le massif de Bavella que l'on traverse si l'on emprunte la variante alpine.

Le sentier file vers le sud en surplombant l'Asinao sous un couvert végétal, puis bifurque vers l'est et évolue au cœur du massif de Bavella jusqu'au col du même nom (1 218 m), où il est possible de faire étape. Il franchit ensuite une barre montagneuse derrière laquelle se trouve le refuge.

Descriptif de la randonnée

N'espérez pas croiser les bergeries d'Asinao, en contrebas du refuge, plein sud. Le sentier part vers l'ouest avant d'obliquer légèrement vers le sud pour rejoindre la ravine où coule l'Asinao, que vous franchirez à gué au bout d'une demi-heure environ, peu après avoir croisé le sentier rejoignant **Quenza** (environ 4 heures de marche en descente ; reportez-vous p. 238 pour les informations sur cette localité). La descente est progressive, au milieu d'une zone boisée dominée par des pins. Le profil de la vallée de l'Asinao apparaît alors clairement : elle s'évase largement vers l'aval (vers Quenza), alors que, vers l'amont, elle est très encaissée.

Une fois franchi l'Asinao, le chemin remonte légèrement et se stabilise à flanc de montagne, à une altitude moyenne de 1 300 m. Il évolue sous un couvert végétal aux essences variées, parmi lesquelles vous reconnaîtrez des aulnes, des pins, des arbousiers, des violettes, des fougères et, plus surprenant, des bouleaux, dont c'est la première apparition sur le GR®. Le parcours, facile et agréable, suit le cours de l'Asinao en contrebas, pendant environ 1 heure, en corniche. Il ménage des points de vue superbes vers l'aval et sur la rive opposée, dont on admirera les profondes cicatrices des ravines qui descendent jusqu'à l'Asinao. La différence de végétation est nette entre les deux versants : sur celui d'en face, la caillasse domine, alors que celui sur lequel vous marchez est bien plus verdoyant. Le sentier est interrompu par plusieurs petits ruisseaux. Par endroits, on entraperçoit à travers les frondaisons les contreforts du massif de Bavella.

Après 1 heure 30 de marche environ, vous arriverez à un carrefour. En continuant tout droit, vous suivrez l'itinéraire "normal" du

GR®, qui contourne le massif de Bavella par le sud-ouest. Il ne pose pas de difficulté particulière mais progresse en montée sur un terrain peu ombragé sur la seconde partie du parcours. À gauche, repérée par un balisage constitué de deux bandes jaunes parallèles, la variante alpine du GR® vous fera pénétrer au cœur du massif de Bavella. Les deux sentiers fusionnent à nouveau peu avant le col de Bavella.

Nous conseillons largement la **variante alpine**, incomparable et spectaculaire, qui constitue sans conteste l'un des temps forts du GR®. Sachez cependant qu'elle est plus éprouvante et plus technique, car la progression se fait au milieu d'éboulis et de pierres, et qu'un passage sur une dalle se franchit par une main courante. Rien d'insurmontable, mais les personnes sujettes au vertige ou peu à l'aise se contenteront de l'itinéraire normal. De même, il vaut mieux éviter la variante alpine par temps de pluie, car le risque de glissade est réel.

Par rapport à l'itinéraire normal, le sentier de la variante oblique à 90° et attaque franchement le flanc de la montagne. La montée, très raide, serpente en petits lacets au milieu des bouleaux et des pins, qui se raréfient progressivement à mesure que l'on prend de l'altitude et que l'on se dirige vers le sud-est. Vous bénéficierez d'un court répit d'environ 10 min, avant que le chemin ne sorte de la zone boisée et continue à s'élever

jusqu'à la **Bocca di u Pargulu** (1 662 m), que vous rejoindrez après 1 heure d'efforts environ. Sur la fin, on se sent écrasé par les parois rocheuses qui se dressent en lames de couteaux.

Au sommet, le panorama sur 360° vous fera oublier toutes vos peines : en face, une chaîne montagneuse qui s'étire parallèlement à celle sur laquelle on se trouve ; entre les deux, en contrebas, le col et le village de Bavella ; et la mer, à l'est. Le randonneur est au milieu d'un chaos lunaire.

Après vous être arraché à votre contemplation, vous reprendrez le sentier qui, cette fois, descend dans un pierrier escarpé pendant une demi-heure environ (soit 3 heures de marche au total depuis le refuge). Il s'achemine ainsi dans un décor grandiose jusqu'à la fameuse chaîne qui équipe un passage délicat : une dalle lisse et raide d'une dizaine de mètres. Ce passage ne pose guère de problème par temps sec : imaginez que vous êtes au pied d'un toboggan et que vous vous hissiez à son sommet en vous aidant d'une chaîne et de la force de vos bras.

Encore une demi-heure d'une progression pas toujours facile dans des escarpements rocheux et vous arriverez à un col, d'où vous jouirez de la vue sur les aiguilles ainsi que sur le village de Bavella, tout proche à l'est. Pour rejoindre Bavella, le sentier plonge littéralement dans un couloir de granite

SE PROTÉGER CONTRE LA FOUDRE

Les orages sont relativement fréquents en Corse. L'association Protection foudre (www. apfoudre.com) donne notamment les recommandations suivantes :

» ne pas s'abriter sous un arbre. En forêt, éloignez-vous le plus possible des troncs et des branches basses

» s'éloigner des crêtes. Descendre d'au moins 50 m et ne pas se plaquer contre une paroi rocheuse

» en groupe, s'éloigner les uns des autres d'au moins 3 mètres

» ne porter aucun objet, à plus forte raison métallique, au-dessus de sa tête

» s'éloigner de toute structure métallique (pylônes, clôtures...)

» ne pas se tenir debout les jambes écartées ou marcher à grandes enjambées

» une maison en pierre fournit une excellente protection à condition de se tenir éloigné des murs

» éviter de s'abriter dans une maison au toit en tôle

» la meilleure protection consiste à se pelotonner au sol sur une cape de pluie ou toute autre matière isolante

» ne pas s'envelopper dans une couverture de survie (celle-ci contient une pellicule métallique)

» l'utilisation de téléphones portables ne pose aucun problème

Le parc naturel régional de Corse, créé en 1972, recouvre aujourd'hui plus du tiers de l'île. Il englobe certains des plus beaux sites naturels de Corse, comme le golfe de Porto, la réserve naturelle de Scandola et les plus hauts sommets de l'île, jusqu'aux aiguilles de Bavella. La mission du PNRC est double : la protection de l'environnement et le développement.

En matière de protection, le parc s'attache à préserver toutes les espèces animales ou végétales menacées, comme le mouflon ou le cerf de Corse. Il participe également activement à la protection des sites sensibles, comme les pozzines ou les lacs d'altitude.

Sa mission de développement consiste à revitaliser la Corse de l'intérieur. Les randonneurs remarqueront les façades superbement entretenues des bergeries qu'ils croisent sur leur chemin : afin de redynamiser l'élevage en montagne, le PNRC a entrepris, il y a près de vingt ans, la restauration des bergeries d'altitude. De nombreux moulins et des centaines de *casgili* (caves à fromages) ont été également remis en état.

Reste que la meilleure solution imaginée par le PNRC pour développer les zones centrales est le tourisme. Plus de 1 500 km d'itinéraires de randonnée ont ainsi été aménagés.

Une centaine de personnes maintiennent en état les sentiers, "démaquisent" (débroussaillent) et informent le public. À Ajaccio, la **maison d'information du PNRC** (☎ 04 95 51 79 10 ; www.parc-corse.org ; 2 rue du Major-Lambroschini, BP 417, 20184 Ajaccio Cedex 1 ; ☉ lun-ven 8h15-12h et 14h-17h30) diffuse une multitude d'informations sur le parc et prodigue des conseils judicieux sur les différents itinéraires de randonnée existants.

Ce point est relayé par la **maison d'information de Calenzana** (☎ 04 95 62 87 78 ; gîte d'étape, 20214 Calenzana ; ☉ avr-oct).

rose creusé de taffoni, entre les rochers-écoles d'escalade, signalés par des plaques.

Le balisage est parfois insuffisant dans cette descente pénible. Vous rejoindrez l'itinéraire normal du GR® en 4 bonnes heures de marche après avoir quitté le refuge. Suit une promenade de santé d'environ 10 min au milieu d'une forêt de pins, jusqu'au parking du col de Bavella. Dépassez la Madone des Neiges et ses ex-voto et prenez la route goudronnée qui descend vers la gauche pendant 300 m, l'un des rares moments où le GR® fait une concession à la civilisation !

Le **col de Bavella**, qui constitue un village à part entière, offre la possibilité d'effectuer une demi-étape. Il est par ailleurs intéressant d'y faire une halte, dans la mesure où le refuge di Paliri (en bout d'étape) ne propose pas de ravitaillement. Certains randonneurs quittent le GR® à cet endroit. Dommage, car le tronçon restant ne manque pas de charme. Vous trouverez des informations sur les possibilités de restauration et d'hébergement du col de Bavella p. 238.

Le col marque un véritable changement dans le profil du GR®. Le cadre, plus verdoyant, contraste vivement avec le décor dépouillé des aiguilles de Bavella et des

parcours en crête. Comptez encore 2 heures à 2 heures 15 de marche pour poursuivre l'étape jusqu'au refuge di Paliri. La seule difficulté que vous rencontrerez est le passage du **col de Foce Finosa** (1 214 m). Arrivé à hauteur de l'auberge du col de Bavella, prenez la route qui part vers la droite et qui, 50 m plus loin, se transforme en route forestière. Le parcours, agréable, évolue à plat dans une forêt de pins et de fougères pendant une quinzaine de minutes. La piste devient sentier et bifurque sur la gauche pour descendre jusqu'à un petit ruisseau. Environ 10 min plus tard, le tracé retrouve une piste forestière qu'il suit vers la droite jusqu'à une fourche située 50 m plus loin. Prenez la piste de gauche et traversez le ruisseau du Volpajola (radier).

Face à vous, plein est, se dresse une longue chaîne de montagnes, que vous allez franchir par le col de Foce Finosa. À peine 5 min après le ruisseau, le sentier bifurque sur la droite pour attaquer la montée. Comptez 200 m de dénivelé et 45 min d'une grimpette éprouvante jusqu'au col (1 214 m). De là, le regard porte jusqu'à la mer, vers le sud-est. De l'autre côté, on distingue le massif de Bavella.

La dernière partie du parcours consiste à rallier le refuge di Paliri, à environ 1 heure de marche, en descendant le versant est de la chaîne montagneuse. Au départ, la descente est abrupte, puis s'incline vers le nord-est et s'adoucit en suivant la courbe de niveau. L'arrivée au refuge di Paliri (1 055 m), précédée d'une petite croupe, marque la fin de cette longue étape.

🛏 Où se loger et se restaurer

Le **refuge di Paliri** (refuge du PNRC ; dort 11 €, camping 6 € ; ravitaillement), bâti sur un ancien emplacement de bergeries, avec les moellons de celles-ci (20 places), vaut pour son cadre absolument grandiose : il est encadré par la crête de Punta Tafunata di i Paliri – percée d'une sorte d'œil-de-bœuf caractéristique et partiellement équipée en via ferrata – et l'Anima Danata ("âme damnée", 1 091 m), identifiable à sa forme en pain de sucre. Au sud-est, une coulée de verdure rompt ce décor minéral. Par temps clair, la vue porte jusqu'à la Sardaigne, au sud. Toilettes et coin cuisine. La seule eau potable disponible au refuge di Paliri est celle de la source aménagée, située 200 m en contrebas.

ÉTAPE 16

**Refuge di Paliri (1 055 m)
– Conca (252 m)**
Kilométrage : 12 km
Difficulté : moyenne
Durée moyenne : 5 heures
Point culminant : 1 055 m

Parfois injustement délaissée, cette étape finale, éblouissante, offre un contraste saisissant avec le parcours de la veille. Après avoir quitté la partie sud du massif de Bavella, l'itinéraire renoue avec le maquis que le décor rocheux des précédentes étapes avait fait oublier. La présence de la mer est de plus en plus perceptible au fil de l'étape.

Descriptif de la randonnée

Au départ du refuge, le sentier suit une courte descente, puis évolue au milieu d'une superbe forêt de pins maritimes investie de fougères. Sur la gauche se profile la masse imposante de l'Anima Danata, que l'on découvre encore mieux au sortir de la forêt. Après un bref ressaut, on distingue nettement les massifs du Monte Bracciutu à l'est et du Monte Sordu au sud-est (25 min). Vient ensuite un parcours en corniche qui s'incurve vers le nord-est, autour d'un cirque

au milieu duquel jaillissent les pics du **massif du Bracciutu**. En vous retournant, vous pourrez jeter un dernier regard à "l'œil" de la crête de Punta Tafunata di i Paliri. On progresse sur cette corniche pendant une demi-heure environ, à découvert, jusqu'au **Foce di u Bracciu** (917 m), qui marque une nette inflexion de l'itinéraire : le chemin bifurque en U et file cette fois plein sud.

Arbousiers, cistes, lavande et bruyère composent le décor végétal. On progresse sur la courbe de niveau pendant environ 10 min, puis on aborde la montée à la **Bocca di Sordu** (1 065 m). Vous gagnerez le col, reconnaissable à de gros éboulis rocheux, au bout de 30 min d'une grimpette traîtresse (soit 1 heure 30 environ après avoir quitté le refuge). De là, la perspective est dégagée jusqu'à la mer.

Juste après le col, le tracé descend une grosse dalle de granite d'une cinquantaine de mètres (qui pourrait facilement faire un toboggan naturel en cas de pluie), d'assez forte déclivité. Elle aboutit à un chemin sablonneux qui fend une forêt de pins (environ 2 heures).

Quelques minutes plus tard, on parvient à un petit plateau d'où émergent des dômes de granite et des empilements de roches aux formes étranges. Le maquis et quelques pins maritimes plantent le décor. On évolue au milieu de ce paysage pendant une quinzaine de minutes avant d'entamer une descente. Le côté montagnard de l'étape s'efface progressivement et le relief se fait plus doux. Vous atteindrez les ruines des **bergeries de Capellu** 2 heures 30 environ après votre départ du refuge. Une source est indiquée sur la gauche, à 300 m du sentier principal. Profitez de l'endroit pour pique-niquer.

Une quinzaine de minutes plus tard, vous parviendrez à un petit replat, d'où vous pourrez admirer le massif de la Punta-Balardia au nord-est, reconnaissable à son pain de sucre. Vous descendrez ensuite progressivement jusqu'au **ruisseau de la Punta Pinzuta** que l'on entend couler au fond de la vallée.

Après 3 heures/3 heures 15 de marche, vous franchirez le ruisseau à gué. Le sentier le longe ensuite provisoirement en balcon, avant de décrire un grand lacet et de franchir à nouveau le cours d'eau à un endroit où de grandes vasques dans la roche permettent de se rafraîchir (au niveau d'un panneau du PNRC). Suit une bonne grimpette d'environ 20 min pour sortir de cette vallée encaissée (3 heures 45) et arriver à

» La terrasse du refuge de Carozzu entourée de 3 parois rocheuses (étape 2)

» Le cadre grandiose du cirque de la Solitude (étape 4)

» Les bassins naturels le long du Golo (étape 5)

» Le magnifique lac glaciaire de Nino et ses prairies verdoyantes (étape 6)

» Le passage de la brèche de Capitellu (étape 7)

» La vision des lacs de Capitellu et de Melo depuis le col de Rinoso (étape 7)

» La vue sur Ajaccio depuis les crêtes par la variante entre le refuge de Petra Piana et celui de l'Onda (étape 8)

» Une halte-dégustation suivie d'une sieste aux bergeries de Tolla (étape 8)

» La descente vers les cascades des Anglais et leurs vasques (étape 9)

» Le coucher et le lever de soleil aux bergeries de Capanelle (étapes 10/11)

» Le chemin des crêtes, entre le refuge de Prati et celui d'Usciolu (étape 12)

» La marche sur les pozzines du plateau du Coscione (étape 13)

» Une étape gastronomique au refuge des bergeries de Bassetta, au pied du Monte Incudine (étape 13)

» La traversée du massif de Bavella, par la variante alpine (étape 14)

» Le cadre douillet du refuge di Paliri (étapes 14/15)

» Les senteurs du maquis sur la dernière étape Paliri-Conca

un col où vous pourrez reprendre votre souffle. Le sentier se poursuit ensuite à flanc de montagne, sans dénivelé ou presque, et décrit de longues sinusoïdes en corniche au milieu du maquis, pendant 45 min.

Après 4 heures 45 de marche, vous atteindrez la **Bocca d'Usciolu** (587 m). Ultime col du tracé, il a valeur de symbole. Sa forme caractéristique en U ne manque pas, en effet, d'évoquer la "porte de sortie" du GR®20. Dès le col franchi, Conca et son campanile, but de l'étape et point final du tracé, se profilent en contrebas, dans la vallée. Plus au sud, on voit nettement une belle anse littorale. La descente jusqu'au village (20-30 min) se déroule au milieu d'un épais taillis.

Cinq heures environ après avoir quitté le refuge di Paliri, vous déboucherez sur une route goudronnée. Prenez à gauche, jusqu'à un carrefour, où vous suivrez la route qui descend. Vous arriverez ensuite en vue de la route principale à **Conca**, partagé entre la joie d'avoir "bouclé" le GR®20 et, déjà, la nostalgie de ses reliefs.

🛏 Où se loger et se restaurer

La Tonnelle (☎04 95 71 46 55 ; www.gite-conca. com ; camping 6 € environ, dort 19 €, 38 € en demi-pension ; plats 10-20 € environ, menu 14 € ; ☺mars-oct) est un excellent gîte d'étape, bien équipé, avec des chambres de 2, 4 ou 5 lits, pourvues de sanitaires privés, et une grande salle de restaurant. Cuisine à disposition. Service de transfert pour Sainte-Lucie de Porto-Vecchio ou Porto-Vecchio (10 €/pers à partir de 3-4 pers). Service de restauration mais pas de ravitaillement. Épiceries et snack-bar au village.

MARE E MONTI® ET MARE A MARE®

Ces appellations désignent cinq sentiers aménagés par le parc naturel régional de Corse, répartis du nord au sud de l'île. Certes moins médiatiques que le GR®, ils présentent néanmoins une batterie d'atouts spécifiques qui les rendent attrayants. Il s'agit de parcours de moyenne montagne plus courts et réputés accessibles à un plus grand nombre que celui du GR®. Ceux qui doutent de leur aptitude à "tenir" le GR® peuvent donc se tester sur ces parcours.

La localisation des sentiers Mare e Monti® et Mare a Mare® ainsi que les régions qu'ils traversent en font également d'excellents itinéraires de découverte de la Corse traditionnelle de l'intérieur des terres. Par rapport au GR®, perché dans la montagne et ne croisant que trois hameaux, ils présentent l'originalité de traverser les bourgades les plus pittoresques de l'île – les étapes sont conçues de village à village – et

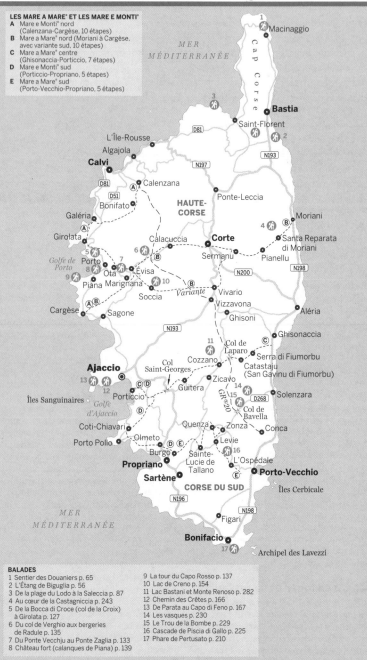

LES MARE A MARE® ET LES MARE E MONTI®
- **A** Mare e Monti® nord (Calenzana-Cargèse, 10 étapes)
- **B** Mare a Mare® nord (Moriani à Cargèse, avec variante sud, 10 étapes)
- **C** Mare a Mare® centre (Ghisonaccia-Porticcio, 7 étapes)
- **D** Mare e Monti® sud (Porticcio-Propriano, 5 étapes)
- **E** Mare a Mare® sud (Porto-Vecchio-Propriano, 5 étapes)

0 ————— 30 km

MER MÉDITERRANÉE

Macinaggio

Cap Corse

Bastia
Saint-Florent

L'Île-Rousse
Algajola
Calvi
Calenzana
Bonifato
Galéria
Girolata
Golfe de Porto
Porto
Ota
Piana Marignana
Cargèse
Sagone

HAUTE-CORSE
Ponte-Leccia
Moriani
Santa Reparata di Moriani
Pianellu
Calacuccia
Corte
Sermanu
Évisa
Variante
Soccia
Vivario
Vizzavona
Ghisoni
Aléria

Ajaccio
Col Saint-Georges
Porticcio
Îles Sanguinaires
Golfe d'Ajaccio
Coti-Chiavari
Porto Pollo
Olmeto
Burgo
Propriano
Sartène

Col de Laparo
Cozzano
Serra di Fiumorbu
Catastaju (San Gavinu di Fiumorbu)
Zicavo
Guitera
Solenzara
Col de Bavella
Quenza
Zonza
Conca
Levie
Sainte-Lucie de Tallano
L'Ospédale
Porto-Vecchio
Îles Cerbicale

Ghisonaccia

CORSE DU SUD

MER MÉDITERRANÉE

Figari
Bonifacio
Archipel des Lavezzi

BALADES
1. Sentier des Douaniers p. 65
2. L'Étang de Biguglia p. 56
3. De la plage du Lodo à la Saleccia p. 87
4. Au cœur de la Castagniccia p. 243
5. De la Bocca di Croce (col de la Croix) à Girolata p. 127
6. Du col de Verghio aux bergeries de Radule p. 135
7. Du Ponte Vecchju au Ponte Zaglia p. 133
8. Château fort (calanques de Piana) p. 139
9. La tour du Capo Rosso p. 137
10. Lac de Creno p. 154
11. Lac Bastani et Monte Renoso p. 282
12. Chemin des Crêtes p. 166
13. De Parata au Capo di Feno p. 167
14. Les vasques p. 230
15. Le Trou de la Bombe p. 229
16. Cascade de Piscia di Gallo p. 225
17. Phare de Pertusato p. 210

facilitent ainsi la découverte d'autres facettes que les seuls reliefs et sites naturels de l'île. Le confort est également supérieur, puisque des gîtes d'étape (assurant la restauration), voire des hôtels, accueillent les randonneurs à la fin de chaque étape. Vous pouvez donc tronçonner les parcours à votre guise. La fréquentation est également moindre par rapport au GR®.

Vous trouverez ci-dessous une présentation générale de chacun d'eux (à l'exception des Mare a Mare® centre et sud, qui font l'objet d'une description détaillée, étape par étape) avec mention des villages traversés. Certaines localités sont traitées dans les chapitres généraux de ce guide, avec les descriptions des ressources en matière d'hébergement et de restauration.

Ravitaillement et hébergement

Vous n'aurez aucun souci de logistique sur les Mare e Monti® et Mare a Mare®. Vous pourrez en effet loger dans un gîte à la fin de chaque étape. Généralement bien tenus, ils sont plus confortables que les habituels refuges. Ils disposent de petits dortoirs (chambres de 4-10 personnes), de sanitaires (avec douches chaudes) et de couvertures (parfois de draps). L'ambiance et la qualité des prestations de chacun dépendent étroitement des gérants, souvent une famille du village. Certains s'investissent beaucoup dans la tenue de leur gîte et ont réussi à en faire une adresse réputée, notamment pour leur table.

Vous avez le choix entre plusieurs formules : hébergement seul (environ 15 € la nuitée), demi-pension (35-38 €/pers), table d'hôtes (dîner à 15 € environ), panier-repas, voire camping dans de rares cas. Tous ne disposent pas d'un coin cuisine, et certains imposent la demi-pension.

La période d'ouverture varie d'un gîte à l'autre. Bon nombre d'entre eux ne fonctionnent pas hors saison (de novembre à avril). Téléphonez au préalable. En saison, les réservations sont indispensables. Le règlement se fait en espèces ou par chèque. Vous trouverez des hôtels dans certains villages.

Vous ne courrez pas davantage le risque d'être pris au dépourvu en matière de ravitaillement. Outre la restauration dans les gîtes, vous croiserez en effet des épiceries ou des libres-services, voire des restaurants. En principe, chaque village bénéficie d'un bureau de poste (aux horaires d'ouverture restreints), où il est théoriquement possible de retirer de l'argent sur présentation d'une carte de crédit et d'une pièce d'identité.

Balisage et cartes

Les itinéraires sont balisés en orange (trait de peinture sur un tronc d'arbre ou sur des rochers). La visibilité et la fréquence du balisage laissent cependant parfois à désirer sur certains tronçons. Une absence de marquage sur plus de 100 m est suspecte. Revenez toujours sur vos pas pour retrouver la balise précédente.

Une carte détaillée vous sera d'un grand secours. Munissez-vous des cartes IGN au 1/25 000 (série Top 25), très claires.

Les sentiers Mare e Monti®

Comme leur nom corse l'indique, ces itinéraires cheminent entre la mer et la montagne.

Mare e Monti® nord

Ce superbe parcours, sans difficulté particulière, relie Calenzana, en haute Balagne, à Cargèse, au sud du golfe de Porto. Il se divise en 10 étapes de 4 à 7 heures environ, à une altitude maximale de 1 153 m. Vous traverserez plusieurs sites naturels d'exception, telles la forêt de Bonifato, la réserve naturelle de Scandola et les gorges de la Spelunca, et ferez halte dans des villages pleins de charme, notamment Galéria, Ota et Évisa.

Les gîtes sont situés successivement à Calenzana, Bonifato, Tuarelli, Galéria, Girolata, Curzu, Serriera, Ota, Évisa, Marignana, Revinda-E Case et Cargèse. Il existe également d'autres hôtels ouverts dans certains villages.

Le Mare e Monti® nord est praticable toute l'année, mais l'avant et l'après-saison (mai-juin et sept-oct) sont préférables pour éviter les fortes chaleurs. Une jonction avec le Mare a Mare® nord est possible à Évisa et à Marignana.

Mare e Monti® sud

Ce sentier relie les golfes de deux stations balnéaires du sud-ouest de la Corse, Porticcio et Propriano. Il se déroule en 5 étapes de 5-6 heures en moyenne, à une altitude maximale de 870 m. Vous ferez halte à Bisinao, à Coti-Chiavari (qui domine les deux golfes), à Porto Pollo, à Olmeto et finirez le parcours à Burgo (à 7 km au nord de Propriano). Le parcours ne comporte que 2 gîtes d'étape – à Bisinao et à Burgo. Ailleurs, vous devrez dormir dans les hôtels et campings de Coti-Chiavari, de Porto Pollo et d'Olmeto.

Le parcours se caractérise par des vues sur les golfes, les tours génoises et les plages (à Cupabia et à Porto Pollo). À l'instar de son homologue du nord, ce sentier est praticable toute l'année et ne présente pas de difficulté particulière. Préférez le printemps et l'automne. Une jonction est possible avec le Mare a Mare® sud, à Burgo.

Les sentiers Mare a Mare®

Au nombre de trois (nord, centre, sud), les sentiers Mare a Mare® ("mer à mer") relient les côtes ouest et est en passant par les montagnes de l'intérieur. Les parcours Mare a Mare® centre et Mare a Mare® sud font l'objet d'une description plus détaillée (par étapes).

Mare a Mare® nord

De Moriani, sur la côte est au sud de Bastia, à Cargèse, à l'ouest, ce sentier traverse des régions contrastées et se parcourt en 10 étapes de 4 à 6 heures, flirtant par moments avec les 1 600 m.

À partir d'Évisa (8e jour), il se confond avec le Mare e Monti® nord jusqu'à Cargèse. Vous ferez connaissance avec Corte (4e jour), le Boziu – région reculée réputée pour ses chapelles et ses fresques – et le Tavignano, avant de monter jusqu'au col de Verghio (croisement avec le GR®), d'apprécier les forêts et de filer jusqu'à Évisa et à Cargèse.

Les gîtes sont situés à Pianellu, Sermano, Corte, Calacuccia, Albertacce, Casamaccioli, Évisa, puis le long du Mare e Monti® nord.

Une variante méridionale est possible à partir du 4e jour. De Sermano, elle plonge vers le sud jusqu'à Vivario via Poggio-di-Venaco, puis s'infléchit vers l'ouest et traverse successivement l'Onda, Pastricciola, Guagno, Guagno-les-Bains et Renno, avant d'opérer la fusion avec le Mare e Monti® nord à Marignana.

Compte tenu de l'altitude de certaines étapes, évitez la période s'étalant entre novembre et avril, en raison des risques d'enneigement.

Mare a Mare® centre

Le Mare a Mare® centre n'est pas le plus connu, ni le plus fréquenté de ces itinéraires, ce qui contribue à son attrait.

Composé de 7 étapes de 3-7 heures entre Ghisonaccia (façade maritime est) et Porticcio, à l'ouest, il traverse deux *pievi* méconnues, le Fiumorbo et le Taravo, dont les villages possèdent un authentique cachet, avant de traverser l'arrière-pays d'Ajaccio.

La diversité des paysages traversés est étonnante, et vous vous familiariserez avec tous les étages de la végétation.

Les parties ombragées sont nombreuses. L'altitude maximale est de 1 525 m, au col de Laparo, ce qui explique qu'il est surtout praticable d'avril à novembre. Malgré nos mises à jour régulières, nous vous conseillons de vous munir d'une carte détaillée pour avoir des points de repère précis, d'autant que le parc n'effectue pas un travail de balisage très régulier sur cette randonnée. Attention, vous ne trouverez aucun distributeur de billet sur le parcours et les gîtes ne prennent pas la carte de crédit.

Le transport en voiture – intéressant si vous souhaitez "tronçonner" votre parcours en le commençant ou en le finissant à Catastaju – peut également être assuré (forfait de 25 € jusqu'à Ghisonaccia, 80 € jusqu'à l'aéroport de Bastia-Poretta, 100 € jusqu'à Cozzano ou Bastia).

ÉTAPE 1

Ghisonaccia – Serra-di-Fiumorbu (460 m)
Balisage : orange
Difficulté : bonne montée, "cassante" en fin de parcours
Durée moyenne : 2 heures 30 à 3 heures
Point culminant : 460 m
Accès : autocars au départ de Bastia et de Porto-Vecchio, 2/jour, tous les jours sauf le dimanche hors saison

Cette marche d'approche, dos à la mer, constitue une excellente mise en jambes qui vous conduira au village de Serra-di-Fiumorbu, perché sur les premiers contreforts de l'intérieur de l'île. Le parcours est très nettement divisé en deux parties, au profil différencié : la première, plate, traverse la plaine agricole et la seconde est une montée franche jusqu'à Serra-di-Fiumorbu.

Descriptif de la randonnée

Le point de départ du Mare a Mare® centre se situe sur la N198, à 4,5 km au sud de Ghisonaccia, à 1 km au sud du hameau de Casamozza, juste après le pont qui enjambe l'Abatescu, sur la droite. Le début de l'itinéraire est signalé par un panneau du PNRC, qui indique 3 heures pour rallier Serra-di-Fiumorbu, 7 heures pour Catastaju (votre seconde étape) et 11 heures pour la Bocca di Laparo (col de Laparo).

La première partie du parcours, plate, suit la petite route goudronnée, qui se dirige plein ouest vers les contreforts montagneux, et traverse des champs voués à la culture maraîchère, rappelant que le Fiumorbu était déjà un grenier à blé dans l'Antiquité. Votre premier contact avec un village corse sera le hameau d'Asprivu, que vous rejoindrez en moins d'une demi-heure. Faites preuve de vigilance, car le balisage devient confus : lors de notre passage, un nouveau chemin avait sans doute été créé récemment, mais rien ne l'indiquait clairement. Il faut donc suivre très attentivement le balisage. Sinon, nous vous proposons un début d'itinéraire dont le sentier est mal débroussaillé. Dans le hameau, vous arriverez à une fourche avec, à droite, un chemin caillouteux, que vous délaisserez.

Continuez sur la route goudronnée et, 100 m plus loin, prenez le chemin qui bifurque sur la droite, en direction du hangar agricole. Passez la barrière à côté du hangar et empruntez quelques mètres plus loin le chemin entre deux haies. Le sentier, bien recouvert par la végétation et les ronces, vous conduira, quelque 10 min plus tard, au Fiumorbo, un cours d'eau que vous longerez sur une centaine de mètres, le long d'une étroite corniche, puis sur une piste plus large.

Progressivement, les cultures agricoles cèdent la place à des arbres, entre autres des chênes, et au maquis, qui donne au paysage une tonalité un peu plus sauvage. Au bout de 1 heure 10 de marche, vous atteindrez le hameau de Suartellu, et passerez devant une petite maison. Prenez la route goudronnée sur 900 m environ et vous aboutirez à un carrefour. Traversez la route, et repérez le panneau sur la gauche, qui indique Serra à 1 heure (mais comptez plutôt 1 heure 15).

Les choses se gâtent alors : vous avez rendez-vous avec le premier dénivelé du Mare a Mare®. Quelque 200 m après le premier lacet, on quitte la route pour un petit sentier (indiqué) qui s'enfonce dans le couvert végétal. Prenez votre courage à deux mains, car la montée est sans concession. Trois quarts d'heure plus tard, vous déboucherez sur une route goudronnée, que vous emprunterez sur une vingtaine de mètres sur la droite, pour rattraper le sentier qui reprend à flanc de colline, sur la gauche (on ne le voit pas très bien, de même que le balisage orange). Encore 25 min de grimpette et vous tombez à nouveau sur la route goudronnée, que vous suivez cette fois sur la droite jusqu'au village de Serra, que l'on aperçoit, à 457 m d'altitude. À l'entrée du village, vous jouirez d'une belle vue d'ensemble sur la plaine. Le village est à flanc de colline, et vous enchaînerez encore 2 lacets avant de parvenir au centre. Le gîte d'étape est situé dans une bâtisse en granite à la sortie du village, sur la gauche.

À noter : certains randonneurs court-circuitent cette étape et commencent directement à Serra-di-Fiumorbo. D'autres ne font pas escale à Serra, et rallient Catastaju dès le premier soir.

Où se loger et se restaurer

Gîte d'étape de Serra-di-Fiumorbu (☎04 95 56 75 48, 06 81 04 69 49 ; Serra-di-Fiumorbu ; dort 15 €/pers, 37 € en demi-pension ; ☺avr-oct). Voir description p. 261.

ÉTAPE 2

Serra-di-Fiumorbu (460 m) – Catastaju (523 m)
Balisage : orange
Difficulté : facile ; absence d'ombre sur la première partie de l'itinéraire
Durée moyenne : 4 à 5 heures
Point culminant : 957 m

Ce parcours varié alterne crêtes, maquis et forêts de pins et rejoint le cœur de la montagne. Un long faux plat sur une crête, suivi de quelques montées plus accentuées qui vous conduiront à près de 900 m d'altitude, cède ensuite la place à une descente rapide et ombragée jusqu'au hameau de Catastaju (523 m), dans une vallée encaissée.

Descriptif de la randonnée

Marchez en direction de la sortie de Serra-di-Fiumorbu, sur environ 500 m. Sur la droite, vous distinguerez un panneau indiquant, entre autres, la Bocca di Juva. Suivez donc cette piste qui monte sur la droite. Vous allez alors cheminer sur une large crête qui s'élève régulièrement, orientée sud-ouest, et qui dégage de magnifiques perspectives sur une chaîne montagneuse et la vaste dépression du Fiumorbo à l'ouest. La végétation est plutôt maquisante, avec des cistes, des belliums, des digitales pourpres, des bruyères. Peu ou pas d'ombre dans cette première partie de parcours.

Sur cette crête qui monte en faux plat, à découvert, quelques pistes forestières risquent de vous jouer des tours, sans que le balisage soit d'une réelle efficacité dans ces moments cruciaux. Vous croiserez d'abord une fourche avec trois pistes ; empruntez celle de gauche. Puis continuez la route forestière qui est parfois coupée par un chemin plus court qui longe la crête. Repérez bien le balisage sur les arbres ou au sol.

Au bout de 1 heure 40 de marche environ, on arrive à un col offrant une vue saisissante sur une autre vallée. On progresse sur la crête et, quelque 200 m plus loin, on arrive à une intersection ; sur la gauche, un panneau cassé indique "Ventiseri". Il faut continuer tout droit le sentier au milieu des pins et des chênes verts. La montée est plus accentuée, sur un sentier ombragé dévoré par des taillis. On arrive à un autre petit col avec vue sur la mer, après 20 min, et la végétation change. Cette fois, pins et fougères sont désormais dominants, alors qu'auparavant on avait évolué dans un cadre plus dégarni. La montée continue pendant environ 10 min jusqu'à une petite esplanade touffue, où l'on risque de perdre le balisage et la trace du sentier.

Le chemin s'incurve sur la gauche et propose à nouveau une grimpette pendant 5 min, jusqu'à un sommet (2 heures 30). On entame ensuite la descente dans un paysage grandiose, cerné par les montagnes. On traverse une pinède, puis on parvient à un premier carrefour de la Bocca di Minaguli. Il faut continuer tout droit et ignorer la descente vers Ania sur la droite. On arrive ensuite au deuxième carrefour de la **Bocca di Juva** (altitude 866 m) avec une jolie vue. Ania et Catastaju sont indiqués sur la droite. La descente se fait tantôt prononcée, tantôt douce, au milieu d'une forêt de pins.

Un peu plus de 15 min après la Bocca di Juva, on traverse une piste forestière que l'on remonte sur 50 m avant de retrouver le balisage qui descend vers la forêt. Vous croiserez une stèle en pierre qui vous indique de continuer tout droit. Au bout de 4 heures 30 de marche environ, on franchit un ruisseau. Cinquante mètres plus loin, en montant, on accède à un autre carrefour. Ne prenez pas la direction d'Ania, tout droit (indiqué en orange, risque de confusion possible), mais bifurquez sur la gauche pour mettre le cap sur Catastaju.

Vous croiserez ensuite un autre panneau indicateur, où cette fois vous prendrez à droite pour **Catastaju**. Bientôt, signe de délivrance, vous entendrez les eaux de l'Abatescu, en vue duquel vous arriverez au bout de 5 heures, après une bonne descente. Franchissez la passerelle. Le gîte se dresse sur la droite. Profitez des eaux limpides et vivifiantes de l'Abatescu pour vous remettre de cette belle étape.

🛏 Où se loger et se restaurer

Gîte d'étape de Catastaju – San-Gavinu-di-Fiumorbu (📞 04 95 56 70 14, 06 79 74 81 58 ; dort 17 €/pers, 39 € en demi-pension, dîner 5-15 € ; ⊙ avr-oct). Voir détails p. 261.

Épicerie bien approvisionnée à San-Gavino-di-Fiumorbu, bar et cabine téléphonique.

ÉTAPE 3

Catastaju (523 m) – Col (Bocca) de Laparo (1 525 m) – Cozzano (727 m)
Balisage : orange
Difficulté : bon dénivelé (1 000 m) sur la première partie
Durée moyenne : 6 heures à 6 heures 30
Point culminant : 1 525 m

Cette longue étape, variée et ombragée, a comme point d'orgue le franchissement du col de Laparo (1 525 m), point culminant du Mare a Mare®, qui forme une frontière naturelle entre la région du Fiumorbo et celle du Taravo. Vous ferez également connaissance avec plusieurs étages de végétation. Le profil général est celui d'un V renversé : ascension régulière jusqu'au col, puis longue descente dans la vallée de Cozzano.

Descriptif de la randonnée

Devant le gîte, suivez la route goudronnée qui monte. Au bout de 300 à 400 m, prenez à droite, après le préfabriqué, en direction de la Bocca di Laparo. Faites vos adieux au bitume et apprêtez-vous à vivre une montée progressive mais sans concession jusqu'au col de Laparo, à 1 525 m, soit un dénivelé de 1 000 m...

La première demi-heure se passe sans encombre. L'ascension est lente et régulière, et suit le cours du ruisseau Macini vers l'amont. Ne vous déconcentrez pas, car il ne faut pas manquer une bifurcation en forme d'épingle à cheveux sur la droite, à peu près à hauteur de l'endroit où le ruisseau cascade. Observez bien le balisage à terre.

Au bout de 45 min, vous débouchez sur une corniche d'où l'on domine toute la vallée du Macini. Premier carrefour après 1 heure 10 d'efforts : à droite, on se dirige vers San-Gavino ; tout droit, on monte au col de Laparo (indiqué). Quelques minutes plus tard, vous franchirez un ruisseau à gué, que vous longerez ensuite sur une corniche, vers l'amont. Une montée d'environ 10 min fait suite à cette corniche ; vous retraverserez un ruisseau, à gué, sur de gros éboulis. À cet endroit, le balisage n'est guère visible.

Fiez-vous aux petits cairns et aux marques orange sur les arbres de la rive opposée. Sur l'autre rive, le sentier louvoie en courts lacets dans la pinède, au milieu de grosses roches et de racines.

Au fur et à mesure de la progression, les pins s'effacent devant les hêtres. Sur le bord du chemin, on croise les grandes feuilles de l'ellébore corse et les jolies petites fleurs jaunes du millepertuis.

Au bout de 1 heure 55, on arrive à un col qui forme une petite esplanade où se trouvent les ruines des **bergeries de la Scanciatella**. L'endroit est idéal pour un pique-nique. Quand on fait face à la vallée, avec la forêt de hêtres derrière soi, la reprise du sentier est sur la droite. Une autre petite bergerie, avec un toit en tôle, vous attend un peu plus haut à côté d'une source d'eau. Cinquante mètres après, on s'enfonce à nouveau dans la hêtraie et l'on suit la courbe de niveau. Un quart d'heure plus tard, on franchit un ruisseau à gué.

Au bout de 2 heures 45, dans la hêtraie, on repère un petit cairn qui signale qu'il faut tourner sur la gauche. Le balisage orange, sur un tronc d'arbre, n'est pas très apparent.

Vous atteindrez le **refuge de Laparo** en 3 heures 10. Il s'agit d'un bâtiment en dur, non gardé, dans lequel on peut dormir (matelas sommaires). Une gazinière est installée et un tuyau d'eau potable en contrebas permet de se désaltérer. Pour rejoindre le sentier, prenez tout de suite à gauche juste avant d'arriver au refuge. Le sentier longe la façade puis oblique à 90° en amont. Une bonne grimpette vous conduira en 15 min (soit au bout d'environ 3 heures 30 au total) à une clairière, où le balisage est confus. Fiez-vous à la balise sur le rocher, vers l'amont.

À noter : le passage par le refuge de Laparo est facultatif. Il vous fait faire un détour d'environ 10 min tout au plus. On peut éviter ce petit crochet en prenant directement la direction de Laparo à une patte-d'oie, à hauteur de laquelle on devine le mot "refuge" sur un écriteau détaché d'un arbre et "Laparo" à peine lisible sur une pierre.

De la clairière, un raidillon final vous conduira en un quart d'heure (25 min depuis le refuge) au **col de Laparo**, point de jonction avec le GR®20, orienté nord-sud, qui coupe le Mare a Mare® à angle droit. Comptez 3 heures 30 à 4 heures pour le tronçon Catastaju-Laparo. Savourez la vue sur la région du Taravo, à l'ouest, que vous allez rejoindre.

De Laparo, le sentier commence par une descente. Après 25 min, on croise un torrent, puis bientôt un deuxième avec une petite vasque idéale pour se rafraîchir. Le chemin s'engage alors dans une superbe forêt de pins laricios avant de rejoindre une piste forestière. Prenez à gauche et vous ne tarderez pas à dépasser un torrent.

Une fontaine naturelle est située 200 m plus loin, en bord de route. Poursuivez votre chemin pendant une demi-heure jusqu'à ce que vous longiez une sorte d'esplanade : un panneau "Cozzano" pointe alors la direction d'un petit sentier qui descend dans la forêt.

Quarante minutes plus tard, il débouche sur une route forestière, fraîchement construite, qui descend. Après 10 min, vous croiserez une petite fontaine sur la gauche du sentier, puis quelques centaines de mètres plus loin, dans un virage, le sentier repart dans la forêt sur la gauche. Soyez bien vigilant, on peut en effet passer à côté du balisage. Le sentier bordé de chênes verts et de châtaigniers majestueux recroise la piste forestière avant d'emprunter le lit desséché d'un ruisseau qui part à gauche d'une porcherie.

Le sentier n'aura désormais de cesse de couper la route forestière : soyez donc attentif au balisage orange (ne suivez pas le rouge !).

Après 3 heures de descente, vous entendrez les remous d'un large torrent dans lequel vous pourrez vous baigner. Vous rejoindrez peu après une route bitumée qui mène, à gauche, au centre de Cozzano, à droite, au gîte rural.

📖 Où se loger et se restaurer

Auberge A Filetta (📞 04 95 24 45 61 ; www. auberge-afiletta.com ; route de Guitera ; d 50 €, s/d en demi-pension 65/85 € ; repas 16 € ; ⏱ mi-avr à sept ; P 🅿). Voir détails p. 182.

Gîte d'étape Bella Vista (📞 04 95 24 41 59 ; www.gitecozzanohebergementcorse.com ; camping 7 €/pers, dort 14 €/pers, d 39 € ; repas 17,50 € ; ⏱ avr à mi-oct). Voir détails p. 182.

ÉTAPE 4

**Cozzano (727 m)
– Guitera-les-Bains (620 m)**
Balisage : orange
Difficulté : moyenne
Durée moyenne : 4 heures 30 à 5 heures
Point culminant : 955 m
Remarque : possibilité de faire halte dans les villages traversés

Cette étape est probablement la plus ombragée du Mare a Mare® centre. Entre-coupée par la traversée de plusieurs villages, elle s'achève par une longue descente sur Guitera-les-Bains, qui dévoile de superbes points de vue. Il existe également une variante intéressante qui passe par le village de Zicavo et les bains de Guitera. Renseignez-vous auprès du gîte rural Bella Vista de Cozzano.

Descriptif de la randonnée

Le sentier prend son départ sur la route de Guitera (D757), 50 m avant l'Auberge A Filetta, au pied d'un châtaignier. Comptez environ 1 heure 30 pour rallier **Sampolo**, le premier village. Au premier embranchement, prenez à gauche. Après 10 min de descente, vous parviendrez au Taravo, cours d'eau qui a donné son nom à toute la région. C'est ce même Taravo qui alimente en eaux chaudes les bains de Guitera, situés à quelques kilomètres en aval.

Après avoir traversé le pont et foulé, sur 300 m, la D328, vous ne pourrez pas rater sur votre gauche un panneau en bois pointant la direction de Sampolo. Quittant la route, le large chemin bordé de murets de pierres débouche sur une barrière en bois. Une fois cette dernière passée, on prend, tout de suite à droite, le joli sentier au milieu des fougères jusqu'à deux maisons qui surplombent la vallée.

Enjambez une autre barrière en bois ; le sentier oblique à gauche et, après une descente, traverse un ruisseau et remonte à pic jusqu'à une tombe précédant une maison. En continuant votre chemin, vous croiserez la D28, qui vous mènera, en 1 heure 30, au petit village de Sampolo, situé 200 m en aval.

Autrefois passage obligé des bergers en transhumance, Sampolo ne compte aujourd'hui qu'une vingtaine d'habitants en hiver. Pour le randonneur, ce joli village est une aubaine : il dispose d'une épicerie (la dernière avant Porticcio) et d'un bar-tabac fort sympathique. Avec son parterre de vieux carrelage, le Bar des Amis, ouvert tous les jours, accueille, depuis 1900, riverains et gens de passage.

Il vous faudra moins d'une demi-heure pour rejoindre **Giovicacce**, le prochain village. L'itinéraire traverse Sampolo et, arrivé à une fourche, poursuit tout droit sur la D28. Il longe alors plusieurs petits cimetières dont certains sont envahis par la végétation. Au troisième cimetière, dans un virage, le sentier quitte la route sur la gauche. Longez au plus près le mur de pierres et vous descendrez dans le lit d'un ruisseau en passant sur des petites passe-relles en bois. Vous rejoindrez vite deux petits ponts en bois. Juste après, tournez à droite pour entrer dans Giovicacce.

Parvenu à la route principale, rejoignez la cabine téléphonique sur la droite et poursuivez sur 500 m jusqu'à un pont. Là, un panneau du PNRC indique "Tasso 30 minutes". Le sentier grimpe régulière-ment dans les sous-bois, le long d'un ruisseau. Vous noterez la présence de tuyaux en plastique noir, qui se sont depuis longtemps substitués aux traditionnels canaux à ciel ouvert qui alimentaient en eau les terrasses irriguées du village. Ce savant partage de l'eau, qui rendit possible la culture de pota-gers et d'arbres fruitiers au XIXe siècle, péri-clita après la Première Guerre mondiale. Le sentier coupe ensuite à deux reprises une route bitumée.

La seconde fois, préférez remonter à **Tasso** par la route plutôt que de tenter de trouver la suite du sentier, qui était très mal balisé à chacun de nos passages. Si vous ne souhaitez pas couvrir l'intégralité de l'étape jusqu'à Guitera, vous pouvez faire halte à Tasso (voir *Où se loger et se restaurer* p. 331).

De Tasso, il faut marcher encore 2 heures 15 pour rallier Guitera, le sentier redémarrant à 50 m du gîte d'étape U Tassu. Une route dallée longe de petits cimetières, avant d'atteindre un premier groupe de maisons où une source constitue un excellent point de ravitaillement en eau.

Le chemin commence alors à s'élever à flanc de montagne par une large piste pendant 40 min. Ensuite, un petit sentier descend dans une forêt et traverse quelques torrents.

Il vous faudra près de 1 heure 30 de marche pour parvenir à une grande esplanade à découvert, à la croisée de plusieurs chemins (955 m). Prenez celui d'en face pour vous engager dans une grande descente qui vous fera perdre 350 m d'altitude en une demi-heure. Vous aurez le plaisir d'apercevoir dans des trouées de sublimes vues sur Zicavo, situé sur le versant opposé, et distinguerez en arrière-plan le col de Laparo et les crêtes sur lesquelles est suspendu le GR®20. En bas de la descente, vous aurez peut-être à enjamber une barrière en fer avant d'arriver à une maison et à une route goudronnée. Tournez à gauche pour gagner le centre de Guitera-les-Bains.

Vous longerez d'abord une fontaine et un lavoir en pierre, avant d'apercevoir l'unique gîte d'étape qui se trouve en contrebas du village. De Guitera, vous pouvez vous rendre à pied ou en stop aux bains de Guitera, petite piscine naturelle d'eau chaude, à 5 km de là.

🛏 Où se loger et se restaurer

À la fin de l'étape, vous trouverez le **gîte d'étape de Paul-Antoine Lanfranchi** (☎ 04 95 24 44 40, 06 84 22 40 47 ; www.chez-paul-antoine.com ; Guitera ; nuitée/demi-pension 19/42 €, camping 8 €, menus 18-25 € ; ☺tte l'année). Voir p. 181.

ÉTAPE 5

Guitera-les-Bains (620 m) – Quasquara (721 m)
Balisage : orange ou jaune
Difficulté : facile
Durée moyenne : entre 3 heures 30 et 4 heures 30
Point culminant : 1 086 m

Cette agréable promenade, le plus souvent à l'ombre, fait un petit détour vers la Punta di Bozzi, qui offre un magnifique panorama de la région. Le sentier traverse le village de Frasseto, où vous pourrez faire une halte avant d'aborder la remontée abrupte sur Quasquara.

Descriptif de la randonnée

Remontez le village en passant devant le café l'Archia et la mairie, jusqu'à un panneau indiquant la direction de Frasseto à 3 heures 30. Après 40 min d'ascension sur une voie

rocailleuse, le parcours effectue un virage en épingle à cheveux qui précède une succession de lacets : ne ratez pas sur la gauche le départ du sentier qui s'enfonce dans la forêt.

Quelque 20 min plus tard, un panneau vert indique sur la droite le Castellu di Bozzi. Cette variante permet de grimper en une bonne demi-heure au sommet de la Punta di Bozzi à 1 086 m. Il faut bien suivre le balisage jaune et les cairns dans la forêt. La montée abrupte débouche sur une pointe rocheuse d'où, par temps clair, on peut voir jusqu'à la mer. En rejoignant l'esplanade avant la dernière montée au sommet, ne prenez pas à gauche le chemin par lequel vous avez grimpé, mais suivez à droite le balisage jaune. Faites 200 m et descendez à gauche dans la forêt en suivant toujours le balisage jaune (ainsi qu'un ancien balisage orange).

Après 15 min de descente, vous rejoignez le chemin du Mare a Mare® à la Bocca di Lera (1 048 m) et, en prenant le sentier sur la droite, vous gagnez un espace à découvert, sablonneux. Un écriteau signale Frasseto à 1 heure 45 de marche. La descente qui suit, agréable, régulière et ombragée, rallie en à peine 20 min une seconde esplanade pointant la direction de Frasseto à droite.

La descente entamée le long d'une châtaigneraie débouche sur une magnifique vue sur la crête de la Punta di Forca d'Olmu (1 646 m), à 3 km à peine à vol d'oiseau. Bruyères et chênes verts bordent le reste de l'agréable balade qui mène en 35 min à une fourche. Prenez le sentier à gauche et en moins d'un quart d'heure vous arriverez à une route bitumée. Tournez à gauche et vous atteindrez rapidement Frasseto, joli hameau où de grandes maisons en pierre de taille semblent évoquer un passé prestigieux. Un snack-bar nommé l'Inattendu est ouvert de façon... inattendue.

Il ne vous faudra pas plus d'une demi-heure pour rejoindre le village de Quasquara. Descendez la route principale de Frasseto jusqu'au ruisseau de Chiova. Puis, 150 m après le pont, ne ratez pas sur la droite le départ d'un petit sentier mal nettoyé qui aborde franchement le dénivelé.

Après 20 min de montée, vous parviendrez à un cimetière et redescendrez après sur les premières maisons du village.

🛏 Où se loger et se restaurer

Gîte l'Aghja de Quasquara (☎ 04 95 53 61 21, 06 19 57 28 53 ; Quasquara ; couchage extérieur 10 €, nuitée 23 €, repas 23 € ; ☺tte l'année). Voir aussi p. 181.

Quasquara (721 m)
– Col de Saint-Georges (757 m)
Balisage : orange
Difficulté : moyenne,
parcours faiblement ombragé
Durée moyenne : 5 heures à 5 heures 30
Point culminant : 1 150 m

Cette étape rejoint les hauteurs de la crête orientée sud-ouest, marquée par la Punta d'Urghiavari, pour ne plus vraiment la quitter. L'arrivée sur le col de Saint-Georges, au bord de la route nationale très fréquentée qui mène à Ajaccio, marque de manière un peu brutale le retour à la civilisation.

Descriptif de la randonnée

Remplissez bien vos gourdes avant de partir, car il n'y a pas d'eau le long de l'itinéraire. Commencez par remonter tout le village en coupant par les escaliers. Au niveau du dernier four à pain, ne ratez pas le panneau "Col de Saint-Georges 6 heures". La journée débute par une montée soutenue de 1 heure 15 environ.

Parvenu à une première esplanade à découvert, vous pourrez observer avec satisfaction la distance parcourue depuis Frasseto, tapi en contrebas. Le sentier poursuit sa progression pendant un petit quart d'heure pour atteindre le point culminant de la journée, la **Bocca di Foce** (1 150 m), qui offre une vue panoramique sur les deux versants de la crête.

Le chemin longe alors le flanc de la montagne pendant environ 35 min, puis descend au niveau de la **Punta d'Urghiavari** jusqu'à une barrière en bois. Le sentier oblique immédiatement à gauche et atteint quelques centaines de mètres plus loin la **Bocca di Sant'Antonu** (907 m). Pour la première fois, on distingue nettement la mer et les pistes d'atterrissage de l'aéroport d'Ajaccio.

La traversée du col durera près de 50 min pendant lesquelles vous zigzaguerez dans le maquis, avant de buter contre une montée cruelle, exposée, qui vous amènera en 25 min à la **Punta Maggiola** (1 082 m), lieu idéal pour une pause pique-nique. Le village de Santa-Maria-Sicché, à vos pieds, Propriano au sud et les plus hauts sommets de l'île au nord s'offrent à votre regard.

L'itinéraire entame alors une grande descente au milieu des fleurs de ciste et des chênes, qui conduit, en 30 min environ, à une

petite esplanade où le sentier se dédouble. Il faut prendre en face et, quelques centaines de mètres plus loin, emprunter le sentier sur la droite au milieu des ronces et des graminées. Le balisage se trouve sur une pierre posée à terre. Après avoir passé une barrière en bois et marché environ 10 min dans la forêt, on débouche sur une récente piste en terre qu'il faut grimper jusqu'à une barrière en fer. Attention à ne pas rater le sentier qui repart sur la gauche 100 m plus loin, au milieu d'une véritable jungle de fougères et de ronces (lors de notre passage, il était difficile de le voir). Le chemin descend ensuite dans un sous-bois et, en 30 min, vous atteindrez le **col de Saint-Georges**.

🏠 Où se loger et se restaurer

Auberge et gîte du col de Saint-Georges
(☎ 04 95 25 70 06 ; route d'Ajaccio à Bonifacio ; d 70 €, nuitée/demi-pension en gîte 15/43 € ; plats 12-25 €, menu 30 € ; ☺ gîte avr-oct, restaurant tte l'année). Voir p. 180.

ÉTAPE 7

Col de Saint-Georges (757 m)
– Porticcio
Balisage : orange
Difficulté : facile
Durée moyenne : entre 5 et 6 heures
Point culminant : 890 m

Ce final éblouissant vous emmène des hauteurs du col de Saint-Georges aux plages de Porticcio, oasis de fraîcheur qui récompense une semaine d'efforts. Par temps clair, des panoramas magiques ponctuent la longue descente sur la mer et contribuent à l'intérêt de cette dernière étape, trop souvent délaissée par les randonneurs.

Descriptif de la randonnée

L'itinéraire débute sur la petite route quelques mètres à gauche de l'auberge et monte à travers les chênes verts, puis bifurque sur la gauche pour entamer une ascension de 15 min à peine. La végétation s'anime après une demi-heure de marche et laisse place à de superbes champs d'asphodèles. Un quart d'heure plus tard, le chemin débouche sur une très belle vue du golfe d'Ajaccio.

Un panneau indiquant la direction de Porticcio marque le début d'une route plate qui conduit à une maison en dur. Quelques mètres plus loin, la route se sépare en deux et il faut prendre l'option de droite. Après 300 m, un petit chemin part sur la droite d'une barrière en longeant un mur de pierre, sous les chênes verts. Vous atteindrez ensuite un pylône EDF qui précède un très bref raidillon, à l'issue duquel vous parviendrez à une bifurcation pour Bisinao (panneau).

Poursuivez votre chemin et vous croiserez un deuxième embranchement pour Bisinao, qui n'est autre que l'itinéraire du Mare e Monti®, qui fusionne avec le Mare a Mare®. Il faut tourner à droite, et une grande descente commence. Tout au long de ces 45 min d'exercice, vous bénéficierez de superbes vues sur Ajaccio et la tour de l'Isolella, sur la côte. Arrivé à la D302, tournez à droite et marchez le long de la route. Cette partie est vraiment pénible mais incontournable pendant près de 2,5 km, jusqu'au panneau "Buselica". Là, le chemin reprend sur la gauche, rejoint une seconde route bitumée sur 150 m, puis la quitte à nouveau sur la gauche pour se rapprocher d'une tour en ruine. Il faut encore 1 heure 15 de marche pour rejoindre la mer.

En perdant régulièrement de l'altitude, le sentier croise un dédale d'intersections, mais un balisage consciencieux permet de ne pas se perdre.

Les vues furtives sur la mer sont en tout point splendides. Clin d'œil ironique ou non, c'est le cimetière municipal de Porticcio qui marque la fin du Mare a Mare® centre.

Pour rejoindre le centre-ville, prenez à gauche la route qui traverse la résidence Pierre et Vacances "Terra Bella". Au premier carrefour, continuez tout droit jusqu'à un rond-point. Suivez la direction de Porticcio et, en moins de 10 min, vous aurez les pieds dans l'eau...

Consultez la rubrique *Porticcio*, p. 176, pour prendre connaissance des possibilités d'hébergement et de restauration.

Mare a Mare® sud

Créé sur la base d'anciens sentiers de transhumance, ce parcours facile et réputé relie Porto-Vecchio, à l'est, à Propriano, à l'ouest (plus précisément, le balisage commence à Alzu di Gallina et finit à Burgo, à 7 km de ces localités). Il se compose de 5 étapes de 5 heures en moyenne, à une altitude maximale de 1 171 m. À une encablure des aiguilles de Bavella, il traverse la magnifique région de l'Alta Rocca et plusieurs villages

qui passent pour être les plus beaux de l'île. Vous ferez étape à Cartalavonu, Levie, Serra-di-Scopamène et Sainte-Lucie-de-Tallano.

La troisième étape du sentier comporte trois variantes : une "version courte" évitant le plateau de Jallicu, un détour par le village d'Aullène ou encore une "version longue", qui ajoute une journée à l'itinéraire. Cette dernière passe par le village de Zonza, superbe observatoire du massif de Bavella.

Le Mare a Mare® sud est également un itinéraire culturel : il passe à proximité du site archéologique de Cucuruzzu et traverse le village de Levie. La curieuse église de Carbini et le moulin à huile de Sainte-Lucie-de-Tallano sont également à son programme. Pour l'anecdote, il traverse également le village de Fozzano, qui fut le théâtre de la vendetta romancée par Prosper Mérimée dans son célèbre *Colomba*.

Le Mare a Mare® sud est praticable toute l'année (mais la majorité de ses possibilités d'hébergement ferme entre octobre et mars). Ses villages-étapes étant accessibles par route, il est par ailleurs possible de le fractionner en autant de promenades à la journée qu'il compte d'étapes.

Précisons également que ce sentier est le seul de Corse pour lequel les gîtes proposent un service de portage des sacs d'une étape à l'autre (contactez à l'avance les gîtes d'étape).

La majorité des localités du tracé sont desservies par un service d'autocar qui effectue la liaison Porto-Vecchio-l'Ospédale-Zonza-col de Bavella-Zonza-Quenza-Sorbollano-Serra-di-Scopamène/Aullène/Ajaccio. Les départs ont lieu tous les jours sauf le dimanche en haute saison et les lundi et vendredi seulement hors saison.

ÉTAPE 1

**Alzu di Gallina (145 m)
– Cartalavonu (1 020 m)**
Balisage : orange
Difficulté : parcours en montée régulière
Durée moyenne : comptez au moins 3 heures (ou 5 heures depuis Porto-Vecchio)
Point culminant : 1 020 m
Accès : taxi depuis Porto-Vecchio

Dos à la mer, cette première étape s'élève jusqu'aux hauteurs de l'Ospédale. La montée, progressive et régulière, est cependant moins éprouvante qu'il n'y paraît sur la carte. Les étages de végétation se succèdent au fil de l'étape, les chênes-lièges de la côte cédant peu à peu la place au maquis, puis aux pins maritimes et laricios.

Descriptif de la randonnée

Le balisage de cette 1re étape débute au lieu-dit **Alzu di Gallina**, à 7 km de Porto-Vecchio. Depuis la ville, prenez la route de Muratello (D159) sur 2,5 km, puis empruntez à droite la direction de Nota. Suivez ensuite les panneaux jusqu'au départ du sentier, sur la droite de la route, peu après un groupe de maisons. De nombreux randonneurs préfèrent éviter cette heure et demie de marche sans intérêt particulier en ayant recours à un taxi depuis Porto-Vecchio (comptez environ 20-25 €). Aucun transport en commun ne dessert Alzu di Gallina.

Le panneau du PNRC indiquant "Ospédale 3h – Cartalavonu 3h30" donne le départ du tracé. Il débute par un large sentier empierré qui monte doucement dans les odeurs de ciste d'un maquis bas. Le balisage à la peinture orange est un peu distant, mais le sentier est parfaitement visible. Vous atteindrez en une demi-heure un plateau dénudé qui offre, en se retournant, un large panorama du golfe de Porto-Vecchio.

Le sentier poursuit sa progression dans une végétation qui gagne en hauteur. Après une petite heure de marche, les premiers pins devancent de peu la route goudronnée (D368) menant à l'Ospédale. Le Mare a Mare® sud la coupe à 4 reprises dans la demi-heure suivante. Ayant à ce stade dépassé les 600 m d'altitude, le sentier se glisse ensuite sous une ligne à haute tension, puis se poursuit sous un couvert forestier de plus en plus dense. Il parvient peu de temps après à un passage sans difficulté entre de gros blocs rocheux, puis coupe une cinquième fois la D368. Suit une montée plus prononcée sous les hautes frondaisons des pins et un nouveau passage sous la ligne électrique, avant de déboucher sur un petit replat d'où la vue s'étend jusqu'au littoral. Bonne nouvelle : vous êtes à **l'Ospédale**.

Le tracé traverse le bourg en suivant les lacets de la route, puis repart sur la gauche une centaine de mètres après le panneau de sortie du village. Une ultime demi-heure de marche sous la futaie mène au refuge de Cartalavonu.

🛏 Où se loger et se restaurer

Reportez-vous à *L'Ospédale* p. 232, pour l'hébergement et la restauration offerts par le refuge de Cartalavonu.

ÉTAPE 2

Cartalavonu (1 020 m) – Levie (610 m)
Balisage : orange et cairns
Difficulté : facile
Durée moyenne : environ 5 heures
Point culminant : 1 171 m (ou Punta di a Vacca Morta, 1 314 m)
Remarques : possibilité de détour vers le point de vue de Punta di a Vacca Morta ; prévoir un peu de temps pour la visite du musée de l'Alta Rocca à Levie

Contrastant avec l'étape précédente, cette seconde journée se déroule pour une large part en sous-bois. Le détour vers la Punta di a Vacca Morta donne tout son sens au terme de "Mare a Mare®", tandis que les villages de Carbini et de Levie dévoilent, chacun à leur manière, quelques pans de l'histoire corse.

Descriptif de la randonnée

Le tracé part juste en face du refuge, à Cartalavonu. Il ne tarde pas à retrouver une piste forestière, qu'il suit brièvement en légère montée avant de virer sur la gauche dans la forêt. Il aborde ainsi un passage rocheux (dirigez-vous aux cairns), puis poursuit son chemin sous couvert. Une bonne demi-heure après avoir quitté le refuge, vous parviendrez à **Foce Alta** (1 171 m), point culminant du Mare a Mare® sud.

Une intersection s'ouvre alors devant vous. Tout droit, un détour de quelques dizaines de minutes de marche mène à **Punta di a Vacca Morta**, à 1 314 m d'altitude. Ne ratez pas ce point de vue si les conditions météorologiques sont bonnes. La "pointe de la vache morte" offre en effet l'un des plus beaux panoramas qui soient de la région de l'Alta Rocca. L'appellation de "mare a mare" prend ici tout son sens : la vue s'ouvre sur le golfe de Porto-Vecchio, à l'est, tandis que le profond golfe du Valinco, à l'ouest, semble à portée de main. Entre les deux, le massif de Bavella toise les mers Méditerranée et Tyrrhénienne de ses aiguilles de porphyre.

Le tracé "normal" du Mare a Mare® sud descend sur la droite à l'intersection. Il est partagé sur ce tronçon avec un sentier menant à Punta di a Vacca Morta depuis le col de Mela, balisé de gros points de couleur orange. Il quitte ce dernier sur la gauche environ 20 min plus tard, puis coupe à plusieurs reprises une piste forestière.

Environ 2 heures 30 après le départ, le tracé franchit le ruisseau de la Vacca Morta, puis atteint les premières maisons du village de **Carbini** (570 m). Ce modeste bourg se distingue par l'église San-Giovanni-Battista, un bel édifice de style roman qui se caractérise par son campanile bâti à quelques dizaines de mètres de la nef.

Le sentier repart face à l'église et longe le cimetière. Il coupe la route à deux reprises avant de se glisser dans un beau sous-bois. Il descend alors entre des murets de pierre couverts de mousse pour déboucher sur un petit plateau, 4 heures environ après le début de l'étape. En levant les yeux, vous pourrez alors découvrir le village de Levie, accroché à la montagne 200 m environ en surplomb.

Le Mare a Mare® sud franchit ensuite le **Fiumicicoli**, avant d'entamer la remontée vers Levie, dans un paysage exactement symétrique à celui de la descente. Le raidillon initial vous demandera une bonne vingtaine de minutes d'efforts, au terme desquelles le sentier reprend son souffle le long d'une courbe de niveau et se poursuit jusqu'à **Levie**. Cet agréable village abrite l'étonnant **musée de l'Alta Rocca**, où repose la "Dame de Bonifacio" (voir p. 243).

🛏 Où se loger et se restaurer

Vous trouverez à Levie quelques commerces, restaurants et un gîte d'étape (qui ne serait pas le plus accueillant du tracé d'après certains lecteurs).

L'autre option d'hébergement consiste à gagner l'excellente auberge A Pignata. Pour vous y rendre, suivez le tracé de l'étape ci-dessous pendant environ 15 min jusqu'à la grille en fer d'une maison abandonnée. Environ 150 m plus loin, un chemin non balisé et pas très visible part à gauche et monte jusqu'à la route goudronnée. Empruntez celle-ci sur la gauche sur environ 2 km jusqu'à une fourche dont vous prendrez la branche de droite, direction "promenades à cheval". L'auberge, reconnaissable à son portail en bois, est située 200 m plus loin, sur la gauche. Si vous ne trouvez pas le chemin non balisé, vous pouvez aussi suivre le tracé de l'étape 3 pendant une demi-heure jusqu'à la route et prendre celle-ci sur la gauche sur 2,5 km jusqu'à la fourche, où vous prendrez à droite. Cette option est un peu plus longue.

Vous trouverez plus de précisions sur les possibilités d'hébergement et de restauration du village à la rubrique *Levie*, p. 242.

Levie (610 m)
– Serra-di-Scopamène (850 m)
Balisage : orange
Difficulté : moyenne
Durée moyenne : comptez environ 6 heures pour l'itinéraire normal
Point culminant : 1 050 m environ
Remarques : plusieurs variantes sont possibles (voir l'encadré p. 336) ; nous recommandons l'itinéraire via Zonza ; prévoir un peu de temps pour la visite des sites archéologiques

Passé les sites archéologiques des environs de Levie, cette étape "à tiroirs" offre différentes options. Vous pourrez l'effectuer en une journée ou lui consacrer 2 jours. Dans ce dernier cas, vous ferez étape à Quenza, à Zonza ou sur le plateau de Jallicu.

Descriptif de la randonnée

Le début de cette 3e étape est balisé dès le centre du village, à côté du petit bureau de tabac. Le sentier commence par monter doucement pendant une demi-heure jusqu'à retrouver une route goudronnée. Il l'emprunte vers la droite et parvient en une dizaine de minutes au bureau d'accueil des sites archéologiques du *pianu* de Levie (Cucuruzzu et Capula). Vous trouverez des précisions sur ces témoignages de l'âge du bronze dans les pages consacrées à Levie, p. 241. Les sites, bien mis en valeur, se visitent en 1 heure 30 environ.

Longeant le site, le Mare a Mare® sud évolue en sous-bois le long d'un muret de pierre, passe la chapelle Saint-Laurent, puis se poursuit en terrain plat, le long d'une clôture. Il ne tarde pas à atteindre une fourche, dont la branche de droite mène en une dizaine de minutes à une piste forestière où se croisent plusieurs sentiers. Des panneaux du PNRC précisent la direction de chacun. Le chemin qui part tout droit, indiqué "Zonza", correspond à la variante en 2 jours (voir l'encadré p. 336). Celui de droite est fléché "San Gavino di Carbini".

L'itinéraire normal emprunte le chemin de gauche, en direction de Quenza. Il descend jusqu'à la rivière Saint-Antoine, qu'il traverse avant de remonter légèrement. Il se poursuit ensuite en terrain relativement plat. Peu avant **Quenza**, que vous atteindrez 3 heures environ après avoir quitté Levie, vous croiserez sur la gauche le sentier de la variante "courte" (voir l'encadré). Vous pourrez vous restaurer à Quenza (reportez-vous p. 239).

Variante en 2 jours, via Zonza

Cette variante, qui porte à 6 le nombre des étapes du Mare a Mare® sud, s'approche du massif de Bavella. Ce sont 2 étapes de 4 heures chacune : Levie-Quenza via Zonza et Quenza-Serra-di-Scopamène. S'il est plus cohérent de faire étape à Quenza en termes de temps de parcours, le village de Zonza offre plus de possibilités d'hébergement et de restauration.

Commencez par suivre l'étape normale jusqu'au début de la variante, qui s'amorce au chemin indiqué "Zonza". Elle suit un large sentier, qu'elle quitte peu de temps après pour s'enfoncer en sous-bois. L'itinéraire se poursuit ainsi pendant une demi-heure jusqu'à rejoindre un ruisseau, qu'il longe avant de le traverser grâce à une passerelle. S'ensuit une brève montée, avant que le tracé ne longe une décharge. Il retrouve peu après la route bitumée (D268), à l'entrée de **Zonza** (sur la gauche). Comptez environ 2 heures 30 pour rejoindre Zonza depuis Levie.

Les possibilités d'hébergement et de restauration de Zonza sont traitées p. 234.

Pour continuer sur Quenza, prenez au milieu du village la D420 en direction d'Aullène et d'Ajaccio sur environ 1 km. Le balisage reprend sur la gauche, peu après avoir croisé la route menant à droite au lieu-dit Faragina. Un panneau indique Quenza en 1 heure 30. Le sentier descend jusqu'à un plateau dégagé d'où vous aurez, en vous retournant, une très belle vue sur les aiguilles de Bavella. On parvient ensuite à une fourche où le sentier part sur la droite et atteint un cours d'eau. Il en longe la berge sur la droite durant une centaine de mètres avant qu'une passerelle un peu brinquebalante permette de le traverser.

Une petite demi-heure de montée permet ensuite d'atteindre une route en ciment que le sentier emprunte le temps d'un virage avant de s'enfoncer à nouveau dans les bois. Il ne tarde plus, dès lors, à rejoindre la D420, que vous emprunterez sur 500 m environ sur la gauche pour parvenir à **Quenza** (voir p. 239 les hébergements et la restauration).

Reportez-vous à la description de l'étape normale pour l'itinéraire entre Quenza et Serra-di-Scopamène. Vous pourrez visualiser les variantes de cette étape sur la carte GR®20 sud (Vizzavona-Conca).

Variante "courte", via Sorbollano

Cette option évite Quenza et le plateau de Jallicu, ce qui ramène l'étape Levie-Serra-di-Scopamène à 4 heures 30 environ (au lieu de 6 heures). Suivez l'itinéraire "normal" vers Quenza. Ce sentier est indiqué sur la gauche peu avant le village, 3 heures environ après avoir quitté Levie. Il mène à Serra-di-Scopamène en environ 1 heure 30 via Sorbollano.

Variante via Aullène

Cette ultime variante, d'environ 2 heures, permet d'ajouter le village d'Aullène (830 m) au Mare a Mare® sud. Elle quitte l'itinéraire "normal" au niveau de la Bocca d'Arja Petrosa. À Aullène, mentionnons l'**hôtel-restaurant de la Poste** (✆ 04 95 78 61 21 ; www.hotel-de-la-poste-aullene.com ; d 46-48 € avec WC à l'étage, demi-pension possible ; ☺ mai-sept). Cet établissement offre un confort simple, mais le propriétaire, qui a recensé tous les sentiers de la région, est une mine d'informations pour les randonneurs.

Le balisage repart face à l'église de Quenza. Après une brève montée sur le bitume, le tracé descend par un large sentier sablonneux (mal balisé) jusqu'à un ruisseau qu'une passerelle traverse. Il se lance ensuite dans l'ascension du **plateau de Jallicu** (1 010 m) qui surplombe Quenza de près de 200 m d'altitude. Comptez 1 heure d'effort pour atteindre la piste caillouteuse qui marque la fin du dénivelé. Vous parviendrez ensuite rapidement en vue de **Chez Pierrot**. Installé en bordure de la route menant au plateau du Coscione, ce gîte et relais équestre chaleureux peut faire l'objet d'une demi-étape qui restera sûrement dans votre mémoire comme un temps fort de l'itinéraire. Une auberge est également installée sur le plateau (voir p. 240).

Il reste alors 1 heure 30 à 2 heures de marche pour atteindre Serra-di-Scopamène.

Le sentier, toujours balisé en orange, commence par descendre jusqu'à un ruisseau, qu'il traverse avant de couper une piste. Il rencontre ensuite la variante via Aullène (voir l'encadré p. 336), environ 40 min après Chez Pierrot, au col d'Arja Petrosa. L'itinéraire vers Serra-di-Scopamène emprunte une piste sur la gauche sur environ 200 m pour se faufiler entre deux clôtures. Il chemine dès lors en courbe de niveau dans les fougères et la végétation maquisante et coupe plusieurs fois une piste avant d'atteindre le second sentier vers Aullène. Il précède de peu l'arrivée à Serra-di-Scopamène.

🛏 Où se loger et se restaurer

Gîte d'étape le Scopos (☎04 95 78 64 90, 06 62 81 52 47 ; www.gite-corse-scopos.com ; dort 40 € en demi-pension ; ☺mi-mars à fin oct). Voir p. 240.

ÉTAPE 4

**Serra-di-Scopamène (850 m)
– Sainte-Lucie-de-Tallano (450 m)**
Balisage : orange
Difficulté : moyenne ; montées et descentes finissent par être éprouvantes
Durée moyenne : environ 5 heures 30
Point culminant : 850 m

Cette quatrième étape voit la montée du col de Tavara succéder à la descente un peu brutale qui débute la journée. Un beau point de vue sur le Rizzanese et la sublime arrivée sur Sainte-Lucie-de-Tallano récompensent ces efforts.

Descriptif de la randonnée

Le sentier quitte Serra-di-Scopamène face au café l'Universu. Il commence par une descente brutale (plus de 400 m) dans de larges marches rocheuses. Comptez 1 heure de descente assez éprouvante pour rejoindre une route goudronnée (D20) au niveau d'un petit cours d'eau. Le tracé emprunte la D20 sur la droite pendant environ 10 min avant de se faufiler sur la gauche et de traverser une petite passerelle. Elle précède de peu une passerelle plus importante, qui enjambe le **Rizzanese** dans un superbe paysage – environ 1 heure 30 après le départ.

Le sentier s'applique ensuite à regagner tous les mètres perdus d'une montée traîtresse. De 385 m d'altitude au moment de la traversée du Rizzanese, il s'élance en effet vers le **col de Tavara**, à 720 m.

Comptez une petite demi-heure pour le premier raidillon. Le tracé fait ensuite une pause sous couvert avant de se cambrer à nouveau et de reprendre son ascension. Vos efforts seront récompensés par la vue qui s'offre à vous au cours de la montée : en regardant en arrière, vous découvrirez, de droite à gauche, les villages de Zonza, Quenza, Sorballano et Serra-di-Scopamène, qui semblent suspendus à la montagne. Comptez au moins 1 heure pour atteindre le col – assez décevant car il n'offre guère de vue –, où vous pourrez pique-niquer.

La redescente commence par des lacets abrupts avant de s'adoucir et de cheminer en courbe de niveau. Le tracé rejoint une large piste environ 40 min après le col, puis parvient à une route goudronnée. Vous atteindrez les premières maisons du village d'**Altagène** (650 m) quelques minutes plus tard – soit environ 1 heure 15 après avoir quitté le col. Le sentier oblique brutalement à gauche juste après avoir traversé un petit pont et monte jusqu'à l'église du village, croisant au passage un lavoir. Il se faufile ensuite entre deux petites haies et descend jusqu'à un ruisseau. De là, il rejoint **Sainte-Lucie-de-Tallano** en une petite demi-heure. L'arrivée sur le village, qui apparaît en dessous du sentier, offre un panorama exceptionnel.

🛏 Où se loger et se restaurer

Sainte-Lucie-de-Tallano est l'un des villages les plus actifs de l'Alta Rocca. Reportez-vous p. 244 pour les possibilités d'hébergement et de restauration offertes par le village.

ÉTAPE 5

**Sainte-Lucie-de-Tallano (450 m)
– Burgo (190 m)**
Balisage : orange
Difficulté : moyenne ;
300 m de dénivelé positif
Durée moyenne : 5 heures 30 à 6 heures
Point culminant : 700 m environ

Cette ultime étape voit sans surprise le sentier renouer avec la mer. Elle surgit, superbe, peu avant Fozzano.

Descriptif de la randonnée

Commencez par prendre la direction du moulin à huile depuis la place du village (vers Poggio). Environ une demi-heure après le départ, vous croiserez un carrefour où vous prendrez tout droit, en direction de la **chapelle Saint-Jean-Baptiste**. Comptez 15 min supplémentaires pour atteindre cet édifice en parfait état, mais vide.

Le tracé emprunte alors une piste qu'il descend jusqu'à un carrefour de sentiers. Il se poursuit sur la gauche d'un portail métallique, croise un sentier vers Zonza, coupe plusieurs fois une piste, puis commence à descendre. Environ 1 heure 30 après le départ, il atteint les rives du Rizzanese au terme d'une descente glissante par temps de pluie. Le sentier longe le cours d'eau sur la gauche dans la chênaie pendant 15 minutes, jusqu'à atteindre le très joli **pont de Piombato** (120 m). Des panneaux mettent en garde contre les dangers de la baignade à cet endroit.

Le Mare a Mare® sud prend sur la droite après le pont et rejoint vite un large chemin empierré et en pente, bordé d'enclos d'élevage. Il mène à l'entrée de **Loreto-di-Tallano**. Le tracé oblique alors sur la gauche, emprunte une piste et monte doucement jusqu'à une barrière métallique. Il entame alors une ascension de près de 300 m.

L'environnement est très sale au début de la montée, mais s'améliore rapidement. Comptez une bonne heure pour cette ascension éprouvante. Elle aboutit à une crête, à environ 700 m d'altitude, qui révèle une large perspective sur l'ouest de l'île. Le sentier longe ensuite la crête dans un maquis bas, en embrassant un large paysage. Il entame peu à peu sa descente vers **Fozzano**, en suivant grosso modo le tracé d'une ligne électrique. Peu avant le village, le golfe du Valinco et la ville de Propriano emplissent soudainement

l'horizon, rappelant aux randonneurs que le but ultime de leur voyage, la mer Méditerranée, est maintenant tout proche.

Vous atteindrez le joli village endormi de Fozzano 4 heures 30 environ après avoir quitté Sainte-Lucie-de-Tallano. Le village est célèbre pour avoir été le théâtre de la vendetta qui inspira à Mérimée son *Colomba*. Tout en escaliers, le village abrite le tombeau de Colomba, qui ne se visite pas. Vous y trouverez également un bar et une épicerie.

Le tracé du Mare a Mare® sud reprend au niveau de l'église. Il emprunte une étroite route goudronnée pendant environ 20 min jusqu'au lieu-dit voisin de Figaniella, puis part sur la droite. Il contourne alors une ravine puis descend sans discontinuer dans une chênaie jusqu'à un ruisseau. Quelques minutes plus tard, une passerelle franchit le **Baracci**. Le sentier longe ensuite la rivière sur quelques centaines de mètres avant d'aborder l'ultime montée du tracé. Elle part sur la gauche et mène en environ 20 min à l'entrée de **Burgo**. À 7 km de Propriano, le hameau de Burgo marque le point final du Mare a Mare® sud. Hormis le gîte d'étape, vous n'y trouverez pratiquement aucun service. Les taxis de Propriano font le trajet entre Burgo et la ville pour 20-25 € environ.

🛏 Où se loger et se restaurer

Le **Gîte d'étape U Fracintu** (☎04 95 76 15 05 ; www.gite-hotel-valinco.fr ; Borgu ; dort 40 € en demi-pension, d/tr 55/70 € ; ⊗avr-début nov), une grande bâtisse blanche qui surplombe le hameau, se partage entre le gîte et une auberge, dotée de chambres doubles. Belle terrasse et immense salle commune.

Comprendre la Corse

La Corse
aujourd'hui

Une île à la croisée des chemins

"Cette île est en pleine perte de repères", confiait un avocat à un journaliste de *Libération* en 2012, au lendemain de l'assassinat à Ajaccio de l'un de ses confrères. Il faut se rendre à l'évidence : la Corse, ces dernières années, semble à la croisée des chemins, en pleine crise des valeurs.

Longtemps, une majorité des Corses, tout en rejetant la violence aveugle, a accordé au minimum un crédit de sympathie aux actions des militants nationalistes, les seuls qui défendaient à leurs yeux la cause insulaire. Aujourd'hui l'opinion oscille : la violence qui sévit sur l'île se justifie-t-elle par des revendications politiques, ou est-elle simplement le fait de truands en quête d'enrichissement personnel ?

Longtemps, tous les Corses ont semblé s'accorder sur la nécessité de protéger leur environnement contre les promoteurs. Aujourd'hui, la loi littoral fait débat, et certains verraient d'un bon œil un peu plus de constructions sur les côtes.

Longtemps, l'Assemblée de Corse a été politiquement à droite. Lors des élections régionales de 2010, son basculement à gauche a fait l'effet d'un coup de tonnerre. Outre le fort score réalisé par les listes autonomistes, le scrutin portait un coup aux "dynasties" politiques historiques.

Longtemps, les branches armées des mouvements nationalistes ont dirigé le jeu de la contestation. Maintenant, la coalition autonomiste modérée Femu a Corsica ("faisons la Corse") a le vent en poupe.

Sur cette île où la pérénité des traditions est un socle culturel, beaucoup semblent un peu déboussolés par ces nouvelles donnes. Et se demandent si elles apporteront la réponse à la question que beaucoup se posent : quel avenir pour notre jeunesse ?

Si ces évolutions rappellent au passage des caractéristiques de la société corse – désunion, repli sur soi, clanisme –, elles ont aussi un effet positif : la Corse bouge et s'interroge. Les prémices d'un changement ?

Superficie :
8 720 km²
PIB :
7,81 milliards €

La Corse est la plus petite des quatre grandes îles de Méditerranée (Sicile, Sardaigne, Chypre).

Quelques chiffres

» Avec une densité de **35 hab/km²**, la Corse est la moins peuplée des régions de France métropolitaine.

» Environ **60%** des 360 communes corses comptent moins de 200 habitants.

» **35%** de la population corse vit à Bastia et à Ajaccio.

» **20,7%** des Corses ont moins de 20 ans, contre 24,6% en France. **10%** ont plus de 75 ans contre 8,8%.

» Taux de chômage (% de la population active) : **9,6%** (2011).

Départements

» La Corse est divisée en 2 départements :

» La **Haute-Corse** (préfecture Bastia)

» La **Corse-du-Sud** (préfecture Ajaccio)

Les villes corses

Ajaccio	Bastia	Porto-Vecchio	Corte	Calvi

= 3 000 habitants

Population (2009) : 305 000 habitants
» Haute-Corse : 164 000 habitants
» Corse-du-Sud : 141 000 habitants

Une île touchée par la violence

Les coulisses de l'île de Beauté sont moins grandioses que ses paysages. Les Corses ont beau jeu de clamer à la diabolisation lorsqu'on évoque le sujet, mais têtus les chiffres sont têtus : 22 homicides ont été répertoriés en 2011 après les 17 perpétrés en 2010. Une hécatombe, qui fait de la Corse l'une des régions d'Europe les plus criminogènes, si l'on rapporte ces chiffres à la population.

La Corse concentre un tiers des places de camping des îles de la Méditerranée.

Et cette comptabilité macabre ne semble pas près de s'arrêter, malgré les discours incantatoires des élus locaux. Ces derniers ne peuvent que déplorer l'expansion du phénomène et la "gangrénation" de la société corse, sans être en mesure d'apporter des solutions concrètes pour enrayer cette spirale.

Quelles sont les caractéristiques de ces crimes de sang ? Il s'agit, pour l'essentiel, de règlements de compte liés au grand banditisme. La spéculation immobilière et foncière, le désœuvrement des jeunes, la recomposition des clans, la prolifération des armes et les dérives mafieuses font partie des motifs avancés pour expliquer la recrudescence des assassinats. Après une série de règlements de compte spectaculaires entre les gangs historiques du nord et du sud de l'île, de nouvelles bandes chercheraient à reprendre le flambeau et à s'assurer du contrôle d'activités économiques juteuses... Plus inquiétants encore, les assassinats commis dans des lieux publics, en plein jour, mettant en danger la vie d'autrui, sont en augmentation.

Hélène Constanty dresse un état des lieux des tensions qui traversent l'île dans son ouvrage Razzia sur la Corse *(Fayard, 2012).*

Reste la violence liée de près ou de loin au nationalisme. En 2011, une soixantaine d'attentats ont été attribués aux branches armées des mouvements nationalistes, ou revendiqués par elles. En 2012, ils ont été près de 50, notamment dirigés contre des enseignes de grande distribution. Les affaires sont rarement élucidées, faute d'indices et de

Médias en Corse

» Le quotidien **Corse-Matin** (www.corsematin.com).

» **Corsica** (www.info.club-corsica.com), un mensuel d'information en langue française, avec des articles en corse.

» **U Ribombu**, un mensuel d'obédience indépendantiste (www.uribombu.com).

» **Journal de la Corse** (www.jdcorse.fr), un hebdomadaire d'information.

» **Alta Frequenza** (www.alta-frequenza.com), le site de la radio régionale corse. Actualités, débats, musique corse.

Trafic aérien
(nombre de passagers)

AJACCIO — 1 114 000
BASTIA — 1 007 000
FIGARI — 437000
CALVI — 273 000

Chiffres 2010

témoignages. Ces plasticages ne font pas de victimes, mais contribuent à alimenter un sentiment de défiance et d'insécurité.

Gardons-nous cependant de résumer l'actualité insulaire à la violence. La majorité des Corses aspirent à la paix et la plupart des villages de l'île vivent au quotidien dans une parfaite quiétude. La petite et la moyenne criminalité sont faibles, et en tout cas bien inférieures à la moyenne française. Ajaccio et Bastia figurent parmi les 20 villes les plus sûres de France.

La Corse compte 7 ports (dont Bastia, le plus important) et 4 aéroports (dont Ajaccio, qui a le plus gros trafic de passagers).

Menaces sur l'environnement

En Corse plus qu'ailleurs, économie et environnement ont partie liée. Le dilemme : comment concilier développement économique et protection du patrimoine naturel ? La richesse de la Corse tient à son cadre exceptionnel, qu'un certain nombre d'élus voudraient légitimement faire fructifier pour créer des emplois (hôtels, résidences, BTP) ; mais ce précieux capital serait inéluctablement entamé si le littoral venait à se garnir de constructions. C'est là tout l'enjeu et le paradoxe de la situation insulaire. Ne rien faire, c'est sanctuariser l'île et la figer économiquement ; laisser faire, c'est courir le risque de transformer une partie du littoral en une Costa del Sol... Le sujet déchaîne les passions. Le Padduc (Plan d'aménagement et de développement durable de la Corse) a ainsi fait couler beaucoup d'encre ces dernières années, et la question reste en suspens à l'heure où nous écrivons ces lignes. Malgré les mesures de protection du littoral, la pression immobilière sur celui-ci est de plus en plus forte, surtout dans les secteurs de Porto-Vecchio, de Bonifacio et de L'Île-Rousse. Et la question de fond n'est toujours pas résolue : comment assurer le développement économique de la Corse sans la livrer au tout-tourisme ?

Économie

» Les services regroupent plus de 60 % de l'emploi en Corse, la plus forte proportion des régions françaises hors Île-de-France.

» Le taux d'activité des 15-64 ans s'élève à 67,5 %, contre 71,9 % à l'échelle nationale.

» Les femmes représentent 56 % des demandeurs d'emploi sur l'île. Cette proportion est la plus forte des régions de France métropolitaine.

» En 2010, 8,3 millions de passagers ont transité par les ports et aéroports de Corse (croisiéristes compris).

» La Corse est la moins industrielle des économies régionales, avec seulement 5 % de la valeur ajoutée (2,5 fois moins que la moyenne nationale).

Les ports en Corse

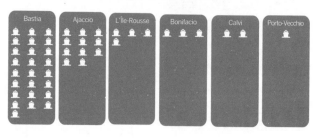

= 100 000 passagers

Chiffres 2010

La délicate question du foncier

Le problème foncier est aujourd'hui une urgence vitale en Corse. Spécificité de l'île, l'indivision entrave l'amélioration de l'habitat – comment rénover une demeure de village qui appartient à trente indivisaires ? S'y ajoutent les difficultés d'accession à la propriété pour les jeunes Corses, tenus à l'écart du marché en raison de la flambée des prix du foncier et de l'immobilier. Reste enfin la très délicate question de l'exonération fiscale des droits de succession sur les biens immobiliers, dont bénéficie l'île depuis les arrêtés Miot de 1801. Cette disposition spécifique à la Corse a fait couler beaucoup d'encre en 2012, lorsqu'il a été question de la supprimer. Finalement, les arrêtés Miot ont été reconduits de justesse, pour 5 ans. Mais nul doute que la question resurgira. Pour beaucoup de Corses, la fin de cette disposition dérogatoire aurait une conséquence : les héritiers seraient contraints de vendre leurs biens aux plus offrants – et donc éventuellement à des acheteurs extérieurs à l'île – pour acquitter les droits de succession...

La Corse compte 1 047 km de côtes baignées par la Méditerranée.

Et pourtant...

La Corse défraye souvent la chronique avec de sombres nouvelles. Mais alors, pourquoi diantre tant de Corses sont-ils si heureux sur l'île ? Pour une raison simple qu'il convient néanmoins de rappeler : la Corse, la plupart du temps, vit paisiblement. Et n'attire pas que les touristes : selon l'Insee, l'île compte parmi les régions de France qui ont connu la plus importante croissance démographique entre 1999 et 2009, notamment du fait de phénomènes migratoires.

La Corse est l'avant-dernière région de France par la superficie (devant l'Alsace).

Vive le terroir !

La Corse compte 5 produits bénéficiant de l'AOC :

» Le brocciu
» Le miel
» L'huile d'olive
» Le vin
» Certaines charcuteries (voir p. 358)

Environnement : sites de référence

» Le site de l'Office de l'Environnement de la Corse : **www.oec.fr**
» Le site de l'association de protection de l'environnement U Levante : **http://levante.fr**

Histoire

La Corse doit à sa position géographique, longtemps considérée comme stratégique, d'avoir été propulsée très tôt au cœur de l'actualité des grandes puissances européennes et méditerranéennes. L'histoire de cette île est donc des plus mouvementées. Pisans, Génois, Français, Sarrasins, Espagnols, Britanniques, sans compter les troupes de l'Empire romain ou encore celles du Saint Empire romain germanique, y ont livré bataille. Menée au pas de charge, cette histoire est aussi celle de la lutte des Corses pour faire entendre leur voix face à des puissances qui firent souvent peu de cas d'eux.

Les origines

Si l'homme a certainement existé en Corse dès le paléolithique, sa trace la plus ancienne – le squelette de la "Dame de Bonifacio", daté des environs de 6570 av. J.-C. – remonte au Néolithique. Vraisemblablement arrivés par la Toscane, les premiers habitants de l'île se nourrissent des produits de la chasse, de la pêche et de la cueillette, vivent dans des abris sous roche (encore visibles à Filitosa) et disposent d'un outillage rudimentaire. Des céramiques, des pointes de flèches et des outils agricoles témoignent d'un début de sédentarisation vers 3300 av. J.-C. Leur plus grande réalisation date de l'ère mégalithique (4000 av. J.-C.), ainsi nommée en référence aux mégalithes (menhirs et dolmens) que ces peuples préhistoriques érigent sur l'île, et dont la signification reste obscure. C'est peu après que seraient arrivés les Torréens-Shardanes. Ce mystérieux "peuple de la mer", qui se serait peut-être replié dans cette partie de la Méditerranée après une cuisante défaite contre Ramsès III, serait, selon certains préhistoriens, entré en conflit avec les peuples insulaires.

Détruisant ou enterrant face contre terre un grand nombre des œuvres de leurs prédécesseurs, les Torréens les auraient remplacées par des constructions circulaires au rôle tout autant mystérieux, les *torre*. Certains travaux contestent cependant cette hypothèse et avancent que les *torre* – dont certains sont encore visibles aujourd'hui – auraient été réalisés par les peuples insulaires eux-mêmes. Quoi qu'il

Dans *Préhistoire d'une île : les origines de la Corse* (Errance, 1988), le spécialiste de la préhistoire, Gabriel Camps, s'intéresse aux premiers habitants de l'île, peuplée dès le VIIᵉ ou même le VIIIᵉ millénaire.

CHRONOLOGIE

6570 av. J.-C.

Le squelette de la "Dame de Bonifacio" est, à ce jour, la plus ancienne trace de présence humaine en Corse.

565 av. J.-C.

Les Grecs phocéens fondent la ville d'Alalia (Aléria) sur la côte est de l'île.

en soit, l'évolution poursuit son œuvre et apparaissent par la suite les *castelli*, ensembles architecturaux complexes témoignant d'un mode de vie sédentaire et organisé.

Les premiers conquérants

C'est la position-clé de l'île en Méditerranée, au carrefour des grandes routes commerciales, qui attire vers ses rivages les premiers peuples navigateurs. La Corse ne tarde donc pas à voir apparaître des voiles à l'horizon. Les Phéniciens, navigateurs et commerçants d'Asie Mineure, y firent peut-être un passage, sans laisser de traces, tout comme les Étrusques et les Carthaginois. Les Grecs phocéens, en revanche, s'y attardent et fondent Alalia (Aléria) au VIe siècle av. J.-C. Selon certaines sources, le passage de l'*Odyssée* où Ulysse doit combattre les Lestrygons, géants et anthropophages, se situerait dans les Bouches de Bonifacio... Sous l'impulsion phocéenne, Alalia prospère et commerce. La Corse, en bref, commence à faire parler d'elle.

L'île, à ce point de son histoire, n'a encore connu que des peuples marchands en quête de comptoirs commerciaux où faire escale et remplir les cales de leurs navires. Avec Rome, elle va faire le dur apprentissage de l'implantation d'un peuple dominateur. C'est guidée par des considérations stratégiques que Rome s'intéresse à la Corse. Elle ne peut en effet laisser cette île qui lui fait face tomber aux mains de ses ennemis, les Carthaginois. Après dix expéditions entre 260 et 160 av. J.-C., la conquête romaine commence par Alalia – vite rebaptisée Aléria –, puis s'étend à tout le littoral. Contrainte et forcée, l'île se romanise et ses habitants se réfugient dans les montagnes pour fuir la féroce répression romaine. Alors que l'Empire romain n'hésite pas à réclamer des tributs en nature et à vendre comme esclaves quelques-uns des enfants de Corse, il fera peu pour le développement de l'île : peu ou pas de voies romaines, peu ou pas de mise en valeur du territoire... Si Rome occupe la Corse, c'est avant tout pour que d'autres ne la fassent point. La Corse connaîtra 700 ans d'influence romaine. Avec le recul de l'histoire, cette période peut paraître assez calme en comparaison de ce qui va suivre...

Goths, Vandales et autres Barbares

L'Empire byzantin (Empire romain d'Orient), seul vestige de l'effondrement de l'Empire romain d'Occident en l'an 476 de notre ère, s'intéresse de très loin aux anciens territoires romains. Il laisse, ce faisant, le champ libre aux adversaires de la Rome déchue, comme les Ostrogoths de Totila ou les Vandales de Genséric. Après avoir ravagé la Gaule, ces Barbares s'attaquent à la Corse où ils détruisent vraisemblablement Aléria. La reconquête de l'île par Byzance, qui s'avère tout aussi brutale, met fin à leur domination.

La Corse, dans le même temps, est en proie aux attaques répétées des Sarrasins (nom donné alors aux musulmans). Leurs incursions se

Corse des origines de Joseph Cesari (Éditions du Patrimoine, 1999) propose 10 itinéraires à ceux qui s'intéressent à l'archéologie. Des *torre* de Tappa à la cité grecque d'Alalia en passant par le site de Filitosa, une découverte originale du passé insulaire.

Le Mémorial des Corses (Le Mémorial des Corses éditeur, Ajaccio) est une véritable encyclopédie de la Corse en 7 volumes. À défaut de l'acheter, vous pourrez le consulter dans diverses bibliothèques, en Corse ou sur le continent.

260-160 av. J.-C.

Les légions romaines débarquent sur les côtes corses et rattachent l'île à la Sardaigne.

JEAN-BERNARD CARILLET

» Site archéologique du plateau de Cauria

multiplient et s'accompagnent de razzias dans les villages. L'île vit ainsi, du VIIIᵉ au XVIIIᵉ siècle, dans la hantise de voir apparaître à l'horizon les voiles des navires barbaresques (terme le plus souvent utilisé sur l'île, qui désigne les peuples et pirates d'Afrique du Nord, jadis désignée sous le nom de Barbarie).

S'il est attesté que la chrétienté réagit, il est en revanche difficile de faire la part entre mythe et réalité dès lors que l'on aborde le sujet des "croisades" en Corse. Pépin le Bref est sans conteste du nombre des acteurs de cet épisode, tout comme Ugo Colonna, personnage dont l'histoire est controversée, qui aurait un temps libéré l'île de ses envahisseurs. Toujours est-il que la papauté, profitant des dissensions en Europe, remplace peu à peu la lointaine Byzance dans les affaires de Corse...

Seigneurs, papes et Pisans

Le Xᵉ siècle voit également l'entrée en scène de la noblesse. De grandes familles seigneuriales se créent des fiefs sur l'île où elles règnent en maître. Certains historiens estiment que l'origine de la puissance des clans en Corse peut dater de la montée en force de ces familles, propriétaires de terres et de cheptel. On sait peu de chose de cette époque troublée par les rivalités entre ces clans. Il semblerait cependant que ce soit à la demande de quelques féodaux toscans que le pape se préoccupe à nouveau de l'île. En 1077, Grégoire VII confie les affaires corses à l'évêque de Pise.

Puissante cité italienne en constante lutte d'influence avec sa sœur ennemie – Gênes, qui entrera plus tard dans l'histoire –, Pise s'intéresse avant tout au commerce. Les marchands se dissimulent ainsi sous la robe de l'évêque. Seulement troublée par les incursions sarrasines, l'époque pisane sera pour l'île synonyme de paix, de prospérité et de développement. La Balagne et le cap Corse, notamment, commercent avec Pise, tandis que de nombreuses et belles églises font leur apparition sur l'île.

Cette activité ne peut que tenter Gênes, qui jette des regards envieux sur la Corse. La rivale de Pise parvient à ses fins en 1133, lorsqu'elle obtient du pape Innocent II le partage de l'île entre les deux républiques italiennes. Gênes ne cessera alors de pousser ses pions en avant. C'est par le sud qu'elle entame sa suprématie sur sa rivale : elle fortifie Bonifacio, puis remonte au nord où elle crée sa cité la plus fidèle, Calvi. Au XIIIᵉ siècle, Gênes supplante Pise, malgré la lutte de nombreux seigneurs insulaires qui lui préfèrent cette dernière. La défaite de Pise à la bataille de la Meloria, en 1284, scelle la fin de la Corse pisane.

L'occupation génoise

Nul nom ne résonne aussi lugubrement dans l'histoire corse que celui de Gênes. La brutale présence de cette république italienne, marquée de nombreuses luttes, va durer cinq siècles. L'importance de la Corse pour

Autre somme consacrée à l'histoire de l'île, le *Dictionnaire historique de la Corse* (Albiana, 2006) répondra grâce à ses 2 500 notices à toutes les questions que vous vous posez.

Jean-Marie Arrighi et Olivier Jehasse proposent un regard renouvelé sur la Corse depuis le néolithique à travers leur ouvrage *Histoire de la Corse et des Corses* (Perrin, 2008).

764

Sous contrôle pontifical, l'île connaît ses premières expéditions barbaresques. Elles s'étendront sur cinq siècles.

OLIVIER GRENDINI/LPI

» Site archéologique de Cucuruzzu

Les abus de la féodalité corse furent à l'origine de la création de la Terre des Communes. Opposée à la Terre des Seigneurs, elle naît au milieu du XIVᵉ siècle à l'initiative d'un certain Sambucuccio. Divisée en *pieve*, la Terre des Communes est organisée selon un modèle communautaire qui a amené les historiens à parler de "communisme avant l'heure". Les terres sont en effet réparties entre tous afin d'être mises en valeur, et chacun peut faire paître son bétail sur les terres communales.

Certains *caporali*, placés à la tête de cette organisation, en viendront malheureusement à se comporter en seigneurs vis-à-vis du peuple à qui ils doivent leur position. La Terre des Communes, souvent alliée aux Génois en opposition aux seigneurs féodaux, ne survivra pas à ces divisions.

la république de Gênes est à l'origine de cette ténacité. À la différence de Pise, qui contrôle un vaste territoire, Gênes est en effet confinée à un petit domaine. De plus, toute sa navigation passe au large des côtes corses. La République a ainsi rapidement compris que la Corse est une pièce maîtresse dans le développement de ses affaires. Ce n'est donc pas un hasard si elle s'empresse d'en faire une forteresse, y érige des places fortes (Bonifacio, Calvi...) et une centaine de tours de guet.

L'occupation du territoire corse étant la motivation première de Gênes, la république italienne n'a guère de temps à perdre à administrer ses habitants. Plutôt que de les soumettre, elle les chasse le plus souvent de ses places fortes d'Ajaccio ou de Bonifacio. Cité marchande, elle fait aussi en sorte qu'ils servent ses intérêts commerciaux, notamment en termes de mise en valeur des terres, d'impôt, etc. Gênes, enfin, n'hésite jamais à réprimer sévèrement ceux qui ne respectent pas cette règle du jeu... La République, en cela, poursuit une politique purement coloniale.

Ce serait mal connaître la nature corse que de croire que Gênes peut prétendre mener une telle entreprise sans difficulté. Les seigneurs féodaux ne tardent pas, en effet, à voir d'un mauvais œil l'arrivée de ces nouveaux maîtres. C'est pour soutenir dans sa lutte contre les Génois le plus puissant d'entre eux, Vincentello d'Istria, que le roi d'Aragon, Alfonse V, en vient à s'intéresser à la Corse. En 1420, il approche avec sa flotte les rivages de l'île. À la faveur d'une trahison, il prend la très génoise Calvi puis s'attaque à l'autre place forte : Bonifacio. Il abandonnera après 4 mois de siège infructueux... Vincentello continuera pour sa part à faire de l'ombre aux Génois jusqu'à ce qu'il soit capturé et exécuté, en 1434.

Changeant de politique, Gênes fait alors appel à un organisme financier pour administrer sa turbulente colonie : l'Office de Saint-Georges. Son rôle, à partir de 1453, sera à la fois économique et répressif. L'Office crée des villes, s'occupe d'organisation administrative, oblige les populations à planter oliviers, châtaigniers et autres essences rentables, met les rares plaines de l'île en culture et espère la transformer en "grenier à blé". Dans le même temps, l'Office lève des impôts et se

Histoire de la Corse, de Robert Colonna d'Istria (France-Empire, 2001), est une étude, plaisante à la lecture, qui s'attache à démystifier certains épisodes du passé insulaire sans pour autant verser dans la polémique.

1077

Le pape Grégoire VII confie les affaires corses à l'évêque de Pise.

1133

Le pape Innocent II place l'île sous la tutelle partagée de Pise et de Gênes.

JEAN-BERNARD CARILLET

» Église pisane San-Michele de Murato

SAMPIERO CORSO : LE FOUGUEUX

Né en 1498 près de Bastelica, celui qui fut appelé "le plus corse des Corses" commence par s'illustrer sur le continent comme militaire au service du roi de France. Malgré son origine modeste, ses hauts faits d'armes lui permettent d'épouser la noble Vanina d'Ornano, de 35 ans plus jeune que lui. Violemment antigénois, Sampiero s'engage avec fougue aux côtés de l'armée française dans la reconquête de son île natale. L'échec de sa première tentative ne le voit pas déposer les armes. N'ayant pas réussi à obtenir l'appui des puissances européennes, c'est avec quelques partisans qu'il débarque à nouveau sur l'île en 1564, où il parvient à porter quelques rudes coups à la puissance génoise sans en venir à bout. Trois ans plus tard, Sampiero sera assassiné. L'un des épisodes les plus tragiques de sa vie verra sa haine de Gênes se retourner contre son épouse. Apprenant qu'elle avait décidé de se rendre dans la République honnie, Sampiero Corso la tua de ses mains avant de l'enterrer en grande pompe...

Sampiero Corso, 1498-1567 : un mercenaire européen au XVIᵉ siècle (A. Piazzola, 1999), de M. Vergé Franceschi et A.-M. Graziani, évoque des aspects jusqu'ici inconnus de Sampiero et balaye les idées reçues sur ce personnage.

charge de mater l'opposition locale avec une brutalité féroce. Au prix de milliers d'exécutions sommaires, il parviendra à "pacifier" l'île le temps de quelques décennies, sans faire profiter les Corses, loin s'en faut, des bienfaits de cet intermède.

Au milieu du XVIᵉ siècle, Gênes, protégée par ses tours littorales, croit enfin régner en maître sur la Corse. Le retour de l'île au cœur des intérêts stratégiques européens en décidera autrement.

Sampiero Corso et les Français

En 1552, Henri II, roi des Français, pense que l'Italie est une pièce maîtresse de l'échiquier politique européen. Charles Quint, empereur du Saint Empire romain germanique, est visiblement du même avis. Faisant fi du traité de Crépy – par lequel la France avait fait en 1544 la paix avec le Saint Empire, abandonnant ses prétentions en Italie –, Henri II se lance à l'assaut de la péninsule italienne. Une fois de plus, la Corse doit à sa position géographique d'être embarquée dans la tourmente. En 1553, un corps expéditionnaire commandé par le maréchal de Termes et secondé par le corsaire turc Dragut, allié des Français, arrive devant Bastia. La ville est prise, bientôt suivie d'autres, et quelques jours suffisent à faire de la Corse une terre française. C'est à cette occasion qu'un colonel corse s'illustre par son courage : Sampiero Corso. Arrivé avec les Français, il reste une figure emblématique de la lutte contre le joug génois. Sa popularité et sa détermination ne suffiront cependant pas à sauver la victoire française. Les Génois ne tardent pas, en effet, à demander l'appui de Charles Quint et de l'Espagne. L'issue de combats confus sera tristement claire : trahissant la parole qu'il avait donnée aux Corses, le roi de France abandonne l'île aux Génois en 1559 par le traité du Cateau-Cambrésis. Après avoir vécu comme un soulagement les trop brèves années d'administration française, les Corses retrouvent

1284
Après sa victoire à la bataille de la Meloria, la cité de Gênes contrôle toute la Corse.

JEAN-BERNARD CARILLET

» La tour de l'Osse, un exemple d'architecture génoise

donc leur ennemi de toujours. La tentative de reconquête de l'île par Sampiero Corso en 1564, pourtant bien commencée, ne sera qu'un espoir de courte durée.

Certains historiens ont baptisé "siècle de fer" la période de la reprise en main génoise. La République ne reniera pas ses pratiques passées : le nouveau gouverneur génois fait ériger d'autres tours littorales pour se protéger des razzias sarrasines qui redoublent, réglemente, réprime, privilégie les cités historiques génoises, impose le développement des oliviers, des châtaigniers et des vignes... L'insatisfaction de la population insulaire demeure, d'autant plus que les retombées économiques de ces quelques réalisations ne lui profitent guère et que la pauvreté perdure. Laissés en marge de la gestion des affaires de leur pays, nombreux sont alors ceux qui choisissent l'émigration.

Le soulèvement et les interventions françaises

C'est dans ce contexte que survient, en 1729, l'un des plus importants épisodes de l'histoire de l'île : le soulèvement qui marque le début de la guerre de Quarante Ans. Le refus d'un vieil homme de payer l'impôt que lui réclame le percepteur génois met le feu aux poudres. L'événement fait boule de neige et, de jour en jour, davantage de Corses refusent de payer. Les insurgés s'organisent, s'enhardissent, dérobent des armes et ébranlent peu à peu l'ordre génois. Bastia, Algajola puis Saint-Florent tombent entre leurs mains. Face à la révolte qui gronde, Gênes appelle à la rescousse l'empereur d'Autriche. Ses troupes reprennent Saint-Florent et Bastia, sont battues à la bataille de Calenzana (1732), mais finissent par se rendre maîtresses de la situation. Gênes crie cependant victoire trop tôt. La révolte reprend et les Corses, réunis en consulte à Corte en 1735, posent les bases d'un texte constitutionnel, instaurant la Corse en État souverain.

Survient alors un épisode qu'il est aisé de qualifier de cocasse avec le recul de l'histoire. En 1736 débarque à Aléria un aristocrate allemand beau parleur et un rien opportuniste : Théodore de Neuhoff. Croyant voir en lui le chef qu'ils appellent de leurs vœux, les insurgés laissent ce curieux personnage se proclamer roi de Corse. Il restera sur l'île le temps de distribuer des titres honorifiques, de donner quelques ordres de bataille puis, déguisé en prêtre, quittera son trône sous prétexte d'aller chercher des renforts qui n'arriveront jamais...

La lutte continue sans lui et inquiète Gênes au point que la République accepte en 1738 le soutien de la France. Trop heureuse de remettre le pied sur l'île avec la bénédiction génoise, la Couronne de France délègue un corps expéditionnaire commandé par le général de Boissieux. Il est mandaté d'une mission "de conciliation et d'arbitrage", qui cache mal les intérêts diplomatiques français, et se trouve ballotté entre la prudence des ordres français et les brutales exigences des Génois, qui paient les frais de l'expédition. Malgré un cuisant revers à Borgo, les Français croient l'île pacifiée lorsqu'ils la quittent, en 1741. Les troubles

Trois beaux albums de BD consacrés à la vie de Pascal Paoli, dont les scénarios sont dus au journaliste et historien Frédéric Bertocchini, s'adressent notamment aux enfants : *La Jeunesse de Paoli* (DCL éditions, 2007), *Le Père de la Patrie* (DCL éditions, 2008) et *Ponte Novu* (DCL éditions, 2009).

1453	1553	1559
L'Office de Saint-Georges reprend les rênes de l'île.	Selon la volonté du roi Henri II, les troupes françaises prennent possession de l'île.	Le traité du Cateau-Cambrésis restitue l'île aux Génois.

Michel Vergé-Franceschi est l'auteur d'une biographie exemplaire du plus grand héros corse : *Paoli, un Corse des Lumières* (Fayard, 2005). À travers cet ouvrage, on voit combien l'histoire corse s'inscrit dans la trame de l'histoire européenne.

reprennent cependant dès 1748 et Gênes réclame une nouvelle médiation française. Délégué sur place, le marquis de Cursay réussit à administrer l'île et à ménager les intérêts corses et les exigences génoises. Il n'en sera guère récompensé : dénoncé par les Génois comme trop favorable aux Corses, il est rappelé à Paris et emprisonné. L'île, en 1753, est toujours sous l'autorité génoise.

De la révolte au rattachement à la France

L'année 1755, qui voit Pascal Paoli prendre la tête de l'insurrection corse, marque le renouveau de la révolte. Cultivé, l'homme qui arrive au secours de l'île – malgré l'opposition de quelques grandes familles – commence par réussir ce qu'aucun autre n'a pu faire avant lui : unifier la résistance contre les Génois. C'est un véritable État qui naît ensuite sous l'impulsion de ce visionnaire. Juxtaposée à la Corse génoise, une Corse indépendante sort ainsi de sa gangue et s'organise : Paoli rétablit l'ordre en s'appuyant sur une justice sévère, la *Giustizia Paolina*, promulgue une Constitution démocratique trente ans avant la Révolution française, développe l'agriculture, assainit les marais... En une quinzaine d'années, Paoli parviendra à créer une université et à battre monnaie, donnera à l'île son emblème à tête de Maure, fondera L'Île-Rousse pour concurrencer Calvi, commercera en marge des Génois, organisera les actions militaires... Surtout, il prouvera aux Corses qu'un des leurs peut présider à la destinée de leur île.

L'État paolien, qui siège à Corte, manquera cependant de temps. La France, qui avait fondé l'espoir de mettre la main sur l'île, se pose vite comme sa rivale. En 1764, elle obtient la bénédiction de Gênes pour s'installer dans les places fortes de Bastia, d'Ajaccio, de Calvi et de Saint-Florent. Le traité de Compiègne, qui scelle l'arrangement, n'est que la première partie d'une pièce en deux actes : 4 ans plus tard, le

PASCAL PAOLI : LE PRÉCURSEUR

Personnage le plus glorieux de l'histoire insulaire, Pascal Paoli voit le jour en 1725 près de Morosaglia. Cultivé – il a étudié à Naples –, le futur "père de la patrie" lit Montesquieu, correspond avec Rousseau et fait parler de l'île dans les salons continentaux.

C'est à la suite de son père Hyacinthe et de son frère Clément, qui se sont déjà illustrés dans la lutte contre les Génois, que Pascal Paoli s'engage dans la libération de l'île. Non seulement il deviendra rapidement la première menace des occupants, mais cet esprit brillant et éclairé apportera également à la Corse l'un des premiers textes constitutionnels démocratiques.

Certains historiens avancent que le "mythe paolien" est surestimé par rapport à l'œuvre accomplie. Il n'en demeure pas moins que l'apport de Paoli, qui manqua de temps pour mettre en œuvre des idées en avance sur son époque, est exceptionnel dans l'histoire de la Corse. Pascal Paoli mourra en exil à Londres, en 1807.

1567

Mort de Sampiero Corso, trois ans après une tentative échouée de conquête de l'île.

1755

Tentative de Pascal Paoli de créer un État corse indépendant.

» Buste de Pascal Paoli à Calvi

LE SAVIEZ-VOUS ?

L'EMBLÈME À TÊTE DE MAURE

C'est Pascal Paoli qui donna officiellement ses armes à la Corse : l'emblème à tête de Maure. Nul ne sait dire avec précision comment la Corse en est venue à s'identifier à cet étendard. Le mot Maure, ou More, désigne les Sarrasins, longtemps ennemis de l'île. Peut-être est-ce en signe de victoire sur ces derniers que cet emblème fut choisi. À l'époque des croisades, tout croisé ayant remporté une victoire sur les "infidèles" pouvait en effet ajouter la tête de Maure à ses armoiries. Une autre hypothèse consiste à penser que ces armes symbolisent la victoire sur l'oppresseur et la possibilité, enfin, de regarder son avenir en face. Il est en effet significatif de constater que l'homme représenté sur l'étendard de la Corse a relevé son bandeau sur son front, libérant ainsi ses yeux. Les armes de la Sardaigne, en revanche, comportent quatre têtes de Maures dont le bandeau masque les yeux.

La tête de Maure présente toujours son profil gauche sur les armes de la Corse.

traité de Versailles consacre la mainmise française sur la Corse. La France, dès lors, n'agit plus en tant que médiateur, mais comme le nouveau maître de l'île. La mobilisation des paolistes ne parviendra pas à renverser la vapeur. Leur défaite à la bataille de Ponte-Novo, le 8 mai 1769, marque le début de la Corse française.

La Corse française

La Corse, une fois de plus, voit donc l'arrivée d'un nouveau gouverneur militaire. Rétablissant l'ordre, organisant l'administration, la France reprend la recette génoise, la brutalité en moins. Le Code corse, bientôt promulgué, tient compte de la spécificité de l'île tandis que quelques essais de développement agricole voient le jour. Ces années, surtout, sont marquées par l'intégration de la Corse à un ensemble français que la Révolution s'apprête à faire voler en éclats.

Le mouvement révolutionnaire rencontre d'emblée un écho favorable sur l'île. Sur cette terre pauvre, il donne une nouvelle voix à l'insatisfaction populaire en même temps qu'un nouvel espoir. En 1789, un décret stipule que "la Corse fait partie de l'Empire français et que ses habitants seront régis par la même Constitution que les autres Français". Amnistiant les paolistes, ce texte ne scelle pas pour autant leur réconciliation avec la France. L'échec de l'expédition de Sardaigne – décidée en 1793 par la Convention dans le cadre de conflits qui l'opposent à l'Autriche – est imputé à Pascal Paoli, qui fournit un contingent de soldats plus faible qu'espéré. Ce dernier, de plus, se rallie aux Girondins modérés, contre les Montagnards et les Jacobins, plus radicaux. Refusant de se soumettre à la Convention, il fait entrer la Corse en sécession et appelle une nouvelle venue à la rescousse : la Grande-Bretagne.

1729-1769	**15 août 1769**	**1789**
Guerre de Quarante Ans. Elle s'achève par la défaite des paolistes à Ponte-Novo face aux troupes françaises.	Naissance de Napoléon Bonaparte à Ajaccio.	Décret promulguant l'appartenance de la Corse à l'Empire français.

Marie-Françoise Attard-Maraninchi retrace dans *Le Panier, village corse à Marseille* (Autrement, 1997) l'histoire de l'une des communautés d'émigrés corses sur le "continent" durant l'entre-deux-guerres, époque où ils furent nombreux à quitter leur île.

Arrivée en vue de l'île en 1794, la flotte anglaise prend Saint-Florent, Bastia, puis Calvi au cours d'une mémorable bataille qui coûta un œil à l'amiral Nelson. Avec ce nouveau coup de théâtre, c'est maintenant au tour du roi de Grande-Bretagne de régner sur l'île. Paoli est vite déçu par cette nation qu'il considérait comme un modèle de libéralisme. La Grande-Bretagne poursuit en effet en Corse un but stratégique et économique et fait peu de cas du peuple insulaire. Évincé, Paoli est rappelé à Londres où il meurt quelques années plus tard. Le royaume anglo-corse sera de courte durée : la signature entre la France et la Sardaigne du traité de Paris ne tarde pas, en effet, à fragiliser la position anglaise, au point d'obliger la Grande-Bretagne à quitter la Corse.

Les Anglais partis, c'est le plus célèbre des enfants du pays, révélé par la Révolution, qui prend en main les affaires corses. Bonaparte n'aura qu'un but : que l'île devienne "une bonne fois française". Cette entreprise ne se fera pas sans mal. Bonaparte bute en effet sur le clergé, ce qui crée un début d'insurrection en 1798. Se méfiant des divisions internes, il refuse par ailleurs que des Corses soient impliqués dans l'administration de l'île, qu'il divise en deux départements. Bonaparte, loin s'en faut, ne se fera pas que des amis. Paradoxalement, ce Corse est certainement celui qui fera le plus pour "franciser" l'île.

Exception et solidarité

Intégrée à la France, la Corse du XIXe siècle ne tarde pas à mettre en avant ses spécificités. Rejetant certaines décisions du pouvoir central, elle démontre au passage que sa structure clanique perdure et fait montre d'un banditisme préoccupant. Les problèmes de pauvreté, de développement ou d'agriculture y sont toujours d'actualité.

L'engagement corse dans les deux guerres mondiales sera en revanche on ne peut plus solidaire de la France. Des milliers d'enfants de l'île tomberont sur les champs de bataille entre 1914 et 1918. En 1940, plus de 90 000 soldats des troupes mussoliniennes et nazies occupent la Corse. C'est sur le sol de l'île que le terme de "maquis" commence à désigner la Résistance. La Corse lui fournira quelques grandes figures : Danielle

NAPOLÉON BONAPARTE : L'EMPEREUR

Le futur empereur des Français naît à Ajaccio en 1769. Attaché à son pays, il reviendra souvent en Corse durant ses années d'études militaires à Paris. Bonaparte, pourtant, ne tarde pas à voir plus loin et plus grand que son île natale : son destin le conduit dans le Paris de la Révolution, au pied des pyramides d'Égypte, aux confins de l'Europe, à Iéna, à Trafalgar, dans la lointaine Russie... Napoléon Bonaparte fera en définitive peu pour son île natale, où il sera parfois en désaccord avec les paolistes. Il s'inquiétera cependant toujours de son avenir et participera au développement de sa ville d'origine. Son nom contribuera enfin à donner à la Corse un rayonnement mondial. C'est dans une autre île, celle de Sainte-Hélène, qu'il mourra en 1821.

1794	**1914-1918**	**1943**
La Corse est sous le contrôle des Anglais ; un épisode qui durera deux ans.	30 000 Corses meurent au combat.	La Corse est le premier département français libéré des forces de l'Occupation.

Casanova, mais aussi Fred Scamaroni, représentant sur l'île de la France libre du général de Gaulle, qui se donnera la mort en cellule pour ne pas parler sous la torture. En 1942, le sous-marin *Casabianca*, sous les ordres du commandant L'Herminier, débarque armes et matériel sur la plage d'Arone, près de Piana. Le soulèvement de la population contre les Italiens, l'année suivante, fera de la Corse le premier département français libéré.

Ces faits d'armes ne suffiront cependant pas à consacrer la totale réconciliation de la Corse et de la France. Tandis que de nombreux Corses choisiront dans l'après-guerre d'émigrer vers les colonies françaises, le "malaise corse" prendra peu à peu forme sur l'île.

Le "malaise corse"

Décrire l'histoire immédiate n'est jamais aisé, à plus forte raison en Corse, où elle est particulièrement troublée et confuse. Les plasticages et les démonstrations de force d'individus cagoulés et armés restent l'image première du nationalisme donnée par les médias. Au-delà de cette vision, certes impressionnante, le mouvement témoigne d'un évident malaise de la société corse face à l'action d'une "mère patrie" souvent perçue comme lointaine et assimilatrice.

Née dans les années 1960, la revendication autonomiste corse se nourrit du sentiment selon lequel aucun des peuples qui se sont succédé au cours des siècles sur l'île n'est parvenu à administrer la Corse de façon satisfaisante. L'autodétermination, dès lors, est considérée comme la seule voie souhaitée par les autonomistes. À leurs yeux, la France, qui mène une politique jugée "coloniale" en Corse, ne fait pas exception. Dans ce climat de méfiance, l'installation à partir du milieu des années 1960 de rapatriés d'Algérie (les pieds-noirs) dans la plaine orientale, avec la bénédiction et les aides financières du gouvernement français, est vécue par certains comme un nouvel affront fait à l'île.

En 1975, la découverte de pratiques de vinification frauduleuses de la part d'un viticulteur pied-noir met le feu aux poudres : les rapatriés d'Algérie sont accusés de s'enrichir sur le sol corse avec l'aval du gouvernement. Le ton monte lorsque la cave de l'un d'entre eux est occupée, à Aléria, par un commando autonomiste mené par les frères Simeoni. Suite à l'assaut des forces de l'ordre, qui se conclut par deux morts, la hache de guerre est déterrée : en 1976, le Front de libération nationale de la Corse (FLNC) voit le jour. L'autonomisme corse – qui deviendra vite nationalisme – commence dès lors à faire parler les armes. On dénombrera plus d'un plasticage par jour en 1976 et de nombreuses actions au cours des années suivantes.

L'histoire interne du mouvement a depuis été émaillée de multiples rebondissements. Le FLNC, qu'Edmond Simeoni refuse de diriger dès sa création, se divisera au fil des années en de nombreuses branches politiques, auxquelles correspondent autant de branches armées organisées et déterminées (pas moins d'une centaine d'attentats seront

Comprendre la Corse (Gallimard, 2004), de Jean-Louis Andreani, est un excellent petit ouvrage permettant de replacer les composantes du "problème corse" dans leur contexte.

1976

Création du Front de libération nationale de la Corse (FLNC). Il sera dissous en 1983 par le gouvernement.

OLIVIER CIRENDINI/LPI

» Statue de Napoléon en empereur, place Saint-Nicolas à Bastia

Polémique, *Pour solde de tout compte* (Denoël, 2000) est un livre d'entretiens entre Guy Benhamou, ancien journaliste à *Libération*, et deux ex-leaders nationalistes assassinés depuis : Jean-Michel Rossi et François Santoni.

revendiqués en 1996). Cette difficulté du mouvement nationaliste à se trouver un leader unique et incontesté mènera à plusieurs scissions (1989-1990), puis à une véritable "guerre" fratricide entre branches nationalistes, de 1993 à 1996. Longtemps applaudi pour sa politique en faveur de la protection de l'environnement insulaire, le nationalisme corse laissera ainsi percer un autre visage : celui d'un mouvement au sein duquel les branches armées semblent avoir pris le pas sur les revendications politiques. L'étalage d'armes de guerre durant la conférence de presse de Tralonca, qui avait pour but d'annoncer la fin des opérations armées, en janvier 1996, viendra renforcer cette vision.

Les réponses de l'État français au nationalisme corse ont été, elles aussi, ponctuées d'errances. Au fil des années, les gouvernements successifs ont oscillé entre la carotte et le bâton, faisant alterner périodes de répression, vagues d'arrestations parfois hasardeuses et trêves monnayées secrètement. En 1981, deux projets allant dans le sens des souhaits nationalistes – l'ouverture de l'université de Corte et la création de l'Assemblée de Corse (l'île était auparavant rattachée à la région Provence-Alpes-Côte d'Azur) – furent à l'origine d'une certaine décrispation. Celle-ci fut de courte durée. La dissolution du FLNC par le gouvernement, en 1983, n'apporta pas davantage d'apaisement : le mouvement continua simplement son action sous le nom d'ex-FLNC…

Trente années d'actions parfois violentes ont ainsi mené à un blocage de la situation. Globalement, les divergences de vues entre les deux parties en présence portent sur une large palette de domaines : économie, environnement, défense de la langue… Le tourisme ne fait pas exception à la règle. Pour les responsables "continentaux", le tourisme est la meilleure solution pour assurer la subsistance économique de cette île où l'industrie est quasi inexistante et l'agriculture peu productrice. Les nationalistes, en revanche, ont longtemps dénoncé cette politique du "tout-tourisme" qui se résume, à leurs yeux, à un outil d'assimilation visant à créer une "colonie de peuplement" sur l'île, transformée en village-vacances deux mois par an et végétant le reste de l'année. Les rapports entre l'État français et la Corse, en bref, ont été longtemps un dialogue de sourds.

De l'assassinat du préfet Érignac au "processus de Matignon"

L'assassinat du préfet de région Claude Érignac, le 6 février 1998, a vu la tension franchir un cran supplémentaire. Plus grave meurtre commis en Corse depuis les débuts du nationalisme, l'assassinat en pleine rue du principal représentant de l'État sur l'île a sonné comme un coup de tonnerre. L'image de la Corse sur le continent, mais aussi l'auto-image de l'île, a été profondément et durablement marquée par ce meurtre qui aurait été conçu par ses auteurs comme un acte "refondateur" du courant nationaliste, déchiré par ses dissensions internes.

1981	**1998**	**1999**
Ouverture de l'université de Corte et création de l'Assemblée de Corse.	Assassinat du préfet Claude Érignac.	Affaire de la paillote Chez Francis : des gendarmes mettent le feu à un restaurant bâti illégalement.

La gravité des faits a déclenché une vive réaction de l'opinion publique corse, mais aussi du gouvernement français. S'appuyant notamment sur le rapport de la commission d'enquête sur la Corse présidée par Jean Glavany, qui dénonçait aussi bien l'existence de bandes organisées sur l'île, l'émergence d'un "système corse prémafieux" et l'usage du racket par certains milieux nationalistes, que "l'inconstance des gouvernements" et les "défaillances des pouvoirs locaux", le gouvernement de Lionel Jospin répliqua en 1998. Sa réponse prit la forme d'une vaste opération "mains propres". Mal vécue par de nombreux Corses, qui dénoncèrent alors la "diabolisation" de l'île, cette politique fut pour une large part décrédibilisée par l'affaire de la paillote Chez Francis.

Les faits seraient cocasses s'ils n'étaient si graves : en avril 1999, des gendarmes mettent secrètement le feu à un restaurant de plage bâti illégalement sur le domaine public maritime dans le golfe d'Ajaccio. La découverte du pot aux roses fait grand bruit : le préfet Bernard Bonnet, successeur de Claude Érignac, est mis en examen. Si les motivations exactes de cette hasardeuse affaire restent dans l'ombre, nombreux sont ceux qui y virent la volonté des plus hautes instances décisionnaires de l'île de faire respecter la loi par tous les moyens, fussent-ils hors la loi... Contre toute attente, ce contexte a ouvert la voie à une période de négociations. Désignées sous le terme de "processus de Matignon", elles se déroulèrent entre le gouvernement français et les élus corses, nationalistes en tête. C'est, bien sûr, vers ces derniers, qui avaient déclaré une trêve pour l'occasion, que les regards se tournèrent en premier lieu. D'autant plus que les principales branches du mouvement nationaliste, après des années de conflits internes, s'étaient réunifiées fin 1999 sous la bannière politique Unità, dirigée par Jean-Guy Talamoni.

Les discussions du "processus de Matignon" portèrent sur une plus large autonomie de l'île. Elles ne firent cependant pas l'unanimité et entraînèrent la démission de Jean-Pierre Chevènement, ministre de l'Intérieur, en août 2000. Des différends violents virent également le jour entre les leaders nationalistes. Au début des années 2000, Jean-Michel Rossi et François Santoni sont assassinés. Un mois plus tard, Jean-Guy Talamoni et Corsica Nazione suspendent leur soutien et leur participation au processus de Matignon. L'année 2001 se solde par près de trente assassinats en Corse, visant surtout le groupe Armata Corsa ! En janvier 2002, l'ancien préfet Bernard Bonnet est condamné à trois ans de prison dont un an ferme pour "l'affaire des paillotes".

La loi relative à la Corse

Finalement, le processus de Matignon accouche d'une loi relative à la Corse, promulguée le 22 janvier 2002. Elle offre à l'Assemblée de Corse la possibilité de "présenter des propositions tendant à modifier ou à adapter des dispositions réglementaires" et fait de la langue corse "une matière enseignée dans le cadre de l'horaire normal des écoles maternelles et élémentaires de Corse". Le texte

Présumé coupable. Les dessous de l'affaire Colonna (Presses de la Cité, 2007). Deux correspondants en Corse du journal *Le Monde* reviennent sur l'affaire du commando Érignac.

2001

François Santoni, ex-leader du FLNC, est assassiné.

4 juillet 2003

Yvan Colonna est arrêté.

6 juillet 2003

Le "non" l'emporte lors du référendum voulu par Nicolas Sarkozy et soutenu par les nationalistes.

prévoit également "un programme exceptionnel d'investissements d'une durée de 15 ans". Seul point de friction : certains élus de l'île voulaient s'octroyer la possibilité de construire sur le littoral et par conséquent de déroger à la loi qui protège les côtes françaises du béton depuis 1986. Cet article fut finalement retiré, mais la question reste en suspens.

Cette période de dialogue sera malheureusement de courte durée.

Nouvelles impasses...

Le 4 juillet 2003, alors que les magistrats jugeant les auteurs présumés de l'assassinat du préfet Érignac sont sur le point de rendre leur verdict, Yvan Colonna, suspecté d'avoir tiré les coups de feu mortels, en fuite depuis mai 1999, est arrêté dans le maquis. Son cas est disjoint du procès des autres membres du commando. À l'issue de celui-ci, la cour d'assises spéciale de Paris condamne à la réclusion criminelle à perpétuité Alain Ferrandi et Pierre Alessandri, présentés comme les "cerveaux" du crime. Les six autres prévenus sont sanctionnés de 15 à 30 ans de réclusion – deux d'entre eux verront leur peine modifiée suite à une procédure d'appel et, en février 2006, Vincent Andriuzzi et Jean Castela, condamnés à 30 ans de réclusion en première instance, sont acquittés en appel et remis en liberté.

L'échec du référendum de 2003 lancé par Nicolas Sarkozy sur la réforme administrative de l'île, pour lequel indépendantistes et autonomistes avaient milité en faveur du "oui", est un autre élément marquant de l'actualité insulaire de ces dernières années. Il a été retentissant tant pour l'État que pour les nationalistes, qui ont remporté un faible score en mars 2004 aux élections territoriales. L'échec du référendum a une autre conséquence : toute autre réforme institutionnelle semble pour le moment enterrée en Corse.

C'est dans ce climat qu'un nouvel épisode allait marquer les esprits vers la même période. En septembre 2005, l'État parle de privatiser la SNCM, compagnie de navigation subventionnée par la collectivité de Corse, qui connaît de graves difficultés financières et des grèves successives. En réponse, une quarantaine de marins "mutins" s'emparent du *Pascal Paoli* (tout un symbole !), navire phare de la compagnie, le 27 septembre. Dès le lendemain, le ferry est pris d'assaut par les troupes héliportées du GIGN au large de Bastia. Les mutins se rendent sans opposer de résistance, mais des heurts violents se déroulent entre manifestants et forces de l'ordre la nuit suivante à Bastia.

L'actualité, une fois de plus, débouche sur la violence. Elle redouble fin 2007, suite au procès d'Yvan Colonna. À l'issue d'un mois d'audiences au cours desquelles les langues se sont peu déliées, ou du moins à demi-mot, le berger de Cargèse est condamné à la réclusion criminelle à perpétuité pour l'assassinat du préfet Érignac. Plaidant non coupable mais désigné comme le tueur par plusieurs membres

Phénomène de librairie, la bande dessinée *L'Enquête corse*, de Pétillon (Albin Michel, 2000) porte un regard drolatique sur l'actualité insulaire. Le livre a également trouvé un large écho sur l'île.

2004	Septembre 2005	13 décembre 2007
Victoire de la droite aux élections régionales grâce à un accord avec les nationalistes.	40 marins s'emparent du *Pascal Paoli* pour dénoncer le projet de privatisation de la SNCM. Le GIGN prend le bateau d'assaut.	Yvan Colonna est condamné à la réclusion criminelle à perpétuité pour le meurtre du préfet Érignac.

du commando, qui se sont par la suite rétractés, Yvan Colonna fait aussitôt appel de cette décision (après de multiples rebondissements, elle sera finalement confirmée en juin 2011), qui déclenche une nouvelle vague d'attentats dirigés contre des bâtiments abritant des services officiels.

Nationalisme ou banditisme ?

S'il fait encore parler la poudre, le mouvement nationaliste semble pourtant mis à mal. Nombreux sont en effet les observateurs qui constatent que ces vagues d'attentats, qui sont le fait de groupuscules souvent inconnus quelques mois plus tôt, révèlent le malaise croissant de milieux indépendantistes de plus en plus divisés, animés par de jeunes recrues radicales, difficilement contrôlables et aux motivations floues. Les signes de rupture entre nationalistes-indépendantistes et autonomistes semblent leur donner raison.

La politique étatique n'est guère plus facile à cerner, certains observateurs jugeant que l'État semble souvent se désintéresser du bourbier corse. Dans ce contexte, le limogeage à l'été 2008 du chef de la sécurité de l'île, au motif qu'il n'a pas pu empêcher l'occupation durant quelques heures par des militants nationalistes de la villa corse de l'acteur Christian Clavier, proche du président de la République de l'époque, Nicolas Sarkozy, a été vu par beaucoup comme le signe indiscutable des errances de Paris sur le dossier insulaire.

Successeur de Nicolas Sarkozy, François Hollande a estimé en 2012 que la violence sur l'île est "aujourd'hui essentiellement liée à des réseaux, des clans, des règlements de comptes". Force est de constater que la violence a évolué ces dernières années. Longtemps le fait de militants nationalistes, elle était avant tout motivée par des revendications politiques. Cela lui valait une relative sympathie de la population qui considérait les mouvements nationalistes comme les porte-voix de leur aspiration à la prise en compte des spécificités de l'île. Un second type de violence, aux airs de "guerre des gangs", a depuis émergé. Caractérisée par des assassinats spectaculaires – l'un des derniers en date, celui de l'avocat Antoine Sollacaro, a été considéré comme une escalade de plus en 2012 –, elle relève davantage du grand banditisme que de l'action politique. Certains y voient le signe évident de la "perte de repères" de la jeunesse de l'île. D'autres constatent que la violence se rapproche des touristes : durant l'été 2012, un assassinat a eu lieu en pleine journée dans les rues d'Ajaccio, un touriste allemand a été blessé par une "balle perdue" alors qu'il dormait sous sa tente dans un camping de Calvi, des touristes ont été "kidnappés" le temps du plasticage d'une propriété dans le sud de l'île…

En bref, rien ne semble beaucoup changer sous le soleil corse. La majorité des Corses, en attendant, semblent aujourd'hui plus qu'hier fatigués de ces tensions et de ces luttes sans fin. Même s'ils n'oublient pas une criante vérité : elles témoignent d'un profond malaise de la société corse.

Suite à l'éclatement du gang de la Brise de mer, au nord, et à la mort en 2006 de Jean-Jé Colonna, considéré comme un parrain du sud de l'île, le grand banditisme corse semble en pleine restructuration, armes à la main…

Octobre 2008	**2010**	**2012**
Le tribunal administratif de Bastia confirme l'annulation des permis de construire de plusieurs villas sur des terrains protégés de la presqu'île de Bonifacio.	La victoire de la gauche aux élections régionales s'accompagne d'un vote record pour les autonomistes et les nationalistes.	Série d'assassinats spectaculaires, qualifiée de "guerre des gangs" par les observateurs.

La cuisine corse

Que dire des tables corses ? D'une façon générale, la médiocrité d'un grand nombre dissimule de très belles adresses, qu'il faut savoir dénicher…

Côtoyant des adresses relativement économiques et saisonnières, des restaurants attachés à une cuisine de tradition et de qualité ont tenté de résister. Ces derniers sont certes plus chers, mais leur cuisine, qui s'appuie sur les excellents produits locaux que l'on peut encore trouver sur l'île, est en général copieuse et savoureuse. Vous aurez donc tout intérêt à vous contenter d'un (bon) plat à l'une de ces tables plutôt que d'un (médiocre) menu touristique. Certaines goûteuses spécialités sont par ailleurs bon marché, notamment l'omelette au brocciu et à la menthe ou les cannellonis au brocciu.

La cuisine corse est avant tout une cuisine méditerranéenne élaborée à partir de produits locaux. Ses mets les plus caractéristiques se dégustent en hiver : gibier ; ragoûts longtemps mijotés (*tiani*) ; soupe aux haricots, pommes de terre et os de jambon ; daubes (*stuffati*). L'excellent veau aux olives figure également au menu, tout comme la délicate tourte aux herbes du maquis.

Marie-José Luciani a regroupé dans *Les Bonnes Recettes de la cuisine corse* (Libris, 2008) une soixantaine de recettes traditionnelles accompagnées par des aquarelles de Kristel Riethmuller.

Spécialités locales
La charcuterie

Réputée au-delà des rivages de l'île, la charcuterie corse, dont certaines spécialités ont obtenu une AOC en 2012 (voir l'encadré ci-dessous), doit davantage son originalité et son goût à la qualité de la matière première qu'aux techniques d'élaboration. Comme toute bonne charcuterie, elle nécessite un long séchage et se vend cher. Ce qui explique pourquoi la tentation est grande de vendre en été aux touristes une charcuterie de moindre qualité. Dans les faits, les Corses

L'AOC, ENFIN !

Jusqu'à l'année 2012, quelques vins, du miel, de l'huile d'olive et le célèbre *brocciu* étaient les seuls produits corses à bénéficier d'une AOC (appellation d'origine contrôlée). Cette liste comportait une grande absente, pourtant l'un des produits les plus emblématiques de l'île : la charcuterie. Après plus de 10 années d'efforts de certains producteurs locaux, le mal est en passe d'être réparé. Au printemps 2012, l'Institut national des appellations d'origine (INAO) a en effet accordé son label à trois spécialités charcutières de l'île : la *coppa di Corsica*, le jambon sec (*prisuttu*) et le *lonzo* (ou *lonzu*). Désormais, seuls les produits respectant le cahier des charges imposé par l'AOC peuvent porter ces noms et l'étiquette spécifique correspondante. Une victoire majeure pour la qualité des produits : pour ces spécialités, l'AOC permettra en effet de faire la différence entre la "vraie" charcuterie corse et celle élaborée à partir de viandes de porc importées sur l'île depuis d'autres régions du monde… Les charcutiers défenseurs de l'AOC comptent bien étendre l'appellation à d'autres spécialités, notamment le *figatellu*.

LE SAVIEZ-VOUS ?

À PROPOS DU SAUCISSON D'ÂNE

Le saucisson d'âne, une tradition corse ? Que nenni ! Les ânes, qui servaient jadis au travail dans les champs, étaient de ce fait des animaux précieux sur l'île. Les sympathiques équidés furent cependant relégués au second plan avec la mécanisation de l'agriculture et certains agriculteurs corses ont vraisemblablement vendu à une époque des bêtes pour la viande en Italie (où le saucisson d'âne est une tradition dans certaines régions). Quoi qu'il en soit, "cette pratique fut transitoire et ne constitue en rien une tradition corse", peut-on lire sur un panneau explicatif au parc naturel d'Olva, près de Sartène, qui poursuit en expliquant que les saucissons d'âne vendus de nos jours proviennent le plus souvent d'Italie, seul l'emballage étant effectué en Corse.

Pourquoi la Corse, si attachée à la défense de ses valeurs et de ses traditions, contribue-t-elle à pérenniser la supercherie en proposant du saucisson d'âne dans nombre de ses boutiques de "produits corses", y compris celles à l'aspect le plus "authentique" ? "Parce qu'on nous en demande tous les jours", se défendent les commerçants. À bon entendeur...

eux-mêmes sont souvent en quête d'un endroit où acheter de la bonne charcuterie à un tarif raisonnable.

La charcuterie de montagne traditionnelle est élaborée à partir des cochons coureurs de l'île, issus d'une race locale et élevés en semi-liberté (voir l'encadré p. 179). L'été, ils sont en général conduits dans la montagne pour éviter les fortes chaleurs ; en automne, ils se nourrissent de glands et de châtaignes. L'éleveur attendra de 14 à 36 mois avant d'abattre ses cochons, contre 6 mois en élevage intensif. Autrefois, on tuait les cochons en hiver dans les fermes, pour profiter du froid. Mais les réglementations européennes obligent maintenant les éleveurs à tuer les cochons en abattoir. Certains estiment cette pratique contraire à la tradition. D'autres rappellent qu'il s'agit avant tout de règles d'hygiène, qui obligent à une adaptation des méthodes mais ne nuisent pas à la qualité finale du produit. Viennent ensuite le fumage – plus ou moins long, il a traditionnellement lieu dans le *fucone* – et le séchage, dont la durée est déterminante (en la matière, la production de Bastelica est l'une des plus réputées).

Toute la charcuterie vendue sur l'île n'est cependant pas issue de la viande des cochons coureurs : afin de faire face à l'afflux estival, une quantité non négligeable de charcuterie est élaborée à partir de viande importée. Il s'agit donc de charcuterie de "type corse" et non pas de charcuterie corse. L'obtention d'une AOC pour certaines spécialités, en 2012, devrait cependant permettre d'y voir plus clair dans les années à venir. Si vous êtes en quête de produits de qualité, fiez-vous à la coppa, au jambon et au lonzo labellisés AOC, ainsi qu'auxlabels "Testa Nera" ou "Carte fermière d'identité", qui garantissent la qualité des produits et leur origine.

Les spécialités charcutières les plus répandues sont le *prisuttu* (AOC), jambon qui doit avoir séché 18 mois pour être parfait ; la *coppa* (AOC), échine salée et séchée consommée après 6 mois ; le *lonzu* (AOC), filet de porc conservé entier sous une couche de graisse ; le *figatellu*, saucisse de foie au vin servie grillée (en hiver) ; le *salamu* et la *salciccia*, saucissons secs très savoureux ; et la *salcicetta*, saucisse à cuire.

Vous pourrez goûter également d'excellentes spécialités locales comme le *fittonu di Bastelica* (du *figatellu* avec beaucoup de foie), le *salamu di Quenza* (saucisson qui sèche longtemps en altitude), le jambon du Niolo et surtout les tripes cuisinées en Castagniccia, longuement mijotées avec du persil, du chou et de la menthe.

Évitez le *figatellu*, le *brocciu* et le sanglier au cœur de l'été. Ces mets d'hiver s'accommodent mal de la chaleur estivale.

Fierté insulaire, le "mele di Corsica" est le seul en France, avec le miel de sapin des Vosges, à avoir obtenu une appellation d'origine contrôlée, en 1998. Sa pureté provient de l'absence de cultures intensives et tient au respect de règles strictes : les miels issus d'espèces cultivées ne peuvent bénéficier de l'appellation et l'usage de répulsifs chimiques pour protéger les ruches est proscrit. En 1862, le miel de Corse remportait déjà la médaille d'or à l'Exposition universelle. Pas étonnant que de nombreux historiens se soient intéressés à cette précieuse manne, depuis Pline, Virgile ou Ovide qui, dans l'Antiquité, en louaient déjà les bienfaits, jusqu'à Bossuet lui-même qui dira : "À cause de la grande qualité du miel qu'ils mangent, les Corses sont plus grands que le commun des hommes."

LA CUISINE CORSE SPÉCIALITÉS LOCALES

Le brocciu

Le *brocciu*, *bruccio*, ou encore *broccio*, entre dans la composition de nombreuses spécialités : soupe, omelette à la menthe, lasagnes, légumes farcis, beignets sucrés ou salés, desserts, etc. Ce fromage frais est élaboré selon une savante recette traditionnelle à base de petit lait de brebis et/ou de chèvre, chauffé et additionné de 10 à 20% de lait cru entier. Ce mélange est ensuite réchauffé, salé et brassé. Les particules qui remontent à la surface sont écumées, avant d'être déposées par couches successives dans une faisselle (récipient percé de trous pour faire égoutter le fromage). Aujourd'hui, les corbeilles de jonc tressé sont remplacées par des moules en plastique.

Les recettes corses de grand-mère (ESI, 2011), signé Sophie Rohaut, est un ouvrage très pratique pour qui veut préparer ses premiers plats corses.

Si le brocciu était autrefois considéré comme le fromage du pauvre, il bénéficie aujourd'hui d'un vif succès notamment lié à son appellation d'origine contrôlée (AOC). On trouve le vrai brocciu frais de décembre à juillet et on le consomme sucré (avec du miel ou de la confiture), salé (ou en vinaigrette), ou encore arrosé d'eau-de-vie (*acquavita*). Typiquement corse, il est différent de la brousse provençale ou italienne (à base de lait de vache), qui remplace souvent le brocciu dans les recettes en été. On raconte que la mère de Napoléon raffolait tant de ce fromage qu'elle avait importé des chèvres corses dans sa maison de Rueil-Malmaison.

D'autres fromages sont fabriqués sur l'île. De nombreux producteurs des régions du Niolo, du Fium'Orbo ou encore des environs de Venaco produisent des fromages artisanaux de brebis ou de chèvre, avec ou sans croûte, doux ou forts. Ils n'ont en général pas de nom particulier, si ce n'est celui de leur région d'origine.

La châtaigne

Pierrette Chalendar publie depuis quelques années des ouvrages (tous aux éditions Lacour-Ollé) consacrés aux différents aspects de la cuisine traditionnelle corse. Grâce à elle, daubes, pâtés, douceurs, etc., n'auront plus de secrets pour vous.

C'est sans doute le produit alimentaire qui a le plus marqué l'identité corse. Si des analyses ont permis de découvrir des traces de pollen de châtaignier remontant à la dernière glaciation quaternaire, on sait que ce sont les Génois qui ont imposé et développé la culture de la châtaigne en Corse. Le fruit était utilisé sous toutes les formes, pour faire de la farine, de la bouillie, des beignets et surtout du pain, ce qui permettait d'éviter la famine : "Tant que nous aurons des châtaignes, nous aurons du pain", disait Pascal Paoli. La châtaigne se mange aussi en purée, en confiture, elle se transforme en liqueur et sert à nourrir les bêtes. La traditionnelle pulenta, qui accompagne parfois les viandes en sauce (comme la daube de sanglier), est préparée à partir de farine de châtaigne et d'eau. Jadis, elle était aussi servie aux enfants, frite et saupoudrée de sucre. Quant à l'arbre, réputé pour son imputrescibilité, il fait un bois résistant, excellent pour les charpentes, la menuiserie, les clôtures et les manches d'outils. Bref, une véritable civilisation du châtaignier s'était épanouie sur l'île. À tel point qu'il a donné son nom à la région de la Castagniccia, qui fut, jusqu'au XIXᵉ siècle, la plus peuplée et la plus prospère de l'île. La perte d'hommes durant la Première Guerre mondiale, l'exode rural, la coupe de bois pour l'industrie du tanin, et les maladies de l'encre et du chancre qui frappèrent les châtaigniers furent à l'origine du déclin de cette culture. Néanmoins, depuis la fin des années 1980, on assiste à un renouveau de la châtaigne, que l'on retrouve en dessert à la carte de nombreux restaurants de l'île. Plus de 300 tonnes de farine sont écoulées chaque année, notamment pour fabriquer de délicieux gâteaux.

Dans *Cuisine de Corse* (DCL, 2009), Céline Tafanelli livre ses recettes de famille.

LA CUISINE CORSE SPÉCIALITÉS LOCALES

Et encore...

La Corse, on l'aura compris, n'est pas le paradis des végétariens, à moins de se cantonner aux aubergines et aux courgettes farcies (au brocciu, à la tomate, etc.). Vous pourrez en revanche y déguster d'excellents poissons (y compris des dorades et des mérous) et fruits de mer : oursins, murène grillée, sardine farcie au brocciu et bouillabaisse sont au menu des produits de la mer. On pourra également goûter aux poissons d'eau douce (anguille ou truite).

Comme dessert, essayez le délicieux *fiadone*, flan léger à base de brocciu, de citron et d'œufs, les beignets au brocciu ou encore les *canistrelli*, gâteaux secs aux amandes, aux noix, au citron ou à l'anis. Les confitures (de figues, d'oranges, de châtaignes) sont succulentes. Le miel est également fort réputé, puisque les abeilles ont la chance de pouvoir butiner une flore très variée (quelque 3 000 espèces de fleurs différentes), au cœur d'une nature sauvage et peu polluée (voir l'encadré ci-contre). Enfin, ne quittez pas la Corse sans avoir dégusté son huile d'olive, qui reflète à merveille le terroir et les odeurs de maquis. La récolte et la fabrication traditionnelles, s'ajoutant au climat particulièrement ensoleillé, donnent une huile d'olive douce, parfumée et sans amertume.

Surtout, évitez le *figatellu*, le brocciu et le sanglier au cœur de l'été. Ces mets d'hiver s'accommodent mal de la chaleur estivale et ne pourront parvenir dans votre assiette qu'après être passés par des moyens de conservation qui ne peuvent que nuire à leur saveur.

Boissons

D'excellentes eaux minérales proviennent des sources Zilia, en Balagne, et Saint-Georges (non loin d'Ajaccio). L'eau d'Orezza est une eau minérale gazeuse de la Castagniccia.

L'île produit trois bières locales. La Pietra réjouira les amateurs de bière ambrée, même si la châtaigne, qui entre dans sa composition, est difficile à déceler. La Serena, une blonde légère, a moins de caractère. La Colomba, enfin, est une bière blanche parfumée aux herbes du maquis.

Vins et liqueurs

Les Grecs et les Romains introduisirent la vigne en Corse avant l'ère chrétienne. Les Génois encouragèrent par la suite la culture de cette

Patrick Fioramonti, l'un des meilleurs sommeliers de l'île, brosse un panorama complet de l'histoire viticole corse et de la production actuelle dans *Le Vin corse* (DCL, 2008).

L'HUILE D'OLIVE DE CORSE

L'huile d'olive de Corse, Oliu di Corsica, bénéficie d'une appellation d'origine contrôlée (AOC) depuis 2004 – une véritable reconnaissance pour les producteurs locaux qui ont développé ces dix dernières années des vergers autrefois abandonnés. L'île de Beauté compte six variétés d'olives reconnues : la Zingala en Corse du Sud, la Ghjermana dans l'Alta Rocca, la Sabine de Balagne, la Capanaccia du cap Corse, la Ghjermana de Casinca et la Curtinese du centre de la Corse.

LES VINS AOC EN CORSE

La Corse compte neuf vins d'appellation d'origine contrôlée :

» AOC Ajaccio

» AOC Calvi

» AOC Patrimonio

» AOC Muscat du cap Corse

» AOC Coteaux du cap Corse

» AOC Figari

» AOC Porto-Vecchio

» AOC Côte orientale et centre

» AOC Sartène

plante méditerranéenne. Le vignoble insulaire a souffert de maladies diverses (au lendemain de la Première Guerre mondiale), et des primes furent données aux viticulteurs pour qu'ils arrachent leurs pieds de vigne. Leurs efforts ont depuis porté leurs fruits, et la production corse se distingue maintenant par quelques vins d'excellente qualité, remarqués lors de dégustations à l'aveugle. Si certains vins manquent encore cruellement d'intérêt, d'autres révèlent un véritable caractère. Il est préférable d'acheter le vin directement chez les producteurs plutôt que dans les boutiques ou sur les marchés.

L'île compte environ 10 000 hectares plantés. La majeure partie de la production est consommée au cours de la saison ; vous trouverez donc peu de vins de garde , même si certains producteurs se dirigent peu à peu dans cette voie.

Le cap Corse et les vignobles de Patrimonio produisent d'excellents muscats (vins blancs doux) et quelques apéritifs qui se consomment frais, dans la composition desquels entrent diverses essences maquisardes (cap Corse, Rappu...).

Après un bon repas, on vous proposera sûrement de goûter à l'*acquavita*. Ce digestif à base de marc de raisin a longtemps été considéré comme un médicament. Il se consomme pur ou avec des fruits macérés. Certaines liqueurs sont également incontournables. C'est le cas de la liqueur de cédrat, un agrume proche du citron et que l'on trouve également dans quelques pays méditerranéens comme la Grèce. La liqueur de myrte, encore fabriquée de manière artisanale par beaucoup de familles (chacune a sa recette), offre un goût fruité, très parfumé et légèrement âpre.

Pour tout savoir sur les vins corses, consultez le site www.vinsdecorse. com.

Quelques crus de référence

Le Clos Canarelli (Figari, à ne pas confondre avec Catarelli), l'Orriu du domaine de Toraccia (Porto-Vecchio), la Cuvée du gouverneur du domaine Orenga de Gaffori (Patrimonio), le Domaine de Pietri (Coteaux du cap Corse) ou encore le Domaine Peraldi (Ajaccio) sont au nombre des meilleurs rouges. Citons également le Leccia Pietra Bianca et le Gentile Noble (Patrimonio) qui font de plus en plus parler d'eux ainsi que le Poggiale (Aléria) et les Fiumiccicoli et Saparale (Sartène). Le vin blanc le plus réputé est probablement le Clos Nicrosi (Coteaux du cap Corse). Une mention pour le Leccia e Croce et l'Arena Bianco Gentile (Patrimonio).

Établissements

La restauration corse semble être à deux vitesses : de très nombreux établissements, principalement situés le long de la côte et dans les grandes villes, proposent des menus touristiques similaires sans grande qualité ni originalité. Ils sont ouverts entre avril et septembre ou octobre et bénéficient principalement d'une clientèle de passage. Fort heureusement, la gastronomie étant encore bien vivace sur l'île, une gamme de restaurants sert une cuisine de grande qualité préparée à l'aide de produits frais locaux. Ils peuvent sembler onéreux, mais la gastronomie est à ce prix. Ces établissements appréciés de la population locale sont souvent ouverts en automne et une partie de l'hiver.

En été, des pizzerias et des crêperies s'adressant aux vacanciers affichent des prix plus ou moins justifiés.

Végétariens

La Corse n'est pas une destination très adaptée aux végétariens, la viande, la charcuterie et le poisson entrant dans la composition de la majorité des plats. Tout espoir n'est cependant pas perdu, notamment grâce aux pizzas, pâtes et fromages locaux. Quel restaurant ne propose pas à sa carte les fameux cannellonis au brocciu ? Vous pourrez vous fournir chez les producteurs, toujours heureux de vendre en direct.

On peut regretter que les fruits et légumes soient souvent "importés" du continent, voire de l'étranger, mais la production corse n'est pas suffisante à la consommation des insulaires et des touristes.

A chi a pane e vinu, po invita u so vicinu. Ce proverbe corse, qui peut se traduire par "celui qui a du pain et du vin peut inviter son voisin" souligne l'importance du vin dans l'hospitalité insulaire.

SAVEURS

LES MOTS À LA BOUCHE

Petit lexique à l'usage des gourmands

addition	*addizione ; nota*	faim	*fame*
agneau	*agnellu*	froid	*freddu*
assiette	*piattu*	fromage	*furmagliu ; casgiu*
		fruit	*fruttu ; frutta*
bœuf (viande)	*carne vaccina*		
boire	*bèie ; bià chjuchja (se soûler)*	gâteau	*pastadolce*
		lait	*latte*
bon	*bonu*	légume	*ortiglia*
café	*caffè*	manger	*manghjà*
charcuterie	*salame*	myrte	*morta ; murta*
chaud	*caldu*		
couteau	*cultullu*	petit-déjeuner	*sdiunu*
couvert	*tàvula*	poisson	*pesciu*
cru	*crudu*		
cuillère	*cuchjara*	sanglier	*cignale ; cignali*
cuit	*cottu*	soif	*sete*
		soupe	*suppa ; minestra*
déjeuner	*merenda*		
dessert	*dulciumi*		
dîner	*cena*	thé	*té*
eau	*acqua*	veau (viande)	*vitella ; manzu*
eau-de-vie	*acquavita*	verre	*bichjeru*
		viande	*carne*
		vin	*vinu*

Avec des enfants

Les enfants profiteront non seulement du grand choix de pizzas proposées par les nombreux restaurants, mais aussi et surtout, de poissons et de viandes de qualité. Les frites semblent être une alternative quasi systématique aux légumes à la carte. Un menu enfant est parfois proposé. Notez que la cuisine corse est peu relevée. En fin de repas, le choix des desserts est toujours apprécié par les plus petits, avec ses glaces et ses sorbets. Enfin, en haute saison, de nombreux établissements de bord de plage servent en continu. Les petits creux et les horaires décalés sont donc faciles à gérer.

Culture et société

Identité régionale

L'identité corse est un sujet éminemment sensible, qui a déjà fait couler beaucoup d'encre et, au fil de l'histoire, pas mal de sang. En réalité, la question qui se pose est moins celle de l'identité corse en elle-même que celle de la représentation qui en est donnée, souvent de manière simpliste, tant par certains Corses que certains *pinzutti* (continentaux). D'où des malentendus réguliers...

Quoi qu'il en soit, on peut énoncer quelques traits qui, s'ils n'ont pas valeur de postulats définitifs, aideront les visiteurs à mieux comprendre ce que signifie "être corse" à notre époque. En premier lieu, il faut rappeler (et marteler !) que la Corse est une île, dont l'histoire tumultueuse a été jalonnée d'invasions. De là provient le sentiment de méfiance et d'autoprotection qui imprègne la mentalité locale. Tout ce qui est "non corse" peut menacer l'identité insulaire et provoque parfois des réactions disproportionnées, comme ces panneaux de signalisation en français rageusement barrés à la peinture, histoire de rappeler que la langue corse n'a pas été jetée aux oubliettes. Plus inquiétantes, les réactions racistes à l'encontre de la communauté arabe ("Arabi fora") ne peuvent trouver une explication que dans une dérive extrémiste de cet esprit de repli et de méfiance.

Le terme de *pinzutti* désigne familièrement les Français du continent.

Dans leur écrasante majorité, les Corses se sentent davantage corses que français. Paradoxalement, ils restent néanmoins, dans leur immense majorité, très attachés à la France. Au bout du compte, ils ont développé au fil du temps une relation d'amour-haine avec le continent, pas toujours facile à vivre et à gérer, tant pour eux que pour les visiteurs.

À cela s'ajoute une série de valeurs fondatrices du peuple corse, qui restent vivantes sur cette île conservatrice. Le sens de l'honneur – et le respect de la parole donnée qui en découle – vient certainement en tête. L'atteinte à l'honneur, des hommes comme des femmes, est considérée de longue date comme le pire des affronts. On raconte que le simple fait de toucher le costume ou la coiffe d'une femme suffisait naguère à la déshonorer, et des fiertés bafouées ont été à l'origine de nombreuses vendettas meurtrières. L'île a ainsi produit un certain nombre de "bandits d'honneur", devenus hors-la-loi et réfugiés parfois des années durant dans le maquis pour avoir lavé une offense par les armes. Précisons au passage que les armes, au-delà de la tradition de la chasse, font partie de la culture corse.

La famille tient également une place privilégiée. Quelques règles servent à préserver son unité et sa continuité. Outre l'indivision, qui prévaut lors des héritages, la tradition voulait – et veut souvent encore – que le premier enfant porte le prénom de son grand-père paternel, le deuxième celui de sa grand-mère maternelle, le troisième celui de sa grand-mère paternelle, le quatrième celui du grand-père maternel. Comme souvent sur le pourtour de la Méditerranée, la famille corse traditionnelle est patriarcale. Les garçons héritaient autrefois des habitations. Les terres du littoral – moins bonnes que celles de l'arrière-pays à l'époque où sévissait le paludisme – étaient dévolues aux filles (nombre d'entre elles s'en félicitent maintenant...). Le clan est une autre caractéristique insulaire. Véritable famille élargie associant des parents éloignés, mais aussi des membres de la communauté villageoise, le clan est une structure fermée, jalouse de son influence et de son autorité. Ses membres sont fidèles à ce cercle d'entraide dont ils servent aveuglément les intérêts.

Gardons-nous cependant de croire que "la Corse est un village". S'il est un autre signe distinctif de la société insulaire, c'est son manque d'unité. Les habitants de l'île l'ont de tout temps prouvé, et en toutes circonstances. Les liens qui existent au sein des familles, des clans et des villages sont souvent aussi puissants que ceux qui les opposent à une autre famille, un autre clan ou un autre village...

À l'heure où de nombreux Corses n'habitent plus l'île, "être corse" équivaut pour beaucoup à se conformer aux valeurs abordées brièvement ci-dessus. Le non-Corse, "celui qui n'est pas de la famille", risque pour sa part de voir un certain ethnocentrisme dans ces traits culturels et de trouver la société corse bien "refermée" sur ses villages, ses clans, ses familles, ses terroirs. Souvent, le nouveau venu ressent en Corse la présence d'un mur invisible séparant l'"étranger" et le Corse, comme deux mondes se côtoyant, le premier étant toléré par le second tant qu'il ne se mêle pas des affaires internes de l'île. Une dichotomie

LA FEMME DANS LA SOCIÉTÉ CORSE

Comme de nombreuses sociétés méditerranéennes, "machistes" à bien des égards, la Corse laisse une large place à la femme. Derrière l'image traditionnelle de la femme corse, vêtue de noir et silencieuse en présence des hommes, se dissimule en effet une autre réalité, où les femmes occupent le devant de la scène. Rappelons que ce sont souvent les mères qui appelaient à la vendetta. Lorsqu'un homme était assassiné, rapporte Gaston d'Angélis dans son *Guide de la Corse mystérieuse* (Tchou, 1995), il n'était pas rare de voir son épouse se rendre sur le lieu du crime, où elle faisait mettre à ses enfants le doigt dans la plaie causée par la balle mortelle. Elle traçait ensuite sur leur front un signe de croix avec le sang de leur père avant de leur faire jurer de le venger. Moins digne de foi, une légende veut que les Bonifaciennes aient pris part d'une étonnante façon à la défense de leur ville assiégée, en 1420. Certains récits affirment en effet qu'elles auraient nourri les combattants au lait maternel, breuvage dont on aurait par ailleurs fait des fromages pour bombarder les assaillants...

Plus sérieusement et plus près de nous, la population féminine de l'île a encore récemment démontré sa détermination. Suite à l'assassinat du préfet Érignac, en février 1998, les femmes du *Manifeste pour la vie* ont fait parler d'elles en réclamant justice et en décidant de se réunir chaque sixième jour du mois face aux grilles du palais de justice de Bastia tant que le meurtre ne serait pas élucidé. L'association 51 femmes pour la Corse de l'an 2000, créée peu de temps après, poursuit un objectif plus économique.

Ce n'est pas la première fois que les femmes corses laissent éclater leur colère sur la place publique : en 1791, un mouvement de révolte des Bastiaises commandées par Flore Oliva, surnommée "la Colonelle", fit trembler le palais épiscopal de la ville où s'était réfugié un évêque favorable à la Constitution... Danielle Casanova, grande personnalité de la résistance corse qui périt en déportation en 1943, figure également parmi les grandes dames de l'île.

À l'heure où nous écrivons ces lignes, et suite à la législation sur la parité, l'Assemblée de Corse compte 26 femmes sur 51 membres.

De toutes les traditions corses, la vendetta est certainement celle qui a fait le plus parler d'elle au-delà des mers. Très répandue entre les XVIᵉ et XVIIIᵉ siècles, cette coutume vit des familles se livrer de véritables guerres, étalées sur plusieurs années, voire plusieurs générations. Il serait cependant erroné de penser que la vendetta se substituait à une justice officielle. Elle répondait au contraire, le plus souvent, à l'absence d'autorité de justice sur l'île et a toujours décru lorsqu'un pouvoir fort présidait à sa destinée. Loin d'être une justice "anarchique", la vendetta répondait à des règles : elle se déclarait comme une guerre, pouvait se finir par la signature d'un traité de paix, etc. Les atteintes à l'honneur furent l'une des causes les plus répandues. Les rivalités amoureuses, les différends concernant des terres ou encore la volonté d'affirmer localement sa puissance mirent également le feu aux poudres en de nombreuses occasions. Jean-Baptiste Marcaggi propose dans *Bandits corses d'hier et d'aujourd'hui* (1932, réédité par La Marge en 1978) une définition de la vendetta : "[...] c'est non seulement le droit de se faire justice soi-même, mais aussi l'obligation impérative, en cas de meurtre, d'acquitter la "dette de sang", de revendiquer, d'une façon générale, la réparation des offenses faites à l'honneur d'un membre du groupe familial. Les vengeurs, en un mot, poursuivent jusqu'à satisfaction un but de justice." La vendetta, on le voit ici, est un engrenage. Selon ses règles, qui interdisent toute compensation matérielle pour un meurtre ou une offense, chaque mort en appelle une autre. Nombreuses sont ainsi les vendettas qui n'ont pris fin que lorsque les deux familles déploraient des pertes égales... Cette sanglante coutume séculaire, intimement liée à la valeur que l'on attache au sens de l'honneur, avait également son rituel, très méditerranéen. Non seulement les familles en guerre gardaient la chemise ensanglantée du mort tant qu'il n'était pas vengé, mais les hommes ne se taillaient plus ni les cheveux ni la barbe tant que leur vengeance n'était pas complète... Plus répandu dans le Sud – il n'y en eut jamais au cap Corse, et très peu en Balagne – le phénomène prit des proportions considérables. L'île déplora certaines années près de 900 meurtres... Nombreux sont ceux qui, une fois leur vengeance accomplie, n'eurent d'autre choix que de prendre le maquis et de se faire bandits. Il n'était plus alors question d'honneur, mais de survie, et tous les moyens étaient bons pour gagner et protéger sa vie.

exacerbée par le fait que le tourisme bouleverse certaines valeurs insulaires : alors que la Corse possède une culture montagnarde dont la plus grande part des activités traditionnelles a lieu en hiver (saison du *figatellu*, de la charcuterie, du brocciu, de la chasse), la majorité des visiteurs viennent aux beaux jours, sur les côtes...

La Corse, cela dit, sait aussi se faire très chaleureuse. L'île dévoilera des trésors de chaleur et d'hospitalité à ceux qui feront un petit effort pour décoder son âme et oublier les stéréotypes.

Us et coutumes

Quelques règles de conduite simples faciliteront votre voyage en Corse. En premier lieu, certaines habitudes de politesse, parfois disparues sur le continent, perdurent sur l'île. On s'attendra, par exemple, à vous entendre dire "merci monsieur" ou "merci madame", et pas simplement "merci" afin de gagner quelques secondes. La précipitation, en règle générale, n'est pas de mise et vous aurez tout à gagner en prenant le temps... N'oubliez pas de vous présenter lors d'une conversation ; on aime ici savoir à qui l'on a affaire. Par ailleurs, le fait de venir à une invitation en apportant quelque chose peut dans certains cas être vécu comme offensant. Vos hôtes pourraient en déduire que vous avez peur de ne pas trouver sur place de quoi vous satisfaire. L'usage veut enfin,

CES CORSES QUI ONT QUITTÉ LEUR ÎLE

Il y a plus de Corses hors de l'île qu'en Corse. L'émigration a de longue date tenté les enfants du pays, et nombreux sont ceux qui affirment que les plus grandes fortunes corses se sont faites hors de l'île... Plusieurs causes expliquent l'apparition précoce de cette diaspora. Citons notamment les occupations étrangères successives, la misère ou encore le paludisme, qui sévissait le long des rivages corses jusqu'au milieu du siècle dernier et fut éradiqué par les Américains après la Libération. Ajoutons-en une autre : le microcosme îlien est parfois trop exigu pour certains...

Au début du XIXe siècle, la France hexagonale constitue la première destination des émigrés corses, où nombre d'entre eux se tournent vers l'armée. D'autres choisissent l'Italie, où ils vont étudier les belles lettres ou les sciences. De véritables communautés corses se créent ainsi à Pise ou à Livourne. Les papes eurent même une garde corse. L'émigration est surtout le fait du Nord, Balanins et Capcorsins en tête. Ouverts à l'extérieur par leur tradition de marins et les échanges commerciaux qu'ils développent à l'époque génoise, ces derniers sont nombreux à se laisser tenter par les Amériques : Pérou, Mexique ou Venezuela. Revenus sur l'île, certains se firent construire les étonnantes "maisons d'Américains" que l'on peut encore admirer sur le cap. L'aventure coloniale prend ensuite le relais. De très nombreux enfants de l'île seront en effet tentés par les colonies françaises, notamment en Afrique du Nord. Dans les années 1930, on estime à plus de 20% le nombre de Corses dans certains secteurs de l'armée et de l'administration coloniale. La majorité reviendra sur le continent à l'heure de la décolonisation. De grandes villes comme Paris, Lyon ou Marseille comptent un grand nombre de Corses. On estime cette diaspora à 700 000 ou 800 000 personnes, dont 500 000 sur le continent même.

si vous buvez un verre avec des Corses, que chacun paye sa tournée plutôt que de diviser la note. Surtout, évitez de critiquer la Corse et ne vous comportez pas en pays conquis. D'autres, nombreux, s'y sont déjà cassé les dents !

Population

Dans son numéro 2, "Corse et Maghreb, côte à côte", la *Revue Fora !* est allée frapper à la porte du Maghreb. Histoire commune, similitudes culturelles et enjeux contemporains d'une population partagée sont examinés dans une série d'articles passionnants.

Selon les enquêtes annuelles de l'Insee, la Corse comptait 305 000 habitants en 2009, dont 110 000 environ regroupés à Ajaccio et Bastia, soit une croissance annuelle de 1,6% par rapport à 1999, date du dernier recensement général. En 2009, la Corse-du-Sud et la Haute-Corse comptaient respectivement 141 000 et 164 000 habitants et figuraient parmi les 7 départements les moins peuplés de France.

Le dépeuplement reste une menace et le vieillissement de la population, notamment dans les villages de l'intérieur, est également préoccupant. L'opposition perdure entre les communes du littoral, qui concentrent la population, et celles d'un intérieur rural en voie de désertification. Sur les 360 communes que compte la Corse, les quelque 87 communes du littoral réunissent 84% de la population. Dans 137 des communes rurales de l'intérieur, la moitié des habitants ont plus de 60 ans. Les communes les plus montagneuses ont perdu environ 15 000 habitants entre 1960 et 1990, et certaines régions ont une densité quasi saharienne. Tout n'est pas négatif cependant : l'île garde vivante sa culture montagnarde et, entre 1990 et 1999, 40 000 personnes se sont installées en Corse. Ces nouveaux arrivants, plutôt jeunes, pondèrent le vieillissement de la population.

L'île connut au cours de son histoire quelques épisodes d'immigration. Outre les Grecs aux XVIIe et XVIIIe siècles, puis une modeste immigration italienne, elle reçut au lendemain de la guerre d'Algérie, après 1962, selon la volonté du gouvernement français, un grand nombre de rapatriés de l'ancienne colonie française. Leur installation dans la plaine orientale ne se fit pas sans heurts et cet épisode a joué un rôle important dans la naissance du mouvement nationaliste. Depuis 1975, la Corse accueille moins d'étrangers mais davantage de Français du continent : les *pinzutti*.

En 2009, les étrangers résidents représentaient environ 9,5% (soit 29 000 habitants) de la population insulaire contre une moyenne nationale de 8,5%. Les Marocains regroupaient près de 40% des immigrés, devant les Portugais, les Italiens et les Tunisiens. La présence étrangère demeure forte dans le sud de l'île et la plaine orientale, sur le littoral et dans les villes. Elle progresse à Bastia.

La proportion des moins de 25 ans est importante (environ 27%) et leur insertion professionnelle difficile. La natalité y est plus faible que la moyenne nationale : environ 10 naissances pour 1 000 habitants contre 13 sur le plan national. Les naissances sont par ailleurs inégalement réparties : selon l'Insee, la moitié des communes corses n'enregistrent une naissance qu'une année sur deux. Des études publiées en été 2008 font état cependant d'un renouveau démographique, les naissances (2 850) dépassant les décès d'une centaine de nouveaux petits insulaires. La Corse, par ailleurs, compte parmi les régions françaises totalisant le plus grand nombre d'interruptions volontaires de grossesse (IVG) par nombre d'habitant, notamment chez les très jeunes filles.

Sports

La Corse réserve une place importante au football. Ses deux clubs phares, l'AC Ajaccio (ACA) et le SC Bastia (SCB), qui ont évolué dans les années 1970 parmi l'élite, notamment le SCB, connaissent depuis une période moins faste. Toutefois, les deux clubs sont remontés en ligue 1 en 2012 après plusieurs années de déclassement. Souffrant d'un manque de moyens financiers, le football corse a été ces dernières années souvent montré du doigt pour le manque de fair play de certains de ses supporters, l'intrusion de la politique dans la sphère sportive et des attitudes racistes à l'envers de certains joueurs.

Le cyclisme fera cependant davantage parler de lui sur l'île que le football en 2013. Fin juin, et pour la première fois de son histoire, le Tour de France débutera en effet par trois étapes en Corse : Porto-Vecchio-Bastia, Bastia-Ajaccio et Ajaccio-Calvi. Pour sa 100e édition, les organisateurs de l'épreuve ont choisi l'île car ils souhaitaient "un départ inédit, spectaculaire, esthétique".

L'île accueille par ailleurs quelques manifestations sportives, dont voici les plus importantes :

Avril

FitaTarget Kalliste – Tournoi international de tir à l'arc, à Biguglia.

Mai

Tour de Corse automobile – Cette compétition (www.asacc.fr) de 3 ou 4 jours se déroule chaque année sur route, depuis 1956.

Corsica raid aventure – Cette difficile épreuve (www.corsicaraid. com) ouverte aux amateurs combine, sur 8 jours, course en montagne, VTT, canyoning, etc., la dernière semaine de mai.

Juillet

Restonica trail – Depuis 2009, ce trail (http://restonicatrail. fr), héritier de l'ancienne course Inter-lacs, propose un parcours de course en montagne de 68 km, avec un dénivelé positif de 5 000 m. Il se double du Tavignano trail (33 km, 2 500 m de dénivelé positif) et, à partir de 2013, de l'Ultra-trail di Corsica (105 km, 7 600 m de dénivelé positif).

Mediterranean Trophy – Cette épreuve de voile internationale (www.mediterranean-trophy.com) est ouverte aux bateaux de croisière habitables de plus de 9 m.

Septembre

A Paolina – 70 km de course à pied à partir de L'Île-Rousse (www.course-a-paolina.org).

Médias

La soif d'information des insulaires se traduit par une étonnante vitalité de la presse et de la radio.

Presse écrite

Depuis 1998, date à laquelle le groupe Hachette a regroupé les journaux *La Corse* (émanation de *La Provence*) et *Corse Matin* (édition locale de *Nice Matin*) en un seul titre, *Corse Matin* est le seul quotidien régional corse. Tiré à 40 000 exemplaires environ, il s'intéresse à l'actualité internationale, nationale et locale. Vous pourrez retrouver ce quotidien sur le site www.corsematin.com.

Le mensuel *Corsica Magazine,* créé à l'initiative d'un ancien journaliste de *Corse-Matin* en 1999, s'attache à jeter un regard curieux sur l'actualité insulaire. Vous pouvez le retrouver en ligne (http://info.club-corsica.com).

De nombreuses publications au tirage limité, utiles pour comprendre la Corse actuelle, complètent la liste des titres de presse écrite. *Le Journal de la Corse,* qui se présente comme un "hebdomadaire de défense des intérêts de l'île depuis 1817" et comme le "doyen de la presse française", traite de toute l'actualité de l'île. Il est tiré à environ 10 000 exemplaires et présent en ligne (www.jdcorse.com).

Les mouvements nationalistes sont notamment représentés dans la presse par *Arritti,* organe du Parti de la Nation Corse (Partitu di a Nazione Corsa). Majoritairement en français, ce petit hebdomadaire s'intéresse à l'actualité insulaire et internationale et ouvre les colonnes de ses 12 pages à la poésie et à l'histoire. Plus virulent, *U Ribombu,* est la voix de l'Unità Naziunale, et éclaire à ce titre sur les revendications du principal mouvement nationaliste corse (www.uribombu.com).

Deux revues récentes reflètent par ailleurs des aspirations culturelles qui gagnent du terrain. Éditée par l'association Ubiquità, qui regroupe des "jeunes Corses désirant conjuguer leur attachement à leur île et leur curiosité du monde", la *Revue Fora !* (www.revue-fora.org) a vu le jour à l'été 2007. Tournant le dos au repli identitaire, cette revue semestrielle, qui a récupéré le mot *fora !* ("dehors !") dans le sens littéral d'"ouverture", place la culture corse face à d'autres cultures.

La revue trimestrielle *Stantari* (www.stantari.net), qui a vu le jour en juin 2005, se consacre, quant à elle, à l'histoire naturelle et culturelle de la Corse et en explore les richesses par différentes approches : histoire, archéologie, zoologie marine et terrestre, minéralogie ou encore botanique.

Radio

Le relief corse rend la propagation des ondes radio particulièrement difficile. Un grand nombre de stations se contentent de couvrir le littoral et vous ne pourrez capter à l'intérieur de l'île que les radios italiennes, moins soumises aux limitations de puissance des émetteurs. Les mêmes stations émettant sur différentes fréquences en divers points de l'île, un système sophistiqué (de type RDS) n'est pas un luxe. Radio Corse Frequenza Mora, qui fait partie du réseau France Bleu ("locale" de Radio France), est la fréquence la plus écoutée. Dépassant les 25%

d'audience, la station allie informations, culture et musique, en français et en corse. Frequenza Mora émet en FM sur 101.7 et 88.2 (Bastia), 100.5 et 97 (Ajaccio), 101.7 et 100 (Corte), 101.8 et 105.4 (Porto-Vecchio), 101.7 (Calvi), 88.2 (est du cap Corse), 98.2 (Bonifacio), 100.4 (L'Île-Rousse). Son émission emblématique, le Forum, de 8h à 9h en semaine, ouvre largement l'antenne aux doléances, coups de gueule et dénonciations des auditeurs. C'est le rendez-vous radiophonique le plus écouté de l'île, notamment par les hommes politiques et les décideurs, prêts à réagir au quart de tour... Alta Frequenza, "la radio corse", qui émet sur 103.2 (Ajaccio), 98.9 (Bastia et le cap Corse), 101.2 (Bonifacio) et 104 (Corte), est également disponible sur le Net (www.alta-frequenza.com).

Vous capterez France Info sur 105.5 à Bastia et 105.6 ou 92 à Ajaccio. France Inter émet sur 92.4 (Ajaccio), 95.9 et 96,8 (Bastia), 92.3 (Bonifacio), 96.8 (Porto-Vecchio), 89.4 (Vivario), 98.2 (Corte), 98 (L'Île-Rousse). NRJ est diffusée sur 101.2 à Ajaccio, 100.8 à Bastia, 105.1 à Bonifacio, 88.3 à L'Île-Rousse ; Fun Radio sur 105.2 à Ajaccio, 99.4 à Bastia, 93.6 à Calvi ; France Culture sur 89.2 ou 92.3 à Bastia et 97.6 à Ajaccio ; France Musique sur 93.9 ou 99.8 à Bastia et 88 ou 94 à Ajaccio.

TV

Outre les chaînes de télévision nationales françaises, l'île dispose avec France 3 Corse de la chaîne numérique Via Stella, qui diffuse des programmes nationaux et régionaux. Ceux qui souhaitent s'initier à la langue insulaire pourront y écouter les titres du journal télévisé, Corsica Sera, quelques minutes avant 20h.

Religions

La Corse est culturellement catholique. Présente à de nombreux stades de la vie quotidienne, la religion s'illustre lors des cérémonies et processions (Sartène, Bonifacio, Calvi...). De nombreuses églises, souvent remarquables pour leur architecture, sont disséminées sur l'ensemble du territoire et les ex-voto disposés au pied des statues témoignent de la vigueur de la foi. Sainte Dévote, martyrisée au IIIᵉ siècle, est la principale patronne de l'île, mais saint Alexandre Sauli, saint Appien, saint Euphrase, sainte Julie, sainte Restitude et saint Théophile de Corte sont également fêtés. La religion catholique cohabite cependant sur l'île avec un certain nombre de superstitions. La Corse compte également quelques temples protestants (Ajaccio, Pietranera) et une église catholique de rite grec à Cargèse. Cette dernière partage un prêtre avec l'église catholique romaine qui lui fait face et les offices ont lieu alternativement dans l'une ou l'autre, tantôt selon le rite catholique, tantôt selon le rite orthodoxe. Les lieux de culte musulman sont au nombre d'une vingtaine dans l'île, installés dans des locaux construits ou loués par des associations musulmanes.

Arts
Architecture

Reconnu par les spécialistes pour sa richesse, le patrimoine roman corse se divise en deux périodes. La première est le préroman (dès le IXᵉ siècle), qui vit la construction de centaines de petites églises et de chapelles rurales. Il n'en reste aujourd'hui qu'une dizaine, pour la plupart en ruine. La seconde période, plus remarquable, correspond à l'influence pisane. À la fin du XIᵉ siècle, la république de Pise fit venir des architectes chargés de construire de petites cathédrales, notamment dans le Nebbio, la Castagniccia et la Balagne. Parmi les plus connues, San-Michele de Murato et la cathédrale de la Canonica (au sud de Bastia) sont reconnaissables à leurs murs polychromes (voir p. 83 et p. 59).

ARTS

Dans *L'Art de la fresque en Corse de 1450 à 1520* (Éd. du Parc naturel régional de Corse, 2003), Joseph Orsolini recense l'ensemble des peintures murales de l'île qui permettent de découvrir la vie artistique des XVe et XVIe siècles en Corse. Ce professeur d'histoire de l'art livre par ailleurs dans *Carnets de campagne* (Piazzola, 2005) ses croquis consacrés à l'architecture rurale corse.

Expression artistique du renouveau religieux, le baroque investit la Corse sous l'influence de Gênes aux XVIIe et XVIIIe siècles. De nombreuses églises de Balagne et de Castagniccia adoptent alors ce style très en vogue dans l'Italie du Nord. Derrière les façades à fronton triangulaire ou curviligne, les intérieurs sont somptueux. L'église Saint-Jean-Baptiste de La Porta (Castagniccia), les édifices religieux de Bastia et les cathédrales d'Ajaccio et de Cervione constituent quelques exemples de ce courant artistique, visible dans l'architecture de 150 églises construites jusqu'au XIXe siècle.

Les bâtiments militaires constituent un autre témoignage architectural de premier plan. Notamment les tours génoises (il en reste 67) qui ponctuent le littoral corse et les nombreuses citadelles des villes côtières – Bastia, Saint-Florent... Construites par les occupants génois, certaines furent agrandies par les Français, comme celle de Corte, seul témoignage de citadelle de l'intérieur des terres. La maison d'habitation traditionnelle corse (*casa*) est le plus souvent en granite, à l'exception des zones calcaires de Bonifacio et de Saint-Florent et du nord de l'île, où le schiste est plus couramment utilisé. Elles atteignent fréquemment 4 ou 5 étages. Les petites ouvertures permettent de se protéger du froid en hiver, comme de la chaleur et de la lumière estivales. Les toits sont recouverts de larges plaques fines de schiste dont la couleur varie selon la provenance : gris-bleu à Corte, vert à Bastia, gris argent en Castagniccia.

Peinture

À l'instar de l'architecture, la Corse a davantage importé les cultures pisane et génoise qu'elle n'a engendré de courant artistique ou de peintres. Ainsi des fresques gothiques, réalisées à la fin du XVe siècle, ornent encore une vingtaine d'églises et de chapelles. Le musée Fesch d'Ajaccio – le plus grand musée de Corse – conserve la plus vaste collection en France de peintures italiennes après celle du Louvre. Rassemblée par le cardinal Fesch, oncle de Napoléon, commissaire à la guerre en Italie puis commerçant avisé, elle compte des dizaines d'œuvres des primitifs italiens. Au XIXe siècle, quelques artistes corses se firent remarquer en fréquentant les écoles de grandes villes françaises (Charles Fortuné Guasco, Louis Pelligriniles...). Certains allèrent même jusqu'au prix de Rome ou furent exposés dans les Salons parisiens. Plus tard, l'île contribua à l'effervescence artistique en accueillant, à la fin du XIXe siècle et au début du XXe siècle, des artistes majeurs venus chercher la lumière particulière de la Méditerranée. Parmi eux, Matisse confiera : "C'est à Ajaccio que j'ai eu mon premier émerveillement pour le Sud." Fernand Léger, également à l'aube de sa carrière, choisit de passer plusieurs étés sur le littoral corse. Utrillo et sa mère, Suzanne Valadon, y firent également plusieurs séjours, tout comme Signac et l'Américain Whistler. Moins précurseurs et cependant issus de la même génération, des peintres insulaires comme Lucien Peri, François Corbellini, Pierre Dionisi ou Jean-Baptiste Pekle sont synonymes du renouveau artistique de la Corse après la Première Guerre mondiale. La plupart ont trouvé leur inspiration dans les paysages de l'île.

Littérature

Avant d'être écrite, la littérature insulaire est orale. Née dans les villages, transmise au cours des veillées, mais aussi lors de la transhumance aux cours des bergers, elle fait la part belle à la poésie, aux contes (*fola*) et aux histoires de la vie quotidienne. La chanson est le plus souvent le vecteur de cet art oral dont l'interprète devient aussi le recréateur (la complainte du départ, le *lamentu* du bandit, la sérénade de l'amoureux, la chanson électorale...). Aujourd'hui, les groupes de polyphonies corses ont su se réapproprier ce patrimoine littéraire.

La littérature écrite arrive tardivement. Avec le développement des villes, des cercles littéraires voient le jour (comme à Bastia, l'Accademia dei Vagabondi, 1659). Les écrivains se font historiens (*Historia di Corsica*, Anton Pietro Filipoini, 1594) et développent une forme de sentiment national. À partir du XIXe siècle, la littérature corse d'expression italienne (dont le représentant le plus connu est Salvatore Viale, 1787-1861) laisse lentement la place au français. C'est aussi l'époque où des auteurs du continent s'intéressent à l'île et en dressent des tableaux romanesques, pas toujours à la gloire de ses habitants. Ils sont nombreux : Guy de Maupassant publie *Un bandit corse* (1882), *Une vendetta* (1883) et *Histoire corse* ; Alexandre Dumas *Les Frères corses* (1844) ; Honoré de Balzac *La Vendetta* ; sans oublier Prosper Mérimée qui écrira, après son voyage en Corse, l'inoubliable *Colomba* (1841).

Parmi les contemporains, deux écrivains corses, largement publiés sur le continent, ont apporté leurs visions de l'île. Enfant de Bastia, Angelo Rinaldi décrit avec précision la société corse d'après-guerre. *Les Dames de France, La Dernière Fête de l'Empire, Les Jardins du consulat, Les Roses de Pline* traduisent l'imaginaire littéraire de l'auteur, nourri de ses années d'enfance. Marie Susini, quant à elle, évoque les problématiques de la structure familiale et de l'enfermement insulaires. Citons notamment *L'Île sans rivage* (1953). Plus récemment, Élisabeth Milleliri, journaliste à *Libération*, a publié *Caveau de famille* (Méditorial, 1993) et *Comme un chien dans la vigne* (Méditorial, 1995). Archange Morelli propose pour sa part, avec *La Moisson ardente* (Méditorial, 1997), une enquête policière dans la Corse du début du XVIe siècle. *La Fuite aux Agriates*, de Marie Ferranti (Gallimard, 2000), relate l'histoire d'une jeune femme entrée par amour dans l'engrenage de la politique insulaire. L'auteur a également publié *La Chambre des défunts, La Chasse de nuit* (2004), *Lucie de Syracuse* (2006), *La Cadillac des Montadori* (2008) et *Une haine de Corse* (2012),chez le même éditeur. *Deux, rue de la Marine* (Les Vents contraires), d'Hélène et Jeanne Brescioni, est la chronique d'une enfance bastiaise sur fond de deuil dû père.

Du côté des ouvrages sociopolitiques, mentionnons ceux de Wanda Dressler, chercheur au CNRS, auteur d'un premier ouvrage de référence *La Corse en question(s)* (Albiana, 2004). L'auteur s'efforce de combattre l'incompréhension et le fossé entre sociétés continentale et insulaire en tentant de donner des réponses apaisées à des questions brutales, à forte charge affective, qui divisent partisans et adversaires d'un débat démocratique (violence, loi des clans, indépendance, langue, nationalisme...). *Le Destin d'une île* (Albiana, 2007) offre un panorama des travaux qu'elle a menés sur les bouleversements que connaît la Corse depuis 30 ans, qui lui ont souvent valu d'être qualifiée de "laboratoire".

En 2007, le bicentenaire de la mort de Pascal Paoli (1725-1807), le "père" de la nation corse, a donné lieu à la parution de nombreux ouvrages. *En Corse au temps de Paoli* (Albiana/CCU, 2007), de Paul Silvani, raconte sous forme de chroniques la Corse du XVIIIe siècle. L'auteur, écrivain et journaliste, est le principal mémorialiste de la Corse.

Le polar suscite également des vocations littéraires sur l'île depuis quelques années. Il apparaît comme une façon ludique de pénétrer habilement les arcanes d'une société et de faire passer des messages sur la réalité à travers la fiction. Les auteurs de la collection NERA (Albiana) sont souvent de fin connaisseurs de la société et de la politique insulaires, tel Jean-Pierre Santini, auteur d'essais politiques sur le nationalisme corse, qui a signé plusieurs titres dans la collection. Ou telle Danièle Piani, bergère dans un village de la Cinarca, qui en est

"Le roman peut s'approprier la qualité de l'argumentation insulaire. Les Corses ont tendance à se situer dans le domaine de la joute verbale. L'usage de la parabole est très répandu... À cela, vient s'ajouter une propension à utiliser les phrases à tiroir." Voilà pour Bernard Biancaralli, directeur de publication chez Albiana, quelques-unes des raisons d'éditer la collection NERA (série noire made in Corsica).

à son deuxième roman noir, *Plein Sud* (2008). Les éditions Clémentine possèdent également leur collection série noire. Marie-Hélène Ferrari y a publié plusieurs romans qui suivent les aventures du grincheux policier Pierucci à travers Bonifacio. Olivier Collard a également signé et édité plusieurs romans noirs aux Éditions du Cursinu.

Phénomène littéraire et gros succès de librairie sur le continent comme en Corse, la bande dessinée *L'Enquête corse* (Albin Michel, 2000) a même eu droit à sa traduction en langue corse et à une adaptation au cinéma. Le dessinateur Pétillon y croque avec un humour décapant les aventures d'un détective privé en mission sur l'île. Toujours en BD mais dans un registre plus sombre, avec *Le Procès Colonna* (12 BIS, 2008), Tignous et Paganelli présentent leurs impressions, sous forme de texte et de dessins, des 34 journées d'audience à l'issue desquelles le berger de Cargèse a été condamné, fin 2007, à la réclusion à perpétuité pour l'assassinat du préfet Claude Érignac.

En 2012, Jérôme Ferrari a porté haut les couleurs de la littérature d'origine insulaire en obtenant le prix Goncourt avec *Le Sermon sur la chute de Rome* (Actes Sud). Né à paris au sein d'une famille corse, île dans laquelle il est allé s'installer à 20 ans avant de partager sa vie entre la Corse et des postes d'enseignant à l'étranger, l'auteur situe son récit dans un bar de village de l'île, au comptoir duquel les habitants philosophent sur la fuite du temps et évoquent l'époque coloniale, mêlant leurs réflexions avec le quotidien de la montagne insulaire.

Musique

La musique vocale, en pleine renaissance, trouve ses origines dans la tradition insulaire. Le *paghjella* en est la forme la plus connue. Ces chants polyphoniques mêlent 3 ou 4 voix d'hommes, vêtus de noir et portant une main sur l'oreille afin de ne pas être troublés par la voix de leur voisin. Ce dernier point est important, car chaque voix suit une ligne mélodique définie : la première donne le ton et la base de la mélodie, la deuxième assure les basses, la troisième, plus aiguë, improvise autour du thème.

Plus triste est le *voceru*, qui accompagne les veillées funèbres. Cette forme musicale monotone et saccadée est l'apanage des femmes, qui pleurent autant qu'elles chantent et rythment l'ensemble de balancements du corps qui ne sont pas sans rappeler la transe. Les vendettas voyaient souvent les *voceri* s'accompagner d'appels à la vengeance. Plus doux, le *lamentu* est une complainte qui déplore l'absence d'un être aimé. Les *lamenti* sont eux aussi réservés aux femmes. Les *chjam'e rispondi* rappellent dans leur structure le *call and response* du blues et du spiritual : une voix appelle, une autre lui répond. Cette forme musicale se prête parfois aux joutes d'improvisation. De multiples flûtes de bois ou de corne, quelques percussions et le *cetera*, instrument à 16 cordes, peuvent accompagner ces chants.

À la suite de Canta U Populu Corsu, groupe qui s'est formé dans le cadre du Riacquistu – mouvement de réappropriation de la culture et de la langue corses, qui a vu le jour dans les années 1970 – des groupes polyphoniques comme I Muvrini, A Filetta ou les Ghjami font maintenant vivre ces formes traditionnelles d'expression musicale. Outre la discographie de ces formations, que vous trouverez sur l'île, vous pourrez écouter l'enregistrement intitulé *Musique corse de tradition orale* (F. Quilici, archives sonores de la Phonothèque nationale). Ce coffret de 3 disques 33 tours, enregistrés entre 1961 et 1963, permet d'entendre des interprétations anciennes, chantées, entre autres voix, par le père des musiciens d'I Muvrini. Autre curiosité, la *Canzone di i prigiuneri corsi in Alimania 1916-1917*, distribué par La Marge, a été enregistré par des ethnologues allemands dans les camps de prisonniers de la Première Guerre mondiale à partir de rouleaux de cire gravés.

A Filetta
(www.afiletta.com)
Le groupe de chant polyphonique de référence.
Tavagna
(www.tavagna.com)
Un groupe réputé pour sa fidélité à la tradition.
Jacky Micaelli
(http://jackymicaelli.com)
La plus célèbre des chanteuses corses.
I Muvrini
(www.muvrini.com)
Le groupe corse le plus connu.

À ÉCOUTER

À la fois chant religieux et guerrier, l'hymne corse – *Diu vi salvi Regina* – est chanté *a cappella* dans de nombreuses occasions. Pour découvrir la richesse et la diversité de la musique corse, rien ne vaut un petit détour par le village de Pigna, en Balagne. Outre les manifestations du festival Festivoce et les programmations régulières de l'auditorium, vous découvrirez plusieurs artisans qui fabriquent des instruments de musique.

De nombreux CD de groupes polyphoniques sont disponibles chez les disquaires.

Par ailleurs, les groupes de rock insulaires, comme Ghostone, Triok ou Blague à part – créé en 1999 par de jeunes Ajacciens et qui a à son actif plusieurs albums dont un *Live à La Cigale* parisienne – revisitent la musique corse traditionnelle.

Théâtre

Les manifestations théâtrales ont pris une certaine ampleur ces dernières années sous l'impulsion de Robin Renucci. Durant l'été 1998, l'acteur a créé les premières Rencontres théâtrales internationales de Haute-Corse, qui se poursuivent depuis et se sont dotées d'une belle scène près d'Olmi-Cappella, dans la région isolée du Giussani. Fervent partisan de la décentralisation, Robin Renucci entend redonner une vie culturelle à des villages désertés et oubliés de la Corse intérieure. La première édition, qui fut un véritable succès populaire, permit à plusieurs compagnies corses, dont Teatrinu, de s'associer à cette démarche artistique et pédagogique. Respectueux de l'enseignement d'Antoine Vitez, Robin Renucci entend en effet renouer avec l'esprit des stages qui l'ont formé. Durant un mois d'été, des dizaines d'acteurs professionnels et amateurs, corses et continentaux, jeunes et moins jeunes, se retrouvent ainsi pour travailler ensemble. L'encadrement est assuré par des comédiens riches d'expériences diverses comme Mario Gonzales, expert en *commedia dell'arte*. Renucci, fidèle à un idéal du théâtre public, tient à la gratuité des spectacles et aux échanges entre la population et les comédiens, afin de partager le "pain du théâtre". Place de village, chapelle désaffectée, maquis et forêt se marient à merveille avec un répertoire aussi varié que Molière, Goldoni, Shakespeare, Ionesco ou encore Culiolo (en langue corse). Ces rencontres sont la principale manifestation de la scène théâtrale insulaire.

Ajaccio et Bastia possèdent chacune un théâtre municipal, et un projet de scène nationale en Corse est à l'étude.

Artisanat

L'artisanat insulaire est limité mais connaît un regain d'intérêt, dont la Balagne est l'épicentre, depuis quelques années. Une route des artisans relie plusieurs villages, dont Pigna est le plus actif (voir l'encadré *Sur les traces des artisans de Balagne* p. 116) et les visiteurs peuvent acheter de l'artisanat d'art dans les ateliers – coutellerie, poterie, vannerie, verrerie, etc. La brochure *L'Art des artisans*, disponible dans les offices du tourisme des principales localités, recense les ateliers des artisans-créateurs de l'île.

MUSIQUE

CULTURE ET SOCIÉTÉ ARTISANAT

Surfez sur le site www.corsemusique.com pour tout savoir sur la musique corse.

Dans son atelier de Pigna, le luthier Ugo Casalonga redonne vie à des *cetera*, instruments oubliés de la musique traditionnelle corse.

Environnement

Géographie

Les 8 680 km² de la Corse jaillissent de la Méditerranée à 150 km au sud de la ville italienne de Gênes. À titre d'exemple, sa superficie équivaut à 20% environ de celle de la Suisse et représente 1,6% de la totalité du territoire français. Allongée sur un axe nord-sud, l'île affiche une longueur maximale de 185 km pour 85 km en largeur. Le cap Corse, étroite péninsule d'une quarantaine de kilomètres qui pointe au nord de l'île vers le golfe de Gênes, donne à ses contours leur caractère le plus remarquable. La Corse est plus proche de la côte italienne que des rivages français. Non seulement Ajaccio est à la latitude de Rome, mais 90 km de mer seulement séparent l'île du port italien de Piombino, à l'est. La plus proche ville continentale française, Nice, est à près de 170 km au nord-ouest. Au sud, 12 km seulement séparent Bonifacio de la Sardaigne, presque trois fois supérieure en taille à la Corse.

Couverte à 83% par les espaces naturels, l'île a plus de la moitié de sa surface occupée par les forêts et le maquis. La montagne est aussi omniprésente. Avec une altitude moyenne de 568 m, elle culmine au Monte Cinto, à 2 706 m. Le Monte Ritondu (2 622 m), le Paglia Orba (2 525 m), le Monte Pedru (2 393 m), le Monte d'Oro (2 389 m) et le Monte Renoso (2 354 m) figurent au nombre de ses plus hauts sommets.

Ces cimes surplombent plus de 1 000 km de rivages. La côte ouest, exposée aux vents dominants, est la plus découpée. Elle est creusée des profonds golfes de Porto, de Sagone, d'Ajaccio et de Valinco. Le rivage oriental, plus monotone, est occupé en grande partie par la longue plaine littorale d'Aléria, ou plaine orientale.

Les réserves hydrographiques de l'île, qui affiche parfois un aspect semi-aride, sont importantes. À de multiples cours d'eau côtiers s'ajoutent des fleuves prenant leur source en altitude. Le Golo, qui coule sur 80 km entre la forêt de Valdu-Niellu et le sud de l'étang de Biguglia, a le plus grand débit. Citons également le Tavignano, qui va à Aléria, et, sur l'autre rive, le Liamone, le Rizzanese et le Taravo. La Corse compte par ailleurs 43 lacs de haute montagne, d'origine glaciaire.

L'impressionnant relief montagneux de l'île et la culture clanique qui y a longtemps prévalu (et perdure encore) se sont associés pour fractionner ce petit territoire en une vingtaine de "microrégions", dont les contours varient souvent d'une carte à l'autre (selon que l'on parle de microrégions "culturelles" ou "économiques"). Enfin, la distinction historique ancienne entre l'Au-delà-des-Monts et l'En-deçà-des-Monts, encore parfois utilisée, correspond à une diagonale tracée de L'Île-Rousse à Solenzara. L'Au-delà-des-Monts représente une grande partie du sud et de l'ouest de la Corse, tandis que l'En-deçà-des-Monts désigne le nord-est de l'île.

Corse : les plus beaux sites naturels (Glénat, 2011) de Charles Pujos présente la diversité des paysages corses en textes et en photos.

Géologie

Les géologues s'accordent maintenant pour affirmer que le bloc formé par la Corse et la Sardaigne – désigné sous le terme de "microcontinent corso-sarde" – s'est détaché de la Provence, il y a une trentaine de millions d'années. Les deux îles ont pris la place qu'elles occupent actuellement au terme d'une lente rotation autour d'un axe situé approximativement au centre du golfe de Gênes. Minorque, aux Baléares, aurait vraisemblablement fait partie du voyage.

La majeure partie du territoire corse correspond à ce socle originel "arraché" du continent. Il constitue une très large part ouest et sud de l'île, de la Balagne à Solenzara. La base de cette Corse ancienne, ou "cristalline", est composée de roches magmatiques (roches éruptives issues de la remontée de magma de l'intérieur du globe, sous la croûte terrestre, qui ont cristallisé lentement au fur et à mesure de leur remontée), dont le granite. Cette roche dure formée de feldspath, de quartz et de mica a localement été "sculptée" par l'érosion pour former, par exemple, les paysages des calanques de Piana ou de la réserve de Scandola. Les mêmes phénomènes sont à l'origine des cavités, ou *taffoni*, visibles en de nombreux points de l'île.

La frange nord-est de l'île, incluant le cap Corse et délimitée à l'ouest par Corte et au sud par Solenzara, présente une structure géologique différente. Complexe, elle est composée de roches sédimentaires et métamorphiques, schistes notamment. On peut distinguer deux étapes dans la création de cette Corse "alpine" ou "schisteuse". Une plate-forme sédimentaire s'est d'abord formée au fond de la Méditerranée, par accumulation de matériaux issus de la désintégration ou de l'altération de roches préexistantes et d'une activité chimique ou biologique (agrégats de petites coquilles d'animaux...). Commencée au fond de la mer, cette plate-forme a jailli des flots petit à petit, strate après strate. Ces roches se sont ensuite métamorphisées, c'est-à-dire que leur composition a été modifiée par l'action de la chaleur et de la pression lors de la création des Alpes, à l'ère tertiaire.

D'autres facteurs sont venus compliquer ce schéma trop simple pour expliquer la chaotique géologie corse : une zone de fracture a séparé les deux ensembles au niveau de Corte, donnant à l'île son épine dorsale montagneuse en forme d'arête de poisson ; les glaciations de l'ère quaternaire ont modifié sa géologie pour lui donner un relief plus alpin...

Plus simplement, le profane pourra diviser la montagne corse en roche rouge (socle cristallin, comme à Piana ou à Scandola), roche blanche (calcaires, comme à Bonifacio) et roche verte (ophiolites, roches magmatiques complexes créées lors d'importants plissements).

La Corse doit à cette tumultueuse géologie la présence sur son sol d'un grand nombre de roches ornementales et de la rare diorite orbiculaire. Cette roche éruptive, reconnaissable à ses alvéoles gris, est présente à Sainte-Lucie-de-Tallano, dans l'Alta Rocca.

Faune et flore

Paradis des écologistes, des entomologistes, des environnementalistes et de tous ceux qui aiment se balader dans une nature vierge, la Corse possède une flore et une faune riche et variée.

Flore
Flore terrestre

La flore corse se divise en trois "étages" successifs. L'étage méditerranéen (jusqu'à 1 000 m environ) est le territoire du maquis, des chênes verts et chênes-lièges, des oliviers et des châtaigniers. Les forêts de pins et de hêtres peuplent ensuite l'étage montagnard, qui s'étend entre 1 000 et 1 800 m environ. Enfin, l'étage alpin (au-dessus de 1 800 m) accueille une végétation faible et rase, constituée d'un peu d'herbe et de petites espèces d'altitude. Cédratiers, kiwis, clémentiniers et avocatiers sont enfin présents dans la plaine orientale.

CHÂTAIGNIER

Le châtaignier est sans conteste l'arbre qui a le plus profondément marqué la Corse. Développée sous les Génois, sa culture a rapidement pris des proportions considérables dans la région à laquelle il a donné son nom : la Castagniccia. Les bogues s'ouvrent en octobre et laissent voir leurs beaux fruits bruns qui, réduits en farine, sont utilisés dans de nombreuses spécialités culinaires. La maladie de l'encre (due à un champignon), l'absence de renouvellement des plants et les dégâts causés par les porcs coureurs ont porté de rudes coups à la culture du châtaignier au lendemain de la Première Guerre mondiale.

CHÊNE-LIÈGE

Haut de 15 à 20 m, le *Quercus suber* se distingue par ses branches basses et tordues. Son écorce épaisse, spongieuse et crevassée, est retirée tous les 8 à 10 ans – notamment pour fabriquer des bouchons –, ce qui laisse voir un tronc de couleur rouge ocre. Le bois du chêne-liège est utilisé pour le chauffage et la menuiserie. Fréquent dans le Sud, aux environs de Porto-Vecchio, cet arbre qui fleurit en avril ou en mai vit à la même altitude que les oliviers.

CHÊNE VERT

Présent en dessous de 500 m, cet arbre qui peut atteindre une quinzaine de mètres de haut fournit les glands dont se nourrissent les porcs coureurs. Les incendies répétés freinent souvent sa croissance, et il n'est pas rare de voir des chênes verts sous forme buissonnante.

FIGUIER DE BARBARIE

Plante de la famille des cactacées, le figuier de Barbarie (*Opuntia ficus-indica*) s'apparente davantage par son aspect à un cactus qu'à un figuier. Ses "raquettes" ovales, longues de 20 à 40 cm, ornées de fleurs jaunes, comportent de nombreuses épines. Originaire d'Amérique centrale, d'où il fut rapporté par Christophe Colomb, le figuier de Barbarie produit un fruit sucré à la pulpe épaisse.

OLIVIER

Présent sur le littoral jusqu'à 600 m, l'olivier fleurit en juin et peut porter jusqu'à 1 million de fleurs très riches en pollen. L'arbre est toujours exploité pour la production d'huile, même si le nombre d'oliviers présents en Corse a énormément décru depuis l'époque génoise. L'absence de gel sur l'île autorise la récolte par chute naturelle des fruits. Cette caractéristique du verger local explique la longueur du cycle de production des oliviers insulaires, qui donnent des fruits une année sur deux. L'olivier se plaît sur les coteaux ensoleillés, notamment en Balagne.

PINS

Le pin laricio est la principale essence des forêts situées entre 700 et 1 500 m d'altitude. Véritable géant des superbes forêts corses, il peut atteindre une cinquantaine de mètres de haut, et certains arbres de l'île sont vieux de 800 ans. Lorsque ce conifère vieillit, ses frondaisons s'étalent horizontalement à la manière d'un parasol. Le laricio est plus résistant que le pin maritime, qui vit moins longtemps et est également présent en Corse.

FLORE

La Flore endémique de la Corse (Édisud, 1996), de Jacques Gamisans, décrit la plupart des plantes de la Corse, photos de Jean-François Marzocchi à l'appui.

VÉGÉTATION DU MAQUIS

Premier ambassadeur de la Corse, le maquis se caractérise par une végétation généralement assez rase (bien qu'elle puisse parfois atteindre 5 m de hauteur si les incendies lui en laissent le temps). Couvrant 200 000 ha environ, il mêle un grand nombre d'essences, odorantes pour la plupart, dont une grande partie fleurit au printemps. Le maquis est capable de résister aux fortes chaleurs estivales. Il brûle vite, mais se reconstitue assez rapidement après les incendies. La courte liste ci-après ne prétend en rien être exhaustive.

L'essence la plus répandue est le **ciste**. Cet arbrisseau dont les pousses sécrètent une résine collante se reconnaît à ses nombreuses fleurs blanches à cœur jaune, d'environ 3 cm de diamètre. Le **ciste de Crète** a des fleurs plus grandes, d'une couleur rose-mauve. Apprécié pour ses baies bleu-noir, dont on fait d'excellentes liqueurs, le **myrte** fleurit en juin. Ses fleurs blanches dégagent une odeur poivrée. Les **bruyères arborescentes** sont en fleur en début d'année. Elles atteignent souvent 2 m de hauteur, et leurs fleurs blanches exhalent un parfum proche du miel. Les longues tiges des **arbousiers** sont reconnaissables à leurs fruits, rouges et ronds.

Rouges également, les fruits du **pistachier-lentisque** noircissent par la suite et dégagent une odeur résineuse. Les longues tiges des **asphodèles**, qui peuvent atteindre 1,5 m de hauteur, forment des groupes de petites fleurs blanches aux pétales étroits. Certaines portent de petits fruits. Les chênes verts se mêlent au maquis dès qu'il prend un peu d'altitude.

Flore sous-marine

Elle se compose de plusieurs variétés d'**algues**, brunes, vertes ou rouges, molles ou dures. Celles qui sont calcifiées peuvent composer de superbes formations minérales. La tristement célèbre *Caulerpa taxifolia*, qui a proliféré de façon catastrophique le long du littoral de la Côte d'Azur, ravageant tout sur son passage, a pour l'instant épargné la Corse.

Endémique à la Méditerranée, la **posidonie** (de Poséidon, le dieu de la Mer) est une plante verte qui forme de vastes prairies sur le sable. Les plongeurs dédaignent généralement ces fonds herbeux, qu'ils jugent monotones. Ils ont tort : les posidonies constituent un biotope privilégié accueillant de nombreuses espèces de poissons qui viennent se réfugier ou frayer dans les frondaisons.

Faune
Faune terrestre

La faune terrestre corse est assez réduite. Les porcs coureurs, les vaches, les chèvres, les brebis et les mules sont les espèces que vous rencontrerez le plus souvent. L'île compte cependant quelques représentants du règne animal difficilement observables ailleurs. Les randonneurs seront heureux d'apprendre qu'il n'y a pas de vipères en Corse. L'île compterait cependant quelques très rares araignées venimeuses. Des petits rats noirs, qui peuplaient naguère l'île en grand nombre, sont visibles sur les îlots et à Scandola. La Corse, enfin, compte un grand nombre d'insectes (inoffensifs), 53 espèces d'arachnides endémiques et une quarantaine d'espèces de libellules endémiques.

BALBUZARD PÊCHEUR

Des serres capables de capturer les proies les plus glissantes et une vue perçante font de ce gros rapace de 1,60 m d'envergure un redoutable pêcheur. Présent dans la réserve de Scandola, le balbuzard pêcheur, au corps blanc et aux ailes brunes, construit de gros nids sur les côtes

PLANTES

Arburi, Arbe, Arbigliule, Savoirs populaires sur les plantes de Corse (Parc naturel régional de Corse, 2008), est le fruit d'une vaste enquête menée auprès de nombreux insulaires sur les plantes sauvages et leurs utilisations traditionnelles (édition bilingue corse-français).

OISEAUX

rocheuses et les promontoires. Il se reproduit au début de l'été. De 3 couples en 1973, la population de balbuzards est passée en un quart de siècle à une vingtaine environ, soit près d'un tiers de la population en Méditerranée. L'espèce des balbuzards compte de nombreuses sous-branches présentes en Amérique du Nord, en Afrique, en Asie et en Australie.

CERF DE CORSE
Disparu de l'île dans les années 1960, le cerf de Corse (*Cervus elaphus corsicanus*) a été réintroduit en 1985 à partir de spécimens sardes. Cet habitant du maquis se nourrit de ronces, d'arbousiers, de glands et de châtaignes. Les mâles dépassent fréquemment une hauteur au garrot de 1 m et sont reconnaissables à leurs bois, qui poussent à l'âge de 1 an. Ces derniers tombent chaque année au printemps et repoussent l'été, chaque fois un peu plus grands. Une centaine de bêtes ont été installées à l'initiative du parc naturel régional de Corse dans des enclos protégés, à Quenza, à Casabianca et à Ania di Fium'orbo. Des spécimens issus de ces enclos ont été remis en liberté depuis 1998 et des naissances de faons en liberté ont depuis été constatées.

CORMORAN HUPPÉ
Cet oiseau palmipède à la tête fine et au plumage noir-vert niche en colonies sur les côtes et les îles rocheuses. Il est parfois visible sur les îles Finocchiarola.

EUPROCTE DE CORSE
Comme la grenouille, l'euprocte est un petit amphibien qui vit aussi bien dans l'eau que sur la terre. N'ayant pas de poumons, il respire par la peau ! C'est une espèce endémique, rare et menacée qui se cache sous les pierres et s'accouple dans l'eau dès la fin du printemps.

GOÉLAND D'AUDOUIN
Disparu du continent, il ne se rencontre plus que sur les rivages de petites îles de la Méditerranée, notamment en Corse, en Sardaigne et aux Baléares. Plus petit que le goéland argenté, il est plus élancé et se reconnaît à son bec rouge foncé barré de noir, que finit une petite pointe jaune. Il niche dans les rochers, notamment dans la réserve des îles Finocchiarola.

GYPAÈTE BARBU
Tout vautour qu'il est, ce charognard pouvant atteindre 3 m d'envergure a une silhouette en vol proche de celle d'un faucon. Outre la "barbe" noire qui pend sous son bec, l'*altore* est reconnaissable au plumage blanc ou jaunâtre qui recouvre le dessous de son corps et au dessous sombre de ses ailes. Solitaire, il niche dans les cavités des rochers des massifs montagneux reculés et suit les troupeaux pour se nourrir de charognes. Il apprécie notamment la moelle des os, qu'il casse en les laissant tomber sur les rochers à une grande altitude.

MOUFLON
Roi de la montagne, le mouflon préfère les grands espaces peu enneigés. Visible dans les vallées exposées au sud, de décembre à février, cet herbivore se réfugie en altitude en été. Les mâles sont facilement reconnaissables à leurs cornes massives, qui s'enroulent au fil des années. Une tache blanche sur le museau – appelée masque facial et qui s'étend avec l'âge – est également caractéristique de l'espèce. De quelques milliers au début du siècle, le nombre de mouflons est maintenant estimé entre 400 et 600. Ils sont principalement cantonnés dans les réserves de Bavella et d'Asco. Le mouflon fait l'objet d'un programme spécifique de protection et de développement des populations.

Connaître les oiseaux de Corse (Albiana, Parc naturel régional de Corse, 2006), de Jean-Claude Thibault, magnifiquement illustré par des aquarelles et dessins de Denis Clavreul, s'efforce de répondre aux questions que les visiteurs se posent souvent lors de leurs balades.

SANGLIER

Vigoureux cousin sauvage du porc, le sanglier arbore une robe couverte de soies sombres. Seigneur du maquis et des forêts, cet omnivore vorace se nourrit de glands, de châtaignes, de racines et de fruits, mais aussi, à l'occasion, de vers et d'insectes qu'il déniche en fouillant la terre de son groin, ce qui provoque des dégâts importants. Les femelles (laies) et leurs petits (marcassins) vivent en hardes, mais les mâles, dont la rapidité à la course peut surprendre, sont solitaires. Ces derniers sont par ailleurs dotés de courtes défenses pouvant s'avérer redoutables, notamment lorsqu'ils s'affrontent entre eux à la saison des amours, en novembre-décembre. La chasse au sanglier est une activité traditionnelle en Corse.

SITTELLE CORSE

L'un des rares oiseaux endémiques de l'île, la sittelle, n'a été découvert qu'à la fin du XIXe siècle. Il fallait certes avoir de bons yeux pour l'apercevoir : ce minuscule représentant du règne animal ne mesure en effet guère plus de 12 cm de longueur. Grimpeur particulièrement agile et très léger, la sittelle peut s'accrocher aux ramures les plus frêles. L'espèce corse est reconnaissable au "sourcil" blanc qui lui barre la tête. La sittelle est sédentaire et se nourrit des graines de pin et d'insectes qu'elle trouve dans les forêts de conifères.

TORTUE D'HERMANN

Naguère très répandue en France, en Espagne, en Italie, en ex-Yougoslavie et en Grèce, cette tortue terrestre est maintenant l'un des reptiles les plus rares de France. Reconnaissable à sa couleur orange rayée de noir, elle est relativement bien représentée en Corse (voir p. 168). La tortue d'Hermann, présente surtout dans le maquis, est longue de 19 cm en moyenne et vit entre 60 et 80 ans. Elle hiberne sous un amas de feuilles entre mi-novembre et fin février.

Faune marine

Si les fonds corses ne peuvent rivaliser avec les mers tropicales, où l'on évolue dans un aquarium dès les premiers mètres, ils réservent cependant de belles surprises. Avec les réserves marines de Scandola et des Lavezzi, un littoral exempt de pollution, l'absence de pêche industrielle et des écosystèmes variés, la Corse fait en effet office d'oasis de vie en Méditerranée.

BALEINES

Visible dans un triangle Nice-Porquerolles-Corse, le rorqual commun (24 m de longueur moyenne) est aujourd'hui protégé. Pourtant, il arrive qu'une de ces baleines soit mortellement heurtée par un ferry ou un NGV, n'ayant pas eu le temps de fuir devant le bateau : elle ne se déplace qu'à 45 km/h (voir l'encadré p. 383).

POISSONS

Un certain nombre des poissons répandus dans les eaux corses sont connus du public pour la simple raison qu'ils sont utilisés en cuisine. C'est le cas de la **mostelle**, poisson brun qui affectionne la pénombre des cavités et des surplombs, ou encore du **saint-pierre**, qui doit son nom à saint Pierre lui-même : selon la légende, la tache noire caractéristique qui orne ses flancs serait l'empreinte laissée par les doigts du saint, qui l'aurait attrapé sur ordre du Christ pour lui retirer de la bouche une pièce d'or. L'allure majestueuse du saint-pierre tranche résolument avec l'aspect rebutant du **chapon** (la rascasse rouge de la bouillabaisse), dont le corps est hérissé d'épines venimeuses et d'excroissances. Sa parfaite capacité de mimétisme lui permet d'attendre sa proie, tranquillement posé sur le fond. Très commun, le **sar** affectionne les fonds rocheux et les herbiers. L'espèce la plus répandue est le sar commun (environ

Les amateurs de fonds sous-marins parcourront avec intérêt le beau livre La Corse sous-marine (Distribution corse du livre, 1999), du photographe Georges Antoni. Richement illustré de magnifiques photos, il vous donnera envie de plonger toutes affaires cessantes.

ENVIRONNEMENT FAUNE ET FLORE

40 cm), argenté, orné de deux taches noires caractéristiques au niveau des ouïes et de la queue. Dans la même famille, le **denti** est en revanche un redoutable carnassier pouvant atteindre 1 m de long. Il ne fait que de furtives apparitions.

Roi de la Méditerranée, le **mérou** revient en force après avoir risqué l'extinction. Ce poisson trapu pouvant atteindre 1,5 m de long se distingue par son énorme bouche lippue et les taches blanchâtres qui mouchettent sa livrée brunâtre. Curieux, joueur et débonnaire, le mérou se laisse facilement approcher. Il vit le plus souvent dans des trous, qu'il quitte occasionnellement.

Un certain nombre d'espèces moins connues sont très fréquentes en Corse, où les plongeurs peuvent les observer à loisir. C'est le cas de l'**anthias**, petit poisson gracieux de couleur rouge orangé, ou encore de l'**apogon**, également appelé "roi des rougets". Ce poisson d'une quinzaine de centimètres vit près de l'entrée des grottes ou sous les surplombs, et se reconnaît à sa couleur rouge et à ses grands yeux noirs. Les **castagnoles** forment des bancs compacts, immobiles, à proximité des hauts-fonds, à faible profondeur. Mesurant une dizaine de centimètres tout au plus, elles arborent une livrée allant du gris au noir, et une queue fourchue. La famille des **labres** comprend de nombreux représentants, très colorés, dont l'incontournable **girelle**, le poisson le plus "tropical" de Méditerranée. D'une longueur de 20 cm tout au plus, elles sont présentes dès les premiers mètres et égayent les massifs rocheux de leur livrée multicolore aux remarquables marbrures turquoise et liserés rouges. Parmi les **serrans**, citons le serran-écriture, qui doit son nom aux motifs qui ornent sa tête. Strié de bandes verticales noires et pourvu d'une tache bleue sous le ventre, il vit en général dans les herbiers de posidonies. Également présente dans ces herbiers, la **saupe** est l'un des rares poissons végétariens de Méditerranée. De couleur argentée, elle est dotée de liserés horizontaux dorés.

Parmi les prédateurs, seul le **corb**, reconnaissable à sa livrée gris argenté et à son dos très arqué, se laisse facilement observer – ce qui en fait une cible privilégiée des chasseurs. Ce poisson de belle taille (40 à 80 cm) est généralement présent en bancs près des fonds rocheux ou des herbiers de posidonies. Les autres prédateurs restent souvent cachés dans les anfractuosités. Il s'agit notamment du **congre** – également appelé anguille de mer et à ne pas confondre avec la murène –, au profil allongé et grisâtre, qui peut dépasser 2 m. Il quitte sa tanière la nuit pour chasser. Prédatrice féroce, la **murène** vit également à l'affût dans des anfractuosités d'où n'émerge que sa gueule. Longiligne, pouvant atteindre 1,5 m de long, elle se distingue par son allure patibulaire, bouche entrouverte armée de dents acérées, prête à se refermer sur un poisson infortuné. Sa livrée est sombre, parfois tachetée de jaune. Mentionnons enfin le très rare **barracuda**. Il vous faudra un très heureux concours de circonstances pour apercevoir cette espèce du large qui fait parfois de brèves incursions près des côtes.

CRUSTACÉS

Citons notamment le **crabe**, le **homard** – reconnaissable à ses pinces surdimensionnées –, la **langouste** et le **bernard-l'ermite**, qui squatte les coquilles d'autres animaux marins. La **cigale de mer**, espèce protégée, vit accrochée sous les surplombs. Moins connue, la **galathée** est un petit crustacé de couleur rougeâtre rayé de jolies bandes bleues.

MOLLUSQUES

La **seiche**, qui se propulse à reculons, émet un liquide noirâtre à la moindre menace. Elle est parfois confondue à tort avec le **poulpe**, aux

Il aura fallu une quinzaine d'années pour que l'alerte lancée par des organismes luttant pour la préservation des cétacés aboutisse, en 1999, à un accord entre la France, l'Italie et Monaco sur la création d'un sanctuaire méditerranéen visant à protéger ces mammifères et leurs habitats contre les perturbations (pollution, capture, blessures accidentelles, etc.). S'étendant sur 87 500 km², le sanctuaire Pelagos pour les mammifères marins en Méditerranée (www.sanctuaire-pelagos.org) inclut les eaux territoriales et le domaine pélagique (partie des mers et des océans autre que les côtes et les fonds marins) de la zone comprise entre le promontoire de la presqu'île de Giens, la lagune de Burano, en Toscane méridionale, et le nord de la Sardaigne. Il englobe les eaux de nombreuses îles dont la Corse.

Selon les responsables du projet, plus de 8 500 espèces animales seraient présentes dans cette zone, ce qui en fait un lieu de biodiversité remarquable, notamment pour les mammifères marins. En été, entre 300 et 1 000 rorquals communs et environ 25 000 dauphins bleu et blanc fréquentent ce périmètre. Le sanctuaire abrite aussi des cachalots, des dauphins communs, des dauphins de Risso, des globicéphales noirs, de grands dauphins, des ziphius et des survivants des phoques moines.

L'objectif du sanctuaire est de parvenir à concilier les activités humaines et le milieu naturel qui les entoure. Il s'intéresse à la réglementation de la pêche professionnelle, du trafic maritime et d'autres activités comme l'observation des cétacés dans leur milieu naturel (le "whale-watching") qui se développe fortement.

Un projet plus spécifique (Life Linda, www.lifelinda.org), porté par le WWF-France, a vu le jour en Corse en 2003, pour protéger le grand dauphin. Associant notamment l'Office de l'environnement de Corse, le PNRC, l'université de Corse, la partie française du sanctuaire PELAGOS et des représentants des pêcheurs corses, il a pour objectif la mise en place de mesures de protection des grands dauphins vis-à-vis des activités de pêche et des activités touristiques.

huit tentacules garnis de ventouses, qui vit généralement enfoui dans une excavation. Autre représentante de la famille des mollusques, et l'un des plus grands existant au monde, la **grande nacre** est une espèce protégée pouvant atteindre 1 m, qui vit plantée à la verticale dans le sable, près des herbiers.

FAUNE FIXÉE

Souvent confondus par les néophytes avec des roches rouges ou des fleurs, des animaux de structure très rudimentaire vivent fixés au substrat rocheux (d'où leur nom de faune fixée) et se nourrissent de particules en suspension. Ils sont remarquables tant par leurs formes, baroques et insolites, que par leurs couleurs, très vives et diversifiées.

Les plus fréquents sont les **éponges**, qui forment de larges plaques colorées sur la surface des rochers. Globuleuses, lisses, encroûtantes, ramifiées, boursouflées, tubulaires, jaune vif, bleuâtres, orange, roses ou noires, elles font ressembler n'importe quelle paroi rocheuse à un tableau d'art moderne ! Elles se nourrissent en filtrant des quantités phénoménales d'eau. Particulièrement appréciés des plongeurs pour leurs couleurs, les parterres d'**anémones jaunes** ou de **parazoanthus** capitonnent la roche d'une parure jaune vif du meilleur effet. À l'abri de la lumière, à partir de -25 à -30 m, le célèbre **corail rouge** dresse des branches ramifiées vermillon, de consistance dure, sur lesquelles se déploient des polypes blancs. Victime d'une récolte intensive, il se fait désormais rare. Parmi les plaisirs uniquement réservés aux plongeurs, citons également les **gorgones rouges**. D'apparence franchement végétale, elles forment de vastes champs et s'épanouissent en forme

Sur le site http://corsenature.net, vous admirerez d'impressionnantes photos sous-marines et terrestres consacrées à la faune et la flore insulaires, réalisées par Franck Pichot. Ce photographe et professeur de sciences de la vie et de la Terre contribue à la revue *Stantari* (voir p. 370).

DES PARADIS MARINS SOUS HAUTE SURVEILLANCE

L'écologie marine n'est pas un vain mot en Corse. Avec 2 sanctuaires et 7 cantonnements sur 1 045 km de littoral, l'île de Beauté bat tous les records en Europe. La **réserve naturelle des Bouches de Bonifacio**, créée en septembre 1999, se situe à l'extrême sud de l'île, entre la Corse et la Sardaigne, au large de Bonifacio. Elle constitue la partie française du parc marin international qui englobe la réserve naturelle des îles Cerbicale, les cantonnements de pêche de Bonifacio, la réserve de chasse maritime de Ventilègne et, du côté italien, l'archipel de la Maddalena, en Sardaigne. Le domaine terrestre de l'île de Cavallo (et de l'îlot de San Baïnsu), surnommée "l'île aux millionnaires", échappe curieusement à l'aire de protection. La plongée en apnée est autorisée partout. En revanche, 1 200 ha de zone dite de non-prélèvement sont interdits aux plongeurs équipés de bouteilles (plateaux des Lavezzi, des Cerbicale, des Bruzzi, des Moines et falaises de Bonifacio).

Entre la Punta Mucchilina au sud (à la sortie nord du golfe de Porto) et la Punta Nera au nord, la **réserve naturelle de Scandola** est la plus ancienne de Corse. Créée en 1975, elle couvre 919 ha sur terre et 1 000 ha sur mer. Véritable paradis en termes de flore et de faune sous-marines, Scandola protège quelque 450 espèces d'algues et 125 espèces de poissons. Un règlement strict interdit la chasse sous-marine, la pêche à la ligne (et la pêche professionnelle dans la zone classée réserve intégrale), le rejet des détritus, les mouillages supérieurs à 24 heures (le mouillage de nuit est interdit dans la réserve intégrale), le ramassage d'animaux et de végétaux marins, ainsi que la plongée sous-marine.

d'arbustes très ramifiés pouvant atteindre 1 m d'envergure. Leur squelette est souple, à la différence du corail rouge, qui est calcifié.

Participent également à ce tableau les **ascidies**, qui ressemblent à des tubes mous aux couleurs variables (violet, rouge, noir), et l'élégante **dentelle de Neptune**, qui forme des buissons de pétales roses, calcifiés, ou encore la **rose de mer**, également de consistance dure et friable, aux circonvolutions rosées.

Réserves naturelles

La Corse abrite 6 réserves naturelles (www.reserves-naturelles.org) :

Scandola (1 731 ha, classée en 1975). Classée au patrimoine mondial de l'Unesco, elle possède également la caractéristique d'être à la fois une réserve terrestre et maritime.

Îles Cerbicale (36 ha, au large de Porto-Vecchio, 1981)

Îles Finocchiarola (3 ha, cap Corse, 1987)

Étang de Biguglia (1 790 ha, 1994)

Bouches de Bonifacio (79 460 ha, 1999). Essentiellement maritime, cette réserve est la plus importante de Corse et de France métropolitaine.

Tre Padule de Suartone (218 ha, 2000)

Préservées pour leur faune (voir p. 379), leur flore (voir p. 377) et leur patrimoine géologique, les réserves poursuivent un triple objectif : protéger la nature, la gérer et permettre de la découvrir.

La protection de l'écosystème impose le respect de diverses mesures. Il est notamment interdit dans les réserves de cueillir des végétaux et de ramasser des minéraux, d'abandonner des déchets et d'allumer des feux. Les animaux domestiques n'y sont pas les bienvenus. La pêche, la chasse et le camping y sont formellement interdits (à de très rares exceptions).

Écologie et environnement

L'attrait que suscite la Corse tient pour une large part à son environnement, remarquablement préservé grâce à la conjonction de trois facteurs. D'une part, l'attachement des Corses à leur territoire et leur promptitude à élever la voix dès lors qu'ils estiment leur île menacée. Le soulèvement de la population lors de l'affaire des "boues rouges" – en 1973, une multinationale italienne déversa des déchets toxiques au large de Bastia – en fut le premier exemple. La Corse, aussi, s'est dotée d'organismes de protection efficaces. Enfin, l'action des nationalistes dans les années 1980 – on a parfois parlé "d'écolo-nationalisme" – a été déterminante. À force de plasticages, ces derniers ont notamment tenu les promoteurs éloignés du littoral, dont ils ont empêché le bétonnage. La réalité est maintenant plus complexe, et certaines parties du littoral insulaire sont aujourd'hui considérées comme menacées (voir l'encadré p. 386).

Les enjeux écologiques

Principal danger qui pèse sur l'île : le feu, qui ravage des milliers d'hectares, chaque année ou presque. La forêt corse et de vastes étendues de maquis portent en de nombreux endroits les stigmates des incendies qui détruisent des centaines d'hectares de végétation. Les efforts de la sécurité civile, qui stationne aux abords des zones boisées les jours où les conditions météorologiques sont les plus propices aux départs de feu, ne suffisent malheureusement pas à stopper le fléau.

www.oec.fr. Le site de l'Observatoire de l'environnement en Corse, truffé d'informations liées à l'environnement sur l'île.

Le tourisme apporte également son lot d'atteintes à l'environnement. La hausse brutale de la population en haute saison génère un problème de déchets, notamment dans les stations balnéaires ou sur les sentiers de randonnée, qui s'ajoute à celui des décharges sauvages. Sur le littoral, la surfréquentation touristique associée au surpâturage des bêtes a contribué à la destruction des plantes qui fixent les dunes, par exemple à Roccapina ou à Barcaggio. Le Conservatoire du littoral est heureusement venu à la rescousse en installant des barrières de protection.

Par ailleurs, la tradition corse de la libre circulation du bétail n'est pas sans provoquer de graves dommages à l'environnement. Les porcins, notamment, dont l'élevage traditionnel va de pair avec la culture de la châtaigne, contribuent au déboisement et à la déprédation du milieu en fouillant le sol pour trouver leur nourriture. Leur divagation affecte

---

UN ÉCO-FESTIVAL QUI A LE VENT EN POUPE

L'écologie et l'environnement sont au cœur du festival du Vent (Festiventu), qui a lieu chaque année fin octobre à Calvi et a fêté ses 20 ans en 2012. Carrefour foisonnant où s'entrecroisent l'écologie, l'art, le sport, les sciences, la solidarité et les droits humains, cette manifestation mêle joyeusement 5 jours durant rencontres, débats, concerts, spectacles de rue, cinéma, théâtre et activités sportives. Le festival consacre aussi tout un espace à la construction écologique.

Cette dimension a pris un nouvel essor au sein du festival du Vent depuis que ses organisateurs, Les Amis du Vent, mènent parallèlement des actions de sensibilisation efficaces. Leur campagne "Halte aux sacs plastiques !" fit de la Corse, en 2003, la première région de France à interdire l'usage du sac en plastique dans la grande distribution. L'association voudrait étendre cette campagne aux sacs de magasins. D'autres actions écocitoyennes se sont ajoutées depuis : "Oui au papier recyclé", "Sème pas tes piles" et "Du jetable au durable" – avec l'ambition que la Corse fasse preuve dans ces domaines aussi d'exemplarité.

Pour plus de renseignements, contacter **Les Amis du Vent** (La Petite Folie, Chemin de Grottazalda, 20260 Calvi) ou le **Festival du Vent** (☎01 53 20 93 00 ; www.lefestivalduvent.com ; 22 rue de Douai, 75009 Paris).

LA LOI LITTORAL AU CŒUR D'UN GRAND DÉBAT

Prévu en 2002, et faisant depuis lors l'objet d'un vif débat, le Plan d'aménagement et de développement durable de la Corse (Padduc), rendu public en juillet 2008, divise plus que jamais l'île. Ouvrant la voie à un assouplissement de la loi Littoral et au développement de l'urbanisation des côtes (liée entre autres à l'industrie du tourisme), le Padduc, selon ses tenants, orientera la Corse vers un avenir "plus compétitif". Regroupées dans un Front uni contre le Padduc, plus de 70 organisations, élus et mouvements politiques dénoncent, quant à eux, un "projet de société fondée sur le tout-tourisme et l'économie résidentielle". D'autres, enfin, n'hésitent pas à voir dans ces projets de développement immobilier sur la côte la main d'un grand banditisme mafieux. À la pointe du combat contre la déclassification des espaces côtiers remarquables et leur mitage par des constructions illégales, le Collectif pour l'application de la loi Littoral en Corse (CLL) et l'association U Levante (www.ulevante. fr) dénoncent les fortes pressions foncières exercées à cet effet sur les maires. Les défenseurs de la loi Littoral, dont ABCDE (Association bonifacienne comprendre et défendre l'environnement), ont ainsi obtenu ces dernières années l'annulation de plusieurs dizaines de permis de construire, dont celui d'une villa projetée par le publicitaire Jacques Séguéla sur des terrains protégés de la presqu'île de Bonifacio.

Seul point sur lequel s'accordent une majorité d'insulaires : le Padduc ne saurait être imposé de force, et il doit faire l'objet d'un examen démocratique par la société civile. Le débat continue à l'heure où nous écrivons ces lignes. On annonce maintenant le texte pour fin 2013...

par ailleurs de nombreux secteurs et le labourage auquel ils se livrent va jusqu'à entraîner régulièrement la destruction des murs en pierre sèche de propriétés.

Autre problème : le traitement des déchets ménagers. Le projet d'implantation d'un incinérateur près de Ponte-Leccia, qui s'était heurté à une forte opposition depuis 2006 en raison des coûts et de la pollution qu'il aurait entraînés, a été abandonné en 2008 par les conseillers de l'Assemblée de Corse. Si le tri sélectif a été mis en place sur l'île début 2008, des problèmes demeurent.

Organismes de protection
Parc naturel régional de Corse

La création du parc naturel régional de Corse (PNRC, www.parc-corse. org), en 1972, fut une étape décisive. Outre la gestion d'un territoire représentant plus du tiers de l'île, soit 350 510 ha, qui regroupe 145 communes, le PNRC est un organisme actif dans la protection de l'environnement de l'île. Il englobe le golfe de Porto et la réserve de Scandola, classés sites naturels du patrimoine mondial, ainsi que les hauts massifs, du Monte Cinto, au nord-ouest, aux aiguilles de Bavella, au sud-est. À la différence des parcs nationaux, qui sont réservés aux espaces inhabités, les parcs naturels régionaux ont pour vocation de "protéger et faire vivre le patrimoine naturel, culturel et humain de leur territoire pour construire leur avenir". C'est dans ce cadre que le parc fut à l'origine de la création d'environ 2 000 km de sentiers balisés. On doit également à cet organisme des efforts en faveur de la protection de la grande nacre de Méditerranée, de la patelle géante, de la tortue d'Hermann, du mouflon, du balbuzard pêcheur et la réintroduction du cerf de Corse.

Conservatoire du littoral

L'action du Conservatoire du littoral (www.conservatoire-du-littoral. fr) est déterminante sur les rivages. Cet établissement public créé en 1975 achète des terres afin de les sauvegarder. Au fil des années, le

Conservatoire est ainsi devenu propriétaire d'un grand nombre de sites côtiers, répartis sur l'intégralité du pourtour de l'île – notamment à Roccapina, dans les Agriates, les Bouches de Bonifacio, la pointe nord-est du cap Corse et les îles Finocchiarola, à Scandola, Cargèse, Piana, l'étang d'Urbino, etc. –, ces sites naturels totalisent 25% des 1 045 km du linéaire côtier de la Corse. Le désert des Agriates est le plus vaste site du Conservatoire du littoral au niveau national. Cet organisme s'illustre par ailleurs dans la publication d'excellents livres et brochures consacrés aux espaces qu'il préserve.

Office national des forêts

Sur les 238 000 ha de forêts, 150 000 sont placés sous le contrôle de l'Office national des forêts (ONF). Il existe 31 forêts territoriales, couvrant 49 000 ha, une forêt départementale de 1 000 ha et 160 forêts communales représentant 100 000 ha. L'ONF assure en saison des visites guidées des forêts domaniales de Fangu, Bavella, Bonifato, Marmaro, Chiavari, Aïtone, Pineta, Vizzavona et l'Ospédale. Pour efficaces qu'ils soient, ces dispositifs ne mettent pas le territoire corse à l'abri de toute atteinte écologique.

www.parc-corse. org. Ce site très instructif présente les missions écologiques, les projets de développement et les dernières informations sur le parc naturel régional de Corse, qui couvre à lui seul près de 40% de l'île.

Langue

Loin d'être folklorique et tombée en désuétude, la langue corse est parlée au quotidien par une large proportion des habitants de l'île. Des journaux lui ouvrent leurs colonnes, les polyphonies lui prêtent leurs voix, des poètes la font rimer... Tous les Corses, cependant, comprennent et parlent également le français (et en général l'italien).

Le corse tire ses racines de l'italien. Fernand Ettori, dans *Le Corse* (éd. Bonneton, 1992) note que "ses plus proches parents sont à chercher en Toscane". Cette base linguistique a cependant été influencée par les langages de tous les peuples qui se sont succédé sur l'île. La langue corse présente ainsi des composantes ibère, ligure ou génoise. Le français, enfin, est venu s'y greffer, notamment après que l'enseignement de cette langue est devenu obligatoire sur l'île, à la fin du XIXᵉ siècle.

La langue occupe une part très importante dans le sentiment identitaire corse. Les insulaires sont en effet très attachés à la défense de leur parler, comme à tout ce qui contribue à marquer la spécificité de leur île par rapport à la France au sens large. Si la plupart des panneaux de circulation que vous verrez sur place sont bilingues (corse-français), il est courant de voir cette dernière langue barrée, effacée, voire criblée de balles...

Parallèlement à la montée du mouvement autonomiste, des associations – Scola Corsa en tête – commencèrent à proposer un enseignement du corse dans les années 1970. Une tardive reconnaissance vit le jour en 1974, lorsque la langue corse fut incluse dans le cadre de la loi Deixonne sur les "langues régionales".

À ce jour, le parler insulaire pose un curieux problème constitutionnel. Reconnaître en tant que telle la langue corse équivaut en effet à reconnaître en tant que tel le peuple qui la parle, et donc à distinguer le peuple corse du peuple français. Cette délicate question reste en suspens.

QUELQUES RÈGLES

Les lettres *k*, *w*, *x* et *y* n'existent pas en corse. L'alphabet insulaire s'enrichit en revanche des groupes de lettres *chj* (tyi ou tyeu) et *ghj* (diè ou dyeu). En règle générale, *ch* se prononce *g* ; *u* se prononce *ou* ; *c* se prononce souvent *tch*, *ci* se prononce *tchi* et *g* se prononce fréquemment *dg*. La dernière voyelle d'un mot est très souvent chuintante, voire presque totalement étouffée. Porto-Vecchio, qui se dit *Purtivecchju* en corse, se prononce ainsi "pourti-vechj". Certaines consonnes deviennent par ailleurs quasi muettes lorsqu'elles sont placées entre deux voyelles.

La prononciation présente quelques différences entre le Nord et le Sud (voire d'un village à l'autre). La lettre *v* au sud de l'île se prononce *b* au nord. De même, le double *l* du Nord devient un double *d* dans le Sud (le cheval du Nord, *U cavallu*, devient *U cavaddu* dans le Sud). D'autres différences d'orthographe, notamment sur les panneaux routiers, sont dues à de mauvaises traductions ou à des amalgames avec l'italien de la part des administrations, voire des maires des communes. Il n'existe pas, en effet, d'académie garantissant la bonne orthographe de la langue corse. Les habitants de Bonifacio (*Bunifaziu*) ont pour leur part préservé leur propre langue, proche du génois.

L'accent tonique est le plus souvent placé sur l'avant-dernière syllabe (il n'est pas écrit dans ce cas). Il se trouve fréquemment sur la dernière syllabe (notamment pour former les infinitifs de verbe). Il est dans ce cas écrit : ` comme dans "andà", et de rares fois sur l'antépénultième.

Le pluriel se forme en *i* (*u trenu* = le train ; *i treni* = les trains).

SALUTATIONS ET POLITESSE

bonjour	*bunghjornu (ou bonghjurnu)*
au revoir	*avedeci*
merci	*grazie*
à votre santé !	*a salute !*
bienvenue	*pace i salute !*
à bientôt	*a prestu*

Affirmation/négation

oui	*iè ; sì*
non	*nò*
peut-être	*forse ; podassi*

Les pronoms personnels

je	*eiu*
tu	*tù*
il	*ellu*
nous	*noi*
vous	*voi*
ils	*ellu*

Les adverbes

combien ?	*quantu ?*
où ?	*duve ?*
quand ?	*quandu ?*
qui ?	*quale ?*

Le temps

matin	*matina*
midi	*meziornu*
soir	*sera*
nuit	*notte*
jour	*ghjornu*
aujourd'hui	*oghje ; oghji*
hier	*eri*
demain	*dumane*
en retard	*tardi*
en avance	*troppu prestu*

Les saisons

printemps	*veranu*
été	*estate*
automne	*autunnu*
hiver	*invernu*

Se diriger

droite	*dritta*
gauche	*manca ; sinistra*
nord	*nordiu*
sud	*meziornu*
est	*levante*
ouest	*punente*
en avant	*avanti*
en arrière	*indietru*
en haut	*in sù*
en bas	*in ghjò*
loin	*luntanu*
proche	*vicinu*

Les chiffres

0	*zeru*
1	*unu*
2	*dui*
3	*trè*
4	*quattru*
5	*cinque*
6	*sei*
7	*sette*
8	*ottu*
9	*nove*
10	*dece*
20	*vinti*
30	*trenta*
40	*quaranta*
50	*cinquanta*
60	*sessanta*
70	*settanta*
80	*ottanta*
90	*novanta*
100	*centu*
1 000	*mille*

En cas d'urgence

attention !	*attenti !*
au secours !	*aiuti !*
police	*pulizza*

Quelques verbes

aimer	*amà ; tene caru*
arriver	*arrivà*
avoir	*ave*
conduire	*cunduce*
dormir	*dorme*
marcher	*marchjà ; caminà*
nager	*natà ; nutà*
partir	*parte*
payer	*pagà*
quitter	*lascià*
saluer	*salutà*
voyager	*viaghjà*

Assimil propose une méthode incluant 1 livre et 3 CD intitulée *Le corse sans peine* (Pascual Marchetti, 2005), ainsi qu'un petit guide de conversation, *Le corse de poche* (Pascual Marchetti, 2010).

DCL éditions publie un *Dictionnaire français/corse corsu/francese* au format poche (Culioli, 1997). Vous pourrez également consulter *Mon premier dictionnaire français-corse en images* (L. Memmi, L. Santucci et Ch. Lazé, Ed JP Gisserot, 2001) ou *Parlons corse* (Jacques Fusina, L'Harmattan, 1999). Le *Dictionnaire commenté des expressions corses* (DCL, 2004) de Jean-Guy Talamoni et Éric Simoni (illustrations) voit le célèbre militant nationaliste commenter des centaines d'expressions de la vie quotidienne recueillies pendant des années dans son village de A Petra, dans la *pieve* de Verde.

L'université Pasquale-Paoli, à Corte, dispense un enseignement supérieur de corse. À Bastia, l'association **Scola Corsa** (M. Stefani,📞06 75 19 61 63) propose des cours de corse.

PETIT LEXIQUE

De nombreuses différences peuvent exister entre le nord et le sud de l'île.

argent – argentu
assurance – assicurazione
attentat – attaccu
autobus – vitturonu
avion – avione

bagnarinu – maillot de bain
baiser – basgià
bateau – battellu
beau – bellu
bébé – ciucciu
biberon – titterola
bien – bene
billet – bigliettu

célibataire – figliu ; scàpulu
chambre – càmera
chaud – caldu
chemin – caminu ; strada
couche (de bébé) – fasciola

danse – ballu
docteur – duttore
dortoir – dormitoriu
douleur – dulore

enfant – zitellu ; bambinu

fatigue – fatica
faux – falsu
femme – donna
fermé – serratu
fille – figliola (jeune fille) ; figlia (sens paternel ou maternel)
fils – figliolu
forêt – valdu
froid – freddu

garçon – maschju
grand – grande
grand-mère – mammone
grand-père – babbone

homme – omu
hôpital – ospidale
hôtel – usterìa

le – u
lit – lettu

mal – male
malade – malatu
maquis – machja
marié(e) – sposu ; casatu

mauvais – gattivu ; malu
mer – mare
mère – mamma
montagne – muntagna ; monte
mule – mula
musique – mùsica

ouvert – apertu

pain – pane
passeport – passaportu
petit – chiùcu ; pìcculu
plage – piaghja
politesse – crianza

route – strada
rue – carrughju

théâtre – teatru
toilettes – latrine ; cabinettu
train – trenu

vélo – velò
vengeance – vindetta
vrai – veru

Corse
pratique

Carnet pratique

Argent

Aucun problème pour retirer de l'argent aux distributeurs automatiques de billets (DAB) dans les villes du littoral. En revanche, la situation se complique dans l'intérieur de l'île, ainsi que dans le cap Corse, qui ne comptent que peu d'agences bancaires équipées d'un DAB. Avec un peu de chance, on trouvera un bureau de poste équipé d'un distributeur, mais il est préférable de prévoir suffisamment d'espèces.

Bénévolat

Quelques associations proposent des missions de bénévolat en Corse. Certaines œuvrent principalement dans d'autres régions, mais pourront proposer ponctuellement des chantiers sur l'île ; renseignez-vous notamment auprès de l'**Association Rempart** (☎01 42 71 96 55, www.rempart.com) ou de **Cotravaux** ☎01 48 74 79 20 ; www.cotravaux.org ; 11, rue de Clichy 75009 PARIS), organisme qui regroupe plusieurs associations, dont certaines proposent des missions en Corse.

Le **Centre régional information jeunesse de Corse** (CRIJ ; ☎04 95 32 12 13 ; http://crij.phpnet.org) peut servir de relais à des bénévoles cherchant des chantiers de fouilles archéologiques. Ces missions, d'une semaine au moins, ont lieu durant les vacances d'été et sont ouvertes à tous.

Sur le long terme, la **Fédération française de la randonnée pédestre** (FFRP ; ☎01 44 89 93 93 ; www.ffrandonnee.fr) regroupe des bénévoles pour entretenir et baliser ses sentiers, animer et encadrer des randonnées, et promouvoir le tourisme vert.

Cartes et plans

La carte routière de l'Institut géographique national (IGN) n° R19 au 1/250 000 (1 cm = 2,5 km), d'un format pratique, donne une image claire du réseau routier de

---

 À SAVOIR

» Nombre de prestataires, d'hôtels et de restaurants n'acceptent pas les cartes de crédit. Prévoyez suffisamment d'espèces et de chèques.

» De nombreuses localités de l'intérieur des terres et du cap Corse ne disposent pas de distributeurs automatiques.

» Calvi, desservie par voie maritime et voie aérienne, est aussi une porte d'entrée pratique en Corse.

» Vu la configuration du réseau routier corse, les distances ne s'évaluent pas en kilomètres, mais en heures de route.

» N'espérez pas capter la radio durant vos déplacements en voiture : le relief rend la transmission des ondes très difficile.

» L'avant-saison (d'avril à juin) et l'arrière-saison (septembre-octobre) sont des périodes idéales pour profiter de l'île.

» La plupart des établissements touristiques démarrent la saison à Pâques et ferment début octobre.

» La demi-pension est parfois obligatoire dans les hôtels en juillet et août.

l'île. Mise à jour en 2012, elle existe également en version "minicarte" (n° MR19), qui se glisse facilement dans une poche. Michelin édite pour sa part une carte routière au 1/200 000 (n° 528).

Plus détaillées et largement diffusées sur l'île, les 2 cartes IGN de la série Top 100 (n° 175 Bastia-Corte et n° 176 Ajaccio-Bonifacio) au 1/100 000 (1 cm = 1 km) permettent de mieux appréhender le relief. L'IGN édite également 19 cartes au 1/25 000 (1 cm = 250 m), très précises et couvrant toute l'île, destinées aux randonneurs (n° 4149OT à 4352OT). Les cartes de l'IGN sont notamment disponibles sur le site www.ign.fr.

À de rares exceptions près, tous les offices du tourisme proposent gratuitement des cartes plus ou moins détaillées des villes et des localités qui les bordent.

Climat

Le climat corse ? Un vrai bonheur, en toute saison ! Bénie soit cette île qui bénéficie d'un climat méditerranéen, caractérisé par sa sécheresse estivale, son ensoleillement, et des températures presque toujours clémentes (moyenne annuelle : 12°C), du moins sur la côte. L'île compte en moyenne 2 800 heures de soleil par an, contre 1 800 à Paris, Ajaccio battant le record avec 2 900 heures. La température dépasse souvent 25°C de juin à septembre et frise 30°C durant les mois les plus chauds. Il fait parfois plus de 35°C en juillet et en août. Selon les statistiques de Météo France (centre d'Ajaccio), le mercure franchit la barre des 30°C en moyenne 12 jours dans l'année à Ajaccio et 32 jours à Corte.

Il existe cependant de fortes nuances,

Ajaccio

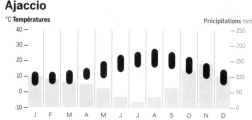

Corte

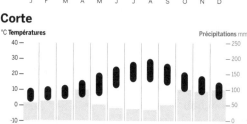

essentiellement dues au relief. Le thermomètre, comme on peut s'y attendre, baisse sensiblement à mesure que l'on prend de l'altitude. Il n'est pas rare d'observer une couche de neige au-dessus de 1 600 m d'octobre à juin – un facteur dont il faut tenir compte si l'on fait de la randonnée dans l'intérieur de l'île. Quand la chaleur est oppressante sur la côte, elle est généralement nettement plus supportable dans les villages de l'intérieur.

Les avant et arrière-saisons sont très belles, avec 14°C en moyenne et des maximales pouvant atteindre 20°C d'octobre à mars. La pluviosité la plus importante intervient durant les trois derniers mois de l'année, lorsque les orages et les crues peuvent être très violents. Les précipitations, minimes en juillet, sont parfois abondantes en automne. Les côtes sont relativement épargnées par les pluies, surtout présentes sur le relief. En revanche, l'hiver est assez rigoureux en montagne et la neige s'accroche toute l'année à quelques sommets de l'île. Corte compte en

moyenne 30 jours de gel par an, contre 11 à Ajaccio et 3 à Bastia.

Les vents les plus habituels sont le libecciu, sec et doux (surtout en Haute-Corse), et la tramontane, qui descend du nord en hiver. Le sirocco, chaud et humide, remonte parfois du sud-est. Le cap Corse et les bouches de Bonifacio sont les points les plus ventés.

Quant à la température de la mer, elle dépasse fréquemment les 25°C en été et descend rarement en dessous de 14°C. Avis aux amateurs de baignade...

ⓘ MÉTÉO FRANCE

Météo France (☎3250 ; http://france.meteofrance.com) propose des prévisions, département par département, pour les 9 jours à venir (1,35 €/appel + 0,34 €/min). Vous pouvez aussi accéder directement aux différents bulletins de la région Corse en appelant le ☎08 99 71 02 20 (mêmes tarifs).

POUR LES VISITEURS ÉTRANGERS

Argent

Les bureaux de change sont rares sur l'île et vous n'en trouverez aucun dans les aéroports. Installés dans les villes touristiques du littoral, certains pratiquent des commissions exagérées. Mieux vaut passer par l'intermédiaire des banques.

Les banques, bureaux de change et bureaux de poste acceptent souvent les chèques de voyage.

Heure locale

La Corse vit à la même heure que le continent. L'île a donc 1 heure (hiver) ou 2 heures (été) d'avance par rapport à l'heure de Greenwich.

Lorsqu'il est 14h en Corse, il est 8h à Montréal. L'heure est la même en Corse, en Suisse et en Belgique.

Formalités et visas

L'entrée en Corse est soumise aux mêmes conditions que toute autre région française. À ce titre, les Belges et les Suisses n'ont pas besoin de visa pour une période maximale de 90 jours. Les Canadiens peuvent également séjourner 90 jours sans visa (limité à 2 séjours de 90 jours par an).

Les permis de conduire délivrés dans les pays membres de l'Union européenne, en Suisse et au Canada sont valables pour circuler en Corse.

Pour plus de précisions, ou pour d'autres nationalités, reportez-vous au site officiel du ministère des Affaires étrangères français : www.diplomatie.gouv.fr

Ambassades et consulats étrangers en Corse

La Suisse est le seul pays francophone à disposer d'un consulat honoraire sur l'île. Pour la Belgique et le Canada, adressez-vous à leurs représentations respectivement à Marseille et à Paris.

» **Consulat de Suisse** (04 95 21 28 43 ; 38 cours Lucien-Bonaparte, 20000 Ajaccio)

» **Consulat de Belgique** (04 96 11 69 55 ; www.diplomatie.be/marseille ; 112 Bd des Dames, 13002 Marseille)

» **Ambassade du Canada** (01 44 43 29 00 ; www.canadainternational.gc.ca/france ; 35 avenue Montaigne, 75008 Paris)

Ambassades et consulats de France à l'étranger

Belgique

» **Ambassade** (02 548 87 11 ; www.ambafrance-be.org ; rue Ducale, 65, 1000 Bruxelles)

» **Consulat** (02 548 88 11 ; bd du Régent, 42, 1000 Bruxelles)

Canada

» **Ambassade** (0613 789 17 95 ; www.ambafrance-ca.org ; 42 Sussex Drive, Ottawa, Ontario K1M 2C9)

» **Consulats** Montréal (0514 878 43 85 ; www.consulfrance-montreal.org ; 1501 McGill Collège, 10e étage, bureau 1000, Montréal (QC) H3A 3M8) ; Québec (0418 266 25 00 ; www.consulfrance-quebec.org ; 25 rue Saint-Louis, Québec (QC) G1R 3Y8).

Suisse

» **Ambassade** (031 359 21 11 ; www.ambafrance-ch.org ; Schosshaldenstrasse 46, BP 300, 3006 Berne).

» **Consulat général** (022 319 00 00 ; www.consulfrance-geneve.org ; 2 cours des Bastions, 1205 Genève). Service des visas sur rendez-vous (0900 847 237).

Désagréments et dangers

Le principal danger est la conduite automobile : les routes sont particulièrement sinueuses et les automobilistes corses peu patients lorsqu'ils sont ralentis par des visiteurs appréciant le paysage à 40 km/h (on peut les comprendre...). En montagne, du bétail peut par ailleurs surgir à tout moment devant votre capot. Ne vous laissez pas trop distraire par les paysages et ne quittez pas la route des yeux.

Les cas de vols restent très rares sur l'île. Évitez cependant de laisser des objets en évidence dans votre véhicule (à plus forte raison si elle est immatriculée sur le continent). Sachez que les touristes n'ont jamais été directement la cible d'attentats nationalistes.

Le racisme, notamment à l'égard des Nord-Africains, est devenu préoccupant. Plusieurs actes racistes ont été perpétrés ces dernières années.

Douane

La Corse fait partie intégrante du territoire douanier de l'Union européenne. Les dispositions en vigueur dans les autres pays de l'Union s'appliquent donc sur l'île. Il est notamment possible d'y importer depuis un pays non membre de l'UE un maximum de 200 cigarettes, 2 litres de vin (ou autre boisson alcoolisée de moins de 22°) et un litre d'alcool (titrant plus de 22°).

Les aéroports corses ne possèdent aucune boutique hors taxes.

Les plaisanciers arrivant de l'étranger (hors UE) doivent se présenter à la capitainerie du port de débarquement. Les services des douanes viennent habituellement à bord.

Enfants

La famille étant une valeur culte de la société locale, les enfants sont les bienvenus. L'île ne présente aucun danger particulier pour les plus jeunes, même les bébés, et leur propose de nombreuses activités sportives, tant au bord de la mer (écoles de voile, de planche à voile, etc.) qu'à la montagne (parcours aventure, balades à dos d'âne, etc.). De nombreux hôtels installent des lits supplémentaires à la demande, et la majorité des agences de location de voitures pourra vous fournir des sièges auto, parfois gratuitement. La plupart des hébergements consentent des réductions pour les enfants (généralement 50% du tarif plein jusqu'à 12 ans) et certains restaurants offrent des menus enfant.

Vous trouverez sur place des couches (de toutes marques), de l'eau minérale, de nombreux médecins et tout ce dont vous pourriez avoir besoin. Méfiez-vous néanmoins des incidents liés à la mer et à la chaleur. En été, prévoyez une protection contre le soleil : écran total à renouveler plusieurs fois par jour et chapeau sont impératifs. Faites boire votre enfant fréquemment, même s'il joue sur le rivage. Préférez les plages surveillées et gardez un œil sur vos enfants lorsqu'ils sont dans une piscine.

Vous trouverez des suggestions d'activités regroupées dans un tableau en début de chaque chapitre régional. Pour les parents souhaitant voyager léger, **A Casetta** (06 29 18 13 42 ; www.acasetta.fr ; Lieu dit Teghia 20 230 Canale di Verde) loue du matériel de puériculture (lit, poussette, babycook...) que l'on peut prendre sur place ou qui peut être livré, moyennant un surcoût, aux différents aéroports de l'île.

Handicapés

Avec ses ruelles en pente ou pavées, ses escaliers et autres obstacles causés par le relief montagneux, la Corse n'est pas sans poser problème aux personnes se déplaçant en fauteuil roulant. Rien n'est perdu pour autant. Les délégations départementales en Corse de l'**Association des paralysés de France** (APF ; ☎ 04 95 20 78 09 ; 40 av. Noël Franchini, 20090 Ajaccio ; ☎ 04 95 30 86 01 ; Immeuble San Petru, Bât. A, route Impériale, 20600 Bastia) s'efforcent d'orienter dans leurs recherches les visiteurs à mobilité réduite ayant une demande particulière. Au niveau national, **APF-Évasion** (www.apf.asso.fr) organise parfois des séjours en Corse, en général dans la région d'Ajaccio.

Les compagnies aériennes facilitent l'accès des avions et des aéroports aux handicapés. Les ferries et les NGV des transporteurs maritimes disposent chacun de quelques cabines accessibles en fauteuil roulant. Dans un cas comme dans l'autre, vous devrez faire votre demande à l'avance auprès des compagnies.

Des efforts ont été faits et les centres-villes de Bastia, d'Ajaccio, de Bonifacio, de Porto-Vecchio, de Propriano, de L'Île-Rousse et, dans une moindre mesure, de Sartène sont globalement accessibles, tout comme la majorité des musées de l'île.

Hébergement

Les hébergements abondent, mais la qualité n'est pas toujours au rendez-vous. Si la Corse compte un nombre grandissant d'adresses récentes et agréables, elles cohabitent en effet avec de nombreux hôtels de catégorie moyenne assez anciens, à la décoration d'un autre âge. Autre caractéristique : la forte élasticité des prix selon la saison. Ainsi, il n'est pas rare qu'une chambre coûte deux, voire trois fois plus cher en août qu'en basse saison. Sachez aussi que la plupart des établissements ferment de novembre à mars, faute de clients. Vous trouverez de bonnes opportunités, à des tarifs très raisonnables, en avant et en arrière-saison (avril-juin et septembre-octobre).

Campings

La Corse dispose d'un vaste réseau de campings, de qualité variable. Certains sont de simples terrains équipés de sanitaires mal entretenus, d'autres proposent des services dignes des meilleurs hôtels : piscine, activités sportives, salle de remise en forme, etc. En montagne, la plupart des refuges disposent d'une aire de bivouac réservée aux campeurs.

Le "camping à la ferme" est une formule originale et bon marché : on plante sa tente sur une parcelle d'une exploitation agricole, près de la bâtisse principale. On doit alors se contenter d'infrastructures plutôt limitées, que compense souvent la possibilité d'acheter directement les produits de l'exploitation.

Chambres d'hôtes

De plus en plus appréciées, les chambres d'hôtes se multiplient, mais leur nombre reste encore relativement limité par rapport à d'autres régions touristiques françaises (sans doute n'est-il pas dans la tradition corse de recevoir chez soi des personnes étrangères à la famille...). Généralement installées près des sites touristiques, dans un environnement attrayant et calme, elles constituent la meilleure manière d'appréhender la Corse.

Ici encore, les prestations varient énormément. Si la majorité des chambres d'hôtes présentent un bon niveau de confort et de propreté, elles se

différencient énormément côté décoration et cachet. Certaines chambres d'hôtes de luxe sont de vrais palaces, d'autres sont de simples constructions récentes, sans âme ni caractère. La plupart sont affiliées au réseau Gîtes de France ou à son concurrent Clévacances, qui garantissent le respect de normes de sécurité et de confort.

Le tarif, pour une chambre double avec petit-déjeuner, s'échelonne de 50 à plus de 100 € en fonction du confort et de la saison. Certaines proposent également la table d'hôtes au dîner.

La réservation est indispensable, car les propriétaires ne sont pas toujours présents sur place. Appelez directement la chambre d'hôtes ou contactez le **Relais départemental des Gîtes de France** (☑04 95 10 06 14 ; www.gites-corsica.com ; 77 cours Napoléon, 20 000 Ajaccio) ou l'office du tourisme local. Sur place, demandez le guide régional des *Chambres et tables d'hôtes de Corse*, actualisé chaque année, qui répertorie la plupart des prestations de l'île.

Hôtels

Anciens et désuets pour les uns, modernes et sans charme pour d'autres... les hôtels corses méritent souvent une mention "peuvent mieux faire". D'autant plus qu'ils sont quasi invariablement surévalués en haute saison, sur le littoral.

Tout ce mal étant dit, ajoutons que des adresses récentes proposant un service et une décoration dans l'air du temps fleurissent çà et là depuis quelques années, et que les hôtels de catégorie moyenne, à défaut d'avoir le moindre caractère ou de se différencier par la singularité de leur décoration ou de leurs prestations, sont en général corrects. Leurs tarifs varient selon la saison, le confort, la vue (mer ou maquis) et les

équipements (TV, piscine, clim, etc.). Les hôtels de catégorie supérieure sont fréquemment disséminés aux abords des stations balnéaires les plus fréquentées, mais certains font le pari de s'installer dans des villages de montagne. Renseignez-vous, car il arrive que des établissements haut de gamme pratiquent des tarifs étonnamment bas hors saison. La demi-pension est parfois exigée en haute saison, même si cette pratique est illégale.

De nombreux estivants adoptent la formule des villages-vacances, réservés des mois à l'avance par l'intermédiaire des tour-opérateurs. N'espérez pas y séjourner sans réservation.

Gîtes ruraux et meublés de tourisme

Les meublés de tourisme désignent des studios, des appartements et des villas équipés, loués à la semaine – une excellente formule pour ceux qui privilégient l'indépendance. Les tarifs sont très variables selon le site et la saison. Comptez une moyenne de 550 à 800 € la semaine en haute saison. On en dénombre plus de mille sur l'ensemble de l'île, dont un grand nombre sont affiliés aux Gîtes de France (voir *Chambres d'hôtes*). Demandez la brochure spécialisée (www.gites-de-france.com). Vous pouvez aussi contacter les offices du tourisme, qui possèdent la liste des hébergements locaux.

Gîtes d'étape et refuges

Destinés en principe aux randonneurs, les gîtes d'étape font également le bonheur des petits budgets, qui y trouvent une excellente alternative au camping et à l'hôtel. Ces structures, privées ou gérées par les mairies, se trouvent dans des villages traversés par des sentiers de randonnée (principalement les Mare a

Mare® et les Mare e Monti®).
Ils proposent un hébergement
en dortoir, de capacité
variable, avec des sanitaires
communs. Leur niveau de
confort est généralement
très satisfaisant voire, pour
certains, exceptionnel ! Ils
sont en général situés dans
des localités accessibles
par la route, ce qui permet
aux non-randonneurs
disposant d'un véhicule de
les utiliser. La demi-pension
est généralement demandée
en haute saison (35-40 € par
jour et par personne), mais ce
n'est pas systématique.

Les refuges se trouvent
pour leur part dans les zones
montagneuses reculées,
en premier lieu sur le
parcours du GR®20. Ils sont
exclusivement fréquentés
par les randonneurs, car
ils ne sont pas accessibles
par la route, et sont mis
en gérance par le PNRC.
L'hébergement se fait dans
des dortoirs assez rustiques.
Comptez 11 € la nuitée par
personne (6 € en bivouac).
Les gardiens assurent en
général un modeste service
de restauration (assiette de
fromages et de charcuterie,
plat chaud, ravitaillement de
base) pendant la saison.

Homosexualité

Bien que le regard de la
société corse sur les gays
et les lesbiennes ait évolué,
la différence sexuelle ne
s'affiche pas facilement sur
l'île et la discrétion reste
la règle. Quasi aucun club,
discothèque, restaurant
gay et lesbien ne s'affiche
comme tel en Corse. On
dit que la plage du Ricanto,
proche de l'aéroport Ajaccio-
Napoléon Bonaparte, la place
de Gaulle et le jardin Romieux
à Bastia, ou encore la plage
d'Algajola, près de L'Île-
Rousse, auraient les faveurs
des gays. Créée en 2004,
l'association lesbienne, gay,
bi, trans de Corse, Semu Qui
(www.semuqui.org) organise
des débats, des excursions
et des soirées à thème, en
partenariat avec l'association
de lutte contre le sida Aiutu
Corsu, et recense sur son
site quelques adresses
gay-friendly.

Offices du tourisme

Des offices du tourisme et
des syndicats d'initiative
sont implantés dans les villes
et les sites touristiques.
Certains ouvrent toute
l'année, d'autres seulement
pendant la saison touristique.
Le niveau de motivation et de
compétence des employés
est très variable. Ici vous
trouverez des professionnels
passionnés et compétents,
là des stagiaires ou de jeunes
recrues saisonnières qui
n'ont pas forcément réponse
à toutes les questions et qui
sont souvent débordés, ce
qui est étonnant pour une
destination aussi touristique.
Montrez-vous compréhensif.
Les brochures, disponibles en
nombre, sont généralement
d'excellente qualité.

De plus en plus d'offices
du tourisme possèdent leur
propre site Internet. Vous
trouverez leurs coordonnées
dans ce guide.

Organismes à connaître

L'**Agence du tourisme
de la Corse** (ATC ; ☎04 95
51 00 00 ; www.visit-corsica.
com ; 17 bd Roi-Jérôme,
20181 Ajaccio cedex 1)
fournit une multitude de
renseignements afin de
préparer au mieux son
voyage en Corse.
Le **parc naturel régional
de Corse** (PNRC ; ☎04 95 51
79 10 ; www.parc-corse.org ;
2 rue du Major-Lambroschini,
BP 417, 20184 Ajaccio
Cedex 1) est une excellente
source d'informations
pour les randonneurs. Son
personnel aide à mieux
découvrir les difficultés des
parcours, les hébergements,
l'approvisionnement,
les cartes, etc. Il est
théoriquement possible
de réserver ses nuitées en
refuge de montagne sur
son site Internet.
La **Fédération française
de randonnée pédestre**
(FFRP ; ☎01 44 89 93 93 ;
fax 01 40 35 85 67 ; www.
ffrandonnee.fr ; 64 rue du
Dessous-des-Berges, 75013
Paris) regroupe près de
1 800 associations et clubs.
Très efficace, cet organisme
national dispose de quelque
6 000 bénévoles pour
entretenir ses sentiers.
La **Compagnie régionale
des accompagnateurs en
montagne** (☎04 95 48 10
43, 06 22 50 70 29 ; Syndicat
intercommunal du Niolu, route
de Cuccia, 20224 Calacuccia)
regroupe une soixantaine
de professionnels répartis
sur toute l'île.

Voyager en solo

Les voyageurs solitaires
devront s'attendre à quelques
déconvenues, surtout dans
les localités touristiques du
littoral en haute saison, où
tout semble avoir été pensé
pour les couples et, surtout,
les familles. La tarification
en "simple" dans les hôtels
n'est pas courante et les
restaurateurs ne voient pas
toujours d'un très bon œil
un touriste seul s'installer
en terrasse, l'estimant
moins "rentable". En
revanche, les prestataires
habitués à la fréquentation
des randonneurs sont
plus habitués à ce type de
clientèle et facturent les
nuitées par personne.

Voyager seule

Aucun danger particulier
ne menace a priori les
voyageuses solitaires. La
tradition de respect de la
femme prévaut sur l'île,
et il suffit de se promener
dans les rues d'Ajaccio pour
se rendre compte que les
femmes corses n'ont rien à
envier à celles du continent.
Il n'y a donc pas de consigne
particulière à respecter sur le
plan vestimentaire, si ce n'est
les usages que dictent
le bon sens.

Transports

DEPUIS/VERS LA CORSE

Voie aérienne

Aéroports et compagnies aériennes

L'île compte 4 aéroports récents et bien équipés : Bastia, Ajaccio, Calvi et Figari. Celui d'Ajaccio a été renommé récemment aéroport d'Ajaccio-Napoléon Bonaparte (mais il est encore souvent désigné sous son ancien nom de Campo dell'Oro). Deux compagnies, Air France et Air Corsica, assurent des dessertes régulières. Deux compagnies low cost, easyJet (pour Bastia et Ajaccio) et XL Airways (Ajaccio et Figari) viennent compléter cette offre, parfois enrichie ponctuellement par d'autres d'autres services.

Les tarifs indiqués dans ces pages correspondent aux prix annoncés par les compagnies et les voyagistes au moment de la rédaction de cet ouvrage. Ils ne doivent pas être considérés comme une recommandation en faveur de tel ou tel transporteur, mais comme un support informatif lors de vos recherches personnelles.

Depuis/vers la France continentale

Air France et Air Corsica proposent des vols directs en partage de code de Paris, de Marseille, de Lyon ou de Nice vers Bastia, Ajaccio, Calvi et Figari. On compte de 2 à 8 vols par jour selon la ligne. Les tarifs sont extrêmement fluctuants selon la saison et la durée séparant la date de réservation de celle de départ. En ligne régulière, un aller-retour de Paris ou d'une grande ville de province vers la Corse pourra ainsi être facturé de 190 à plus de 300 € (durée de vol 1 heure 30). Les compagnies consentent diverses réductions, selon le profil du voyageur, les conditions d'achat du billet et les offres promotionnelles.

La compagnie low cost easyJet dessert régulièrement Bastia et Ajaccio au départ de Paris (1/j), tandis que XL Airways dessert Figari et Ajaccio de façon saisonnière.

Réservations et renseignements Air France :
www.airfrance.fr

Réservations et renseignements Air Corsica :
www.aircorsica.com

Réservations et renseignements easyJet :
www.easyjet.fr

Réservations et renseignements XL Airways:
www.xlairways.com

Depuis/vers la Belgique

L'option la moins chère est de recourir à la compagnie low cost Ryanair, qui effectue des vols saisonniers directs entre Bruxelles et Figari. Les tarifs peuvent être très intéressants si vous réservez plusieurs mois à l'avance.
Air France propose des allers-retours Bruxelles-Corse avec une escale à Lyon, Nice ou Paris. Comptez 3 heures 30 pour le trajet Bruxelles-Ajaccio et 4 heures 40 vers Bastia. Le prix moyen dépasse souvent 400 €, à moins de réserver longtemps à l'avance. En haute saison, il existe des vols charters directs.

Réservations et renseignements Ryanair :
www.ryanair.com/fr

Réservations et renseignements Air France :
www.airfrance.be

Depuis/vers la Suisse

Air France propose des vols vers la Corse au départ de Suisse (Genève), avec une ou deux escales. Comptez au moins 400 € pour un aller-retour sur un vol régulier, à moins de réserver longtemps à l'avance. En été, il existe également des liaisons charters et des vols directs, plus avantageux.

**Réservations
et renseignements
Air France** :
www.airfrance.ch

Surveillez également les propositions des compagnies low cost qui peuvent ouvrir des lignes entre Genève et la Corse, durant l'été.

Voie maritime

Six ports corses sont desservis par mer depuis le continent : Bastia et Porto-Vecchio sur la côte est ; L'Île-Rousse, Calvi, Ajaccio et Propriano sur la côte ouest. Les navires partent de France ou d'Italie. La Corse est la plus proche de cette dernière, tant en temps de trajet qu'en nombre de kilomètres (90 km séparent Piombino de Bastia). Le trajet Livourne/Bastia ne dure ainsi pas plus de 2 heures 30 en navire à grande vitesse (NGV). Second avantage, qui découle du premier, le prix de la traversée est souvent moins élevé, d'autant qu'il existe davantage de jours "basse saison" au départ des ports italiens.

La tarification des transporteurs étant particulièrement complexe, choisissez bien votre date de départ et profitez au maximum des jours "basse saison". En raison de la saisonnalité du tourisme en Corse, il est recommandé de réserver son billet plusieurs semaines à l'avance. La réservation est même impérative plusieurs mois à l'avance si vous décidez de partir avec votre véhicule au cœur de la haute saison.

Les tarifs varient selon la période, à plus forte raison pour les véhicules. De nombreuses réductions (familles, enfants, etc.) et promotions sont régulièrement proposées. Renseignez-vous auprès de chaque transporteur. Tous les tarifs sont disponibles sur les sites Internet des compagnies maritimes.

Des taxes et droits de port, variables selon la destination, s'ajoutent au prix du billet, tant pour les passagers que pour les véhicules. Le tarif de la traversée est calculé sur la base d'un billet passager avec fauteuil. À cela peut s'ajouter une "installation" : cabine (1, 2 ou 4 passagers) ou fauteuil en salon confortable (pour les traversées nocturnes).

La durée de la traversée varie selon le type de navire (NGV ou car-ferry) et les ports d'embarquement et de débarquement. S'il faut 6 heures pour relier Bastia au port de Nice en car-ferry, 3 heures 30 suffisent pour faire le même trajet en NGV.

Quatre principales compagnies desservent la Corse :

Corsica Ferries (www. corsicaferries.com). Au départ de Toulon, de Nice, de Savone et de Livourne, liaisons avec Bastia, L'Île-Rousse, Ajaccio et Calvi.

La Compagnie méridionale de navigation (www.lameridionale.fr). Au départ de Marseille, traversées de nuit vers Ajaccio, Bastia et Propriano. La CMN assure également des rotations estivales entre Propriano et Porto Torres, en Sardaigne.

Moby Lines (www.mobylines. fr). Liaisons avec Bastia depuis Gênes et Livourne, et avec Bonifacio depuis Santa Teresa di Gallura (Sardaigne).

SNCM (www.sncm.fr). Liaisons au départ de Marseille vers Calvi, Bastia, L'Île-Rousse, Ajaccio, Propriano et Porto-Vecchio, et depuis Nice vers Calvi, L'Île-Rousse et Ajaccio.

Citons enfin la **Saremar** (www.saremar.it), qui assure des liaisons entre Santa Teresa di Gallura (Sardaigne) et Bonifacio.

Voyages organisés

L'**Agence du tourisme de la Corse** (ATC, ☑04 95 51 00 00 ; www. visit-corsica.com) pourra vous fournir la liste des tour-opérateurs de l'île.

COMMENT CIRCULER

Bateau

À moins d'être arrivé en bateau ou d'en louer un sur place, ce mode de transport reste peu développé sur l'île. Seuls certains sites avant tout accessibles par mer, comme la plage du Lodo (près de Saint-Florent), le village de Girolata ou les îles Lavezzi, sont desservis en saison par des services touristiques. S'y ajoutent les excursions estivales, à la journée ou demi-journée, entre Porto-Vecchio et Bonifacio, entre Porto et Calvi, ou encore entre Ajaccio et la réserve de Scandola.

Les voyageurs trouvent parfois un arrangement avec les bateaux effectuant ces excursions pour ne faire qu'un aller simple. Il est ainsi théoriquement possible de joindre par mer Calvi et Porto (Girolata), Calvi et Ajaccio, ou encore Bonifacio et Porto-Vecchio. Les tarifs proposés, basés sur les prix des sorties en mer "touristiques", sont malheureusement souvent décourageants.

Louer une embarcation légère, gonflable ou semi-rigide est un bon moyen pour découvrir certaines portions du littoral de l'île. Les plaisanciers trouveront des informations sur les services proposés dans les principaux ports de l'île dans les pages régionales de ce guide.

Circuits organisés

Diverses compagnies proposent sur place des excursions en bus. Plusieurs itinéraires d'une demi-journée, d'une journée ou de 2 jours figurent par exemple au catalogue de la compagnie **Les Beaux Voyages** (☑04 95 65 11 35 ; www.lesbeauxvoyagesencorse. com), basée à Calvi, parmi lesquels la forêt de Bonifato, les vieux villages de Balagne, le golfe de Porto, le cap Corse, ou encore un tour de l'île jusqu'à Ajaccio et Bonifacio. Toujours à Calvi, l'agence **Corse Voyages** (☑04 95 65 00 47, 04 95 65 27 65 ; www.corsevoyages.com) organise des excursions à des tarifs similaires.

Au départ d'Ajaccio et de Bastia, **Ollandini Voyages** (☑08 92 23 23 10 ; www. ollandini-voyages.fr), l'un des principaux tour-opérateurs corses, a une offre comparable.

Souvent, les départs ont lieu si un nombre minimal de participants sont inscrits. Les bus confortables de ces compagnies concentrent leur activité sur les mois estivaux. Mieux vaut réserver.

En stop

Fréquemment utilisé par les randonneurs, le stop permet de rejoindre des hameaux mal desservis par les transports en commun. En Corse, comme ailleurs, il comporte des risques. Il semble que le stop fonctionne assez bien en été sur le littoral. La faible circulation le rend nettement plus aléatoire sur les routes de montagne.

En règle générale, ce moyen de transport est déconseillé aux femmes voyageant seules.

Taxi

Particulièrement onéreux pour les voyageurs en solo, le taxi est parfois le seul moyen de transport disponible, notamment vers certains aéroports. On peut éventuellement se regrouper (les taxis acceptent jusqu'à 4 passagers) afin de réduire la note.

Train

Le réseau des **Chemins de fer de la Corse** (CFC ; www.ter-sncf.com/Regions/ Corse/fr) assure 4 liaisons en toutes saisons : Ajaccio-Bastia, Bastia-Corte, Ajaccio-Calvi et Calvi-Bastia. Effectués par des versions modernes des anciennes michelines, climatisées et panoramiques, ces itinéraires sont l'occasion de découvrir les paysages exceptionnels de l'intérieur de l'île. Le train est également un très bon moyen de voyager à prix raisonnable en Corse. L'arrivée en 2012 des nouveaux matériels a légèrement réduit les temps de parcours. Le trajet Bastia-Ajaccio dure dorénavant 3 heures 20 (21,60 €).

Une réduction de 25% est appliquée sur les allers-retours de plus de 200 km effectués le jour même ou le lendemain.

Afin de démontrer que le train est un véritable moyen de transport sur l'île – et pas seulement l'occasion de découvrir de beaux paysages –, la SNCF et les CFC proposent la "Carte Zoom". Pour 49 €, elle permet la libre circulation sur l'ensemble du réseau corse pendant 7 jours consécutifs.

À l'heure où nous écrivons ces lignes, les transports de bicyclettes à bord des trains sont suspendus. Renseignez-vous.

Les principales gares desservies sont les suivantes (pour les horaires, variables, le mieux est de consulter le site Internet de la CFC) :

Bastia-Ajaccio
Itinéraire : Bastia/Biguglia/Casamozza/Ponte-Novo/Ponte-Leccia/Francardo/Corte/Venaco/Vivario/Vizzavona/Bocognano/Ajaccio
Quatre liaisons quotidiennes (cinq liaisons pour Bastia-Corte).

Ajaccio-Calvi
Itinéraire : Ajaccio/Ponte-Leccia/L'Île-Rousse/Algajola/Calvi
Deux liaisons quotidiennes (changement en correspondance à Ponte-Leccia).

Bastia-Calvi
Itinéraire : Bastia/Biguglia/Casamozza/Ponte-Novo/Ponte-Leccia/L'Île-Rousse/Algajola/Calvi
Deux liaisons quotidiennes (changement en correspondance à Ponte-Leccia).

Reportez-vous aux rubriques *Depuis/vers* dans les chapitres régionaux pour plus de précisions.

Le train des plages de la Balagne
Des michelines relient Calvi à L'Île-Rousse par la côte, desservant au passage une quinzaine de plages, dont Lumio, Sant'Ambroggio,

Algajola, Davia et Bodri. Les départs ont lieu une dizaine de fois par jour dans chaque sens, entre avril et octobre. L'aller simple Calvi/L'Île-Rousse coûte 6 €.

Bus
D'innombrables compagnies de bus sillonnent la Corse. Cela ne signifie pas pour autant qu'il soit aisé de se déplacer sur l'île par ce moyen de transport. D'une part parce qu'il est difficile de s'y retrouver : connaître l'intégralité des liaisons desservant tel ou tel lieu relève parfois de la gageure, un grand nombre de compagnies n'assurant qu'une seule ligne. D'autre part parce que beaucoup de liaisons sont rares (1 ou 2/j, souvent tôt le matin) ou saisonnières, notamment en dehors des côtes.

Vous devriez cependant pouvoir rejoindre en bus un grand nombre des localités de l'île en été, à l'exception des villages de montagne reculés. Le réseau est nettement moins complet hors saison. En hiver, certains services sont regroupés avec le ramassage scolaire et l'acheminement du courrier.

Les bus circulant sur les grands axes sont généralement modernes et confortables. Ceux qui desservent les localités de moindre taille sont plus petits et moins rapides.

Les tarifs sont relativement élevés compte tenu des faibles distances parcourues (un trajet revient en moyenne à 0,15 €/km). Ils s'expliquent par la saisonnalité de la demande.

Les billets doivent en général être achetés directement auprès du chauffeur, à bord du bus. Il est préférable de vérifier les horaires et de réserver vos billets dans les villes qui disposent de gares routières.

Reportez-vous aux rubriques *Depuis/vers* dans

les chapitres régionaux pour plus de précisions et les coordonnées des transporteurs.

Vélo
La chaleur estivale et le relief font du cyclisme une activité assez difficile à pratiquer en Corse. Néanmoins, les "grimpeurs" connaîtront de véritables joies à se retrouver dans la montagne corse. Plusieurs prestataires louent des VTT entre 12 et 20 € par jour (les tarifs sont généralement dégressifs à partir de 3 jours).

Reportez-vous à l'encadré *La Corse à vélo*, p. 156.

Voiture et moto
La voiture et la moto sont sans conteste les meilleurs moyens de circuler sur l'île. Certains choisissent de venir en Corse avec leur propre véhicule. Si tel n'est pas votre cas, vous pourrez avoir recours aux multiples sociétés de location implantées sur place. Plus rares sont les compagnies proposant des locations de motos ou de scooters.

Pour des raisons d'assurance, il est souvent impossible de louer un véhicule à Nice ou à Marseille et de l'embarquer sur un ferry à destination de la Corse. Cette formule s'avère de toute façon peu intéressante compte tenu des tarifs pratiqués sur l'île.

Location
C'est dans les aéroports, où sont représentées les sociétés de location les plus importantes, que vous aurez le plus grand choix. Elles proposent en général des véhicules neufs ou récents. Leurs tarifs incluent une assurance tous risques et un kilométrage illimité, ou du moins suffisant pour la taille de l'île. L'empreinte de votre carte de crédit (indispensable en cas de location) fait

office de caution. Si votre responsabilité est engagée dans un accident, c'est à votre retour seulement que le montant de la franchise sera débité (en partie ou entièrement, généralement entre 600 et 1 000 €). Une assurance supplémentaire de 10 à 25 € par jour vous permet d'annuler la franchise. Certaines cartes de crédit permettent de bénéficier automatiquement d'une telle assurance.

N'hésitez pas à faire jouer la concurrence entre les loueurs. En fonction de la demande, vous pourrez alors obtenir un siège enfant, un véhicule de taille supérieure, voire une journée de location supplémentaire pour le même prix. Il est également possible d'éviter de payer la taxe s'appliquant à toute location dans les aéroports. Il est difficile de donner des indications tarifaires. Les prix dépendent de la saison, de la catégorie du véhicule, du nombre de jours de location, des promotions ponctuelles, et il n'est pas rare que dans une même semaine les prix évoluent chez un même loueur. En règle générale, attendez-vous à payer entre 35 et 50 € par jour pour la location d'un véhicule de catégorie A (3 portes, 4 places).

Faites le tour de toutes les agences pour faire jouer la concurrence. Vous pouvez également contacter, avant le départ, les courtiers par internet, comme **Corse Easy Car** (www.easycar.fr/car-hire/france/corsica.aspx), **Autoescape** (www.autoescape.com), **Elocationdevoiture** (www.elocationdevoiture.fr), qui proposent généralement des tarifs plus avantageux.

Conditions de circulation

Soyez particulièrement attentif à votre conduite en Corse : les routes sont sinueuses, vous risquez à tout moment de croiser du bétail errant sur la route, et certains conducteurs insulaires sont pressés et impatients. Si un automobiliste vous talonne sur une route difficile (dont il a peut-être plus l'habitude que vous), n'hésitez pas à lui permettre de vous doubler dès que possible, vos nerfs en seront soulagés...

Essence

Surveillez également votre jauge de carburant. Certaines routes sont mal approvisionnées : de petites routes bien sûr, telles que celles de la Castagniccia ou

des montagnes du Centre, mais aussi certains tronçons de route nationale. Ainsi, celui qui relie Ajaccio et Porto (80 km) ne comporte qu'une seule station à essence à Cargèse.

Les coordonnées des principaux loueurs de voitures sont les suivantes :

Ada
Aéroport d'Ajaccio :
☑ 04 95 23 56 57
Aéroport de Bastia :
☑ 04 95 54 55 44
www.ada.fr

Avis
Aéroport d'Ajaccio :
☑ 04 95 23 56 90
Aéroport de Bastia :
☑ 04 95 54 55 46
Aéroport de Calvi :
☑ 04 95 65 88 38
Aéroport de Figari :
☑ 04 95 71 00 01
www.avis.fr

Budget
Aéroport d'Ajaccio :
☑ 04 95 23 57 23
Aéroport de Bastia :
☑ 04 95 30 05 05
www.budget.fr

Europcar
Aéroport d'Ajaccio :
☑ 04 95 23 57 01
Aéroport de Bastia :
☑ 04 95 30 09 50
Aéroport de Calvi :
☑ 04 95 65 10 19
Aéroport de Figari :
☑ 04 95 71 01 41
www.europcar.fr

Hertz
Aéroport d'Ajaccio :
☑ 04 95 23 57 04
Aéroport de Bastia :
☑ 04 95 30 05 00
Aéroport de Calvi :
☑ 04 95 65 02 96
www.hertzcorse.com

National Citer
Aéroport d'Ajaccio :
☑ 04 95 23 57 15
Aéroport de Bastia :
☑ 04 95 36 07 85
Aéroport de Calvi :
☑ 04 95 65 16 06
Aéroport de Figari :
☑ 04 95 71 02 00
www.citer.fr

	Ajaccio	Bastia	Bonifacio	Calvi	Corte	Porto	Porto-Vecchio
Bastia	154						
Bonifacio	136	170					
Calvi	176	92	240				
Corte	84	70	148	92			
Porto	82	134	220	81	88		
Porto-Vecchio	164	142	28	212	120	220	
Sartène	84	178	54	262	162	154	64

En coulisses

VOS RÉACTIONS ?

Vos commentaires nous sont très précieux et nous permettent d'améliorer constamment nos guides. Notre équipe lit toutes vos lettres avec la plus grande attention. Nous ne pouvons pas répondre individuellement à tous ceux qui nous écrivent, mais vos commentaires sont transmis aux auteurs concernés. Tous les lecteurs qui prennent la peine de nous communiquer des informations sont remerciés dans l'édition suivante, et ceux qui nous fournissent les renseignements les plus utiles se voient offrir un guide.

Pour nous faire part de vos réactions, prendre connaissance de notre catalogue et vous abonner à notre newsletter, consultez notre site Internet : **www.lonelyplanet.fr**

Nous reprenons parfois des extraits de notre courrier pour les publier dans nos produits, guides ou sites web. Si vous ne souhaitez pas que vos commentaires soient repris ou que votre nom apparaisse, merci de nous le préciser. Notre politique en matière de confidentialité est disponible sur notre site Internet.

À NOS LECTEURS

Nous remercions vivement les lecteurs qui ont utilisé la précédente édition et qui ont pris la peine de nous écrire pour nous communiquer informations, commentaires et anecdotes :

Sophie Ascenci, Gérald Baudry, Laure-Anne Billot, Natalia Bonnet, Monique Bosc, Délia Cauchoix, Bénédicte Dulin, Muriel Girardin, R. Guerber, Aude Lecordier, Michèle Naguel, François Piard, Astrid Renaudin, Anne Reversez, Élodie Segura, Pascal Tanchoux .

UN MOT DES AUTEURS

Jean-Bernard Carillet

Un grand merci à toute l'équipe éditoriale pour le travail de titan accompli lors de la réalisation des guides régionaux : Didier, Isabelle, Laurence et Martine, ainsi que Nicolas et Dominique.

Sur place, je remercie spécialement Claude Albert, qui a également œuvré à la dynamique de cet ouvrage, et m'a gentiment accueilli dans son Ghjunsani d'adoption. À tous les Corses que j'ai croisés pendant mon travail, un grand *Pace e salute !*

Olivier Cirendini

Merci à tous ceux qui m'ont aidé à réaliser la dernière mouture de ces pages, notamment Cathy pour le café et son accueil, Claude Albert, Michel Delaugerre et ceux, qui se reconnaîtront, qui rendent certaines étapes inoubliables sur le cap Corse, à Porto et dans le Liamone. Merci, aussi, aux voyageurs rencontrés en chemin pour leurs commentaires et conseils, voire leur assistance – je pense notamment à ce couple qui m'a offert quelques pièces pour le parking de Sant'Antonino, qui ne prend ni la carte de crédit ni les billets ! Je n'oublie pas, enfin, tous ceux qui, depuis plus de douze ans, ont contribué, parfois à leur insu, à l'enrichissement de ce guide, ni Dumé et la valeureuse équipe de Lonely Planet. À tous, *Pace e salute !*

REMERCIEMENTS

GR® est une marque déposée par la Fédération française de randonnée pédestre. Les droits de propriété intellectuelle du tracé GR®20 appartiennent à la Fédération française de randonnée pédestre. Il est reproduit avec son aimable autorisation.

À PROPOS DE CE LIVRE

Cet ouvrage est la 10e édition du guide *Corse*. Claude Albert, Olivier Bauer et Emmanuel Dautant ont participé à ses éditions précédentes. Concernant le chapitre *Randonnée* et les balades, nombreux sont ceux à y avoir usé leurs semelles et leurs mines de crayon au fil des éditions.

CRÉDITS

Direction éditoriale
Didier Férat

Coordination éditoriale
Dominique Bovet

Responsable prépresse
Jean-Noël Doan

Maquette
Marie Dautet

Cartographie
Martine Marmouget

Couverture
Annabelle Henry et Jean-Noël Doan

Remerciements à Marjorie Bensaada pour sa contribution au texte et à Julie-Pomme Séramour pour son aide précieuse. Un grand merci à Dominique Spaety et à toute l'équipe du bureau parisien. Enfin, merci à Luan Angel, Tracy Kislingbury et Mark Walsh du bureau londonien, ainsi qu'à Glenn van der Knijff, Chris Love et Craig Kilburn du bureau australien.

CRÉDITS PHOTOGRAPHIQUES

Photographie de couverture : Bonifacio / © John Miller.

De nombreuses photographies de ce guide sont également disponibles auprès de notre agence photographique Lonely Planet Images (LPI) : www.lonelyplanetimages.com

Index

Références des cartes **en gras**
Références des photos en bleu

INDEX DES ENCADRÉS

Randonnées

Comment utiliser ce guide

Ces symboles vous aideront à identifier les différentes rubriques :

- 👁 À voir
- 🏃 Activités
- 🎓 Cours
- 👉 Circuits organisés
- 🎉 Fêtes et festivals
- 🛏 Où se loger
- 🍴 Où se restaurer
- 🍷 Où prendre un verre
- ☆ Où sortir
- 🛍 Achats
- ℹ Renseignements/transports

Ces symboles vous donneront des informations essentielles au sein de chaque rubrique :

- 📞 Numéro de téléphone
- ⏰ Horaires d'ouverture
- P Parking
- ⊖ Non-fumeurs
- ✳ Climatisation
- @ Accès Internet
- s Chambre simple
- f Chambre familiale
- 📶 Wi-Fi
- 🏊 Piscine
- 🌱 Végétarien
- 👪 Familles bienvenues
- 🐾 Animaux acceptés
- dort Dortoir
- d Chambre double
- app Appartement
- 🚌 Bus
- 🚢 Ferry
- Ⓜ Métro
- 🚊 Tramway
- 🚆 Train
- ch Chambre
- tr Chambre triple
- ste Suite

Légende des cartes

À voir
- Centre d'intérêt
- Château
- Église/cathédrale
- Monument
- Musée/galerie
- Mosquée
- Plage
- Ruines
- Synagogue
- Temple bouddhiste
- Temple hindou
- Vignoble
- Zoo

Activités
- Plongée/snorkeling
- Canoë/kayak
- Ski
- Surf
- Piscine/baignade
- Randonnée
- Planche à voile
- Autres activités

Se loger
- Hébergement
- Camping

Se restaurer
- Restauration

Prendre un verre
- Bar
- Café

Sortir
- Spectacle

Achats
- Magasin

Renseignements
- Poste
- Point d'information

Transports
- Aéroport/aérodrome
- Poste frontière
- Bus
- Téléphérique/funiculaire
- Piste cyclable
- Ferry
- Métro
- Monorail
- Parking
- S-Bahn
- Taxi
- Train/rail
- Tramway
- Tube
- U-Bahn
- Autre moyen de transport

Routes
- Autoroute à péage
- Autoroute
- Nationale
- Départementale
- Cantonale
- Chemin
- Route non goudronnée
- Rue piétonne
- Escalier
- Tunnel
- Passerelle
- Promenade à pied
- Promenade à pied (variante)
- Sentier

Limites et frontières
- Pays
- Province/État
- Contestée
- Région/banlieue
- Parc maritime
- Falaise/escarpement
- Rempart

Population
- Capitale (pays)
- Capitale (État/province)
- Grande ville
- Petite ville/village

Géographie
- Refuge/gîte
- Phare
- Point de vue
- Montagne/volcan
- Oasis
- Parc
- Col
- Aire de pique-nique
- Cascade

Hydrographie
- Rivière
- Rivière intermittente
- Marais/mangrove
- Récif
- Canal
- Eau
- Lac asséché/salé/intermittent
- Glacier

Topographie
- Plage/désert
- Cimetière (chrétien)
- Cimetière (autre religion)
- Parc/forêt
- Terrain de sport
- Site (édifice)
- Site incontournable (édifice)

LES GUIDES LONELY PLANET

Une vieille voiture déglinguée, quelques dollars en poche et le goût de l'aventure, c'est tout ce dont Tony et Maureen Wheeler eurent besoin pour réaliser, en 1972, le voyage d'une vie : rallier l'Australie par voie terrestre via l'Europe et l'Asie. De retour après un périple harassant de plusieurs mois, et forts de cette expérience formatrice, ils rédigèrent sur un coin de table leur premier guide, Across Asia on the Cheap, qui se vendit à 1 500 exemplaires en l'espace d'une semaine. Ainsi naquit Lonely Planet, qui possède aujourd'hui des bureaux à Melbourne, Londres et Oakland, et emploie plus de 600 personnes. Nous partageons l'opinion de Tony, pour qui un bon guide doit à la fois informer, éduquer et distraire.

NOS AUTEURS

Jean-Bernard Carillet

Passionné par les îles, qu'il explore dans toutes les mers du globe, Jean-Bernard prend un plaisir toujours renouvelé à sillonner la Corse, l'une de ses destinations préférées. Toutes les facettes de l'île l'ont conquis : les paysages, la vitalité culturelle, les villages, les festivals, la gastronomie, les activités sportives... Sa région préférée ? Il hésite entre l'Alta Rocca et le cap Corse.
Journaliste et photographe spécialisé dans l'univers du voyage, Jean-Bernard travaille régulièrement pour Lonely Planet et collabore à une dizaine de titres dans la presse magazine, en France et à l'étranger.

Olivier Cirendini

"Votre nom, c'est italien, non ?" Cette question, Olivier l'a entendue souvent. Et chaque fois il a répondu la même chose : "Non, c'est corse." Constatant que le nom de cette île déclenchait des réactions diverses auprès de ses contemporains, ce natif de Paris a fini par avoir envie d'aller y jeter un œil. Journaliste et photographe, Olivier collabore régulièrement aux pages Voyage de plusieurs titres de la presse magazine. Voyageant pour le travail et le plaisir, des îles Kerguelen au grand Nord norvégien et des tréfonds de l'Androy aux montagnes des Lolo noirs, il a signé une vingtaine de titres de la collection Lonely Planet en français, notamment Madagascar, La Réunion et Maurice et Rodrigues, et a collaboré à Corse dès sa première édition. Olivier est également l'auteur de Marrakech Itinéraires, en collaboration avec le dessinateur Jacques Ferrandez (éd. Casterman-Lonely Planet).

Corse
10e édition

© Lonely Planet Publications Pty Ltd 2013
© Lonely Planet et Place des éditeurs 2013
Photographes © comme indiqué 2013

Dépôt légal Avril 2013
ISBN 978-2-81612-951-9
Imprimé par IME (Imprimerie Moderne de l'Est), Baume-les-Dames, France

Bien que les auteurs et Lonely Planet aient préparé ce guide avec tout le soin nécessaire, nous ne pouvons garantir l'exhaustivité ni l'exactitude du contenu. Lonely Planet ne pourra être tenu responsable des dommages que pourraient subir les personnes utilisant cet ouvrage.

MIXTE
Issu de sources responsables
FSC® C003309

En Voyage Éditions . un département | place des éditeurs